TOUT CHANGE
PARCE QUE
RIEN NE CHANGE

Du même auteur

Histoire du progrès social
Éditions Rencontre, 1965

Staline, le Communisme et la Russie
Coll. « Médiations », Gonthier, 1970

Chacun son tour
Stock, 1973

Complot contre la démocratie
Flammarion, 1975,
Coll. « Médiations », Gonthier, 1982

Liberté, égalité quand même
Alain Moreau, 1981

La Guerre civile
Seuil, 1982

Et si on essayait autre chose ?
Seuil, 1983

L'Extraordinaire Métamorphose
ou 5 ans de la vie de Victor Hugo
1847-1851
Seuil, 1984

Esquisse d'une philosophie du mensonge
Flammarion, 1989

Poèmes politiques
Fayard, 1990

Jean-François Kahn

Tout change parce que rien ne change

Introduction à une théorie de l'évolution sociale

Fayard

PRÉSENTATION

Tout le propos de ce livre est résumé dans son sous-titre.

Il s'agit d'une *introduction*, en ce sens que des directions y sont esquissées, des pistes y sont ouvertes, des hypothèses y sont formulées, un cadre d'investigation y est tracé. Mais à supposer que ce travail soit pertinent et les perspectives qu'il propose recevables, il devra être prolongé par un travail d'approfondissement, de vérification, de corrections éventuelles, de mise à l'épreuve.

Il s'agit d'une *introduction à une théorie*. Le propos n'est donc pas de décrire « en soi » une réalité, ni même de l'analyser, mais de proposer, exemples concrets et récits circonstanciés à l'appui, une nouvelle grille d'explication et d'élucidation d'un processus évolutif général. L'ambition, ne le dissimulons pas, est de proposer, fût-ce sous forme d'esquisse, une alternative aux deux ressorts théoriques qui sous-tendent aujourd'hui le discours néo-socialiste et le discours néo-libéral sur le monde.

Il s'agit d'une *introduction à une théorie de l'évolution*. En référence, non point à une orthodoxie darwinienne que j'aurais la prétention d'affronter, mais à une volonté de soumettre l'histoire particulière de l'homme collectif à la problématique générale d'une évolution dont cette histoire n'est qu'un moment.

Il s'agit d'une *introduction à une théorie de l'évolution sociale*. J'entends, en effet, repérer, désigner, décrire et démontrer ce qui m'apparaît être le moteur, unitaire d'un point de vue évolutionniste, du développement des sociétés, tirer toutes les conséquences de ce « recentrage » et remettre tout à plat en fonction de cette nouvelle donne.

Le noyau dur de la théorie que je vais présenter est contenu dans l'énoncé du titre : *Tout change parce que rien ne change.*

La nouveauté n'est pas dans le *tout change*, ni dans le *rien ne change,* mais dans le *parce que*.

Le concept d'« invariance structurelle » et la notion de « recomposition interne » en constituent les éléments clés. La théorie principale débouche sur une théorie induite : celle de la « double sélection », qui ouvre un espace de synthèse possible entre l'inné et l'acquis, entre la nature et la culture.

La méthode : partir du plus simple pour accéder peu à peu au plus complexe.

● Tenter d'être d'autant plus clair et didactique que l'on accède au plus complexe.

● Éviter, autant que faire se peut, d'obscurcir le propos par le recours au jargon, ou par une excessive (et inutile) scientificité du vocabulaire. D'où ma décision de ne retenir qu'une vingtaine de termes spécifiques : ceux-là sont complètement adéquats à leur sujet.

● Asseoir constamment le discours sur des exemples concrets et des illustrations éloquentes.

● Décloisonner les approches pour tenter de libérer le propos général, dont l'homme social est la cible, de l'enfermement des disciplines qui le nourrissent.

Le plan de l'ouvrage s'articule ainsi :

— Le premier chapitre se présente comme un voyage exploratoire dans les vastes espaces de l'actualité qui nous permettra de traquer, de débusquer, puis de décrire le ressort principal du processus évolutif que nous entendons ensuite dérouler. Il s'agit en quelque sorte d'une ouverture.

— Le deuxième chapitre — exposé du leitmotiv — vise à définir, sans contredire le projet de vulgarisation, les notions et concepts clés d'« invariance structurelle » et de « recomposition interne » qui rythmeront le déroulement de notre démonstration.

— Dans les chapitres III, IV et V (premier acte) nous montrerons en quoi le féodalisme, l'esclavagisme, le capitalisme, le tribalisme et l'aspiration au socialisme, loin d'être des moments d'une évolution en escaliers, constituent des structures sociales tendanciellement invariantes.

— Le chapitre VI, prolongeant celui qui est consacré au tribalisme, se propose d'élucider ce que dissimule la prégnance du concept de race.

— Les chapitres VII, VIII, IX et X (deuxième acte) s'interrogent sur la manière dont l'évolution sociale de notre espèce en particulier s'articule à l'évolution des espèces en général, et avance l'hypothèse de la « double sélection » dont nous avons dit qu'elle ouvre un espace de confluence où viennent se jeter ce qui remonte de la nature et ce qui renvoie à la culture.

— Les chapitres XI, XII, XIII et XIV (troisième acte) appliquent l'ensemble des propositions précédentes à la problématique propre au cerveau humain, en tant que lieu où se noue le processus précédemment décrit. D'où une révision relative des concepts traditionnels concernant la hiérarchisation des instincts, des émotions, de la conscience et de l'intelligence imaginative. Est inclus dans ce chapitre l'examen du système de la guerre, du rôle des données économiques objectives et de la place de la pensée critique.

— Les chapitres XV, XVI et XVII (ballet) confrontent les hypothèses préalablement formulées à trois cas de figure : l'évolution des mœurs et les rapports inter-sexes ; la crise de la poésie et de la musique ; le rôle social du signe comme substitut à l'odeur.

— Le chapitre XVIII (interlude) reprend, en l'élargissant par l'apport de nouvelles intuitions philosophiques, la problématique de la double sélection comme ouvrant un espace proprement humain de fusion entre l'acquis et l'inné.

— Le chapitre XIX (quatrième acte) oppose la structure invariante du monde des idées au rôle de catalyseur joué par la pensée critique, et débouche sur une reformulation de la notion de « foule » en tant que médiatrice entre les idées invariantes et leur recomposition sous la pression de la pensée critique.

— Le chapitre XX (dernier acte) place l'ensemble des hypothèses préalablement esquissées sous le projecteur des sciences physico-chimiques modernes, plaide la pertinence de cette confrontation éclairante en soi.

— En conclusion de quoi, le chapitre XXI montre que certaines invariances sociales propres aux phénomènes de masse renvoient à des lois mises en relief par la thermodynamique moderne, et propose une explication relativiste de la flambée des extrémismes identitaires.

— Le dernier chapitre XXII enfin (final), revenant sur la dialectique du hasard et de la nécessité, place l'ensemble du propos hors de tout dualisme, telle l'opposition bipolaire du déterminisme et de la théorie du chaos.

En conclusion, ce livre se propose, en contradiction avec les théories constitutives des conservatismes de droite et de gauche, d'explorer les conditions d'un changement profond, radical, et véritable.

Il se veut, en cela, arme contre la désespérance et le nihilisme.

Il vise en somme à refonder un optimisme du réel : oui, il est possible de modeler un devenir aux dimensions de nos rêves. A condition d'explorer lucidement les lois de sa dynamique.

CHAPITRE PREMIER

Traversée d'un champ de fouilles pour y recueillir quelques indices

5 décembre 1993 : le parti néofasciste italien rassemble 47 % des suffrages au second tour des élections municipales à Rome. La petite-fille de Benito Mussolini recueille, en se réclamant de son grand-père, presque la moitié des voix à Naples.

L'ex-parti communiste allemand (PSD) triomphe à Potsdam, importante métropole de l'ancienne Allemagne de l'Est, où il séduit presque la moitié des votants (44 %) et remporte un succès notable dans l'ensemble de l'État de Brandebourg.

11 décembre 1993 : élection présidentielle au Chili. Le candidat élu est le fils du président démocrate-chrétien Frei, et son principal challenger le neveu du candidat conservateur, Alessandri, qui dirigèrent le pays juste avant l'expérience Allende et la dictature Pinochet. Les parenthèses effacées, on revient au point de départ.

12 décembre 1993 : la Russie vote. Pour la première fois depuis 1917, les électeurs ont le choix entre douze listes concurrentes. Les libéraux sont écrasés. L'extrême droite xénophobe arrive largement en tête. Le parti communiste, ou ce qu'il en reste, obtient un tel score qu'il devient le groupe charnière du nouveau Parlement.

16 décembre 1993 : laïcards contre curetons. La révision de la loi Falloux (de 1850) relance en France la guerre scolaire.

17 décembre 1993 : un sondage révèle que 69 % des Américains croient en l'existence des anges.

18 décembre 1993 : les néo-nationalistes ex-communistes remportent les élections en Serbie.

27 décembre 1993 : 59 % des citoyens de l'Inde, selon un sondage, se déclarent favorables à une dictature.

30 décembre 1993 : la Banque mondiale publie son atlas annuel. Il en ressort que la Suisse reste, pour le revenu national par tête, le pays le plus riche du monde, et le Mozambique (en l'absence de statistiques sur Haïti et l'Angola) le plus pauvre : 36 230 dollars contre 30 ! En un an le revenu par tête a reculé de 25 % au Mozambique et augmenté de 7 % en Suisse. La seule progression du revenu suisse représente le revenu annuel cumulé des quatorze pays les plus pauvres, dont dix se trouvent en Afrique. Plus d'un milliard de personnes dans le monde disposent d'un revenu de moins d'un dollar par jour, ce qui correspond au niveau de vie européen d'il y a deux siècles. On compte dans les pays les plus défavorisés 168 décès pour 1 000 enfants, contre 7 décès pour 1 000 enfants en France. L'espérance de vie est de 79 ans au Japon et de 45 ans en Angola.

1er janvier 1994 : douze mille personnes se sont suicidées, au cours de l'année 1993, au Bangladesh, en majorité des femmes qui, n'ayant pu verser la très forte dot promise à leurs belles-familles en vertu d'une tradition interdite depuis 1980, ont décidé d'échapper de la sorte aux tortures et autres mauvais traitements qui leur étaient réservés.

2 janvier 1994 : plusieurs centaines de morts à Kaboul à l'issue de combats opposant des groupes ethnico-islamistes rivaux. L'attaque de la coalition intégriste est dirigée par un ex-général communiste qui, pour des raisons d'intérêt ou de susceptibilité personnels, a fait basculer sa milice ouzbek du côté des extrémistes religieux.

3 janvier 1994 : une insurrection paysanne armée éclate dans l'État mexicain de Chiapas. Les guérilleros, en majorité indiens, s'intitulent « Armée zapatiste de libération nationale », en référence au leader du soulèvement de 1918. *Le Figaro* titre : « Le Mexique rattrapé par son histoire ».

BRUITS...

(Facétie)

Du bruit. Le même bruit. Toujours. Le monde comme une station de radio faillie qui ne diffuserait plus que de la musique en boucle. Mélodie gigogne qui, inlassablement, s'ouvre sur elle-même. Qui songe à remplacer la partition à l'intérieur de la boîte à musique ? Caïn, qu'as-tu fait de ton frère ? Nous avons brûlé une sainte ! Pilate s'en lave les mains. Que fait la police ? Sœur Anne ne vois-tu rien venir ? Si... L'homme au couteau entre les dents campe à la porte du Kremlin. L'Afrique est mal partie. La torche de Sarajevo risque de faire sauter la poudrière des Balkans ! Les Sarrasins traverseront-ils la Méditerranée ? Rien de nouveau sous le soleil de Satan ! Tourne manège et vogue la complainte ! Encourager l'épargne, restaurer la confiance, redresser le pays. De quoi est la triste cohorte ? Des chômeurs, ma pauvre dame ! Et le malaise ? Des cadres ! Comment est la justice ? Lente. Les impôts ? Lourds. Le budget ? Déficitaire. Le partage ? Inégal. L'avenir ? Incertain. En crise sont les valeurs, en colère les paysans, en attente les dossiers, et les basketteurs américains en finale. Les comptes de la Sécu sont dans le rouge, les utopies dans le lac, les Nations unies dans le pétrin, seules les concierges ne sont plus dans l'escalier. Quand passe la récession, se dissolvent les météores. Les castes restent. N'appelle-t-on pas casting cette distribution toujours recommencée des mêmes rôles ? Retour à Pompidou. Retour à tout. A Guizot par-dessus Falloux. Au règne de la pensée unique. Visitez la France, ses églises romanes, ses académiciens, son orthographe, son parti communiste ! L'actualité est un cerceau. Les leitmotive tournent à la scie. Dieu exclusif et le sida exclusion : toujours les grandes épidémies. La rente porte la culotte et l'école la calotte. Huit groupes, là où il y avait deux cents familles. Un seul choix : la Générale ou la Lyonnaise. Des eaux ! Houas ou pas Houas — les flots !

Dans tous les cas : l'argent liquide. La noblesse de sang refoule la noblesse de l'âme. Les cabinets simples pour la partie cul, ministériels pour la particule. L'oligarchie, de plus en plus. L'écrit recule devant l'image qui éclabousse les murs de la caverne. La raison le cède à l'oraison. Ne plus circuler sans cartes identitaires. Le gotha nargue le ghetto. La bourse ou la survie ! Blasons sur fond d'usure. La plus-value exige les moins valeurs. Attente angoissée de la rentrée des classes dangereuses, exclus inclus. L'Arabe cache la forêt. Avoir vingt ans n'a pas de prix — 3 800 F les 65 kilos — « smiquart-monde ». Comprendre les jeunes. Et casseurs ? Agitez les moulins à prière. L'envers c'est l'autre. Mais il n'y a plus d'endroit. Ne reste que ce qui fut, quand sombre ce qui sera. La quête se serait-elle abîmée dans l'échec de la conquête ? D'abord défendre. Quoi ? L'acquis, c'est-à-dire une attente qui aurait fait demi-tour ; une espérance en marche arrière. Les vérités ne sont plus catégoriques mais catégorielles. Catégoriellement, a priori, malgré le Kant dira-t-on. Le clan c'est le clou, et la patrie la classe ! Victoire de l'hordre comme ordre de la horde. Le présent s'enterre quand le devenir ne se décline plus qu'en menaces. L'autoprotection, par elle-même droguée, appelle à différer la différence ; à jouer l'héritage contre l'apport. Non plus retour à la case départ, mais à la case tout court : à la petite hutte du nationalisme éthico-nombriliste. L'épuration est à la clé de cette conspiration des « ego » ; garantie pure haine. Résultat : l'individu asservi à l'individualisme sous prétexte que le collectif a servi au collectivisme. Chacun pour soi dans ce Moyen Age où, ici, les ventres sont des fiefs, et ailleurs le totem un donjon. Seules les racines échappent aux jachères. A l'ANPE des internationalismes au chômage, les licenciés attendent qu'on leur attribue leur tribu. La Marseillaise éclate en puzzle. Ces choses-là sont rhudes !

Trêve de facéties. Il nous faut comprendre.

L'Histoire peut-elle avancer à reculons ?

C'est comme si, soudain, on repassait le film à l'envers.

En cette année 1993, alors que les décombres de l'Europe centrale regorgent de matière explosive, la mèche la plus visible jaillit d'un baril de poudre appelé Sarajevo ; un ultranationaliste russe, vainqueur des élections législatives, menace d'envoyer une bombe atomique sur l'Allemagne et évoque une reconquête de la Pologne et de la Finlande ; les Croates de Bosnie revendiquent un « couloir » qu'exigent les Serbes ; la Slovaquie, qui a fait sécession du pays tchèque, est accusée par la Hongrie de vouloir s'approprier les eaux du Danube ; l'Ukraine et la Russie se préparent à un affrontement à propos de la Crimée ; la Roumanie entend récupérer la Bucovine et la Bessarabie ; la Grèce s'insurge contre une résurrection de la Macédoine ; sur Moscou, où prolifèrent les Raspoutines, pèsent les spectres de Lénine et de Kornilov ; des dizaines de Noirs sud-africains sont chaque jour victimes des attaques terroristes zouloues ; les heurts entre l'islam et l'hindouisme transforment les lieux saints de l'ex-Empire mogol en champs de carnage ; l'Afrique noire bascule dans un tribalisme généralisé, à l'image de la guerre d'extermination que se livrent les Hutu et les Tutsi ; l'intégrisme religieux, que Moïse ou Mahomet en aient été les prophètes, submerge Jérusalem ; l'Algérie, écartelée entre les militaires et les moudjahidine vit à l'heure des ratissages, des embuscades et des attentats ; le fanatisme qui frappe au cœur du Caire et enflamme Gaza lance ses vagues vertes des mosquées d'Ispahan jusqu'aux faubourgs de Samarkand ; Shanghai redevient la pute de l'empire du Milieu à mesure qu'elle redécouvre, sous férule communiste, le grand frisson du capitalisme le plus sauvage ; le péronisme a reconquis l'Argentine, tandis que le Venezuela rêve à nouveau de Bolivar et que le Brésil, par lui-même dépecé, attend le prochain coup d'État militaire... Des expressions se bousculent au portillon de nos mémoires, tels des mots gelés, semés par les anciennes batailles, et qui soudain fondraient au passage du navire de la modernité, restituant à notre présent les hurlements et les râles légués par les fureurs d'antan (*cf.* Rabelais, *Le Tiers Livre*). L'actualité se dilue dans le souvenir. Aujourd'hui n'est plus que rebond d'avant-hier. Le journal ne prolonge pas le manuel scolaire, il l'illustre : litanie nostalgique que semblent rythmer de vieilles couvertures de *L'Illustration*. Que dit l'écho ? Guerre des Balkans, question d'Orient, poudrière caucasienne, panslavisme, massacres en Arménie, ébullition en Palestine, bellicisme grand-serbe, Bohême-Moravie, Bosnie-Herzégovine, Prusse-Orientale, irrédentisme tatar, activisme kurde, revendications cosaques, révoltes de tribus afghanes, pogroms anti-Tziganes en Roumanie, exactions xénophobes en Allemagne, tchetniks contre oustachi en Yougoslavie, explosion de nationalisme hellénique anti-Turcs, retour des Cent-Noirs et des bolcheviks en Russie, terrorisme irlandais, militarisme assyro-babylonien, antisémitisme en Pologne, résurgence de la guerre scolaire en France, néofascisme en Italie, péril jaune, progression de l'islam, guerre sainte sous les plis du Croissant, antagonisme entre Wallons et Flamands, retour du parti communiste français à Gracchus Babeuf, hégémonisme allemand, impérialisme américain, concurrence japonaise, national-populisme, troubles en Inde, misère au Bengale, confrontation arabo-perse, visées concurrentes de l'Iran et de la Turquie sur l'Asie centrale, violence corse, Mafia italienne, trahison socialiste, frasques de la famille royale britannique, nationalisme basque, épuration ethnique, émeutes raciales, naufrage de l'Afrique... Comme si un disque rayé nous reservait inlassablement la musique des précédents sillons. Abolie soudain cette certitude que l'Histoire avait un sens, ce à quoi adhéraient même ceux qui récusaient tout sens de l'Histoire. Il allait de soi, alors, que l'instant ne constituait qu'un axe autour duquel s'articulait un passé qui fuit et un futur qui advient. On n'imaginait pas que l'ordre du temps pût tourner sur cet axe de telle façon que le futur s'efface et que le passé advienne. La progressivité régulière et majestueuse du grand courant de la civilisation, dont la raison éclairait le chemin vers la Terre promise, s'apparentait à un dogme que ne parvenaient même pas à écorner la multiplicité et la gravité des reculs provisoires. Que tout allât au bon rythme dans la bonne direction, le Créateur nécessairement y avait veillé, sauf étourderies, quitte à agrémenter, de temps en temps, cette descente de l'Amazone du temps d'un déluge, d'une épidémie de peste noire ou d'une dérive hitléro-stalinienne. Histoire de ramener ses brebis à l'humilité. A ce cours superbement finalisé des choses on avait même donné le nom de « divine Providence ». La société allait naturellement à son terme, qui ne pouvait être que le triomphe final du royaume de Dieu. Les rationalismes s'inscrivirent, avec délectation, dans la même réconfortante mouvance. Que l'homme préhistorique ait pu devenir Rockefeller sous le président Wilson ou Pasteur sous Jules Ferry témoignait assez de la prodigieuse épopée qui projetait irrésistiblement — et irréversiblement — l'être humain vers ce qui n'était plus seulement un destin, mais désormais un progrès, ou plus exactement le Progrès. Tout y concourait, qualifiât-on ce « tout » de raison transcendante, d'ordre naturel, de loi du marché ou de lutte des classes !

Le libéralisme et le socialisme s'arc-boutaient l'un et l'autre à cette logique directionnelle, à ce fameux dépassement synthétique des contradictions dont l'émergence qualitative du mieux serait nécessairement la résultante. Il était implicitement admis, par les tenants des deux écoles, que devaient ponctuellement intervenir des ruptures en fonction desquelles rien, ensuite, ne pouvait plus « être comme avant ». Pour s'en tenir à la période la moins reculée, le triomphe libéral ou l'avènement du socialisme, mais aussi la chute des fascismes, l'émancipation coloniale, l'effondrement du communisme représentaient typiquement quelques-unes de ces césures qui étaient censées marquer irrévocablement le passage de la période d'avant à la période d'après. Il n'était évidemment pas envisageable que ces événements, loin de s'affirmer en étape nécessaire à la maturation définitive de l'après, n'apparussent, en définitive, que comme des épiphénomènes incapables de neutraliser l'irrépressible résurrection de l'« avant ».

D'où un formidable trouble. L'idée même du progrès subvertie par une conversion paresseuse à son contraire. L'histoire d'abord comme non-sens, ensuite comme contresens : plus d'autre « mouvement vers... » que le mouvement « contre ». La réaction comme seule action possible. Hantise exhumée d'un éternel retour. Le futur n'est plus qu'un paradigme mythologique, la matrice de l'utopie. Comme si la dynamique du monde devait s'épuiser dans la boucle qui, indéfiniment, la noue.

Que faire, dès lors que par un renversement de l'illusion tout semble toujours recommencer ? Et si le mouvement social ne représentait qu'une agitation-paravent derrière laquelle la conservation enfilait des habits neufs, le temps de rapiécer ses vieilles frusques en paix ? Un spectacle que l'immobilité se donne à elle-même ? Un cycle qui permet de mieux étayer les permanences ?

Ainsi, deux apparences se télescopent : trop d'espérances se sont abîmées dans le vertige de ce qui sera pour ne point laisser place, en fin de course, à la hantise de ce qui fut, au regard de ce qui ne parvient pas à être. Le devenir ne serait-il condamné à ne fonctionner que comme parenthèse ?

Nous entendons, ici, rompre avec ces deux dimensions du même fatalisme. Établir que rien ne change, en effet, mais que tout change cependant, non pas « malgré », mais « parce que ». Que la contradiction ne se situe pas entre les deux termes, mais à l'intérieur de la façon qu'a chacun d'eux de se déployer. Que l'invariance est au cœur du « tout change » et le « progrès » consubstantiel au « rien ne change ». Que le révolutionnarisme et le conservatisme constituent, en quelque sorte, deux versions formellement contradictoires d'une approche pareillement illusoire du temps historique. La société n'est ni roc, ni fleuve. Elle ne s'ancre pas plus à l'immuable qu'elle ne court se jeter dans l'océan des contradictions abolies. Elle est à la fois sa propre éternité et sa propre mutation : ceci parce que cela ; mutation en marge de son éternité, éternité inhérente à ses mutations mêmes. Nous démontrerons donc que tout se reproduit toujours, mais que rien jamais ne recommence, tout étant rendu possible, même l'impensable, par un incessant remodelage, fût-il marginal, de la répétition ; et que c'est ce qui permit au fond à des bactéries de devenir têtard, et au têtard d'énoncer — plusieurs centaines de millions d'années, il est vrai, après sa sortie de l'eau — les lois de la relativité générale. Ce qui revient à plaider pour la « réforme » contre non seulement le repli sur le « rien ne change » et le mythe du « il faut tout changer », mais aussi et surtout contre la complicité des deux illusions, l'une servant toujours d'alibi à l'autre, et toutes deux gérant de concert les malheurs du monde.

Moins c'est pareil, plus c'est la même chose. Il s'agit là d'un constat.

Il faut que ce soit imperturbablement la même chose pour que ce ne soit résolument jamais pareil.

Le constat devient théorie.

Cette théorie indique qu'au-delà du mirage de la modernité — simple concession que l'archaïsme fait à la mode —, c'est l'autoprotection de l'immuable qui finalise, à travers le temps, un progrès social par lui-même toujours débordé et dépassé.

Toute Histoire est infinie réinterprétation d'elle-même. Et ce processus d'incessante recomposition créatrice de soi continue la mélodie de l'évolution qui permit non seulement à l'être d'être, mais aussi à ce quelque chose qui émerge de devenir, peu à peu, un quelqu'un qui se multiplie.

Tout se reproduit toujours, disais-je, et cependant, ce qui est, inlassablement, consomme ce qui fut. Rien ne recommence, mais jamais ce qui sera n'enterrera ce qui est. Si chaque métamorphose exprime une redondance, n'est-ce pas que toute duplication véhicule une anabase ?

Reconnaître que le devenir est un présent qui se défend, c'est admettre qu'il n'est pas de lendemain qui ne rende possible le remodelage d'hier.

La flèche, dit l'Éléate, vibre, vole et ne bouge pas. Notre paradoxe sera plus radical : c'est parce qu'elle ne bouge pas que la société vibre et vole dans le sens de la flèche du temps.

Tout change *parce que* rien ne change. Nous bouleverse le mystère de l'immensité qui gît dans ce *parce que*. Entre l'homme et le chimpanzé il y a à la fois l'épaisseur d'un papier carbone et la distance d'un espace intersidéral. De rebond en rebond, l'identique a permis que l'on passe de l'amibe à mère Teresa, et de la termitière au parti démocrate américain.

Nous allons tenter d'élucider cette gigantesque énigme. Ce faisant, nous serons amené à raconter une fabuleuse aventure. En commençant par un examen des indices.

Ce premier chapitre se présentera donc comme une promenade à travers un champ de fouilles nécessaire à l'accumulation d'objets qu'il faudra ensuite rendre théoriquement éloquents...

Sur les visions idylliques d'un utopiste légèrement déraisonnable

Et d'abord imaginons : mieux vaut commencer un discours par le rêve, surtout si l'investigation qu'il porte doit finalement déboucher sur le réel. Imaginons donc : nous sommes en 1840, sous le règne de Louis-Philippe. Un utopiste socialisant palabre dans l'arrière-salle enfumée d'un estaminet des Grandes-Carrières. Après avoir stigmatisé l'horreur de la société incarnée par Monsieur Guizot, il entreprend, devant un public de petits bourgeois déclassés, piqueté de quelques représentants emblématiques des « classes dangereuses », de dresser le tableau idyllique d'une société enfin irriguée par le progrès, dès lors que l'exploitation de l'homme par l'homme y aura pris fin.

Et voilà soudain que l'orateur décolle, s'envole, plane : « Dans moins d'un siècle et demi, s'exclame-t-il comme envoûté, les enfants, qui aujourd'hui à 10 ans sont astreints dans les fabriques à des journées de 12 heures, iront presque tous gratuitement à l'école jusqu'à 16 ans au moins, et leurs parents, qui ne travailleront plus, eux, en moyenne que 39 heures par semaine au maxi-

mum, ne pourront, en vertu d'un salaire minimum garanti, recevoir moins que cinq fois l'équivalent de ce que gagne aujourd'hui
un contremaître, primes non comprises, en échange de leur
labeur ; ils bénéficieront de cinq semaines de congés intégralement
payés, à quoi s'ajoutera l'équivalent d'un treizième mois en fin
d'année, prendront leur retraite à 60 ans, toucheront jusqu'à leur
mort une pension égale à 70 % de leurs meilleurs salaires ; leurs
dépenses de santé seront en grande partie couvertes par un
système de sécurité sociale, ils auront droit à des allocations en
fonction du nombre d'enfants à charge (l'ouvrière, en cas de
maternité, pourra prendre un congé de trois mois à salaire plein),
seront partiellement indemnisés en cas de chômage, recevront
pendant un an 80 % de leur salaire, et un revenu minimum d'insertion sera en outre versé sans contrepartie aux exclus de la
société. »
    A ce stade de la harangue, la salle se partage déjà en deux
camps : les ébahis et les consternés. L'évocation lyrique de prétendues « habitations à loyer modéré » permettant à de jeunes couples de travailleurs manuels du bas de l'échelle, avec deux enfants,
de bénéficier d'un logement avec cuisine séparée et vraie salle
d'eau, en plus d'un séjour et de deux ou trois chambres à coucher,
laisse rêveur. De même l'allusion franchement grotesque à la présence, dans de tels « appartements », de machines automatiques à
nettoyer le linge, à laver la vaisselle et à maintenir les aliments au
frais y compris en période de canicule ; l'affirmation selon
laquelle, en ce temps béni, de nombreux ouvriers posséderont leur
propre équipage, qui, mû par un moteur et non par des chevaux,
leur permettra de se déplacer à leur guise, huit fois plus vite que
ne le font pour l'heure ces « messieurs de la haute », se heurtent
à une incrédulité affichée. Mais lorsque notre tribun, au
paroxysme de la divagation, ajoute : « A cette époque — qui sait ?
— pas si lointaine, transfigurée par la république sociale, le prolétaire, que la société protégera contre la vieillesse, la maladie, les
licenciements, et prendra en charge en cas d'incapacité au travail,
recevra en outre à domicile, contre une redevance annuelle minimale, les images et les couleurs des spectacles et divertissements
dispensés d'ordinaire aux classes possédantes. L'accès à l'Opéra,
au théâtre, à la culture générale, à l'information, lui sera ouvert
sur simple pression d'un bouton, en même temps que lui seront
proposées, chaque jour, des distractions plus spécifiques et plus

populaires ; il pourra même à loisir, sans sortir de chez lui, programmer à son propre et seul usage toutes les musiques qu'il aime, exécutées par les meilleurs orchestres ou solistes du monde. » Lorsque, donc, notre futurologue hâbleur sombre de la sorte dans la plus évidente saoulerie logomachique, la salle s'ébroue, siffle, s'esclaffe, à l'exception peut-être de quelques incurables illuminés qui déjà flottent en pensée, affublés d'une harpe et drapés de lin blanc, dans ce féerique nirvana.

A vrai dire, prononcé en 1910, soit quatre-vingts ans seulement avant la révolution annoncée, ce discours eût provoqué des réactions tout aussi incrédules. Aucun des plus farouches rescapés du millénarisme communard n'eût osé décrire la société, que son progressisme exalté appelait pourtant de ses vœux, en des termes aussi excessifs. Le marxo-guesdiste le plus intransigeant eût fait remarquer qu'il s'agissait de construire un monde plus juste, et non de réinventer un paradis sur terre. Être révolutionnaire ne justifiait pas que l'on préconisât ou annonçât des mesures impossibles et absurdes, tels la semaine de 39 heures maximum, la retraite à 60 ans avec cinq semaines de congés payés, un accès égalitaire et quasiment gratuit à la culture la plus élitiste, le droit pour tout ouvrier de posséder une voiture. Encore notre hurluberlu gauchiste n'avait-il pas évoqué le paiement des heures de grève ou la cogestion de la protection sociale ! Quant à la création de comités d'entreprise, à la protection des délégués du personnel, à la participation d'élus des salariés aux réunions des conseils d'administration, à la reconnaissance de la section syndicale, au droit d'information « syndicale » à l'intérieur de l'entreprise, aux élections sur listes « syndicales », aux heures accordées aux élus et permanents « syndicaux », c'est-à-dire la prise en charge patronale d'une partie du coût de l'action organisée contre lui, il n'y avait au début du siècle ni révolutionnaires, ni ultraréformistes pour croire ces innovations compatibles avec le fonctionnement du capitalisme.

De toute façon, à supposer — ce qui était quasiment impensable — qu'une société puisse se métamorphoser à ce point, offrir à ses citoyens salariés de tels droits, avantages et libertés, cela eût signifié à l'évidence, aux yeux des contemporains, que le règne de l'harmonie, de l'égalité et de la justice aurait — mais au prix de quelle terrible insurrection préalable ! — définitivement remplacé tout système dont l'oppression, l'aliénation ou la différenciation sociale constituaient le soubassement.

Or, l'utopie est devenue réalité : ces fantasmagories inouïes ont été réalisées. Nous en sommes effectivement bien là, avec en outre le suffrage universel, la séparation de l'Église et de l'État, la contraception et le droit à l'avortement, la libéralisation du divorce et l'abolition de la peine de mort, l'impôt progressif sur le revenu et la multiplication des pouvoirs régionaux et locaux élus, la démocratisation de l'école et l'accès massif à l'enseignement supérieur.

Mais le progrès rêvé s'est-il vraiment transformé en progrès vécu ? Qui oserait le prétendre ? Le RMiste n'est-il pas devenu l'insupportable symbole de la pérennité de la misère, et le smicard le vivant représentant de l'incontournable ampleur de la pauvreté ? Par un saisissant retournement, ne reproche-t-on pas justement, à cette société qui a instauré le SMIC et promulgué le RMI de produire des RMistes et de multiplier les smicards ? Ne parle-t-on pas des grandes cités HLM de banlieue comme de ghettos qui exacerbent la ségrégation sociale et renforcent l'apartheid de classe ? La télévision privatisée et soumise aux règles dites de l'*Audimat* n'est-elle pas dénoncée comme un instrument d'aliénation de masse ? N'a-t-elle pas, en réalité, accru les clivages culturels ? N'impute-t-on pas au coût du travail et aux « acquis sociaux » l'utilisation esclavagiste d'une main-d'œuvre étrangère clandestine ? Le progrès technologique n'est-il pas à l'origine d'une montée du chômage qui a dramatiquement multiplié le nombre des exclus ?

Non seulement il ne se trouve personne aujourd'hui pour plaquer sur la concrétisation des utopies d'hier la grille de jugement qui les eût fait apparaître follement idylliques un siècle plus tôt, mais le discours social qui, à l'époque, justifiait que l'on imaginât un monde merveilleux est, lui, resté pour l'essentiel invariant : l'inégalité, l'injustice, l'exploitation continuent d'être dénoncées à peu près dans les mêmes termes, au point qu'un observateur non averti pourrait croire que, depuis un siècle, la question sociale est restée en l'état. Ne lisait-on pas le 15 novembre 1993, dans *L'Humanité*, organe du parti communiste, sous la signature d'un certain Gaston Plissonnier, ex-dirigeant de cette formation représentée au Parlement : « La politique qui consiste à prélever toujours plus sur les résultats du travail et à réduire les moyens solvables de la masse des producteurs consommateurs pousse à la bipolarisation : d'un côté, accumulation de profits pour les puissants ; à l'opposé, pour la grande majorité, extension rapide des difficultés de vie, du chômage et de la misère. Ainsi, en cette fin de siècle, on aiguise la contradiction fondamentale à la base de l'affrontement entre le capital et le travail : la lutte des classes. » On pourrait multiplier les citations semblables, dont les rangs communistes ou d'extrême gauche n'abritent pas les seuls auteurs, loin s'en faut. Rien jamais n'y fera : le progrès social ne se conjugue qu'au futur. A chaque étape de sa réalisation, il se transforme en attente exacerbée de ce que objectivement il n'est pas encore, et donc de ce que subjectivement il n'est plus. Le présent n'est avènement de rien, est reclassement de tout, si bien que dans la défense angoissée de ce qui, précédemment, n'était pas espéré peut continuellement se réinvestir le malheur social.

Mais, au-delà de ce discours en boucle et de l'incessant glissement de perspective qui transforme tout acquis en dû, une réalité s'impose ou résiste : les structures subjectives et qualitatives de l'oppression et de l'exploitation, de l'inégalité et de l'injustice sociales, transcendent en effet l'évolution objective et quantitative de leurs composantes. Elles se reconstituent à tous leurs niveaux de recomposition. Tout ce qu'évoquait, dans son délire prospectif, notre tribun socialiste du siècle dernier, s'est réalisé, et pourtant le fossé qui sépare les deux ailes extrêmes du spectre social s'est creusé ; la fraction du revenu national détenue par la minorité la plus riche a augmenté ; le pouvoir oligarchique s'est concentré ; une aggravation de la paupérisation relative a compensé, et au-delà, la réduction de la misère absolue, la frustration n'évoluant pas au rythme des besoins réels non satisfaits mais des désirs créés non assouvis. Jamais ne s'était à ce point élargi le champ de ce qui est accessible aux uns et interdit aux autres. Il n'est pas sûr que l'on recensât en France, en 1840, 400 000 sans-abri et il est certain qu'on ne comptait pas plus de 3 millions de chômeurs. On perçoit donc clairement que le même processus peut être décrit sous les deux formes du « tout change » et du « rien ne change », même si le rapport de cause à effet entre ces deux formes, en réalité complémentaires, ne se dessine pas encore clairement.

Il apparaît, en outre, que la plus radicale transformation, qualitative et quantitative, des éléments constitutifs d'une structure sociale ne remet pas nécessairement en cause l'invariance globale de cette structure. En partie — mais en partie seulement — parce que le reflet subjectif, ou mental, de cette structure survit à sa recomposition.

On pourrait au demeurant élargir le propos : eût-on dressé la liste, devant un druide gaulois chevelu, des fantastiques bouleversements technologiques que connaîtrait le monde en deux millénaires — progrès de la médecine, conquête de la Lune, exploration des galaxies, énergie atomique, électrification, manipulations génétiques, avions à réaction, TGV, gratte-ciel, télévision, fax, ordinateurs, etc. — notre gourou celtique n'aurait même pas pu concevoir qu'à cette même époque les guerres tribales ensanglanteraient la planète, que des centaines de milliers d'enfants seraient broyés par les conséquences des folies de leurs pères, que la famine pousserait des peuples entiers à quitter leur terre pour s'entasser dans de véritables enclos, que la violence la plus sauvage submergerait les cités tentaculaires, que des différences de race et de religion engendreraient des conflits terrifiants, tandis que les fabuleuses richesses créées et accumulées seraient si mal réparties, que les peuples du Sud seraient devenus les soutiers des peuples du Nord.

A vrai dire — nous y reviendrons — il douterait également, notre druide, que la religiosité qu'il est censé incarner ait eu la moindre chance de résister à des percées de la connaissance scientifique telles que celles qui ont effaré notre siècle.

Que la stupéfiante révolution technologique qui embrasa notre monde au cours des dernières décennies ait pu déboucher sur une telle apparence de retour à la « barbarie » (thème cher aux ex-nouveaux philosophes) aurait certainement plongé les grands humanistes de la fin du XIXe siècle — un Victor Hugo, par exemple — dans la plus grande consternation. Ils avaient imaginé, en visionnaires, presque tout ce qui allait devenir possible, mais ils n'avaient pas prévu que cette formidable élévation qualitative des niveaux de structuration sociale n'empêcherait pas — mais favoriserait souvent — une recomposition quantitative des invariances « barbares » que la pression de la pensée critique avait un moment déstructurées.

N'est-il pas significatif que les adolescents raffolent aujourd'hui de feuilletons télévisés qui tendent à projeter, dans un cadre interplanétaire où des vaisseaux intersidéraux s'affrontent à coups de rayons laser, des situations totalement calquées sur celles de notre Moyen Age, avec empires et fiefs, féodaux, serfs et vassaux, maîtres et esclaves, piétaille, chevaliers et garde prétorienne, aristocrates et classes inférieures : comme si l'invariance des conditions initiales était désormais intégrée dans les têtes jusqu'à la caricature ? Le progrès comme révélateur de la régression...

Aussi bien le mythe de la décadence (renversement passéiste de celui de l'âge d'or) a-t-il, lui aussi, résisté à tous les bonds en avant de la civilisation. On pleurera aujourd'hui sur cette époque bénie où la France impériale, qui s'étendait de Tombouctou à Hanoï, rayonnait par sa peinture (Monnet, Renoir), sa musique (Debussy, Ravel), sa littérature (Zola, Anatole France, Maupassant), tandis que son économie en pleine croissance la préparait à subir victorieusement le choc de la Première Guerre mondiale. C'est oublier un peu vite que c'est justement en ce temps-là que furent publiés le plus de livres et d'articles sur le thème de la décadence, Monnet, Debussy ou Zola en symbolisant précisément, pour beaucoup, l'épouvantable évidence.

Ici, le « tout change » est inscrit dans le fait même que la « décadence » d'hier représente l'âge d'or qui définit, par contraste, la décadence d'aujourd'hui. Tout change à l'intérieur du rien ne change : tel publiciste conservateur retrouve spontanément, pour stigmatiser l'idée d'une réduction du temps de travail et dénoncer les méfaits des 39 heures, très exactement les mêmes arguments, aux virgules près, que ceux qui furent employés il y a un siècle pour s'opposer aux 50 heures ; mais qu'ose-t-il, avec une certaine prudence, préconiser ? Un retour aux 44 heures. Signe de l'ampleur du « tout a changé » dans le cadre du « rien ne change »...

Le discours conservateur comme redondance

A l'heure où j'écris ces lignes, je dévore avec une certaine gourmandise le courrier des lecteurs du *Figaro* et la tribune ouverte par *L'Humanité* à l'occasion du XXVIIIe congrès du parti communiste. Rapprochement purement formel que justifie le seul fait qu'une base, sinon « la » base, est censée s'y exprimer. La plupart de ces textes auraient pu être écrits quarante ans, voire un siècle ou deux siècles plus tôt. Mêmes tics de langage et accumulation d'expressions connotées. L'invariance est ici frappante, à n'y pas croire...

Il faut cependant y regarder de plus près pour percevoir en quoi celle-ci est en réalité structurelle.

Certes, tel correspondant du journal « conservateur » retrouve les mêmes accents répressifs qu'un sénateur romain face à une insurrection d'esclaves, ou qu'un châtelain féodal face à une jacquerie, pour expliquer que le pouvoir, faible par définition, aurait dû employer la schlague pour « mater » la grève qui a, en 1993, paralysé la compagnie Air France. Pourtant, ce n'est pas la « liberté du travail » qu'il invoque, mais celle des « usagers », victimes du caractère « sauvage » du mouvement. Dans ce léger glissement, qui ne tient qu'à un terme, prend place en réalité une formidable révolution intellectuelle : l'acceptation de la grève comme moyen légitime de contestation salariale.

Certes, ce militant communiste n'a pas de mots trop durs pour dépeindre, exactement dans les mêmes termes qu'il l'eût fait à l'époque de la révolte des canuts ou du massacre de Fourmies, l'horreur de l'exploitation capitaliste. Mais là où il eût fait référence à la condition « prolétarienne », il évoque celle des salariés, définie non plus comme classe, mais comme catégorie : ce seul transfert de mots signifie qu'est prise en compte la mutation qui a bouleversé de fond en comble la nature formelle du capitalisme.

Ainsi, la structure du discours est restée intacte, comme plombée. Préalable en quelque sorte à la parole qui la pénètre. Même enveloppe pour une résurrection toujours recommencée. Mais, au-delà de cette rémanence, ce qui lui donne sens, ce n'est pas sa redondance, mais sa recomposition. C'est la structure qui parle, et qui parle parfois indépendamment du locuteur, mais ce sont les glissements constitutifs de son remodelage qui signifient. Toute l'évolution sociale tient sans doute non pas « à » mais « dans » la façon qu'ont les structures d'expression invariantes de modifier, d'intervertir ou de remplacer une pièce de leur puzzle interne, de manière à se recomposer pour ne point se heurter de front au réel.

Que font communément et professionnellement les commentateurs politiques ? Ils analysent, décortiquent, jugent des déclarations, proclamations, interpellations, en feignant de croire que ces propos expriment le locuteur, sinon la pensée du locuteur ; que le « dire » équivaut à un « vouloir dire » conscient et contrôlé. Pour une grande part, en réalité, ce qui est dit n'est que la reproduction mécanique, et en partie imitative, d'une invariance mentale qui offre à une pensée latente le véhicule de sa structure d'expression préexistante. Il s'agit non d'une création, mais d'une répétition. C'est le propos qui détermine le locuteur, et non le locuteur qui contrôle le propos. Ce qui est dit ne traduit pas une pensée particulière, mais restitue à la pensée le socle autoprotecteur qui la stabilise. On *dit* pour protéger une structure de pensée extérieure et antérieure au dire, non pour projeter cette pensée hors de la structure qui la garde bien au chaud. L'important n'est donc pas ce que l'homme politique, par exemple, ou le militant semble dire et qui, en vérité, dit indépendamment et à côté de lui toujours la même chose, mais ce qu'il change, ajoute ou retranche à la structure invariante de ce que le dire lui fait dire.

Élargissons le propos : la structure générale du discours conservateur (discours qui produit le conservateur plus que le conservateur ne produit le discours) est, à l'examen, immuable, en fonction du moins de son espace de déploiement. Et cela par définition, puisqu'il s'agit dans tous les cas de démontrer (ce qui, au demeurant, peut parfois être vrai) qu'un ordre social donné, identifié à la seule réalité sociale possible, déjà ébranlé presque au-delà du supportable par les changements antérieurs, ne saurait supporter la moindre « déstabilisation » supplémentaire. On a toujours, en quelque sorte, atteint la limite. (Le passage à 8 heures de la journée de travail des enfants de moins de 10 ans ruinerait inéluctablement les entreprises ! Une brusque abolition de l'esclavage entraînerait des désordres qui submergeraient la société ! Les congés payés se révèleraient insupportables pour l'économie !) Il se trouve simplement, ce qui change tout, que cette limite ne cesse de reculer. Il en résulte que l'éternel même discours ne décrit jamais tout à fait la même réalité. La musique est semblable, les paroles changent à peine ; le rythme seul, en cela qu'il traduit le passage d'un niveau à un autre, fait qu'il ne s'agit jamais exactement de la même chanson. Or répétons-le : cette différence porte implicitement en elle toute l'évolution sociale. Quand le discours conservateur dit, il s'affirme par la répétition, mais s'exprime par l'ordonnance toujours remodelée de cette répétition. (Un réactionnaire, pour sa part, mettra sur le compte d'un SMIC trop élevé ce qu'il eût, il y a deux siècles, imputé à l'abolition du servage.) Cela vaut également, bien sûr, pour les contre-discours réformistes ou révolutionnaires, au point — comme nous aurons l'occasion de l'examiner plus loin — qu'une relecture des polémiques qui opposèrent Cicéron à Catilina, ou la droite du Sénat de Rome aux tribuns de la plèbe Caius et Tiberius Gracchus, prennent, deux millénaires après, une tonalité d'une actualité proprement stupéfiante. Pendant 2 000 ans, les mêmes ont dit les mêmes choses dans les mêmes circonstances, et l'évolution sociale, qui n'en fut pas moins considérable, s'est inscrite dans les seuls glissements de niveaux de ce dire immuable.

Une illustration frappante de ce constat : le 30 janvier 1875, à l'occasion du débat parlementaire sur l'amendement Wallon qui, à une voix de majorité, institutionnalisa la République, le représentant des droites, M. Chenelong, déclara : « S'il y a un esprit républicain que je respecte, il y a aussi un esprit tout différent : c'est l'esprit révolutionnaire. Ai-je besoin de vous rappeler ses doctrines ? Que ferait-il de la magistrature ? Il briserait son inamovibilité. La famille, il la déshonorerait par le divorce et il briserait sa stabilité par l'amoindrissement de l'autorité paternelle. La propriété, il la menace par l'impôt progressif. La religion, il voudrait l'atteindre dans son organisation par la suppression du budget des cultes, dans sa liberté par des lois d'agression. L'enseignement, il voudrait chasser Dieu de nos écoles. » Tout cela, que l'honorable parlementaire jugeait à ce point épouvantable, est advenu en effet. La droite, généralement, ne songe pas à revenir sur ces « acquis ». Le discours conservateur a donc recomposé son invariance en fonction de ce glissement. Il stigmatise l'esprit révolutionnaire non plus en fonction des réformes qu'il refusait hier, mais de celles qu'il redoute pour demain. Et toujours au nom de la famille, de la propriété, de la religion, de la liberté de l'enseignement.

On remarquera que le propre du raisonnement conservateur — qui, implacablement, a pu démontrer tour à tour que la séparation des pouvoirs, l'abolition des privilèges aristocratiques, le contrôle parlementaire, le vote par tête et non par ordre, la réforme agraire, le suffrage universel, le vote des femmes, l'abaissement de l'âge civique, la fin du droit d'aînesse, la suppression de la torture, l'émancipation des esclaves, la séparation de l'Église et de l'État, la proclamation de la tolérance religieuse, l'école gratuite et obligatoire, la légalisation du divorce, la contraception, la libéralisation de l'avortement, l'abolition de la peine de mort, l'impôt progressif, la taxation (faible) des plus-values, la reconnaissance du droit de grève, la limitation du temps de travail et l'interdiction d'employer des enfants, la sécurité sociale, l'allocation chômage, les congés payés, la création des comités d'entreprise, la présence d'observateurs salariés dans les conseils d'administration, l'émancipation des colonies, la régionalisation, la loi Auroux, porteraient un coup fatal à l'ordre social — a pu chaque fois se reconstituer en l'état, structurellement identique, sans que sa cohérence en souffre, ni d'ailleurs l'ordre social.

Le 29 juin 1847, présentant devant la Chambre des pairs un projet de loi sur le travail des enfants, le baron Dupin, rapporteur, ne déclarait-il pas : « Les industriels prétendent que réduire à 8 heures le temps du travail des enfants de moins de 12 ans constitue une mesure trop rigoureuse qui mènerait leurs entreprises droit à la ruine, ce qui est contraire aux droits de l'humanité » ?

La question de la liberté de l'enseignement, qui renaît sans cesse de ses cendres supposées, représente en soi un cas intéressant. En janvier 1850, quand fut votée la fameuse loi Falloux qui favorisait la mainmise de l'Église sur l'école, Montalembert, follement acclamé par la majorité conservatrice de l'époque, déclara sans précautions qu'ils s'agissait avant tout de protéger l'ordre social contre l'influence des « affreux petits rhéteurs de l'enseignement public » ; « il est temps de s'appuyer, s'exclamait-il, sur l'armée des curés contre l'armée des instituteurs. » Et d'ajouter aussitôt : « Dans l'instruction secondaire publique, on professe le scepticisme et le rationalisme. Or, ce qui s'appelle scepticisme et rationalisme en haut, s'appelle socialisme en bas. Et qu'est-ce que le socialisme ? C'est l'homme se croyant Dieu en ce qu'il se croit capable de détruire le mal et la souffrance. L'Église, au contraire, dira à l'homme : "Tu es poussière, et ta vie tout entière doit être une série de souffrances et de luttes dont le prix n'est pas ici-bas." » Cette envolée permit au républicain Adolphe Crémieux de broder sur le thème de l'invariance du discours conservateur : « Monsieur de Montalembert vient de nous faire rajeunir de plus de trente ans. A quarante ans de distance, en effet, nous avons entendu les mêmes expressions, les mêmes phrases. Ces paroles nous semblent venir de l'autre monde. Je croyais qu'il y avait quelque rapport entre cet orateur remarquable et le siècle dans lequel il vit. Je me suis trompé, il est complètement en dehors, non seulement du siècle actuel, mais du siècle qui nous a précédés. Il juge le xviiie siècle comme le xixe siècle et les juge avec les yeux du xve siècle ! Comment voulez-vous qu'il le comprenne ! » Crémieux, aujourd'hui, ne pourrait plus tenir de tels propos. Aucun conservateur ne se hasarderait, en effet, à parler comme Monta-lembert. Le scepticisme et le rationalisme ont été intégrés à la pensée de droite. L'Église ne rejette plus les valeurs républicaines. Cependant — et un récent débat provoqué en France par le droit accordé aux municipalités de subventionner la réfection des écoles privées l'a amplement montré — la structure du raisonnement conservateur dans ce domaine est restée globalement invariante : il s'agit bien, toujours et avant tout, de conforter l'ordre social en opposant un rempart à une école porteuse de subversion et de confusionnisme interclasses. Et cette recomposition laïcisée du cléricalisme d'hier suscite en retour une recomposition œcuménisante de l'anticléricalisme de grand-papa.

De la différence entre Albert Einstein et un babouin

Nous sommes passés, pour introduire ce chapitre, du « différent » rêvé à l'identique vécu. Nous pourrions recourir à une autre métaphore pour dérouler, en aval de notre histoire humaine, le même schéma, mais à l'envers.

Voici deux êtres vivant côte à côte. Je tente de les décrire le plus objectivement possible. Ils ont l'un et l'autre deux yeux sur-montant un nez et une bouche munie d'une langue et de dents, et portent du poil sur la figure. Ils sont pourvus de quatre membres prolongés, chacun, par cinq doigts, dont un pouce. Leur cerveau associe trois composantes marquant trois étapes de son évolution : un complexe strié archaïque, un système limbique et un néo-cor-tex, siège supposé de la pensée conceptuelle. Leur corps, porté par une colonne vertébrale, un bassin appuyé sur deux fémurs, enserré dans une cage thoracique, comprend un cœur qui régule la circulation du sang, deux poumons, organes des métabolismes respiratoires, deux reins, un foie, des intestins. Impossible de devi-ner la moindre différenciation apparente dans le parfait ordonnan-cement de ces entrailles. Ces deux êtres qui copulent de la même façon pour se reproduire, digèrent et défèquent semblablement ce qu'ils mangent, rêvent quand ils dorment, s'enivrent s'ils boivent de l'alcool, crient et prennent la fuite quand ils ont peur, se lamen-tent quand ils souffrent, sourient pour marquer un contentement, expriment de l'envie et succombent au désir, affirment leur pro-priété sur leurs femmes, s'organisent hiérarchiquement, respectent l'autorité, catégorisent des concepts, défendent leurs territoires, se forment en communauté, se regroupent par affinités culturelles et biologiques, s'agressent quand leurs intérêts se heurtent, mais s'opposent ensemble aux intrus ou aux étrangers... Ces deux êtres, dont le génome est à 98 % identique, apparaissent donc à ce point semblables qu'ils sont à l'évidence le produit d'une histoire, ou plutôt d'une évolution qui s'est contentée, à quelques infimes détails près, de reproduire invariablement et imperturbablement les mêmes structures, qu'elles soient englobantes ou englobées. Or, ces « infimes détails près » (2 % du génome) qui représentent de simples réaménagements localisés de la structure invariante — en particulier un développement du néo-cortex par suite d'un caprice de l'un de ces deux êtres qui a entrepris de marcher sur ses deux seules pattes arrière — font que nous avons dépeint d'un côté un babouin et de l'autre Albert Einstein. A vrai dire, le même effet pourrait être obtenu, ou presque, en comparant un cochon d'Inde et l'abbé Pierre...

Il en résulte qu'en aval de l'évolution sociale, et antérieurement à tout discours structurant, la nature elle-même, gérant le processus du vivant, n'a cessé d'engendrer de fabuleuses nouveautés en se contentant de réaménager marginalement une invariance infiniment reproduite. En échange de quoi il n'est aucune de ces nouveautés extraordinaires qui n'ait réintégré le champ strictement défini par ces invariances.

Comment le racisme devient toujours autre en restant le même

L'exemple du racisme — ou plus exactement du rejet de l'autre —, que nous examinerons plus loin, illustre parfaitement cette donnée. Source d'épouvantables carnages au cours de l'Histoire (pourquoi tant de peuples ont-ils disparu, à l'exemple, il y a moins de quatre siècles, des Arawaks et des Caraïbes aux Antilles ?), le refus de la différence constitue toujours une donnée essentielle de notre réalité politico-sociale. Or, sous les diverses formes de l'agressivité xénophobe, de la peur de l'étrangeté, de l'exclusivisme communautaire ou de l'enfermement territorial, on en trouve la trace chez tous les êtres vivants, des insectes sociaux aux primates qui nous sont le plus proches : l'ennemi, l'adversaire, le diable, l'autre, est celui qui se situe de l'autre côté de la frontière (souvent chimiquement marquée de telle façon que l'odeur est constitutive du sentiment identitaire), hors de la horde, de la colonie ou de la ruche, en marge de l'espèce, à côté de la race. Cette invariance, bien antérieure à l'hominisation, projette dans notre actualité vécue les conséquences d'un inné biologique jailli du plus profond de notre anabase évolutive. La nature a en quelque sorte programmé — ou sélectionné — la défense du « nous » considéré comme un « moi » collectif, par exclusion instinctive de l'autre « collectif » identifié à « eux ». Un enfant sourd et aveugle ne manifeste-t-il pas une angoisse à l'apparition d'un étranger qu'il identifie à l'odeur ? Cela ne signifie pas exactement que l'animal en nous soit « raciste », car nous sommes, entre autres, totalement cet animal (ou alors, l'animal en nous est aussi carnivore, chasseur, coureur à pied, champion de saut en hauteur, obsédé sexuel, douillet et colérique), mais que nous continuons une épopée évolutive qui a nécessité, pour franchir les mailles de la sélection naturelle, non seulement que le loup d'une meute soit un Le Pen pour le loup d'une autre meute, mais, bien en amont, qu'un organisme même primitif ne sauve sa cohérence qu'en opposant, grâce à son système immunitaire, des anticorps aux antigènes, c'est-à-dire refoule l'étrangeté non conforme. Tout organisme est « capable » de distinguer au niveau moléculaire entre soi et non-soi, de détecter les caractéristiques chimiques des envahisseurs, réagit à une protéine qui ne ressemble pas à ses propres protéines[1]. Est-ce à dire que rien, jamais, ne saurait faire reculer la haine raciale — ou ethnique — parce qu'il s'agirait d'une loi incontournable et indépassable de la nature ? C'est oublier que l'homme fut aussi anthropophage, systématiquement infanticide, et que même, si l'on remonte très loin, il eut des nageoires à la place des bras. En définitive, ce qui, depuis des millénaires, marque notre évolution sociale, ce n'est pas le racisme, puisqu'il s'agit justement d'une structure invariante, mais sa lente, continuelle et irrésistible recomposition sous la pression des mutations environnementales (migration, malaxage, brassage, mixité) et des coups de boutoir de la pensée critique (dont on peut dire que le Christ, Montaigne, Las Casas, Schœlcher ou Martin Luther King marquèrent

1. Voir Gérald M. Edelman, *Biologie de la conscience*, Paris, Odile Jacob, 1992.

quelques-unes des étapes). Si bien qu'il conviendrait moins d'être consterné par la banalité de la redondance d'un comportement structurellement invariant inscrit dans la chimie de notre héritage qu'ébloui par la multiplicité des innovations subversives qui ont, en quelques siècles, imposé le remodelage de cette invariance. Par conséquent, l'essentiel n'est pas de constater que le racisme reste aujourd'hui un sentiment collectif dominant qui, comme hier, exacerbe les violences et sème la désolation. Il s'agit plutôt de comprendre pourquoi et comment (version négative) ces pulsions assassines ont survécu, sous une forme structurellement invariante (la syntaxe et l'argumentaire du discours raciste sont toujours les mêmes), à l'émergence du concept de fraternité, à l'apparition d'un humanisme planétaire du cœur et de la raison, à la proclamation universelle de l'égalité des hommes en droit et en Dieu, à l'affirmation scientifique de l'unicité des espèces, à l'horreur, enfin, suscitée par les terrifiants effets des passions xénophobes ; et aussi (version positive), comment et pourquoi ces mêmes pulsions ont dû s'adapter, par incessant réaménagement interne, à l'irréversible avancée de ces progrès de civilisation qui se nourrissent de leurs recompositions antérieures. Relever, par exemple, qu'un Noir est devenu chef d'état-major de l'armée américaine, un Juif président du Conseil puis Premier ministre français, un Japonais président péruvien élu, que le nombre de mariages mixtes augmente, que des acteurs de couleur s'imposent de plus en plus à Hollywood, que dans n'importe quel pays démocratique l'obtention des droits civiques ne tient plus compte de l'origine ethnique, qu'exercent à Paris ou Londres des médecins d'origine arabe, indienne ou africaine, témoigne à la fois de la prégnance du racisme (sans quoi on ne le remarquerait ni ne prendrait la peine de le signaler) et de la recomposition de cette invariance, dans la mesure où c'est devenu possible. Mais il ne faut pas oublier non plus que la traite des Noirs fut le palliatif trouvé par Las Casas lui-même, puisque après qu'il eut reconnu que les Indiens avaient une âme il ne fut plus possible de les utiliser comme bêtes de somme. L'holocauste hitlérien indique, certes, à quel point il est toujours possible (et il sera sans doute toujours possible) de déchaîner l'apocalypse en réveillant et en exploitant l'innéité racialiste, puis raciste, qui gît dans le tréfonds d'une collectivité traumatisée par la crise ; mais on retiendra également qu'il en résulta la première véritable mobilisation et coalition antiraciste universelle que le monde ait jamais connu, alors que, précédemment, des peuples entiers purent être rayés de la carte (les Indiens des Caraïbes, de l'Argentine, du Brésil), décimés (tribus du Congo belge, aborigènes d'Australie, Maoris de Nouvelle-Zélande), massacrés (Arméniens Juifs d'Ukraine), déportés (les Juifs et Berbères d'Espagne) sans qu'une seule nation s'y oppose, ni que les opinions s'en indignent. Ce qui est nouveau, ce n'est évidemment pas que les prétendues « ethnies » yougoslaves s'entretuent, mais que les consciences en soient à ce point traumatisées. Paradoxalement (et, en cela, nous récusons toute vision linéaire d'un progrès unidirectionnel), le racisme expressément formulé, qui fit suite à la simple exécration de l'étranger décrit comme un barbare, est relativement moderne et marqua l'étape, incontestablement novatrice, d'une véritable confrontation et interpénétration entre les races et les ethnies. Auparavant, l'autre n'était que l'habitant du village situé de l'autre côté de la rivière. Le fait même qu'ensuite cette invariance biologiquement structurée qu'est la prédisposition au rejet de l'altérité ait dû, en réaction à la philosophie des Lumières, et pour s'autoprotéger des pressions environnementales et culturelles qui en exigeaient la radicale recomposition, se confectionner une doctrine-alibi (le racisme idéologique proprement dit), indique assez que ce qui allait précédemment de soi, parce que génétiquement programmé, avait pour la première fois besoin d'élaborer la théorie de sa pratique. Le passage du racisme spontané à la théorie raciste marqua donc un tournant dans cette recomposition, et la régression philosophique qui en résulta ne doit pas dissimuler que cette autodéfense fut à la mesure de la subversion qui ne permettait plus à cette invariance de rester moralement enfermée dans sa seule structure naturelle. Depuis, on est passé à un nouveau stade : la pratique qui ne s'avoue plus récuse la théorie qui, tragiquement, a tenté de la justifier.

N'assiste-t-on pas à une amorce de renversement de tabou ? Hier (il y a trois siècles), il eût été inconcevable de s'accoupler sans tenir compte de la différence de peau et même de sang. Aujourd'hui, ce qui serait peu concevable, c'est de condamner ouvertement les mariages interethniques (même s'ils restent très rares). Et les néofascistes eux-mêmes, inhibés par ce renversement, osent à peine revendiquer comme une opinion ce qu'ils imposaient il y a encore un demi-siècle comme un dogme.

Au demeurant, l'invariance comportementale qui porte à refuser l'autre conduisit, en un passé plus ou moins lointain, non seulement à l'exterminer allègrement (innombrables furent les génocides dont nul ne fut jamais capable de perpétuer le souvenir), mais également à le dévorer, puis à l'asservir. Certes, nous le verrons, ces pulsions demeurent à l'état latent, mais qui ne voit à quel point leurs manifestations ont été radicalement reformulées, que l'anthropophagie potentielle s'épuise dans un exorcisme purement verbal (l'animalisation de l'autre transformé en chien, rat ou fourmi) et ritualisé (les sacrifices d'animaux), ou que l'esclavagisme se dissout dans la normalité capitaliste ? Faut-il rappeler que la tendance invariante à torturer l'autre — à porter atteinte à son intégrité physique, à jouir de sa douleur (dont la guerre d'Algérie a montré qu'elle témoigne non d'une perversion maladive, mais d'une sauvagerie commune) — n'a pas empêché, cependant, que dans tous les pays développés l'usage judiciaire systématique du tourment, du supplice de la roue ou de l'écartèlement, de la question préalable, fut résolument prohibé et que nul ne songe plus à en préconiser la restauration ? Ou que le lynchage, comme pulsion latente invariante elle aussi, n'a cessé de céder du terrain à l'acceptation de la médiation judiciaire ?

En conclusion, notre prédisposition au comportement raciste, aussi profond que soit le terreau biologique originel dans lequel elle plonge ses racines, recompose son invariance de telle façon que constater son irréductibilité, et anticiper même les effets de sa renaissance, ne signifie pas que « rien ne change », mais que l'héritage biologique contribue à innéiser l'acquis au même titre que l'acquis remodèle et reformule sans cesse l'expression de l'inné. Le racisme ne disparaît pas, mais la forme que le racisme revêt au cours de l'évolution sociale ne cesse de se métamorphoser, et cette reformalisation évolutive, quoique non linéaire, ressemble malgré tout, sur le long terme, à un progrès de civilisation. Dans le cadre de ce « rien ne change », d'inimaginables changements restent toujours possibles. Il faudra bien prendre en compte cette dimension. Aussi ne fermerons-nous que provisoirement cette parenthèse pour revenir sur le terrain du « social » anticipé et vécu.

La scène se passe en 1848...

Un dernier exemple, véridique celui-ci, illustrera nos constatations, pour l'instant purement descriptives.

La scène se passe en 1848, les 11 et 13 septembre très exactement, dans le décor de l'Assemblée nationale constituante de la IIᵉ République française. Un député de gauche, le citoyen Mathieu (de la Drôme), a proposé un amendement à l'article 8 du projet de Constitution, ainsi rédigé : « La République reconnaît le droit de tous les citoyens à l'instruction, au travail et à l'assistance. » L'expression « droit au travail et à l'assistance » va provoquer et nourrir, pendant deux jours pleins, un affrontement idéologique d'une intensité et d'une qualité que la vie parlementaire, hélas, n'offre plus de nos jours[1].

C'est peu de dire que la controverse, qui porte en premier lieu sur le rôle de l'État dans la vie économique et sociale, nous frappe aujourd'hui par sa modernité. Un journal facétieux la publierait-il, en guise de compte rendu d'une séance improbable de notre présent Parlement, que seul le talent des orateurs ferait soupçonner l'imposture. La profondeur des discours surprendrait, mais leur contenu paraîtrait rendre parfaitement compte des grands clivages contemporains. Non seulement, en effet, il y a 145 ans, se heurtèrent, dans un maelström de raisonnements et de concepts, le communisme, le socialisme étatique et autogestionnaire, le réformisme, le mutualisme et le planisme, le libéralisme sous ses formes droitière et centriste, le conservatisme, le christianisme social, le radicalisme, le nationalisme et le populisme progressiste ou réactionnaire, mais cette confrontation inspira les mêmes analyses, suscita les mêmes propositions, mobilisa les mêmes mots, généra les mêmes arguments qu'un siècle et demi plus tard. Déjà Alexis de Tocqueville lançait à la gauche socialisante : vos raisonnements sont éculés, vos théories sont vieilles comme le monde, elles nous viennent tout droit de l'Antiquité barbare et des monarchies de grand-papa. Citons-le : « Déjà l'Ancien Régime professait cette opinion que la sagesse seule est dans l'État, que les sujets sont des êtres infirmes et faibles qu'il faut toujours tenir

---

1. J'ai publié ce débat dans *Ainsi parlait la France*, Paris, Jean-Claude Simoën, 1978.

par la main de peur qu'ils ne tombent ou ne se blessent ; qu'il était nécessaire de réglementer l'industrie, d'empêcher la libre concurrence... » A quoi Ledru-Rollin répliquait que les conservateurs disent toujours la même chose, siècle après siècle : « Sans cesse on nous oppose le même argument. Toutes les fois que nous avons demandé une amélioration, on nous a répondu : c'est impossible ! Quand on demandait, en 1775, de libérer le travail des corporations, on répondait : c'est impossible ! Quand on demandait que l'impôt fût également réparti, le clergé et la noblesse répondaient : c'est impossible ! Et il y a un an encore, la plupart de ceux qui m'écoutent pensaient que le suffrage universel était un monstre qui ne pourrait pas se dompter. Que c'était une utopie... »

Tout est dit : loin de répéter toujours la même chose de manière différente, l'évolution sociale se nourrit de la tendance à traduire toujours de la même façon une réalité devenue différente. Ce que Lamartine constatait en relevant que la droite récitait mécaniquement l'éternelle formule sur la défense de la sacro-sainte propriété ; mais de quelle propriété s'agissait-il ? « Remonter jusqu'aux premières législations ? Celles-ci reconnaissaient la propriété de l'esclave ; elles reconnaissaient au père la propriété de l'enfant ; elles reconnaissaient aux cadets la propriété de la mainmorte ; et elles reconnaissaient aux aînés des familles la propriété du droit d'aînesse ; elles reconnaissaient aux aristocrates la propriété des privilèges. La propriété a été corrigée de tous ses excès. De tous ses défauts. En est-elle devenue plus faible ? Non, elle est devenue plus juste. »

Non seulement le même mot, qui exprime le même concept et structure inlassablement le même raisonnement au service de la même pensée, ne reflète pas au fil du temps le même champ de réalité, mais, en outre, cette restructuration du sens résume l'évolution sociale elle-même, en ce qu'elle traduit la façon dont cette pensée immuable s'est adaptée à son propre échec. Comment ? En recomposant son invariance sur de nouvelles bases qui intègrent le constant rétrécissement de son espace de légitimité.

On pourrait, cependant, exprimer la même idée autrement : la restriction continuelle du champ de la propriété, et la recomposition du concept qui en a résulté, n'ont en rien affaibli la puissance immuable de ce dogme dans la pensée conservatrice. Dans la réalité non plus, d'ailleurs.

Revenons donc à notre débat fameux, dont Tocqueville, Lamar-

tine, Thiers et Ledru-Rollin furent quelques-uns des tribuns les
plus inspirés. L'auteur de l'amendement sur le « droit au travail et
à l'assistance », le citoyen Mathieu, déclare très exactement ceci :
« Tout le mal, Messieurs, vient de ce que la population est mal
répartie. Elle est trop nombreuse dans les villes et pas assez dans
les campagnes. Il fallait empêcher la désertion des campagnes et
l'encombrement des villes. Il fallait pour cela protéger, exonérer
l'agriculture, la soustraire à l'usure. Or, nos hommes d'État n'ont
pas trouvé le temps de formuler un bon système de crédit foncier.
Au lieu de protéger l'agriculture on a protégé l'industrie. (*Cris* :
C'est vrai !) Ainsi l'on a fait le vide dans les campagnes et le trop-
plein dans les villes. »

Le processus que nous venons de décrire à propos de la propriété, d'autant plus immuable qu'elle est radicalement chan-
geante, se décline ici à l'envers : lorsque la France comptait près
de 70 % d'agriculteurs et assimilés, et que plus de 80 % de sa
population vivait hors des grandes villes, l'une des questions essentielles du débat politique était déjà celle de la désertification des
campagnes, de la prolétarisation des agriculteurs endettés, acculés
à la ruine par les banques de crédit, de l'engorgement des grands
centres urbains, et des graves déséquilibres qui en découlaient
dans l'aménagement du territoire.

Ce que confirme, à sa façon, le député Alphonse de Lamartine
quand il évoque « cette population [il s'agirait aujourd'hui des
populations immigrées] arrachée au travail agricole, le plus sain,
le plus moral de tous les travaux de l'homme, par l'appât des salaires les plus élevés et par certain honneur malheureux, honneur
mal compris, funeste honneur de venir soi-disant s'ennoblir, mais
en réalité se pervertir et souvent s'appauvrir et s'avilir dans les
grands centres ». Lamartine s'angoisse à la vue des cités-ghettos
et des banlieues surpeuplées, brandit le spectre de l'émeute dès
lors que la rancœur sociale sera exacerbée par le chômage, et
trouve, pour exorciser sa terreur, le ton qui fut, récemment, très
exactement celui qu'adopta Jean-Paul II : « Savez-vous ce qui est
dangereux, Messieurs ? C'est de ne pas comprendre et guérir peu
à peu le prolétariat. Il n'y a qu'un moyen [d'empêcher l'explosion
sociale], c'est d'enlever aux factions [socialistes], c'est d'enlever à
leurs programmes, à leurs incitations perverses, toute la portion
de vérité, de justice qu'elles recèlent. Par là même, Messieurs,

vous les désarmez. Mais tant que vous avez une vérité contre vous, ne dormez jamais tranquilles. »

Ainsi la thématique du dépeuplement des campagnes, de la croissance démesurée des centres urbains, du rôle corrupteur des grandes villes, des explosions sociales que ce déséquilibre risque d'engendrer en période de chômage, sous la pression des idéologies subversives, constitue une invariance (elle apparaît déjà dans les textes gréco-romains de l'Antiquité) qui rend compte en des termes toujours identiques, en fonction d'une appréciation subjective structurellement toujours semblable, de réalités évolutives objectivement incomparables. Et l'on ne peut qu'être frappé de constater qu'en 1848 les campagnes, dont on estime aujourd'hui qu'à l'époque elles regorgeaient de paysans, étaient considérées comme vides, asphyxiées par la concurrence de la grande industrie.

Plus significative encore apparaît l'invariance du mythe de la terre originelle, où s'enracinent les vertus de la « race », et que la relative marginalisation sociale de la paysannerie n'empêche pas de peser encore de tout son poids sur notre vie politique actuelle, au point que l'on peut prévoir qu'il n'aura rien perdu de sa force (qui n'a pas de racines paysannes ?) quand la France ne comptera plus que 400 000 vrais agriculteurs : toute structure mentale « nationale » projette les prémisses de son émergence bien en deçà des transformations qui l'ont affectée et l'affecteront.

Le citoyen Tocqueville en pourfendeur de la social-démocratie

Faut-il citer d'autres péroraisons, extraites de cette discussion de septembre 1848, pour montrer à quel point la formidable variabilité du réel se double d'une spectaculaire stabilité des structures intellectuelles ou mentales qui en véhiculent l'expression ?

Le citoyen Pelletier (gauche réformiste), annonçant l'ANPE et les Assedic, la CSG et le RMI, déclare : « Nous ne pouvons plus être malthusiens. (*Un interrupteur* : C'est vieux cela !) Il conviendra donc de créer, dans toutes les communes de France, des maisons pour éteindre la misère comme il y en a pour guérir les maladies. Des maisons fondées par l'État, qui seraient autorisées à prélever, tant que la nécessité l'exigerait dans l'intérêt de tous, 5 centimes par franc sur les salaires de tous les travailleurs, et chargées de leur procurer du travail, ou, à défaut, de travail, des moyens d'existence. Tous les hommes émancipés, munis d'un diplôme constatant leur profession et prouvant qu'ils peuvent être occupés dans la localité, devraient s'y présenter. S'il n'y a pas d'emploi correspondant à sa profession, on lui donnerait de quoi exister, c'est-à-dire une somme fixée par le règlement, et toujours en rapport avec la chèreté des vivres. » Le citoyen Gaultier de Rumilly (droite) s'exclame alors : « Proclamer le droit au travail revient à supprimer les garanties illusoires données à la propriété. Pourquoi ? Parce que le droit au travail porterait l'atteinte la plus grave au crédit, et le crédit c'est la confiance dans la propriété. C'est le crédit qui rend productif la plus grande partie des capitaux ; c'est par le crédit que se développent le travail et la circulation. Si donc vous effrayez la propriété, vous éloignerez ce travail qui toujours fuit et que cherche l'homme laborieux. » Le citoyen Alexis de Tocqueville, pourfendant la démocratie sociale qu'on appellera plus tard social-démocratie, lance : « Le droit au travail implique que l'État fasse en sorte qu'il n'y ait pas de chômage. Cela le mène forcément à distribuer les travailleurs de manière à ce qu'ils ne se fassent pas concurrence, à régler les salaires, tantôt à modérer la production, tantôt à l'améliorer, en un mot, il devient le grand et unique organisateur du travail. Et, au bout, qu'aperçoit-on ? Le socialisme, c'est-à-dire l'idée que l'État ne doit pas être seulement le directeur de la société, mais le maître, le percepteur, le pédagogue de chaque homme. Qu'est-ce que le socialisme ? C'est la nouvelle formule de la servitude. Eh quoi ? Le grand mouvement de la Révolution française n'aurait abouti qu'à cette société que nous peignent les socialistes, réglementée, réglée, compassée, où le but assigné à l'homme est uniquement le bien-être ? Non ! La Révolution française [de 1789] n'a pas eu la prétention ridicule de créer un pouvoir social qui fît directement par lui-même le bien-être, l'aisance de chaque citoyen. Est-ce un hasard ? L'Amérique est aujourd'hui le pays du monde où la démocratie s'exerce le plus souverainement et c'est aussi celui où les doctrines socialistes, que vous prétendez si en accord avec la démocratie, ont le moins de cours. Est-ce que la démocratie consisterait à créer un gouvernement plus tracassier, plus détaillé, plus restrictif que tous les autres, avec cette seule différence qu'on le ferait élire par le peuple ? Mais alors, qu'aurez-vous fait que donner à la tyrannie un air légitime qu'elle n'avait pas ? La démocratie [libérale] étend la sphère de l'indépendance individuelle, le socialisme la resserre. Il n'y a rien [dans le message de 1789] qui force l'État à se mettre à la place de la prévoyance individuelle. Il n'y a rien qui autorise l'État à s'entremettre au milieu des industries, à leur imposer des règlements. »

Remarquons-le : ce discours-là, remarquable, archétypique, fut reformulé tel quel chaque fois qu'il y eut, ne disons pas « progrès », mais évolution de la législation sociale : instauration d'un salaire minimal, congés payés, création de la Sécurité sociale, retraite par répartition, enseignement gratuit obligatoire, impôt progressif sur le revenu, allocation-chômage, contribution sociale généralisée, etc. Est-ce à dire que ce fut chaque fois le même discours ? Formellement et structurellement, assurément. L'Histoire, en l'occurrence, agit comme une photocopieuse. Le socialisme, c'est toujours l'étape d'après. Mais la recomposition, qui n'est pas toujours apparente, tient justement à ce que l'étape d'avant est, de plus ou moins bonne grâce, intégrée à la logique libérale. La mise en garde contre ce qui menace implique l'assimilation des menaces antérieures. L'impossible ou l'impensable ne cesse de tirer un trait sur ce qui est devenu possible après avoir été pensé. Dès lors, le discours conservateur qui ne se recompose pas, et insiste moins sur l'étape d'après que sur les méfaits de l'étape d'avant, devient « réactionnaire ».

Faut-il encore citer l'orléaniste Duvergier de Hauranne : « Par votre proclamation du droit au travail, vous placez, en face d'un Trésor vide, 500 000, 1 million peut-être d'ouvriers affamés, à qui vous avez donné le droit — le droit, entendez-vous ! — d'exiger ce que l'État est impuissant à donner. Il y a, dans toute société humaine, deux termes : la population et le capital. Quand le capital croît plus vite que la population, il y a aisance. Quand la population croît plus vite que le capital, il y a misère. Aussi, si vous voulez améliorer le sort des pauvres, développez le capital au lieu de l'injurier comme vous le faites tous les jours. » Ronald Reagan ou Mme Thatcher n'ont finalement rien dit d'autre. Le citoyen Marcel Barthe (centre droit) : « Celui qui aspire à la fortune doit la conquérir par son énergie, par son épargne. En marchant vers la fortune, il enrichit son pays. Le droit au travail est le premier anneau de la chaîne que les communistes veulent imposer à la société. Pour réaliser les bienfaits que nous concevons, il faut augmenter la richesse nationale. Il faut augmenter la production. Or, la production n'augmentera que lorsqu'il y aura la sécurité. Et la sécurité passe par l'héritage. Celui qui s'enrichit n'appauvrit personne, il enrichit la société. » Le citoyen Arnaud, de l'Ariège, (gauche) : « On prétend protéger la liberté quand on ne protège que les privilèges. C'est ce qu'on appelle conserver l'ordre public. Si, au temps du paganisme, s'était rencontrée une puissance sociale qui eût voulu émanciper l'esclave, fût-ce indirectement, on lui aurait dit : vous compromettez l'ordre public, vous portez atteinte à la liberté. » Le citoyen Billaud (centre gauche) : « Lorsque, avant 1789, nos pères réclamaient la liberté du travail, alors que l'industrie était organisée en corporations, en maîtrises, les partisans du *statu quo* disaient déjà que c'était le dernier mot en matière d'organisation industrielle, que rien n'était possible ni praticable au-delà... A mon sens, la pendule de la civilisation, après avoir fortement incliné vers la liberté absolue de l'individualisme, revient vers la nécessité de l'action gouvernementale et l'appelle. » Le citoyen Du Faure (droite libérale) : « En donnant à un individu un droit au salaire, vous lui enlevez la prévoyance. Quand l'ouvrier aura pris, une fois, l'habitude de travailler comme on travaille pour l'État, avec un salaire assuré, infaillible, immanquable, le goût du travail s'en ira peu à peu. Il tombera dans l'indolence. »

Que manque-t-il ? Rien ou presque. Tout cela, qui avait déjà été dit mille fois, sera mille fois redit, jusqu'à nos jours. Plus vulgairement ou plus savamment. Comme si la problématique était indépassable. Ici l'épargne, la confiance, la sécurité, l'héritage et la liberté du capital ; là, l'État qui corrige, qui régule, qui répartit, qui assiste.

Quoi de neuf ? Rien, et tout à la fois. Car l'invariance de la structure du discours et de la pensée qu'il drape dissimule sa continuelle recomposition à un niveau supérieur. Le droit au travail, inscrit dans le préambule de la Constitution, fait désormais partie de la Déclaration internationale des droits de l'homme ; le droit à l'assistance est assuré dans tous les pays démocratiques développés : ce qui ne dissuade en rien la gauche socialiste ou révolutionnaire de continuer à revendiquer l'un et l'autre. Absurde ? Non ! Car la revendication elle-même se recompose au même rythme que le refus de la revendication, et l'on dénoncera éternellement, sans doute, l'absence de travail qui persiste malgré la reconnaissance du droit au travail, la forme d'esclavage qui succède à l'abolition de l'esclavage, le féodalisme qui survit à l'extinction de la féodalité, etc. L'acquis, par définition, est une donnée objective, un « en-soi » par rapport auquel la structure invariante redessine ses propres marques. Le même refus, au nom des mêmes principes et du même raisonnement, d'une fiscalisation unitairement progressive de toutes les formes de revenus ne remet pas en cause aujourd'hui l'existence de l'impôt progressif. Inversement, cette avancée, qui ne fut révolutionnaire qu'un jour, ne ruine en rien la légitimité du discours sur l'iniquité fiscale.

Celui-là même qui, de nos jours, stigmatise, dans les mêmes termes que certains des orateurs précédemment cités, la société d'assistance généralisée — qui mène à l'indolence, tue l'effort, décourage le capital et le crédit, ruine les finances publiques et favorise la servitude — n'envisagerait pas un instant de remettre en cause certaines des innovations que ces mêmes tribuns eussent considérées comme autant d'insupportables aberrations. Toutes les phrases rapportées plus haut pourraient être prononcées aujourd'hui, et le sont d'ailleurs communément, mais c'est précisément ce que recouvre ce non-changement qui, pour peu qu'on le décrypte, indique l'ampleur des changements intervenus.

Où l'on découvre l'implacable lucidité du citoyen Thiers

Je ne saurais conclure cet examen d'un document de valeur quasiment biblique (il mériterait d'être republié sous forme de manuel scolaire) sans évoquer le texte le plus saisissant : celui de l'intervention du citoyen Thiers.

Notre société libérale est formidable, explique d'emblée le futur vainqueur de la Commune. Hier elle importait de merveilleux cotons filés de l'Inde, et aujourd'hui elle a réussi à ruiner ce pays en les filant elle-même à moindre prix. (Aujourd'hui le processus, inversé, a évidemment cessé d'être formidable !) Elle paie 6 francs un ajusteur qui ne gagnait que 3 francs avant 1789 (Fourastier s'illustra dans ce genre de calculs). Certes, reconnaît l'orateur, les prix des logements ouvriers ont très fortement augmenté. « Cela tient [déjà !] aux penchants des industries à se rapprocher des grandes villes. » La solution serait « d'abandonner les terrains de l'État à des constructeurs privés qui construiraient des logements ouvriers ». Mais, surtout, ce qui est merveilleux dans le capitalisme, note monsieur Thiers, c'est qu'il favorise spontanément une répartition plus égalitaire des revenus. « Voilà cette loi admirable qui fait qu'à mesure que la société fait des progrès l'ouvrier gagne davantage, et comme consommateur il paie moins, tandis que l'entrepreneur, placé entre la société et l'ouvrier, obligé de satisfaire tous les deux, et contraint à des efforts inouïs, est forcé de se contenter de profits très inférieurs [remarquons ici l'anticipation de la thèse marxiste de la baisse tendancielle du taux de profit !]. Je dis donc que la société marche vers l'amélioration du sort de toutes les classes, et plus encore des classes inférieures que des classes supérieures. [Tous les vingt ans, on réinventera une théorie pour formuler la même thèse, toujours infirmée par la réalité de l'évolution sociale elle-même, le capitalisme étant en l'occurrence plus rusé que ne l'imaginent ses panégyristes ; et la thèse inverse de la paupérisation relative régulière du salariat n'en resurgira pas moins avec la même régularité.] En échange, poursuit Thiers, que nous prépare le communisme ? Une société paresseuse et esclave. On ne travaille pas pour la communauté. D'un autre côté, on nous propose l'association, autrement dit l'intérêt collectif dans l'industrie. C'est-à-dire l'anarchie. Vous figurez-vous toutes les filatures, toutes les usines de France gouvernées par une association d'ouvriers ? Dans l'industrie, le véritable moteur c'est l'intérêt privé ! »

Une fois cela, qui rappelle les débats de l'après 68, clairement rappelé, l'orateur en arrive au cœur du sujet : « Au fond, quel est le mal auquel vous voulez remédier ? En réalité, c'est le chômage. Mais je vous défie, dans ce que vous faites, de trouver autre chose qu'un secours. Nous, ce secours, nous lui donnons son vrai nom, et vous, vous l'organisez de manière à ce que ce secours soit un acte malhonnête envers la société car, si elle paie un travail, il faut qu'on le fasse. Or, que va-t-il se passer ? Tel ouvrier mis en chômage qui gagnera 6 ou 8 francs, vous n'allez pas lui donner 6 ou 8 francs, vous ne lui donnerez même pas 40 sous, si vous voulez les lui donner longtemps. Mais si c'est un droit, prenez-y garde. On ne plaisante pas avec les droits ! Il faut les satisfaire complètement. On vous dira : je gagnais 6 francs, donnez-moi 6 francs. Le droit n'admet pas d'à-peu-près. En outre, un droit ne fait pas exception entre les classes des citoyens. Si c'est un individu d'une classe élevée qui se présente et dise "Je n'ai pas d'emploi", lui direz-vous : "Vous êtes un solliciteur, retirez-vous" ? Le droit qu'on refuse à celui-ci et qu'on accorde à celui-là n'est pas un droit. Permettez-moi, en finissant, de présenter une dernière considération : c'est la considération financière. Les classes condamnées au chômage ne sont pas tout le peuple. Ce n'est qu'une portion du peuple. En présence de cette portion du peuple, qu'y a-t-il ? Il y a le Trésor public. Est-ce le Trésor du riche ? Non. Le Trésor est toujours le Trésor du pauvre. On nous dit : quand on fera payer les impôts aux riches, la question sera changée. Eh bien, savez-vous pourquoi, en définitive, le Trésor est toujours le Trésor du pauvre et n'est pas celui du riche ? C'est que le riche est très peu nombreux. Et c'est toujours le grand nombre qui paie. Prendriez-vous, par le communisme, toute la fortune de ceux qui méritent le titre de riches en France, que vous ne paieriez pas une année des dépenses publiques. Vous nous proposez donc, en réalité, de fournir un salaire, un salaire obligé, appelé droit, à une partie infiniment petite de la population (les chômeurs), en prenant où ? Dans le Trésor de tout le peuple. Voilà le vrai. Ce Trésor dans lequel vous puisez, qui n'est pas inépuisable, c'est celui du pauvre ! »

Qu'ajouter à cette analyse d'une lucidité impitoyable ? Propos de visionnaire froid — et cynique — qui devine, lit dans les têtes une aspiration généralisée à l'assistance, celle qui investira en effet peu à peu la société. En un sens, monsieur Thiers a raison : ouvrir un droit abstrait justifie toujours, à terme, une exigence concrète. Tout accès au plus, incite au « plus encore », tout en le banalisant finalement comme un « moins » (voir le *Toujours plus !* de François de Closets). C'est même ce qui rend formellement immuable le discours de la demande sociale. D'un côté, ce qui sera reconnu aux pauvres ne pourra, en effet, être refusé aux riches ; de l'autre, ce qui profitera, même marginalement, à certains riches sera majoritairement financé par les pauvres parce qu'ils sont le plus nombreux. On ne saurait faire plus explicitement le procès moral d'une logique sous couvert d'en souligner l'invariable cohérence. Le conservatisme libéral dans toute sa rigueur apparaît, ici, comme un marxisme retourné, tout aussi subversif. Thiers a cependant parfaitement raison, mais, en même temps, il a fondamentalement tort. Pourquoi ? Parce qu'il ne voit pas que la logique libérale ne peut surmonter ses propres contradictions — en partie morales — qu'en intégrant une part de ses contraires. Et qu'en l'occurrence, en période de crise cataclysmique, telle que le monde en connut dans les années trente, le système capitaliste n'aurait jamais pu résister à l'effet récessionniste-boule de neige d'une marée de chômeurs dépourvus de tous droits et de toute assistance. Le libéralisme dut sauver sa cohérence structurelle en la huilant de ce qui, selon Thiers, en heurtait radicalement la rationalité. C'est dire — nous y reviendrons — que l'invariance de la pensée libérale ne venant jamais à bout de l'invariance de l'aspiration au socialisme (ou à la socialisation) — comme le débat dont nous venons de rendre compte le montre éloquemment —, l'une sans cesse nourrit et subvertit l'autre, au point que la structure immuable des deux discours cache en profondeur une interpénétration qui ne cesse de les recomposer.

Et c'est pourquoi la harangue de monsieur Thiers reste, 145 ans plus tard, mais à un tout autre niveau de lecture qu'à l'époque où elle fut prononcée, à la fois intellectuellement vraie et pratiquement fausse.

L'illusion du « rien ne sera plus jamais comme avant »

Les propos, si anciens et si modernes, que nous venons de rapporter furent prononcés par des personnalités qui estimaient : les unes, à gauche, qu'après la révolution républicaine de février « rien ne serait plus comme avant » ; les autres, à droite, que « rien ne serait plus comme avant » après l'écrasement de la révolte sociale de juin. En fonction de quoi on eut le second Empire et la Commune. Comme on aura le Front populaire et Pétain.

Il est en effet paradoxal de constater que l'invariance tendancielle des processus répétitifs est immanquablement rythmée par l'illusion, tout aussi invariante, qu'une page est définitivement tournée. Après 1918, pour les rescapés des tranchées, la guerre à ce niveau d'horreur était devenue impossible. Impossible parce que impensable. Tout comme en 1946, après que l'ampleur de l'abjection, du mensonge, du crime, du désastre, eut été découverte — et nul désormais ne l'ignorant —, il était inenvisageable que l'extrême droite fascisante pût, moins de cinquante ans plus tard, non seulement resurgir en brandissant les mêmes étendards, en scandant les mêmes slogans, en exploitant les mêmes filons, mais obtenir dans un certain nombre de pays — la France, l'Italie, la Yougoslavie, entre autres — de meilleurs résultats électoraux encore qu'avant guerre.

L'obsession, également invariante, du « tout recommence » succédant à l'illusion du « rien ne sera plus jamais comme avant », on s'est volontiers polarisé sur la moindre apparition d'un énergumène arborant la panoplie complète du petit néonazi bardé de croix gammées. Erreur totale de perspective, bien sûr : car l'obsession du « tout recommence » est aussi partielle et partiale que l'illusion de « la page définitivement tournée ». Aucune page n'est jamais définitivement tournée, mais l'Histoire ne s'y réécrit jamais de la même façon, même si la thèse marxiste de la redondance sous forme de caricature (Napoléon III après Napoléon Ier) nous paraît tout à fait insuffisante. Mieux : tout se reproduit toujours sans jamais recommencer. Il est à peu près certain que ne prendra plus jamais le pouvoir en Allemagne, ni nulle part ailleurs en Europe occidentale, un caporal autodidacte exalté qui instaurera un régime de parti et de pensée uniques, ordonnera l'extermination par le gaz des Juifs du pays et d'ailleurs, enfermera la totalité de ses opposants dans des camps de concentration, enverra ses troupes, au nom du besoin d'espace vital, à l'assaut des pays voisins et préconisera l'asservissement (au sens d'esclavagisation) des populations non aryennes ! Mais supprimons par exemple les mots « Juifs » et « chambres à gaz », ou l'expression « parti unique » : alors peut fort bien se répéter et se reproduire effectivement, non seulement à l'échelle planétaire, mais également en Europe, le processus qui conduit une communauté et une large fraction d'un peuple, dont la haine latente de l'autre a été révélée à elle-même par des démagogues nationalistes, à souhaiter ou à admettre l'éradication violente d'une présence ethnique jugée attentatoire à l'expression de son moi identitaire. Cela se passe en Yougoslavie et au Caucase. Cela habite ailleurs, en Allemagne comme en France, certains esprits.

De même, déconnectée du reste du programme, la pratique qui consiste à concentrer et à entasser des opposants dans des camps réservés à cet effet reste extrêmement répandue, et fut en particulier, dix ans seulement après la fin de la Seconde Guerre mondiale, largement utilisée par la France en Algérie, tout comme la torture, l'exécution sans jugement de prisonniers, ou, en guise de représailles, la destruction de villages entiers.

Le problème réel, dans le cas qui nous préoccupe, n'est donc

pas le recommencement du fascisme en tant que rebond du
« même », ou que réplique statiquement identique d'un modèle
générique. Cela est un mythe dont il faut bien comprendre, dès
maintenant, que lui-même est un invariant qui reflète les empreintes mentales d'une structure antérieure (la vie politique française
n'a-t-elle pas tourné pendant deux siècles autour de cette bipolarisation intériorisée depuis 1793 : coupeurs de têtes terroristes face
aux contre-révolutionnaires antinationaux ?). En revanche, il
apparaît clairement que les mêmes causes engendrent des effets
tendanciellement semblables (mais non pas identiques) ; et que,
par conséquent, les empreintes mentales des structures antérieures aidant, l'ensemble des facteurs qui ont favorisé l'émergence de
formes diverses de fascismes (le nazisme n'en étant qu'une particularité très spécifique) tendent, dans une situation donnée qui
les renouent entre eux (une crise économique, morale et étatico-
identitaire), à reproduire invariablement le processus structurant
dont le fascisme fut l'enveloppe historicisée. (Et cela, de manière
invariablement spécifique, en fonction des divers espaces nationaux.) Mais cette reproduction d'un processus politico-psychologique — et non d'une réalité statique — n'est possible qu'à travers
une radicale recomposition interne qui prend en compte les échecs
plus ou moins dramatiques des expériences antérieures ; qui sauve
en quelque sorte l'invariance structurelle du processus en répudiant certains des lamentables « essais » qui l'ont préalablement
diabolisée. En somme, l'évolution du phénomène social qui tend
au fascisme, puis au néofascisme, est de type darwinien : il intègre
sa propre sélection naturelle, après avoir testé les effets de ses causes.

On aura compris que deux niveaux d'invariance (rien ne
change !) interviennent ici — l'invariance d'une structure mentale
et l'invariance d'un processus dynamique — pour engendrer une
répétition apparente, dont la recomposition interne, sans laquelle
cette répétition serait impossible, fait que « tout change » cependant.

C'est pourquoi nous serons conduit, dans cet ouvrage, à examiner à la fois les bases neurobiologiques de toute invariance mentale et les bases physico-chimiques des processus dynamiques ou
thermodynamiques invariants.

Constatons simplement pour l'instant, dans le cas qui nous
occupe, que l'invariance mentale est bien antérieure à son investis-

sement dans le fascisme proprement dit. On la retrouve, depuis des millénaires, organisée autour du triptyque peuple-autorité-identité, la peur du « nouveau » et la nostalgie d'un ordre ancien mythifié aidant, solidement câblée, dans le tréfonds de notre biologie neuronale, en interconnexions constantes avec un milieu qui la réactive indéfiniment.

L'invariance du processus thermodynamique renvoie, elle, à des lois (nous verrons qu'il s'agit de lois de probabilités) qui affectent le mouvement social collectif, au même titre que tout mouvement collectif en général confronté à une brusque augmentation de la pression énergétique (ou calorifique) de son environnement. On peut parler à cet égard d'un processus d'entropie sociale.

En résumé, le néofascisme d'aujourd'hui n'est ni structurellement différent, ni formellement le même que le fascisme d'hier : il est tout simplement le seul fascisme « possible ». Il se décline même, à l'occasion, à l'envers : il troque alors volontiers les thèmes socialisants originels contre des thèmes ultralibéraux reaganiens. Quelle importance ! Outre qu'il ne répugne pas, si la situation l'exige, à jouer sur les deux tableaux en resocialisant son discours au coup par coup, son néosocialisme idéologique d'hier n'excluait pas non plus des pratiques ultralibérales. De même, le néofascisme à vocation grand public n'est plus *théoriquement* raciste, ce qui n'est pas secondaire, même s'il l'est resté pratiquement et philosophiquement, au moins au niveau du non-dit. Il ne se réclame plus ostensiblement de la dictature d'un parti unique et ne prétend pas à un monopole idéologique, mais diabolise tout parti qui ne se fond pas implicitement dans sa mouvance, et toute idéologie qui échappe à son attraction. Autrement dit : il a changé autant que cela devenait nécessaire pour rester le même.

Il était de toute façon absurde d'imaginer — et, en tout état de cause, contraire à la théorie que nous entendons développer — que les sensibilités d'extrême droite (dont notre histoire nationale véhiculait les matériaux bien avant qu'un Bonald ou un de Maistre, au début du XIXe siècle, les assemblent et les formalisent) aient pu être éradiquées par la seule répression, définitivement ensevelies sous la honte de leurs œuvres, asphyxiées par une réprobation institutionnalisée. De récents événements qui ont agité l'Allemagne de l'Est ex-communiste sont à cet égard pédagogiquement éclairants. L'antifascisme officiel le plus lourdement répressif n'est pas venu à bout des mécanismes mentaux qui se réamorcent sitôt que l'environnement produit le stimulus requis. Le niveau du politique (l'action législative, juridique, propagandiste, policière) n'interfère que ponctuellement (et c'est pourquoi il doit toujours être refondé) avec le niveau, dont l'invariance se recompose sans cesse, des structures mentales et des dynamiques sociales. Il ne fait que corriger inlassablement ce qui demeure. Le résultat des élections de décembre 1993 en Russie le montre éloquemment.

Ce que nous venons de décrire vaut aussi évidemment pour le communisme — ou « socialisme réel » — dont on sera de plus en plus surpris de se souvenir que l'on a célébré sa mort définitive ; ou encore pour l'intégrisme religieux, dont aucune des avancées scientifiques qui ont ruiné l'une après l'autre sa pertinence, n'a permis de neutraliser les fureurs.

Rien ne sera jamais comme avant ? Quel démocrate romain eût, en 1944, pris au sérieux une tireuse de cartes qui lui eût prédit que, cinquante ans plus tard, les fascistes obtiendraient 47 % des suffrages dans la Ville éternelle ? Quel bolchevik pensait, en 1930, revoir un jour les portraits du tsar brandis dans les rues de Moscou et assister à la victoire électorale relative d'un parti ultraréactionnaire ? Quel libéral prévoyait en 1990 que, trois ans plus tard, les ex-partis communistes gagneraient des élections en Pologne, en Lituanie, et feraient des scores spectaculaires en Allemagne de l'Est ? Quel Yougoslave, même dans ses pires cauchemars, imaginait dans les années cinquante qu'avant un demi-siècle Serbes, Croates et Musulmans de Bosnie se livreraient de nouveau, dans l'anarchie la plus générale, à une implacable guerre d'extermination ? Quel militant du parti du Congrès, contemporain du pandit Nehru aurait pu concevoir qu'un parti se réclamant de l'hindouisme le plus fanatique remporterait au cours du siècle des élections en Inde ? Quel colonel grec putschiste aurait admis l'idée qu'après lui il y aurait encore Papandréou ? Quel Géorgien, dans les années soixante, eût été capable d'anticiper, au-delà de l'indépendance de sa nation, son basculement dans une nouvelle guerre tribalo-féodale ? Quel Arménien se serait vu, dans les années soixante-dix, engagé dans une armée lancée à l'assaut du territoire azéri ? Quel historien, il y a dix ans, eût songé à annoncer l'inéluctabilité de nouveaux conflits majeurs au Caucase et dans les Balkans ? Quel nationaliste algérien, au lendemain de l'indépendance, aurait cru que le FLN serait avant trois décennies submergé par un raz de marée d'intégrisme islamique moyenâgeux ? Quel Italien eût, il y a une décennie, prédit l'explosion électorale d'un sécessionnisme lombard ? Quel intellectuel africain eût accepté, il y a trente ans, l'idée qu'avant que l'esprit national n'apparaisse au Zaïre le tribalisme aurait submergé le plus occidentalisé des pays africains, le Liberia ? Qui aurait parié, dans les années cinquante, au lendemain de la chute ignominieuse du général Perón, sur la persistance de l'hégémonie politique du néopéronisme en Argentine, quarante ans plus tard ? Ou, après la dictature militaire, à un aussi rapide retour de populisme de gauche au Brésil ? Qui aurait cru, à l'extrême fin du XIXe siècle, que, la science ayant largement poussé ses découvertes au-delà des frontières que lui fixait à l'époque la raison agnostique, pulluleraient cependant les mages et les sectes, les faux prophètes et les demi-dieux, les sorciers et les enchanteurs, les jeteurs de sort et les devins ? Qu'un demi-siècle après l'Holocauste, l'antiracisme et la tolérance étant pourtant devenus l'idéologie officielle de cette ultime phase d'un millénaire dominé par les haines ethniques et religieuses, se compteraient encore par millions les victimes des croisades assassines menées au nom de Dieu ou de la race ?

Tout semble, en définitive, toujours recommencer comme avant, à cela près que l'« avant » qui feint de revenir est tout de même un « après », et que la condition de cet « après » est justement la recomposition évolutive de l'« avant ». De même que le communisme qui revient ne peut être assimilé à celui qui s'est évanoui — l'un étatisait, l'autre privatise ; l'un supprimait les élections, l'autre les gagne —, de même l'intégrisme perçu comme déviance n'est pas identique à celui à partir duquel se définissaient toutes les déviances. Le pire, en Yougoslavie, prend la forme d'une « épuration ethnique » et non d'une « extermination » ethnique : encore ce nationalisme tribal meurtrier doit-il se barder d'alibis, quand il aurait, en d'autres temps, ouvertement théorisé ses pratiques les plus criminelles. Les Arméniens et les Azéris se font la guerre « comme toujours », mais les premiers l'emportent, ce qui diffère profondément de l'époque où ils ne constituaient qu'un gibier. Le Juif russe, victime de pogroms verbaux, sait qu'il dispose à l'arrière non plus seulement d'un énième refuge, mais d'une patrie. Le tsarisme resurgit en Russie comme tendance, mais sa restauration n'en reste pas moins tout aussi impossible que celle de la domination aristocratique dans la France de 1815. Les Balkans en feu

peuvent provoquer une crise européenne majeure, mais certainement plus une guerre mondiale. Et le péronisme en Argentine
n'est plus l'enfant d'un coup d'État, mais le fruit d'une alternance électorale.

Aussi bien l'accumulation impressionnante de ces recommence-
ments ne doit-elle pas faire oublier qu'à l'échelle planétaire c'est
la fulgurante avancée de la démocratie pluraliste et élective qui
caractérise la dernière décennie, et qu'en cela ces apparentes
redondances participent en réalité de l'évolution, puisque, pour
l'essentiel, elles ont intégré ce processus démocratique dont, au
pis, elles surchauffent le moteur, quand auparavant elles en
obstruaient totalement la voie ou faisaient dérailler la machine.
Ainsi remarquera-t-on que si les régimes autocratiques (Iran,
Haïti, Algérie, Russie, Égypte, Zaïre, Cambodge, Angola, Somalie, Éthiopie, etc.) vivent des mutations parfois apocalyptiques,
pratiquement aucune démocratie pluraliste, malgré les effroyables
secousses qui les affectent parfois, n'a basculé depuis une dizaine
d'années dans la sphère dictatoriale, quand, il y a encore un demi-
siècle, la crise aidant, elles seraient tombées comme des feuilles
mortes.

Le remodelage des invariances qu'a catalysé la pratique démocratique a en quelque sorte permis à ces pays d'intégrer à cette
logique-là les contradictions qui, précédemment, la sapait.

Je pourrais, à l'appui de l'idée que je tente progressivement de
dégager, invoquer un exemple personnel. Il y a dix ans, j'ai fondé,
dans des conditions que la nécessité rendait totalement atypiques,
un hebdomadaire intitulé *L'Événement du jeudi*. Ne disposant pas
du moindre sou, et ne profitant du soutien d'aucun de ceux qui en
ont à revendre, j'improvisai un système de financement qui, en
rompant radicalement avec les structures de propriété en vigueur,
permit à la fois d'assurer l'indépendance du journal et de développer des rapports interactifs avec une partie de son lectorat. Je
pensais ainsi pouvoir construire un « organe de presse », comme
on dit, sur des bases absolument nouvelles, c'est-à-dire en marge
des invariances qui organisent cette profession et définissent cette
marchandise : un travail d'équipe impliquant une appropriation
du journal par le collectif rédactionnel, une hiérarchie interne
minimale réduite à un certain nombre de « coordinateurs », pas
de services rigides, une transversalité généralisée, une volonté
affirmée d'intégrer au discours journalistique classique des formes

nouvelles et plus visualisées d'expression, une démarche éditoriale récusant les méthodes du marketing, un refus de tout bradage dévalorisant des abonnements par apport de primes, une volonté de tenir la dragée haute à la publicité.

Or, dix ans plus tard, je dois bien constater que la plupart des « invariances » que nous prétendions exorciser se sont, peu à peu et irrésistiblement, reconstituées : il y a des services, des chefs de service, une rédaction en chef et une direction de la rédaction. Les enquêteurs le disputent aux grands reporters. La pratique journalistique n'a rien eu de révolutionnaire, tandis que les rapports au sein de l'entreprise ressemblent, pour l'essentiel, à ce qu'ils sont ailleurs, les mêmes revendications exprimant les mêmes intérêts ou les mêmes clivages. Des investisseurs institutionnels ont dû être introduits dans notre capital, l'impact marketing des couvertures a dû être pris en compte, des concessions ont dû être consenties au pouvoir publicitaire, des formes de soutien à l'abonnement ont dû être esquissées. Or, il ne s'agit pas là d'une trahison, d'un changement de cap, mais du résultat de l'implacable pression de la nécessité sur les volontés. En vérité, la pure négation des invariances structurelles, internes et externes, que nous avions tenté d'escamoter, était sans issue, et il était illusoire de vouloir créer une contre-société totalement en marge de la société environnante. D'une part parce que le journal, en tant qu'entreprise, dépendait du système dont il entendait refuser les règles, et cela d'autant plus qu'il se développait. D'autre part, parce que le personnel de cette entreprise reproduisait naturellement un mode de rapports sociaux (notamment l'alignement des revendications sur les plus forts acquis de la concurrence) qui impliquait que l'entreprise se normalisât. Est-ce à dire que cette expérience fut un échec et qu'il faut la regretter ? Pas un instant ! Car l'essentiel, ici, n'est pas qu'à presque tous les niveaux les structures, un instant contournées, aient reconstitué leur invariance, ce dont je n'ai jamais douté, le contraire étant de toute façon impossible (pratiquement et théoriquement), mais que notre volontarisme de départ nous ayant tout de même permis de recomposer plus ou moins radicalement ces invariances structurelles et d'inclure, à cette occasion, de la volonté dans les interstices de la nécessité, l'expérience reste malgré tout novatrice et, à certains égards, exemplaire. Mieux : les effets mêmes de ces recompositions suffisant à faire de *L'Événement du jeudi* un cas absolument à part (ne serait-ce que par les

positions qu'il peut se permettre de prendre), la révolution journalistique quelque peu mythique qui, dans ce cas isolé précis, s'est
montrée illusoire, peut en revanche découler des recompositions
futures qu'aura favorisées cette recomposition présente et partielle. L'erreur aurait été soit de ne pas faire (par soumission aux
invariances), soit de nier jusqu'au bout la logique évolutive qui
tendait à réintégrer ce « faire » dans une cohérence globalement
invariante. En recomposant en partie l'invariance à partir de ce
qui fut fait, nous avons, dans notre petit domaine, contribué (si on
nous permet ce néologisme) à « progressiviser » l'évolution.

Où il ne faut pas confondre une invariance qui se recompose avec les séquelles d'une permanence

On aura deviné la direction de notre propos : au regard d'une
Histoire en devenir dont l'irréversibilité, nous le verrons, épouse
la direction de la flèche du temps, le « rien ne change », considéré
comme vecteur des invariances qui structurent l'évolution sociale,
ne s'oppose pas au « tout change », mais au contraire le suscite, le
porte, le précipite en tant que facteur essentiel et incontournable
de sa nécessaire recomposition évolutive.

Nous montrerons que ce principe renvoie partiellement l'évolution sociale à une conception unifiée de l'évolution en général,
et que ce qui permit que l'homme social fasse fit que l'homme
biologique fût.

En attendant, la simple logique confortera ce qui n'est jusqu'ici
qu'une intuition : le changement n'est possible et jaugeable que
par rapport au non-changement. La raison s'épuiserait, en effet, à
définir les différentes façons de continuellement changer le changement lui-même. D'où il résulte que tout changement ancien
fonctionne comme un non-changement par rapport aux changements présents ou futurs. Le « non-changement » devient alors le
tuteur sans cesse recomposé du « changement », et tout « changement » ne parvient à se dépasser qu'en devenant, à son tour,
tuteur du changement suivant, ce qui implique qu'il intègre structurellement ce qui ne change pas.

Que serait le progressisme sans la recomposition de l'invariance
réactionnaire ? le réformisme sans la recomposition de l'inva-

riance conservatrice ? et que seraient le conservatisme et le réformisme sans la recomposition de l'invariance révolutionnaire ?

Si le conservatisme ne recomposait pas sans cesse son invariance, soit (faute de recomposition) les conservateurs seraient restés esclavagistes, monarchistes et féodaux, soit (faute d'invariance structurelle) les conservateurs seraient devenus des progressistes et le progressisme ne pourrait plus se définir que par rapport à lui-même. Dans les deux cas, l'évolution sociale serait théoriquement stoppée !

Rien ne disparaît, tout se transforme ? Assurément. Mais ce qui se transforme se dédouble continuellement en agissant, en amont d'une évolution, comme ce qui s'est transformé, et, en aval de l'évolution suivante, comme ce qui n'a pas disparu.

Nous pourrions évidemment décrire ce même processus à l'envers : ainsi, ceux qui s'opposent farouchement aujourd'hui à ce que soit accordé aux travailleurs immigrés installés depuis dix ans dans la même commune un droit de vote aux élections locales sont objectivement les mêmes que ceux qui, précédemment, refusèrent d'accorder la citoyenneté active aux femmes, refusèrent le suffrage universel et s'opposèrent, auparavant encore, à tout élargissement du suffrage censitaire. Mais si l'invariance est ici structurellement évidente, sa recomposition n'en est pas moins considérable puisque les mêmes acceptent officiellement désormais le suffrage universel élargi aux femmes !

Ce qui n'exclut pas que certains d'entre eux soient restés mentalement favorables au suffrage censitaire. L'invariance charrie en effet de la permanence : l'on vit clairement, par exemple en 1958 en France (et plus nettement encore en 1961), que beaucoup de ceux qui, avant guerre, étaient ouvertement favorables à une dictature militaire, ou tout au moins à un putsch salvateur, l'étaient restés, et que donc, malgré le traumatisme de la Deuxième Guerre mondiale, s'était perpétuée, en l'état, la forme de pensée qui tend à faire de l'armée la seule alternative possible à la « chienlit » démocratique et à la « décadence » républicaine. Le pétainisme idéologique, par exemple, tel qu'il sévit encore, recompose moins une invariance qu'il n'illustre une « permanence » stable de la pensée réactionnaire telle qu'elle s'est rigidifiée à travers son rejet de la philosophie des Lumières et de l'héritage de 1789. Aussi ses succédanés prennent-ils l'aspect dérisoire de simples répliques maladroitement dupliquées d'une ancienne comptine (ou d'un ancien cantique) ! Même l'esclavagisme, au-delà de ses diverses recompositions (utilisation d'une main-d'œuvre clandestine sous-payée, par exemple), manifeste marginalement sa « permanence », y compris dans un pays développé tel que le nôtre, comme le montre la façon dont sont traités ici et là apprentis ou garçons de ferme.

Nous appelons donc « permanence » une invariance qui ne se recompose pas et qui fonctionne en quelque sorte comme une séquelle. Le « légitimisme » monarchique en France est évidemment une permanence, au même titre que le néomaoïsme exalté de quelques activistes du Sentier lumineux péruvien ou que le nationalisme réactionnaire panceltique. Le « bonapartisme » avéré est également une permanence, alors que le gaullisme est la forme recomposée de l'invariance bonapartiste. Le trotskisme est une permanence, alors qu'une certaine forme d'« écologisme alternatif » est une recomposition du gauchisme, et l'autonomisme progressiste breton est une recomposition du nationalisme panceltique. Il s'ensuit que la permanence est vouée à la marginalisation, et l'invariance à la reproduction adaptative.

Cette distinction n'est pas secondaire : on constate en effet qu'au cours de l'évolution sociale les recompositions d'une invariance égrènent derrière elles toutes les permanences ou « séquelles » qui témoignent de son état antérieur. Or, ces « permanences » accumulées, bien qu'elles s'étiolent progressivement, peuvent cependant concourir, elles aussi, à la recomposition d'une invariance.

Un cas simple : lorsque, en décembre 1993 l'ex-parti communiste italien recomposé (le PDS) s'empara de la mairie de Rome, il bénéficia, au second tour de scrutin, du renfort d'une fraction néo-léniniste « maintenue » qui représentait une « permanence ». Et le fascisme lui aussi « maintenu » s'est jeté dans le fleuve du fascisme recomposé. Le vichysme de 1940, bien que recomposition (sous la pression de l'occupant) de l'invariance réactionnaire à la française, n'en a pas moins intégré de nombreuses « permanences », en particulier de type intégristo-légitimistes. De la même façon, le camp républicain, au cours du XIXe siècle en France, n'a cessé de traîner dans son sillage des réminiscences rigidifiées de jacobinisme montagnard qui entrèrent dans le cocktail de sa recomposition, tout en perdant de leur substance, avant de se diluer dans le breuvage communiste qu'elles marquèrent de leur spécificité. On formulera la même idée autrement : toute recomposition d'une structure invariante laisse derrière elle l'empreinte mentale autonomisée de sa forme antérieure, qui devient marginalement un élément constitutif des recompositions futures.

Nous savons d'ailleurs que la vitesse des réactions chimiques à l'intérieur d'un système est influencée par la présence, dans le système, de substances qui, sans être elles-mêmes transformées lors de la réaction, modifient la vitesse de celle-ci. Ces substances sont appelées catalyseurs. En biologie, les protéines, en particulier les enzymes, jouent ce rôle.

En ce sens, un soupçon de permanence pharaonique participa au processus nassérien de recomposition d'un nationalisme arabo-égyptien invariant. Comme la permanence autocratico-tsariste entra, comme composante, dans la recomposition stalinienne du léninisme. (Peut-être est-ce d'ailleurs pour cela que l'on vit l'extrême droite néotsariste et l'extrême gauche néocommuniste faire front ensemble, en octobre 1993, contre Boris Eltsine, qui, une fois leur échec consommé, intégra à son propre autoritarisme des séquelles néotsaristes et néostaliniennes.)

En se laissant obnubiler, comme on le fait généralement, par les résurgences d'un néonazisme exhibitionniste, il est donc évident que l'on prend l'ombre pour la proie. On chasse obsessionnellement la séquelle (laquelle, il est vrai, agit comme stimulus sur des interconnexions mentales précâblées « par » et « dans » la mémoire), mais on ne perçoit plus l'ampleur du remodelage modernisé de la conception fasciste de la vie sociale, restée cependant structurellement invariante.

De même, la recomposition de l'invariance stalinienne prendra des formes diverses, dont l'une lui permettra peut-être de fusionner avec certaines recompositions de l'invariance fasciste.

Mais il est clair que subsistera un certain temps encore, et peut-être même longtemps (en particulier en Russie), une « permanence » de stalinisme résiduelle qui, à mesure que s'éloignera le souvenir de la terreur bolchevique, osera faire de plus en plus ouvertement référence aux qualités du « petit père des peuples », transformé par la vertu des réminiscences sélectives en *Cæsar imperator* d'un communisme à son zénith. Il n'est pas difficile de prévoir qu'à cette idéalisation posthume se mélangera la nostalgie de l'ordre ancien, de la grandeur révolue, de la gloire passée, le tout lié par le mythe increvable du « bon vieux temps » et le vague souvenir d'un égalitarisme niveleur dont les exclus de la loi de la jungle oublieront de quel martyre il fut payé. On republiera certains ouvrages du tyran moustachu, leur simplisme dût-il faire encore quelques dégâts, et on relativisera le nombre de ses victimes en comparaison de ses mérites supposés, hâtivement jetés dans le plateau amnésique de la balance de l'Histoire. Cela s'est toujours passé ainsi. Sans exception : Attila et Gengis Khan eurent leurs adeptes à retardement, au même titre que Marat ou Mussolini, ou aujourd'hui encore, en Croatie, le tyran terroriste Ante Pavelic. L'hagiographie sans nuance de Louis XI n'est pas si lointaine, et l'expérience lamentable de la Commune de Paris n'a pas empêché qu'on lui voue, après coup, un culte démesuré.

Il s'agit là d'un phénomène ambivalent. Pour une part simple séquelle, mais aussi témoignage de l'invariance d'une structure mentale déjà évoquée.

Mais il ne faut pas s'y tromper : ce processus n'est pas fonctionnel. Même la transposition en culte solaire de l'épouvantable seconde partie du règne de Louis XIV — la France écrasée, ruinée, exsangue —, largement relayée par l'historiographie conservatrice (Bluche, encore récemment, passant par profits et pertes la révocation de l'édit de Nantes et la dévastation du Palatinat), n'a pas fait gagner une once de terrain à la cause de l'absolutisme. L'ogre Bonaparte, qui a envoyé à la mort plus de Français que n'en massacrèrent jamais nos envahisseurs (et dont Sedan, par neveu interposé, fut l'ultime avatar), put redevenir, dans l'inconscient collectif, le héros sublime d'Arcole et d'Austerlitz, sans que, pour autant, cette semi-déification vaille adhésion au césarisme. Pendant des siècles encore, sans doute, la terreur robespierriste, dont un Mathiez ou un Soboul se voulurent les chantres inspirés, exercera une fascination morbide sur les tenants d'un volontarisme de rupture, sans que, dans leur immense majorité, ceux-ci n'envisagent cependant ne fût-ce qu'une restauration de la peine de mort.

Ce phénomène, banal au fond, toujours recommencé, mais finalement trop automatique pour être chargé de beaucoup de sens, ne saurait être confondu avec le mécanisme fondamental de recomposition des invariances comme moteur de l'évolution sociale.

De l'invariance du discours stalinien

J'ai, dans un précédent ouvrage[1], tenté d'analyser, au-delà de son émergence historisée, la structure invariante inlassablement recomposée du discours stalinien. J'entendais montrer non point comment un révolutionnaire fruste, devenu psychopathe, avait engendré une idéologie, mais comment une structure idéologique préexistante, immanente en quelque sorte, s'était naturellement réinvestie dans l'expérience bolchevique et remodelée autour de la personnalité de Staline. Ce qui revenait à montrer que ce n'est pas Staline qui inventa le stalinisme, mais le stalinisme qui fit Staline. Qu'une pensée particulière, celle de Lénine, portée par la seule pratique qui la rendait opérante, débouchait nécessairement sur ce qu'on a appelé sa dérive ; que le stalinisme, par conséquent, fut un prolongement logique, et à l'origine rationnel, d'un processus induit dont le personnage de Staline se révéla effectivement la meilleure incarnation.

On chercherait vainement d'ailleurs, dans ce qui caractérisa la rigidité linéaire de cette rationalité stalinienne mise au service d'une double exclusion institutionnalisée — l'ennemi à l'extérieur, le traître ou le déviant à l'intérieur —, ce qu'on ne trouve pas déjà chez les grands inquisiteurs religieux, chez Robespierre dernière manière, chez Auguste Blanqui ou chez Jules Guesde première manière. « Comme le bonapartisme, le boulangisme ou le poujadisme, écrivais-je, le stalinisme rend compte d'une dynamique à la fois sociale et mentale qui préexiste et survit à son incarnation. Comme dans le cas du bonapartisme, l'hécatombe est une possibilité, non une nécessité. La folie est en plus, comme le génie. Sans Staline, il y aurait tout de même eu stalinisme, l'individu n'étant en l'occurrence qu'un catalyseur, ou plus exactement un convertisseur d'énergie qui capte un courant (une structure de pensée latente) et en fait éventuellement de la lumière, mais aussi de la guerre ou du crime. En cela, le stalinisme est antérieur et postérieur à Staline. Il n'a en fait pas besoin de lui. Il s'entretient très bien tout seul, produisant les causes dont il théorisera les effets. »

On est encore fasciné par la forme stalinienne du communisme, qui est devenu l'étalon de cette perversion. Cette structure arché-

1. *La Guerre civile*, Paris, Éd. du Seuil, 1982.

typique ne saurait cependant faire oublier que beaucoup de mains (ou de poignes) sont susceptibles de se glisser dans ce gant d'acier. Le stalinisme idéologique latent est toujours là, qui plane au-dessus de bien des pensées individuelles ou collectives, prêt à les prendre sous sa terrible protection, à leur offrir sa cotte de mailles, à leur servir d'armure prêt-à-porter : lui aussi correspond à un modèle précâblé dont certains stimuli peuvent réactiver les synapses.

« Nous qualifierons d'intrinsèquement ou de potentiellement stalinien, avançais-je dans *La Guerre civile*, tout processus mental qui conduit à juger d'un fait en fonction non de sa réalité propre, mais du rôle qu'il joue dans un espace stratégique ; tout ce qui présuppose qu'il n'est point de légitimité plus forte que celle dont se réclament les détenteurs d'une vérité absolue ; tout ce qui tend à rendre le mensonge licite dès lors qu'il est mis au service de cette vérité-là ; tout ce qui vise à enchaîner totalement les moyens au char d'une finalité supérieure ; tout ce qui prétend enfermer la logique rationnelle dans le carcan manichéen d'un choix de camp ; tout ce qui soumet de façon drastique les jugements particuliers aux jugements globaux ; tout ce qui livre sans restriction l'entendement à la raison partisane ; tout ce qui ne conçoit le débat qu'en termes de guerre idéologique ; tout ce qui aspire à transformer systématiquement les convergences en complicité et les enchaînements de hasard en responsabilité objective ; tout ce qui a tendance à se définir en termes, non moraux ou philosophiques, mais géographiques, c'est-à-dire en opposition radicale à tout ce qui a le tort d'être plus à droite ou plus à gauche que la ligne ; tout ce qui accepte de soumettre sans nuance chaque destin individuel à la dynamique d'un destin collectif et, par voie de conséquence, le respect des droits de l'homme à la réalisation de cette destinée ; tout ce qui cherche à se débarrasser d'une contradiction en disqualifiant, en diabolisant, voire en raturant celui qui la véhicule. »

Cela ne signifie pas que toute démarche intellectuelle qui répond à l'un de ces critères soit stalinienne, mais que chacun de ces mécanismes mentaux, en fonction d'une logique interne qui les noue l'un à l'autre, induit une potentialité de stalinisation de la pensée. Le stalinisme tel que nous le définissons (mais on peut évidemment récuser ce marquage du concept, et proposer un autre étiquetage) apparaît donc comme une structure invariante de perversion de la raison critique, qui a certes trouvé dans le communisme un socle à sa mesure, idéologiquement malléable parce que organisé autour d'une bipolarité totalisante, mais dont on voit bien qu'il peut servir de réceptacle à des orientations apparemment diverses et contradictoires : intégrismes religieux, écologisme réducteur, nationalismes intégraux, sans compter les multiples formes de reconstruction réactionnaire du monde. Une constante du stalinisme est la recherche et la désignation obsessionnelle d'un centre occulte qui coordonne toutes les actions du camp du mal et tire les ficelles de ses alliés objectifs. Or, on le retrouve intégralement, par exemple, chez le romancier réactionnaire Vladimir Volkov. Le fascisme fut et reste, à cet égard, au niveau de sa structuration dogmatique et logomachique, une variation de stalinisme de droite (on le voit bien aujourd'hui en Russie), et le khomeynisme iranien peut être décrit à sa manière comme un stalinisme islamique. Or, la structure du discours — et c'est lui seul que nous qualifions de stalinien — détermine en grande partie à la fois l'expression et le développement de la pensée elle-même. En cela, tout enfermement de la raison raisonnante dans un dualisme corseté et réducteur qui ordonne toutes les catégories de l'entendement autour des deux pôles antagonistes qu'il a préalablement définis, implique une tendance à la stalinisation. On a bien vu, dans les années trente et quarante, comment le passage de l'extrême gauche à l'extrême droite (Jacques Doriot, par exemple, mais aussi des milliers d'autres comme lui et avec lui) a été largement favorisé par une même communauté intellectuelle, et plus récemment comment cette similitude méthodologique des simplifications globalisantes a permis aux orphelins du néoléninisme de passer, avec armes et bagages, aussi bien du côté de l'islamisme le plus intransigeant qu'à celui de l'ultrasionisme. Plus récemment, n'a-t-on pas assisté, à l'issue du processus de paix initié au Proche-Orient par Arafat et Rabin, à une véritable fusion des deux mouvances du nationalisme palestinien, extrême gauche léniniste et extrême droite islamiste, en une identique volonté panique de s'accrocher coûte que coûte au radeau de la même bipolarité structurante ? Et, tout naturellement, la droite ultrasioniste israélienne intégra aussitôt cette fusion à sa propre rigidité mentale autoprotectrice.

Où l'on découvre que tout repose sur le socle rigide de la bipolarité

Ainsi apparaît-il que la plupart des invariances reposent sur le socle d'une bipolarité qui renvoie à l'opposition originelle entre l'univers des dieux et celui des démons. Et l'on voit clairement alors que l'évolution sociale — incluant le politique et l'idéologique — prend systématiquement la forme d'une recomposition de contenu, par suite de glissements de niveaux, dans le cadre de bipolarités qui restent, elles, invariantes.

Ainsi, autour du couple antagonique liberté-sécurité, un même discours déroule à travers les siècles le même fil rouge et coud finalement entre elles les mêmes pensées, en intégrant constamment chaque nouvel échelon du processus social qui permet au concept de sécurité de se remodeler sur un nouvel espace conquis de liberté.

A travers le temps se poursuit, tout aussi immuablement, le dialogue tragique entre Créon et Antigone, mais aussi entre Corolian et la plèbe, entre Lycurgue et Pysistrate, entre Démosthène et Philippe de Macédoine, entre Cicéron et Catilina, entre Crassus et Spartacus, entre Brutus et César, entre le Christ et les pharisiens, entre Savonarole et le pape, entre Henri VIII et Thomas More, entre Pizarre et Montezuma, entre Danton et Robespierre, entre Abraham Lincoln et Jefferson Davis, entre Victor Hugo et Montalembert, entre Barrès et Zola...

Dans trois siècles, n'en doutons pas, écoliers et étudiants seront toujours conviés à départager Corneille et Racine — ce qui est et ce qui devrait être — ou Platon et Aristote — l'esprit absolu ou la raison raisonnante.

Dresser la liste des principales bipolarités structurelles et structurantes invariantes — matière-esprit ; corps-âme ; ouverture-fermeture ; immobilité-mouvement ; autorité-démocratie ; État-personne ; nature-culture ; hasard-nécessité ; destin-libre arbitre ; collaboration-résistance ; initiative privée-intérêt public ; guerre-paix ; anciens-modernes ; conservateurs-réformateurs ; ordre-désordre ; nation-empire ou nation-région ; égalité-hiérarchie — reviendrait à dresser le squelette quasiment immuable qui porte, depuis des millénaires, le corpus toujours remodelé du grand débat universel.

Il en résulte, soit dit en passant, que toute action volontariste tendant à modifier les termes de ce débat universel (toute pensée critique entraînant un moment théorique, en somme) doit s'exercer sur la recomposition des structures de bipolarité. Ne serait-ce, comme le fit Galilée, qu'en en redéfinissant le centre : cela entraîna en l'occurrence une réévaluation du rapport immobilité-mouvement, avant celle, plus radicale encore, du couple inséparable espace-temps dans la foulée de la « relativité générale ». Ne fut-ce pas là toujours le lot de la philosophie ? Et, en cela, que fit-elle d'autre qu'agir et agir encore sur la recomposition structurelle des bipolarités invariantes ?

Si l'on observe, en France par exemple, l'évolution du dualisme structurant dans le domaine politique, on perçoit fort bien ce processus de réaménagement d'une invariance par glissements de niveaux : ainsi la contradiction libéralisme-socialisme (telle qu'elle se stabilise dans sa forme moderne, comme on l'a vu, à partir de 1848) reproduit-elle l'antagonisme légitimisme-conservateur d'un côté, orléanisme et républicanisme libéral de l'autre, qui, trente ans plus tôt, avait accroché les mêmes mots au déroulement de la même syntaxe. Le contenu du concept était certes, entre-temps, monté d'un cran, mais la clientèle des conservateurs monarchistes étant alors dans sa majorité devenue conservatrice-libérale, celle des républicains-libéraux étant désormais républicaine-socialiste ou radicale, la structure de bipolarité resta pour l'essentiel invariante.

Le « changement » dans le « non-changement » apparaît ici assez simple, mais n'en est pas moins éclairant. Plus exactement (nous aurons l'occasion d'expliciter cette dialectique), c'est l'émergence de nouvelles forces sociales qui, presque mécaniquement, a provoqué le glissement de niveau d'une invariance, de telle façon que la tendance au non-changement a constitué — parce qu'il fallait s'adapter — le facteur même du changement.

Aussi bien, les mêmes automatismes phraséologiques, que l'on pourrait sans doute qualifier d'« universaux » (et dont nous nous demanderons plus loin s'ils ne relaient pas un automatisme mental précâblé), ont-ils trouvé naturellement place dans cette recomposition de bipolarités. On pourrait (on devrait) consacrer un ouvrage entier, répétitif certes mais édifiant, à l'extraordinaire invariabilité au cours des siècles (on pourrait commencer avec Aristophane et Caton l'Ancien) des formules relatives : à la jeunesse qui n'est plus ce qu'elle était, à ce qui n'aurait jamais été toléré « de notre temps », au respect qui se perd et à la disparition de la discipline, au regret qu'il n'y ait plus de politesse, parce que « tout fout le camp », à l'affaissement des valeurs, à la drôle d'époque que nous vivons (époque de « décadence », à l'évidence), au déclin du pays, à la dureté des temps, à la corruption des mœurs, à la joyeuseté supposée de l'avant-guerre (« le bon temps »), aux mêmes qui toujours s'en mettent plein les poches, à ceux d'en haut ignorants de ceux d'en bas, aux gros qui se sucrent alors que ce sont toujours les petits qui trinquent, aux puissants qui de toute façon s'arrangent entre eux, et aux dirigeants qui nous cachent tout, magouilles et compagnie, au fait qu'il n'y a pas de fumée sans feu mais toujours anguille sous roche, qu'on ne trouve plus de bons ouvriers, qu'il y a trop de fonctionnaires, que le sens du travail se perd, qu'il n'y a plus de saisons, au laxisme ambiant, à la garde qu'il ne faut jamais baisser (Démosthène déjà le disait), à la nécessité d'un pouvoir à poigne, parce qu'on n'est plus gouverné, à l'étranger qui mange notre pain, à l'insécurité qui monte, aux honnêtes gens qui ne sont plus protégés, aux criminels qui font la loi, parce que de toute façon on les relâche, au rôle des pouvoirs occultes et autres sociétés secrètes, aux campagnes qui se dépeuplent et à la grande ville qui pervertit, aux banques qui tondent le bon peuple, aux taxes qui le pressurent, à la concurrence qui le ruine, au savoir inutile, enfin, parce qu'il y a plus de bon sens sous la casquette d'un laboureur que sous la toque du plus savant des clercs !

Ce répertoire ne cesse bien sûr de s'enrichir en fonction d'apports historiques et nationaux : il est indispensable, dit-on, de « convoquer des états généraux », de « prendre des bastilles », d'en appeler à « un gouvernement de salut public », de réunir un « nouveau Grenelle », de rendre la « France aux Français », de procéder à une « révolution culturelle ».

Mais ces ajouts n'effacent jamais les saillies antérieures. On les retrouve à peine froissées, à peine corrigées, aussi bien dans le courrier des lecteurs du *Figaro* que dans les tribunes de *L'Humanité*, que nous évoquions plus haut. Elles résistent à tout, y compris au réel : en 1938, rapporte Alfred Sauvy, bien qu'on enregistrât une très sensible baisse des prix consécutive aux effets de la crise, les premiers sondages d'opinion indiquèrent que les consommateurs estimaient très massivement que les prix montaient. Parce que les prix montent toujours. Entre 1950 et 1980, l'incontestable progression du pouvoir d'achat des salariés n'affaiblit en rien, à gauche, la conviction selon laquelle il ne cessait de se dégrader : pendant trente ans, la CGT put, chaque année, déplorer un net appauvrissement des ouvriers, sans qu'on constate pour autant un quelconque retour à l'état sauvage. Au XIXe siècle, alors que le théâtre était florissant, paraissait tous les deux ou trois ans un ouvrage consacré à l'inéluctable « décadence » de cet art...

Mais pourquoi s'étonner de ces éternelles redites quand chacun de nous vit rivé à un carcan d'invariances, encastré dans l'immuabilité de la répétition : boire, manger, déféquer, dormir, se loger, se vêtir, se protéger, se soigner, se divertir, copuler, se reproduire, se déplacer, prendre, acquérir, commercer, posséder, échanger, conquérir, défendre, et cela dans l'implacable régularité alternante du jour et de la nuit, des saisons chaudes et froides, de la vie et de la mort ? Le surgelé remplace la conserve qui s'est substituée au bain de saumure : se nourrir ! Le fusil-mitrailleur succède à l'arbalète qui a supplanté l'arc et le javelot, qui avaient eux-mêmes pris la place de la fronde : se défendre et chasser ! L'énergie électrique, après la machine à vapeur, après le moulin à eau et à vent, après l'utilisation d'esclaves : produire pour consommer ! Les pieds nus puis chaussés, le cheval, la carriole, le train, la voiture, l'avion à réaction : se déplacer ! La flamme, la bougie, la lampe-pigeon, le gaz d'éclairage, le néon, l'halogène : voir ! Les *jeans*, les fours à micro-ondes, les gratte-ciel, le Coca-Cola, la banque, le GATT : s'habiller, cuire, se loger, boire, posséder, échanger ! Sophocle, les jeux du cirque, les courses de chars, les tournois, la *commedia dell'arte*, le ramayana, Shakespeare, la danse du ventre, l'inspecteur Navarro et *Jurassic Park* : se divertir ! La pénicilline, les somnifères, la pilule, le béton armé : se soigner, dormir, copuler, se protéger.

Autant d'invariances dont l'incessante recomposition rythme l'évolution des civilisations humaines. Aucun acquis culturel n'abolit le biologique ni n'interrompt les cycles physico-chimiques. Mais ce qui fait la spécificité de l'humanité n'en reste pas moins sa capacité biologiquement acquise à se confectionner et à empiler des acquis culturels qui, en modifiant son environnement, agissent à leur tour sur l'inné biologique (et pas simplement sur les câblages neuronaux).

Or, cette pression constante de l'acquis sur l'inné (car il ne s'agit

pas, on le verra, d'une transmission héréditaire) équivaut encore
à la recomposition évolutive d'une invariance. Pas d'hérédité des
caractères acquis, mais remodelage, sous la pression de l'acquis,
des prédispositions héréditaires. Le changement, sans cesse, rha-
bille le non-changement.

On remarquera, à cet égard, que l'accroissement exponentiel
des vitesses de déplacement n'a strictement rien changé à l'impression angoissante que ressentent tels régions, villes, pays ou
contrées d'être totalement enclavés, coupés du monde... et parfois
même l'aggrave (quand le train rapide, par exemple, ne s'y arrête
pas). Ou encore que la capitale semble d'autant plus lointaine
qu'elle est devenue si proche, comme rejetée ailleurs parce que
là, désormais ; que l'ouverture des autoroutes a largement accru
l'importance que l'on accorde aux « embarras » de la circulation ;
que la suppression des bidonvilles a favorisé la prolifération des
cités-ghettos ; que l'émergence et la multiplication des téléphones
et des téléviseurs a contribué à créer une sensation de formidable
isolement dès lors que l'un est en dérangement ou l'autre en
panne.

Dira-t-on que rien n'a changé ? Non. Mais que le « même » s'est
reconstitué en se reformatisant aux dimensions de la différence.

Où l'on constate que les leçons de l'Histoire n'empêchent jamais les répétitions

Nous avons évoqué, pour introduire notre propos, les élections
du 5 décembre 1993 en Italie qui virent les héritiers recyclés du
Duce, autoproclamés « post-fascistes », obtenir, au second tour,
47 % des suffrages à Rome et 44 % à Naples. Or, au premier tour
à Rome, le MSI (extrême droite), qui, auparavant, culminait à
7 %, avait recueilli 36 % des voix, ce qui signifie qu'il avait d'emblée récupéré la majorité de l'électorat de la droite classique,
après que la « démocratie chrétienne » eut implosé en vol, minée
par des scandales à répétition qui la désignaient à la vindicte publique.

Au second tour, non seulement le reste de la clientèle des partis
conservateurs et libéraux bascula à 80 % du côté des néofascistes,
mais, surtout, une grande partie des grandes familles aristocratiques relayées par une large fraction de la bourgeoisie d'affaires

(en particulier dans le secteur de l'immobilier), se rallia ostensiblement au candidat postmussolinien pour faire barrage à un écologiste soutenu par des ex-communistes sociaux-démocratisés.

Autrement dit, dans une même situation de crise économique et morale, et en réaction, comme soixante-dix ans plus tôt, à un danger de gauche ressenti comme potentiellement révolutionnaire, s'est apparemment reproduit un processus identique à celui qui, en 1923, amena les mêmes forces politiques (conservateurs et libéraux) et sociales (sous-prolétariat et classes moyennes) à faire allégeance à Benito Mussolini. « A partir de 1921, lit-on dans l'encyclopédie historique de Michel Mourre[1], la bourgeoisie et les milieux industriels commencèrent à placer leur confiance dans le parti fasciste (qui avait pourtant subi un désastre électoral en 1919), car il était le seul à oser faire face, dans la rue et dans les usines, à l'extrême gauche. »

Il ne faut pas confondre une droite extrême mais légaliste avec une droite putschiste, certes ! Mais on sait qu'appelé par le roi, après la marche sur Rome, à former un ministère de coalition, le Duce se présenta en modéré, simplement désireux de restaurer l'autorité de l'État, ne recruta que quatre ministres dans son propre parti, et fit entrer dans son gouvernement les principaux dirigeants du « centre » démocrate-chrétien et de la droite libérale. Même le philosophe Benedetto Croce et le démocrate réformiste Giovanni Giolitti estimèrent que l'extrême droite, devenue rassurante, n'était plus ce qu'elle avait été. (Pour les uns, elle sera éternellement ce qu'elle fut ; pour les autres, elle n'est jamais ce qu'elle a été.) Or, deux ans plus tard, Mussolini s'assura, grâce à une loi électorale sur mesure, 75 % des sièges à l'Assemblée, et, en 1925, après le meurtre du leader socialiste Matteoti, il proclama ouvertement la dictature.

Ce processus archiclassique avant guerre (on le retrouvera à l'œuvre après guerre au Chili, au Brésil, et partiellement en Grèce) se déroula en Allemagne en 1933 : Hitler, complètement marginalisé, avait conclu en 1931, sous l'égide du magnat de la presse et du cinéma Ugenberg, une alliance tactique avec la droite nationaliste (le Front de Harzburg), qui lui permit d'atteindre jusqu'à 37 % des suffrages. Impressionnés par ces succès électoraux, obsédés par le danger « révolutionnaire » induit par la crise écono-

1. Michel Mourre, *Dictionnaire encyclopédique d'histoire*, Paris, Bordas, 1978.

mique, effrayés par la montée du parti communiste, et arguant d'une évolution modérée du parti national-socialiste, les conservateurs les plus proches de la grande propriété foncière et des maîtres de forges de la Ruhr — comme von Papen — appelèrent alors Hitler à former une coalition gouvernementale au sein de laquelle les nazis étaient minoritaires. Il lui fallut moins d'un an pour éliminer ce beau monde et s'emparer de la totalité du pouvoir.

Ce qui est ici proprement stupéfiant, ce n'est pas tant qu'après moins de cinquante ans de purgatoire — et quarante ans seulement en France —, les extrêmes droites néofascisantes aient retrouvé, dans certains des pays dont le terreau leur fut fertile, leur puissance électorale d'avant guerre, et cela malgré le finale ignominieux de la tragédie qui les emporta ; mais que, dans une situation politico-sociale assez semblable, et malgré le poids dissuasif de l'expérience, les mêmes instincts sociologiques et pulsions idéologiques aient entraîné, aussi mécaniquement, les mêmes comportements politiques. Ce qu'on avait dailleurs déjà constaté en France à l'occasion d'élections à Dreux, puis à Marseille.

Ainsi, les mêmes archétypes d'acteurs sociaux reproduisent-ils, aujourd'hui, des réactions dont n'importe quel manuel d'histoire explique qu'elles furent hier, quand nos grands-parents y succombèrent, à l'origine d'une catastrophe universelle irréparable. Comment expliquer cette implacable répétition ?

Il faut sans doute que la régularité de ce processus collectif transcende, au moins en partie, la simple accumulation des libres volontés individuelles qui la nourrissent. Les marxistes assimilent cette régularité à celle des réactions « de classe », dont on sait qu'ils ont théorisé le mécanisme conflictuel jusqu'à en faire le moteur quasiment unique de l'évolution sociale. Mais ce n'est évidemment pas si simple. En fait, en Italie, une fraction du petit peuple du Sud, notamment à Naples, vote traditionnellement pour l'extrême droite, en fonction de critères qui l'emportent sur tout instinct de classe, alors qu'une grande partie de la bourgeoisie industrielle et industrieuse du Nord affiche des choix résolument libéraux-progressistes.

En réalité, dans le cas que nous évoquons, c'est moins la « classe » au sens traditionnel du terme qui a déterminé le clivage — vote « néofasciste » au nom de la réaction antigauche, ou vote « à gauche » au nom de la réaction antifasciste — que la plus ou moins grande adaptabilité d'une structure mentale préexistante à l'une de ces deux formules défensives, au demeurant assez redondantes pour avoir été depuis longtemps intériorisées. Comme s'il y avait, en fonction d'une situation sociale particulière, câblage intercérébral d'une prédisposition à... Mais cette situation sociale particulière n'est pas identifiable à une position « de classe ».

Il apparaît clairement que les grands et moyens bourgeois éclairés du parti républicain (centre droit), ont généralement opté pour le vote antifasciste, alors que l'électorat populaire de la Démocratie chrétienne a largement préféré le vote antigauche, donc profasciste. On ne s'en étonnera nullement si l'on admet que le vote républicain est déjà « progressiste » pour un grand ou moyen bourgeois (sa mécanique mentale le prédispose donc à aller dans cette direction), alors que le vote démocrate-chrétien exprime déjà, de la part d'un petit salarié italien, la volonté de répudier le vote de classe en rejetant les valeurs « de gauche ». C'est pourquoi le vote antifasciste mobilise généralement, et pas seulement en Italie, plus facilement la droite bourgeoise que la droite populaire. Et, à l'intérieur du vote « de classe », on retrouve en réalité de vieux clivages : c'est l'ancienne aristocratie terrienne et le capital spéculatif (immobilier, grande distribution, finances) qui donne tendanciellement la priorité absolue au réflexe antigauche en se ralliant au néofascisme.

Ainsi, répétons-le, ce sont moins des intérêts « de classe » au sens étroit et strict qui fonctionnent ici, que des « prédispositions mentales à... » en fonction d'une situation particulière, dans le cadre des antagonismes de classes : le petit salarié qui vote traditionnellement démocrate-chrétien va idéologiquement jusqu'au bout de sa rupture sociologique ; l'aristocrate conservateur reproduit un choix quasiment culturel ; et le magnat de l'immobilier ou de la finance (Berlusconi, par exemple) rejette d'autant plus viscéralement, en votant MSI, la contestation moralisatrice de son système, qu'incarne la gauche, qu'il en ressent dans son tréfonds (contrairement à l'industriel, qui, lui, n'a pas de complexes) le bien-fondé.

Ce que je veux montrer, c'est que ce « recommencement » saisissant d'un processus, pourtant historiquement étiqueté comme intrinsèquement pervers, qui conduit une large fraction de la droite dite civilisée à faire le jeu du néofascisme pour barrer la route à un socialisme supposé, n'est pas tant le résultat d'un méca-

nisme de classe que la reproduction de processus mentaux invariants qui se recomposent au même rythme que l'invariance néofasciste elle-même. Il n'y a pas une classe qui automatise ses réactions comme s'il s'agissait d'une machinerie robotisée, mais de
véritables organismes vivants — l'homme et son système nerveux
ou neuronal en l'occurrence — qui, compte tenu d'un ancrage
social ainsi que d'un héritage ou d'une imprégnation culturelle,
auto-élaborent peu à peu le câblage autoprotecteur de leur propre
système d'interconnexions synaptiques. C'est ce câblage qui produit, dans des situations données, et en réaction à un stimulus
déterminé, un certain nombre d'automatismes, lesquels, sous la
pression du milieu, reconstituent leur invariance.

Il en résulte que l'histoire des collectivités humaines obéit à des
lois, mais que celles-ci ne sont pas à proprement parler, contrairement à ce que les marxistes et les libéraux suggèrent, des lois de
l'Histoire. Il est vrai que tout ce qui concourt à exacerber une
sensation d'insécurité et de désordre (Mai 68 en France, par exemple) suscite, en réaction, un vote conservateur qui peut, à l'occasion, profiter à des factions ultra-réactionnaires favorables à une
restauration autocratique. On peut même avancer qu'il n'y a
jamais d'exception à ce phénomène. Mais il s'agit là d'une loi de
la nature humaine (en l'occurrence, une loi des processus physico-
chimiques qui affectent notre système nerveux moteur, et qui irriguent certains acquis culturels), non d'une loi de l'Histoire identifiée à une nature transcendante. Autrement dit, les lois supposées
du devenir historique renvoient en réalité aux structures invariantes que les composantes de l'Histoire ne cessent de recomposer, y
compris à celles que l'évolution sociale a héritées de l'évolution
de notre espèce elle-même.

A propos des lois des processus révolutionnaires

Examinons, pour illustrer cette assertion, le cas exemplaire des
processus révolutionnaires : il est tout à fait possible d'en dresser
une manière de diagramme, quasi intemporel et universel, qui des-
sinerait la succession structurellement invariante d'un certain
nombre de phases :

1) Le signal, c'est-à-dire l'explosion proprement dite, qui se
donne toujours (et là encore, il n'y a pratiquement pas d'excep-

tion) comme réplique défensive à une agression : la prise de la Bastille répondant à un complot réactionnaire réel ou imaginé ; la prise des Tuileries au manifeste de Brunswick ; 1830 aux provocations (les fameuses ordonnances) du gouvernement Polignac ; la révolution américaine aux taxes d'exclusivité coloniale imposées par Londres ; février 1848 à l'interdiction d'un banquet contestataire et à la répression des attroupements suscités par cette atteinte aux droits ; juin 1848 à la dissolution des ateliers nationaux ; la Commune à la tentative de saisie des canons de la garde nationale, faisant craindre une volonté de désarmement des « patriotes » ; la révolution kémaliste en Turquie au débarquement des troupes grecques à Smyrne ; octobre 1917 à une maladroite tentative du gouvernement Kerenski contre le Soviet de Petrograd ; l'insurrection communiste chinoise de 1927 au coup de force de Tchang Kaï-chek de 1926 ; et même Mai 68 à l'occupation policière de la Sorbonne.

Après quoi le communisme fut définitivement renversé, à Moscou, grâce à la résistance organisée contre une minable tentative de putsch de la nomenklatura... Toute attaque a besoin, pour se déclencher et se dynamiser, de l'alibi prégnant de la défense. L'agresseur doit toujours s'identifier à l'autre. De ripostes en ripostes, la Révolution française incendia l'Europe et Napoléon poussa la défensive jusqu'à Moscou. Les trois révolutions anglaises — contre Jean sans Terre, Charles Ier et Jacques II — furent également des répliques à des initiatives restauratrices du pouvoir royal. En quelque sorte, contrairement à une mythologie, on ne déclenche jamais une révolution (ou alors on échoue), mais on réagit à une contre-révolution supposée, ce qui s'est encore passé à Moscou en octobre 1993, ou en Roumanie quand Ceaucescu, après la répression de Timisoara, voulut prendre l'initiative d'un meeting offensif qui se retourna contre lui.

Cette invariance n'est pas propre à l'Histoire. Elle est, comme nous l'avons évoqué plus haut, et comme nous l'analyserons plus amplement à la fin de cet ouvrage, d'ordre thermodynamique : une bifurcation ne prend jamais l'initiative d'elle-même ; elle est bifurcation « de », et la fluctuation qui la provoque est réaction « à ».

2) Tout processus révolutionnaire, une fois enclenché, tend à s'auto-entretenir, à s'auto-alimenter (ou à s'autoconsumer), puis à s'emballer sous la pression conjuguée des passions qu'il exalte, des

conformismes qu'il libère et des provocations qu'il favorise. (Dans un premier temps, la fraction la plus contre-révolutionnaire appuie en sous-main la fraction la plus ultra-réactionnaire. C'est ce qui s'est passé en France en 1791, en juin 1848 et en 1871.)

3) Toute tentative de stabilisation du processus révolutionnaire suscite sa contestation maximaliste interne, qui y voit une trahison, ou un complot des forces « obscures ».

4) Cette dérive d'un processus que l'on peut assimiler à une tendance à l'entropie maximale, accentuée par l'exacerbation de l'antagonisme intrarévolutionnaire (coup de force montagnard de 1793, journées de juin 1848, coup d'État bolchevik d'octobre 1917), favorise, en retour, une radicalisation de plus en plus poussée des oppositions, d'abord légalistes ou modérées, qui se regroupent naturellement autour du pôle antithétique le plus violemment affirmé. D'où un glissement vers la guerre civile...

5) Cette cassure provoque au centre, c'est-à-dire entre les deux ou trois forces antagonistes — l'aspiration à l'ordre et à la paix servant de catalyseur —, un appel d'air qui favorise l'émergence d'une solution synthétique de type nationaliste et autoritaire.

6) La solution autoritaire est nécessairement provisoire, en cela qu'elle tend — en termes thermodynamiques — à un retour mortel à l'équilibre.

C'est en gros le schéma qui conduisit à César, à Monk, à Napoléon Ier, à Napoléon III, ou même à Horthy, à Dollfuss, à Mussolini, à Franco, à Staline ou à Pinochet. Mais, encore une fois, il ne s'agit pas là de lois historiques transcendantes dont les hommes ne seraient que les jouets (comme ils le seraient de la « lutte des classes » ou du déterminisme du marché), mais de la façon dont l'Histoire — pure abstraction, au demeurant — rend compte des tendances structurellement invariantes de la nature humaine et de la dynamique sociale qui s'actualise à travers elles en se remodelant.

Or, constater que l'Histoire, en particulier en période révolutionnaire, exprime une double invariance tendancielle, celle des mentalités individuelles qui l'induisent et celle des mouvements collectifs qui l'orientent, ne signifie nullement que cette Histoire se répète. Et cela pour au moins deux raisons : 1) parce que, on l'a dit, cette double invariance tendancielle ne cesse de se recomposer structurellement en fonction des mutations environnementales qui en affectent le déploiement ; 2) parce que ce déploiement même est largement tributaire des aléas événementiels et des volontarismes individuels qui contribuent à en dessiner le cours.

Ainsi deux facteurs sont-ils particulièrement à prendre en compte, en ce qu'ils agissent sans discontinuer en restructurateurs ponctuels d'une invariabilité globale : l'influence qu'exerce sur tout processus l'effet des processus antérieurs, que l'on peut analyser comme un *feed-back* décalé ; le rôle de catalyseur de recomposition que joue, au rythme de sa propre évolution, la pensée critique. Celle-ci est l'enzyme de l'organisme social.

Ces assertions seront explicitées et approfondies plus loin. Il nous importe, pour l'instant, de constater que les processus révolutionnaires, pris comme exemples d'une séquence historique déterminante, obéissent effectivement à des lois qui, n'étant pas des lois de l'Histoire, expriment des tendances spécifiques (mentales et dynamiques), structurellement invariantes, dont l'incessant remodelage constitue le moteur d'une évolution sociale finalisée et en constant devenir.

Il ne saurait y avoir de butoir marquant le terme de cette évolution : pas de fin de l'Histoire !

En quoi, dans le cas qui nous occupe, les conditions environnementales pèsent-elles sur l'expression d'un processus dynamique qui obéit à des lois déterminées par des invariances ? Examinons les événements qui ont révolutionné la France et sa capitale au début du XVe siècle : ils se sont, en effet, déroulés très exactement selon le schéma résumé plus haut et qui, déjà, pouvait parfaitement s'appliquer aux deux séquences révolutionnaires précédentes et quasiment identiques : la tentative d'Étienne Marcel et le rôle maximaliste des jacques sous Charles V, l'insurrection des maillotins sous Charles VI. Or, au XVe siècle (comme au cours des deux siècles précédents), l'environnement féodal fit que le parti révolutionnaire, en l'occurrence le parti « cabochien », maître de Paris, pris lui aussi dans un cycle de surenchères, se plaça — face au pouvoir royal provisoirement chassé de la capitale — sous la protection du duc de Bourgogne, lui-même allié aux Anglais. Si bien que la radicalisation réactive à droite (ou contre-révolution), représentée par le parti Armagnac, épousa elle aussi une querelle de famille... et que l'appel d'air « au centre », en faveur d'une solution nationale autoritaire, prit la forme du sacre de Charles VII sous l'impulsion de Jeanne d'Arc.

Un schéma semblable se reproduisit au siècle suivant quand la restauration, incarnée par la toute-puissance royale de Henri IV de Navarre, marqua le terme d'un mouvement révolutionnaire (la Sainte Ligue) lui aussi débordé par son aile la plus radicale et manipulé par des princes (la famille de Guise) dont l'autoconsumation, après que le pouvoir royal eut été une fois de plus bouté hors de la capitale, déboucha sur une fracture idéologico-sociale qui entraîna la guerre civile.

La Fronde elle-même, au XVIIe siècle (réplique à l'arrestation du conseiller Broussel), d'abord parlementaire puis insurrectionnelle (il y eut, comme sous la Ligue, jaillissement de barricades), en exacerbant des antagonismes princiers qui partagèrent la France en deux camps armés, suscita une réaction qui favorisa l'instauration d'une monarchie absolue semi-totalitaire.

On remarquera (ce qui constitue une invariance d'un autre ordre et d'un déploiement beaucoup plus large) que l'échec de chacune de ces séquences — une par siècle au moins — et le renforcement de l'absolutisme qui s'ensuivit eurent pour conséquence la radicalité des explosions révolutionnaires suivantes, la république devenant alors le terme obligé d'un processus qui tendait préalablement à une simple réforme constitutionnelle du principe monarchique. Et l'on ajoutera que ce n'est pas la « Révolution » qui permit le triomphe final de la république, mais l'institutionnalisation de la pratique démocratique à l'issue de la mise en place d'un processus électoral qui, peu à peu, remodela les invariances politico-idéologiques autour d'un nouveau symbole structurant.

Ce que montrent donc les exemples de la dissidence d'Étienne Marcel, du mouvement des jacques, de la révolution cabochienne, de la Ligue et de la Fronde, c'est que le schéma que nous avons décrit plus haut prend, dans un cadre féodal, une tout autre apparence et tournure que celles qui le caractériseront au XIXe siècle. Les clercs réformistes (le futur évêque Cochon, par exemple, à l'intérieur du mouvement cabochien) y jouent le rôle des futurs intellectuels gauchistes, et les familles princières celui des dynasties bourgeoises.

D'ailleurs, si la révolution de 1789 commença elle-même, à l'image des mouvements précédents, comme un affrontement intra-aristocratique opposant des clans féodaux, c'est que certains de ses premiers protagonistes, n'ayant pas compris l'ampleur des mutations sociologiques intervenues entre-temps (la montée en puissance du tiers), s'inscrivaient dans un mécanisme de simple répétition.

Ce qui, en revanche, réapparut avec la République révolutionnaire de 1792 dont les légions affrontaient la coalition des monarchies européennes, c'est, certes, toujours le même schéma, mais très exactement dans la forme qui avait permis à Jules César, général vainqueur, fils prodige de la République romaine, issu du parti populaire, comme Bonaparte, de devenir *imperator*. A cette différence près que le processus qui, à Rome, s'était écoulé sur un siècle (révolution des Gracques — réaction conservatrice — guerre civile entre Marius et Scylla — élimination de la droite pompéienne), se résuma à dix ans de la prise de la Bastille au coup d'État du 18 brumaire, puis à trois ans après la révolution de février 1848 (jusqu'au coup d'État du 2 décembre 1851), deux ans après mars 1871, et même, très caricaturalement, à quelque trois mois après Mai 68.

Nous percevons donc clairement, non seulement que les lois qui expriment des invariances n'impliquent aucune répétition (le processus qui se déroula de février 1848 à la restauration de l'Empire par Napoléon III reproduit structurellement le schéma de 1789-1799 qui conduisit à Napoléon Ier, mais ne répète absolument pas les événements particuliers qui prirent place dans ce schéma), mais, en outre, que ces lois se formalisent de manière radicalement différente selon que le processus qu'elles décrivent se déploie dans un cadre tribal, féodal, impérial, national, démocratique-libéral ou socialiste.

Dans un contexte féodal, on l'a vu, les antagonismes politico-sociaux s'articulent sur des affrontements entre princes, quitte à ce que les grands seigneurs qui utilisent le parti populaire se retournent furieusement contre les « maximalistes » qui entendent pousser le processus révolutionnaire au-delà de son seuil de stabilisation : c'est ainsi que l'écrasement en Allemagne du mouvement insurrectionnel paysan (1525), dont l'anabaptiste communisant Thomas Münzer avait pris la tête, fut le fait des princes protestants moralement soutenus à cette occasion par Martin Luther lui-même. Ce retournement des dissidents luthériens de haute lignée, appuyés par la bourgeoisie urbaine, contre une dissidence sociale qui s'était développée au sein de la dissidence idéologique, s'apparente tout à fait à la répression de l'insurrection ouvrière parisienne de juin 1848 par le républicain de haute souche Cavaignac, fort du soutien moral des révolutionnaires de février. Mais le même schéma s'est développé formellement de manière différente, dans la mesure où une recomposition par glissement général de niveaux avait fait qu'entre-temps les contradictions internes au tiers état de 1789 s'étaient substituées aux antagonismes intraféodaux.

Dans un contexte tribal, en revanche (on évoquera le cas du Congo belge à l'heure de son indépendance), l'exacerbation du processus révolutionnaire (la radicalisation qu'incarna Patrice Lumumba) enclenche un mécanisme de confrontation à forte polarisation ethnique, d'où une guerre de peuples rivaux qui suscite, en réaction, au centre de la contradiction, un appel d'air en faveur d'une solution autoritaire et unitariste (Mobutu).

Cette formalisation particulière d'un même schéma s'est reproduite en Angola, au Mozambique, en Éthiopie, etc. Si l'on examine également, dans un cadre impérial, cette fois, l'évolution de la révolution algérienne, on discerne fort nettement les grandes lignes du processus que nous avons schématisé : déclenchement insurrectionnel conçu comme riposte, auto-alimentation, emballement, radicalisation, débordement maximaliste, antagonisme intrarévolutionnaire et exacerbation de la contradiction principale qui s'organise autour des deux pôles les plus extrêmes (aile dure du FLN d'un côté, OAS de l'autre), et, finalement, après 1962, les affrontements tribaux ayant pris le relais, émergence, au centre du dispositif, d'une solution militaristo-autoritaire.

Or, la réapparition, en filigrane, toujours du même schéma (expression tendancielle des deux invariances structurantes précitées), n'exclut évidemment pas une déclinaison infiniment variable et diversifiée des spécificités propres au pays, à sa culture, à son histoire, à sa sociologie, à l'époque, à l'environnement (l'affrontement Est-Ouest et la montée de l'arabisme nassérien dans le cas de l'Algérie) et aux caractéristiques technologiques du conflit.

Si on retourne la proposition, on avancera qu'aussi variés, différenciés et spécifiques au contexte, aux conditions locales, aux pressions technologiques et environnementales qu'apparaissent les processus révolutionnaires, on n'en discerne pas moins, à l'examen, des régularités correspondant à des lois générales qui induisent soit la reproduction, soit la recomposition d'un certain nombre d'invariances.

La preuve en est que dans le cas, relativement nouveau, d'un processus révolutionnaire permettant de passer d'une dictature socialiste à une démocratie libérale, on voit se redessiner derechef, tendanciellement, le schéma antérieur : déclenchement à l'instigation des réformistes (ou même des socialistes démocrates, comme en RDA), sous forme de réplique (au putsch de 1991 à Moscou, par exemple), emballement et radicalisation dans un sens nationaliste et antiétatique, marginalisation des réformistes, débordements maximalistes, antagonisme intrarévolutionnaire favorisant un sentiment d'insécurité, polarisation des antagonismes sur les extrêmes (néocommuniste ou droite chauvine), aspiration enfin à une solution nationale-autoritaire.

Aucun processus révolutionnaire, jamais, ne ressemble à un autre : confronté à un hypothétique tribunal de l'Histoire, chacun invente ou réinvente sa jurisprudence, mais n'en organise pas moins sa spécificité radicale dans le respect d'un certain nombre de lois générales qui traduisent une tendance à recomposer, de manière infiniment variable, des structures mentales et dynamiques invariantes. Tout change et rien ne change à la fois. L'ordre de ce qui ne change pas contribue à finaliser le désordre de ce qui change.

Est-ce à dire que Bonaparte est fatalement le produit fini de la prise de la Bastille, Napoléon III des barricades de février 1848, ou encore Staline le rejeton du soulèvement antitsariste de Petrograd ? Autrement dit, que tout renversement de l'autorité débouche sur un renforcement de cette autorité ? Non ! Mais la réalité de cette invariance tendancielle fait justement que, progressivement, le processus démocratique s'est recomposé de façon à faire l'économie du processus révolutionnaire. Les exemples de l'Espagne postfranquiste ou du Chili post-Pinochet, de la Grèce d'après les colonels sont à cet égard remarquables. Que personne ne les ait anticipés montre à quel point pèse sur les esprits le poids des schémas non recomposés. Comment expliquer cette domestication du processus révolutionnaire par lui-même dans le cadre de son invariance ?

Deux facteurs au moins ont joué en ce sens : d'abord le poids des expériences antérieures, qu'elles suscitent des phénomènes imitatifs (la révolution devient alors un simulacre ritualisé, un « à la manière de », comme Mai 68 en France, qui ne prête plus aux mêmes conséquences) ou révulsifs (la seconde révolution anglaise de 1688, qui fit l'économie du processus révolutionnaire, ne fut possible que grâce à la hantise que nourrissait l'horrible souvenir de la première, et c'est en référence à la Terreur de 1793 que la révolution de février 1848 s'empressa d'abolir la peine de mort en matière politique). Ensuite, les grandes mutations technologiques : ainsi l'élargissement des rues macadamisées et la multiplication des engins blindés ont-ils peu à peu rendu caduque la phase thermodynamique essentielle de la fusion révolutionnaire que constituait le jaillissement des barricades. Cette miniséquence n'intervient plus, dans les pays développés au moins, que comme séquelle et prend plutôt la forme d'un simulacre. La télévision, de son côté, a largement contribué à accentuer et à précipiter, la force des images qu'elle diffuse aidant, les réactions de rejet de tout désordre insécurisant.

La démocratie est-elle à l'ordre social ce que l'homme est à l'ordre animal ?

De façon plus générale, l'évolution de l'urbanisme, le remodelage sociologique des cités et la relégation de la pauvreté toujours plus loin à la périphérie, la pression informative (ou propagandiste) décuplée par la vitesse des moyens de communication, l'avènement des classes moyennes et la régression quantitative du prolétariat proprement dit, la diffusion d'un confort minimal dont a généralement profité l'ensemble de la catégorie salariale, la réduction de la part de la nourriture dans les dépenses sociales, mais aussi et surtout le lent remodelage des structures mentales déterminé par la pratique continue des élections pluralistes, constituent autant d'éléments qui, dans une démocratie avancée, ont favorisé le développement des processus démocratiques au détriment des processus révolutionnaires. Ou, plus exactement, la logique démocratique (et réformiste) — non point logique contre-révolutionnaire, mais contre-logique opposée à celle de la révolution — a insensiblement développé et renforcé sa stratégie d'évitement du schéma précédemment décrit. Et pourquoi l'évite-t-on ? Parce qu'on a fini par intérioriser le fait qu'il était invariant — qu'on n'échappait pas aux effets de ses causes. Or que constatons-nous alors ? Que le processus démocratique à son tour tend à reproduire une version civilisée, édulcorée, domptée, de ce même schéma que nous avons décrit, dont on pourrait résumer ainsi l'une des lois générales : toute victoire électorale d'une coalition de gauche suscite des surenchères à la gauche de cette gauche dont le pragmatisme adaptatif est dénoncé comme une trahison, ce qui provoque des antagonismes de plus en plus exacerbés à l'intérieur du camp dit « progressiste » et favorise, en retour, une forte polarisation de l'opposition à droite, d'où un état de tension qu'exploitent les tenants renforcés d'un nationalisme autoritaire. Il s'agit là de l'une des formes les plus spectaculaires, mais aussi les plus achevées, de recomposition d'une invariance sociale tendancielle par glissement de niveaux. D'autant que cette recomposition se recompose à son tour jusqu'à déboucher sur un système d'alternance pacifiée à la scandinave.

Nous ne dirons pas que ces recompositions s'apparentent à un progrès linéaire (il peut y avoir, et il y a effectivement, de nombreux allers et retours, y compris des rémanences de processus antérieurs qui ressusciteront alors leur invariance), mais qu'elles sont finalisées et globalement irréversibles. Ce qui, par exemple, dans le cas de l'Italie en 1993, est absolument saisissant, c'est que la recomposition démocratique digère des contradictions exacerbées et des antagonismes majeurs qui eussent, il y a deux siècles, provoqué une implosion violente, et cela, de façon à conjurer le double spectre de la dictature et de la guerre civile.

Parallèlement, cependant, à la périphérie des nations les plus développées, et compte tenu d'un décalage évolutif, se perpétuent des processus spécifiquement révolutionnaires (la « révolution des œillets » au Portugal, par exemple, mais aussi les événements qui ont agité la Russie, la Géorgie ou l'Azerbaïdjan après l'effondrement brutal du système communiste, ou encore l'insurrection antiduvaliériste en Haïti, les soulèvements armés en Somalie ou en Éthiopie) qui se conforment au schéma général non édulcoré (sauvage, si on préfère, même si l'environnement international fait généralement obstacle à la phase finale autoritaire de la dynamique (ce qui fut particulièrement évident en 1993 en Russie).

Si nous avons à ce point insisté sur l'existence de lois générales, en particulier celles qui rendent compte de la thermodynamique des processus révolutionnaires, c'est qu'apparaît nettement la complémentarité dialectique qui lie les recompositions finalisées qui ont permis l'avènement et le développement de la démocratie pluraliste dans un nombre de plus en plus grand de pays (l'évolution sociale a donc un sens) et l'invariance tendancielle des struc-

tures qui sous-tendent et permettent ces recompositions. On pourrait presque soutenir que la démocratie pluraliste est à l'ordre
social ce que l'hominisation est à l'ordre animal : c'est-à-dire que
le même type de remodelage évolutif d'une invariance structurelle
que celui qui a permis, malgré sans doute bien des tâtonnements
et des échecs, qu'un primate, après qu'il eut dégagé ses membres
antérieurs en se redressant, accède à la conscience de soi, a également rendu possible l'auto-élaboration par la société elle-même
d'un mécanisme de réappropriation et de contrôle d'un processus
qui précédemment l'instrumentalisait. De cette façon, le même est
devenu différent, bien que le différent ne soit que la conséquence
de réaménagements localisés et ponctuels du même.

Dans ces deux cas, extrêmes j'en conviens — le passage du primate à l'homme et de la société barbare à la démocratie pluraliste
—, l'évolution eût été impossible si elle n'avait obéi à des lois qui
imposaient, d'une part, en fonction des pressions du milieu, aux
structures invariantes qu'elles se recomposassent pour s'adapter,
et d'autre part aux aléas événementiels (ou génétiques) qu'ils réin-
tégrassent la cohérence globale de la structure invariante.

D'où il résulte également qu'il reste autant de barbarie latente,
mais culturellement transcendée, dans nos sociétés démocratiques
que de primate dans l'homme.

Je viens d'évoquer les aléas « événementiels » ou « génétiques ».
Nous les retrouverons souvent, en embuscade, au cours de cet
ouvrage. Mais qu'il soit d'emblée bien clair que non seulement la
« nécessité » ou la « contrainte » n'abolissent en rien ce que l'on
qualifie, faute de mieux, de « hasard », mais qu'en outre les événements aléatoires 1) précipitent les mutations qui déterminent les
recompositions de structures, 2) contribuent largement à donner
des formes particulières à ces recompositions.

On rangera, pour la clarté de notre propos, les initiatives individuelles (qu'elles relèvent du volontarisme simple, de la chimie des
passions ou d'un génie particulier) parmi ces événements aléatoires.

Il n'est naturellement pas indifférent que ce soit à Bonaparte
qu'ait échu le rôle qui aurait pu aussi bien revenir aux généraux
Pichegru ou Moreau (ce qui aurait hâté la restauration monarchique) et que l'homme du 18 Brumaire ait manifesté les extraordinaires qualités et les effarants défauts dont l'Histoire a enregistré
les durables conséquences. Si la révolution russe de février 1917 a

finalement été kidnappée par Lénine, c'est sans doute que ce dernier fit preuve du sens de l'opportunité et du talent tactique qui, précédemment, avait singulièrement manqué au général conservateur putschiste Kornilov, ce qui permit au fond à Joseph Staline de jouer ensuite, à l'intérieur du totalitarisme communiste, le rôle que Kornilov avait raté dans un cadre militaro-réactionnaire. Or, il n'était pas écrit que Bonaparte, au lieu d'être Monk, devînt Napoléon, ni que l'intellectuel gauchiste Lénine se révélât un meilleur putschiste que le général conservateur Kornilov.

Le fait que l'un et l'autre s'inscrivissent dans le schéma dynamique que déterminent les lois des processus révolutionnaires laissait en revanche totalement ouverte leur chance de réussir ou d'échouer dans leur entreprise. D'ailleurs, les chances du second, en particulier d'un point de vue rationnel, étaient à peu près nulles. (Ce qui, en revanche, nous le verrons, était programmé, c'était l'échec final de l'expérience bolchevique.)

On en déduira que tout peut toujours changer (et change effectivement) à l'intérieur d'un schéma général que dessine ce qui ne change pas, et qu'en l'occurrence, sans ce schéma dont la reproduction exprime la pesanteur des invariances, Bonaparte et Lénine eussent été impossibles et impensables.

Il est bien évident que les lois générales qui régissent — entre autres — les processus révolutionnaires s'appliquent à l'ensemble du mouvement social à quoi on donne le nom d'« histoire ».

La manière dont les nationalismes ethnico-identitaires et l'intégrisme religieux se sont tout naturellement engouffrés dans le vide ouvert par l'effondrement des idéologies pseudo-rationalistes et internationalistes (communisme, socialisme tiers-mondiste, libéralisme moderniste) en est la plus spectaculaire illustration ; mais aussi les permanences tribales et les tentations autoritaires qu'a révélées ce violent appel d'air.

On remarquera à ce propos que les périodes de récession économique majeure ne créent pas *ex nihilo* des réactions de repli et de rejet, elles rendent patentes des tendances profondes d'autant plus latentes que même les phases d'expansion et de stabilité sont vécues par une majorité de l'opinion, surtout quand le gouvernement est perturbant, c'est-à-dire non conservateur (ainsi qu'on l'a bien vu en France entre 1989 et 1991), comme moralement et économiquement récessionnistes. Le thème intériorisé de la décadence et du déclin constitue sans doute le processus mental le plus solidement câblé dans l'inconscient conservateur, y compris à gauche. Et sans doute faut-il y voir le signe de la perturbation que subit toute invariance confrontée à une pression sélective qui induit sa propre recomposition.

Les lois qui régissent le processus passé s'appliquent-elles au processus à venir ?

S'il est possible de conférer au passé une cohérence évolutive *a posteriori*, il devrait être possible de dégager, *a priori*, les orientations tendancielles qui, compte tenu d'un certain nombre de modèles rationalisables, caractériseront tel ou tel devenir.

Un exemple de loi tendancielle nous est fourni par ce qui s'est passé au Portugal après la « révolution des œillets » de 1974. Face à une poussée maximaliste de gauche, la droite n'apparaît pas en tant que telle, mais se range en ordre de bataille derrière la gauche réformiste, puis, une fois la victoire acquise, occupe aussitôt, en réarborant ses propres couleurs, le terrain reconquis et rejette dans l'opposition les réformistes qui finissent par se rapprocher de la gauche vaincue.

Ce schéma simple (choisi parmi d'autres) constitue un cas de figure qui, dans une situation semblable et dans des pays comparables, se reproduit presque sans exception (en 1848 en France, dans les années vingt en Allemagne, entre 1918 et 1922 en Italie, de nouveau en 1945 en France, etc.).

On pourrait encore formuler une loi d'« interactivité créatrice des contraires » qui fait que Napoléon est à l'origine du nationalisme allemand, le traité de Versailles de la montée d'Hitler, la dictature du Shah de l'intégrisme khomeyniste, le général Sharon de l'émergence du Hezbollah, l'intransigeance de Shamir de la montée du Hamas en Palestine, l'OAS en Algérie de l'arrivée au pouvoir de Boumediene, ou Nixon (qui provoqua le renversement de Sihanouk au profit de Lon Nol) de l'apparition des Khmers rouges, etc.

Et, en effet, on pourrait fort bien établir une grille — et il est surprenant que les mathématiciens ne s'y soient pas employés, pas même René Thom — de séquences politiques types, sans cesse recomposées certes, mais structurellement invariantes, en fonction de la pression des milieux, des spécificités locales, des conditions initiales et du stimulus déclenchant.

Les événements qui ont suivi la chute du communisme dans les pays de l'Est étaient, à cet égard, concrètement prévisibles, y compris l'effondrement des mouvements réformateurs, les poussées ultranationalistes et le retour en force des anciens communistes recyclés, non parce que c'était dans l'ordre des choses, mais parce que cela correspondait à un cycle quasiment irréductible de l'évolution de l'esprit collectif.

On me permettra d'avancer une preuve de cette assertion. En décembre 1989, nous rédigeâmes, avec le service « étranger » de *L'Événement du jeudi*, un vaste document prospectif intitulé « Le monde qui nous attend » et qui fut publié en janvier 1990. Il s'agissait de dessiner les grandes tendances d'un avenir probable, de projeter les conséquences prévisibles de l'effondrement de plusieurs systèmes communistes dans l'Est européen. Ce qui impliquait qu'aucune succession de hasards ne pût suffire à soustraire le cours général des événements à la prégnance des lois générales. Voici quelques extraits, republiés quatre ans plus tard, de cette tentative de réflexion anticipatrice :

« Le pacte de Varsovie n'est plus d'ores et déjà qu'une coquille vide. Les contradictions Nord-Sud (voire la concurrence économique et commerciale avec les pays d'Asie) vont donc prendre largement le pas sur l'antagonisme Est-Ouest dont les derniers stigmates s'effacent peu à peu. Seul un coup d'État militaro-nationaliste à Moscou pourrait freiner cette évolution.

« Il en résulte que les politiques de défense axées sur la confrontation entre les deux blocs sont totalement déconnectées du réel aussi bien stratégiquement que technologiquement [...].

« Ce n'est pas la contre-révolution qui a eu raison du système communiste, mais bien la révolution. Les forces qui ont pris l'initiative de la révolte et de la rupture (à Prague comme à Varsovie, à Bucarest comme à Berlin) sont presque toutes issues, soit de la gauche démocratique et libertaire, soit, comme en Hongrie, de la fraction social-démocrate du parti communiste au pouvoir. Mais il est dans l'ordre des choses que ces forces soient rapidement débordées sur leur droite. Il s'ensuit que, à assez court terme, une alternative sociale-démocrate s'opposera à une alternative plus franchement libérale, tandis que les néostaliniens d'un côté et les néofascistes de l'autre polariseront aux deux extrêmes les réactions de rancœur et de refus.

« Ainsi, les rivalités politiques à l'ouest de l'Europe auront désormais leur prolongement direct à l'est, ce qui favorisera et accélérera le rapprochement et l'intégration. A condition, bien sûr, qu'une rupture trop précipitée du front démocratique ne casse pas le processus de démocratisation lui-même [...].

« De ce qui précède, il ne faudrait cependant pas conclure à la mort définitive du communisme ou au triomphe absolu du libéralisme.

« A cet égard, les mois qui viennent réservent des surprises qui risquent de refroidir les enthousiasmes les plus béats. La position néolibérale est sans doute la seule aujourd'hui qui soit susceptible, à terme, de sortir les économies délabrées des pays de l'Est de leur marasme affligeant. C'est le paradoxe du système stalinien que sa cohérence le rende si imperméable à la réforme que seule une révolution capitaliste, fût-elle contrôlée, puisse en casser la logique pour dynamiter d'abord et dynamiser ensuite des structures productives complètement annihilées.

« Mais, dans un premier temps — qui peut durer —, le remède aura des conséquences sociales aussi cruelles que traumatisantes : augmentation vertigineuse des prix, en particulier ceux des produits de première nécessité, qui étaient jusqu'à présent artificiellement bloqués ; rude baisse du pouvoir d'achat ; restauration draconienne de la discipline du travail nécessaire au relèvement de la productivité ; licenciements massifs et fermetures de milliers d'usines archaïques souvent subventionnées à 90 % ; inflation galopante ; accession plus coûteuse au logement.

« Pendant une certaine période, il sera peut-être admis que ce traitement de choc est la rançon de la faillite de la gestion communiste. Mais l'argument finira par s'user. Surtout lorsque, parallèlement, il apparaîtra que des minorités parviennent très rapidement à s'enrichir, que les spéculateurs tirent les marrons dorés du feu, qu'une partie du patrimoine national doit être vendue à des intérêts étrangers, et que se reconstitue une manière de bourgeoisie possédante. La population, non seulement frappée de plein fouet par les effets de la restructuration, mais en outre formée à l'école de l'égalitarisme, réagira alors avec de plus en plus de vivacité.

« Cette situation offrira un terrain favorable aux conservateurs communistes qui tenteront de se refaire une santé en soufflant ardemment sur les braises, ne serait-ce qu'à travers les anciens syndicats officiels reconvertis dans la critique basiste.

« Tandis que l'ampleur du désastre économique, et les mesures forcément dures que cette déconfiture rendra nécessaires, susciteront de graves tensions sociales, l'apprentissage de la démocratie, du pluralisme politique, du parlementarisme et de son verbiage, de la liberté d'information, donc de critique, de l'instabilité gouvernementale, provoquera également des secousses qu'une partie de la population, habituée à un semblant de sécurité dans le cadre d'un immobilisme anesthésiant, ressentira comme de dangereux facteurs de désordres [...].

« Qui sera, demain, le mieux en mesure d'exploiter toutes ces réactions sécuritaires et chauvines et d'agréger les frustrations ainsi entretenues autour du bon vieux triptyque : ordre, nation, exclusion ? Les communistes, dans la mesure où ils se sont identifiés à un certain ordre policier et moral ? En partie.

« Mais c'est plutôt l'extrême droite qui canalisera ce type de peur et de ressentiment, et qui surtout tentera de détourner à son profit les flambées nationalistes.

« Cette double reconstitution prévisible, en Europe de l'Est, d'un pôle néostalinien et d'un pôle néofasciste, ne doit être ni exagérée ni naïvement minimisée [...].

« D'ailleurs, sur les ruines d'une idéologie marxiste en miettes et sur les décombres d'un vieux monde assisté et protégé que les solutions libérales briseront non sans cruauté, on assistera, de toute évidence, à des convergences de plus en plus nombreuses entre les deux extrémismes. Au-delà du cas soviétique, il faudra de plus en plus s'habituer, comme d'ailleurs dans les années vingt, à cette espèce de fusion entre le discours supposé le plus à gauche et le discours supposé le plus à droite, l'un et l'autre étant désormais privés de modèle de référence, et la religion leur servant ici et là de catalyseur, comme dans les pays musulmans.

« On comprend, dans ces conditions, pourquoi l'effondrement du socialisme réel n'engendrera pas mécaniquement un triomphe idéologique du libéralisme et pourrait même au contraire en accélérer la crise.

« Tout d'abord, si l'actualité de l'Europe de l'Est, depuis vingt ans, illustrait en permanence le dramatique échec économique et moral du socialisme, cette même actualité, dans les années qui viennent, illustrera, de façon tout aussi permanente, les limites et les effets forcément pervers du néolibéralisme.

« D'autre part, la chute du système communiste aura paradoxalement une influence catastrophique sur l'évolution économique des principaux pays du Tiers Monde. Non seulement l'ex-bloc communiste n'a plus ni les moyens ni la volonté d'entretenir les pays frères qu'il maintenait sous perfusion, mais, en outre, l'Occident ne pourra plus, ou ne voudra plus, diriger vers un Tiers Monde définitivement insolvable et instable les sommes qu'il déversera plus volontiers sur les nouvelles et jeunes démocraties de l'Est européen.

« S'ensuivront une aggravation des tensions Nord-Sud, une misère accentuée des populations d'Afrique et d'Amérique latine, des explosions en chaîne dans les pays producteurs de matières premières, ce qui, en retour, nourrira la remise en cause du système libéral mondial.

« En résumé, le succès des révolutions anticommunistes de l'Est aura pour effet secondaire d'accentuer la marginalisation non pas du Tiers Monde dans son ensemble (car une grande partie de l'Asie est en train de sortir économiquement du cycle infernal du sous-développement), mais de l'Afrique noire tout entière et d'une partie de l'Amérique latine.

« L'Afrique risque donc de ne plus apparaître que comme une immense jachère, sans avenir et sans intérêt, tenue en lisière de la concurrence acharnée que se feront trois nouveaux grands blocs : un bloc européen élargi, dont l'Allemagne sera le moteur et la France la carrosserie ; un bloc américain autour des États-Unis ; un bloc asiatique agressif dans le sillage du Japon.

« Ce qui est sûr, en revanche, c'est que les masses affamées, ainsi que les victimes de ces troubles, viendront par cohortes de plus en plus nombreuses frapper à la porte de la maison européenne, faisant de cet énorme flux migratoire le problème numéro un auquel seront confrontées les démocraties libérales.

« L'effondrement du communisme, la crise subséquente des socialismes spécifiques, de type baasiste ou algérien, et des diverses utopies marxisantes aussi révisionnistes soient-elles, crée sur le plan idéologique et politique une véritable béance. Vide à la fois nécessaire et dangereux. Les mouvements qui se réclamaient du socialisme réel avaient en effet réussi à confisquer fort abusivement quatre concepts : rationalisme, laïcité, internationalisme et démocratie sociale. La contre-révolution idéologique qui en découlera aura, dans les années qui viennent, des conséquences encore plus considérables que la révolution authentique qui a permis de renverser le système totalitaire.

« En Algérie, et demain sans doute en Syrie, ce seront désormais les forces fondamentalistes musulmanes, et non les forces démocratiques libérales, qui prendront la tête de l'opposition au régime socialiste en place.

« La poussée intégriste, particulièrement spectaculaire en Afrique noire, sera une conséquence directe de la faillite du socialisme marxisant, l'islam idéologique opposant à un corps de doctrines cohérent et clos un totalitarisme de remplacement tout empaqueté où la fusion du politique, du social et du moral sera assez absolue pour faire pièce aux utopies de type léniniste. Au Liban et à Gaza, de nombreux militants d'extrême gauche se sont déjà convertis à l'islamisme révolutionnaire. Le rapport des forces au sein de l'OLP, où les chrétiens laïcs jouaient jusqu'ici un rôle important, est en train de s'en ressentir.

« La montée en puissance de l'intégrisme islamiste aura des effets plus déstabilisateurs qu'on ne l'imagine généralement. C'est surtout l'Inde, où vivent près de 190 millions de musulmans, qui en subira les effets les plus dévastateurs. Ce pays, véritable continent, le plus peuplé après la Chine, est aujourd'hui en réel danger de conflagration interne, ce qui aura immanquablement une influence directe sur le Pakistan. La montée de l'islamisme radical pourrait avoir des conséquences plus considérables encore s'il se confirmait que son influence gagne les républiques musulmanes soviétiques au point de donner le ton aux revendications des "fronts populaires" locaux qui ont presque partout pris l'ascendant sur les partis communistes en pleine crise d'identité.

« Un basculement de ces nationalités dans le camp intégriste, que rendrait par exemple possible une victoire en Afghanistan de l'aile la plus activiste de la résistance islamiste, et la prise en charge de leurs revendications et de leurs luttes par l'Iran, le Pakistan et une Turquie elle aussi confrontée à une forte radicalisation religieuse, non seulement précipiteraient l'Union soviétique au bord d'une guerre civile et religieuse — au Caucase, par exemple — mais bouleverseraient complètement les données politiques et les rapports de forces dans l'ensemble d'un monde musulman s'étendant de façon continue de Nouakchott à Samarkand.

« L'appel d'air qui permet aujourd'hui aux fondamentalistes islamistes de reconquérir (ou de conquérir) le terrain perdu par le laïcisme marxisant bénéficie bien sûr également aux autres intégrismes, comme on l'a vu en Inde et comme on le verra aussi en Israël.

« La faillite ignominieuse du concept internationaliste, tel que l'Union soviétique s'en était fait le vecteur pour dissimuler son propre impérialisme, laisse désormais le champ libre à l'irruption de tous les nationalismes artificiellement gelés depuis la dernière guerre.

« Ainsi, l'actualité des prochaines années sera immanquablement dominée par la montée du panserbisme (opposant Serbie, Slovénie, Croatie), l'exaspération des problèmes de la Bessarabie (entre l'Union soviétique et la Roumanie), de la Transsylvanie (entre la Roumanie et la Hongrie), de la Macédoine (entre la Yougoslavie et la Roumanie), du Kosovo (entre l'Albanie et la Yougoslavie), de la Biélorussie occidentale (entre la Pologne et l'Union soviétique), des pays Baltes, de l'Ukraine, de la Bucovine et de la Valachie.

« Balkans, Caucase, Europe centrale : il faudra relire les vieux livres d'histoire. [...]

« Après 1929, la grande crise du capitalisme avait largement encouragé la dogmatisation du socialisme dont les adeptes étaient convaincus que rien ne pouvait plus s'opposer à sa victoire universelle, tant l'échec du libéralisme leur apparaissait radical.

« Le naufrage du socialisme réel peut, si l'on n'y prend garde, avoir les mêmes effets si le libéralisme apparemment triomphant n'intègre plus aucune critique à sa propre réflexion et fait désormais fi des aspirations universelles à la justice sociale, à l'égalité, à la rationalisation et à la participation. Aujourd'hui, seul le marché peut tuer le marché. Mais ce meurtre est possible.

« Sur toutes ces évolutions prévisibles, mais dont le cours peut évidemment être modifié par la conscience que l'on en a (effet de *feed-back*), pèse une incertitude considérable : l'avenir de l'Union soviétique elle-même.

« Quatre possibilités au moins : succès de Gorbatchev lui permettant d'inventer un socialisme démocratique spécifique ; libéralisation accélérée impliquant un abandon de la référence socialiste ; éclatement et désordre général qui déboucherait sur le chaos et la guerre intestine ; coup d'État légal ou illégal qui, sous l'égide de l'armée, porterait au pouvoir une coalition de nationalistes d'extrême droite et de conservateurs néostaliniens.

« Dernier paradoxe, donc : à l'heure où le glas des illusions perdues sonne la mort du communisme, tout dépend en fin de compte de Moscou... »

Cet exercice ne se serait pas montré à ce point concluant si notre conviction qu'il existe des lois qui décrivent des invariances dynamiques à l'intérieur de l'Histoire était totalement illusoire.

Encore une fois, ces lois générales laissent une totale liberté d'improvisation à ceux qui les interprètent. Ce qui implique non seulement une grande marge de fluctuations (simple crise politique ou affrontements armés, par exemple, coup d'État réussi ou coup d'État raté), mais également toutes les possibilités de bifurcations (Lénine ou Bonaparte) qui font que la parenthèse, à l'intérieur de la phase, peut se refermer après quelques mois ou... quatre-vingts ans !

Surtout, toute apparente répétition dissimule l'aspect moteur de l'évolution elle-même que constitue la recomposition des invariances au rythme des glissements continus de niveaux et en fonction de l'effet de retour des recompositions antérieures.

Demandez le programme !

Nous voici donc arrivés au terme de notre promenade descriptive. Il s'agit maintenant, d'une part, d'étayer puis de théoriser ce que nous venons de survoler, d'autre part de tirer toutes les conséquences de cette démarche en déroulant un certain nombre de fils de la pelote que cette théorisation induit. En fonction de quoi, à partir du renversement qui fait de l'invariance l'élément structurant permettant l'émergence de variations évolutives, nous entendons, dans les chapitres suivants — de manière claire et concrète, qu'on se rassure —, montrer et démontrer, illustrations à l'appui :

1) Que toute appréhension de l'évolution sociale implique que soient d'abord identifiées, inventoriées et définies les invariances structurelles qui, en tant que règles (ou contraintes), orientent et finalisent leurs propres remises en cause génératrices de devenir.

Ce qui revient à réintégrer ce qui change dans l'ordre de ce qui ne change pas.

2) Que ce ne sont pas, en effet, les mutations ponctuelles qui caractérisent en soi le mouvement historique, mais les recompositions auxquelles procède toute structure constitutive de ce mouvement pour sauver son invariance.

3) Que ces recompositions adaptatives, même favorisées par des mutations spontanées, internes à la société, sont largement déterminées par l'action catalytique et la pression sélective de la pensée critique et des nouvelles données objectives environnementales (naturelles, économiques, technologiques).

4) Que la dynamique sociale ne se résume donc pas à une succession de phases distinctes — tribalisme, esclavagisme, féodalisme, capitalisme, etc. — qui rythmeraient, par degrés, sa progression unidirectionnelle, mais prend la forme d'un remodelage, toujours recommencé et progressif, de ces données invariantes que sont, dès le départ de la socialisation et au-delà de toutes les étapes intermédiaires, le tribalisme, l'esclavagisme, le féodalisme, le capitalisme, ainsi d'ailleurs que l'aspiration au socialisme.

5) Que ces recompositions incessantes du « même » entraînent, par glissements successifs de niveaux, une radicale et irréversible transformation de la manière dont la société exprime ses invariances.

6) Que ces métamorphoses, qui permettent sans répit à la société de rester tout en devenant, ne s'identifient pas à un progrès linéaire, mais s'apparentent, sur le long terme, à des sauts qualitatifs de civilisation. Alors que la négation révolutionnaire des invariances se révèle régressive, c'est leur continuelle recomposition qui se montre révolutionnaire.

7) Que cette évolution sociale poursuit et projette les mécanismes évolutifs antérieurs à l'hominisation, et sans doute à l'animalisation même, qui ont permis que la société devienne sa propre matière en devenir.

8) Qu'à ce stade de l'évolution générale, qui correspond à notre histoire, l'auto-élaboration du processus social exerce une pression sélective interne de plus en plus forte sur l'héritage biologique de ses composants, alors même que l'homme en tant qu'acteur de ce processus évolutif modifie lui-même l'environnement qui exerce une pression sélective externe : il en résulte que la frontière entre l'inné et l'acquis s'estompe, à la fois par remodelage culturel de

l'inné et intégration naturelle de l'acquis dans le champ de l'innéité.

9) Que, par conséquent, la non-hérédité des caractères acquis n'implique pas un implacable impérialisme du hasard, mais permet à la nécessité de déterminer largement ce que la société, en tant qu'organisme, fait de ce hasard.

10) Que l'organe cérébral est le lieu où se noue ce processus d'auto-élaboration, à partir du moment où l'accès de l'homme social à la conscience individuelle et collective de soi a fait du câblage synaptique des interconnexions neuronales l'élément adaptatif essentiel de l'être-au-monde.

11) Qu'il en résulte un processus de complexisation croissante. Toute recomposition sociale d'une invariance structurelle stabilise sélectivement, en effet, un câblage cérébral adéquat, mais se heurte cependant à l'autonomisation mentale des états structurels antérieurs de ces invariances, tels que les gère ce grenier des câblages d'antan qu'est la mémoire, y compris la mémoire collective.

12) L'homme collectif, qu'il soit peuple, foule, classe ou tribu, constitue, en tant que carburant de la dynamique sociale, une entité spécifique — un organisme en mouvement — qui ne se réduit pas à une simple addition de vécus ou d'aspirations individuels. Toute collectivité parvenue à un certain stade d'homogénéité est à la fois beaucoup moins et beaucoup plus que la somme de ses composantes. Qu'il soit ethnie, communauté, peuple, classe, caste ou tribu, cet organisme social spécifique reproduit alors un processus d'auto-élaboration adaptative qui exerce une pression sélective interne sur sa propre façon d'être au monde.

13) Cette entité qu'est l'organisme social fonctionne comme un système qui, à partir d'un seuil critique d'entropie, échappe à la seule prégnance des structures mentales invariantes pour obéir en partie à des lois qui expriment des invariances de caractère thermodynamique. Autrement dit, la psychologie des masses ne traduit pas une simple coagulation d'états de conscience, mais également un processus de type physico-chimique qui contribue à refouler des états de conscience.

14) Que l'antagonisme entre déterminisme et chaos (l'Histoire a-t-elle un sens ou son devenir se joue-t-il à la roulette ?) est absolument artificiel, en cela que tout déterminisme social (tel le processus adaptatif de recomposition des invariances structurelles) intègre et organise *a posteriori* des éléments totalement aléatoires,

et que le hasard événementiel (en tant que fluctuation) suscite des bifurcations qui, tels les méandres d'un fleuve, finissent certes par rejoindre le lit de la détermination principale, mais y déposent cependant le limon que les déviations dues au hasard apportent à la régularité voulue par la nécessité.

15) Que si la pensée critique constitue un élément déterminant de recomposition des invariances sociales, les idées, en revanche (ce que Popper appelle « le troisième monde »), ne cessent de recomposer, de manière évolutive, leurs propres invariances structurelles, comme le montre assez l'irréductibilité des dogmes religieux.

Nous ferons en sorte que ce résumé programmatique se déploie de la manière la plus accessible possible exemples à l'appui, en répudiant les élucubrations métaphysiques et en évitant, autant que possible, tout jargon pseudo-philosophique. Mais il nous faut, au préalable, répondre à un procès possible, et même fatal, en incitation à la désespérance de Billancourt.

Où l'on voit que la réforme révolutionne, quand la révolution conserve

Mettre l'accent de la sorte sur l'invariance des structures constitutives de l'évolution ne revient-il pas à justifier le conservatisme ?

Tout d'abord, nous ne mettons aucun accent : nous constatons. Nous pouvons regretter que l'homme n'ait pas d'ailes. Ce n'est pas une raison pour prétendre que seule l'aliénation sociale l'empêche de voler. Mais, surtout, s'il faut tirer une leçon politique d'un tel constat, elle est radicalement inverse.

La théorie que nous allons développer implique en effet que toute pratique conservatrice (et donc toute pensée qui sous-tend une telle pratique) soit attentatoire au mécanisme même de l'évolution sociale qui se fonde sur le sauvetage de soi par subversion et renversement de soi ; et se révèle, en conséquence proprement suicidaire.

Et si le mythe révolutionnaire de l'éradication des vieilles structures (du passé faisons table rase !) ne résiste pas, lui non plus, à cette cohérence évolutive — puisqu'il n'y a pas de changement viable qui ne s'inscrive dans la perspective d'une invariance recomposée —, c'est que justement le processus d'évolution par remodelage structurel d'une invariance tend, sur le moyen et le long terme, à des transformations de caractère révolutionnaire.

C'est pourquoi j'ai qualifié ailleurs de « centrisme révolutionnaire » la radicalité de toute action transformatrice qui vise à réaménager structurellement une invariance en redéfinissant son centre de gravité (ou de bipolarité).

Plaidoyer pour la réforme ? Oui. Mais pas — ou pas seulement — parce qu'elle serait éthiquement et stratégiquement préférable. La réforme dont il s'agit ici est la condition même d'une progression évolutive (par sauts qualitatifs de civilisation) que le conservatisme et le révolutionnarisme bloquent, retardent ou dévoient ensemble : soit en refusant toute recomposition des invariances au nom de la défense de la structure (et alors la conservation engendre la révolution), soit en sacrifiant cette recomposition des invariances à la volonté de se débarrasser de la structure (et alors la révolution nourrit la conservation).

En d'autres termes, le réformisme que notre démarche permet d'asseoir théoriquement répudie le conservatisme et le révolutionnarisme (la non-recomposition des invariances et la liquidation du socle structurel) d'autant plus totalement qu'il révolutionne, lui, et en profondeur, la société par sa façon constamment refondatrice de sauver ce qui la structure, et conserve opportunément ce qui l'étaie en révolutionnant sans répit ce qui, au nom de ce tutorat, l'entrave.

La conservation induit la révolution. La révolution porte la conservation. La « réforme » est la seule révolution qui révolutionne effectivement, à partir d'une conservation qui maintient.

Un exemple on ne peut plus éloquent et spectaculaire illustrera cette remarque. Au moment où se sont écroulés en Europe des systèmes qui, au nom de l'idéal communiste, croyaient, à la faveur d'une rupture irréversible, avoir construit une société nouvelle sur les ruines d'un ordre ancien, que découvre-t-on ? Que sur les ruines de cette société nouvelle qui fut incapable, pendant un demi ou deux tiers de siècle, de recomposer ses propres structures, on est tout simplement en train de reconstruire l'ordre ancien.

La raison en est que la nécessité de continuellement lutter contre une tendance à la reconstitution des structures invariantes renversées fit que l'énergie qui aurait dû s'investir dans le changement adaptatif (facteur de progrès social) fut consacrée à la défense de l'ordre nouveau, devenu sa propre et unique finalité. En conséquence de quoi, alors que les sociétés démocratiques libérales purent ou surent finaliser par la réforme la résolution progressive de leurs contradictions, la société communiste se congela dans les limites d'une caserne frigorifique, jusqu'à la fonte finale et inévitable à la première coupure d'électricité.

A l'inverse, examinons ce que fut, en France, l'évolution de cette république parlementaire — les IIIe et IVe du nom —, laquelle n'avança, elle, qu'au rythme de glissements de majorité qui portèrent successivement aux affaires des républicains modérés, des républicains opportunistes, des radicaux, des radicaux-socialistes, des blocs de gauche, etc.

Impuissance ? Qu'on décrive simplement l'évolution de la législation sociale : 1874, création de l'inspection du travail ; 1884, reconnaissance officielle des syndicats et abolition du dernier article du code pénal limitant le droit de grève ; 1874, 1892, 1900, limitation de la durée du travail ; 1893, loi sur l'hygiène, la sécurité ; 1898, loi sur les accidents du travail et création des premiers secours mutuels pour la couverture des risques de la maladie et de la vieillesse ; 1906, loi sur le repos hebdomadaire ; 1909, début de la rédaction d'un code du travail ; avril 1919, journée de 8 heures ; mars 1919, loi sur les conventions collectives ; 1928, adoption du principe de la sécurité sociale ; 1932, création des allocations familiales ; juin 1936, semaine de 40 heures ; 20 juin 1936, congés payés et institution des délégués du personnel ; février 1945, constitution des comités d'entreprise et institution d'allocations aux vieux travailleurs ; avril 1946, statut des délégués du personnel et établissement du système de sécurité sociale ; mars 1946, limite de la durée du travail salarié dans l'agriculture ; 11 février 1950, fixation d'un salaire minimum garanti, etc.

Non seulement la France, entre 1885 et 1960 (et malgré la période régressive de 1940-1944), évolua plus fondamentalement et plus profondément que la Russie soviétisée pendant le même laps de temps, mais la plupart des acquis engrangés par la réforme, c'est-à-dire par la recomposition adaptative des invariances, se révélèrent effectivement irréversibles.

Tout se passe comme si la Russie reprenait le cours interrompu en 1917 (même si c'est naturellement en grande partie illusoire), quand le réformisme démocratique a été capable, lui, de tourner des pages que nul ne s'aviserait plus d'arracher sous prétexte que le livre ne lui convient pas.

En conclusion, l'ouvrage que l'on va lire n'entend pas constater que, de toute façon, rien ne change, mais au contraire démontrer que cette nécessaire contrainte du « rien ne change », dès lors qu'on ne la conforte pas en feignant de la nier, laisse possibles d'innombrables façons de tout effectivement changer.

« Il faut tout changer pour que rien ne change », proclamait le héros du *Guépard*. Il aurait pu formuler la même idée à l'envers : il n'est possible de tout réellement changer qu'en projetant sur le grand écran du mouvement social des versions toujours corrigées et remaniées de ce qui, structurellement, ne change pas. C'est de la sorte, en utilisant les mêmes notes sur les mêmes portées, qu'on est passé de Lully à Wagner, de Josquin Des Prés à Duke Ellington, de « Il pleut bergère » à *Métal hurlant*. (Nous verrons que lorsqu'on est sorti de l'invariance, il y a eu problème.) La littérature montre la voie, qui, inlassablement, d'Œdipe en Antigone, de Tristan en Cléopâtre, de Faust en Don Juan, d'Amphitryon en Arlequin, ne cesse de moduler sa différence en remodelant son identité et de produire des *West Side Story* en recomposant des *Roméo et Juliette*. La vie elle-même est un *remake* de la vie. Toujours la même histoire, jamais la même œuvre. C'est la réécriture de ce qui demeure qui permet à la société de rédiger, au cours des siècles, le roman-fleuve de sa prodigieuse épopée. Oui, les lendemains chanteront : et les éternels refrains recomposés permettront sans cesse le jaillissement de nouveaux rythmes, grâce à quoi les mêmes sentiments réinventeront leurs mélodies. Aucune modernité musicale n'empêchera jamais, en revanche, que sourdent derrière elles — et parfois en elles — les vieilles rengaines qui ont toujours bercé les désespoirs du monde.

CHAPITRE II

Où l'on découvre
que le concept d'invariance structurelle
modifie notre appréhension de l'Histoire

Les deux premières propositions de notre programme d'investigation théorique suggèrent que la cible de toute évolution sociale sélective est constituée non par des mutations ponctuelles, mais par des invariances structurelles qui, en fonction de ces mutations et des pressions environnementales déstabilisantes, tendent à se recomposer pour sauver leur invariance.

L'ensemble de cet ouvrage visera, entre autres, à prouver la pertinence, à démontrer l'importance et à décrire les conséquences de cette assertion.

On conviendra que les événements qui, en cette sortie de siècle, agitent et bouleversent notre planète ne s'inscrivent pas en faux contre une telle hypothèse. D'un côté nous assistons en effet à l'échec de presque toutes les tentatives de reconstruction d'un monde nouveau dans l'espace prudemment dégagé d'une table rase. De l'autre, à l'occasion de ce délabrement des illusions millénaristes, nous voyons resurgir, ou se révéler plus ouvertement, des comportements collectifs qui paraissent remonter des fins fonds de notre préhistoire.

Il n'est donc pas interdit de soupçonner l'existence de quelque rapport entre ceci et cela. Comme si ce retour brutal des « permanences » était justement la conséquence de la négation « idéologique » des invariances. Comme si, faute de s'être appliqué à recomposer ce qui structurellement demeure — et cela, au nom d'une volonté doctrinale de rupture —, on se retrouvait en face des séquelles les plus archaïques de ce que la société, ainsi abandonnée à ses pesanteurs, conserve dans le congélateur de sa mémoire refoulée.

Il devrait être logiquement inutile de préciser ce que nous entendons par « recomposition » d'une structure invariante, puisque nous en sommes — celui qui écrit ce livre, ceux qui éventuellement le liront et ceux, infiniment plus nombreux, qui ne le liront pas — des produits exemplaires. Chacun de nous est en effet la résultante à la fois d'une multitude de recompositions évolutives et d'un ultime remodelage ponctuel et marginal d'une structure résolument invariante, ce qui a pour conséquence, d'une part, que l'abbé Pierre est radicalement différent du cochon d'Inde, et d'autre part que Boris Eltsine n'est pas le clone de Bill Clinton. Ou encore que la nature peut produire à partir du même moule des rationalistes norvégiens et des islamistes afghans.

A vrai dire, le lecteur admettra plus spontanément, ici, l'idée de la recomposition que celle de l'invariance structurelle. Pourtant, on ne saurait donner meilleur exemple d'une structure qu'un squelette. Or, quiconque a fréquenté un musée d'histoire naturelle a pu, *de visu*, constater que non seulement le squelette du cochon d'Inde et du diplodocus sont structurellement semblables à celui, supposé, de l'abbé Pierre, mais également que les poissons et les oiseaux, loin de procéder à une révolution radicale destinée à répudier cette structure pour se doter de nageoires ou d'ailes, en ont recomposé l'invariance de telle façon que nageoires, ailes ou bras ne constituent que trois formulations adaptatives de la même cohérence globale.

En l'occurrence, ce n'est pas le poisson qui s'est recomposé des membres en forme de nageoires, mais un lointain ancêtre de l'homme qui, de plus en plus intéressé par les excursions sur la terre ferme, plutôt que des palmes, s'est arrangé avec la sélection naturelle pour garder le bras long.

Puisque les exceptions sont censées confirmer la règle, partons d'une exception : l'ornithorynque, de la famille des monotrèmes, ne ressemble à aucun autre animal ; son étrangeté morphologique est aussi manifeste que son originalité comportementale. Castor, lièvre et canard à la fois, mammifère aquatique, ovipare couvert de poils au bec d'oiseau et aux pieds palmés, dont les mâles possèdent aux pattes de derrière un éperon saisonnièrement venimeux, il creuse des terriers, répand son lait dans l'eau pour nourrir ses rejetons et perd toutes ses dents à l'âge adulte. Or, aussi extrava-

gante qu'apparaisse cette inoffensive bestiole confinée au territoire australien et qui, par conséquent, a eu tout le temps d'organiser génétiquement sa différence dans une niche écologique isolée
du reste du monde, elle ne s'est permis aucune fantaisie structurelle de caractère gauchisto-révolutionnaire : pas d'yeux derrière
la tête, de queue sous le menton, de pattes dans le dos pour
marcher à l'envers, de roues à la place des jambes. Et c'est fort
conventionnellement que ses quatre membres se terminent par
cinq doigts palmés munis de griffes. A l'exception des voies urinai-
res et génitales restées primitives, le squelette et les entrailles de
l'ornithorynque reproduisent fidèlement l'organisation fonctionnelle propre à tous les vertébrés.

Notre sympathique animal a beau s'être donné des allures de
zazou hippy, il n'a donc pas été en mesure (ou alors il ne serait
plus là pour en témoigner) de s'émanciper des contraintes très
strictes que lui imposait l'invariance globale de la structure évolutive dont il représente l'une des branches, sinon l'un des fleurons.
Et cette transgression, dont lui-même a été incapable, n'a été en
vérité réussie par personne d'autre.

L'idée que l'évolution se fait par mutations génétiques purement aléatoires, c'est-à-dire par une succession de minisauts révolutionnaires dus au hasard et sélectionnés après coup par la
nature, est à cet égard extrêmement trompeuse.

En effet, ce n'est pas « en soi » la mutation brusque, c'est-à-dire
une erreur dans la reproduction des gènes, qui suscite l'évolution,
mais le type de réorganisation de l'invariance de la structure génétique — de réaménagement chromosomique, en somme — que
favorise cette éventuelle erreur en fonction de l'intérêt adaptatif
qu'une telle recomposition représente.

Nous verrons, au cours de cet ouvrage, que le mouvement qui
va des mutations génétiques aléatoires à la sélection de leurs
conséquences le plus favorables n'est ni unique, ni à sens unique.
L'organisme lui-même — c'est vrai de la cellule comme du cerveau
—, en auto-organisant une adaptativité de plus en plus performante aux conditions environnementales et aux potentialités
qu'offre le milieu, exerce une pression sélective interne — ou
somatique — sur le génome.

Contentons-nous pour l'instant de prendre acte de ce fait très
simple : si l'on examine, par exemple, l'évolution des mammifères
jusqu'à l'*homo sapiens*, on constate qu'il n'y a jamais eu remise en

cause de leur cohérence organisationnelle globale (le fonctionnement du cœur, des poumons, des intestins ou des reins est resté
invariant au même titre que les systèmes immunitaires ou métabo-
liques, ou encore que la structure osseuse qui porte l'ensemble).
Sans doute les mammifères sont-ils eux-mêmes le produit — la
finalisation — d'une évolution. Ce qui reste structurellement invariant, c'est l'« après ». Apparemment pas l'« avant », puisque la
limace n'a pas de squelette, l'oursin pas de nez, et la bactérie
pas d'intestins. Ce qui revient à constater, tout bêtement, qu'une
structure invariante n'apparaît jamais telle quelle, qu'elle n'est ni
conçue ni installée en l'état par Dieu, et qu'elle résume en quelque
sorte toute l'épopée évolutive dont elle est issue.

Et c'est justement pour cela qu'elle est structurellement invariante : parce qu'elle correspond toujours à l'infinité des processus
adaptatifs qui ont permis qu'à tous les niveaux — molécules, cellules, tissus, organes, corps — le plus adéquatement performant l'ait,
compte tenu des contraintes, finalement emporté et ait entraîné,
au sein d'un organisme donné et en fonction du milieu, l'interconnexion complémentaire également la plus performante de l'ensemble des particularités les plus performantes de cet organisme.
Toute structure organique exprime donc un agencement interactif
de ce que la nature a trouvé à sélectionner de mieux dans l'ensemble des processus qui ont organisé la promotion adaptative des
êtres vivants, que ce soit en disciplinant le hasard ou en intégrant
au message génétique les avantages fonctionnels auto-élaborés par
l'organisme lui-même.

C'est pourquoi un squelette a peu à peu pris forme, mais à
partir du moment où sa cohérence fut affirmée, son évolution s'est
nécessairement organisée à l'intérieur de l'invariance de sa structure.

Nous verrons (au chapitre XXI) comment cette recomposition
d'invariance peut même décrire le passage d'une cellule cristalline
inanimée à la première molécule génératrice de vie ; et que même
y mêler Dieu, en tant qu'initiateur de finalités, ne change rien à
ce processus.

En attendant, examinons un instant cette aventure inouïe qu'a
représenté l'accession d'un primate préhominien à la station
debout. Une structure invariante type, dont la colonne vertébrale
constitue justement la colonne vertébrale, se redresse. Que
constate-t-on ? Que cette structure change pour ne pas changer ;

autrement dit, qu'elle adapte son invariance à cette verticalité nouvelle : allongement du membre postérieur par rapport au membre antérieur ; raccourcissement et élargissement du bassin ; ajustement de l'os de la hanche ; courbure vers l'avant de la colonne vertébrale dans la région lombaire afin que le poids du corps porte directement sur le fémur ; renforcement important du pied et aussi — en conséquence de ce qui précède — un développement du pouce de la main qui lui permet, en se retournant, de participer à la saisie des objets ; sans doute une descente du larynx qui favorisera l'articulation du langage, et une mise en valeur des attributs sexuels des deux sexes qui contribuera à refaçonner le principe de plaisir. Des réformes ponctuelles, en somme. Aucune révolution ! Mais, surtout, la nouvelle stabilité de la tête bien posée sur le socle vertébral va favoriser une augmentation de la masse cérébrale, en même temps que « tout le mécanisme neuronal très complexe a dû être refaçonné par l'australopithèque au cours de l'évolution de la quadripédie à la bipédie[1] ».

Voici un parfait exemple d'effets en boucles : la verticalité de la colonne vertébrale qui résulte de la bipédie de notre ancêtre permet à la fois le dégagement des mains et le grossissement de la masse cérébrale. Or, l'utilisation des mains, pour tailler par exemple des outils de pierre, nécessite un développement des capacités du cerveau, et, en retour, le développement devenu possible des potentialités cérébrales favorise la conception d'outils plus sophistiqués par anticipation des effets de leur utilisation.

Une révolution a-t-elle été nécessaire pour qu'émerge la conscience ?

Or, cet effet interactif en boucles, dont la naissance d'une intelligence spécifiquement humaine sera la résultante ô combien prodigieuse, ne résulte que de la recomposition de structures invariantes. La plus radicale des révolutions étant, là encore, le terme d'une succession de simples réformes à la marge.

On peut poser le problème autrement : si on considère cette révolution fantastique que fut l'apparition de la conscience, et plus

1. Voir John C. Eccles, *Évolution du cerveau et création de la conscience*, Paris, Fayard, 1992.

particulièrement l'émergence chez l'homme d'une « conscience de soi », on est en droit de se demander : comment cela fut-il possible ? Que s'est-il passé exactement ? Quel est l'organe fondamentalement nouveau, ou l'événement interne cataclysmique, dont le jaillissement, l'apparition, le coup d'État, au prix sans doute d'un renversement épique, a initié ce véritable saut sidéral du règne animal à la civilisation humaine ?

Or, justement, il ne s'est rien passé d'autre que l'utilisation maximale (ou optimisée), par réorganisation interne, des données structurelles existantes.

Pour la clarté du propos, nous avons appelé « câblage » ou « recâblage » l'ensemble des processus extrêmement complexes qui, en fait, correspondent plutôt à des évolutions en boucles (ou « réentrantes », comme on dit) d'interconnexions qui ont chaque fois déterminé des glissements adaptatifs de niveaux.

Le grand neurologue américain John C. Eccles, prix Nobel de médecine, nous en a proposé une description d'autant plus intéressante qu'étant lui-même profondément croyant, ce qui est assez rare dans son milieu, il n'hésite pas, au dernier moment, à faire entrer une intervention divine en ligne de compte. Mais, en l'occurrence, cette volonté surnaturelle elle-même ne se permet pas de chambouler l'ordre de succession des invariances.

« Le développement du cerveau, écrit donc Eccles, semble être quantitatif et non pas qualitatif. Cela est vrai même pour le cortex cérébral dont la structure histologique est restée essentiellement inchangée. C'est ainsi que le diagramme du cortex cérébral serait valable pour un chat ou pour un singe, aussi bien que pour un homme [...]. Les principaux traits de contrôle moteur exercé par le cerveau de l'homme ne diffèrent guère de ceux du cerveau des primates [...]. Les grands traits du système limbique et des systèmes d'apprentissage sont très similaires chez les primates et chez l'homme[1]. » En revanche, « les diverses régions liées à des fonctions spécifiques à l'intérieur du cortex cérébral ont connu des changements de taille importants[2]. »

A titre de comparaison, le cortex d'association (cortex préfrontal) représente chez l'homme 29 % de l'ensemble lié au néo-cortex, contre 16,9 % chez le chimpanzé et 11,3 % chez le macaque.

1. John C. Eccles, *op. cit.*
2. *Ibid.*

A l'image d'une société, le cerveau a intégré structurellement les principales strates de sa propre évolution, dont les trois grandes phases correspondent au complexe strié primitif, ce que MacLean appelle le « cerveau reptilien » (cerveau des instincts vitaux et des comportements mécaniques), au système lymbique apparu plus tard (cerveau des émotions) et au néo-cortex propre aux vertébrés supérieurs (cerveau de la conceptualisation). Or, dans le système limbique, affirme Eccles, l'évolution vers l'homme a favorisé, sans remettre en quoi que ce soit en cause l'invariance de la structure générale, les composants liés aux sensations de plaisir (le septum), et défavorisé dans le même temps les composantes liées à l'agressivité et à la colère (amygdales moyennes). On a également assisté, bien évidemment, à une régression du bulbe olfactif, l'image prenant le pas sur l'odeur à partir du moment où le primate, en se redressant, a levé son nez de terre et projeté son regard vers l'horizon. Donc, reformatage des équilibres au sein d'une invariance structurelle.

En ce qui concerne le néo-cortex, siège supposé de l'intelligence, il est particulièrement stupéfiant que ne soient en définitive apparues au cours de l'évolution du cerveau proprement humain, et à partir de rudiments nettement reconnaissables dans le cerveau du singe, que les aires de Broca et de Wernicke — les espaces 39 et 40 de Brodmann — c'est-à-dire des minichamps d'interconnexion fonctionnels favorisant le langage et la synthèse de l'image. (L'aire 39 intervient dans l'interprétation des stimuli visuels et l'aire 40 traite les stimuli auditifs.) C'est qu'en réalité, selon Eccles, la réforme à potentialité révolutionnaire se situe ailleurs : dans le développement considérable, au cours de l'évolution en direction de l'*homo sapiens*, des asymétries fonctionnelles dans les zones anatomiquement symétriques des deux hémisphères du cerveau.

Autrement dit, à structure invariante, le cerveau aurait auto-élaboré un système économique consistant à spécialiser par exemple l'hémisphère droit dans la synthèse de l'image, et le gauche dans la synthèse des sons. « C'est peut-être l'évolution de l'asymétrie cérébrale qui constitue le processus évolutif essentiel de l'évolution des hominiens », précise Eccles[1]. L'Américain Jerre Levy a fort clairement décrit ce phénomène : « Chaque côté du cerveau,

1. *Ibid.*

écrit-il, peut et préfère accomplir un certain ensemble de tâches cognitives que l'autre côté trouve difficiles ou déplaisantes. L'hémisphère droit effectue une synthèse dans l'espace, le gauche une analyse dans le temps. L'hémisphère droit remarque les similitudes visuelles sans s'occuper des similitudes conceptuelles, le gauche c'est le contraire. L'hémisphère droit code les perceptions sensorielles en termes d'images, l'autre en termes de descriptions verbales[1]. » Comment cela est-il advenu ? « Chez les primates préhominiens, explique Eccles, toutes les fonctions étaient doubles. On peut supposer que, dans leurs évolutions, il a été nécessaire d'augmenter les circuits neuronaux les plus raffinés afin de répondre aux besoins suscités par les progrès réalisés (particulièrement en matière de langage). Ainsi a pris naissance la stratégie évolutive consistant à ne pas construire plus de néo-cortex avec les activités symétriques, mais au contraire à développer dès la naissance une tendance gauche ou droite pour chacune des fonctions de connaissance [...]. Le grand succès de l'évolution des hominidés a été assuré par l'organisation asymétrique qui a potentiellement doublé la capacité du cortex. Le néo-cortex ancien, ainsi que ses fonctions sensorielles et motrices, est resté sans modification et a gardé son fonctionnement symétrique[2]. »

Le calcul est simple : le néo-cortex de l'homme est égal à 3,2 fois celui du chimpanzé. Mais si les interconnexions nouvelles sont asymétriques, c'est-à-dire se partagent les rôles, l'accroissement en potentialité cérébrale sera non de 3,2 %, mais de 5,4. Le grossissement du cerveau, au début de l'hominisation, ayant déjà rendu douloureux l'accouchement de la « femme sapiens », « le stratagème a permis un nouvel accroissement du néo-cortex sans augmenter les risques liés à la naissance d'un enfant à la tête trop grosse ».

Ainsi s'expliquerait ce mystère qui fait que la croissance exponentielle des capacités intellectuelles humaines a correspondu à une période où la grosseur du cerveau n'a absolument pas augmenté. C'est, dans le cadre de la même structure, l'optimisation

---

1. Jerre Levy, « Psychological implications of bilateral asymetry », *in* S.J. Dimond and J.G. Beaumont (eds), *Hemisphere Function in the Human Brain*, New York, Wiley, 1974. (Cité par John C. Eccles, *op. cit.*, p. 281.)
2. *Ibid.*

des processus de câblage interactifs qui a fait toute la différence, comme Jean-Pierre Changeux l'a si fortement établi[1].

« Les agencements dynamiques du cerveau, note pour sa part Gerald M. Edelman, prix Nobel lui aussi, qui dirige l'Institut des neurosciences de l'université Rockefeller de New York, sont des systèmes doués de mémoire : autrement dit, les modifications antérieures de ces agencements influent sur leurs modifications ultérieures de façon spécifique et particulière [...]. Le système nerveux est dans une certaine mesure auto-engendré par boucles [...]. Les niveaux, et les boucles entre les niveaux, sont dynamiques et se modifient constamment[2]. »

Ce qui signifie que l'invariance de l'organisation cérébrale n'empêche en rien la construction dynamique auto-élaborée, par réaménagement ou réagencement des structures de connexions interneuronales, d'une machinerie adaptative toujours plus adéquate, capable (les effets en boucles, les interactions avec le milieu et les glissements de niveaux aidant) de produire en définitive de la conscience, et même de la « conscience de soi ». « La conscience naît, écrit Edelman, à l'issue d'une sélection naturelle, d'un ensemble particulier des relations existant entre la perception, la formation des concepts et la mémoire. » Et, après avoir soutenu que « l'esprit est un processus issu d'interactions se produisant au sein d'une matière dépourvue d'intention », l'auteur précise : « Vouloir réfléchir à la question de l'esprit en l'absence de toute référence à la structure, à la fonction, au développement et à l'évolution du cerveau, est une aventure intellectuelle risquée. Il est peu vraisemblable que l'on parvienne à deviner comment fonctionne le cerveau sans examiner ses structures[3]. » On a vu que le très déiste Eccles lui-même ne s'y risque pas.

Là encore, quel est l'initiateur du processus qui a permis l'émergence d'une conscience ? A en croire Edelman qui insiste, lui, sur l'ensemble des liaisons « ré-entrantes » à l'intérieur des « cartographies cérébrales », l'événement déclenchant aurait été le développement de connexions interactives entre les différentes organisations du cerveau dont nous avons indiqué plus haut qu'elles correspondaient à différentes étapes de son évolution. En particu-

---

1. Jean-Pierre Changeux, *L'Homme neuronal*, Paris, Fayard, 1983.
2. Gerald M. Edelman, *op. cit.*
3. *Ibid.*

lier, l'établissement de liens « en boucles » entre l'ensemble archaïque formé par le complexe strié et le système limbique (qui régente les automatismes adaptatifs et les réactions émotionnelles du corps) et l'ensemble plus récent constitué du thalamus et du néo-cortex (qui permet, entre autres, la catégorisation puis la conceptualisation des événements extérieurs). C'est l'ajustement entre ces deux activités spécifiques, les liens de plus en plus complexes établis entre, d'un côté, la capacité à abstraire et à catégoriser le monde, et, de l'autre, le système des instincts et des émotions, qui aurait permis le saut qualitatif fabuleux qui débouche sur la conscience. Autrement dit, à un certain moment, un rapport dynamique put s'établir par câblage des deux activités, entre, par exemple, la capacité à anticiper une situation après comparaison des effets de plusieurs causes semblables et la mémorisation du fait que cette situation provoque un plaisir ou un déplaisir, une sanction ou une récompense. Alors qu'auparavant mon système thalamo-cortical me permettait de comprendre, après comparaison mentale de plusieurs expériences, qu'en empruntant tel cheminement relativement compliqué je pourrais atteindre ce champ *a priori* totalement clôturé, tandis que, de son côté, mon système lymbique intériorisait le fait que le goût de telles grosses cerises rouges procurait un plaisir extrême, voilà que les deux systèmes développant des relations diplomatiques de plus en plus denses, je deviens capable d'anticiper le plaisir que me procurera le fait de pouvoir, par un chemin détourné, atteindre les grosses cerises rouges qui sont dans le champ clos.

Naturellement (bien qu'Edelman ne s'aventure pas sur ce terrain), l'exemple vaut pour le rapport que je deviens capable d'intérioriser non seulement entre le fait d'escalader le balcon d'une certaine jeune fille et d'en espérer un plaisir, mais aussi — ce qui représente une étape majeure sur la voie de la « conscience de soi » — entre, d'une part, le plaisir ponctuellement éprouvé et le sentiment ressenti en deçà et au-delà de ce plaisir (l'amour, si on préfère), et, d'autre part, entre la réalisation de ce plaisir et la naissance d'un enfant dont je me découvre être le père. Notons en effet que les animaux ignorent, eux, le rapport entre l'acte sexuel et l'apparition de leur progéniture. Me voilà, en quelque sorte, en situation de pouvoir créer des « scènes » qui synthétisent à la fois ce que m'apportent le cerveau conceptualisant et le cerveau éprouvant, et ces scènes à leur tour agissent, par effet de *feed-back*, sur l'ensemble du processus. « C'est, conjecture Edelman, cette interaction entre ce type particulier de mémoire et la catégorisation perceptive qui donne naissance à la conscience primaire [...][1]. »

Comme l'auteur est américain, il qualifie de *bootstrapping* le processus « par lequel un système construit des structures utiles plus puissantes que celles qui étaient initialement présentes », mais cela par pure recomposition d'une invariance globale, c'est-à-dire sans renversement révolutionnaire ni ajout miraculeux.

Pour notre auteur, donc, l'émergence de la conscience primaire, puis de la conscience supérieure, serait le résultat de deux phénomènes successifs de *bootstrapping*, faisant chacun intervenir l'évolution de nouveaux agencements morphologiques, de nouveaux circuits de mémoire et de nouvelles formes de « ré-entrées ». Conclusion : « L'esprit est bien le produit d'interactions physiques se déroulant à des niveaux d'organisation extrêmement nombreux, qui vont du moléculaire au social[2]. »

Ce qu'il faut bien comprendre pour la suite de notre propos, c'est :

1) que les éléments clés des connexions intracérébrales sont les « synapses », microstructures par l'intermédiaire desquelles les cellules nerveuses, ou neurones, communiquent entre elles par influx chimique relayé par des axones (les fils du câblage) ;

2) que l'affinement et la complexisation du câblage intracérébral est créateur de capacités nouvelles qui ne se réduisent pas à la simple addition des circuits câblés. « La mémoire, en tant que processus dynamique, note Edelman, n'est pas équivalente à la somme des modifications synaptiques qui lui sont sous-jacentes[3] » ;

3) que le processus évolutif, par incessantes recompositions des liaisons au sein de structures cérébrales invariantes, se poursuit dans l'embryon et pendant la période d'adolescence formatrice de l'être humain. « Il est important de savoir, explique à cet égard Eccles, que les connectivités de base du cerveau humain sont construites avant la naissance afin de préparer les changements

---

1. *Ibid.*
2. *Ibid.*
3. Gerald M. Edelman, *op. cit.*

subtils des connexions synaptiques qui se déroulent au long de la vie durant le processus d'apprentissage[1]. »

Conclusion : deux neurologues parmi les plus éminents, l'un croyant, l'autre agnostique, ne divergent en rien sur l'essentiel, à savoir le rôle déterminant que joue le réaménagement de liaisons interactives au rythme de glissements de niveaux dans l'émergence d'une conscience humaine spécifique.

La plus fantastique révolution de l'histoire de l'être (par rapport au non-être) n'a donc eu besoin ni de détruire une structure existante, ni d'en appeler à une structure neuve, tombée du ciel ou imposée par un coup de force.

C'est ce qu'avait déjà mis en valeur Henri Laborit (à partir des travaux de MacLean) dans un ouvrage daté, certes, mais injustement délaissé aujourd'hui : « La finalité de chaque partie d'un organisme vivant [...] est d'assumer le maintien de sa propre structure en concourant au maintien de la structure de l'ensemble qui assure le maintien de la structure des parties. La structure d'un organisme vivant disparaît avec l'action finalisée et la finalité de l'action ne peut être que le maintien de la structure [...]. Le phénomène frappant, dans un organisme vivant, c'est le maintien de la structure, autrement dit l'invariance des relations malgré un perpétuel changement des éléments [...]. En résumé, l'organisme vivant, dont la finalité ne peut être que le maintien de sa structure hiérarchisée, se présente comme un système régulé prenant ses références en lui-même[2]. »

Naturellement, les processus neurologiques que nous venons d'évoquer sont infiniment plus complexes que nous ne l'avons donné à croire. Mais nous ne prétendons ni décrire les mécanismes biologiques d'accès à la conscience, ni juger de la pertinence des thèses que nous avons brièvement résumées. Nous avons simplement voulu montrer comment le mécanisme de remodelage destiné à adapter une invariance structurelle aux opportunités offertes par le milieu (ou aux contraintes qu'il impose), ainsi qu'aux nouvelles potentialités ouvertes par cette adaptation (effets en boucles), permet de rendre compte d'un événement qui, de loin, s'apparente à un chambardement tonitruant. Or, c'est bien

---

1. John C. Eccles, *op. cit.*
2. Henri Laborit, *L'Agressivité détournée : introduction à une biologie du comportement social*, Paris, UGE, coll. 10/18, 1971.

cette recomposition, à la fois adaptative et autoprotectrice d'invariances, qui a permis (sans Dieu ou en offrande à Dieu) le jaillissement d'une pensée conceptuelle, anticipatrice, imaginative, créative enfin...

Où l'on retrouve les « mensonges de référence »

Peut-on poursuivre la démarche qui nous a fait passer d'un squelette redressé au cerveau, puis du cerveau à la pensée ? Autrement dit, la formation et le développement de la pensée, et en particulier de la pensée collective, participent-ils du même mécanisme que celui qui les a rendus possibles ?

Sans résoudre d'un coup l'énigme que ce livre tentera d'élucider, notons qu'il existe au moins un produit du cerveau, en tant qu'initiateur de la réflexion consciente, qui reproduit en grande partie le processus dont la pensée elle-même est le produit : c'est ce que, dans *Esquisse d'une philosophie du mensonge*[1], j'ai appelé les « mensonges de référence ».

Qu'est-ce qu'un mensonge de référence ? Le résultat d'un processus intellectuel automystificateur par lequel, au cours de l'Histoire, une collectivité s'autoprotège, y compris contre le doute, l'ignorance et l'incertitude. Commençons par une image : toute collectivité humaine, depuis la préhistoire, a dû se prémunir à la fois contre les intempéries et contre ses ennemis. Or, à travers toutes sortes d'expériences et de tâtonnements, on a vu peu à peu apparaître — et ce, à des périodes très différentes et sur des territoires fort éloignés les uns des autres — des structures extrêmement semblables dont on retrouve les archétypes aussi bien dans la plupart des maisons d'habitation, individuelles ou collectives, que dans les différentes sortes d'ouvrages fortifiés. C'est dire que se sont spontanément imposés aux intelligences collectives, même lorsqu'elles n'avaient aucun lien entre elles, des types de réponses à l'agressivité des hommes et des éléments qui ont fini par converger, non en un modèle unique, mais en des structures presque équivalentes (même si se sont bien sûr greffées sur elles des spécificités culturelles locales). Processus, en quelque sorte, d'auto-éla-

---

1. Jean-François Kahn, *Esquisse d'une philosophie du mensonge*, Paris, Flammarion, 1989.

boration d'une autoprotection. Comment cela s'est-il fait ? Par élagage successif des essais imparfaits et optimisation des solutions adéquates, jusqu'à l'apparition d'une structure de référence qui devient alors un élément quasiment invariant. De la grotte au tipi, du tipi à la hutte, de la hutte à la cabane de rondins, toutes les tentatives possibles ont été faites, et elles ont été en quelque sorte soumises à la critique du réel, jusqu'à ce que se dégagent des manières optimales de se protéger du froid, de la pluie, du feu ou des ennemis.

En ce sens, le toit en pente, et le plus souvent en double pente, construit en tuiles ou en ardoises, surmonté d'une cheminée, les quatre murs en dur percés de fenêtres souvent pourvues de volets, représentent sous nos latitudes une synthèse parvenue à maturité d'une infinité de réflexions et d'initiatives collectives consacrées, dans le temps et dans l'espace, à la meilleure façon possible de répondre à des agressions naturelles données (le froid et la pluie).

Cette structure n'est évidemment pas immuable. Elle constitue simplement, au même titre que les buildings modernes, l'élément d'invariance qui, à partir d'un certain moment, structure l'évolution architecturale elle-même.

Cette parabole, volontairement simpliste, illustre cette évidence que des collectivités humaines confrontées à la nécessité de s'autoprotéger finissent, dans le temps et dans l'espace, par élaborer des structures collectives protectrices assez proches, souvent même semblables, qui fonctionnent comme éléments d'invariance dans la suite de l'évolution.

Or, ce que nous avons appelé « mensonges de référence » constitue ce type de structure autoprotectrice invariante qui s'applique non plus au tangible mais à l'intangible, non plus à la matière mais aux idées. Étant bien entendu que, dans presque tous les cas, la protection se donne alors comme explication et non comme fin.

Que se passe-t-il ? Je dois trouver une explication de mes échecs qui m'exonère de mon incompétence et de mes erreurs. Mon commerce, certes, n'attire pratiquement aucun client, mais vais-je m'avouer à moi-même que mon caractère en est responsable ? Vais-je admettre que mes insuffisances sont la première cause de mon manque de succès comme écrivain ou comme peintre ? Et si j'incriminais plutôt la société, la bêtise du public ou les Juifs ? Or, le défaussement sur l'autre est insuffisant si je n'ai pas recours à un discours structurant qui rationalise ce transfert de responsabilités. Dès lors qu'une forme de xénophobie ou de racisme, par exemple, me l'offre, et que s'est élaborée une matrice performante, multifonctionnelle et adaptable de rejet de mes propres faiblesses sur une altérité personnifiée tour à tour par le chrétien, le protestant, le Juif, l'Arabe, l'Anglais, l'Allemand ou le Russe, l'étranger en général, voire le communiste, le patronat, la technostructure, les eurocrates ou la finance internationale, tous les mensonges autoprotecteurs particuliers se branchent sur cette matrice-là. En l'occurrence, fonctionne alors, à l'intérieur du cerveau, ce renforcement des synapses favorisé par la répétition, que nous avons évoqué plus haut. Le mensonge de référence s'appuie dès lors sur un câblage neuronal adéquat, élaboré au cours de l'apprentissage à partir d'une « prédisposition biologique à... »

De même que la structure de la forteresse défensive ou de la maison d'habitation familiale a été, au cours de l'évolution, mentalement câblée par l'apprentissage, de même que ce câblage auto-élaboré a exercé une pression sélective interne sur notre héritage biologique, de même les grands mensonges de référence ont été peu à peu sélectivement intégrés, sous forme de « propensions », à notre héritage génétique. C'est d'ailleurs pourquoi, depuis des millénaires, ce sont toujours les mêmes, et ils fonctionnent imperturbablement, au quart de tour : telles ces conceptions univoques du monde dont le complot permanent et la conspiration occulte tissent la trame, ou le recours à l'intégrisme religieux propre à dissoudre l'angoisse et à exorciser le doute.

Le « mensonge de référence », auquel s'articulent ensuite les mensonges particuliers, évolue certes formellement, s'adapte, se modifie sous le choc des ruptures et des démystifications, mais il persévère en tant que structure stable et, à chaque moment donné, oppose aux facteurs psychologiques de changement et d'évolution son invariance relative. Ainsi l'explication des difficultés du monde par l'action multiforme d'un centre tentaculaire diabolisé : la structure de ce mensonge de référence archétypique s'est très tôt stabilisée dans l'Histoire, quitte à subir par la suite de nombreuses modifications internes, selon, comme on l'a vu, que les protestants, les Juifs, les francs-maçons, le bolchevisme, le KGB et la CIA, les multinationales, l'impérialisme, la Commission de Bruxelles, ont joué, séparément ou accouplés, le rôle structurant primordial.

Les mensonges de référence, bien qu'en continuel état de formation et de mutation, c'est-à-dire de métamorphose, fonctionnent donc bien à travers l'Histoire comme autant d'invariances structurelles. Sans compter qu'ils sont cofondateurs de leurs propres contradictions, comme le colonialisme l'est de l'anticolonialisme, le cléricalisme de l'anticléricalisme, le militarisme du pacifisme, ou le communisme de l'anticommunisme.

On ajoutera que toute structure invariante, à l'instar d'une structure chimique, organise des éléments constitutifs simples ou complexes. Tantôt ce sont les éléments constitutifs qui sont invariants et leurs structures d'organisation qui se modifient ; tantôt les éléments constitutifs changent ou se déplacent, mais leurs structures d'organisation restent stables. L'antisémitisme constitue une structure relativement évolutive dont la plupart des éléments constitutifs sont invariants. En revanche, une structure quasi invariante de conception globalisante et manichéenne du monde permet, selon qu'il s'agit des Juifs, des francs-maçons, du KGB ou de la CIA, d'en interchanger les éléments constitutifs.

Nous avons essayé, en partant de ce qui nous est apparu comme le plus éclairant — l'évolution organique du primate à l'homme conscient —, de poser notre thème central. Il nous faut maintenant l'intégrer à notre propos général qui est d'élaborer une théorie de l'évolution sociale.

Mais en précisant d'emblée que tout réaménagement structurel s'autonomise par rapport à son état précédent — ou, ce qui revient au même, que s'autonomisent les séquelles de l'état précédent — et qu'en conséquence, même cette idée relativement figée qu'est un « mensonge de référence » acquiert une vie propre, indépendamment des câblages neuronaux sous-jacents qui ont favorisé sa « stabilisation sélective », selon l'expression remarquablement éclairante de Jean-Pierre Changeux. Il en résulte qu'un même processus évolutif n'implique pas qu'une réalité sociale ou une réalité biologique soient, par exemple, réductibles à l'antériorité biologique de leur évolution.

A la recherche du moteur premier de l'évolution sociale

Notre supposition de base est que le processus autoprotecteur de recomposition d'une invariance structurelle constitue le moteur premier de l'évolution sociale elle-même. Ce qui induit ce paradoxe que le changement n'est pas, en soi, le moteur du changement. Ou, plus exactement — comme nous l'avons déjà souligné pour ce qui est du niveau génétique —, que ce ne sont pas les mutations qui déterminent l'évolution, mais les réaménagements autoprotecteurs que ces mutations provoquent.

La société, écrivions-nous en préambule, est à la fois sa propre éternité et sa propre mutation. « Éternité » s'entendant ici dans un sens purement historique !

Or, ce que propose traditionnellement la philosophie sociale, ce n'est pas d'établir les structures de cette éternité, mais de définir la nature des mutations qui l'ébranlent. Elle est avant tout science des changements, nomenclature raisonnée des cataclysmes.

D'où une recherche obsessionnelle du moteur premier — voire exclusif — de l'évolution sociale. Qu'est-ce qui fait que ce qui est, devient ? Quelle contradiction, ou pulsion, constitue le carburant principal de ce moteur-là ? Aspirations religieuses, tendances à l'émancipation nationale, formation de l'État, lois du marché, antagonismes de classes, oppositions de races, triomphe de la liberté, progrès de la raison raisonnante ou maturation d'un esprit transcendant ?

Qu'une véritable guerre idéologique soit née d'une propension à conférer un statut d'exclusivité à chacun de ces mécanismes initiateurs ou co-initiateurs de telle ou telle séquence historique a, au regard des événements qui se déroulent sous nos yeux, quelque chose de dérisoire.

Que le moteur soit à explosion, c'est-à-dire que des contradictions en entretiennent la dynamique, est généralement admis par toutes les écoles. Mais chacune a son idée sur la contradiction principale, celle qui tracte les autres. A chaque doctrine son antagonisme fondateur.

Quelles sont donc ces forces primordiales qui se posent en s'opposant et résolvent synthétiquement leurs scènes de ménage toujours recommencées ? Les forces du bien et celles du mal des doctrinaires manichéens ? L'eau et le feu des philosophes présocratiques ? Le yin et le yang des taoïstes chinois ? Le négatif et le positif chers à la démocratie ?

La philosophie sociale moderne, prenant le relais, nous a proposé toutes sortes d'*ersatz* de ces couples infernaux : offre et demande ; capital et travail ; bourgeois et prolétaires ; mais aussi peuples contre peuples, ethnies contre ethnies, dieux contre dieux, intérêts contre intérêts, castes contre castes, tribus contre tribus, Est contre Ouest, Nord contre Sud, camp totalitaire contre monde libre, impérialisme contre progressisme, modernité contre fondamentalisme.

Au marché de la contradiction principale, la devanture est bien approvisionnée. L'exemple de l'Afghanistan est, à cet égard, particulièrement éloquent. Quel est l'antagonisme premier qui permet de rationaliser l'interminable guerre civile qui ravage ce pays martyr ? On a recouru, tour à tour, à tous les modèles cités plus haut (à l'exception de la loi du marché) : les conflits d'influences entre la Russie et l'Angleterre (contradictions interimpérialistes), puis plus tard entre l'URSS et les États-Unis (Est-Ouest) et enfin entre le Pakistan et l'Iran (interrégionales) ; les luttes tribales, les confrontations ethniques (Pachtous contre Ouzbeks, contre Tadjiks, contre Baloutches), les affrontements religieux (chiites, sunnites, modernistes, intégristes) ; les clivages linguistiques (pachto et persan). On a ensuite tâté, avec les communistes, de la lutte des classes, l'intervention soviétique actualisant la guerre de libération nationale : d'un côté, progressistes laïcs contre réactionnaires féodaux, de l'autre, le peuple contre ses oppresseurs.

Or, le 3 janvier 1994, de terribles combats éclatent à Kaboul et marquent le point d'orgue de la lutte entre factions. Quelle est, ou quelles sont les contradictions qui sous-tendent alors cette meurtrière bacchanale ? Sont-elles de caractère social, idéologique, ethnique, religieux, linguistique ? Rien de cela ! Se trouvent en effet dans le même camp des assaillants de la capitale, des Pachtous, des Tadjiks et des Ouzbeks, les ultra-intégristes religieux et les ex-communistes, des chiites, des sunnites et des laïcs, les anciens protégés de Washington et ceux de Moscou. En réalité, le seul antagonisme qui, dans ce cas précis, fonctionna parfaitement fut justement celui qu'on avait oublié et qui oppose ceux qui sont au pouvoir à ceux qui veulent le conquérir pour s'en approprier la puissance et se partager le fromage. Mais que les autres contradictions se fondent provisoirement en celle-là ne signifie évidemment pas qu'elles aient disparu.

Toutes les tentatives pour proclamer la primauté absolue d'une contradiction motrice se heurtera toujours à ce genre de mésaventure. On a tout vu, en effet : Richelieu, vainqueur de La Rochelle huguenote, s'allier aux princes protestants du nord de l'Europe pour lutter contre la Maison d'Autriche ; François Iᵉʳ tendre la main, pour les mêmes raisons, à la Sublime Porte ; Frédéric II de Hohenstaufen s'entendre comme larrons en foire avec Saladin, le conquérant de Jérusalem ; la secte intégriste des Hachachines (Assassins) s'allier aux croisés francs contre l'*establishment* arabe ; Staline signer un pacte d'amitié avec Hitler, mais les régimes communistes chinois et vietnamien, vietnamien et cambodgien, chinois et russe se livrer des guerres implacables ; les ouvriers azéris massacrer les ouvriers arméniens et vice versa ; les patrons croates avoir les mêmes adversaires que les salariés croates ; l'Algérie arabe affronter le Maroc arabe ; les sunnites saoudiens en découdre avec les dirigeants sunnites irakiens !

La seule contradiction, en définitive, qui reste dynamiquement stable, est celle qui, les résumant toutes, oppose une structure tendanciellement invariante aux mutations et évolutions interpellatrices du milieu, et la contraint sans cesse à recomposer son invariance pour la sauver. Et l'on voit bien qu'en Afghanistan, par exemple, ce processus antagonique unifie tous les autres : ce pays remodèle aujourd'hui sa structure globale en tentant d'intégrer à ce réaménagement traumatisant et douloureux l'ensemble des événements externes qui l'ont déstabilisé.

La lutte des classes éclaire aussi peu, on en conviendra, la guerre sans merci que se livrent Azéris et Arméniens pour le contrôle du Haut-Karabakh, que la loi du marché n'explicite les contradictions tribales et claniques qui ensanglantent l'Afghanistan. Tout expliquer par les oppositions sociales échoue devant la réalité des virulentes oppositions russo-ukrainienne, indo-pakistanaise, sino-vietnamienne, mais tout réduire à des antagonismes ethnico-religieux ne permet guère de comprendre d'autres processus qui se sont soldés, ici par la libanisation d'un monde arabe ethniquement et religieusement homogène, là par la lente mais continuelle progression de l'intégration européenne malgré l'hétérogénéité ethnique ; ici par la guerre civile qui martyrise la communauté arabo-musulmane algérienne, là par l'implosion qui désarticule, de l'intérieur, la nation russe. Certes, lorsqu'on croit s'en être débarrassé, on retrouve, dans l'Angleterre thatchérienne par exemple, la France balladurienne, l'antagonisme de classes. Mais, s'y attarde-t-on que l'on bute, en examinant par exemple les rapports Nord-Sud, sur une contradiction première qui s'organise autour des conséquences de la loi des marchés.

Pourquoi la couleur de peau, en Afrique du Sud, a-t-elle cassé en deux la même communauté protestante, alors qu'en Bosnie c'est au contraire la religion qui a déchiré de l'intérieur la même communauté slave ? La lutte des classes n'est en rien explicative du drame que vivent l'Algérie, l'Égypte, l'ex-Yougoslavie ou les pays du Caucase en cette fin de siècle, pas plus qu'elle ne rend compte des guerres civiles qui ensanglantent la Somalie ou le Liberia. Quant aux antagonismes ethnico-religieux, ils ne suffisent pas à décrire la nature, en partie économico-sociale, des contradictions qui opposent entre elles les communautés du Liban ou d'Irlande, de l'Inde ou de Ceylan. Nous y reviendrons lorsque nous examinerons l'invariance tribale.

Contentons-nous de cette constatation : la complexité des oppositions (ou des accointances) qui régissent aujourd'hui les rapports entre les diverses collectivités de par le monde ne permet plus de s'en tenir à un antagonisme fondateur différent de celui que nous avons proposé.

En vérité, il en a toujours été ainsi. Non point que la réalité d'hier, ou celle d'aujourd'hui, ait démontré l'inanité de telle ou telle théorie axée sur la prédominance d'un moteur du devenir historique. Le réel, au contraire, les intègre toutes. Ainsi, il est évident qu'on peut se massacrer sous prétexte qu'on n'a pas la même interprétation de la Bible. Mais une dogmatisation des seules oppositions religieuses — outre qu'elle ne dirait rien sur sa propre essence — s'épuiserait à élucider la fureur des guerres intestines qui, aux XVe et XVIe siècles, opposèrent en Europe catholiques et protestants. C'est qu'en l'occurrence la lutte des classes, la loi du marché, les conflits d'intérêts, la formation de l'État, l'aspiration nationale (le mouvement hussite en Tchécoslovaquie ou l'épopée suédoise de Gustave Adolphe), constituèrent autant de composantes particulières, inextricablement enchevêtrées, d'un embrasement général. Il est peu probable en effet qu'une crise mystique ait été à l'origine de la conversion d'Henri VIII ou du prince de Saxe à la religion réformée. Et même lorsqu'un antagonisme fondateur constitue apparemment la norme, l'exception apporte au moteur de ce moment de l'histoire la pièce sans laquelle on ne saurait expliquer son fonctionnement : il en va ainsi du rôle essentiel que joua l'aristocratie libérale dans le mûrissement de la crise de 1789 et du poids que pesa le peuple réel, prolétaires et paysans pauvres compris, dans le développement de la contre-révolution monarchique jusqu'à la fin du XIXe siècle.

Les mésaventures de la lutte des classes

Faut-il rappeler que la droite légitimiste, c'est-à-dire la droite réactionnaire, obtint beaucoup plus de voix au suffrage universel, que ce soit en 1849 ou en 1870, qu'elle n'en recueillit jamais au suffrage censitaire ? Dans ces deux cas, les contradictions se chevauchèrent de telle façon que le cours de l'histoire fut loin d'être exclusivement tributaire de la contradiction principale, de caractère social, même si nier celle-ci reviendrait bien sûr à n'y plus rien comprendre.

Au demeurant, l'aspiration à sortir de son état, à s'embourgeoiser, constituant l'un des ressorts de l'émancipation du prolétaire en particulier et des salariés en général (ce qui permet l'élargissement et la graduation de l'espace social), la réaction de classe ne constitue un élément stable que chez les possédants. En clair, seule la grande bourgeoisie est toujours conduite, et quoi qu'elle en dise, à organiser sa dynamique dans le cadre de la lutte des classes ! La Seine-Saint-Denis peut voter à droite, c'est Neuilly qui ne votera jamais à gauche.

Mais ce qui nous importe, en l'occurrence, ce n'est pas l'évidence de la multiplicité des contradictions, elles-mêmes contradictoires, qui servent de carburant à l'histoire confondue avec son moteur. Ce qui nous intéresse tout au contraire, c'est la part de l'histoire qui se perpétue indépendamment des contradictions qui la rythment. Autrement dit, la part de la réalité sociale qui, à travers toutes ces contradictions, persévère dans son être.

Pourquoi ? Parce que c'est justement cette continuité qui rend obsolète toute idéologisation d'un moteur initiateur du progrès, que celui-ci prenne la forme d'une contradiction principale (lutte des classes) ou d'une tendance naturelle à l'harmonie par la concurrence (loi du marché). Cette continuité n'est autre, en effet, que le produit de toutes les contradictions qui ont précédé celles qui, ponctuellement et parfois incidemment, initient une accélération du devenir historique.

Pour bien se pénétrer de cette idée, on commencera par cette formulation simple et incontestable : tout corps social est pétri de contradictions.

Autrement dit, un antagonisme principal agit toujours dans un contexte déjà riche en antagonismes prétendument secondaires qui découlent de toutes les séquences d'une histoire antérieure.

Il en résulte qu'une contradiction (l'antagonisme de classe, par exemple) qui, tel un combustible, agit sur le corps social et le met en mouvement, n'intervient pas dans un moteur neuf, vierge de tout autre carburant, ou préalablement nettoyé, mais au contraire se mélange à toutes les séquelles des contradictions qui ont précédemment joué le rôle de combustible dans ce moteur.

Prenons un exemple particulièrement éclairant. Karl Marx a appliqué la théorie de la lutte des classes à l'analyse descriptive de la « guerre civile » qui, en 1871, a opposé, en France, la Commune de Paris au pouvoir versaillais. L'ouvrage, qui eut une influence idéologique décisive, et ô combien pernicieuse, sur l'ensemble de la gauche française, mériterait à lui seul d'illustrer les méfaits de toute théorie axée sur une contradiction primordiale promue au rang de moteur unique.

Un aspect a tout particulièrement échappé à la sagacité de Karl Marx : c'est à quel point la Commune de Paris reproduit non seulement les schémas, mais même la dramaturgie d'un certain nombre d'autres « communes » insurrectionnelles, particulièrement de celle qui permit, à la fin du XVIᵉ siècle, à la Sainte Ligue catholique de s'emparer du pouvoir dans la capitale.

Il ne s'agit pas seulement en l'occurrence d'une simple apparence : le Paris des barricades qui se retrouve derrière la Sainte Ligue (et rappelle celui de l'insurrection cabochienne moins de deux siècles plus tôt) s'apparente sociologiquement à celui du Paris communard. Dans les deux cas, le pouvoir légitime, soutenu par la fraction la plus large des classes dirigeantes, se retrouve rejeté hors les murs par une insurrection populaire urbaine de caractère éminemment révolutionnaire. En 1590, donc, il s'agit bien déjà d'une lutte sociale si l'on considère que le petit peuple parisien — la « populace », comme on dira plus tard — soutient massivement la Sainte Ligue ou du moins sa fraction la plus dure représentée par les « Seize », alors que la bourgeoisie et la noblesse de robe lorgnent vers le parti protestant et que l'aristocratie, dans sa majorité, reste fidèle à la légitimité monarchique représentée par Henri III, puis par Henri IV.

Or, il ne serait certainement pas venu à l'idée de Karl Marx d'appliquer à l'insurrection de 1588-1590 le schéma de la lutte des classes, et cela pour deux raisons au moins : la première est qu'il lui eût fallu alors admettre, que la classe exploitée se trouvait du côté du fanatisme et de l'intolérance, et que le progressisme culturel représenté par la bourgeoisie protestante ne recouvrait en rien l'espace de la contestation sociale ; ensuite, parce que l'antagonisme religieux apparaît dans ce cas trop évidemment primordial pour qu'on puisse lui substituer une contradiction principale d'ordre purement sociologique.

N'empêche : si, sociologiquement, la Commune est déjà dans la Ligue — mêmes bases sociales, mêmes méthodes, même symbolique, même objectif et même fantasme —, il faut admettre que la Ligue est encore dans la Commune de Paris, dont on rappellera qu'elle fut insurrection contre les résultats du suffrage universel, et qu'elle se heurta à la fois au peuple paysan et au progressisme démocratique des républicains de gauche (Hugo, Louis Blanc, Gambetta...).

Autrement dit, à une lutte sociale encore inconsciente ici (la Ligue) correspond là (la Commune) des réminiscences informulées d'une vieille rancœur idéologique à consonance intégriste. Et, à cet égard, nous remarquerons justement que la révolte communarde, elle-même issue d'explosions patriotiques, exprime bien une rancœur nationale et identitaire, volontiers exclusiviste, qui tend à rejeter l'autre dans le camp de la trahison, de la « différence » suspecte. Au point que ce mouvement réputé « prolétarien », au sein duquel pourtant commerçants et artisans jouèrent un rôle essentiel, aura au moins deux ramifications : le bolchevisme à la française, continuateur du blanquisme et dont le parti communiste sera l'héritier, mais aussi le fascisme révisionniste et antisémite dont Henri Rochefort, lui-même héros de la Commune, et bien d'autres, se feront bien vite les porte-parole. (Louise Michel elle-même eut des sympathies boulangistes.)

Qu'en déduire ? Qu'il n'y a pas rupture ni même discontinuité entre, ici, un antagonisme religieux, et là, un antagonisme social, mais transformation historique de la forme d'une contradiction dont on relève sur trois siècles un certain nombre de traits invariants.

Au XIXᵉ siècle, la tradition républicaine eut d'ailleurs l'intuition de cette continuité structurelle et, à la suite de l'historien Augustin Thierry, lui donna une forme épique et mythique dont Eugène Sue fit la substance de son roman-fleuve, *Les Mystères de Paris* : il y était suggéré que l'affrontement entre républicains et monarchistes (c'est-à-dire gauche et droite), traduction politique de l'antagonisme peuple-aristocratie, trouvait son origine dans l'opposition millénaire entre indigènes gaulois et conquérants francs. On réalisait de la sorte une synthèse, au demeurant fort discutable, des contradictions ethniques, nationales, sociales et politiques. L'histoire se réduisait alors à une évolution formelle qui organisait sa chaîne de contradictions autour d'un antagonisme unificateur.

Évidemment, l'idée d'un antagonisme fondateur n'est pas plus recevable que le concept de contradiction première. L'histoire ne commence pas à la date qui lui est assignée pour le confort d'une thèse. Mais l'intuition juste est celle — que nous allons placer au cœur de notre propre réflexion — d'une bipolarité structurellement invariante dont toute contradiction découle, mais qui est elle-même le produit de la chaîne des contradictions antérieures.

Encore convient-il de préciser, contre toutes les traditions idéologiques issues de l'aspiration « socialiste », que les contradictions, qu'elles soient vécues, subies, assumées ou dépassées, ne constituent que quelques-uns des éléments constitutifs de cette invariance structurelle, et qu'à l'inverse les réflexes unitaires, unificateurs, identitaires, intégrationnistes, concourent très fortement à l'élaboration de cette structure invariante, au point que la contradiction principale oppose souvent ponctuellement les contradictions invariantes et les invariants unificateurs.

L'histoire que nous vivons illustre éloquemment ce phénomène. Au point que l'on pourrait résumer la crise cataclysmique que traverse l'ancien Empire russe, depuis l'éclatement de l'Union soviétique, de cette façon : les révolutions de 1917 furent le produit de contradictions invariantes d'ordre social ; l'effondrement du communisme, résultante des contradictions également invariantes qu'expriment les lois du marché, a exacerbé les réflexes identitaires, de caractère religieux, national ou ethnique. Et le cataclysme résulte du choc de ces trois invariances que sont : les contradictions sociales dont 1917 est issu, la revanche du marché qui a engendré Eltsine et son *brain-trust* libéral, et les réactions nationales et identitaires qui sont, en particulier, à l'origine du succès de l'extrême droite aux premières élections pluralistes du Parlement russe.

Du relief comme exemple naturel d'une invariance structurelle

Avant d'aller plus loin, expliquons-nous sur le choix du terme « invariant » dont on a déjà compris qu'il n'est pas synonyme d'immuable.

Une structure invariante se modifie au gré des éléments qui, continuellement, s'intègrent à ses composants. Autrement dit, l'invariance d'une structure intègre la variabilité de ses manifestations. Est-ce si difficile à admettre ? On comprendra facilement que les croyances religieuses puissent agir, en période de mutations culturelles ou sociales, comme des structures invariantes malgré les modifications parfois profondes qu'elles ont subies pendant plusieurs siècles. Dieu, en tant que réponse collective à l'angoisse ressentie devant une marge trop grande d'incertitude, représente l'étalon même de l'invariance structurelle, ce qui ne contredit pas la constatation que l'idée qu'exprime ce concept (polythéisme, monothéisme, Jéhovah, Allah, Dieu immanent, incarné, abstrait ou vivant, etc.) varie et que ces variations diverses et contradictoires scandent justement le devenir historique.

Nous appelons donc « invariance structurelle » une structure particulière qui, dans une continuité historique, contribue à fabriquer du stable avec de l'évolutif, n'évolue elle-même qu'en fonction de la nécessité de protéger et de consolider cette stabilité, représente par définition ce qui survit à tout changement et résiste aux séquences de rupture en ne modifiant sa forme que pour persévérer dans son être.

Généralement, ces invariances structurelles étant simplement assimilées à ce qui ne change pas, donc à des séquelles, ne sont prises en compte et analysées qu'en tant qu'elles participent du contexte dans lequel s'opère le changement. Seules mériteraient alors de constituer un objet d'étude spécifique les ruptures ou « mutations » constitutives du devenir historique, dont la succession rythmerait l'évolution et dont la direction définirait le sens du progrès. Le non-changement ne représenterait en quelque sorte qu'un état passager et neutre.

Or, c'est cette perspective même que nous nous proposons de renverser : étudier, analyser, décrypter les structures invariantes non plus comme simples résistances ponctuelles au changement,

mais comme la trame même du devenir historique dans laquelle
le changement s'insère. Non plus seulement comme ce qui ne
change pas, mais comme élément déterminant du changement
lui-même.

Le concept même de « structure » définit parfaitement, selon
nous, la nature de cette invariance.

Une image illustrera cette remarque : un certain sol pourra, sur
une période assez longue, donner naissance à des paysages très
différents, champs, prairies, landes, forêts par exemple, rester en
friche ou être mis en culture, être ou ne pas être constructible au
point de ressembler à une paisible campagne ou, au contraire,
s'apparenter à un ensemble préurbain. C'est dire qu'à un siècle ou
deux de différence, un observateur hypothétique constatera effectivement que sur un même espace donné, le paysage a radicalement changé d'apparence et donc, sans doute, de nature. Mais,
pour l'essentiel, le climat est resté le même, ainsi que la nature du
sol (ici les évolutions, en effet, sont très lentes et donc peu sensibles à l'échelle du temps historique). Ces deux éléments, de même
que leurs conséquences les plus directes (telles la présence ou l'absence de l'eau, sa dispersion ou sa concentration, l'intensité ou la
fréquence des pluies, la spécificité des vents) composent une ou
plusieurs structures invariantes naturelles. Est-ce à dire qu'il y
aurait entre ces invariances d'une part, et, d'autre part, la forme
et la nature du paysage, une dichotomie telle que l'environnement
évoluerait en toute liberté, indépendamment de son contexte
structurel dont l'invariance le laisserait totalement froid ?

Nous savons bien qu'en réalité, les changements qui affectent
le paysage, aussi spectaculaires qu'ils apparaissent, ne sauraient
s'émanciper des contraintes que définissent les structures invariantes : à des sols argileux, à des climats pluvieux, à des eaux disper-
sées, à des vents violents correspondent non seulement un panel
déterminé de végétations possibles dans le cadre duquel s'inscrivent des variations limitées en termes d'économie agricole, et par
conséquent de paysages, mais également une organisation particulière de la vie collective que reflète la forme même des agglomérations villageoises et urbaines, et dont la vie politique locale et la
tradition culturelle portent évidemment la marque ou la trace.
Autrement dit, l'extrême diversité apparente des formes que peut
prendre, à travers le temps, un paysage, n'infirme pas l'existence
des structures naturelles invariantes essentielles qui le détermi-

nent : celles-ci assurent l'élément de continuité qui définit, dans le temps, les conditions et les limites de toute évolution de l'environnement et dicte ses lois aux changements du paysage lui-même. Un sol calcaire ne permettra pas, de toute façon, une extrême dispersion villageoise, de même qu'un terrain plat à ensoleillement faible empêchera l'éclosion de cette sensibilité particulière, encastrée dans un cadre particulier, que constitue la société viticole. On ne cultivera pas plus de blé en montagne qu'on n'élèvera d'immenses troupeaux de bovins en Corse ; la ville sera au bord de l'eau, comme l'ancien château, et donc le vieux quartier, sur une hauteur. On n'imagine pas plus des cours intérieures dans le Pas-de-Calais que la généralisation des doubles vitrages à Menton. Copenhague est évidemment impensable dans le Sud saharien, comme Ouargla au bord de la Baltique. Et l'on pourrait dérouler à l'infini la litanie de ces évidences qui montrent toutes à quel point la structure invariante implicite — en l'occurrence, la nature du sol et du climat — détermine la consistance, la forme, l'ampleur des changements explicites.

Pourquoi explicite et implicite ? Parce que les phénomènes évolutifs sont apparents, alors que la structure invariante gît, elle, le plus souvent sous cette apparence : ceux-ci dissimulent celle-là. On verra que les champs de colza ont remplacé les taillis, que la vigne a mangé la prairie, que la banlieue a peu à peu digéré la lande, mais il n'apparaîtra pas à l'évidence que la structure du sol est restée la même. Seul, donc, le changement constituera un objet d'observation immédiate. Pour atteindre le niveau d'invariance, il faudra creuser, parfois profondément, et analyser les éléments constitutifs du sous-sol et de ses strates. Nous constaterons éventuellement que des buildings ont surgi sur un morceau de désert, mais c'est le « savoir » et non l'expérience qui nous apprendra que la découverte d'une structure invariante type a permis d'y faire jaillir le pétrole qui est à l'origine de cette bonne fortune. Peut-on ignorer, d'une part, la présence du charbon et du lignite dans les soutes naturelles de l'Allemagne triomphante du miracle bismarckien, et, d'autre part, le rôle joué par l'absence de ressources naturelles dans l'orientation modernisto-expansive prise par la politique économique japonaise ?

De même la guerre de Sécession américaine renvoie-t-elle à une succession de causes à effets dont le facteur premier est indubitablement la nature du sol et du climat des États sudistes qui ont déterminé un type de production agricole, donc d'économie, donc de société et de culture, dont l'esclavagisme mais aussi le séparatisme identitaire furent, entre autres, l'expression.

Nous verrons plus loin que les structures invariantes implicites, qui éclairent *a posteriori* une évolution ou une non-évolution (ce qui ne signifie pas nécessairement qu'elles les déterminent *a priori*), sont infiniment plus diverses, souples, complexes que les invariances naturelles que nous évoquons ici pour la commodité de l'image. Au demeurant, nul ne songe à nier ni le caractère particulièrement déterminant de ces structures naturelles, ni leur relative invariance à une échelle historique. (Montesquieu, déjà, y attachait une grande importance.)

Ce qui nous importe ici, c'est le type de rapport, non immédiatement apparent, qui existe entre une réalité mouvante et spectaculaire et une structure sous-jacente dont l'invariance n'est pas toujours immédiatement perceptible. Ainsi la crise politico-ethnique qui ensanglante aujourd'hui les pays du Caucase renvoie-t-elle en partie à une invariance naturelle liée à la structure même de cette région montagneuse accidentée, aux voies de communications difficiles et aux régions morcelées, sinon enclavées. Le relief a contribué vivement à y parcelliser les autonomismes identitaires. De même, l'extraordinaire explosion philosophique qu'ont connue les cités ioniennes du VIᵉ au IVᵉ siècle av. J.-C., et, pour partie, l'orientation même de ces interrogations métaphysiques ne sont évidemment pas étrangères à un certain nombre de données géographiques caractérisées par l'omniprésence de l'espace marin. (De Thèles à Anaximène, obsession de l'air et de l'eau.)

Croit-on pouvoir analyser le caractère spécifique de la tragédie yougoslave (et particulièrement bosniaque) en faisant l'impasse sur la configuration d'un terrain propice aux combats de guérillas et aux renfermements claniques — les Turcs ayant islamisé les villes, mais échoué à conquérir culturellement des campagnes escarpées — qui constitue, à travers l'histoire mouvementée de ce pays, le modèle même de la structure naturelle engendrant des invariances culturelles ? Il est clair qu'en Pologne, pays plat et ouvert s'il en est, une crise interne ne pourrait, par définition, pas prendre cette forme-là. C'est dans l'Espagne escarpée que la guerre de guérilla a été formalisée, et non dans cette plaine de Bohême ou même le mouvement hussite prit la dimension d'une guerre de mouvement.

La Seconde Guerre mondiale a d'ailleurs donné l'exemple de l'adaptation des formes de résistance aux structures géographiques naturelles invariantes : paysannes en Grèce, urbaines en Pologne, à direction intérieure en Yougoslavie, à direction extérieure en Belgique, guerrière en Albanie et politique en Hollande, axées sur l'activité maquisarde dans le centre de la France, sur le renseignement et la lutte sociale dans le Nord, sur l'action terroriste dans la région parisienne.

Or, si le relief, invariance structurelle s'il en est, a déterminé la forme de résistance et également sa nature, celles-ci ont à leur tour déterminé en partie la forme et la nature qu'a prises la vie politique dans ces pays après guerre, ce qui est particulièrement évident en Grèce, en Yougoslavie, en Albanie, mais aussi en Tchécoslovaquie et en Belgique, et même à l'intérieur d'un pays comme la France. Un invariant structurel naturel constitue en l'occurrence le socle à partir duquel s'élaborent un certain nombre de structures invariantes, ou à variation très lente, d'ordre stratégico-politique ou culturel. Voire, comme dans le cas de la Bosnie, ethnique.

La remarque vaut également pour la manière dont se sont organisées, manifestées et déployées les guerres de libération nationale dans les anciens empires coloniaux.

Le relief a, pour l'essentiel, modelé cette forme, et cette forme, à son tour, a doublement réagi à la fois sur la nature particulière de la prise de conscience nationale et sur les invariances politico-mythologiques qui en ont découlé. En Égypte, le mouvement nationaliste n'a évidemment pas échappé à cette prédétermination millénaire qui fait que toute réalité sociale s'inscrit dans un cadre formellement délimité par le fleuve et le désert, à quoi est venu s'ajouter le Canal, exemple type de l'apport de la créativité de l'acte à l'enrichissement d'une invariance structurelle qui le digère. Aucune possibilité de maquis ; pas de fellaghas. D'où le rôle primordial de la bourgeoisie urbaine dont les officiers d'une armée vaincue ont canalisé, puis confisqué les frustrations.

En Algérie, au contraire, la brusquerie du relief et sa diversité ont favorisé l'extension d'une insurrection armée à dominance paysanne et sous-prolétarienne — mythe du moudjahid —, d'où la marginalisation de la bourgeoisie nationale et l'exacerbation du « willayisme », libanisation régionaliste prédéterminée par la nature du terrain.

Le cas berbère, déjà, ne représentait-il pas le type même d'une invariance structurelle de caractère ethnique et culturel, issu d'une structure invariante naturelle — la nature géographique spécifique de la Kabylie dominée par la chaîne protectrice du Djurdjura ? On retrouve un phénomène très semblable d'enchaînement des trois invariances — naturelle, ethnico-culturelle et politico-militaire — en Afghanistan, au point que les lieux où les événements se nouent semblent, depuis près de deux siècles, rythmer une même complainte autour des cols et défilés qui expriment leur permanence.

Demandons-nous également si, en Arabie Saoudite et autres États du Golfe, l'absence d'accidents de terrain susceptibles de structurer une révolte ou une résistance, et, pour des raisons liées à la nature du sol et du climat, l'extrême lenteur du développement urbain, n'expriment pas en grande partie le maintien prolongé des institutions féodales.

On remarquera enfin que dans les pays équatoriaux dont la végétation dense et parfois aussi la répartition des richesses des sols, quadrillent dans une certaine mesure l'espace, ou plus exactement en isolent les parties constitutives, les antagonismes tribaux (au sens large) l'ont emporté sur les pulsions nationalistes unitaires, ce qui est particulièrement apparent en Angola sous la forme du conflit entre MPLA et UNITA, comme ce le fut au Kenya (révolte spécifiquement kikuyu qui engendra le mouvement Mau Mau), au Zaïre (insurrection des Balubas, sécession katangaise), au Nigeria (problème biafrais), comme ce le sera également en Afrique du Sud (l'insurrection zouloue contre le pouvoir noir de l'ANC). Dans le cas précis du tribalisme, les permanences de relief ne participent peut-être pas directement de la réaction culturelle d'où jaillit une affirmation identitaire, mais elles la catalysent et la précipitent.

Où la remarque précédente s'applique à la cuisine nationale

Notons qu'une invariance naturelle, même non immédiatement apparente, engendre toutes sortes d'invariances culturelles secondaires immédiatement perceptibles. L'exemple le plus évident nous est fourni par la cuisine, sous la forme des plats dits régionaux ou nationaux. Qu'est-ce en effet que la choucroute, la potée d'Auvergne, la bouillabaisse, mais aussi le couscous, sinon de la structure invariante en marmite ?

Sans doute le schéma est-il ici presque trop parfait, car ce sont bien les structures du sol, de la géographie et du climat qui se lisent de manière transparente dans le plat national ou régional. La bouillabaisse enferme en quelque sorte en son sein toutes les données brutes d'une Provence naturelle, de même que l'économie naturelle du Maghreb s'exprime presque tout entière dans le couscous. Un plat national, c'est un peu l'expression gastronomique, optimisée à travers le temps, du marché primordial. La meilleure façon de mettre ensemble ce qu'il y a. C'est-à-dire ce que l'on trouve !

Or — et cette remarque est tout à fait essentielle —, cette expression presque directe d'un invariant naturel se constitue à son tour en structure invariante, au point que l'éventuelle disparition de l'invariance naturelle dont elle est issue ne modifierait pas sa propre structure. Autrement dit, on peut théoriquement admettre qu'aujourd'hui un recul de la mer de cent kilomètres ne sonnerait pas le glas de la bouillabaisse provençale et qu'une découverte miraculeuse qui transformerait soudain l'Alsace en vaste champ pétrolifère, ou le Maghreb en jardin d'Éden couvert de verdure, ne porterait nullement atteinte à l'intangibilité de la choucroute ou du couscous.

On continuera à produire du foie gras en Périgord, même quand les foies viendront tous d'Israël, comme les escargots de Bourgogne proviennent déjà de Yougoslavie.

Par ailleurs, on a pu constater que les types de spécialités culinaires qui se sont affirmés dans une région placée sous influence étrangère ont survécu à la fin de cette occupation : c'est en particulier le cas de la cuisine grecque (ou libanaise), de même que la cuisine juive d'Europe centrale, expression directe d'un environnement particulier, a subsisté presque en l'état une fois transplantée dans un tout autre climat, en l'occurrence Israël.

Ce qui signifie quoi ? Que les invariances structurelles naturelles — relief, nature du sol, climat, répartition des eaux — engendrent des invariances secondaires qui, peu à peu, s'autonomisent, deviennent des structures « en soi » dont certaines peuvent devenir essentielles par elles-mêmes. On voit bien que, comme la cuisine juive d'Europe centrale transplantée en Israël, certaines structures, à la fois tribales et religieuses, largement façonnées à l'origine par un environnement particulier dans l'élaboration duquel toutes les composantes locales ont leur part, subsistent, et pas seulement sous forme de réminiscence y compris dans un cadre radicalement différent du cadre d'origine, par exemple au sein de telle communauté d'origine malienne installée dans un foyer de travailleurs immmigrés géré par la Sonacotra. La Mafia ne fut-elle pas en partie à l'origine d'expressions structurelles spécifiques liées à un cadre très particulier, mais qui s'est perpétué presque tel quel à New York ou à Chicago ?

A propos du concept d'infra et de superstructure

Si l'on se réfère à la classification un peu simpliste, dont les marxistes ont fait leurs choux gras, entre infrastructure et superstructure (une infrastructure naturelle invariante constituant un socle autrement plus solide qu'un « rapport de production », par définition évolutif), on en conclura que toute superstructure prédéterminée par une infrastructure est susceptible d'acquérir une totale autonomie et de constituer à son tour un socle sur lequel s'appuieront des invariances structurelles secondaires.

L'actualité de l'année 1993 nous en a fourni un parfait exemple : en Bosnie, le socle infrastructurel auquel se sont adossés les clivages religieux au sein d'une même population slave, dans la mesure où il a été favorisé par un partage impérial (hégémonie autrichienne d'un côté, occupation turque de l'autre, émergence d'un nationalisme serbe entre les deux), a largement perdu de son acuité. Or, non seulement les clivages demeurent, mais ils se sont même renforcés en prenant une dimension ethnique. L'actualité qui les a exacerbés a pris le pas sur tous les événements précédents qui devaient les dissoudre (en particulier, la création, à deux reprises, d'une fédération yougoslave). La structure culturelle et religieuse est devenue tellement autonome qu'elle s'est métamorphosée elle-même en infrastructure invariante.

A cet égard, on remarquera, même si c'est relativement marginal, qu'aucune décolonisation, si fort qu'ait été son désir de rupture, n'est parvenue à éradiquer les composantes métropolitaines de sa propre structure nationale invariante. On ne jouera pas demain au cricket au Congo Brazzaville ni à la pétanque en Ouganda, dont les Algériens sont en revanche des champions. Les juges kenyans risquent de porter longtemps la perruque, tandis que les querelles du Quartier latin continueront à nourrir les palabres des étudiants tchadiens. Non seulement toute superstructure qui s'autonomise devient une invariance en soi, mais tout élément qui, fût-ce ponctuellement, a participé de cette superstructure, alimente et enrichit cette invariance. C'est ainsi que tout pays excolonial qui s'est émancipé de son ex-métropole et qui a connu ainsi trois grandes phases, la phase précoloniale, la phase coloniale et la phase postcoloniale, s'est peu à peu constitué une identité nationale, structurellement invariante, dans laquelle se sont fondues, à des degrés bien sûr inégaux, les invariances structurelles héritées de trois époques, celle d'avant la colonisation (la mémoire et le socle), celle de la colonisation elle-même (l'apport extérieur), celle de la décolonisation (la forme qu'a prise la révolution nationale), compte tenu du fait que toutes ces composantes ont elles-mêmes été plus ou moins prédéterminées par une invariance structurelle de base : le milieu naturel, c'est-à-dire le relief et le climat. Ce phénomène est particulièrement frappant en Amérique latine, y compris dans des cas où la population indienne originelle est restée majoritaire ou dans ceux où elle a pratiquement disparu.

Il serait intéressant d'établir, à la lumière de cette remarque, un relevé spectral des divers composants qui ont concouru à l'élaboration de l'identité nationale mexicaine. On y retrouverait en effet, comme dans la structure d'un sol (ce pour quoi nous disions que cette référence illustre parfaitement l'adéquation de la notion de structure à notre propos), toutes les strates qui témoignent des différents dépôts accumulés par des invariances particulières qui se sont fondues dans cette invariance globale : une mémoire extrêmement prégnante d'un passé précolombien multiforme, un apport particulièrement déterminant d'hispanité (ce qui va bien au-delà de la langue et de l'héritage culturel), l'ambiguïté du processus aristocratico-militariste du passage à l'indépendance dont la double insurrection, celle de Juarez, puis celle de Zapata et de Pancho Villa, furent les résultantes, et enfin la synthèse provoquée par le processus révolutionnaire lui-même. (L'insurrection zapatiste dans le sud du pays en janvier 1994 en est une illustration.) Les composantes de la légende nationale mexicaine sont invariantes en ce que, quelque brutales qu'aient été les différentes fractures qui ont marqué l'histoire du pays, elles ne se sont ni diluées ni même estompées, mais ont participé de l'auto-élaboration d'une structure globale dont elles constituent en quelque sorte les diverses couches superposées.

On aurait pu faire la même démonstration à partir de l'histoire d'Haïti, qui intègre, outre un relief très particulier, toutes les conditions à la fois de la colonisation du pays, de son peuplement (par importation d'esclaves), de son émancipation violente et des conflits qui en résultèrent (Toussaint Louverture, Christophe, Petion, Dessaline), au point qu'ignorer ces composantes invariantes de l'invariance globale condamnerait à ne rien comprendre à ce qui se passe dans ce pays, et même à ce qui s'y dit.

Ces quelques variations, volontairement rapides, illustrent le sens que nous entendons donner au renversement de perspectives évoqué plus haut : placer au cœur de l'évolution historique non point des mutations ponctuelles dont la contradiction serait le moteur (de même qu'il n'y a pas apparition d'un « gène » du langage, mais réaménagement de gènes qui accompagne l'émergence du langage), mais précisément l'invariance structurelle sans cesse recomposée à laquelle s'abreuvent toutes ces contradictions. Ce qui est essentiel, déterminant, ce n'est point ce qui, apparemment, change, mais ce qui effectivement résiste, le changement véritable se négociant avec cette résistance, alors que la nier ou l'éradiquer apparaît le plus souvent illusoire. En quelque sorte, les invariances structurelles constituent la trame d'une histoire jamais close dont les mutations réelles découlent d'une stratégie qui se déploie à leurs marges, ruse avec elles, et, si possible, les infiltre. Elles s'installeront donc résolument au cœur de notre démarche, non pas en lieu et place des révolutions, explosions et ruptures, mais parallèlement à elles, comme condition de la réalisation de leurs potentialités. Partir donc de ce qui malgré tout demeure, pour évaluer l'importance de ce qui, malgré tout, change.

Référons-nous un instant à nos bons vieux manuels scolaires. Entre le « tout change » de la séquence 1789-1793 et le « rien décidément n'a changé » de la séquence 1815-1830, que trouve-t-on, sinon cette dialectique subtile et perverse qui fait qu'ici, la brusquerie de la rupture a paru submerger les invariances, et que, là, la réapparition caricaturale de ces mêmes invariances a semblé signifier l'inanité de la rupture, alors qu'un changement réel, structurel et par conséquent profond, s'était peu à peu élaboré dans les interstices mêmes des invariances, c'est-à-dire à la fois en résistance à une rupture en partie illusoire et en subversion radicale des structures invariantes elles-mêmes ? Rien n'avait changé et tout avait changé à la fois. Bertrand de Jouvenel a fort bien montré que ce qui, en définitive, va structurer, et pour longtemps, le devenir révolutionnaire, ce ne sont pas les illusions révolutionnaristes, mais bien l'apparition d'une nouvelle invariance infrastructurelle englobant en les recomposant toutes les précédentes, et dont le socle est constitué par l'accession de millions d'individus à la propriété grâce à la vente des biens nationaux. Fut utopiquement révolutionnaire tout ce qui, croyant pouvoir sauter par-dessus le socle du réel, se fracassa contre ses récifs ; fut réellement révolutionnaire ce qui contribua à sa recomposition interne. Autrement dit, échouèrent la plupart des tentatives de révolutionner directement les superstructures (instauration du nouveau calendrier républicain, transformation des rapports de politesse à travers l'appellation de « citoyen », fête de l'Être suprême ou de la déesse Raison, etc.) alors même que fut opérée, par un formidable transfert de propriété, une modification fondamentale d'une infrastructure invariante de base.

La révolution apparente ne fut même pas une réforme, alors que la réforme sous-jacente — non pas la négation des rapports de propriété mais par leur formidable élargissement — fut une révolution.

Le changement est là : non point dans le produit brut d'une contradiction, mais dans ce qui modifia les termes de cette contradiction. Le choc entre l'aristocratie et le tiers état s'est soldé, entre 1789 et 1830, par un apparent match nul. Ce qui a tout bouleversé, à partir de la nouvelle répartition de la propriété, c'est que la nouvelle contradiction qui en résultait, entre bourgeois propriétaires et prolétaires non propriétaires, recomposa de l'intérieur l'ancienne invariance.

Résumons : nous plaçons au cœur du devenir historique, et par voie de conséquence de la politique comme histoire immédiate, non pas un moteur premier qui en entraînerait la dynamique, ou une contradiction primordiale qui en transformerait l'énergie, mais les pesanteurs propres aux structures invariantes qui s'enchevêtrent, l'énergie que dégagent leurs contradictions, elles-mêmes invariantes, et la dynamique résultant des actions et innovations à la marge qui permettent, en remodelant sans cesse l'équilibre interne et structurel de ces invariances, de susciter des énergies nouvelles.

Le féodalisme comme incessant recommencement de lui-même

Cela ayant été posé, nous allons maintenant montrer que l'Histoire ne se découpe pas en marches successives qui lui permettraient de grimper au mât du progrès comme à une échelle de corde, mais qu'à la manière du cerveau qui la pense, elle ne cesse de réorganiser « progressivement » sa continuité.

Le féodalisme, par exemple, constitue-t-il une simple étape sur l'autoroute balisée du progrès humain, une halte nécessaire et désormais dépassée ? Le penser n'empêcherait pas de constater qu'il conserve pour le moins de beaux restes. Cette prestigieuse organisation que l'on appelle par extension la « mafia », et dont la capacité d'adaptation aux lois du marché et à l'apparition de produits nouveaux montre assez la remarquable modernité ne nous offre-t-elle pas un modèle quasiment parfait d'organisation féodale ? Au même titre d'ailleurs que d'autres institutions semblables, triades chinoises ou yakusa japonais, dont il n'est pas exagéré de dire qu'elles jouent dans le monde d'aujourd'hui un rôle plus déterminant que les associations de bienfaisance.

Qu'est-ce, en effet, que le féodalisme, sinon la rigidification institutionnalisée d'une hiérarchie pyramidale en partie close sur elle-même ?

Démontrer que cette structure sociale particulière exprime un mode de fonctionnement (et par conséquent d'être-au-monde) d'un nombre considérable de sociétés contemporaines n'exige pas un grand effort intellectuel : inutile même, pour cela, d'aller baguenauder du côté de l'Afghanistan, du Népal ou du Sikkim, de l'Arabie Saoudite ou du Koweït, du Tadjikistan ou de la Géorgie, des montagnes du Liban ou du Sahel nigérien. Une exploration analytique fouillée des grands trusts industriels japonais ou du parti conservateur britannique nous en apprendrait autant.

Qu'était devenu il y a peu, en France même, le parti socialiste, sinon, relié formellement à un pouvoir central fictif, un assemblage de fiefs contrôlés par des barons et baronnets organisant autour de leur suzeraineté une cascade hiérarchisée de vassaux allant des féaux chevaliers à la piétaille corvéable ? Ne voit-on pas également que notre intelligentsia a éclaté en minisystèmes autoprotégés — une situation universitaire pouvant jouer le rôle de château fort et une revue de donjon — qui renvoient chacun à des rapports non seulement de connivence, mais aussi d'allégeance, le chef de clan ou feudataire qui a reçu un domaine en apanage opposant, outre ses mérites, la solidarité de son ban et la fidélité de ses hommes liges aux velléités expansives des autres concurrents ? Et n'était-il pas fatal enfin que la régionalisation réveillât des tendances qu'un certain exemple niçois poussa jusqu'à la caricature ?

N'est-il pas étrange qu'aujourd'hui encore, le mythe de la noblesse se soit maintenu en l'état, traînant après lui de douteuses considérations de sang et de race, au point que certains journaux spécialisés en font des choux très gras et que tout un réseau de relations sociales s'organise autour de cette illusion ? Stupéfiante rémanence, même si elle n'induit aucun privilège légal, alors que n'importe quel gros paysan propriétaire foncier aurait autant de titres à se réclamer de l'aristocratie que l'honorable descendant de tel soudard inculte à qui fut concédée, il y a neuf siècles, en paiement de ses services domestiques, une tenure en guise de fief. N'est-il pas extravagant que tel héritier d'un palefrenier révolutionnaire, engagé comme simple soldat dans l'armée des sans-culottes, puisse se présenter sans rire aujourd'hui comme un *prince*, membre à part entière du Gotha ? Séquelles dérisoires peut-être, mais très significatives d'un féodalisme dont le câblage mental survit à toute infrastructure matérielle.

Ce que j'entends soutenir, donc, c'est que le féodalisme n'est pas tant un système spécifique historiquement daté qu'une prédisposition sociale structurellement invariante qui a trouvé, à un moment précis et dans un espace particulier, son expression archétypique.

Aussi bien les historiens s'épuisent-ils à vouloir cadrer dans le temps la période féodale : François Ganshof, Marc Bloch, Georges Duby s'y sont essayés, sans parvenir à définir les mêmes bornages, parfois à un siècle près. Nul ne fait débuter la féodalité avant l'an 900 (Duby commence à l'an mil). Or, le capitulaire de Querzy-sur-Oise, daté de 877, témoigne déjà d'une tendance à l'hérédité des bénéfices et le système de la vassalité pyramidale découle du capitulaire de Mersen, qui remonte à 847. Mieux : dans la charte d'une abbaye alsacienne datant de 736, on trouve une allusion à des pratiques déjà anciennes que l'on imaginait plus tardives et qui relèvent déjà d'une structuration sociale affirmée.

Au demeurant, l'institution romaine du *patrocinium*, qui s'est particulièrement développée à la fin de l'empire, organise le groupement de vassaux ou clients protégés autour d'un chef de file auquel ils jurent allégeance. Les *potentes*, gros propriétaires terriens, accordent en échange aux petits paysans et colons leur protection contre les brigands et les abus de l'administration. Ceuxci, à la fois protégés et vassalisés donc, renoncent à la propriété effective de leurs terres tout en continuant à en jouir. Le *comitatus* germanique prévoyait lui aussi un serment solennel par lequel des jeunes gens se liaient à un chef de guerre qui les armait, les nourrissait et les associait au butin.

La chronique nous présente même, sous la république romaine, non seulement des sénateurs mais jusqu'à des tribuns du peuple, comme les frères Gracques, entourés d'une cour de plusieurs milliers d'affidés auxquels ils sont liés par un entrecroisement d'*hommages* consentis et de services rendus. En revanche, ce n'est qu'au XVe siècle que s'impose en Grande-Bretagne ce qu'on appelle la féodalité « bâtarde », système dont on retrouvera les grandes lignes jusqu'au XVIIe siècle en Russie, jusqu'au XIXe siècle au Japon, jusqu'au milieu du XXe siècle dans plusieurs pays du golfe Persique, entre autres.

Au fond, que se passe-t-il au crépuscule des temps carolingiens ? Une série d'événements — poussée islamique, éclatement de l'empire de Charlemagne, raids normands, insécurité chronique — provoquent un rétrécissement, puis une implosion, enfin un cloisonnement de l'espace. L'avancée musulmane ferme la Méditerranée orientale, le négoce périclite, l'or disparaît, la monnaie se raréfie, le commerce s'étiole en fonction du blocage des grands courants d'échange, les communications deviennent de plus en plus difficiles, et la terre, demeurant la seule valeur stable, occupe tout le champ du capital productif. Primauté absolue du foncier ! Alors, tout naturellement, se développent deux processus parallèles : de plus en plus coupé d'un pays réel qui s'émiette et se morcelle (les liaisons devenant de plus en plus précaires) en une multitude de mondes clos fonctionnant économiquement en circuit fermé, le souverain délègue ses pouvoirs pour tenter de les conserver. Il devient en quelque sorte le propriétaire viager de domaines qui deviendront des fiefs et dont il accorde l'usufruit à ceux de ses chefs de guerre qui, en échange, devront administrer en son nom et se déclarer ses vassaux. Or, ces vassaux qui, après deux ou trois générations — l'affaiblissement de l'autorité centrale aidant —, se considèrent comme véritablement propriétaires de l'espace qu'ils administrent, délèguent à leur tour une partie des « bénéfices » de leurs immenses domaines à des compagnons d'armes ou alliés en échange d'un hommage solennel et de promesses de services en retour. L'ensemble de ces dévolutions en cascade tend à devenir héréditaire, tandis qu'à la base les paysans libres et les colons préfèrent, compte tenu de l'insécurité ambiante, renoncer à leurs propriétés effectives pour se placer sous la protection des feudataires. « La féodalité, résume Le Goff, désigne l'ensemble des liens personnels qui unissent entre eux dans une hiérarchie les couches dominantes de la société ». Il ne s'agit donc pas de l'avènement d'un nouveau type de rapports de production. Certes, le commerce et la finance ont largement reculé au seul profit du capital foncier, et la protection militaire est devenue le premier service monnayable, mais ce ne sont là que des conséquences quasiment mécaniques de l'organisation de l'espace par suite de nouvelles donnes objectives externes.

En définitive, il n'y a pas eu apparition, à un moment précis, d'un nouveau système qui s'appellerait la féodalité, mais réorganisation des interconnexions du système précédent en fonction de nécessités autoprotectrices et adaptatives suscitées par le remodelage de l'espace. La société, ici, réagit un peu, mais dans un contexte régressif et non expansif, comme nous avons vu le cerveau le faire en réorganisant ses liaisons interactives et en renforçant ses synapses. Presque toutes les institutions, les types de rapports personnels, les hiérarchisations sociales (serfs, vilains, chevaliers, ducs, comtes et princes), les symboliques (l'hommage et le serment) qui caractérisent la féodalité, existaient d'une manière plus ou moins latente dans les sociétés précédentes, mais s'exacerbent et se rigidifient maintenant sous la pression d'une transformation du milieu.

On sait que le principe de la vassalisation par octroi de bénéfices (largement utilisé plus tard par Napoléon), à l'origine destiné, surtout à partir de Charles Martel, à conforter le contrôle royal d'un territoire difficilement accessible en s'assurant la fidélité d'une clientèle, s'est finalement retourné contre la monarchie au point que c'est un grand féodal, Hugues Capet, qui mit fin à la dynastie carolingienne, avant que ses successeurs ne consacrent la balkanisation générale du royaume.

Or, justement, que se passe-t-il aujourd'hui dans les Balkans, et en particulier en Bosnie ? On assiste à un rétrécissement de l'espace, à une semi-paralysie des grands courants d'échanges, à un blocage des moyens de communication, débouchant sur la constitution de fiefs saisis et défendus par des chefs de guerre qui échangent l'hommage (des populations concernées) contre un engagement de protection, s'entourent d'un réseau de sous-vassalité induite, bravent le pouvoir central et tendent à s'organiser en vase clos.

Les seigneurs à haubert du XIIᵉ siècle levaient des armées, battaient monnaie, rendaient justice. Mais que font les seigneurs à Kalachnikov bosniaques ou caucasiens ? La même chose. Et à quoi a-t-on assisté en Union soviétique ? Staline, à l'image des souverains carolingiens, avait encouragé le découpage de son empire en une infinité de minivassalités ethnico-culturelles destinées à le mieux contrôler pour le mieux asservir. Cette parcellisation (doublée parfois de transferts, voire d'exterminations de populations) le posait en juge suprême des rivalités et des antagonismes virtuels. Or, l'affaiblissement du pouvoir central renforça, dans chacun de ces fiefs, l'arbitraire de petits potentats qui payaient d'une allégeance formelle à toutes les normes idéologiques l'affermage du domaine qui leur avait été dévolu. Puis, quand l'empire fut totalement démantelé, on vit émerger ici et là, du Dniepr en Tchetchénie, de Tatarie en Abkhazie, de véritables royaumes clanico-guerriers dont la prétendue homogénéité identitaire dissimulait le plus souvent la simple appropriation de ces ex-baronnies par ceux qui, en d'autres temps, se fussent contentés de les piller sous couvert de les administrer pour le compte de la Couronne, c'est-à-dire du Kremlin.

De la même manière, au Liban, un système politique fondé sur la féodalisation ethnico-confessionnelle de ses composantes (le parti de la famille Gemayel, le parti de la famille Joumblatt), chacune regroupant sur un territoire donné et ordonnant autour d'elle une myriade d'institutions féales, ce système donc, dès lors que la pression palestinienne, les intrusions israéliennes et l'émergence chiites bouleversèrent l'organisation de l'espace ainsi quadrillé, éclata en une série de duchés et vicomtés militarisés qui levèrent alors leurs propres impôts, mobilisèrent leur propre milice, rendirent leur propre justice et s'affrontèrent implacablement aux frontières de leurs territoires respectifs. Très vite, des alliances politico-militaires recoupèrent les querelles des grandes familles, et les puissances étrangères devinrent partie prenante à cet entrelacs d'allégeances et de vendettas, au point que la famille chrétienne Frangié accepta la suzeraineté syrienne, dont elle devint vassale, pour mieux obtenir réparation d'un crime commis contre elle par des reîtres phalangistes ; que le général Aoun, en Du Guesclin du clan maronite, se fit financer par l'Irak de Saddam Hussein, alors même qu'un des chefs de bande vassalisés qui lui avaient fait hommage passa à l'ennemi avec la totalité de son *ost* — ou troupe privée — parce qu'il estimait que le « seigneur » avait manqué à sa parole.

Je n'entends pas montrer que telle ou telle situation actuelle est le simple démarquage de ce qui se passait au XIᵉ siècle en Europe occidentale, mais que le régime social que l'on a étiqueté après coup (en l'occurrence au XVIIIᵉ siècle) sous le nom de féodalité ne fut que la forme spécifique et exacerbée que prit une prédisposition sociale intemporelle et universelle à reproduire, mais en la recomposant sans cesse, ce type de structure.

La féodalité aurait pris fin au XIVᵉ siècle ? Mais ne continue-t-on pas, jusqu'à la veille de 1789, à publier des traités de droits féodaux ? Ce qui se passe après 1789, outre l'abolition officielle des privilèges, c'est que les terres, en grande partie redistribuées, cessent d'être considérées comme la richesse de référence, et que le rang est donc en partie déconnecté de cette possession. Le propriétaire terrien, dont le lointain ancêtre avait été anobli par Robert le Pieux parce que l'état du Trésor royal ne permettait pas de payer autrement ses menus services ni de calmer ses exigences, conserve localement un poids politique et idéologique substanciel, mais ne constitue plus le socle militaro-économico-social de l'ensemble de la pyramide hiérarchique.

En revanche, outre de nouvelles lignées assises sur la finance (les Laffitte, les Perier), la vente des biens nationaux permet l'apparition et le renforcement de nouvelles dynasties industrielles (les Schneider, les de Wendel) autour desquelles s'agglomèrent, s'ordonnent, se stratifient de nouveaux systèmes clos ultrahiérarchisés, allant de la famille du propriétaire en haut à l'ouvrier prolétarisé en bas, qui reproduisent des rapports de protection-hommage, de suzeraineté-vassalité, renforcés par des réseaux entrecroisés d'alliances de familles ou d'intérêts, lesquels, sans être exactement assimilables à la féodalité du Moyen Age, en recomposent les principaux traits constitutifs, en expriment la philosophie sous-jacente (mais dégagée de toute imprégnation terrienne), et parfois même (quand les nouveaux barons se font effectivement anoblir, se lient par mariages aux familles nobles et se partagent directement ou indirectement les postes clés de la République) en récupèrent la symbolique. Ainsi, quand Adolphe Schneider, président du Corps législatif sous Napoléon III, dut abandonner la politique pour compromission avec le second Empire, son gendre Desseilligny devint ministre des Travaux publics, son fils Henri fut député — il s'opposa à toute réglementation du travail des femmes et des enfants — et son petit-fils entra tout naturellement à l'Institut. Le cas des de Wendel est encore plus intéressant : Jean Martin, le propriétaire du site d'Hayange et de ses mines de fer, fut anobli au XVIIIe siècle par le duc de Lorraine ; son fils Charles, fondateur des forges, devint fournisseur de l'artillerie de Louis XV ; Ignace, en collaboration avec le financier Perier (Claude), fonda Le Creusot. Les forges rachetées après la Révolution par un prête-nom furent récupérées par François de Wendel, grand bénéficiaire du développement des chemins de fer. Après 1871, la famille, coupée en deux par l'occupation prussienne de la Lorraine, créa deux complexes industriels, l'un allemand, l'autre français, dont les représentants siégeaient à la fois au Reichstag de Berlin et à la Chambre des députés à Paris, si bien que les usines furent épargnées en 1914-18 par les deux belligérants. Un autre François de Wendel fut, entre les deux guerres, sénateur, gérant de la Banque de France, président du Comité des forges et propriétaire du *Temps*, organe officieux de la république bourgeoise. L'aristocratie de l'Ancien Régime avait en quelque sorte choisi et façonné ses propres continuateurs, qui se contentèrent d'adapter du mieux possible au capitalisme industriel favorisé par les richesses du sous-sol le système qui s'était nourri de la richesse du sol grâce à la rente foncière. C'est en vérité cette donnée objective — le passage de la richesse du sol à celle du sous-sol, et bientôt la capacité, grâce à l'accumulation du capital qui en résulta, d'acquérir des machines — qui, bien plus que l'abolition formelle des privilèges, marqua le remodelage de la structure féodale invariante et sa transformation en un nouveau mode hiérarchiquement structurant de rapports de production.

Le féodalisme n'est pas plus mort qu'il n'est né : dans un cas, un rétrécissement horizontal, dans l'autre, un approfondissement vertical ; ici un repli sur la terre, là, au contraire, une ouverture qui permit de mettre le charbon en relation avec le fer dans les deux cas, donc, une évolution des interconnexions dans un espace plus ou moins ouvert ou plus ou moins fermé, et la nécessité, pour ces complexes de liaisons interactives, de se définir hiérarchiquement et de s'autoprotéger socialement et politiquement, ont conféré des formes adéquates et spécifiques à la même prédisposition sociale au remodelage d'un féodalisme toujours recommencé. La différence réside dans le meilleur moyen, sélectionné par la pratique, d'autoprotéger une recomposition des interconnexions hiérarchisées en fonction des nouvelles données objectives.

En l'occurrence, ce processus est d'autant plus facilement identifiable que le système auquel il s'applique est plus simple ou plus restreint. Toute organisation du crime est ainsi fondée non seulement sur une structure pyramidale extrêmement rigide, dominée par un chef, et dont une stricte symbolique souligne l'intangibilité hiérarchique, mais elle gère en outre, dans un espace déterminé d'abord concédé puis annexé, parfois conquis, une multiplicité de rapports de type redevance contre protection, concession contre hommage, qui nécessitent, pour les réguler, une justice spécifique et une milice particulière. Ne serait-on pas frappé, si l'on détaillait l'organisation verticale d'un grand magasin, par la façon dont, inconsciemment, spontanément, on y a reconstitué la chaîne des relations interpersonnelles et sociales qui caractérisait l'organigramme de l'institution féodale type, à cette différence près, bien sûr, que les rangs (comme dans la restauration) n'y sont gagés sur rien d'autre que sur le prestige supposé de la fonction qu'ils expriment ?

Examinons la manière dont fonctionne un journal. Cette rigidification très précisément échelonnée, graduée, des rôles et des statuts — allant du propriétaire ou du directeur de la publication aux journalistes stagiaires en passant par le directeur de la rédaction, le directeur adjoint, les rédacteurs en chef et leurs adjoints, les rédacteurs en chef techniques, les chefs de service, les éditorialistes et chroniqueurs, les grands reporters, les enquêteurs, les rubricards et les responsables du desk — est en vérité tout à fait inutile et superfétatoire, excessivement lourde, encombrante et coûteuse, et surtout quelque peu choquante (les titres de « grand reporter » et d'« éditorialiste » en particulier) dans un milieu qui se pique volontiers de culture démocratique et de sensibilité égalitaire. N'empêche : il n'est pas un organisme de presse qui ne se plie à cette hiérarchisation structurante archaïque qui, sans être intrinsèquement féodale, favorise effectivement des pratiques, des comportements, des pulsions, des enfermements qui, eux, le sont. L'ordre des grands reporters ne s'assimile-t-il pas lui-même à une caste de chevalerie ; les éditorialistes, souvent pétris de la même culture, intégrés au même monde, porteurs des mêmes valeurs, ne s'érigent-ils pas en barons du quatrième pouvoir, se partageant, bien qu'enracinés au terreau de la presse écrite, les tenures disponibles à la radio et à la télévision ? Les chefs de rubrique n'entretiennent-ils pas volontiers avec les corporations et secteurs qu'ils couvrent des rapports soit de connivence, soit d'échange protection-services ? Les directeurs des titres concurrents, bien que se disputant, la dague au poing, les parts de marché, ne participent-ils pas aux mêmes agapes et conseils ? Et tout ce monde ne s'agrippe-t-il pas à des privilèges (subventions directes et indirectes, passe-droit, impunités, dégrèvements fiscaux) qu'ils jugeraient abusifs en toute autre circonstance ? Et encore n'est-ce rien à côté de la complexisation ubuesque des rapports de fidélisation-vassalité et d'oppositions de lignages qui régissent la vie interne d'une chaîne de télévision...

J'ai évoqué au chapitre précédent ma tentative malheureuse pour défaire le corset de cette graduation hiérarchique étouffante qui s'est irrésistiblement reconstituée, comme si cette organisation était câblée dans les têtes — y compris dans la mienne — avant de l'être dans la société. N'a-t-on pas vu, dès le IXe siècle, l'Église s'y soumettre ? Or, qu'est-ce que cet invraisemblable empilement de titres, qui monte telle une échelle céleste des curés de campagne au souverain pontife, en agitant dans le sillage de cette sainte ascension un fatras de diacres et de sous-diacres, d'abbés, d'archiprêtres, d'évêques, d'archevêques, de primats ou de cardinaux, apporte ou ajoute à la ferveur religieuse ? N'est-il pas significatif que certains magnats, parvenus à la tête de véritables empires industriels, s'ingénient, comme Napoléon le fit dans la foulée d'une révolution aristocratique (ou Christophe dans le nord d'Haïti), à réinstaurer au sein de leur propre système clos un *ersatz* parfois caricatural de symbolisme hiérarchisant qui fonctionne comme une féodalité de substitution (galons, insignes, ordres instituant une noblesse implicite, uniformes et bureaux différenciés en fonction du rang, cantines ségrégées selon les catégories de personnel, etc.), ou encore qu'en France des grands patrons dont la fortune s'est faite en partie sur fonds d'État (Bouygues, Dassault) n'aient pas hésité à invoquer le principe héréditaire pour assurer la continuité de leur succession, ce à quoi ne s'est apparemment opposé aucun de leurs rejetons mâles ?

Ne voit-on pas à quel point l'armée — et ce n'est pas un hasard si tant d'officiers affichent encore aujourd'hui leurs quartiers de noblesse — reste structurellement (idéologiquement aussi, parfois) imprégnée de ses origines nécessairement féodales, alors même que les grades ne sont plus assis sur la possession foncière, c'est-à-dire sur le nombre d'hommes d'armes mobilisables, mais principalement sur la volonté culturelle et sociale d'y accéder, comme si ceux-ci avaient mentalement relayé le déclin matériel de ceux-là, l'ancienne infrastructure se survivant sous forme de superstructure ?

Et que se passe-t-il en effet lorsque, dans un espace politique donné, des cassures internes provoquent un morcellement qui immanquablement se cloisonne, comme hier dans la Chine des seigneurs de la guerre, dans les mini-États d'Amérique centrale, au Mexique en pleine guerre civile, ou en France en 1944, et aujourd'hui en Bosnie, au Caucase, au Liban et dans certains pays d'Afrique ? Il se passe qu'une reféodalisation sous-jacente, fondée sur le contrôle effectif du terrain, plaque la réalité des pouvoirs localisés sur la hiérarchisation des grades militaires, fussent-ils autoproclamés. A quoi on ajoutera, contrairement aux assertions de certains historiens académiques pour lesquels la féodalité fut spécifiquement occidentale (et accessoirement japonaise), qu'aujourd'hui, dans de nombreux pays où le contrôle de la terre reste le facteur essentiel de la définition du rang (le nord du Nigeria, par exemple, ou certaines régions du Brésil et d'Amérique centrale), où le statut social est tributaire de la fonction guerrière, comme il en va dans certaines sociétés du désert, les rapports interpersonnels et sociaux reproduisent de manière souvent spectaculaire le modèle dont l'Europe occidentale s'offrit, entre le IXe et le XIIIe siècle, la forme devenue emblématique. Nous avons d'ailleurs évoqué plus haut la tendance des scénaristes de science-fiction à projeter dans le troisième millénaire et dans l'espace intergalactique les modes de relation intergroupes qui caractérisèrent les structures militaro-sociales de notre Moyen Age...

Qu'entendons-nous démontrer ? Non point, encore une fois, que l'Histoire se répète : la France de Balladur a aussi peu à voir avec celle de Saint Louis que l'Allemagne de Kohl avec celle de l'empereur Barberousse ; mais que, sous les transformations qui ont effectivement tout changé, et dont l'avènement de la démocratie représentative n'est pas la moindre, sourdent toujours les invariances structurelles qui ont permis que ce « tout change » s'élabore à travers les recompositions incessantes et progressives de ce « rien ne change ». Or, l'invariance, ici, n'est pas le régime féodal proprement dit, formalisation ponctuelle de rapports de production fondés sur le patrimoine foncier et modelés par le cloisonnement interne d'un espace préalablement rétréci, mais son squelette, que constitue la hiérarchisation pyramidale. Ou, dit autrement, la féodalité ne fut que la forme extrême que revêtit, au même titre que le système des castes en Inde, la structure hiérarchique pyramidale dans des circonstances particulières et dans un milieu donné. Le féodalisme en quelque sorte permit la féodalité, mais la féodalité n'épuise pas le féodalisme. Celui-ci se perpétue non comme régime (encore qu'il y ait des exceptions), mais comme survivance structurante à l'intérieur de tout régime. Il suffit, pour s'en convaincre, d'analyser ce qui se passe dans les prisons où se met irrésistiblement en place, au profit des truands les plus endurcis et les plus lourdement condamnés, et face à la société des matons, une hiérarchisation implacable, assise sur le prestige et sur la force, ajoutant à la présence intermédiaire de la cour (avec ses demoiselles et ses fous) des vassaux et des serfs (et aussi des clercs au service des uns ou des autres), celle de gardes du corps et de gendarmes chargés d'assurer l'ordre interne de la structure. J'ai découvert dans un bidonville de Recife, au Brésil, il y a vingt-cinq ans, une stratification semblable, dont la clé de voûte était le possesseur de l'unique prise d'électricité à laquelle ses « sujets » avaient accès en fonction de leur rang, lui-même dépendant du degré de services ou tributs que les bénéficiaires étaient susceptibles d'apporter à ce pouvoir autoproclamé qui régissait l'ordre de la collectivité.

Ce n'est pas le social qui impose la hiérarchie, c'est la hiérarchie qui implique le social. Elle est par conséquent antérieure au social. Invariance latente avant d'être formellement réalisée. Tendance première, ou primordiale. A l'évidence, rien moins que culturelle. Alors, innée ? La question mérite au moins d'être posée.

De l'ordre hiérarchique chez les singes sociaux

On sait aujourd'hui à quel point, dans les sociétés animales supérieures, les moindres gestes du mâle dominant peuvent redistribuer les activités et les postures de tous les individus du groupe. Michael Chance, professeur d'éthologie à l'université de Birmingham, déclarait à ce sujet : « Au premier mouvement d'un animal dominant, celui qui lui est inférieur dans l'ordre hiérarchique se met à s'écarter comme il convient : c'est que toute la structure des relations hiérarchiques se fonde sur la fonction constante (ou l'attention prédominante) qu'ont les animaux du rang inférieur vis-à-vis de ceux qui sont à un rang supérieur [...]. Un trait apparaît de façon manifeste dans les sociétés (de chimpanzés et de macaques), c'est l'ordre hiérarchique des mâles. Chez les babouins d'Afrique orientale, cet ordre constitue un trait permanent qui rend compte de la manière dont se groupent les autres membres de la société. » Autrement dit, l'unité hiérarchique a un foyer, un centre représenté par un individu, et les membres de la communauté sont en principe répartis autour de ce centre, ce qui n'empêche pas, précise Chance, que le leader (celui qu'on accueille avec le plus de cris, par rapport auquel se déroulent des manières de parades) peut fort bien changer au gré de véritables renversements d'alliances. Ces propos furent tenus en 1974, à l'occasion d'un colloque réuni sous l'égide du centre de Royaumont pour une science de l'homme[1]. Or, depuis cette époque, les recherches dans ce domaine ont beaucoup progressé, en particulier grâce au Suisse Hans Kummer, professeur d'éthologie à l'université de Zurich, et aux frères Van Hooff, qui ont installé pour ce faire une importante colonie de chimpanzés au zoo d'Arnhem, en Hollande. Dans une interview à *Libération* (le 22 décembre 1993), Jan Van Hooff, devenu l'un des primatologues les plus célèbres du monde (il est aujourd'hui directeur du département d'éthologie de la faculté de biologie d'Utrecht), déclarait : « L'alpha-chimpanzé, ou chimpanzé dominant, peut sembler plus gros parce qu'il hérisse son poil lorsqu'il veut montrer qu'il est le chef. Cela dit, si vous êtes dominant, vous avez plus de chance de bien manger et d'être

---

1. Voir *L'Unité de l'homme. Débat au centre Royaumont*, sous la direction d'Edgar Morin et Massimo Piattelli-Palmarini, Paris, Éd. du Seuil, 1974.

plus relaxe. A condition d'être bien reconnu par le reste de la
bande. Car nous avons désormais la preuve que certains dominants ne sont pas à l'aise : des études hormonales sur ces mâles
révèlent un taux élevé de cortisone trahissant un état de stress.
C'est sans doute la pire des positions : d'être un dominant sentant
que les autres veulent se débarrasser de vous. » Ou encore : « Le
chef noue des alliances qu'il tente de gérer au mieux. De la sorte,
pour se maintenir à son rang, le mâle alpha relâche la compétition
en laissant ses plus proches alliés accéder à certaines femelles. Il
n'aime pas ça, se gratte nerveusement, tourne le dos à la scène,
mais il tolère. »

Cette auto-élaboration continuellement remodelée de ce qu'on
pourrait considérer comme un féodalisme primitif, dans la mesure
même où la hiérarchisation est la conséquence d'une conquête,
est particulièrement intéressante. Nous ne sommes pas là, en effet,
face à un automatisme de ségrégation comportementale par marquage chimique, comme chez les insectes sociaux, mais devant un
remarquable cas de prédisposition innée à fabriquer et à recomposer sans cesse de la hiérarchisation structurante. Comme si, en
son état embryonnaire, le féodalisme représentait un état adaptatif
dont le câblage (impliquant l'intelligence conceptuelle, l'instinct et
l'émotion) avait été sélectionné en fonction de ses avantages autoprotecteurs.

Hans Kummer, qui a particulièrement étudié les structures
sociales des babouins hamadryas d'Éthiopie, écrit à propos du
comportement collectif d'une troupe de ces primates en liberté :
« Il nous a fallu des années pour comprendre que celle-ci est articulée, strate par strate, en unités fermées, que plusieurs familles
appartiennent au clan, plusieurs clans à une bande, et qu'il faut
plusieurs bandes pour constituer un groupe. La troupe se scinde
en respectant les compartiments de cette organisation. Les animaux juvéniles savent déjà à quelle bande ils appartiennent. [...]
Cet ordre "à tiroirs", composé d'unités de plus en plus grandes,
est l'organisation des mâles. Cet ordre n'est pas simplement com-
mandé par un animal qui dominerait tous les autres. » Et Kummer
précise : « L'organisation des hamadryas en unités emboîtées les
unes dans les autres ressemble à celle d'une armée. Elle rappelle
d'autre part l'ordre social des nomades somaliens, qui vivent dans
le même habitat. Ce système hamadryas est constitué de six
niveaux. Les fonctions des divers niveaux sont, pour une bonne

partie, de nature sociale : ce sont elles qui déterminent quels groupes se trouvent en conflit l'un avec l'autre à l'intérieur et s'assistent pour la défense à l'extérieur[1]. » Il faut lire l'extraordinaire portrait que Kummer dresse de Pacha, chef de harem et mâle dominant du zoo de Zurich, dont le manteau impressionnant et la crinière fournie agissent comme un régulateur symbolique de la graduation hiérarchique qui s'organise autour de lui, le droit d'y farfouiller plus ou moins franchement régissant même l'ordre des femelles. « Les trois jeunes mâles, eux, ne touchaient absolument pas Pacha. Son apparition subite pouvait suffire à les mettre hors d'eux. Ils se tournaient alors dans sa direction, penchés en avant, genoux fléchis, leurs petits manteaux courts hérissés, criant, et urinant même souvent[2]. »

On se demandera évidemment si l'homme, dépouillé de son pelage, dépourvu de crinière, de cornes, de crête de coq ou du plumage qui permet au paon de faire la roue, n'a pas culturellement reconstitué cette différenciation dans le cadre d'une tendance invariante à la hiérarchisation sociale pyramidale. L'habit d'hermine du grand seigneur comme le panache du chevalier en seraient des exemples, réappropriation hiérarchisante de la fourrure et du plumage, le cimier faisant office de crête et les cornes factices qu'on y adjoint, de cornes véritables. L'homme n'a-t-il pas systématiquement réinventé culturellement ce que la nature avait accordé aux autres espèces mais lui avait ôté : des ailes, des palmes, des armes, des outils, des pelages, des plumages, des habits de camouflage, des sabots, des décorations et des marqueurs sociaux ? « Le culte du manteau [chez les babouins], note Kummer, tourne autour d'une structure d'apparat du mâle. Le manteau attire. Les porteurs de manteaux pourraient être les étendards autour desquels se rassemblent les groupes pris d'inquiétude[3]. »

D'ailleurs, si la splendeur de cet attribut souligne le rang social, la perte du rang semble rejaillir sur la magnificence de l'attribut. « La perte subite de leur harem, rapporte ainsi Kummer, transforma trois doyens de clans dépossédés. Jusqu'alors, avec leur manteau de poils massif, ils avaient été les mâles les plus impres-

1. Hans Kummer, *Vies de singe : Mœurs et structures sociales des babouins hamadryas*, Paris, Odile Jacob, 1993.
2. *Ibid.*
3. *Ibid.*

sionnants de la bande. Après le renversement, en l'espace de quelques semaines, leur visage devint sombre, leur manteau se clairsema, ils maigrirent, ils donnèrent l'impression d'être vieux[1]. »

On soupçonnera donc que la propension innée au féodalisme, chez certains animaux, a pour support sous-jacent une programmation génétique évolutive du rapport entre le rang et l'attribut qui le souligne : rapport que l'homme aurait, à partir de la même propension innée, reconstitué culturellement. « On peut facilement, note encore Kummer, classer selon leurs rangs les mâles d'un groupe de babouins anubis en se fondant sur les signaux de soumission unilatéraux. Chez les macaques, la vie sociale est à tel point imprégnée de la connaissance de la hiérarchie et des manœuvres qui la concernent, que presque rien ne se passe sans qu'on tienne compte de cet ordre. On distingue au premier coup d'œil, à sa queue dressée, le mâle alpha d'un groupe de rhésus (genre de macaques). Quand un supérieur hiérarchique s'approche d'inférieurs en train de manger, ceux-ci se mettent sur le côté en retroussant les lèvres[2]. »

Michael Chance va plus loin : « Quelle est, se demande-t-il, la signification de la hiérarchie dans l'organisation sociale et dans l'organisation biologique où, à mon avis, nous la rencontrons dans tous les systèmes que nous étudions ? [...] On peut étudier, ajoute-t-il, la hiérarchie dans les processus morphogéniques de l'embryon ainsi que dans d'autres processus de développement au niveau biochimique, dans l'organisation des processus intercellulaires, tout autant qu'au niveau social : tout y contribue à un même degré à nous renseigner sur ce thème fondamental qu'est la hiérarchie[3]. » Pourquoi, interroge notre éminent éthologue, la hiérarchie a-t-elle joué un rôle si important dans l'organisation des êtres vivants ? Sans doute parce qu'« en entraînant la rigidité des comportements et la fixation des rôles », elle s'est originellement — c'est-à-dire d'emblée — imposée comme l'élément structurel par excellence qui permet aux recompositions adaptatives de rester dans le cadre d'une invariance, et par voie de conséquence aux structures invariantes de franchir, sans crise mortelle, l'étape critique de la recomposition adaptative. L'évolution aurait en

1. *Ibid.*
2. *Ibid.*
3. In *L'Unité de l'homme, op. cit.*

quelque sorte simplement permis que l'on passe de la hiérarchisation organique (interne à la nature vivante) à la hiérarchisation
sociale automatisée par marquage chimique à l'intérieur d'un
organisme collectif (chez les insectes sociaux, telles les fourmis ou
les abeilles par exemple), puis, ce qui apparaît clairement entre
autres chez les primates, à une adaptation cérébrale qui permet
d'auto-élaborer, à partir d'une prédisposition innée, de la hiérarchisation structurante autoprotectrice par recomposition adéquate des interactions sociales.

Peut-on le dire ? Il peut le dire

« L'éthologie, remarquait Michael Chance au cours du même
colloque, a déjà montré que nombre de processus mentaux que
nous considérons comme nous appartenant en propre se trouvent
également chez les autres mammifères[1]. »

Ce propos, à l'époque, ne scandalisa personne. C'est que,
rappelons-le, ce colloque, animé notamment par Edgar Morin et
réunissant la fine fleur de l'intelligentsia scientifique, se déroula il
y a un peu moins de vingt ans, donc bien avant que la communauté
intellectuelle hexagonale ait été secouée par la sociobiologie.

Or, quel était le thème central de ces travaux ? Très exactement
celui-ci : « L'unité de l'homme : invariants biologiques et universaux culturels. » Et, parce qu'il s'agissait justement pour tous ces
chercheurs réunis à Royaumont « de mettre en évidence les invariants qui font la liaison entre comportement humain et comportement animal », le professeur Chance pouvait, sans craindre le lynchage intellectuel, affirmer calmement : « Ce qu'il nous faut, c'est
un corps de pensée biologique qui inclurait la culture au nombre
des dispositions biologiques de l'homme[2]. » Edgar Morin lui-
même, dans sa présentation des travaux, parla de ces « invariants »
comme de « structures génératives, partiellement organisationnelles, qui ne peuvent s'actualiser que sous la stimulation, voire
l'agression des facteurs extérieurs [...] ».

Des exemples ? L'homme, se demanda le professeur Eisberfeld
de l'Institut Max-Planck pour la psychologie du comportement, ne

1. *Ibid.*
2. *Ibid.*

possède-t-il pas une tendance préprogrammée « à constituer des classes, à fabriquer des dialectes, à isoler son propre groupe des autres groupes par des schémas culturels » ? Ce chercheur fut le premier à remarquer qu'une certaine forme de salutations à distance — sourire, inclinaison de la tête, relèvement du sourcil fonctionnant comme déclic — se retrouve dans absolument toutes les cultures (européenne, chinoise, papoue, bochimane, aborigène d'Australie, etc.), comme d'ailleurs la moue de dégoût, le poing brandi en signe de menace ou la propension à lever le doigt pour sermonner. Universaux de comportement ? Jane Goodall a relevé pour sa part l'importance, chez les chimpanzés, des salutations de contact avec étreintes, baisers, caresses amicales. Les mères, chez ces primates développés, étreignent leurs enfants en les embrassant comme s'il s'agissait — déjà — d'une alimentation ritualisée !

Que des tendances comportementales programmées puissent être génétiquement retransmises (MacLean va même — ce qui est pour le moins réducteur — jusqu'à mettre sur le compte de notre paléo-cerveau la tendance à reproduire des formes génétiquement acquises : rechercher et défendre un habitat, chasser, s'accoupler, former des hiérarchies sociales et choisir des chefs) n'exclut évidemment pas que la culture soit susceptible de modifier ces comportements, continuellement et donc amplement. C'est clairement le cas de ce féodalisme latent qu'est la propension innée à la hiérarchisation pyramidale. « Un schéma moteur, note Eisberfeld, peut être appris et ensuite être façonné. » Les animaux apprennent, « mais leur apprentissage est programmé de telle manière qu'ils apprennent ce qui contribue à leur survie [...]. Ils sont équipés de mécanismes de traitement de données qui leur permettent de réagir d'emblée de façon biologiquement appropriée lorsqu'ils se trouvent confrontés à une certaine situation stimulus. » Et le conférencier de se demander : « Jusqu'à quel point [l'homme lui-même] est-il préprogrammé par des adaptations philogéniques[1] ? » Autrement dit, dans quelle mesure certains de ces comportements basiques — dont la propension à hiérarchiser sur une base pyramidale — ont-ils été génétiquement sélectionnés au cours de l'évolution des espèces ?

On sait qu'un canard, sitôt éclos, marche vers la mare, nage, lisse ses plumes, même si c'est une poule qui l'a nourri. De la même façon, les enfants sourds et aveugles rient, pleurent, froncent les

1. *Ibid.*

sourcils, serrent les poings de colère et distinguent par l'odorat l'étranger dont la présence les effraie. Les nourrissons, avant tout apprentissage, s'attendent à ce que ce qui est vu puisse être touché et se troublent si cette attente n'est pas confirmée. Explication : « Les schémas de comportements innés, avance Eisberfeld, peuvent parvenir à maturité au cours de l'autogenèse » ; autrement dit, une propension innée favorise une manière d'apprentissage antérieure à la naissance. Le ventre maternel est peut-être déjà une école de hiérarchisation. « La culture corrige ou poursuit, l'homme ne changeant culturellement que ce qu'il peut changer[1]. » Nous dirions, pour notre part, qu'il recompose culturellement l'invariance de la prédisposition structurelle dont il est l'héritier.

Toujours au cours de ce colloque de 1974, Henri Gastaux et Jacques Behr, de la faculté de médecine de Marseille, proposaient une illustration assez saisissante de ce qui précède : « L'enregistrement de l'activité électrique cérébrale de l'homme et des différentes espèces de primates infra-humaines, expliquaient-ils, nous a fait découvrir des traits communs, nombreux et importants, et des différences explicables par la simple adaptation des espèces à leur milieu[2]. » Ainsi, l'habituation (le temps nécessaire pour que, par exemple, un certain bruit ne provoque plus de réactions brusques du système nerveux) est rapide chez l'homme et lente chez le chimpanzé. Ce qui s'explique par le fait que le primate vivant dans un univers plein de dangers doit sa survie à ses mécanismes d'alerte toujours en éveil, alors qu'une plus grande sécurité (surtout quand il vit dans une maison en dur bien protégée) a favorisé chez l'homme un mécanisme d'inhibition de cette réactivité. Il s'ensuit que, contrairement à l'homme, le chimpanzé, quelle que soit sa potentialité cérébrale théorique, ne peut s'isoler du monde extérieur, privilège nécessaire à l'abstraction de la pensée.

Gastaux et Behr ont également analysé la structure du sommeil chez l'homme et chez son simiesque cousin. Chez l'homme, on relève en gros 70 % de sommeil profond ou moyen, 24 % de sommeil paradoxal, 5 % de sommeil léger et 1 % seulement d'épisodes de réveil. Chez le chimpanzé, les phases sont très exactement les mêmes, mais le sommeil profond ou moyen ne représente que 54 % ; le sommeil paradoxal, 15 %, et les épisodes de réveil, 16 %.

1. *Ibid.*
2. *Ibid.*

Chez les babouins, le sommeil est encore plus léger. Explication évidente : pour les raisons de sécurité évoquées plus haut, un sommeil trop profond mettrait le primate à la merci des prédateurs ; il en va donc de sa survie que sa vigilance ne soit pas trop longtemps neutralisée.

Il s'agit là, concluent nos deux conférenciers, « de l'expression mémo-physiologique de ces modes de réponse et de ces stratégies qui sont inscrites dans le génome de l'espèce[1] ». Dans les deux cas, celui du processus d'habituation et celui de la structure du sommeil, l'invariance a été recomposée par nouvelle répartition, dans le temps, des séquences qui la composent, en fonction de la transformation du milieu : ce qu'un environnement mieux contrôlé rendait possible, a permis, par voie de conséquence, d'économiser d'anciennes nécessités pour développer de nouvelles potentialités. Nous avons insisté sur deux aspects de toute recomposition : l'interconnexion et l'autoprotection ; il faudrait y ajouter — comme nous l'avons vu pour la spécialisation des hémisphères cérébraux — le principe d'économie.

« Il n'y a pas plus de différences biologiques entre l'homme et le chimpanzé, rappelait le professeur Jacques Ruffié au cours du même colloque, qu'entre le gorille et le gibbon[2]. » 15 chromosomes sur 23 ont une structure identique et tous les autres diffèrent par suite de réaménagements interstructurels. L'hominisation, au sens génétique, s'est en quelque sorte effectuée (hors quelques mutations ponctuelles) par miniremaniements chromosomiques. Pourquoi ne retrouverait-on pas ce processus au niveau des comportements ?

D'un colloque l'autre, ou le fil renoué

Eisberfeld osait donc, il y a dix-sept ans, face à une intelligentsia dont nul n'eût songé à contester ni la compétence ni le progressisme, s'interroger sur l'existence d'une « tendance préprogrammée à constituer des classes, à fabriquer des dialectes, à isoler son propre groupe des autres groupes par des schémas culturels ». Or, aujourd'hui, au cours d'un autre colloque animé cette fois par

1. *Ibid.*
2. *Ibid.*

Jean-Pierre Changeux[1], Colin Irwin, responsable du département d'anthropologie sociale à la Queen's University de Belfast (en l'occurrence, il n'est pas neutre que ce chercheur travaille en Irlande du Nord), expliquait qu'un dialecte peut effectivement fonctionner comme « marqueur » de population destiné à différencier des comportements intergroupes et extragroupes : « La sélection naturelle a développé, au cours de l'évolution, un mécanisme de *badging*, c'est-à-dire de marquage ou de *badgeage* approprié, comme les divers chants d'oiseaux ou les plumages de différentes couleurs en offrent l'exemple. [...] Beaucoup d'aspects de la culture, excessivement variables d'une tribu à l'autre, avance Colin Irwin, pourraient être les expressions ethnocentriques transmises culturellement d'une prédisposition génétique aux liens de groupes et au *badging* : vêtements, symboles, accents, rituels, peintures corporelles. » Et il précise : « Le comportement ethnocentrique a une composante génétique [...], mais étant donné que ce marquage intervient jeune, la manipulation socioculturelle peut se faire dans la période préadolescente[2]. » Ce qui signifie très exactement que pendant une période critique qui correspond en particulier à une certaine plasticité cérébrale (d'où cette capacité, avant l'âge de quinze-seize ans, à apprendre plus rapidement les langues étrangères), la structure de prédisposition préprogrammée génétiquement peut être largement recomposée culturellement. Une expérience, faite sur un certain nombre de familles immigrées au Canada, a montré que l'élément critique pour l'acquisition de l'accent était l'âge d'immigration, et non la durée de vie passée dans le pays : mieux vaut y être arrivé à cinq ans qu'y avoir vécu quarante ans ! De la même façon, à Belfast où les antagonismes tribaux à consonance religieuse sont favorisés et rigidifiés par la ségrégation scolaire, il a été largement prouvé que la fréquentation d'une école intégrée modifie profondément les rapports d'antagonisme ethnico-culturels. « Pour fondre, il faut d'abord acculturer », en conclut Colin Irwin. Ce qui est logique dès lors qu'un acquis culturel fonctionne, en tant que badge, comme révélateur d'une tendance naturelle à la différenciation. Il n'y a donc pas contradiction entre une prédisposition innée et une capacité acquise à agir sur

1. Cf. *Fondements naturels de l'éthique*, Paris, Odile Jacob, 1993.
2. *Ibid.*

ces prédispositions, entre la préprogrammation d'une invariance comportementale et la possibilité culturelle de la recomposer.

D'où il résulte, en sens inverse, que l'ampleur, la diversité, la variabilité des recompositions culturelles possibles n'infirment en rien l'invariance structurante d'une prédisposition comportementale innée. (Aucun langage n'est inné, mais ce qui l'est, c'est la prédisposition à l'acquérir.)

Colin Irwin montre à ce propos comment certains Indiens du Canada, déplacés et réimplantés en 1960 dans la ville de Spence Bay (baie d'Hudson), ont, en une génération, le baby-boom aidant, élaboré et intégré un nouveau dialecte, issu de plusieurs dialectes de leurs communautés d'origine, et se sont dès lors considérés, grâce à ce marquage culturel, comme le peuple spécifique de « Spence Bay ». En revanche, lorsqu'une communauté déplacée se trouve confrontée à une forte minorité (ou constitue elle-même une forte minorité), c'est la préservation de l'ancien dialecte qui tend à faire office de *badgeage* culturel. Dans le cas des pieds-noirs d'Algérie, ou des Boers d'Afrique du Sud, on remarquera que les deux processus se sont mêlés : élaboration d'un dialecte et d'un accent spécifiques, mais adossement protecteur à la langue originelle. Double *badgeage*, en quelque sorte, par rapport à l'autre « proche » qu'est l'indigène, et par rapport à l'autre « lointain » qu'est le pays d'origine.

Le professeur Jacques Ruffié, tout en soulignant que l'homme (et c'est là même tout ce qui fait sa sublime spécificité) n'est pas simplement fabriqué, mais « se fabrique », n'en conjecture pas moins que « les modes de pensée différents qu'offrent les grandes cultures historiques tiennent peut-être à certaines prédispositions innées[1] ».

Ce marquage culturel, que nous venons d'évoquer, n'est évidemment pas sans faire penser au marquage social qui fonde toute structuration hiérarchisante. Ainsi, en extrapolant un peu, pouvons-nous suggérer que le féodalisme, dont nous avons analysé la rémanence, n'est certes pas la reproduction mécanique d'un héritage biologique, mais la réalisation auto-élaborée, et culturellement créative, d'une prédisposition invariante innée qui trouve son origine génétiquement codée dans l'histoire de la vie même. « Il s'est développé dans le cerveau, notait en 1961 C.H. Wadding-

---

1. In *L'Unité de l'homme, op. cit.*

ton, un mécanisme accepteur d'autorité [...] ; tout se passe comme si nous avions été sélectionnés pour accepter le code éthique enseigné par nos aînés. »

Ainsi, à dix-sept ans de distance, deux colloques ont permis de renouer les fils d'une réflexion qui, dans l'intervalle, avait été court-circuitée par l'intrusion du fanatisme dogmatique et du terrorisme idéologique. De nouveau, Jean-Pierre Changeux peut, sans risque d'être cloué au pilori, poser cette question essentielle : « L'éthique trouve-t-elle son explication dans l'histoire de la vie ? »

Que certains de nos comportements, parmi ceux qui nous paraissent les plus évidemment moraux (la préférence témoignée à ses proches, par exemple, la solidarité de groupe, le respect relatif de la propriété d'autrui), aient un soubassement biologique, mérite qu'on y regarde de près. On peut récuser les implications induites de la démarche sociobiologique sans pour autant excommunier la théorie « de la parentèle » — sur l'apparition de l'altruisme chez les insectes sociaux — qui, *a priori*, n'a d'autre fonction que de nous expliquer pourquoi les abeilles ou les fourmis ouvrières sacrifient leur descendance à l'optimisation des conditions de reproduction de leur reine !

Évoquant cet altruisme sélectif, Marc Kirsch déclare : « En augmentant l'adéquation adaptative globale d'un individu, le mode de vie social lui garantit une meilleure probabilité de pérenniser son patrimoine génétique[1]. » En dernière analyse, la fonction d'une certaine éthique serait-elle alors adaptative ? Serait-elle en somme « la réponse que nous avons élaborée pour répondre aux exigences de la survie ». Comme le « code d'honneur » constitue la morale autoprotectrice de toute société féodale, y compris criminelle, opposée à ses éléments dissolvants ?

Michael Ruse franchit le pas : « Nous avons des dispositions innées non seulement à être sociaux mais aussi à être moraux. » Autrement dit, nous possédons certaines stratégies, éthiquement sélectionnées, pourrait-on dire, tel le fait de se comporter de façon coopérative au sein d'un groupe, d'affectionner ses enfants ou de favoriser ses proches, qui sont précâblées dans notre cerveau, comme l'altruisme mécanique l'est dans le cerveau des fourmis. « La moralité humaine advient comme un contrat qui nous est imposé par nos gènes (notre sort s'en trouve meilleur). » En cela,

---

1. In *Les Fondements naturels de l'éthique, op. cit.*

cette morale peut donc être en partie considérée comme « un produit final de la sélection naturelle et de son action sur les mutations aléatoires ». Citons encore Allan Gibbard, du département de philosophie de l'université du Michigan : « Les mécanismes à l'œuvre dans l'acceptation humaine des normes ont des fonctions biologiques [...] ; les voies ouvertes vers la coordination sociale par les sentiments représentent un type d'avantage sélectif crucial. »

Une chose est de critiquer le réductionnisme d'une telle approche (il y a là une propension, me semble-t-il, à confondre deux formes antagoniques d'éthique : l'altruisme mécanique et l'amour humaniste du prochain), autre chose est d'en refuser *a priori* les prémices. John Rawls, la référence du réformisme démocrate-libéral moderne, n'écrit-il pas : « Être capable d'un sens de la justice et de sentiments moraux est une façon, pour l'humanité, de s'adapter à sa place dans la nature [...]. Il semble clair que pour les membres d'une espèce vivant en groupes sociaux stables, l'aptitude à se conformer à des arrangements coopératifs équitables et à développer des sentiments nécessaires pour les appuyer est hautement avantageuse, spécialement lorsque les individus vivent longtemps et sont dépendants les uns des autres[1]. »

Peut-être faudrait-il alors établir une différence entre éthique adaptative (moralisation *a posteriori* d'un comportement socialement adéquat) et éthique en soi (ou éthique de l'éthique) qui renvoie à un modèle culturel idéalisé. Dans le premier cas, une prédisposition innée — à soubassements par conséquent biologiques — se confectionne une enveloppe culturelle qui habille les différents stades de sa recomposition formelle. Dans le second cas, c'est cette enveloppe culturelle autonomisée qui auto-élabore sa propre recomposition, de manière à rééquilibrer, à refouler, cette prédisposition innée. Toute éthique « néoféodale » dont le respect de l'autorité, la coopération intergroupe et la soumission hiérarchique constituent les fondements participe évidemment du premier cas. L'universalisme humaniste, la tolérance, la pratique démocratique, l'humanitarisme sans frontières, ou encore l'aide apportée aux vieux (qui ne favorise, par définition, ni la reproduction, ni l'autoprotection), relèvent en revanche du second cas.

Dans tous les cas, se refuser à rechercher et à poser les bases neuronales d'une morale sociale structurante, d'une éthique des

---

1. John Rawls, *Théorie de la justice*, Paris, Éd. du Seuil, 1987.

conventions sociales, est aussi archaïque que de refuser la loi d'inertie sous prétexte qu'elle donnerait une vision relativiste de l'ordre naturel.

Le professeur Antonio R. Damasio, professeur de neurologie à l'université de l'Iowa, montrait, au cours du colloque précité que « certaines lésions ou ablations du lobe frontal et temporal chez les singes provoquaient des troubles des relations avec l'autre, attentatoires au respect de l'ordre hiérarchique dans la colonie ». De même, ajoutait-il, il existe dans le cerveau humain des systèmes neutres dont la lésion conduit à une déficience du comportement social. Conséquence d'une telle lésion, les conventions sociales comme les règles éthiques ont tendance à être violées en dépit de la compétence sociale antérieure du patient ainsi affecté[1]. » Mais le professeur Antonio Damasio ajoutait aussitôt qu'une dialectique interactive et créative se noue entre les facteurs somatiques, les câblages intracérébraux et ce que l'on acquiert culturellement : « Les stratégies acquises (conventions sociales, éthique) trouvent un support neurophysiologique dans des systèmes neuronaux connectés aux systèmes de base qui exécutent les comportements instinctifs, de sorte que les stratégies acquises peuvent continuer à opérer par le même moyen : souffrance et plaisir ; punition et récompense [...]. Le soma règle, à l'aide de signaux produits par ses propres états, l'opération de secours réalisée par le cerveau[2]. »

Il est clair que le féodalisme, en tant que structure invariante, recompose sans cesse, en fonction de stratégies culturelles acquises, et dans un but adaptatif, ce rapport interactif entre le système des instincts et le système neuronal précâblé qui lui est connecté, afin de produire de la socialisation hiérarchisante.

Nous aurons l'occasion d'approfondir cette approche, largement intégrée par les philosophes du monde anglo-saxon, mais quasiment absente (si ce n'est sous forme d'exorcismes ou d'hystérie diabolisante) de nos grands débats intellectuels hexagonaux. Comme si toute problématique qui tendait à échapper à l'emprise de la transcendance métaphysique restait chez nous taboue. « La morphologie animale et celle des espèces, ose pour sa part noter Gerald M. Edelman[3], ainsi que la façon dont cette morphologie

1. In *Les Fondements naturels de l'éthique, op. cit.*
2. *Ibid.*
3. Gerald M. Edelman, *op. cit.*

fonctionne, sont les bases premières de tout comportement et de l'émergence de l'esprit. Nous avons donc besoin de savoir comment la morphologie sous-jacente au comportement a émergé au cours de l'évolution des espèces. » Étant bien entendu que « les structures génétiques se réorganisent au cours de processus appelés "recombinaisons" et que de subtiles modifications morphologiques peuvent induire des modifications tout à fait extraordinaires des comportements ». Et l'auteur de donner l'exemple des composantes génétiques et épigénétiques des trilles des passereaux : « Certains aspects du comportement moteur sous-jacent aux chants de ces oiseaux, écrit-il, sont donnés à la naissance, dans le phénotype, de même que certaines variantes et certaines modifications de la structure de vocalises, mais pour être en mesure de chanter (correctement) la chanson caractéristique de l'espèce correspondant à une région donnée, ces oiseaux ont besoin d'entendre les chansons des oiseaux adultes de la même espèce[1]. »

Il nous a paru nécessaire, bien que nous n'en soyons qu'au premier stade de notre investigation, d'entrouvrir cette fenêtre sur ce que suggère d'emblée notre théorie de l'invariance structurelle. Retenons en conclusion ceci : le féodalisme, en tant que prédisposition innée à la hiérarchisation pyramidale, est un produit auto-élaboré et adaptatif qui a été stabilisé au cours de l'évolution par un processus de sélection de groupes. Cette prédisposition, dont on ne saurait escamoter la base neuronale, ordonne et intègre les acquis culturels qui agissent comme moteur de la recomposition incessante de son invariance (avec effets de *feed-back* ou « effets en boucle »). C'est précisément en cela que le féodalisme n'est pas épuisé par la séquence de la féodalité, mais participe de façon créatrice de toute recombinaison de la structure sociale. Cette conception unificatrice de l'évolution (on pourrait parler d'« évolution dans l'évolution » au même titre que l'esprit résulte d'une conscience de la conscience) n'a rien à voir, on en conviendra, avec le darwinisme social. Il s'agit de comprendre pourquoi et comment le « tout change » de notre histoire n'est possible que structuré par le « rien ne change » inlassablement recomposé d'une histoire antérieure.

1. *Ibid.*

CHAPITRE III

L'esclavagisme comme structure sociale invariante sans cesse recomposée

Lorsque, en 1842, le consul général britannique au Maroc fit des remontrances au sultan de ce pays à propos de l'esclavage, le potentat répondit, par une lettre consternée, que « le trafic d'esclaves est un sujet sur lequel toutes les sectes et toutes les nations ont été d'accord depuis l'époque des fils d'Adam jusqu'à aujourd'hui ». Le souverain n'avait au demeurant connaissance « d'aucune interdiction par les lois d'aucune religion. Nul n'avait donc à poser cette question, car la réponse était évidente à tous les niveaux et ne demandait pas plus de démonstration que la lumière du jour ».

Bernard Lewis (spécialiste de l'islam à l'université de Princeton), qui cite ce document, note que le sultan n'avait pas tout à fait tort dans sa vision historique du phénomène : « L'esclavage est, en effet, une institution qui remonte à des temps immémoriaux. Il a existé dans toutes les anciennes civilisations d'Asie, d'Afrique, d'Europe et d'Amérique précolombienne. Il a été accepté et même avalisé par le judaïsme, le christianisme et l'islam aussi bien que par d'autres religions dans le monde. Au Proche-Orient comme ailleurs, l'existence de l'esclavage est attestée dès les premiers écrits chez les Summériens, les Babyloniens, les Égyptiens et d'autres peuples anciens[1]. » Et aujourd'hui ? Le rapport de 1993 du Bureau international du travail (BIT) estime à « plusieurs dizaines de millions » les personnes réduites au servage pour dettes ou contraintes de travailler sous la menace. L'organisation

---

1. *Cf.* Bernard Lewis, *Races et esclavage au Proche-Orient*, Paris, Gallimard, 1993.

Antislavery International, fondée à Londres en 1839, porte ce chiffre à 100 millions en y incluant la prostitution forcée et le travail illégal des enfants (200 millions selon d'autres organismes, si l'on retient certaines formes « asservissantes » de travail salarié).

« Loin de concerner seulement le Soudan ou la Mauritanie, ces derniers refuges de la traite des Noirs, écrivaient dans *L'Événement du jeudi* de septembre 1993 François Landon et Patrice Piquart (qui avaient mené une vaste enquête à ce sujet dans plusieurs pays du monde), la tragédie se joue à l'échelle planétaire. Il y a des esclaves au Pérou, en Chine, en Inde, en Haïti, au Brésil, il y en a dans la majorité des pays membres de l'ONU, tous signataires de la convention de 1956 condamnant l'esclavage, le servage et la servitude pour dettes. » Et nos confrères — dont l'un avait même pu acheter un esclave au Népal — ajoutaient : « Partout où il est pratiqué, l'esclavage frappe les catégories les plus vulnérables : femmes, enfants, minorités ethniques, intouchables, paysans sans terre. Partout il entraîne la torture morale ou physique : menaces, coups, privation de nourriture, viols. Partout ou presque, il s'accompagne de trafics organisés par des recruteurs travaillant à l'échelle nationale ou internationale. La grande nouveauté, c'est que l'esclave n'est plus un capital, mais juste une machine à travailler dont on peut, si besoin est, se débarrasser. Notre époque marque l'avènement de l'esclave jetable. »

Au printemps 1994, la France vivait avec la Chine postmaoïste une nouvelle lune de miel. Or, ce pays totalitaire a développé une gigantesque machine à produire et à exporter les marchandises les plus diverses sur la base du *laogai*, c'est-à-dire d'un système de travail forcé employant des centaines de milliers de détenus, en particulier idéologiques et politiques, totalement esclavagisés sous couvert de rééducation. C'est même pour en avoir pris tardivement conscience que l'entreprise Levi Strauss, qui fabrique les fameux blue-jeans, a mis fin à toutes ses importations de vêtements en provenance de Chine. Implacable continuité derrière la valse hypocrite des mots qui dissimulent les choses !

Que l'esclavagisme ne se réduise pas à une époque déterminée de notre histoire n'est pas difficile à démontrer. Que le servage ait constitué l'archétype même de la recomposition structurelle d'un rapport de production esclavagiste en fonction de nouvelles données objectives — en particulier d'un remodelage de l'espace — est assez évident.

Ce que nous entendons établir, au-delà de ce constat, c'est que l'esclavagisme, comme le féodalisme, n'a cessé, au cours de l'évolution sociale, de réaménager de manière non linéaire son invariance sous la pression des bouleversements de son champ d'application — rétrécissement/élargissement de l'espace —, des mutations technologiques entraînant une modification qualitative et quantitative des rapports de production, et des interpellations de la pensée critique. L'esclavage n'est pas un moment, mais un état. Les seuls moments sont ceux de sa recomposition. Il ne représente pas une étape antérieure au capitalisme, il est déjà le capitalisme auquel il permet, dans un premier temps, d'optimiser sa recherche d'une production maximale au moindre coût. C'est pourquoi le capitalisme, dans sa phase industrielle, commencera par remodeler les formes d'un esclavagisme de masse, antiquement agraire, aux dimensions du machinisme prémoderne.

Pourtant (et pour cause, sans doute...), les libéraux orthodoxes et les marxistes ne sont pas loin de considérer l'esclavagisme antique comme une superstructure idéologique directement dépendante d'un type particulier de rapports de production totalement révolu. Mais alors, pourquoi l'Assemblée constituante de 1789 qui, contre les contraintes de l'Ancien Régime, assuma le passage à l'État libéral, ce qui impliquait entre autres l'abolition définitive du servage, se refusa-t-elle à abolir également l'esclavage malgré les efforts propagandistes d'un Pétion ou d'un Brissot ? D'autant qu'à se reporter aux interventions des constituants, elle prétendait de la sorte agir non en rupture, mais en cohérence avec son idéologie : elle défendait la « propriété » et le commerce libre. Les abolitionnistes, déclarait le député Dillon, sont « de soi-disant philanthropes qui, si on les écoutait, réduiraient la France à un désert ». Et l'abbé Maury, stigmatisant les « idéologues », surenchérissait : « Souvenez-vous que si vous n'aviez pas de commerce des colonies pour alimenter vos manufactures, le royaume serait perdu. » Il faut lire, à ce propos, les cahiers de doléances des propriétaires et commerçants de Saint-Louis du Sénégal qui exigeaient, au nom de leur patriotisme libéral et de leur progressisme bien compris, que le négoce du bois d'ébène soit enfin libéré de toute « entrave oppressive ».

Le 2262e décret de la Convention, le 4 février 1794, déclare cependant l'esclavage aboli. « Quelques membres, note le *Journal des Débats*, sans s'opposer à cette proposition, veulent qu'elle soit ajournée ». Danton remarque : « Le passage trop brusque de l'esclavage à l'affranchissement a ses dangers. » Il sera entendu. On sait que Napoléon, sous la pression du lobby colonial, lui-même soutenu par les tenants de la liberté du commerce, annula le décret de la Convention. Le débat rebondit sous la monarchie de Juillet : l'abolition totale fut encore rejetée en 1847. Les rapports de production n'étaient pourtant plus les mêmes qu'à Athènes au IIIᵉ siècle av. J.-C. ou à Rome sous Auguste : l'esclavagisme d'outre-mer s'intégrait fort bien à un système général d'échange de type résolument capitaliste. Nombreux étaient d'ailleurs les propriétaires d'esclaves qui assumaient — du moins à les en croire — l'héritage de la Déclaration des droits de l'homme et de la philosophie des Lumières. Leur libéralisme se voulait volontiers intransigeant. On trouvait même parmi eux des républicains...

L'abolition, définitivement acquise en 1848 grâce à l'activisme de Victor Schœlcher, auquel s'opposèrent de nombreux républicains modérés — Arago hésita et Armand Marrast se montra plutôt hostile —, ne mit, au demeurant, pas fin à la traite. Et ceux qui, aux États-Unis, menèrent une guerre souvent héroïque pour la maintenir, quitte à la présenter comme un bienfait, étaient, particulièrement en Virginie, les fils démocrates de ceux qui avaient fait des États-Unis l'État capitaliste le plus progressiste du monde pour l'époque. Aucun principe ne leur était plus cher que celui de la liberté individuelle et de l'égalité devant la loi. L'esclavage, dont ils prétendaient préserver l'« institution », comme ils disaient, n'était pas lié à un « rapport » de production particulier, mais à un « type » de production dépendant lui-même, comme nous l'avons déjà remarqué, d'une structure invariante naturelle, la nature du sol et du climat.

Ce qui signifie quoi ? D'abord, que la superstructure idéologique — l'invariance esclavagiste devenue autonome — s'était émancipée d'un rapport de production particulier et qu'elle s'était greffée sur une économie spécifique issue de l'expansion coloniale. L'esclavage répondait tout simplement au besoin d'une main-d'œuvre nombreuse, bon marché et malléable ; et à l'existence, en Afrique, d'un tel réservoir que les très éduqués, très évolués et très modernes armateurs français et anglais du XVIIIᵉ siècle n'avaient pas hésité à commercialiser comme une marchandise ordinaire.

Notons que cette « exploitation » et ce commerce n'étaient pas spécifiquement liés à la grande propriété agricole qui dominait dans le sud des États-Unis, puisqu'à Cuba, au Pérou, en Bolivie, les Espagnols affectèrent des masses d'esclaves indiens à des activités minières. Et décimèrent, de la sorte, toute une population.

Il en résulte que le besoin créant la demande et la demande justifiant le système, tout besoin de main-d'œuvre nombreuse, bon marché et malléable tend à la recomposition d'un système esclavagiste. Cela est si vrai que, confrontés à ce besoin, deux régimes modernes prétendument antagonistes, le régime nazi et le régime stalinien, réinventèrent à leur façon le système et lui donnèrent une dimension inégalée. Le goulag et les camps de concentration ne portèrent-ils pas la « vieille » institution à son paroxysme ?

De même, sans atteindre à ces extrémités, en France par exemple, en particulier pendant la phase de forte croissance des années soixante, le développement considérable de la transplantation et du trafic de main-d'œuvre immigrée, jugée syndicalement neutre, dépourvue de droit de vote et que son insécurité rendait plus docile, employée le plus souvent à bas prix et dans des conditions de protection sociale pratiquement nulles, montre suffisamment que le mécanisme se reproduit tout naturellement dans le cadre relatif des lois en vigueur.

L'idée que le fait d'habiter dans une commune depuis un temps déterminé et d'y exercer un travail stable, dur, peu gratifiant et fort mal rémunéré puisse donner droit à cette petite parcelle de citoyenneté que représente la possibilité de voter aux élections locales, même quand on est venu d'ailleurs, n'est-elle pas majoritairement rejetée par une opinion qui n'imagine pas, cependant, que l'esclavagisme ait pu survivre au-delà de la haute Antiquité ?

Ni mentalement ni pratiquement l'esclavagisme n'est donc une simple conséquence d'un processus évolutif qui le condamne à terme, mais une structure sociale, économique et idéologique invariante qui résiste, en s'adaptant par réaménagements internes, aux mutations externes qui l'affectent : autrement dit, non seulement il demeure une alternative toujours ouverte, une hypothèse toujours plausible, mais encore, sous les frusques d'une plus ou moins grande modernité, sous divers déguisements sociaux, une réalité toujours présente.

Que l'on y prenne garde, toutefois : ce qui est structurellement invariant, ce n'est pas l'esclavagisme comme système légal et établi, mais, au-delà des lois qui l'interdisent et d'une morale qui le réprouve, une « tendance à », une propension à réinventer constamment, compte tenu du milieu et des circonstances, le même système en fonction des mêmes besoins ; une capacité, enfin, à intégrer les effets de toutes les mutations intervenues pour donner un aspect toujours plus adéquat et une formulation toujours nouvelle à cette permanence.

Que cette technique de production ne disparaisse pas avec les rapports de production qui l'ont paraît-il engendrée, c'est là une évidence. Mais ce qui est remarquable, c'est à quel point l'idéologie esclavagiste a su s'adapter aux mutations du milieu, jusqu'à intégrer ses propres contradictions : non seulement elle a digéré la révolution libérale, mais, mieux encore, elle a réussi à se réclamer de sa plus radicale contestation : le christianisme. « Le Christ a vaincu parce que Spartacus a été vaincu », écrivait Feuerbach. Il aurait pu ajouter : la défaite de Spartacus a permis la récupération esclavagiste de Jésus-Christ.

Cela commença très tôt. Certains passages des Épîtres de saint Paul avalisent clairement l'esclavage. Dans l'Épître à Philémon, un fugitif est renvoyé à son maître. Dans l'une de celles aux Éphésiens, Paul, après avoir comparé les devoirs de l'esclave envers son maître à celui de l'enfant envers ses parents, enjoint à l'individu asservi « d'obéir à ses maîtres selon la chair avec crainte et tremblement, et dans la simplicité de son cœur comme à Christ ». Saint Augustin, dans *La Cité de Dieu*, affirme que la servitude est voulue par le Très-Haut. Il est vrai qu'Aristote défendait lui aussi l'asservissement forcé de ceux qui « sont esclaves par nature et pour qui il est bénéfique d'être gouvernés par cette forme d'autorité » ; et que Mahomet et ses compagnons possédaient des esclaves.

Comment l'Amérique redécouvrit l'esclavage

L'exemple de la redécouverte de l'esclavage par l'Amérique coloniale est à cet égard particulièrement éclairant. Car, à l'origine, les occupants du Nouveau Monde, en particulier les puritains qui s'étaient installés en Amérique du Nord, étaient conscients de la régression morale qu'eût représentée la généralisation des pratiques d'asservissement de l'homme par l'homme. Aussi, les Indiens s'étant montrés de toute façon on ne peut plus rétifs à toute forme de travail forcé (ils préféraient se laisser mourir, ce qui explique par exemple l'extinction de l'ethnie arawak), les colons de Jamestown en particulier développèrent l'emploi de « serviteurs sous contrat » (*indendured servants*). Ceux-ci, souvent d'anciens condamnés anglais relégués dans la colonie, « n'avaient aucune existence civique, mais gardaient la plupart des prérogatives juridiques des colons libres : droit de se marier, de témoigner dans un procès, de léguer par héritage[1] ».

En 1617, cependant, dix ans après la fondation de la colonie, les commerçants de Jamestown se plaignirent de ne pouvoir, faute de personnel, faire face à la demande européenne. En 1619, donc, un vaisseau hollandais travaillant pour le vice-roi de La Havane amena 21 Noirs et mulâtres affranchis venus volontairement travailler en Virginie avec, en poche, un contrat de sept ans. Ce premier flux migratoire n'était pas différent de celui que connaissent aujourd'hui les grands pays industriels développés. Et, en effet, jusqu'en 1640, on ne trouve aucun esclave à Jamestown : simplement des « serviteurs sous contrat » qui, peu à peu, deviennent plus nombreux que les immigrés britanniques. Mais que se passe-t-il alors ? L'immigration volontaire de colons libres s'accroît, de plus en plus de terres sont arrachées aux Indiens, mais la main-d'œuvre libre, elle, se tarit, et par conséquent son coût augmente. Or, en 1639, cinq serviteurs sous contrat, dont un Noir nommé Oliver Punch, s'enfuirent de l'atelier où ils étaient employés pour aller faire la bamboula. Il y eut procès. Le Noir — et lui seul —, bien que travailleur volontaire, fut condamné au service à vie. La justice venait en quelque sorte de déclencher l'implacable processus qui allait conduire à l'asservissement de millions d'êtres humains de couleur. En 1653, un métis affranchi, John Casor, fut dans les mêmes conditions asservi à perpétuité. La machine était lancée. En 1661, la « servitude à vie », puis, l'année suivante, la « servitude héréditaire », furent déclarées légales pour tout Africain débarqué en Virginie après cette date. Le Maryland suivit le mouvement en 1664, puis la Géorgie qui avait pourtant, lors de sa fondation, déclaré l'esclavage immoral.

---

1. Philippe Paraire, *Les Noirs américains*, Paris, Hachette, coll. « Pluriel », 1993.

Ainsi, l'Amérique coloniale, créée sur une base idéologico-religieuse antiesclavagiste (on y fustigeait volontiers l'asservissement des Indiens par des Espagnols), recomposa spontanément, un siècle après sa fondation, et sous la pression des nécessités économiques, un système d'esclavage élargi, adéquat non à un rapport de production préalable (c'est au contraire l'esclavage qui façonna un type déterminé de rapport de production) mais à la double exigence, dans le cadre d'une propriété foncière en expansion, d'une forte hausse de la demande de marchandises et d'une très sensible baisse de l'offre de main-d'œuvre libre.

Il apparaît donc clairement que ce n'est pas l'esclavagisme idéologique qui est à l'origine de l'esclavagisme pratique, mais l'inverse. L'idéologie fut fabriquée en appui à la réalisation d'un projet matériel. On dira qu'a été élaboré un discours culturel justificateur d'une tendance naturelle à optimiser, fût-ce par l'asservissement d'autrui, toutes les possibilités d'utilisation des potentialités du marché ; ou encore qu'un alibi intellectuel *a posteriori* a été élaboré pour couvrir (et dématérialiser du même coup) une propension socialement préprogrammée à faire de l'autre, en tant que force de travail, un élément « réifié » de la recherche du profit maximal.

Il fallut pour cela retirer aux Noirs l'âme que l'on avait rendue aux Indiens à l'issue de la controverse de Valladolid : purger l'autre de son altérité. L'animaliser. Que fait-on d'autre, d'ailleurs, quand on traite de « raton » l'Arabe avant lynchage ?

Il se trouve toujours des spécialistes émérites du corps et de l'esprit, médecins de leurs propres fantasmes, pour attester toutes les différences que l'on veut, y compris d'un point de vue « ontologique ». Après quoi on va puiser dans les textes saints : la Genèse (malédiction de Cham par Noé), l'Ecclésiaste, le Lévitique, le Deutéronome firent l'affaire. Le Nouveau Testament est inutilisable d'un point de vue esclavagiste ? Qu'importe : il y avait saint Paul. Et puis, est-ce que cela avait empêché les conciles d'Orange ou de Tolède de justifier sans ambiguïté la servitude ? Même la philosophie moderne, grâce à Hobbes, offrit sa caution ambiguë[1].

Au début du XIXe siècle, dans les États américains du Sud, les Églises méthodistes et baptistes étaient devenues très officiellement esclavagistes. Le discours chrétien, non plus de justification

---

1. *Ibid.*

mais d'exaltation de l'esclavagisme, fonctionnait parfaitement. Mais pas lui seulement : en vérité, toutes les formes de pensée politico-sociale, y compris démocrate-libérale ou démocrate-socialiste, parvinrent à se décliner sur ce mode. Prises dans le moule esclavagiste, toutes les pâtes idéologico-philosophiques finirent par s'y modeler. Les trésors de rationalité qui furent mis au service de cette cause sont insoupçonnables. Qu'on en juge :

Écoutons par exemple James Hammond, sénateur de Caroline du Sud, s'adresser le 4 mars 1858 aux citoyens nordistes : « Dans tous les systèmes sociaux, s'exclame-t-il, il faut bien une classe pour accomplir les devoirs subalternes, pour se charger des besognes les plus basses. Cette classe, il vous la faut, sans quoi vous n'avez pas l'autre classe, celle qui prend la tête du progrès, de la civilisation et du raffinement. Or, toute votre classe mercenaire de travailleurs manuels et d'ouvriers (comme vous les appelez dans le Nord) est composée essentiellement d'esclaves. La différence entre vous et nous, c'est que nos esclaves sont engagés pour la vie et bien rémunérés, alors que les vôtres sont employés à la journée, laissés à l'abandon et chichement payés. » « L'esclavage, écrit encore l'écrivain virginien George Fitzhugh en 1847, est la condition naturelle et normale de la société. Accorder aux hommes des droits égaux revient ni plus ni moins à permettre aux forts d'opprimer le faible. » Pourquoi ? Parce que « le capital exerce une contrainte plus parfaite sur les travailleurs libres que les maîtres humains sur leurs esclaves. En effet, les travailleurs libres doivent à tout moment travailler ou mourir de faim alors que les esclaves vivent aux frais de leurs maîtres, qu'ils travaillent ou non. L'esclavage domestique est la forme la plus ancienne, la meilleure, la plus connue du socialisme ».

Le sénateur du Mississippi Albert G. Brown soutenait une position encore plus « progressiste ». « L'esclavage, selon lui, était un immense bienfait moral, social et politique. Et pour l'esclave, et pour le maître. D'abord il avait permis de civiliser les sauvages africains et leur avait fourni une sécurité qui ne les quittait plus, du berceau à la tombe, et pouvait se comparer favorablement à la pauvreté lamentable des travailleurs "libres" en Grande-Bretagne et dans le nord du pays ; mais, surtout, il faisait disparaître le spectacle de la lutte des classes car, en débarrassant les Blancs des tâches subalternes, il élevait la main-d'œuvre blanche et la protégeait d'une concurrence dégradante avec les Noirs libres. Il favorisait ainsi l'égalité entre les hommes libres, en éliminant parmi eux tout besoin de grades et de castes, et préservait par là même les institutions républicaines. » Le communisme par l'esclavage, en quelque sorte ! Ce même gouverneur Brown précisait encore que « l'esclavage est le meilleur gouvernement pour le pauvre. Parmi nous, le pauvre travailleur blanc n'appartient pas à la classe subalterne. Le nègre n'est à aucun point de vue son égal. Il appartient à la seule vraie aristocratie, la race des hommes blancs ». En fonction de quoi les petits fermiers ne consentiront jamais à se soumettre à une loi d'abolition, car ils savent que dans le cas où l'esclavage serait aboli, ils en souffriraient davantage que les riches, qui seraient en mesure de se protéger. L'idée est reprise en novembre 1860 dans un pamphlet qui appelle les petits fermiers blancs « à se rallier à l'étendard de la liberté et de l'égalité » contre « les abolitionnistes qui se sont jurés de rabaisser les Blancs libres du Sud jusqu'à l'égalité avec les nègres », et de conclure : « La liberté démocratique n'existe que parce que nous avons des esclaves noirs dont la présence permet l'égalité entre les hommes libres. La liberté n'est pas possible sans l'esclavage. »

En foi de quoi la sécession esclavagiste revêtit les allures d'une authentique révolution comparable à celle dont Washington avait pris la tête trois quarts de siècle plus tôt. Il s'agissait, pour le Sud, de défendre « sa liberté et ses biens ». Un certain Henry Wise, ex-gouverneur de Virginie, voulait former des comités de salut public et se voyait lui-même en « Danton de la sécession ». « Nous répondons, lançait le président sudiste Jefferson Davis, aux nobles et solennels mobiles que sont la défense et la protection des droits que nos pères nous ont légués, refaisant les mêmes sacrifices qu'eux à la cause sacrée de la liberté constitutionnelle. »

Autant dire que les esclavagistes se battaient contre l'esclavage. Et en effet ils ne reculeront pas devant ce paradoxe suprême : « Nous serons, proclamait le leader sécessionniste de Géorgie, soit des esclaves au sein de l'Union, soit des hommes libres en dehors d'elle. » Jefferson Davis lui-même résumait le débat en ces termes : « Voulez-vous être esclaves ou indépendants ? Consentirez-vous à vous laisser spolier de vos biens ou bien êtes-vous prêts à lutter courageusement pour la liberté, la propriété, l'honneur et la vie ? » Et un Carolinien du Sud de proclamer dans le *Charleston Mercury* du 11 octobre 1860 : « Je me suis engagé pour la glorieuse cause de la liberté et de la justice. Je me bats pour les droits de l'Homme. »

Il ne faut cependant pas s'y tromper. Ce discours justificateur « de gauche » cohabitait avec un discours justificateur « de droite », clamé et scandé avec la même virulence. Il ne s'agissait plus alors de faire une « révolution », mais, tout au contraire, d'empêcher la révolution voulue par les « anarchistes et égalitaristes » du Nord, de protéger l'ordre social et la propriété qui en constituait le socle, de défendre des institutions dont l'excellence avait été établie par le temps. Dès lors, ce sont les abolitionnistes qui sont présentés comme des héritiers furieux de la Révolution française, des enfants de Robespierre, de Marat et de la Terreur, qui veulent « imposer les mêmes idées tyranniques et sanglantes ». Contre eux, prévient Jefferson Davis, il convient « de préserver la sécurité des biens serviles, sans quoi ils perdraient toute valeur ». On pouvait encore lire dans un journal de Caroline du Sud : « Le grand fléau de cette "société libre" du Nord, c'est qu'elle est écrasée sous le fardeau d'une classe servile d'ouvriers et de travailleurs inaptes à s'autogouverner, mais néanmoins parés de tous les attributs et pouvoirs des citoyens. » A quoi un journal géorgien ajoutait dans un article devenu célèbre, car il poussa à bout les passions des abolitionnistes du Nord : « Société libre ? Ce seul nom nous donne la nausée. De quoi s'agit-il, sinon d'un conglomérat d'ouvriers crasseux, de travailleurs répugnants, de médiocres petits fermiers et de théoriciens toqués ? »

Reste que l'esclavage implique que tous les droits d'un homme soient sacrifiés au confort d'un autre. Certes, la Déclaration d'indépendance des États-Unis, texte saint légué par les pères fondateurs, précisait expressément que « tous les hommes étaient nés égaux ». Mais, dans le fameux arrêt Scott de 1858, la Cour suprême déclara que les Noirs ne faisaient pas partie du « peuple souverain » et n'étaient donc pas concernés par l'expression « tous les hommes ». Pourquoi ? Parce que l'auteur de la Déclaration et bon nombre de ses signataires possédaient eux-mêmes des esclaves et que, s'ils avaient vraiment considéré les membres de la race asservie comme des citoyens en puissance, c'eût été « en contradiction totale et flagrante avec les principes qu'ils affirmaient ». En outre, concluait l'honorable juge Taney, à l'époque où la Constitution avait été adoptée, « les Noirs passaient depuis plus d'un siècle pour des êtres d'un ordre inférieur [...] à tel point même qu'ils n'avaient aucun droit qu'un Blanc fût tenu de respecter ».

Nous y voilà : la pensée esclavagiste, dans quelque toge qu'elle se drape, implique évidemment que la nature particulière de cet « autre » qu'on identifie à l'esclave l'exclut « naturellement » de la communauté des hommes libres. En cela, l'esclavagisme suppose le racisme théorique le plus absolu, de même que tout racisme théorique absolu ouvre la voie à l'esclavagisme.

C'est le *New York Herald*, journal du nord des États-Unis mais favorable aux démocrates esclavagistes, qui écrit en pleine campagne électorale de 1860 : « Si Lincoln est élu, des centaines de milliers d'esclaves fugitifs émigreront dans le Nord, vers leurs amis les républicains [le parti de Lincoln], et ces derniers les mettront en concurrence avec les Blancs. L'amalgame des Africains et des ravissantes filles des races anglo-saxonnes, celtes et teutonnes sera bientôt leur lot pendant l'âge d'or du règne républicain. » Or, cette vision d'horreur — la copulation entre la femme blanche et ce sous-homme, ce mi-animal qu'est le nègre — est omniprésente dans le discours fantasmagorique du citoyen sudiste. « Ce que les abolitionnistes ont en tête », révèle à ses lecteurs un hebdomadaire méthodiste du Texas, c'est « de forcer les ravissantes filles du Sud à se soumettre en tant qu'épouses à l'étreinte des nègres ».

Ces quelques citations sont éloquentes : elles montrent qu'à partir d'une matrice unique dont l'idéologie esclavagiste constitue la matière, et les pulsions racistes la trame, tous les discours sans exception sont possibles et s'articulent rationnellement. Car, à prendre au pied de la lettre chacun des textes cités, aucun n'est radicalement faux. Même pas l'affirmation selon laquelle un esclave sudiste pouvait fort bien, à l'occasion, connaître un mode de vie réel plus enviable qu'un chômeur ou qu'un prolétaire surexploité du Nord (imagine-t-on d'ailleurs tout ce que l'on peut justifier au nom du bonheur dès lors que le concept de liberté personnelle ou collective est exclu de la problématique ?). Toutes les séquences de vérités partielles possibles pouvaient en quelque sorte trouver place dans le continuum logomachique de cette perversion absolue qu'est l'esclavagisme.

Autrement dit, en plein milieu du XIXᵉ siècle, et dans la nation dont Tocqueville a montré qu'elle était déjà à l'avant-garde du combat démocratique et libéral, l'idéologie esclavagiste ne s'énonce pas du tout en rupture avec cet environnement, en marge de cette réalité, mais en intègre au contraire, parfois même avec fougue et dynamisme, toutes les composantes : non seulement le libéralisme et la démocratie en général, mais également et en particulier la liberté, l'égalité (entre citoyens blancs), les droits de l'homme, la propriété, bien sûr, le droit des États, le refus de l'exploitation capitaliste, le rejet de toute entrave au commerce, la condamnation de la tyrannie de l'État centralisé, l'insurrection contre l'oppression. A quoi se substituent parfois des thématiques plus spécifiquement conservatrices : l'ordre social, la pérennité des institutions, l'honneur du Sud, la suprématie morale de la civilisation agraire, la hantise de l'anarchie, et, comme il se doit, en filigrane derrière tous ces arguments, le fantasme du sexe du Noir.

Or, tout fonctionne, tout s'ordonne parfaitement. Le même moteur produit alternativement de l'énergie populisto-socialisante, progressisto-libérale ou aristocratico-réactionnaire, avec en arrière-fond, cependant, un même refus très jeffersonien de la civilisation industrielle (corruptrice, immorale et oppressante). Non seulement sur la matrice esclavagiste se greffe une extraordinaire variété d'argumentaires qui puise à toutes les inspirations, s'adresse à toutes les sensibilités, flirte avec toutes les philosophies, mais surtout — aussi fondamentalement archaïques qu'elles apparaissent avec le recul (surtout à cause de sa mythification du sol) — la plupart de ces métaphores s'adossent à une certaine conception de la modernité.

Au demeurant, le combat des Sudistes en faveur de l'esclavagisme ne fut pas purement défensif : ce qui provoqua la rupture avec le Nord, ce fut au contraire une volonté farouche d'étendre l'institution (l'esclavage) aux nouveaux États qui adhéraient à la fédération, voire à d'autres pays des Caraïbes et d'Amérique centrale. Ce sont encore les États sudistes qui prirent l'initiative et de la sécession et de l'ouverture des hostilités. La flambée des prix du « dieu-coton » (plus de 50 % de hausse à partir de 1850), dont la production doubla, et la forte rentabilité des cultures de tabac et de la canne à sucre faisaient perdre de vue aux futurs confédérés les vices inhérents à ces formes de monoculture. Les années cinquante, césure du XIXe siècle, correspondirent objectivement pour eux, non à une période de crise inhérente à un système dépassé et vermoulu, mais à une phase d'expansion réelle et forte (multiplication par quatre des lignes de chemin de fer, accroissement de 77 % des capitaux investis dans les manufactures, croissance de 39 % du taux d'investissement par habitant, progression du pouvoir d'achat) alors même que le Sudiste blanc moyen était deux fois plus riche que son homologue du Nord. La seule valeur des textiles produits dans le Sud pendant ces dix années fit un bond de 44 %.

Mieux : l'emploi simultané d'esclaves et de travailleurs blancs commençait à donner économiquement de bons résultats dans l'industrie, en particulier dans les fabriques de textiles et les fonderies, par exemple celles de Richmond. Le sénateur James Hammond, déjà cité, pouvait ainsi déclarer : « Les Sudistes sont sans conteste les gens les plus prospères de la planète, réalisant des profits de 10 à 20 % sur leur capital, avec toutes les chances de continuer à faire aussi bien pendant encore longtemps. »

Sans doute ce système-là ne pouvait-il à terme se perpétuer. D'abord en raison de cette dépendance à l'égard du coton, dont les cours allaient s'effondrer dans les décennies suivantes ; en conséquence également de ce dogmatisme agrarien qui freinait considérablement le développement industriel ; mais, surtout, parce que le développement même de la production agricole impliquait une croissance continue du nombre d'esclaves, donc une part de plus en plus importante de capitaux consacrée à l'achat de nègres (sur ce marché-là aussi les prix flambaient) et une fragilisation de la société du Sud, confrontée à un gonflement incontrôlé de la masse servile. Sans parler tout simplement de l'impossibilité pour les États-Unis d'asseoir leur leadership international avec ce boulet moral aux pieds.

Reste que ce système ne s'est absolument pas écroulé de lui-même, que l'immense majorité des Blancs du Sud y étaient non pas passivement, mais très activement favorables, y compris les petits fermiers ainsi que de nombreux fonctionnaires et ouvriers des villes, d'autant qu'on trouvait infiniment plus d'esclavagistes dans le Nord que d'abolitionnistes dans le Sud. (Lincoln, ne l'oublions pas, ne fut élu qu'avec 40 % des suffrages.)

La fin de l'esclavage dans le Sud n'est même pas le résultat mécanique du vote d'une loi d'abolition (Lincoln, en arrivant au pouvoir, jugeait une telle décision tout à fait prématurée), mais la conséquence inéluctable d'une guerre déclenchée par le Sud, qui, en réaction, provoqua l'adoption, par un Congrès débarrassé des parlementaires sudistes, d'une loi « stratégique » d'abolition. Encore fallut-il, pour obtenir effectivement l'affranchissement des travailleurs noirs du Sud, cinq années de combats effroyables qui firent 620 000 morts, plus que tous les autres conflits dans lesquels les États-Unis furent engagés au cours de leur histoire. Ce qui témoigne de l'extraordinaire solidité, en cette seconde moitié du XIXᵉ siècle, d'une institution qui, sans ce drame apocalyptique, aurait sans doute survécu plusieurs décennies et qui d'ailleurs, malgré ce cataclysme, marqua de façon indélébile, pendant presque un siècle encore, les mœurs, les traditions, les attitudes, les rapports humains et les choix politiques des États du Sud. Au-delà des lois, et malgré la guerre perdue, l'esclavagisme en tant que structure socio-psychologique, idéologique et politique invariante constitua jusqu'aux années cinquante le cadre mental dans lequel continua de se mouvoir l'inconscient collectif des anciens États confédérés.

L'esclavagisme oriental comme prix des libertés occidentales

Certes, les États esclavagistes américains se caractérisaient, on l'a vu, par cette dominante agrarienne qui constituait le socle quelque peu mythique d'une prétention aristocratique face aux masses prolétarisées du Nord. Mais, en mars 1847, dans cette France « louis-philipparde » qui embrasse avec fougue le capitalisme industriel, c'est l'un des chefs de file de ce pancapitalisme industrieux, le baron Dupin, qui déclare à la Chambre des pairs : « La tranquillité la plus complète règne dans nos colonies. Un échange mutuel de bienveillance de la part du maître et de soumission ainsi que de dévouement de la part de l'esclave consolide l'ordre et lui donne une nouvelle force. » Certes, admet ce parangon de la libre entreprise, une évolution est envisageable, on peut encourager « dans une certaine limite » l'affranchissement, mais à condition d'exiger des « affranchis », et dans leur intérêt, cinq années de travail forcé. Car « c'est l'amour du travail qui les rendra dignes de la liberté ». L'abolition ? Inimaginable, proclame le ministre libéral de la Marine : « Ces choses-là peuvent s'écrire. Mais, pour ceux qui connaissent les colonies, un tel système s'apparente au renversement complet de l'ordre établi. Il menace toutes les existences et compromet toutes les fortunes. »

A la Chambre des députés, après que Ledru-Rollin eut dressé

un tableau effroyable de la situation réelle des esclaves dans les colonies françaises des Antilles, un député de la majorité orléaniste, un certain Levasseur, réplique qu'au contraire, les progrès sont patents, car « les maîtres consentent peu à peu à ce que les quelques heures d'instruction religieuse soient prises sur le temps destiné aux travaux ». Tout cela, soulignons-le une nouvelle fois, est dit vingt siècles après la révolte de Spartacus.

De tels débats suggèrent au moins qu'au XIXᵉ siècle l'esclavagisme est considéré, y compris par la grande majorité des libéraux, comme la forme de rapports sociaux la mieux adaptée aux productions de type colonial dans le cadre d'un échange généralisé de type capitaliste. C'est si vrai que les diverses décisions d'abolition débouchèrent non sur la disparition effective de l'esclavage, mais (comme cela s'était d'ailleurs passé au début du Moyen Age) sur sa transformation en travail forcé qui prit dans la plupart des colonies d'Afrique, au Congo belge, par exemple, au début du XXᵉ siècle, des proportions plus cruellement oppressives encore que l'esclavagisme proprement dit. C'est en 1903 qu'un consul anglais, Roger Casement, révéla, après un voyage d'enquêtes, les aspects les plus atrocement inhumains de ce néo-esclavagisme qui prospéra sous l'administration directe du roi des Belges. Celle-ci prit fin en 1908, après que des centaines de milliers d'êtres humains transformés en bêtes de somme eurent été exterminés à la tâche. Mais, entre 1920 et 1925 les missions dénoncèrent de nouveau l'ampleur qu'avait prise « le recrutement forcé de travailleurs », nouvelle forme d'un esclavagisme rémanent dont la philosophie ne cessa d'imprégner, jusqu'à l'indépendance, l'administration de la colonie belge (contrats de travail particuliers imposés aux Noirs, discrimination et ségrégation généralisées, cultures forcées). En 1960, le Congo ne possédait en tout et pour tout qu'une vingtaine de diplômés, ce qui en dit long sur le statut qui était dévolu « à l'indigène ».

C'est également pour lutter contre le travail forcé, dont la pratique s'était considérablement développée pendant la guerre de 1914-18, qu'en 1945 quelques députés d'Afrique-Occidentale française, dont le docteur Houphouët-Boigny, fondèrent le Rassemblement démocratique africain (RDA).

L'expansion coloniale de la fin du XIXᵉ siècle eut des motivations sociales autant qu'économiques. « Mon idée la plus chère, écrivait Cecil Rhodes, c'est la solution du problème social, à savoir : pour sauver les 40 millions d'habitants du Royaume-Uni d'une guerre civile meurtrière, nous, les politiques coloniaux, devons acquérir des terres nouvelles pour y installer l'excédent de nos populations, où nous puissions trouver de nouveaux débouchés pour les produits de nos fabriques et de nos mines. L'empire, ai-je toujours dit, est une question de ventre. » D'où, sans doute, l'expansion d'un nouveau type de servage sur place, en substitut à l'esclavage aboli.

Lorsque la France s'installa à Madagascar, elle découvrit un pays où sévissaient déjà des formes diverses d'asservissement. Quand, en 1864, sous la reine Ranavalona II, un officier du palais, membre d'une société chrétienne, proclama qu'il libérait ses esclaves, il fut immédiatement condamné à l'exil pour acte séditieux. En 1890, la *Ten Years Review* note : « Quelques personnes sont allées jusqu'à déclarer qu'elles voudraient bien affranchir leurs esclaves, mais elles redoutent d'initier un mouvement qui attirerait sur elles l'ardent courroux de tous ceux de leurs compatriotes qui ne sont pas encore chrétiens. »

Des instructions publiées en 1878 avaient cependant interdit la traite qui, jusqu'alors, dévastait le Mozambique. Car, comme le rappelle Philippe Paraire, « les pourvoyeurs noirs d'esclaves furent nombreux et efficaces : les descendants des Ashanti, des Peuls et des Mandingues d'Afrique de l'Ouest, les tribus négrières du Dahomey, du Bénin, du Calabar, royaumes Chokwe du Centre, règlent encore leurs comptes, par coups d'État et militaires interposés, avec leurs anciennes victimes qui réclament vengeance[1]. »

Il n'empêche : pour en rester au cas de Madagascar, en 1891, plus de 20 000 corvéables étaient encore requis pour assurer les transports de la piste Tamatave-Tananarive[2]. La France s'installe donc. Œuvre civilisatrice, comme on dit. L'esclavage est en effet aboli. Mais, en 1896, tout Malgache de sexe masculin, entre seize et soixante ans, est astreint à fournir à l'administration 50 jours de 9 heures de travail dans l'année au titre des prestations en nature. Selon le révérend père Suau, 70 % de ces requis succomberont à la tâche dans certaines unités. Un certain Basset pouvait écrire dans une thèse de doctorat en droit présentée en 1903 : « L'escla-

1. Philippe Paraire, *op. cit.*
2. *Cf.* Pierre Boiteau, *Contribution à l'histoire de la nation malgache*, Paris, Éditions sociales, 1958.

vage à aucune époque n'avait atteint ce caractère de cruauté. Les fonctionnaires exploitaient les corvéables jusqu'à l'extrême limite de leurs forces. On a établi que la corvée causait la mort de 20 % des travailleurs employés. » Dans une lettre du 28 novembre 1898, Gallieni lui-même précisait : « Les indigènes du Nord-Ouest ont été un peu poussés à bout par les agissements de certains petits colons qui oubliaient le plus souvent de payer les travailleurs qu'ils employaient. » Le gouverneur Marcel Olivier le reconnaissait d'ailleurs, qui, dans son livre *Six ans de politique sociale à Madagascar*, admettait : « On aboutit toujours à une forme déguisée de travail obligatoire. La plus détestable de toute. » C'était dans les années vingt. Or, les statistiques officielles de l'Inspection du travail démontraient encore 2 550 000 journées de travail forcé en 1941 et 3 810 000 en 1943. La pratique n'en fut officiellement abolie que par la loi du 11 avril 1946.

Quant à l'esclavage proprement dit, sa légalité aurait-elle perduré si longtemps dans certains pays si la communauté internationale n'avait décidé de fermer les yeux ? Bernard Lewis, dans son ouvrage précité, montre à quel point les orientalistes et autres voyageurs occidentaux furent prompts à justifier une pratique qui aurait dû les indigner. L'un d'eux, le Hollandais Snouck Hurgranje, célèbre spécialiste du monde arabe à son époque, écrivait en 1885 : « Les esclaves eux-mêmes considèrent que c'est l'esclavage qui a fait d'eux pour la première fois des êtres humains. Tout bien pesé, depuis que je connais la situation, la campagne antiesclavagiste m'apparaît comme répugnante au plus haut degré. » L'Autrichien Ludwig Strass, en 1886, abondait dans le même sens : « Les nègres libérés ne travailleraient pas, même pour de l'argent. Pour eux, la liberté, c'est le retour à leur paresse native. La théorie des droits de l'homme et de l'autodétermination sonne évidemment bien, mais on ne leur voit pas d'applications pratiques dans ces cas-là. Je comparerais plutôt les nègres aux enfants qu'il faut obliger à faire leur part de travail. » On remarquera, ici, l'invariance du discours qui consiste à admettre une loi générale tout en contestant son application particulière : par exemple, la démocratie est une excellente chose, mais elle n'est pas applicable à certains peuples ! Quant à l'Anglais G.F. Keane, après avoir visité l'Arabie, il explique à ses concitoyens : « L'esclavage en Orient a une influence qui élève l'esprit de milliers d'êtres humains. Faute de cette influence, des centaines de milliers d'âmes passent leur existence dans ce monde comme des sauvages à peine supérieurs aux animaux. » On peut se demander évidemment, en lisant de tels propos, si l'Occident n'a pas eu tort de se débarrasser d'une institution si bénéfique dans les pays d'Orient.

En réalité, ce qui domine, c'est surtout l'idée que l'esclavagisme ou le servage, dans certaines parties du monde, favorise l'intérêt bien compris des démocraties libérales dans l'autre partie. D'ailleurs, au début du siècle encore, l'administrateur britannique à Zanzibar expliquait au Foreign Office à quel point une abolition hâtive lui paraissait peu souhaitable, car elle provoquerait entre autres une baisse brutale de la production des clous de girofle. Le Foreign Office se montra fort sensible à l'argumentation selon laquelle les esclaves ne désiraient pas la liberté, car « le nègre, du moins en Afrique orientale, n'est guère plus qu'un enfant parvenu physiquement à l'âge adulte ». Toujours la même image ! Une loi d'émancipation générale n'en fut pas moins promulguée dans toute l'Afrique de l'Est britannique en 1897. (L'Allemagne, elle, se contenta d'établir une législation pour améliorer le sort des esclaves dans les territoires qu'elle contrôlait.) Or, dix ans plus tard, en 1907, on comptait toujours à Zanzibar 140 000 esclaves pour 27 000 affranchis et 208 700 habitants libres. Il fallut faire voter une seconde loi d'émancipation en 1909. Mais ce n'est qu'en 1919, par la convention de Saint-Germain-en-Laye, que l'abolition de l'esclavage fit l'objet d'un accord international. Mais en 1922, 14 États seulement sur 52 acceptèrent de répondre à une enquête de la Société des Nations. En 1925, un rapport établi par une commission de la SDN établit éloquemment que la « servitude forcée », sous les formes les plus diverses, y compris le servage, le travail obligatoire, l'asservissement pour dettes ou par mariage, demeurait à l'échelle de la planète le système dominant. En 1931 fut adoptée la Convention sur le travail forcé, qui, de l'avis général, ne mit aucunement fin à cette pratique, laquelle se poursuivait encore, on l'a vu, au lendemain de la Seconde Guerre mondiale.

Quelques autres dates : l'esclavage fut officiellement aboli en Afghanistan en 1923, en Irak en 1924, au Népal en 1926, en Transjordanie et en Iran en 1929, au Koweït en 1949, au Qatar en 1952, à Oman en 1970. En 1935, on comptait encore 2 millions d'esclaves en Éthiopie, bien que l'abolition et l'interdiction de la traite y eussent été prononcées en 1923.

Sur l'importance de l'institution esclavagiste dans tout le golfe

Arabique (Arabie Saoudite, Yémen, Aden, Oman, Mostar, Qatar, Koweït), les témoignages abondent dans les années trente... jusqu'à ce qu'en octobre 1939 soit officiellement promulgué en Arabie Saoudite un décret royal officiellement intitulé « Instructions concernant le commerce d'esclaves », dont le but affiché est non pas d'interdire, mais de réglementer ce juteux trafic. (Il y a alors entre 500 000 et 700 000 esclaves dans ce pays.)

Le 22 septembre 1943, le secrétaire d'État aux Affaires étrangères britannique dut reconnaître que le relâchement de la surveillance exercée par la marine anglaise, retenue par d'autres tâches, avait favorisé une recrudescence de la traite par voie maritime. En 1962, on recensait encore entre 100 000 et 250 000 esclaves en Arabie Saoudite, ce qui n'empêchait nullement cette nation de se situer à l'avant-garde de ce qu'on appelait alors le « monde libre ». Preuve que la cohabitation avec l'« institution » maudite ne dérangeait pas outre mesure la conscience des démocraties occidentales. En 1970, à l'occasion d'un coup d'État à Oman, on découvrit dans le palais du sultan déchu 500 esclaves dont certains, par suite de mauvais traitements, étaient devenus muets, et d'autres étaient paralysés parce qu'on leur avait interdit de lever les yeux du sol. Or, tout cela s'était passé sous le contrôle des conseillers britanniques de Son Altesse !

Depuis 1974, il existe au sein de l'Organisation des Nations unies un groupe de travail sur l'esclavage qui met moins en relief la persistance de cette pratique (en particulier en Asie et dans certains pays d'Amérique latine) que les nombreuses métamorphoses qui l'affectent, parmi lesquelles les différentes formes d'asservissement pour dettes ou de servage domestique. Surtout, à y regarder de plus près, il apparaît que, globalement, le système colonial moderne (celui qui s'est imposé après le partage de l'Afrique par les grandes nations libérales européennes) s'est évertué à réintroduire l'essence même de l'esclavagisme dans une écorce compatible avec la nouvelle modernité démocratique libérale.

Prenons l'exemple des trois départements français que forme l'Algérie au lendemain de la Libération. Les Arabes y constituent l'essentiel des forces productives, ouvriers agricoles et prolétaires urbains. L'esclavage ayant été aboli depuis près d'un siècle, ils sont censés avoir accédé à la citoyenneté. Sont-ils pour autant des « à part entière » ? Non. Le mécanisme du double collège, entre autres, permet en réalité de les confiner dans une citoyenneté au

rabais qui interdit à leur « quantité » de prévaloir sur la « qualité »
de la population blanche. Leur est réservée en quelque sorte une
démocratie spécifique et en vase clos qui n'interfère en rien avec
celle des maîtres, laquelle vise à la perpétuation du pouvoir colonial. Et ce sont évidemment les « petits Blancs » qui seront les plus
acharnés à défendre un statut qui les magnifie en leur conférant
un privilège quasi aristocratique. Et l'on démontrera sans mal, une
fois de plus, que cette institution spécifique, pourtant attentatoire
aux règles générales de la République, loin de servir les intérêts
des gros colons, garantit les droits acquis du petit peuple pied-noir
(ce qui n'est pas faux) et correspond aux intérêts bien compris de
la masse musulmane elle-même (ce qui n'est pas non plus totalement absurde). La vérité étant que, sauf trucage électoral massif,
l'instauration d'un collège unique condamnerait à terme l'institution coloniale elle-même.

De l'art de recomposer par élargissement

Cette logique sera poussée à son paroxysme en Afrique du Sud,
où, là encore, puisque le Noir émancipé a désormais des droits, il
sera fait en sorte que les droits des uns ne puissent jamais entrer
en conflit avec les droits des autres : en fonction de quoi un
système de droits spécifiques et séparés permettra à la minorité
des maîtres de conserver un pouvoir total de fait sur la majorité
des travailleurs noirs employés dans les usines, les mines ou les
plantations. L'esclavagisme ici n'est pas patent, il est latent. La
forme a été sacrifiée à l'esprit. Il s'agit, encore une fois, du plus
d'esclavage possible compte tenu de l'époque, du lieu, de l'environnement, c'est-à-dire des conditions particulières. Et, outre que
les mêmes arguments déjà entendus dans les États américains du
Sud ou en Algérie (il s'agit de l'institution la plus évidemment
favorable aux intérêts de l'ensemble des populations concernées)
seront repris et développés, y compris en Europe, par d'éminents
démocrates (en France, Jacques Soustelle, par exemple), on fera
valoir que la défense de cette institution est la condition de la
stabilité de la région, mais aussi du continent tout entier. Ce qui
n'était pas nécessairement inexact, car le propre de tout système
social institutionnalisé est de s'identifier, à un moment donné, au
seul ordre possible, au point que sa subversion engendre momen-

tanément un désordre général et parfois même un recul de civilisation. C'est ce qui se passa effectivement en Haïti ou dans les États
américains du Sud. Mais aussi dans l'ex-Union soviétique après
l'effondrement du communisme ou dans les pays socialistes d'Afrique quand le libéralisme économique s'y imposa. (Notons à cet
égard que toute structure invariante intègre, comme élément d'autodéfense, la projection de sa propre destruction ou, plus simplement, l'anticipation prospective de cette destruction radicale en
cas d'évolution imposée ou consentie.)

Mais la fin même de l'apartheid en Afrique du Sud ne clôt pas
le chapitre. Que constatons-nous en effet ? Que, dans la plupart
des pays développés, les fonctions productives de base ont été peu
à peu occupées par des populations d'abord simplement étrangères, puis extra-européennes ; fonctions dès lors massivement
délaissées par les populations autochtones au point que s'est
mécaniquement reconstituée l'apparence même du partage du travail de type esclavagiste, à savoir que les tâches les plus ingrates
et les plus spécifiquement manuelles sont dévolues à des communautés ethniquement particulières et différentes, venues d'ailleurs,
tandis que les travailleurs nationaux de « noble origine » occupent
massivement les postes supérieurs ou intermédiaires. Manœuvres
noirs, patrons blancs ; le travailleur blanc intermédiaire étant
« théoriquement » le plus intéressé à ce que l'OS immigré ne
bénéficie pas des mêmes privilèges de citoyenneté que lui.

A cet égard, une usine d'automobiles reproduit aujourd'hui en
coupe le schéma de la grande exploitation agricole des États esclavagistes sudistes de l'Amérique du XIXe siècle. Certes, le travailleur
immigré est libre et volontaire, mais, n'ayant pas le droit de vote,
il n'est pas citoyen actif, quand bien même il paierait l'impôt dans
son lieu de résidence et alors que sa participation à la production
industrielle collective serait essentielle ! L'idée qu'il ne devrait pas
bénéficier des mêmes avantages sociaux que les nationaux est
extrêmement répandue, au-delà même des cercles réputés racistes
ou xénophobes. Sans compter que la logique de la loi du marché
en matière foncière et immobilière débouche inéluctablement sur
son parcage dans des foyers ou des cités de plus en plus ethniquement homogènes. Acteur à part entière du processus économique,
mais dévolu aux tâches que les nationaux ne jugent plus compatibles avec leur dignité, fussent-ils au chômage et pour cette raison
promis aux travaux socialement les moins gratifiants, les plus péni-

bles, pour les salaires les plus bas, le travailleur immigré est en outre soumis naturellement à une série de ségrégations de fait par le logement, le lieu de résidence, le rapport que la société entretient avec lui, ne serait-ce qu'à travers ses « forces de l'ordre ». Or, comme dans les États sudistes d'Amérique, cette situation, qui ne résulte d'aucune volonté particulière, bonne ou mauvaise, suscite et entretient des réactions ambivalentes, allant du paternalisme bien-pensant à l'hostilité entretenue par la peur : ce qui se dit communément à propos des immigrés, que l'extrême gauche y investisse ses dernières espérances ou l'extrême droite ses éternelles phobies, n'est pas sans rappeler le grand débat américano-américain que nous avons évoqué plus haut. Et l'on sait à quel point déjà, à l'époque de la guerre de Sécession, les plus intransigeants des esclavagistes aimaient à souligner la mollesse congénitale, les pulsions anarchisantes et criminelles, les antécédents sauvages de la population servile.

Encore une fois, l'esclavagisme tendanciel n'est pas assimilable à un esclavagisme réel : ce que nous voyons cependant, c'est à quel point se reconstitue mécaniquement la structure apparente, invariante en soi, de cette division interne du travail qui a toujours servi de socle à l'institution esclavagiste. Comme si, spontanément, dans quelque milieu qu'elle baigne, la société redessinait et recomposait en elle-même non seulement l'espace du maître et celui de l'esclave, mais également cet aspect intermédiaire et structurant qui est celui du demi-esclave qui se vit comme demi-maître. En Israël, l'extension territoriale favorisée par la guerre des Six-Jours a tout aussi naturellement exacerbé un processus qui fait que la plus grande partie de la force de travail de base (composée de Palestiniens) ne bénéficie pas de la citoyenneté : l'ordre civique, là encore, inverse l'ordre social. D'un côté la production, de l'autre le pouvoir. Et la part prise à celle-là est inversement proportionnelle à la part prise à celui-ci.

Au demeurant, cette structure invariante sans cesse recomposée n'exprime pas seulement une division du monde du type Nord-Sud qui ferait, pour simplifier, que l'Europe occupe le pont et que l'Afrique remplit la soute (comme dans un navire négrier) ; elle se reproduit et se réinvente tout aussi spontanément à l'intérieur même des sociétés asiatiques ou africaines, avec des traces de néo-esclavagisme souvent plus accentuées. Cela va du rôle des Coréens au Japon ou des Chicanos en Californie à celui des Voltaïques en

Côte-d'Ivoire, des Ghanéens au Nigeria ou au Gabon, des Sri-Lankais et des Philippins dans les pays du golfe Persique, etc. La chaîne est infinie qui fait de ceux-ci, en fonction d'un développement économique inégal ou d'une domination militaro-hégémonique, les esclaves explicites ou implicites de ceux-là.

Les évolutions du contenu ne changent pas grand-chose, on l'a vu, à la formalisation de la structure apparente qui, même sans esclavage explicite, reconstitue l'enveloppe et le tissu interne des rapports de production esclavagistes. La volonté humaine s'efface en l'occurrence devant le libre jeu des forces économiques dont les populations ne font qu'alimenter les flux et les reflux, de telle façon que les mouvements qui les portent et les drainent les poussent inéluctablement dans l'espace du maître ou dans celui de l'esclave. Et ce phénomène ne fait que s'accentuer sous le double effet de l'internationalisation du grand marché libéral, de l'éclatement des fédérations et de l'effondrement de l'empire communiste, qui avait réussi très artificiellement à contenir ces poussées migratoires.

Alors que nous revivons à l'échelle planétaire un nouvel exode des peuples, où croit-on que viendront échouer en définitive ces cohortes innombrables de parias chassés de leurs terres natales par les guerres civiles, la misère et les épurations ethniques ? Dans l'espace de mieux en mieux protégé des maîtres grands ou petits, ou dans celui, prédélimité, où s'entasseront non plus de vrais esclaves en droit, mais des semi-esclaves de fait ?

Double processus croisé, en quelque sorte : l'un a permis d'émanciper sur la presque totalité de la surface de la terre l'immense majorité des esclaves en droit, tandis qu'un phénomène compensatoire précipite vers un semi-esclavage de fait toute une fraction, frappée par le destin, de populations libres. Mutation par aller et retour à l'intérieur de la structure invariante.

Dans la grande plantation de type colonial, l'esclave suppléait à la machine. Il était machine. L'avènement de la machine a donc contribué à libérer l'esclave. Mais voici qu'une nouvelle révolution technologique supprime, entre le concepteur et le balayeur, entre le programmateur et le manœuvre, la fonction de travailleur intermédiaire. Dès lors, le fossé se creuse de nouveau entre un travail noble et relativement conceptuel qui apparaît comme libre, et un travail de nettoyage, d'entretien ou de contrôle totalement dévalué mais nécessaire, qui apparaît comme semi-servile. Le « fossé » que représentait, dans la plantation, le rapport esclave-contremaître est ainsi recomposé à la faveur de la révolution scientifique et technique.

Logiquement, les tâches les plus pénibles et les plus ingrates devraient bénéficier des salaires parmi les plus élevés puisque, sur le marché national, l'offre de travail est en ce domaine plus importante que la demande. C'est d'ailleurs ce qui se passe quand la loi du marché joue effectivement (ainsi, à San Francisco, les salaires des ramasseurs d'ordures, presque tous blancs, sont en effet parmi les plus hauts). Or, c'est précisément le recours massif à la main-d'œuvre immigrée qui maintient les salaires des travaux les plus ingrats à leur plancher, reproduisant en cela le mécanisme du transfert esclavagiste.

Mais n'est-ce pas ce qui déjà s'était passé lorsque l'Europe romaine était passée de l'esclavage au servage ? Il n'y eut pas abolition, en effet, mais fusion, pour des raisons économiques, du paysan libre ruiné et de l'esclave devenu trop peu productif, en un statut hybride, intermédiaire : celui du serf. D'une part, pour lutter contre l'improductivité des esclaves, soulignée par Pline l'Ancien, on leur accorde de plus en plus de droits. D'autre part, à partir du IIe siècle, les colons pressurés par l'État, ruinés par la chute des prix agricoles, tombent sous la dépendance des gros propriétaires. Les deux catégories sociales se rejoignent pour se fondre en une seule. D'un côté, donc, au IIe siècle av. J.-C., le maître se voit interdire de tuer son esclave. Bientôt, on ne peut plus séparer une famille de travailleurs serviles et la dette d'un maître envers son esclave est reconnue. Sous Antonin le Pieux, l'usage de la torture est limité et l'affranchissement facilité. Au IVe siècle, on interdit la vente des esclaves paysans hors des limites de leurs provinces, puis on prend l'habitude de les vendre avec la terre. En revanche, et parallèlement, un édit de 332 permet de mettre aux fers les colons — paysans semi-libres — qui ont prémédité de fuir leurs domaines. Un édit de 364 établit qu'un colon, son fils ou son petit-fils, qui quittent en secret la propriété où ils travaillent pour se livrer à un autre emploi, doivent être immédiatement restitués. Enfin, en 530, un édit de Justinien rend égaux esclaves et colons. Le servage, qui, dans certains cas, est volontaire, devient alors le type de semi-esclavage le mieux adapté à la période de la féodalité : non point rupture avec l'esclavagisme antique (qui pouvait lui-même prendre des formes très diverses, comme celle des ilotes, mi-esclaves mi-propriétaires, à Sparte), mais adaptation de cette structure invariante à des conditions différentes et à un environnement modifié. Le serf, dans le système agricole féodal, c'est le non-propriétaire. En cela réside son altérité. Il est asservi mais n'en vit pas moins du fruit de son travail. En réalité, il est condamné à être naturellement affranchi dans la mesure où il fait partie de la même communauté ethnique que le maître.

De toute façon, le système féodal place le paysan libre dans une telle situation de dépendance par rapport au châtelain que cette émancipation n'a pas grand sens et que de nombreux serfs, peu soucieux de racheter la terre sur laquelle ils travaillent, la refusent. C'est pourquoi, malgré des affranchissements massifs dès le XIVᵉ siècle, le servage ne fut définitivement aboli en France que le 8 août 1789. (En 1808 en Bavière, en 1811 en Prusse, en 1848 en Autriche, en 1861 en Russie.) L'on évoquera à ce propos ce personnage de *La Cerisaie* de Tchekhov qui ne cesse, après son affranchissement, de regretter le « bon temps » du servage. N'a-t-il pas dû racheter de ses deniers la terre qu'il avait fini par considérer comme sienne ?

Résumons : il n'y a pas succession linéaire dans le temps, et en fonction d'une logique progressive, de différents types de rapports de production, dont l'un, l'esclavagiste, serait le plus archaïque et par conséquent le plus daté, mais adaptation, à travers le temps, aux conditions les plus diverses et les plus spécifiques, d'une double tendance structurellement invariante à l'asservissement de l'altérité et à la plus efficace exploitation possible du travail humain. Cette adaptation a pris des formes plus ou moins dures ou souples, plus ou moins humaines ou oppressives — le servage fut plus souple que l'esclavagisme colonial et lui est pourtant antérieur —, moins en fonction du temps et des progrès qu'il est censé apporter que des particularités qui ont présidé à cette mutation. Le type d'exploitation de la main-d'œuvre enfantine dans les filatures anglaises du XIXᵉ siècle fut singulièrement plus inhumain et plus oppressif que les rapports qui liaient maîtres et esclaves dans certaines plantations des Antilles. Et l'on sait que le sort de certains esclaves des États sudistes américains était parfois plus enviable que celui, un siècle plus tard, des travailleurs officiellement libres employés dans les mines de la République sud-africaine !

Surtout, quelle que soit la nature du lien d'asservissement, les rapports serviles sont généralement d'autant plus brutaux que l'altérité de l'asservi est plus tranchée.

Enfin, l'esclavage ne meurt pas naturellement de ses contradictions — sans quoi, il aurait définitivement disparu après le ivᵉ siècle ou encore après la nuit du 4 août 1789 —, mais les contradictions qui lui sont inhérentes constituent les catalyseurs des mutations et adaptations qui sans cesse et nécessairement le métamorphosent tel qu'en lui-même...

Où l'on découvre la persistance d'un « parti » esclavagiste

Ici, arrêtons-nous un instant. Suggérer que l'esclavagisme constitue une structure tendanciellement invariante ne signifie évidemment pas qu'il y ait identité entre toutes les mutations qui l'affectent : entre, par exemple, le plein esclavage de droit et ce que nous avons appelé le semi-esclavage de fait ; entre l'esclave « chose » ou « instrument », tel que le voyait Aristote, et l'esclave considéré comme sous-citoyen (ce pour quoi l'esclavagisme grec ou romain antique ne fit pas débat parmi la communauté des hommes libres, alors que l'esclavagisme américain au xixᵉ siècle l'interpella). Il nous faut donc établir d'emblée que s'il n'existe pas un « progrès » immanent qui permet de décréter, à un instant donné d'une histoire irréversiblement évolutive, la caducité de l'esclavage (encore une fois, les exemples terrifiants du stalinisme et de l'hitlérisme le démontrent éloquemment), en revanche, les conditions mêmes de la tendance à la reproduction de cette structure invariante découlent des multiples acquis suscités par les contradictions précédentes. En cela gît la réalité profonde du mouvement évolutif. Le progrès ne signifie pas la fin de la tendance structurelle à l'esclavagisme, dont on a dit l'invariance, mais l'impossibilité de recomposer à l'identique des formes structurelles que les contradictions naturelles ou suscitées ont rendues inadéquates.

En quelque sorte, il y a toujours plus de formes d'asservissement qui se révèlent impossibles, improbables ou caduques, et les batailles politiques, idéologiques et sociales y contribuent puissamment, ce qui ne met pas fin, pour autant, à la tendance à réinventer de nouvelles formes possibles ou probables d'asservissement. Le progrès ne brise pas l'invariance, mais il contribue à en déterminer l'évolution en s'immisçant dans la structure. Il s'ensuit qu'il ne faut pas juger du progrès en termes d'abolition de structures, mais à travers la façon qu'a une réalité structurelle donnée de décliner son invariance en la remodelant sans répit : cette manière sera, à court terme, alternativement progressive ou régressive, mais on peut considérer que, sur le long terme, elle est tendanciellement progressive.

Autrement dit, le progrès n'est pas extérieur à un invariant structurel, même dans un cas limite comme l'esclavagisme : il n'agit sur la structure que s'il intervient dans la structure en la recomposant. Il n'y a pas une structure close et datée — par exemple l'esclavagisme — dont le progrès marquerait la destruction radicale et définitive, mais modifications constantes, parfois essentielles, que la lutte politique, sociale et idéologique catalyse, d'une tendance invariante à reproduire la structure esclavagiste. C'est cette modification interne, incessante et parfois brutale, qui est tendanciellement progressive : qui fait, en particulier, que la forme que revêt cette tendance structurellement invariante intègre nécessairement tous les acquis et combats qui en ont peu à peu gommé, équarri ou éradiqué les plus insupportables ou évidentes malfaisances ; et que, par exemple, le semi-esclavagisme de fait, même quand il prend comme aujourd'hui une dimension considérable et angoissante, est tout de même intrinsèquement différent du plein esclavagisme de droit, en cela a) qu'il interpelle la communauté libre ; b) qu'il asservit l'homme sans le chosifier juridiquement ; c) qu'il laisse théoriquement à cet homme une possibilité légale de refuser cet asservissement.

N'empêche qu'au sein même de cette mutation globale qui tend à humaniser la tendance invariante à recomposer à l'infini des structures esclavagistes, subsistent ou même se reconstituent des formes d'esclavage originelles, ce qui indique que toute invariance structurelle évolutive laisse derrière elle, comme des galets sur une plage, des traces de structures invariantes antérieures à cette évolution. La prostitution, telle qu'elle se pratique dans de nombreux pays du monde, ou le trafic d'enfants en sont des exemples. Sans parler de ces explosions d'esclavagisme primitif de masse dont la Russie stalinienne et l'Allemagne hitlérienne nous ont donné des illustrations, et qui rythment aujourd'hui encore les soubresauts d'une planète en proie aux démons des guerres tribales et raciales.

En 1988, *L'Événement du jeudi*, pour réaliser un dossier intitulé

« L'esclavage en France aujourd'hui », a pu recenser une multitude de cas précis relevant du servage pur et simple : ici l'emploi non rémunéré d'apprentis systématiquement brutalisés, là l'utilisation d'handicapés ou de débiles mentaux comme bêtes de somme, ou encore le quasi-asservissement de travailleurs agricoles analphabètes par certains propriétaires fonciers. On pourrait aller plus loin et percevoir, dans la vie politique, la persistance à toutes les époques et jusqu'à aujourd'hui d'un parti esclavagiste qui adapte parfaitement son discours aux conditions et aux réalités du moment : c'est-à-dire qui propose le plus d'esclavagisme possible compatible avec le milieu, les mœurs, les lois et la situation. Il exigera, par exemple, que les travailleurs étrangers ne bénéficient pas des mêmes prestations sociales que les nationaux, qu'ils soient exclus du droit aux allocations ou à la retraite ; il les accusera d'être la cause du déficit de l'assurance maladie ; ou bien, de manière moins franchement xénophobe, il insistera sur la nécessité absolue de réduire le coût du travail, fût-ce en supprimant toutes références à un salaire minimal, et il plaidera pour le retour à la liberté totale de fixer contractuellement les rémunérations. L'idée qu'il n'y aurait pas de chômeurs si des sans-travail pouvaient être embauchés contre une simple garantie de subsistance reste d'autant plus forte qu'elle n'est pas inexacte. « Pour lutter efficacement contre le chômage, déclarait en substance le Premier ministre britannique John Major, il faut mettre les chômeurs au travail. » *Of course* ! A quoi s'ajoute la conviction bien enracinée qu'un adolescent gagnerait souvent à être employé sur le tas, en échange d'une formation et d'argent de poche, plutôt que de perdre son temps à poursuivre des études jusqu'à seize ou dix-huit ans. En mars 1994, en France, on a vu ici et là réémerger un discours néo-esclavagiste à l'occasion de la tentative d'instaurer un SMIC-jeunes.

Cette dernière remarque nous conduit à affiner notre propos. Nous avons considéré jusqu'ici l'esclavagisme comme l'archétype le plus spectaculaire d'une structure tendanciellement invariante : il s'agit en l'occurrence d'une structure globale. Mais cette globalité est abstraite. Concrètement, elle est toujours la résultante d'une multitude d'invariances structurelles particulières : le racisme, la xénophobie, la peur de l'autre, l'exclusion, la défense identitaire, la volonté de puissance en sont certes des composantes, mais aussi la tendance naturelle de chacun à asservir l'autre à ses désirs, à ses besoins, à sa volonté, à son ambition —, cette tendance, qui renvoie à une structure sociale invariante, étant elle-même complémentaire d'une invariance structurelle psychologique dont l'inconscient est l'expression freudienne. En cela, le « moi » est implicitement social et le social explicitement égotique, la société pesant sur le « moi » social au même titre que le « moi » social contribue à façonner la société.

Qu'un inconscient esclavagiste gise au plus profond de chacun d'entre nous, la psychanalyse nous l'indique et le réel quotidien nous en apporte de nombreuses illustrations. Le contrat d'esclavage n'intervient-il pas communément de manière métaphorique, dans la rhétorique amoureuse par exemple ? Que dire du concept de possession ? Les rêves n'en véhiculent-ils pas la rémanence ? C'est le chef de famille qui, rentré chez lui après sa journée de travail, bien au chaud dans ses pantoufles, reconstitue autour de lui un cercle de servitudes volontaires. C'est la femme au foyer qui trouve tout à fait normal de payer pour l'essentiel sa domesticité en nature (couvert et logement) et ne déclare pas sa femme de ménage cap-verdienne. C'est, on l'a vu, l'artisan qui « achète » un jeune à ses parents et le rémunère en simple formation sur le tas. C'est, à travers le bizutage et autres formes de brimades, le plaisir collectif pris à l'asservissement simulé, et parfois réel, de la bleusaille, la chosification passagère de l'impétrant. C'est le « mac » qui transforme la prostituée qu'il protège en pur instrument de sa rage dominatrice. C'est l'enfant à l'école devenu le souffre-douleur servilisé de ses petits camarades. C'est l'emploi conscient et organisé de clandestins dépourvus de tout droit, entravés par la chaîne d'une dénonciation toujours redoutée. C'est l'épouse réduite à vie à l'état de servante muette, souvent humiliée, parfois battue. C'est le petit employé impitoyablement piétiné par un chef de rayon qui transcende ainsi sa propre insignifiance. C'est la bande de loubards qui mime, en terrorisant autour d'elle, un désir primitif de soumettre l'autre à ses pulsions sadiquement oppressives. C'est le viol, plus encore lorsqu'il est collectif ; la femme réduite à l'état d'instrument offert à la libido du vainqueur ou du voyeur ; la torture sans autre finalité que le plaisir qu'elle procure par la possession sauvage du corps de l'autre, destruction d'une volonté par l'appropriation d'une souffrance. C'est cette prégnance de l'animalisation dans l'injure, comme si toute violence incontrôlée révélait l'espoir de bestialiser le contradicteur pour le faire passer au-delà même de l'esclavage. C'est encore cette pulsion esclavagiste invariante qui affleure dans les expressions les plus bestialement dominatrices ou les plus passivement serviles de la sexualité, telles que les exploite en particulier la pornographie commercialisée.

Or, ce que nous enseigne justement la psychanalyse, c'est qu'il est non seulement possible mais nécessaire de dresser une typologie de l'inconscient en s'efforçant de dégager les structures invariantes qui éclairent ou explicitent jusqu'aux pulsions névrotiques ou psychotiques. D'où la tentation de ne voir, dans cette structure sociale tendanciellement invariante qu'est l'esclavagisme, que le pur reflet d'une structure mentale invariante. Une sorte de socialisation mécanique de l'inconscient.

Il n'en est rien : de même qu'une superstructure idéologique s'émancipe de l'infrastructure sociale dont elle est à l'origine l'émanation (structure sociale esclavagiste, idéologie esclavagiste), de même cette infrastructure sociale se libère des structures mentales qui ont contribué à la façonner. Il s'ensuit que nous ne nous trouvons pas face à une série d'invariances structurelles qui s'échelonnerait selon un enchaînement classique de cause à effet, mais devant un amoncellement de strates structurellement invariantes qui, à partir d'un rapport de cause à effet originel, ont organisé leur propre mutation évolutive et ont de la sorte adapté et consolidé leur invariance de façon autonome.

Ainsi, ce n'est pas l'inconscient esclavagiste qui a produit l'institution esclavagiste dans les États américains du Sud, mais le mécanisme de recomposition d'une structure sociale invariante qui a rencontré le tréfonds esclavagiste d'une multitude de mentalités implicites.

Sans doute une propension innée a-t-elle, au cours de l'évolution sociale, connecté un câblage neuronal spécifique à l'expression quasi mécanique d'un certain nombre d'instincts (en tant que réponses basiques à des stimuli déterminés). Mais ce n'est pas cette disponibilité mentale latente qui a enclenché le processus de recomposition d'une structure sociale qui lui est adéquate. C'est au contraire le processus de recomposition sociale de cette structure qui se nourrit *a posteriori* de cette disposition latente. De la même façon, on l'a vu, le féodalisme en tant que structure sociale n'est évidemment pas le simple reflet d'une prédisposition mentale au féodalisme, mais il est évident que son incessante recomposition sociale serait impossible sans cette prédisposition mentale.

Comment l'homme se libéra en opprimant

Il faut bien comprendre, une fois encore, que l'inné (expression volontairement passe-partout qui exprime une continuité évolutive dont l'origine peut être antérieure à la socialisation proprement dite) ne détermine pas l'acquis, mais que l'acquis ne peut jamais occulter l'inné, qu'il s'en nourrisse, qu'il l'intègre à ses remodelages successifs ou qu'il s'affirme culturellement comme son contrepoids.

Dans le cas qui nous intéresse ici, nous dirons, non que l'esclavagisme prolonge socialement une structure mentale tendancielle, mais que plusieurs prédispositions précâblées, inlassablement recomposées en fonction des acquis et des mutations environnementales, concourent à son incessant redéploiement.

Pour comprendre cette sorte de dialectique particulière qui fait que les structures invariantes issues les unes des autres agissent ensuite de manière autonome, il suffit de reconstituer ce qui pourrait constituer la chaîne historique simple de l'esclavage.

Supposons que le processus premier consista à conclure tout conflit individuel par l'anéantissement (voire déjà par l'asservissement) de l'autre. Une tendance aussi primitive, mais tout aussi structurellement invariante, incita l'un et l'autre à se regrouper pour se protéger et affronter efficacement la coalition la plus proche des uns et des autres.

Alors ces communautés, puis ces hordes ou ces tribus, puis ces peuples furent conduits, en fonction de leur proximité et de leur aspiration à contrôler par exemple les mêmes sources de subsistance, à engager des combats offensifs ou défensifs qui se soldèrent soit par la destruction de l'adversaire, soit par sa captivité, et, l'utilité faisant loi, par son astreinte à des travaux forcés en échange de son droit à la survie.

Il ne s'agit pas ici d'une simple supposition : entre 1804 et 1806, deux militaires américains, le lieutenant William Clark et le capitaine Lewis, furent chargés par le président Jefferson de remonter le Missouri et d'atteindre si possible la mer en procédant à un recensement des communautés indiennes qui peuplaient ces régions en partie inexplorées. Or, ce que décrivent nos deux aventuriers, c'est bien, dans le cadre d'une économie de troc croisé entre peuples et tribus, un système de règlement des conflits, et accessoirement d'économies parallèles, axé soit sur l'anéantisse-ment de l'ennemi, soit sur l'appropriation de sa force de travail. Ainsi, dans un coin reculé d'un camp de 200 âmes se tiennent par exemple une trentaine de prisonniers qui, contre nourriture, s'affairent à de menus travaux. A partir de ce schéma simple de rapport d'appropriation de l'un par l'autre, ou des uns par les autres, socialement de moins en moins supportable parce que fac-teur d'instabilité et d'insécurité constantes, va se développer, en réaction, une aspiration à toujours plus de sécurité individuelle et collective, parallèlement à l'émergence d'un concept de liberté individuelle et collective. Non seulement les communautés vont se regrouper en entités nationales ou semi-nationales, mais le proces-sus d'appropriation de l'un par l'autre va être peu à peu éradiqué de l'espace ainsi protégé pour être rejeté sur le monde extérieur. La communauté élargie se donne une identité par le rejet de la servitude à sa périphérie. L'asservi n'est plus « l'autre » à l'issue d'un combat singulier, mais l'étranger en conclusion d'une guerre qui se déploie dans l'espace : l'esclavagisation de l'étrangeté socia-lise la communauté.

Dès lors, la différence et l'exterritorialité apparaissent, plus que la défaite, comme la justification de l'asservissement. La nouvelle structure sociale, résultat d'une mutation au sein de l'invariance, rencontre en cela une autre structure mentale invariante qui tend à l'exclusion de cette altérité que l'on qualifiera très vite de « bar-bare ». La collectivité s'affirme dans l'instrumentalisation sociale et mentale de ce qui se situe hors communauté. Cela apparaît déjà à Sumer, quatre millénaires av. J.-C., et se retrouve à Babylone, en Perse, en Chine. Mais, du même coup, l'asservissement devient système. Ce n'est plus simplement l'individu ou le groupe qui en constituent le pivot, mais la société tout entière. L'esclavagisme global apparaît plus alors comme une alternative à l'asservisse-ment particulier que comme son extension. Ce qui signifie qu'il n'y a pas glissement mécanique d'une structure à une autre, mais autoprotection de la structure générale par opposition de sa forme élargie à sa forme restreinte. Toute structure invariante s'autopro-tège, au demeurant, en gérant et en organisant elle-même, autant que faire se peut, les contradictions internes qui dynamisent sa mutation et lui permettent de persévérer dans son être : quitte à sacrifier tantôt son être restreint à son être élargi, tantôt son être élargi à son être restreint.

Mais la forme élargie d'une structure invariante n'efface jamais totalement sa forme restreinte. (L'évolution du capitalisme illustre parfaitement cette remarque.) Ainsi, au sein de l'institution esclavagiste élargie, a toujours subsisté une tendance à la servitude restreinte, en particulier sous la forme de l'asservissement pour dettes. Au point qu'à Rome les luttes sociales de la plèbe se sont organisées en réaction à cette dégradation de l'homme libre au sein de la cité, alors même que l'institution esclavagiste élargie, elle, n'était pas contestée : comme si le rejet de la servitude à la périphérie de l'empire rendait intolérable l'asservissement d'un concitoyen. De la même façon, plus tard, l'exploitation coloniale ne mettra pas fin aux tendances à l'asservissement dans la métropole, mais les rendra moins supportables.

En 424 av. J.-C., c'est le sort d'un soldat libre, ruiné par la guerre et réduit par ses créanciers à l'état de bête captive, qui provoqua une émeute des asservis pour dettes, et, en signe de solidarité, le retrait du peuple sur l'Aventin. A plusieurs reprises, des réformateurs tels Solon à Athènes, ou les promoteurs de la *Lex Poetilia* à Rome (326 av. J.-C.), réagiront contre cette atteinte insidieuse à la citoyenneté de l'homme libre, sans remettre en cause pour autant le principe de l'esclavage élargi. Et inversement, plus tard, les patriciens mobiliseront les esclaves pour venir à bout des velléités réformistes du tribun de la plèbe Tiberius Gracchus.

Tout se passe donc comme si, à l'intérieur d'une structure globale invariante, les mutations internes par élargissement n'avaient pas éradiqué les formes antérieures restreintes, mais les avaient rendues de moins en moins acceptables. L'esclavage, institution opposée à l'asservissement primitif de l'un par l'autre, apparaît dans un premier temps comme une forme d'assurance que se donne la liberté de l'un et de l'autre au sein d'une communauté élargie. L'esclavagisme institutionnel est en quelque sorte le fruit, compatible avec l'invariance de la structure de base, d'une accession plus large à la liberté et à la sécurité communautaires. C'est ce qu'exprimait fort bien le sénateur sudiste cité plus haut : l'esclave noir est la condition de ma liberté de Blanc. Cette structure invariante de base n'est donc pas anéantie, mais en s'élargissant, en s'exterritorialisant, elle s'offre en alternative à elle-même, comme elle trouvera ensuite dans le servage (puis le métayage) un autre élargissement interstructurel susceptible d'assurer sa permanence.

Il en découle, comme nous l'avons déjà souligné, que ce progrès n'est pas extérieur, mais intérieur à la structure, et qu'il n'est pas univoque. L'extension de l'Empire romain aggrave objectivement une situation qui s'était assouplie à l'époque hellénistique. Le sort de l'esclave se détériorera même dans la Gaule mérovingienne. Le « plus d'esclaves » extérieurs est, à un certain stade d'une évolution sociale, la condition du « moins d'esclaves » au sein de la cité, puis de l'empire. La structure invariante s'est élargie pour dégager l'espace propre à l'émergence d'une autre invariance structurelle : l'aspiration à la liberté et à la sécurité.

D'ailleurs, certaines sociétés particulièrement rétrogrades et théocratiques, telle l'Égypte antique, réservent le droit à la possession d'esclaves aux seuls souverains et prêtres, si bien que l'élargissement de ce droit, donc le développement de l'esclavage, correspond, d'une certaine manière, à l'émancipation relative d'une grande partie des membres de la communauté. Ailleurs, l'absence officielle d'esclaves traduit en fait une esclavagisation du peuple tout entier, quand l'esclavage favorise au contraire la diversification sociale.

De la même façon, le passage de l'esclavage au servage correspondra à une généralisation, donc à la banalisation d'une moindre servitude : cette fois, la féodalité réintroduit l'asservissement à l'intérieur de la communauté, mais, en compensation, transforme l'esclave-instrument en un serf lié à sa terre et qui contrôle ses propres instruments de production. Il n'a plus besoin d'être étranger, puisqu'il est censé être d'un autre « sang » et participer d'un autre ordre que celui du maître. (En l'occurrence, et cela explique en partie ce glissement, le maître est souvent un conquérant issu des mêmes groupes ethniques qui fournissaient les esclaves d'hier.) Le servage n'est possible que parce que la féodalité réintroduit l'étrangeté à l'intérieur de la communauté stratifiée. La périphérie étant devenue dangereuse, l'asservissement est réintégré dans le fief, mais protégé et doté d'un statut d'altérité.

Il apparaît clairement ici qu'en fonction d'une modification radicale de l'espace politique et économique (chute de l'Empire romain, invasions barbares, recloisonnement des communautés, réduction des perspectives de l'échange), la structure esclavagiste invariante réorganise sa propre cohérence dans ce nouvel espace étriqué, dans des conditions qui assurent le plus rationnellement possible son autoprotection. Elle s'adapte en même temps parfaitement à la nouvelle idéologie dominante, le christianisme, qui, à l'origine, apparaissait pourtant comme sa plus radicale subversion. L'esclavage, considéré par saint Augustin, comme la punition imposée au pécheur, trouve même chez saint Thomas une justification prérationaliste.

D'ailleurs, au moment où, naturellement, le servage se transforme peu à peu en métayage, un événement considérable va démontrer à quel point la structure invariante est capable d'élasticité : les découvreurs et conquérants de l'Amérique ont tout naturellement utilisé la population indigène comme une masse indéterminée brutalement astreinte au travail forcé : le « sauvage » n'est plus un instrument individualisé, et par conséquent doté d'une valeur, comme le barbare, mais l'élément neutre d'un troupeau industrieux anonyme, dont la survie n'a qu'une importance relative au-delà de son utilisation ponctuelle immédiate. En outre, nous avons vu que les Indiens préféraient généralement la mort à l'asservissement au travail forcé. Or, c'est pour mettre fin à cette horreur et empêcher un génocide programmé que l'évêque philanthrope Las Casas suggéra, après avoir fait théologiquement établir que les Peaux-Rouges avaient une âme, le recours à des esclaves africains pour sauver les Indiens sans provoquer la révolte des maîtres. Et c'est sous son influence que Charles Quint accorda en 1516 la première concession de traite des Noirs. D'une certaine manière se reproduisit le processus qui, sous l'Antiquité, avait fait de l'esclavagisme élargi une réponse aux aberrations de l'asservissement restreint.

On ne saurait en outre exclure que l'ampleur prise ensuite par l'économie de traite, et cette nouvelle projection de la servitude à la périphérie, aient favorisé la liquidation interne du servage. L'élargissement de l'institution esclavagiste va une fois de plus de pair avec un élargissement relatif de l'espace de liberté.

En résumé, nous sommes confrontés à deux schémas qui tous deux éclairent le processus d'évolution de l'esclavagisme institutionnel.

Premier schéma : une structure invariante exprime la tendance stable à l'exploitation des uns par les autres, du plus faible par le plus fort, du vaincu par le vainqueur. Une autre structure invariante traduit la tendance au rejet de la différence dans un espace statutaire qui lui est réservé. Or, l'institution esclavagiste classique fusionne ces deux invariances structurelles en un système unique et intégré.

Second schéma : une structure invariante formalise la tendance à l'asservissement de l'un par l'autre. Une autre structure invariante correspond à la tendance de toute communauté à conquérir sa liberté et à affirmer son identité. Cette contradiction constitue, en soi, une invariance structurelle. L'institution esclavagiste s'offre, à une période donnée, en réponse à cette contradiction en ce qu'elle favorise l'identité et la liberté communautaires des uns par l'exterritorialisation de l'asservissement des autres.

Sur le stade esclavagiste du capitalisme industriel

Ce dépassement de la contradiction, permettant d'intégrer ces deux tendances, trouvera un nouvel exutoire dans l'expansion impérialiste en Afrique et en Asie : au lieu d'importer une main-d'œuvre cheptelisée, on l'asservira sur place. Nouvelle preuve de l'élasticité de la structure.

Là encore, le développement de l'exploitation coloniale accompagne l'élargissement dans les métropoles du champ des libertés politiques et le renforcement de la sécurité individuelle. Il constitue, comme le reconnaissait dans le texte cité plus haut Cecil Rhodes, un exutoire à l'exacerbation des contradictions sociales en Europe.

C'est qu'entre-temps, sous l'impulsion de la révolution technique initiée par l'apparition de la machine à vapeur, l'explosion industrielle a précipité des masses rurales prolétarisées vers les mines et les fabriques où, dans un premier temps, leur force de travail est échangée contre le seul droit à la subsistance. On remarquera qu'à ce stade, le capitalisme industriel renoue spontanément avec des rapports d'exploitation qui reconstituent, à une abstraction près, les liens de l'esclavage antique : discipline de fer, absence de droit de grève, interdiction de tous regroupements corporatif ou syndical (interdits par la loi Le Chapelier), parcage social, salaire correspondant au plus juste à l'entretien d'une force de travail utilisée jusqu'à la limite de l'usure... Ce n'est pas pour rien que resurgit aussitôt le vieux spectre des « classes dangereuses », du barbare !

Nous sommes en 1847 en France, sous le règne de Louis-Philippe. On compte déjà dans tout le pays 5 000 machines à vapeur produisant l'équivalent énergétique de plus de 60 000 chevaux. Les premiers marteaux-pilons ont été expérimentés au Creusot sept ans plus tôt. L'industrie textile est en voie de mécanisation accélérée, le rendement des broches ayant augmenté de 50 % en dix-huit ans.

Or, le 29 juin de cette année-là, la Chambre des pairs examine un projet de loi réglementant le travail des enfants dans les usines. Le rapporteur n'est autre que ce même baron Dupin (père de Dupin aîné qui présidera l'Assemblée législative républicaine de 1851) dont nous avons déjà cité les propos justifiant l'esclavage. Le baron Dupin n'en est pas moins partisan de réformes minimales tendant à interdire l'emploi des enfants de moins de dix ans.

Écoutons-le : « Il y a chez l'entrepreneur d'industries, explique-t-il doctement, deux intérêts évidents, deux tendances invincibles [notons bien ici le terme *invincibles*] : d'abord à demander, pour seconder les moteurs inanimés, des coopérateurs intelligents que leur jeunesse et leur faiblesse rendent moins dispendieux et plus dociles à porter sans résistance la surcharge du labeur ; ensuite à racheter une moindre consommation instantanée de force humaine par une plus grande consommation de temps aux dépens de tout repos [...]. L'esprit de calcul dirige vers cette voie, s'y précipite. De proche en proche, il exige de la classe ouvrière un prolongement exagéré des heures laborieuses. Ce même esprit de calcul, qui prend les hommes pour des choses et considère la vie comme une valeur consommable à prix courant, tend à remplacer la force du travailleur viril par celle des moteurs inanimés, sa dextérité par celle la femme, son agilité par celle de l'adolescent, par celle de l'enfant même. Et cela, pour obtenir sur les salaires l'économie progressive qui résulte de l'emploi des êtres les plus faibles et les plus jeunes, pourvu qu'ils voient et qu'ils respirent. »

Avant d'aller plus loin, notons que le baron Dupin n'est pas, contrairement aux apparences , un idéologue prémarxiste, mais un solide conservateur libéral orléaniste qui s'applique simplement à démonter les mécanismes d'une réalité dont il ne conteste en rien la logique globale. Au demeurant, les chefs d'industries dont il parle, héritiers des accapareurs de biens nationaux, sont les électeurs non de la droite, mais de ce qu'on appelle à l'époque la gauche « dynastique », voire parfois des républicains libéraux. D'ailleurs, la loi que défend le baron propose d'un côté « d'expulser de toute l'industrie française les jeunes travailleurs de huit à dix ans », mais, de l'autre, « de porter à 12 heures de travail par jour au lieu de 8 la durée de travail maximum à laquelle seront astreints les jeunes de dix à douze ans ». En cela, reconnaît le rapporteur, « ce projet de loi fait rétrograder la législation française en deçà des bienfaits obtenus en 1833 par l'Angleterre pour les enfants ». Il précise d'ailleurs que c'est en dehors des 12 heures de travail qu'il faudra trouver, même pour l'enfant de dix ans, les rares moments réservés à l'école, à l'instruction religieuse et bien sûr au repos, alors que le transport représente souvent plus de 8 km à parcourir à pied chaque jour. Il est vrai que, comme le précise le ministre du Commerce, si les enfants d'ouvriers bénéficiaient de plus de temps libre, « ils contracteraient l'habitude du jeu, de la paresse et du vice ».

Voilà donc notre rapporteur expliquant à la très noble Assemblée que, contrairement à ce que prétendent de nombreux entrepreneurs, la nouvelle loi sur le travail des enfants n'est pas « trop humaine » et ne risque donc pas « d'acculer les entreprises à la ruine » (ce qui constitue le type même de l'argumentation conservatrice invariante).

Le labeur, même excessif, favorise l'éclosion de la prime enfance, affirment les adversaires de la nouvelle loi. Le baron Dupin a consulté, à ce propos, les statistiques dressées par les conseils de révision de 1846. Il a constaté que dans les cantons manufacturiers, pour 100 sujets bons pour le service, on en comptait 1 032 déclarés incapables pour infirmités, difformités, débilité. Dans les cantons agricoles limitrophes, le rapport était de 459 réformés seulement pour 1 000 sujets bons pour le service. La raison en est peut-être, note le rapporteur, que le progrès industriel « consiste à retrancher le plus possible du travail les combinaisons intellectuelles du travailleur. On conçoit alors comment il se fait que la population qui collabore à la confection de produits vraiment admirables puisse déchoir au lieu de monter dans l'ordre de l'intelligence ». Puis il poursuit : « Comment pourrait-il en être autrement avec un système industriel où la division du travail, poussée jusqu'à l'extrême, ne laisse plus à l'immense majorité des ouvriers que la répétition automatique d'un seul et même mouvement, d'une seule et même attention sur un détail unique de fabrication, en s'exerçant à répéter ce mouvement simple du corps avec une vitesse toujours croissante et qui bannit toute présence de l'imagination ? » On remarquera que le taylorisme est déjà là, embryonnaire, et qu'il traduit une tendance spontanée à combler l'écart qui sépare l'homme de la machine, pour instrumentaliser et automatiser celui-là à mesure que l'on autonomise celle-ci.

Donc le système — c'est-à-dire le processus naturel de la production capitaliste industrielle — tend à réifier la pensée même du producteur qu'elle instrumentalise. La réesclavagisation partielle qui en découle n'est pas la conséquence d'une volonté mauvaise de quelque diabolisme exploiteur, mais la forme naturelle que prend le mécanisme productif en cette phase d'expansion libérale exacerbée par les mutations techniques.

Dans la mesure où s'élaborent, sans entraves dans un premier temps, de nouveaux rapports de production sous la poussée de la révolution industrielle, ceux-ci reproduisent presque à l'identique — au détail près d'une liberté civique importante mais tout à fait abstraite — les grands traits de la structure esclavagiste invariante. On remarquera que, plus que la logique du profit, c'est la logique d'une mécanisation permettant à la fois une optimisation éventuelle du profit et un développement prodigieux de la qualité et de la quantité des richesses produites, qui favorise cette parcellisation des tâches en même temps que cette instrumentalisation du producteur dont le quasi-retour à l'asservissement classique est l'inéluctable conséquence. Nous nous retrouvons en quelque sorte, une fois de plus, mais de manière interne, face à un phénomène de libéralisation (au sens économique du terme, au moins) par élargissement de la structure d'asservissement et projection, grâce au parcage social en des quartiers réservés, aux périphéries de la société. C'est pourquoi cette société censitaire, directement héritière des idéaux libéraux de 1789, n'est pas excessivement interpellée par ce spectaculaire recommencement de la dialectique esclave-servage qui revient à intégrer une formidable régression à un processus qui détermine un incontestable progrès. Notre baron Dupin le reconnaît d'ailleurs sans ambages : « En six années, pas un seul règlement d'administration n'est apparu pour protéger, pour assurer ni les mœurs, ni la santé, ni l'instruction primaire et religieuse des enfants dans les ateliers, les usines ou les manufactures ». Résultat : dans le département de l'Aisne, alors que 46 000 enfants fréquentent l'école en 1833, 3 500 seulement savent lire et écrire en 1843. Dans l'Oise, 42 000 écoliers en 1833, 2 600 alphabétisés dix ans plus tard. Le capitalisme industriel, à l'orée de son triomphe, inverse le processus éducatif, parce que la production mécanisée a besoin, dans un premier stade, de toujours plus de bras et de toujours moins d'intelligence. L'usine primitive recompose, autour de la machine à vapeur, l'organisation productive du champ de coton dans les États sudistes d'Amérique, et, par conséquent, les rapports d'exploitation qui lui sont inhérents. Dans les deux cas, l'homme qui manie l'outil devient une composante de l'outil lui-même.

Parmi les auditeurs du baron Dupin en ce 29 juin 1847, un certain Victor Hugo, poète et pair de France, a fort bien compris ce dont il retournait : « L'industrie, écrit-il en vue d'une intervention à laquelle il renoncera finalement, a créé des espèces de monstres qui vivent presque. Pourtant, pour que la vie soit complète, il faut des âmes à ces machines. Donc on prend les enfants. Pourquoi les enfants ? Messieurs, l'industrie calcule tout. Il faut des âmes qui tiennent peu de place, qui mangent peu et qui ne coûtent pas cher. Leur destinée désormais est d'être l'âme d'une mécanique. »

Et l'âme des femmes ? « Ce sont elles, a également fait remarquer notre rapporteur, que l'on emploie de préférence parce qu'elles sont payées moins et qu'on les trouve plus dociles. » A cet égard, une enquête réalisée à la même époque en Grande-Bretagne par un certain Lord Ashley est tout à fait édifiante : « Les plus prisées par les employeurs, explique-t-il, sont les femmes mariées et chargées de famille dont les enfants dépendent pour vivre. En effet, elles sont attentives et dociles, beaucoup plus obéissantes que les filles à marier, et sont obligées d'employer jusqu'à leurs dernières facultés, jusqu'à leurs derniers efforts pour procurer à leurs pauvres petits le nécessaire à la vie. » Est-il exagéré de constater alors que le sort des « prolétaires », femmes et enfants compris, qui constituent en ce milieu du XIXᵉ siècle l'infanterie d'un capitalisme industriel en plein essor, est absolument comparable, quand il n'est pas pire, à celui des esclaves « barbares » de la Rome antique ou « nègres » du sud des États-Unis ? Qu'on en juge : « Si nous lisons les rapports officiels des inspecteurs des manufactures, note le lord anglais, nous y voyons des femmes et des filles qui sont, à peine leur dix-huitième année accomplie, contraintes à travailler depuis 6 heures du matin jusqu'à 10 heures du soir, en n'interrompant leur labeur qu'une heure et demie pour s'alimenter et respirer quelque moment. Certaines mères de famille visitent pendant à peine 5 heures sur 24, y compris le temps de sommeil, le toit où leurs soins et leur lait devraient nourrir et veiller leurs enfants au berceau. Des veilleuses salariées immobilisent les enfants dans leurs berceaux avec des potions à base d'opium. » Selon le témoignage d'un médecin du comté de Lancaster, « les effets d'un travail excessif dans les manufactures deviennent plus sensibles après l'accouchement, les enfants naissent plus petits que le volume ordinaire ; ils ont un aspect blême et ridé. L'opium est administré sous diverses formes à ces enfants. Beaucoup d'enfants y sont à tel point accoutumés qu'ils peuvent à peine exister lorsqu'on les prive de ce breuvage. Ils succombent en nombre immense, atteints d'hydrocéphalie, le lait des mères se détériore, de là résultent pour elles les désordres physiques dont le remède habituel est l'eau-de-vie. On voit, parmi les ouvrières mariées, des avortements très fréquents. Des varices résultent de mauvaises attitudes continues qui s'aggravent beaucoup chez les femmes enceintes. Des ulcères aux jambes sont produits par ces varices qui crèvent dans certains cas et occasionnent alors une hémorragie dangereuse et quelquefois fatale. »

Faut-il rappeler que tous ces témoignages proviennent non de révolutionnaires exaltés ou même de réformistes prudents, mais de membres distingués d'un *establishment* conservateur ? En 1812, en France, n'avait-on pas décrété que seraient passibles de la peine de mort les travailleurs désespérés qui s'en prendraient à leurs machines ? Un ouvrier anglais, employé depuis l'âge de sept ans, déposant dans les années 1830 devant une commission d'enquête, n'expliquait-il pas qu'il devait prendre ses repas debout, en trente minutes, que « c'est à coups de lanières de cuir que les enfants étaient tenus au travail, que c'était la principale occupation d'un contremaître de fouetter des enfants » ?

Une autre enquête de 1840 révélait encore que dans les mines, « des enfants de quatre à sept ans, pendant 12 heures, restent seuls dans l'obscurité, près d'une porte qu'ils doivent ouvrir au passage des chariots. Les femmes et les enfants à demi nus, qui traînent le charbon dans des baquets sans roues, rampent sur les mains et les genoux dans les galeries étroites et basses, la chaîne passant entre leurs jambes ». Le néo-esclavagisme ne parvient même plus ici à échapper à la traque de sa symbolique : l'enfant salarié rampe dans la nuit, une chaîne entre les jambes.

Voilà qui éclaire cette apostrophe fameuse de Fourier contre

« la politique oppressive, obligée par nécessité d'armer un petit nombre d'esclaves salariés pour contenir une multitude d'esclaves désarmés ». Ce à quoi le très mesuré *Journal des Débats* fait écho à sa manière en écrivant : « Les barbares qui menacent la société ne sont pas dans le Caucase ni dans les steppes. Ils sont dans les faubourgs de nos villes manufacturières. »

Le grand poète Byron avait d'ailleurs soutenu la même thèse, mais à rebours, devant la Chambre des lords : « Le sort des ouvriers de nos fabriques, avait-il déclaré, est plus épouvantable que celui des quasi-esclaves que j'ai rencontrés dans mes voyages dans les régions de Turquie où l'oppression est la plus dure. »

Ainsi, une terrible vérité éclate, et la rhétorique marxiste n'y est pour rien : le capitalisme industriel et libéral, à l'heure de son envol, renoue très naturellement et sans états d'âme avec la logique esclavagiste dont Marx nous expliquera au contraire qu'elle s'identifie à un rapport de production rendu caduc par le développement des forces productives. C'est que la dialectique qui court à travers les diverses séquences de l'évolution sociale, lesquelles s'imbriquent ou se chevauchent plus qu'elles ne se succèdent, n'est pas cette fameuse dialectique du maître et de l'esclave qui n'a guère qu'une signification rhétorique, mais le continuel dépassement synthétique de la contradiction qui fait que le progrès engendre une régression et que la régression suscite un progrès, ou encore que le renouveau s'appuie toujours sur le recommencement tandis que le recommencement génère en lui-même un renouveau. La structure invariante constitue le pivot de cette dialectique. L'esclavagisme n'est donc pas un point de départ, ni même un « moment », mais bien une constante en laquelle se nouent de manière contradictoire les termes dont cette dialectique de régression et de progrès reconstitue les composantes.

De l'inanité d'une théorie marxiste admise même par les libéraux

Faut-il rappeler que l'esclavagisme antique prit sa plus grande extension, jusqu'à revêtir un caractère de masse, dans des pays — Rome ou les cités grecques — qui avaient atteint le plus haut degré de développement économique, artistique, intellectuel et même démocratique ? Ou que l'esclavagisme pur, mais élargi, apparut comme un progrès par rapport au semi-esclavagisme restreint et interne qui régnait à Sparte (système des ilotes) ?

Ajoutons (nous y reviendrons) que la théorie de la plus-value est en cela doublement contestable : d'abord parce que la valeur d'un produit ne se réduit pas à la somme de travail qu'il a fallu dépenser pour le produire (sans quoi, *quid* de la valeur de l'or, des diamants ou des œuvres d'art ?) ; en second lieu parce que l'exploitation capitaliste ne consiste même pas, dans un premier temps, à confisquer au bénéfice de l'entrepreneur une partie du travail constitutif de la valeur de la marchandise, mais tout simplement à entretenir la force de travail nécessaire à la production de cette marchandise. Tout ce qui n'est pas nécessaire à la pérennité du capital fixe — homme ou machine — est en quelque sorte profit.

C'est ensuite que l'ouvrier, subvertissant de l'intérieur le rapport de production néo-esclavagiste propre au capitalisme industriel en phase de décollage, obtiendra une part toujours plus grande de la valeur produite, jusqu'à ce que lui revienne même, dans certains cas, une part plus grande que la somme de travail effective investie dans cette valeur. Et alors, c'est la différence entre la valeur travail et la valeur d'échange, voire entre la valeur d'échange et la valeur d'usage, qui constituera la plus-value. Autrement dit, parvenue à un certain stade de développement — passage radical du néo-esclavagisme au salariat —, la plus-value sera le résultat d'un sur-coût imposé aux consommateurs et non plus d'une fraction du travail confisquée au producteur.

Reste que, soit en raison de l'intensité de la concurrence, soit à cause des rigidités du marché, certains produits ou marchandises conserveront un prix, ou valeur d'échange, qu'il sera impossible, au-delà d'un certain seuil critique, de déconnecter totalement de la valeur d'usage, donc de valoriser notablement au-delà de sa valeur-travail. L'industriel se heurtera d'un côté aux exigences du salarié producteur, de l'autre aux réticences du salarié consommateur. Les prix ne pourront plus à eux seuls absorber l'accroissement des salaires.

C'est alors que réapparaîtra la tendance à exploiter une altérité, à reproduire une nouvelle différenciation sociale, à réintroduire un nouveau mécanisme de surexploitation de la différence par un nouvel élargissement recomposé de la structure d'échange néo-esclavagiste. Une force de travail externe, en quête de simple subsistance, sera en quelque sorte réinjectée à bas prix dans le circuit productif pour permettre de peser sur la part de la masse salariale entrant dans la recomposition de la valeur.

La phase néo-esclavagiste du capitalisme industriel libéral dura si longtemps qu'en 1891, dans l'encyclique *Rerum Novarum*, le pape Léon XIII proclama que « le salaire ne doit pas être insuffisant à faire subsister l'ouvrier sobre et honnête ». Or, on constatera que, cette prise de conscience aidant, le passage du néo-asservissement au salariat proprement dit, mouvement assorti d'un impressionnant enchaînement de conquêtes sociales, correspondit très exactement à la seconde grande phase d'expansion coloniale, c'est-à-dire à l'accélération et à l'élargissement de l'exploitation de type néo-esclavagiste (travail forcé) des populations indigènes. Et, pour avoir souligné justement qu'entre ce progrès et cette régression, qu'entre ce renouveau et ce recommencement, il existait un rapport dialectique complexe (sinon de cause à effet), l'idéologue socialiste autrichien Karl Kautsky fut excommunié par Lénine ! N'avait-il pas souligné ainsi la contradiction d'intérêts entre l'ouvrier métropolitain, qui profitait d'une certaine manière de cette optimisation des profits par minimisation de certains coûts, et le travailleur des colonies, qui en supportait, lui, les conséquences ? Qu'avait-il fait d'autre que soupçonner que la structure invariante dépassait de nouveau ses contradictions en s'élargissant, ou plus exactement que l'invariance structurelle correspondant à l'aspiration à plus de libertés collectives et plus de sécurité communautaire reconquérait un nouvel espace par projection de la structure invariante esclavagiste à la périphérie ?

Nous avons vu que l'ultime mutation interne de la logique esclavagiste prendra la forme d'une inversion du flux colonial, le capital n'allant plus exploiter la différence, mais la différence venant prêter main forte au capital : réapparition d'un prolétariat invité à investir un surplus de travail dans l'optimisation de la plus-value brute, face à un salariat consommateur qui profite de cette maximisation des profits par la redistribution. Tout naturellement, la différenciation se fait à tous les niveaux, horizontalement dans l'espace urbain (les cités-ghettos) verticalement dans la répartition des tâches (manœuvres spécialisés d'un côté, ouvriers qualifiés, techniciens, ingénieurs, cadres de l'autre). On fera grâce au lecteur des témoignages et documents qui montrent à quel point, dans la confection par exemple, l'utilisation d'une main-d'œuvre clandestine non protégée permet la recomposition partielle du rapport de production esclavagiste traditionnel.

Ainsi, nous avons vu, telles ces cellules observées au microscope qui se reconstituent sans cesse, se scindent, se déforment et se reforment sous l'effet des agressions extérieures, une structure sociale invariante de base (l'esclavagisme) se recomposer au rythme des rétractions, des expansions ou des dilutions que lui imposent les multiformes contraintes de l'environnement et que lui permettent sa souplesse et son élasticité. L'entropie, dans ce cas précis, n'implique pas l'irréversibilité, mais la mutation constante par élargissement, rétrécissement, glissement et éventuellement métamorphose. L'évolution fondamentale ne se fait pas en marge de la structure invariante ou hors d'elle, mais à la fois contre elle et à travers elle, le « contre elle » étant dialectiquement lié au « à travers elle » : autrement dit, il n'y a pas opposition radicale — le développement de l'une induisant la mort de l'autre — entre l'esclavagisme en tant que structure invariante et l'aspiration à la liberté et à la sécurité en tant qu'autre structure invariante, mais contradiction elle-même structurellement invariante qui fait que toute extension de l'une enclenche une mutation de l'autre, souvent par élargissement ou dilution, et que la mutation de la seconde interpelle et redynamise la première. C'est pourquoi on peut dire que la régression est partie prenante au progrès et le progrès partie prenante à la régression : comme en témoigne le double mouvement d'émancipation et de prolétarisation de la femme entre les deux guerres !

Ce constat contredit évidemment la thèse marxiste traditionnelle qui s'est peu à peu imposée comme théorie progressisto-humaniste unique au point que les libéraux eux-mêmes ont à peine songé à la récuser. On pouvait lire, par exemple, dans un dictionnaire philosophique concocté dans les années cinquante par deux académiciens soviétiques — MM. Rosenthal et Pioudine (éditions de Moscou) — cette définition que bien des non-socialistes feraient volontiers leur : « Toute l'histoire de l'esclavage est l'histoire d'une cruelle lutte de classe. L'esclavage a été une étape nécessaire dans le progrès de la société. Il a servi de terrain à une évolution plus rapide des forces productives. Mais, après avoir atteint un certain niveau, les forces productives ne pouvaient plus se développer dans le cadre des rapports de production de la société esclavagiste. Avec la désagrégation du régime esclavagiste, la lutte des classes atteint son point culminant *[sic]*. La chute du régime esclavagiste à Rome a été accélérée par les invasions. La forme d'exploitation esclavagiste est remplacée par une autre : l'exploitation féodale. Avec la disparition du mode de production esclavagiste, l'esclavage ne disparaît pas complètement, il subsiste dans une mesure plus ou moins grande sous les régimes féodal et capitaliste. »

A quoi on fera remarquer : 1) que l'esclavagisme intervient tout autant comme brouillage et frein d'une éventuelle « lutte des classes » que comme sa composante. C'est particulièrement évident à Rome du temps des Gracques. Le mouvement plébéien est en partie écrasé grâce à la mobilisation par les patriciens de leurs esclaves ; 2) qu'il ne constitue pas une étape mais une invariance, la matrice d'un remodelage toujours recommencé, et qu'en cela il ne fut pas « nécessaire », mais « naturel » ; 3) que ce n'est pas l'esclavage qui a « servi de terrain à une évolution plus rapide des forces productives », mais l'évolution plus rapide des forces productives qui a entraîné une extension de l'esclavage ; 4) que les forces productives en question (on ne sait pas trop, en l'occurrence, ce que ces termes recouvrent) peuvent toujours se développer dans le cadre des rapports de production esclavagistes — nous l'avons démontré — mais que d'autres facteurs, contradictoires, exprimant des invariances antagoniques, les contraignent à des évolutions et à des réaménagements qui provoquent, en retour, une mutation autoprotectrice de la structure invariante. En outre, c'est souvent parce qu'elles ont atteint un haut niveau de développement (révolution industrielle, par exemple) que les forces productives recomposent des rapports de production de type esclavagiste ; 5) que le régime esclavagiste antique ne s'est pas désagrégé mais, les invasions barbares précipitant effectivement cette mutation, s'est adapté, par dilution synthétique, à la nouvelle organisation de l'espace et aussi à l'offensive victorieuse des peuples dont étaient issues en grande partie les anciennes populations esclaves. En l'occurrence, la lutte des classes joua dans ce processus un rôle à peu près nul, à moins de considérer que l'asservissement des colons semi-libres et des petits paysans surendettés en fut la résultante ; 6) qu'il découle de ce qui précède qu'il n'y a pas eu chute du régime esclavagiste, mais auto-adaptation permettant à la structure invariante de réapparaître à l'état presque pur lorsqu'une nouvelle ouverture de l'espace, en particulier la découverte

de l'Amérique, permit de reconstituer les flux qui la nourrissaient ;
7) que la forme d'exploitation esclavagiste n'a pas été brutalement
remplacée par une autre, spécifique, mais, compte tenu des nouvelles conditions de production et de la réduction de son espace,
s'est métamorphosée de façon à préserver l'essentiel de la cohérence de sa structure ; 8) que le mode de production esclavagiste
n'ayant pas disparu, puisqu'il a connu au contraire un développement sur une beaucoup plus vaste échelle, il ne subsiste donc pas
simplement sous la forme de séquelles, de galets abandonnés par
la mer ; il constitue au contraire, à travers l'Histoire et jusqu'à
aujourd'hui, une des constantes dynamiques de la contradiction
sociale, dans la mesure où celle-ci exprime la tendance d'une
structure invariante à se recomposer sous des formes sans cesse
renouvelées qui intègrent à la fois ce que la régression permet et
ce que le progrès interdit ; 9) qu'enfin, l'esclavagisme a trouvé,
également sous les régimes dits socialistes, sa forme de recomposition particulièrement massive et abominable.

A quoi il convient d'ajouter, comme nous l'avons déjà relevé,
que les structures mentales, et leur résultante que sont les superstructures idéologiques s'autonomisent et catalysent (ou révèlent
à elles-mêmes) les mutations, dans le temps et dans l'espace, des
structures sociales dans le cadre de leur propre invariance. Autrement dit, les structures mentales ne s'épuisent pas dans les structures sociales : elles jouent les unes sur les autres et dans les deux
sens.

L'esclavage au pays des soviets

On admettra que la théorie que nous esquissons éclaire singulièrement certains aspects, parmi les plus troublants, de notre immédiate actualité que brouille, à l'inverse, toute conception linéaire
et univoque d'un progrès étagé et irréversible.

Que constatons-nous en effet ? Que se développe à l'échelle du
monde le processus le plus vaste et le plus puissant que l'ont ait
connu de reconquête partielle de liberté et d'identité par projection aux périphéries des structures d'asservissement et par élargissement ou dilution des rapports d'exploitation. On décrivait volontiers les peuples qui vivaient sous le joug communiste comme des
« peuples esclaves ». L'image, contestable, n'en est pas moins inté-

ressante en ce qu'elle suggère que l'esclavage interne à la société précommuniste n'a pu être aboli que par l'asservissement global de la société tout entière : l'esclavage a été en quelque sorte extirpé de la communauté dès lors que c'est la communauté dans son ensemble qui était asservie. Le processus de passage de l'esclavage au servage aurait donc été poussé par le communisme jusqu'à sa dernière limite : plus d'esclaves parce que tous esclaves. Ainsi, le système totalitaire reproduisait la structure sociale des autocraties théocratiques les plus primitives, où, en effet, contrairement à ce qui se passait dans les cités grecques ou à Rome, l'asservissement du peuple tout entier permettait de faire l'économie de l'institution esclavagiste elle-même.

En réalité, cette vision est un peu simplificatrice. S'il y eut bien recomposition de rapports de production esclavagistes par le goulag (allant même jusqu'à la déportation de peuples entiers), la dictature soviétique n'impliquait pas automatiquement que le peuple soit, au sens strict du terme, totalement asservi. En revanche, il est évident que l'éradication autoritaire, par le pouvoir soviétique, de rapports de production jugés esclavagistes et qui l'étaient au moins en partie s'est faite au prix d'un égalitarisme par le bas et d'une compression brutale des tendances à la recomposition des différenciations sociales, compression qui nécessita des pratiques de plus en plus contraignantes confinant à l'oppression de la société tout entière et à l'asservissement réel de sa fraction jugée dissidente, c'est-à-dire irrémédiablement différente. La structure esclavagiste invariante s'est dissoute dans un système qui ambitionnait de la liquider et s'est recomposée en son sein jusqu'à le remodeler à sa mesure.

Mais voilà que l'écorce du système explose et que le régime n'y résiste pas. Que se passe-t-il alors ? Le peuple répudie l'oppression qui, globalement, l'étreint, mais les rapports d'asservissement qui étaient confinés à ses marges se recomposent en son sein. Pour reprendre l'image discutable évoquée plus haut, le peuple esclave s'émancipe en même temps que l'esclavagisme tendanciel réinvestit de l'intérieur sa structure sociale. L'État, renonçant au monopole de l'exploitation de masse, ouvre un espace où se réinsèrent à la fois les libertés individuelles et collectives et l'exploitation de l'un par l'autre qui, les flux migratoires provoqués par les groupes ethniques aidant, se transforme tendanciellement en asservissement de l'altérité.

En Chine déjà, ce sont bien des formes de néo-esclavagisme (échange d'un maximum de force de travail contre des conditions minimales de subsistance) qui réapparaissent dans le sillage d'une réémergence, sous contrôle politique de l'État communiste, d'un capitalisme sauvage et primitif. En réalité, en Chine comme, dans une moindre mesure, dans l'ex-Union soviétique, l'écroulement du communisme économique permet de rejouer la phase primitive d'accumulation du capital du libéralisme industriel dont nous avons vu qu'elle reproduit spontanément les rapports de production de type esclavagiste, au détail près de l'obtention d'une liberté civique abstraite.

Ainsi — mais nous y reviendrons —, il apparaît que la structure invariante étatisée par le communisme se recompose dans les interstices de la liberté retrouvée : en vérité, elle était restée d'autant plus intacte qu'au lieu d'être modifiée de l'intérieur par la réforme elle avait été gelée ou « nationalisée » par la révolution.

En conclusion, l'esclavagisme, loin de s'identifier à une phase déterminée et datée d'un processus évolutif progressif, fonctionne bien comme structure invariante. Il tend à se recomposer, en particulier sous une forme restreinte ou élargie, à travers toutes les étapes d'un processus complexe, en fonction des ouvertures et des fermetures de l'espace à travers lequel se déploient les rapports d'échange. Il se recompose sous la pression des acquis initiés par la pensée critique, mais en intégrant tous les discours induits possibles à ses remodelages. Il se reformatise sans cesse aux dimensions d'un capitalisme qui, par son entremise, réintègre l'optimisation de la plus-value à une logique sociale qui tend au contraire à l'annuler pour lui substituer une taxe à la consommation. Il contribue même à consolider le champ des nouvelles libertés individuelles et des nouvelles sécurités collectives conquises en projetant, à la périphérie de cette conquête, son incessante recherche de nouvelles altérités.

Enfin, contrairement au féodalisme, l'esclavagisme fonctionne non comme prolongement adaptatif d'une invariance évolutive qui serait antérieure à la socialisation, mais comme synthèse socialisée d'invariances particulières et biologiquement préprogrammées dont la prédisposition à la xénophobie et au racisme, de même que la volonté de puissance, l'instinct dominateur et la tendance à l'appropriation ne sont pas les moindres.

Or, qu'on veuille bien y réfléchir : formuler un tel constat, loin de justifier on ne sait quel fatalisme conservateur, incite au contraire à redoubler d'ardeur, non seulement pour hâter, précipiter et radicaliser autant que possible les remodelages toujours partiellement libérateurs de cette structure tendanciellement invariante qu'est l'esclavagisme, mais encore à en détecter, à en traquer et à en dénoncer systématiquement, pour agir plus vite et plus efficacement, les nouveaux profils et espaces de recomposition ; à en saper ou à en fragiliser enfin les bases naturelles en opposant toujours plus d'acquis culturels aux composantes innéisées de son redéploiement.

En cela, le réformisme moderne doit se donner pour ambition non seulement de déterminer, en initiant les mutations internes aux structures invariantes, le sens des recompositions sociales qui en découlent, mais, ce faisant, de favoriser les recâblages mentaux adaptatifs les plus adéquats, à terme, à un « progrès de civilisation ». Jusqu'à ce que l'invariance esclavagiste ait dû se recomposer de telle façon que sa nouvelle formalisation n'ait plus d'autre issue, pour sauver son invariance, que de ressembler au plus près à la figure encore largement utopique d'une liberté interpersonnelle constitutive d'une libération collective.

CHAPITRE IV

Capitalisme et aspiration au socialisme

ou de l'invariance dynamique
d'une contradiction motrice

Tant pis pour les tenants d'un évolutionnisme social qui, doté de ses propres règles autonomes, nous permettrait de gravir majestueusement (Condorcet) les marches qui mènent à la démocratie libérale triomphante. « Le développement des connaissances préhistoriques et archéologiques, écrivait déjà, il y a quarante ans, Lévi-Strauss, tend à établir dans l'espace des formes de civilisation que nous étions portés à imaginer comme échelonnées dans le temps. »

Nous avons montré que l'esclavage (fût-il recomposé) existe encore dans le capitalisme industriel et dans le socialisme centralisateur. Nous ajouterons que le capitalisme, lui, existe déjà dans l'esclavagisme, ainsi d'ailleurs que l'aspiration au socialisme.

Mais nous pouvons aller plus loin. Car, au même titre que le féodalisme et l'esclavagisme, le capitalisme et l'aspiration à le corriger ou à s'en émanciper participent, dès l'origine, du processus de socialisation élargie qui engendra ce que l'on considère généralement comme le « progrès humain ». Depuis qu'il existe quelque chose qui ressemble à une « économie », le capitalisme en figure l'embryon, dont le social s'épuise à anticiper le rejet — même si, à recomposer sans cesse cette invariance, on a pu passer du troc inter-hordes à la tentative de contrôle universel des flux financiers par le Fonds monétaire international.

Qu'était, par exemple, le gros propriétaire d'esclaves de la Rome antique, sinon un entrepreneur qui, grâce à une rationalisation des modes de production (l'emploi massif d'une main-d'œuvre servile permit dans un premier temps cette rationalisation), était parvenu à maximiser ses profits, ce qui favorisa une accumulation primitive de capital (grâce à quoi il put acheter à la fois plus d'esclaves et plus d'outils, donc accroître encore sa production) ?

Les rapports de production sont déjà, ici, intrinsèquement capitalistes, même si le capital accumulé est investi dans une exploitation extensive de la terre (mais parfois intensive pour l'époque). Notre entrepreneur « esclavagiste » est confronté à trois problèmes essentiels : minimiser ses coûts par rapport à la concurrence, trouver des marchés, garantir ou améliorer ses marges à la fois pour s'enrichir et pour autofinancer son développement, éventuellement pour investir dans d'autres secteurs. On ne voit pas ce qui, en cela, le différencie du patron d'une manufacture de textiles au milieu du XIXe siècle. L'un et l'autre entretiennent avec le marché un rapport assez semblable : nécessité (l'institution esclavagiste n'y changeant rien) d'adapter une offre libre à une demande libre dans le cadre d'échanges à peu près libres et d'autant plus internationalisés, dans le cas de Rome, que l'empire repousse ses frontières.

En réalité, les rapports de production esclavagistes sont déjà assimilables à ceux du capitalisme développé, l'asservissement s'apparentant à une prolétarisation maximale. La différence ne tient qu'à l'apparition de nouvelles donnes technologiques : nous avons d'ailleurs constaté, que le système esclavagiste fonctionnait relativement bien dans les fonderies et les filatures de l'Amérique « libérale » de 1850.

En quoi, parce que l'essentiel de la main-d'œuvre serait « légalement » servile, l'utilisation du travail par le capital en vue de produire au meilleur coût des marchandises pour un marché devrait correspondre artificiellement à une phase de l'évolution qui ne serait « pas encore » capitaliste ? Une usine automobile privée moderne cesserait-elle d'être « capitaliste » si les ouvriers ne jouissaient pas de droits civiques ? Quel est le critère objectif ou scientifique qui permet de proclamer que le capitalisme commence ? Pourquoi au XVIe siècle selon l'un, au XIXe selon l'autre ? L'introduction de la machine à vapeur ? Mais alors, pourquoi pas la roue, le treuil, le moulin à eau ou la forge ? Et pourquoi ne pas décréter que la phase capitaliste se termine avec l'électricité ? Que sont donc les fondeurs de bronze grecs du premier millénaire av.

J.-C., les armateurs phéniciens, les armuriers romains, les drapiers flamands du XVᵉ siècle, les banquiers lombards du XIIIᵉ ? Comment Jacques Cœur a-t-il fait fructifier sa fortune ? Au nom de quelle rationalité qualifie-t-on tantôt de « précapitaliste », tantôt de « capitaliste » l'acte qui consiste à mobiliser une épargne pour acheter un métier à tisser, à en confier le fonctionnement à une main-d'œuvre libre ou servile (si elle est servile, elle fait partie de l'outil que permet d'acquérir le capital), à en réduire, par une organisation du travail appropriée, les coûts de production et à commercialiser la marchandise qui en résulte de manière à optimiser la marge bénéficiaire ? Cette initiative est-elle esclavagiste en 200 av. J.-C., féodale sous Philippe le Bel, précapitaliste au XVIIᵉ -siècle et capitaliste à partir de 1810 ? Absurde... Elle est dans tous les cas intrinsèquement capitaliste et quelle que soit l'époque. Elle l'est déjà sans doute quand, au Grand Pressigny (Indre-et-Loire), à l'époque dite préhistorique, se développe une entreprise de silex taillés et de pierres polies dont on retrouve les produits commercialisés à plusieurs centaines de kilomètres à la ronde.

Comment le capitalisme vint à l'homme

John Hicks, professeur à Oxford, qui fut prix Nobel d'économie, proposait, dans son ouvrage *Une théorie de l'histoire économique*, de rompre avec la conception classique d'une succession évolutive d'« états économiques de la société ». « Pourquoi, interrogeait-il, ne traiterions-nous pas l'histoire économique du monde comme un processus unique d'évolution[1] ? » Et de suggérer que certaines étapes généralement considérées comme successives — apparition d'une bureaucratie, renforcement d'une autorité centrale, communautarisme tribal, esclavagisme et féodalisme — se développent parallèlement, parfois indépendamment les unes des autres, sans que cela interfère nécessairement sur l'évolution spécifique de ce qu'on peut appeler une « économie de marché ». Ainsi l'« économie de prélèvement » — l'État prend au peuple puis répartit entre lui et le peuple — a-t-elle pu fonctionner avec ou sans marché, hier comme aujourd'hui. On crut longtemps qu'à l'époque de la pierre taillée, les industries « à nuclei », les industries « à éclats »

---

1. John Hicks, *Une théorie de l'histoire économique*, Paris, Éd. du Seuil, 1973.

et les industries « à lames » correspondaient à une évolution progressive en trois étapes (paléolithique inférieur, moyen et supérieur). Or, on sait aujourd'hui que ces trois techniques coexistèrent dans le cadre d'un processus productif multiforme.

A l'origine, suppose John Hicks, il y a un rassemblement social qui peut s'apparenter à une fête religieuse (ou à un mariage, à un enterrement, à une cérémonie célébrant une victoire). On y apporte des dons, des offrandes, voire de quoi subvenir à ses propres besoins. On constate que ces marchandises, une fois rassemblées, sont diverses, que certaines d'entre elles, qu'on ne possède pas, sont éminemment désirables. On est donc tenté d'échanger le surplus de ce qu'on détient contre ce qu'on aimerait acquérir. L'accord de troc émerge, s'impose, s'institutionnalise : la fête occasionnelle devient foire, marché régulier, puis permanent.

On accède alors naturellement à un nouveau stade où un acheteur peut acquérir une marchandise pour la rééchanger contre une autre : première complexisation de l'accord de troc par anticipation de l'opération suivante.

Puis nouvelle sophistication : « Les marchandises achetées pour être revendues ne le sont pas nécessairement le jour même ; si elles sont assez durables, on peut les conserver et les vendre plus tard. L'intermédiaire qui tire parti de cette possibilité détient maintenant un capital ; ce capital, il faut le préserver, dans la mesure du possible, de toute détérioration, de toute baisse de qualité marchande ; mais cela peut se faire aussi en le travaillant comme il faut : on améliore alors sa valeur. » Le commerçant devient producteur : « Économiquement et même socialement, constate Hicks, la différence n'est pas aussi fondamentale qu'il y paraît. C'est une distinction technologique et non économique[1]. »

A ce stade — admettons un échange blé contre huile entre deux régions proches l'une de l'autre — intervient déjà la loi des rendements décroissants (ou baisse tendancielle des taux de profit), qui découle du fait, par exemple, qu'apparaît, sur le marché, du blé ou de l'huile moins cher du fait d'une réduction des coûts de production ou de la découverte d'espaces de production plus prospères : « d'où l'attitude très caractéristique du marchand à la recherche de nouvelles marchandises et de nouveaux courants

1. *Ibid.*

commerciaux, c'est-à-dire de nouvelles voies d'investissement pour ses capitaux, activité qui fait de lui un innovateur[1] ».

C'est alors, autour de ces activités commerciales de plus en plus diversifiées, que se créeront les cités-États qui permettront des regroupements, des alliances, des économies d'échelle, et enfin un soutien infrastructurel et juridique de la part du pouvoir politique. Certes, la concurrence est plus vive, mais, précise John Hicks, « une organisation plus efficace permet de fonctionner avec une marge plus faible, de sorte que le profit du capital reste stable[2] ».

Ce processus, antérieur à la naissance (qui en est la conséquence) des cités-États telles qu'elles se développeront à l'époque de l'hégémonie sumérienne en Mésopotamie (près de 4 000 ans avant notre ère), se serait donc déroulé à une époque que l'on peut qualifier de « pré »-historique.

Le problème n'est pas de détecter l'apparition du capitalisme proprement dit (qui serait capable de définir ce « proprement dit » ?), mais d'élucider la manière dont on est passé d'un capitalisme latent à un capitalisme implicite, puis explicite.

Ce que nous supposons, c'est qu'à partir du moment où la confection de l'outil et la division du travail à l'intérieur de la famille ou de la *gens* (au sens romain du terme) ont permis de produire un excédent par rapport au nécessaire, le capitalisme, de latent qu'il était, est devenu implicite. Le surproduit induit l'échange, et l'échange, à mesure qu'il se développe, tend à l'élaboration d'une équivalence destinée à favoriser le calcul comparatif des valeurs d'échange : d'où la référence à une valeur étalon dont la possession et l'accumulation esquissent la capitalisation future. (Toute accumulation du capital commence par être primitive !)

Il semble qu'à l'âge de pierre, l'échange peu à peu élargi d'outils, tels que haches, couteaux ou pointes de flèches, mais également de peaux et de récipients de toutes sortes, ait pris la forme d'une activité précommerciale impliquant l'esquisse du marché régulé par l'offre, la demande et les conditions de transport ; il en résulta une recherche de productivité tendant à rendre l'outillage plus performant et à améliorer les performances par l'outillage, sans quoi eût été impensable le passage à l'âge de bronze et du fer,

1. *Ibid.*
2. *Ibid.*

conséquence d'une démarche technicienne (ou préindustrielle) — fonderie et forge — qui préfigure la métallurgie.

Dans *L'Odyssée*, Athéna, pour atteindre Télémaque (le fils d'Ulysse), n'emprunte-t-elle pas les traits d'un chef de peuple maritime qui prétend avoir entrepris un voyage pour échanger une cargaison de fer contre une cargaison de cuivre ? Entreprise qu'on ne saurait imaginer sans la mobilisation préalable d'un capital investi à risques. Quant au code d'Ammourabi (XVIIIᵉ siècle avant notre ère), premier document juridique connu, non seulement il décrit tous les moyens légaux de protéger la propriété, y compris celle des esclaves, et de garantir les droits des possédants, mais il témoigne également de l'importance prise, déjà à l'époque, par le prêt à intérêt, le fermage et la rente. On a d'ailleurs retrouvé dans les caves du palais d'Ammourabi des traces de lingots d'or qui paraissent prouver que cette « réserve » servait au commerce international.

Marcel Mauss a soutenu que la monnaie est d'abord un « fait social », qu'elle répond à trois pulsions naturelles et culturelles : c'est-à-dire que certaines de ces pulsions, par exemple l'instinct de possession, d'accumulation, sont antérieures à toute socialisation élargie. Quiconque a poussé l'altruisme familial jusqu'à offrir un hamster à ses enfants a pu constater que ce délicieux et odorant animal passe ses journées à accumuler et à dissimuler, donc à s'approprier et à thésauriser la nourriture qui se trouve à sa portée, quitte ensuite à n'y plus toucher. Il l'entasse d'abord dans un recoin de ses bajoues, puis l'enterre sous la sciure, dans un angle de sa cage. Un animal, parvenu à un certain degré de développement, s'approprie (y compris un territoire qu'il délimite), s'arroge un quasi-monopole de la chasse dans un espace donné, accumule et thésaurise. On sait à quel degré de perfection industrieuse les abeilles ont poussé ces pratiques, et à quel point l'activité collective des fourmis et des termites ressemble à celle d'un grand chantier de travaux publics. Chacun a pu constater en outre la mauvaise volonté que met un chien à restituer un objet, balle ou os en caoutchouc, qui est tombé en sa possession, et qu'il range très minutieusement au fond de sa niche.

L'homme, donc, à l'évidence, a hérité de cette triple tendance à s'approprier, à posséder, à accumuler. Aussi est-il stupéfiant, dès lors que l'ascendance de l'*homo sapiens* ne fait plus aucun doute, que nulle histoire économique n'ait tenté de repérer, à travers l'évolution, la part d'animal — c'est-à-dire en fait l'innéité — qui entre dans l'élaboration des pratiques économiques des membres de notre propre espèce.

Reste qu'apparemment le hamster ne conclut jamais avec un autre hamster un accord de troc. Les animaux s'arrachent éventuellement leur nourriture respective, se la disputent, mais n'en négocient pas l'échange. Ce « donnant-donnant » constituerait donc, dans le cadre de la socialisation, l'amorce d'une pratique économique spécifiquement humaine. Il serait la double conséquence de la libération de la main, qui permet la confection de l'outil, et du développement concomitant du néo-cortex qui accompagne l'anticipation de son utilisation. L'outil favorise l'apparition d'un surproduit dû à l'utilisation consciente d'un surtravail (recherche déjà de productivité), et la capacité cérébrale à anticiper permet de projeter dans l'avenir les mouvements possibles de la marchandise produite.

Mais d'autres facteurs, liés à l'hominisation elle-même, interviennent. Ce qui caractérise le primate, à l'origine arboricole et végétarien, qui accède à la station debout, c'est sa « sortie du bois » pour diversifier ses sources de nourriture et ajouter les produits de la chasse à ceux de la cueillette. La diversification alimentaire — viande et légumes, en attendant le fromage et le dessert — contribue puissamment à façonner l'homme. En même temps apparaissent ce qu'on pourrait appeler les termes primitifs de l'échange : viande contre légumes.

En outre, le développement du cerveau humain, par conséquent du crâne, qui rendit douloureux l'enfantement, et la fragilité du nouveau-né, incapable d'autonomie avant l'âge de cinq ou six ans, contribuèrent à stabiliser la cellule familiale au sein de laquelle la femme, condamnée à rester à demeure, se consacra à la cueillette tandis que l'homme allait à la chasse, ce qui esquissa entre eux une division du travail.

C'est à ce stade — celui de l'hominisation et de la socialisation — que le capitalisme est latent ; il devient implicite à partir du moment où l'échange nécessite la définition d'une valeur de référence qui permet de donner un prix à une possession, de quantifier (en recourant à un calcul d'équivalence) une accumulation, donc une richesse, de définir, de diversifier, d'étendre des courants commerciaux, et surtout de budgétiser (par référence à un étalon comptable) le profit qui doit découler d'un rapport particulier entre l'offre et la demande. La découverte, en Suisse, d'obsidiennes venues des Cyclades montre l'ampleur qu'avait déjà prise, à l'orée de toute civilisation, c'est-à-dire avant même l'apparition du bronze et du fer, l'échange croisé de type par exemple silex-ivoire-obsidienne.

On remarquera que si le commerce commence par le troc avant d'engendrer une économie monétaire, le troc n'en resurgit pas moins sans cesse. Ainsi durant la dernière guerre dans la plupart des pays occupés : « Toute la France, et avec elle toute l'Europe, redécouvrirent les tragiques voluptés des règlements en nature[1]. » Et que fait l'Algérie lorsqu'elle paie des produits manufacturés en gaz naturel, ou la Russie lorsqu'elle échange du blé contre du pétrole ? En Union soviétique, dans les années 1920-1921, la monnaie fiduciaire étant assimilée au capitalisme (comme plus tard par les Khmers rouges), une commission d'équivalence siégeant à Moscou tenta d'encourager les accords de troc, en établissant par exemple que le quintal de blé valait vingt litres de pétrole lampant, cent kilos de sel et vingt mètres de cotonnade. Mais le capitalisme se réintroduisant à l'intérieur de cette régression — et pour cause —, on préféra revenir au rouble !

Comment la monnaie naquit du capitalisme

Comment alors advint la monnaie ? « Quelque part dans l'univers des échanges, résume Sédillot, une pratique répétée a engendré une habitude, et l'habitude a engendré une méthode. » Il est bien clair que, dès lors que l'on propose tant de silex taillés contre tant de peaux de bisons, ou même tant de racines comestibles contre tant de viande de chevreuil, et qu'on répète cette opération, on s'avise nécessairement qu'il serait bien pratique de pouvoir calculer la valeur d'une marchandise par rapport à l'autre en les comparant l'une et l'autre à une même valeur de référence. Par exemple, le silex taillé vaut vingt bananes et la peau de bison trente bananes. Donc la peau de bison vaut dix bananes plus cher. La banane devient alors moins une prémonnaie — car elle ne se conserve pas — qu'un étalon qui permet le calcul d'un prix compa-

---

1. René Sédillot, *Histoire de la monnaie*, Paris, Bordas, 1989.

ratif. D'où l'émergence de la valeur d'échange, qui, les instincts précités aidant, annonce l'accumulation du capital.

En l'occurrence, très vite, un nouvel instinct intervient qui s'ajoute à la tendance à l'appropriation et à l'accumulation : la fascination pour ce qui brille et, au-delà, pour le décorum. Cet instinct prendra très vite la forme de la confection de bijoux — bracelets, colliers, anneaux, bagues, boucles d'oreilles — que l'on retrouve dans toutes les civilisations, et depuis les temps les plus reculés, pour peu qu'une socialisation minimale y soit apparue. D'où la propension à utiliser comme valeur de référence le même objet ou la même matière première qui sert à la confection des bijoux : argent, or, ambre, dents ou coquillages. (Au Club Méditerranée, ne se fait-on pas un collier des boules qui font office de monnaie ?)

Outre le *wanpum* des Indiens du Canada, c'est un coquillage, le *cauri*, porcelaine des Maldives dont l'apparence, remarqueraient les psychanalystes freudiens, n'est pas sans évoquer un sexe féminin, qui, de l'Inde à l'Afrique noire, de la Chine à l'Arabie en passant par l'empire du Grand Moghol, et cela jusqu'à la fin du siècle dernier dans certaines régions, servit de monnaie internationale tout en se portant communément en pendentif, ce qui montre que l'étalon par rapport auquel se définit une valeur doit intégrer à ce rôle le désir qu'il suscite et dont témoigne sa fonction décorative souvent également mythique ou magique. (La monnaie évoque nécessairement le miracle dès lors qu'elle permet tout.)

Reste que, selon les époques et les régions, un nombre considérable de marchandises ont servi d'étalon pour les équivalences de prix ; ce qui prouve assez l'universalité dans la diversité de ce processus qui tend à la définition d'une valeur de référence susceptible de fonder, par le calcul devenu possible de la valeur d'échange des choses, une accumulation de capital.

Si *pecunia* signifie en latin la richesse, c'est que le troupeau *(pecus)* permit un temps de la symboliser. De même, la roupie renvoie à un mot sanskrit *(rupa)* qui signifie bétail, d'où il résulte que les gros éleveurs étaient à l'époque des « rupins ».

Tour à tour furent utilisés, en guise de prémonnaie, des tablettes ou des pains de sel, des blocs comprimés de thé, des sacs de riz (en Corée), des peaux (en particulier de castor au Canada), l'orge ou le blé, les têtes de bétail (selon Homère, un grand trépied de bronze valait douze bœufs et une esclave quatre, d'où l'expression

« avoir un bœuf sur la langue » lorsqu'on achetait le silence de quelqu'un). A la fin de l'Empire aztèque, un carré d'étoffe, le *quatchtli*, tendit à s'imposer comme moyen de paiement : il équivalait à 100 grains de cacao et il en fallait 100 pour acquérir un esclave.

On en conclura que ce n'est pas la monnaie qui appelle le capitalisme, mais le capitalisme implicite qui appelle la monnaie, laquelle permet d'accéder à un capitalisme explicite. Le commerce annonce l'argent, et non pas l'argent le commerce. Aussi bien, dans le cadre d'un capitalisme frappé par la crise ou déchiré par la guerre, a-t-on souvent vu réapparaître une monnaie-marchandise : en Allemagne en 1923, en Italie aujourd'hui, où tout naturellement l'inflation a conduit les commerçants à rendre de la petite monnaie avec des bonbons. (Notons qu'en 1794, le conventionnel français Jean Bon Saint-André proposa de choisir comme valeur de référence l'étalon « froment ».)

On voit bien, par conséquent, qu'il n'y a pas eu « révolution » de la monnaie, mais subtile et sans doute lente évolution au cours de laquelle un processus latent se donna peu à peu les moyens de sa réalisation et de son déploiement : trois instincts originels — tendance à posséder, à accaparer, à désirer (et à être en cela attiré par « ce qui en jette ») — ont certainement conflué avec une simple logique de nécessité. Une valeur de référence est d'autant plus pratique qu'elle est peu encombrante, solide, pas trop lourde, qu'elle se conserve facilement, ne s'altère pas trop et qu'elle est relativement rare. Ainsi, en Mésopotamie, au XXVIIᵉ siècle av. J.-C., si l'orge servait de moyen de paiement, sa valeur était définie en argent et en or, le rapport or-argent étant de 1 à 9[1].

Dès lors que l'homme s'initiait à la métallurgie, il était fatal que le métal devînt le support de sa quête incessante d'une référence monétaire, capable de rationaliser et d'optimiser sa tendance à accumuler, puis à faire fructifier une survaleur dégagée grâce à l'échange. Des lingots de cuivre, de bronze, de fer, d'argent, d'or firent l'affaire — en Grèce, un petit lingot de cuivre en forme de clou s'appelait obole, et six oboles faisaient une drachme —, encore que la rouille et le vert-de-gris aient joué contre le fer et le cuivre, et que l'or et l'argent aient bénéficié rapidement de ce surplus subjectif qu'induisait leur éclat en même temps que de la

---

1. *Cf.* Pierre Vilar, *Or et monnaie dans l'histoire*, Paris, Flammarion, 1974.

mythologie que nourrissait leur rareté. Râ, le dieu solaire égyptien, n'est-il pas aussi un dieu en or ? Dans la Bible, non seulement on pèse à tout bout de champ l'or et l'argent — et du coup, à en croire les textes saints, on truque allègrement les balances (façon comme une autre de dégager une plus-value) — mais, en outre, Yahvé lui-même exige de Moïse que l'Arche sainte soit constellée du fabuleux métal. « N'aie pas honte, dit l'Ecclésiaste, d'obtenir de petits ou de grands profits. » Dont acte ! C'est, dit la chronique, en Lydie (Asie Mineure), au VIIe siècle av. J.-C., qu'apparut le disque monétaire frappé d'un signe de reconnaissance, le statère. Que le capitalisme tendanciel et sa logique inégalitaire s'inscrivaient plus qu'en filigrane dans cette mutation, on le devine assez au fait que le roi de ce pays, traversé par le fleuve Pactole, s'appelait Crésus (un autre cours d'eau du pays, fort sinueux, avait nom Méandre) !

Mais il y a mieux : à Sparte où le pouvoir autoritaire incarné par Lycurgue opposait à la logique de l'appropriation individuelle du profit commercial une version déjà totalitaire de l'« aspiration au socialisme », l'usage de la monnaie, facteur naturel d'accumulation, fut prohibé au profit de lourds lingots de fer difficiles à manier et à conserver. Et René Sédillot d'en conclure : « Monnaie de fer — rideau de fer — discipline de fer[1] ! »

Il est vrai qu'à Athènes, dès le VIe siècle av. J.-C., alors que le taux d'usure pouvait osciller entre 10 et 38 % — surtout lorsque le prêt destiné à financer une expédition maritime commerciale impliquait un risque —, s'étaient installés, tout autour du Pirée, des négociants banquiers qui acceptaient les dépôts, ouvraient des comptes courants, faisaient crédit, prêtaient à l'État, investissaient, on l'a vu, à risque, et tenaient à l'occasion le rôle de notaires. Déjà, selon la formule rendue célèbre en 1558 par Sir Thomas Gresham, « la mauvaise monnaie chassait la bonne ». On opérait avec l'une pour mieux thésauriser l'autre. « On ne connaît, note avec humour Galbraith, nulle exception à cette règle. La nature humaine peut bien être variable à l'infini, elle ne présente pas moins de constances. L'une étant que, pour peu qu'ils aient le choix, les hommes choisissent toujours de garder le meilleur pour ceux qu'ils aiment par-dessus tout : eux-mêmes[2]. » Il faut préciser

1. René Sédillot, *op. cit.*
2. John K. Galbraith, *L'Argent*, Paris, Idées/Gallimard, 1970.

en effet, que la manipulation monétaire s'amplifia en même temps que l'utilisation de la monnaie, les pièces étant allègrement grattées, rognées, limées et bien sûr contrefaites. Sous l'empereur Aurélien, la pièce d'argent la plus répandue contenait en fait 95 % de cuivre. Mais on n'appelait pas encore cela l'inflation !

Ce que j'ai voulu montrer par ce rapide rappel des antécédents de toute pratique économique, c'est que le capitalisme n'est pas un « moment » de l'évolution économique et sociale des sociétés modernes, mais constitue d'emblée, dès lors qu'une richesse particulière s'investit dans un processus productif dont la finalité est la recherche d'un marché, une invariance structurelle archétypique : un « état ».

Du capitalisme de monopole dans la république romaine

Nous avons déjà largement présenté des exemples qui montrent que, sous une forme ou sous une autre, ce qui fut continue d'être. Une citation d'un des plus grands chefs-d'œuvre de la littérature historique occidentale nous confirmera combien ce qui est fut déjà. Car ce n'est pas — ou ce n'est déjà plus — un précapitalisme primitif qui, par exemple, régit les rapports économiques au sein de la république romaine au lendemain des guerres puniques, c'est-à-dire il y a vingt-trois siècles, mais un capitalisme développé et sophistiqué qui anticipe de manière troublante la plupart des problèmes, aussi bien moraux que sociaux, auxquels nos sociétés industrielles libérales sont confrontées aujourd'hui.

Dans sa monumentale *Histoire romaine*, le grand historien allemand Theodor Mommsen (prix Nobel en 1903) dresse, en effet, un tableau saisissant de la Rome du IIIᵉ siècle av. J.-C. : « Dès le siècle de Caton, écrit-il, chose qui atteste un mouvement financier savant et régulier, au simple capitaliste s'est complètement substitué le banquier intermédiaire. Il n'est plus seulement le caissier des riches à Rome : partout il se mêle aux transactions de détail. Toutes les affaires de Rome se traitent désormais par intermédiaires. L'État donne l'exemple en abandonnant à des capitalistes, ou à des associations capitalistes, moyennant sommes fermes à payer ou à recevoir, tout le système si compliqué de ses recettes, toutes les fournitures, tous les paiements, toutes les constructions. Les particuliers, de leur côté, confient à l'entreprise [privée] tout ce qui peut être exécuté de cette sorte [...]. » Plus loin, il explique : « D'énormes capitaux refluent vers les fonds de terre et accomplissent la substitution des métairies et des vastes pâtures au petit labourage. Rome devient le centre où viennent tour à tour affluer les bénéfices réalisés dans l'immense mouvement des affaires conduites par ces capitalistes. La situation de la république n'a jamais eu d'analogue que celle occupée de nos jours [fin du XIXᵉ siècle] par l'Angleterre au regard du continent [...]. La grandeur des intérêts abandonnés par l'État aux intérêts privés exigeait que les fermes et les fournitures fussent soumissionnées par des sociétés et non par des capitalistes isolés. Tout le grand commerce s'organisait sur le modèle des entreprises... »

Poursuivant son analyse, Mommsen écrit : « Nous trouvons aussi à Rome la trace d'une entente entre les compagnies en concurrence par l'établissement commun de prix de monopole. C'était un principe, chez les hommes d'affaires, de s'intéresser à la fois à de nombreuses spéculations en ne prenant que de petites parts dans chacune. Polybe en témoigne : il n'y avait pas à Rome un seul homme riche qui, publiquement ou en secret, ne fût pas intéressé dans les sociétés fermières de l'État ; à plus forte raison avait-il toujours une forte part de ses capitaux placée dans les compagnies commerçantes. C'est à cette cause qu'il faut attribuer la durée des fortunes romaines, durée plus étonnante encore que leur énormité, les grandes familles restant intactes et semblables à elles-mêmes durant tout le long cours des siècles... »

Et, plus loin : « Les capitaux s'élevant sans contrepoids au-dessus de tous les autres éléments, les vices qui en sont inséparables dans toute société où ils dominent, naquirent ou pullulèrent bientôt. L'égalité civile, déjà blessée à mort par l'avènement d'une classe noble et maîtresse du pouvoir, reçut une nouvelle atteinte du fait de la division de jour en jour plus profonde entre les riches et les pauvres. A côté de l'aristocratie politique s'en fonda une autre, de la finance, dont la rivalité avec l'ordre noble remplira l'histoire des siècles à venir... »

Comment ne pas être frappé enfin par ces lignes : « La puissance exclusivement donnée aux capitaux eut également pour conséquence le développement disproportionné de la branche de commerce la plus stérile en général, en tout cas la moins productive dans l'économie politique. L'industrie, qui toujours devrait tenir le premier rang, était tombée au dernier. Comme, au fond du système purement capitaliste, il n'y a qu'immoralité croissante, la société et la communauté romaines vont se corrompant jusqu'à la moelle. Tous comprenaient qu'il importait bien moins de placer la spéculation sous surveillance de la police que de changer le système économique de fond en comble : c'est en ce sens que des hommes tels que Caton prêchaient, par la parole et l'exemple, en faveur de l'agriculture. Malheureusement, l'agriculture, ce remède tant et si candidement loué, tombait elle-même en défaillance, empoisonnée qu'elle était à son tour par les pratiques des capitalistes[1]. »

Texte saisissant. Tout y est, ou presque, on en conviendra : l'extension multinationale du capital bancaire, le développement d'une économie financière et spéculative au détriment de l'économie productive, le dépeuplement des campagnes sous la pression de l'industrialisation esclavagisée de l'agriculture, le triomphe des sociétés par actions aux intérêts croisés qui n'hésitent pas à s'entendre pour imposer des prix de monopole ; la croissance d'une bourgeoisie possédante de plus en plus oligarchique, assise sur un patrimoine spéculatif qui ressemble assez à nos Sicav, et qui finit par opposer la propre hérédité de ses grandes familles aux privilèges de l'ancienne noblesse terrienne ; l'apparition d'un impérialisme économico-financier dans le sillage d'un impérialisme militaire ; l'aggravation des inégalités sociales, la prolétarisation des agriculteurs, et, en conséquence de l'accès de quelques-uns à l'argent facile, le délabrement des valeurs morales et civiques ; l'aspiration, enfin, à chambouler l'ensemble du système, c'est-à-dire l'aspiration au socialisme.

Le cas de Rome, pour être exemplaire, n'était pas particulier. Carthage, quatre siècles av. J.-C., présentait, elle aussi, toutes les apparences d'un capitalisme financier multinational en pleine expansion. « Ce qui caractérise l'agriculture phénicienne, écrit Mommsen, c'est son étroite alliance avec la loi du capital. Les fabriques, les armements [de navires], alimentés par le commerce, rapportaient des moissons d'or annuelles à quiconque s'était établi dans leurs villes [des Phéniciens]. Leur immense monopole accaparait tout le trafic d'importation et d'exportation dans les parages

---

1. Theodor Mommsen, *Histoire romaine*, 2 vol., Paris, Laffont, coll « Bouquins », 1985, t. 1.

de la Méditerranée occidentale ; de même, tout le négoce international entre l'ouest et l'est venait se concentrer dans leurs ports. L'esprit même [la culture] s'était mis au service du capital. Carthage prête et emprunte aux autres puissances. Dans son système de valeurs elle fait entrer [...] un signe de convention sans valeur matérielle (une sorte de monnaie fiduciaire, en somme) et dont l'usage est encore inconnu partout ailleurs. Si un État pouvait n'être qu'une vaste entreprise de spéculation commerciale, il faudrait convenir que jamais sa fonction ne s'est mieux et plus complètement réalisée. A Carthage, l'argent l'emportait sur le sol. Le peuple était exclu de la propriété ; il appartenait à l'or des riches ou aux premiers cris de réforme des démagogues[1]. » Et le même auteur, évoquant ce qu'on appellera plus tard les contradictions interimpérialistes, s'interroge : « Peut-on s'étonner si les capitalistes romains, s'imposant à la politique extérieure, par rivalités de marchands, ont détruit Carthage et Corinthe, comme autrefois les Étrusques ont détruit Alalie[2] ? » La Rome qu'évoque Theodor Mommsen dans le passage cité plus haut était celle qui était sortie triomphante des guerres puniques. Or, quatre siècles plus tard, la cité impériale est confrontée exactement à la même problématique, comme si elle avait, en 400 ans de troubles, de guerres civiles, de révolutions et de conquêtes, passant entre-temps de la république à l'autocratie, géré les changements les plus vertigineux sans que les tendances lourdes inhérentes à son statut de place financière dominante s'en trouvent sensiblement affectées. Les lois de la logique capitaliste étaient à l'évidence déjà plus régulières, sinon intangibles, que ne le laisse supposer la diversité des événements qui n'avaient cessé de bouleverser « formellement » l'empire. Jérôme Carcopino, évoquant « les richissimes capitalistes qui, à l'époque de Trajan, pouvaient facilement posséder 500 ou 1 000 esclaves », précise : « Je ne pense pas que la concentration des capitaux ait été moindre à cette époque à Rome qu'en notre xxe siècle chez les hommes d'affaires de la City ou les banquiers de Wall Street [...]. Les listes des corporations attestent la puissance d'un mouvement d'affaires auxquelles collaborent, au sein d'un même groupe, l'aristocratie des patrons et la plèbe des salariés, sans que l'on soit capable de distinguer toujours en chacun

---

1. *Ibid.*
2. *Ibid.*

d'eux le marchand du financier, le négociant de l'industriel, le revendeur du fabricant, le trafiquant du capitaliste. Les grosses fortunes s'augmentaient spontanément de l'accroissement de leur propre substance, par l'effet d'une spéculation d'autant plus effrénée qu'à Rome, banque de l'univers, elle constituait le nerf d'une économie où le mercantilisme était en train de tout envahir[1]. »

Déjà ne se lamentait-on pas de voir les professions intermédiaires prendre le pas sur les fonctions directement productives ? « Si la petite bourgeoisie, en dehors de la ville, était encore payée pour croire au bienfait du travail, elle ne gardait plus, dans Rome, confiance en lui. » N'étaient-ils pas devenus rentiers, « ces administrateurs et ces actionnaires de sociétés publicaines dont les soumissions étaient garanties par leurs capitaux et dont les bénéfices enflaient leurs revenus[2] » ?

En quatre siècles, « le même » s'était recomposé, qualitativement et quantitativement, en fonction d'une dilatation de l'espace.

Le capitalisme, on le voit, n'est pas ce qui succède à l'esclavagisme et au féodalisme. Il participe d'une réalité sociale multiforme dont l'esclavagisme et le féodalisme, entre autres, sont les composantes. Il y a toujours, et par définition, du capitalisme dans l'esclavagisme ; le plus souvent de l'esclavagisme, fût-il symbolique ou ritualisé, dans le capitalisme ; et du féodalisme dans presque tous les cas. Et le communisme lui-même, dont on a voulu croire qu'il marquait une quatrième phase, n'a été qu'une parenthèse qui gela, en les étatisant, les structures invariantes avant de les restituer telles quelles.

Si la ruche avait eu son Rockefeller

Dira-t-on que le capitalisme prolonge socialement une innéité psycho-biologique ? Ce serait absurde, tant il est évident qu'aucun animal ne pratique le prêt usuraire, ne s'adonne à des investissements spéculatifs, ni même ne songe à produire pour vendre. Il n'est même pas prouvé que des animaux sociaux soient susceptibles de se livrer fût-ce à une esquisse d'accord de troc. La pratique capitaliste, telle qu'elle s'est structurée puis recomposée à partir

1. Jérôme Carcopino, *A Rome à l'époque de l'Empire*, Paris, Hachette, 1939.
2. *Ibid.*

de sa matrice invariante, est, nous l'avons vu, le produit d'une socialisation spécifique qui a auto-élaboré ses propres acquis : le premier échange commercial conscient impliquant au moins l'intuition d'une équivalence de valeurs, le premier calcul de rentabilité par comparaison de l'effort fourni et de l'utilité du produit fabriqué, la première projection de l'avantage qu'à terme on peut tirer d'un investissement immédiat, fût-ce l'acquisition d'un outil, constituent autant de moments essentiels et radicalement spécifiques qui marquèrent l'avènement de cet être unique qu'est l'homme social.

Mais si cette émergence de l'économique et l'évolution autonome de sa formalisation vers le modèle capitaliste traduisent (à partir de l'accès à cette « conscience de la conscience » qu'est la conscience de soi dans le groupe) l'adaptation des capacités cérébrales de l'*homo sapiens* socialisé à cette nécessaire conceptualisation adaptative, il ne s'agit pas, pour autant, d'un jaillissement miraculeux. L'hominisation par la socialisation incluait ce processus. Et il fut continu. Encore une fois, cette formidable nouveauté qu'est le troc (par mise en équivalence de deux valeurs) et, plus encore, l'échange médiatisé par une valeur de référence, n'ont pu advenir que solidement posés sur ce socle qu'était l'aspiration préprogrammée à l'appropriation personnelle d'un bien, à l'accumulation aussi, et la tendance innée à la défense de cette propriété (voire, dans certains cas, au respect de la propriété d'autrui). L'on en trouve la manifestation, déjà régulée, chez la plupart des primates développés.

On est donc en droit de supposer qu'une matrice capitaliste, en tant que pratique économico-sociale, intégra à sa formalisation de plus en plus sophistiquée l'ensemble des données psycho-biologiques qui résultaient de la chaîne sélectivement adaptative dont l'*homo sapiens* était l'émanation. Le « j'échange » fut certes un jour pensé, mais sans le « je prends » et le « je donne », sans le « je garde » ou le « je laisse », qui ne l'étaient pas nécessairement, il eût été impensable. Nous aurons l'occasion d'approfondir cette question, mais on pourrait, à l'extrême limite, se demander si le capitalisme n'aurait pas pu commencer avec la « conscientisation » d'une ruche : la rationalisation de la production, le partage du travail, la hiérarchisation pyramidale s'y trouvent. Mais c'est l'homme seul qui eut l'idée de transformer le résultat de cette

« fabrique mécanique » en source de profits individuels par l'intermédiaire d'un échange conceptualisé.

On en conclut que le capitalisme apparaît en quelque sorte comme la résultante économico-sociale d'une synthèse de prédispositions génétiquement intégrées, dont l'optimisation fonctionnelle et conceptuelle la plus adéquate au développement matériel de la socialisation a été peu à peu sélectionnée. Ainsi se serait auto-élaboré un processus qui n'avait plus qu'à remodeler sans cesse sa reproduction tendancielle. Cela ne signifie pas, bien au contraire, que toute l'évolution, ensuite, soit factice. D'abord parce que des modifications souvent radicales de l'environnement, de la technique, des conditions politiques ou de la législation sociale, l'apparition de nouvelles « donnes » objectives, enfin, non seulement déterminent des mutations de cette structure invariante, mais en suscitent sans cesse de nouvelles dont l'invariance devient un élément constitutif des nouvelles contradictions qui rythment l'évolution. Il est clair que la machine à vapeur a représenté, pour le capitalisme, un bond qualitatif et quantitatif considérable qui en a transformé la forme et le contenu, sans en changer nécessairement la nature ; la révolution informatique et robotique également, dont nous avons constaté au chapitre III qu'elle contribue à réinstaller, au cœur d'un capitalisme redéployé et restratifié une forme moderne, par le biais des flux migratoires, de néo-esclavagisme élargi.

A contrario, de même que la chute de l'empire communiste a débouché sur la restauration momentanée d'un capitalisme primitif et sauvage pour la simple raison qu'il échappait aux pressions politiques et sociales qui, en Occident, provoquèrent les mutations internes autoprotectrices de sa structure, de même la chute de l'Empire romain suscita un rétrécissement des courants d'échange et une « balkanisation » de l'espace communautaire qui renvoya, mais sous de nouvelles formes, le capitalisme esclavagiste développé à sa phase artisanale et agraire antérieure. Régression, mais pas retour en arrière.

Il n'y a pas eu, on le voit, progrès linéaire, mais remodelage en fonction d'un élargissement ou d'un rétrécissement de l'espace, les mutations technologiques provoquant dans tous les cas des effets de seuil : par exemple, au XVe siècle, l'amélioration des techniques de construction des caravelles qui rendit possible l'ouverture de nouvelles routes maritimes.

De la surproduction de richesses vécue comme une récession

Cela étant, si l'on étudie ce qui s'est passé à la suite de la découverte des Amériques et de l'extraordinaire afflux de richesses vers l'Espagne que suscita l'exploitation du Mexique et du Pérou, on constate que, sur une échelle différente, en fonction des conditions technologiques de l'époque, et par conséquent de manière quantitativement et qualitativement spécifique, se déroula un processus très exactement semblable à celui qui bouleversa la république romaine postérieurement aux guerres puniques, ou qui ébranla l'Europe occidentale au lendemain de la Grande Guerre de 1914-18.

Résumons ce processus exemplaire. L'afflux de métaux précieux provoque une flambée des prix. Sur une base 100 au XVe siècle, ils atteignent en Grande-Bretagne 250 au XVIe siècle, et 350 en 1673. L'inflation accentue les inégalités sociales. Les salaires ne suivent pas. Quand les prix sont multipliés par quatre, les salaires ne font que doubler. Le pouvoir d'achat a baissé en moyenne de 50 % au XVIe siècle. Paradoxalement, en revanche, l'inflation monétaire a eu pour conséquence qu'avec l'or on achète de plus en plus de marchandises (démonstration faite par l'Américain Earl J. Hamilton). D'où un taux d'épargne élevé et une croissance de l'investissement spéculatif — on imagine les fractures sociales qui en résultent. Alternent alors révoltes et mesures coercitives de protection de l'ordre public. En France, une ordonnance de Villers-Cotterêts (1539) interdit les coalitions ouvrières. Puis, par décrets, en 1554, en 1567, en 1577, on tente de contrôler ou de bloquer les prix et les salaires. A chaque fois, c'est un échec. En Grande-Bretagne, des milliers de paysans chassés de leurs terres et devenus semi-délinquants sont pendus en vertu de la loi contre le vagabondage (contre les SDF, dirait-on aujourd'hui). On cherche des responsables. Qui pourrait admettre que c'est la surabondance de richesses, favorisant une économie spéculative, qui a provoqué un appauvrissement de la plus grande partie de la population par gonflement monétaire excessif ? On incrimine donc les intermédiaires, les marchands, les étrangers, les usuriers (c'est-à-dire les Juifs). On a recours au contrôle des mouvements de capitaux : interdiction en Espagne d'exporter de l'or ou de l'argent, en France de sortir de la monnaie. Puis, à mesure que les balances commerciales se détériorent, les théories protectionnistes et les pratiques dirigistes prennent de l'ampleur. D'un côté, on concède des monopoles (création de la Banque d'Amsterdam), on multiplie les privilèges commerciaux ; de l'autre, on s'oppose à l'entrée des marchandises par des prohibitions ou des hausses de taxes douanières. On peut lire dans un libelle anglais de 1549 : « Par l'arrêt de l'importation des marchandises fabriquées à l'étranger et qui pourraient l'être chez nous, je pense que nos cités pourraient bientôt retrouver leur ancienne richesse. » En 1662, un rapport au conseil privé de la Commission britannique de la draperie précise : « Il faut qu'il soit remédié au déficit de notre commerce extérieur, car si les importations de vanité l'emportent sur les exportations de nos produits, les réserves de ce royaume seront gaspillées, car il faudra exporter des espèces pour rétablir l'équilibre. » Dès 1568, le théologien Thomas de Mercado a formulé une très « moderne » théorie des échanges fondée sur la disparité des pouvoirs d'achat. Pendant ce temps, les actionnaires de la Compagnie hollandaise des Indes orientales, qui dispose de sa propre flotte, de sa propre armée et même de sa propre diplomatie, empochent des dividendes allant de 15 à 30 %.

On remarque que, comme aujourd'hui, les monnaies des pays dominants deviennent monnaies de réserve et de référence. Déjà au XIIIᵉ siècle, le « florin » de Florence ou le « ducat » de Venise pouvaient être considérés comme les « dollars du Moyen Age[1] ». Il est d'ailleurs remarquable qu'au cœur même du Moyen Age, en France, on fît volontiers référence, pour apprécier une valeur, au « besant » ou sou byzantin, ou au « mancus » ou dinar arabe, alors qu'on ne trouvait pas ces monnaies dans le pays, simplement parce qu'elles évoquaient la puissance de ceux qui les avaient émises.

On excusera le caractère extrêmement succinct de ce résumé d'un bouleversement complexe, contradictoire et surtout très contrasté, qui couvrit près d'un siècle et demi. Il n'a d'autre utilité que de montrer : 1) que les thèmes économiques dominants aujourd'hui étaient des thèmes particulièrement en vogue au XVᵉ siècle et suscitaient des prises de position comparables ; 2) que certains pays européens vécurent comme une récession majeure les conséquences d'une crise de surproduction ponctuelle à

---

1. Pierre Vilar, *op. cit.*

l'échelle mondiale, et du basculement, par suite de la surabondance de fortunes retirées de la production directe, d'une économie productive fermée vers une économie spéculative ouverte ; 3)
que ce processus étant pratiquement le même que celui que
connut, par exemple, Rome au IIIe siècle av. J.-C. ou à l'époque
de Trajan, on ne voit pas ce qui justifie la théorie qui fait remonter
au XVe siècle la naissance du capitalisme.

C'est pourquoi nous prétendons que nous nous trouvons en face
non d'une succession progressive de rapports de production totalement différenciés tendant à l'émergence finale d'un système synthétique parfait, mais d'une continuelle adaptation de structures
invariantes à la transformation profonde et parfois brutale des
conditions de leur fonctionnement.

Les aventures de la théorie de la plus-value

C'est dire que les événements politiques et les luttes sociales —
autrement dit les « ruptures » — jouent un rôle considérable que,
paradoxalement, ne leur confère pas la théorie de la succession
mécanique et déterministe de systèmes de production différenciés
dont l'articulation serait préinscrite dans la chaîne majestueuse
d'un progrès linéaire.

Un exemple : la bonne vieille théorie de la plus-value, que Marx
a empruntée à Ricardo, donne à croire que l'histoire du capitalisme se réduit aux efforts du patronat pour confisquer aux travailleurs salariés une part toujours plus grande de leur force de travail
(ou de leur temps de travail investi) qui détermine la valeur de la
marchandise. On ne pourrait rien faire contre cette loi intangible,
pas de véritables recompositions possibles : on s'y résout ou on
fait la révolution. En fonction de quoi, le prolétariat ne saurait
mener qu'un combat défensif, jusqu'au passage hypothétique au
socialisme salvateur !

Or, c'est le processus inverse que nous entendons mettre en
évidence. Spontanément, le capitalisme tend, certes, à reproduire
le modèle esclavagiste qui a présidé à son avènement : échange
d'une force de travail contre les conditions minimales de son
entretien. Mais, dans la mesure où le capitalisme industriel a une
histoire, celle-ci est marquée par la propension toujours plus
affirmée des salariés à récupérer une fraction croissante de la part

de la valeur déterminée par le temps de travail consacré à la produire ; jusqu'à ce que le salaire et les prestations sociales englobent effectivement non seulement l'essentiel de la valeur déterminée par leur travail (dont l'évaluation est au demeurant très subjective), mais, de surcroît, une partie de la survaleur qui correspond à un renchérissement de la marchandise produite grâce à une excitation artificielle de la demande. Il arrive même un moment, dans les pays industriels développés, où la rémunération globale de la main-d'œuvre dépasse la seule valeur d'usage de la marchandise et où les salariés touchent en réalité une partie de la taxe complémentaire perçue sur le consommateur. La société de consommation (où c'est la demande, exacerbée par la publicité, et non le travail investi, qui détermine la valeur d'échange) correspond en quelque sorte à une redistribution au producteur d'une partie de la plus-value produite par le consommateur.

Cela signifie quoi ? Que l'évolution progressive des rapports de production, loin d'être mécanique et purement déterministe, est constamment rythmée par l'intervention collective, politique et sociale de ses principaux acteurs.

Autrement dit, il n'y a pas une logique autonome de l'évolution des rapports de production que les hommes subiraient, mais une action constante des hommes sur les structures invariantes, dont ils précipitent les mutations et orientent les remodelages. Le capitalisme s'autoprotège structurellement en s'adaptant sans cesse à cette pression collective. Il restaure ses invariances en intégrant constamment leurs contradictions. Il ne s'identifie pas à un « moment » du progrès, mais il adapte chacun de ses « moments » à une dynamique environnementale déstabilisante ou subversive qui, entre autres, produit du progrès. Et, en même temps, condition même de l'invariance de sa structure, le capitalisme compense la redéfinition constante de sa modernité, son autosubversion adaptative, en renouant à ses marges — ou à sa périphérie — avec des permanences tendanciellement régressives : par exemple, dans le cas que nous observons, en réintégrant à sa base, grâce à l'appoint d'une main-d'œuvre immigrée de plus en plus lointaine et bon marché, le mécanisme original de la plus-value maximale qui consiste à échanger une force de travail contre les simples conditions minimales de son entretien ; ou encore en installant ses usines dans les pays à faible pouvoir d'achat, dépourvus de protection sociale, sachant que, grâce justement à ce transfert, ces pays connaîtront à leur tour le même type d'évolution que celui qui a transformé l'économie des nations occidentales développées. Et alors il faudra trouver « autre chose ».

De l'invariance mentale capitaliste dans un système communiste

Il en résulte que c'est l'action réformiste constante exercée sur le capitalisme qui le transforme, et non sa négation : l'échec du communisme a spectaculairement montré que la mise entre parenthèses, artificielle et brutale, de la structure capitalistique invariante n'était pas parvenue à éradiquer la structure mentale qui à la fois l'alimente et en découle, et dont nous avons démontré précédemment qu'elle tend à devenir autonome. La liquidation apparente, en Union soviétique, des rapports de production capitalistes en tant qu'infrastructure sociale, n'a en rien fait disparaître les mentalités tendanciellement capitalistes en tant que superstructure idéologique. Ce qui explique que, à partir du moment où la chappe de plomb du contrôle totalitaire a sauté, tous les rapports d'échange et d'exploitation de type capitaliste se sont spontanément développés de manière aussi naturelle, sauvage et parfois primitive. Si le capitalisme qui se développe aujourd'hui en Russie — ou en Chine — prend des formes aussi basiques, c'est qu'il retrouve le lit abandonné de sa structure invariante originelle sans avoir connu les recompositions internes qu'eussent nécessairement provoquées, en soixante-dix ans, les pressions collectives, les subversions sociales, les interpellations critiques gelées et neutralisées par trois quarts de siècle de système socialiste cadenassé. Le capitalisme qui, en Russie, réintègre le réel est celui qui, à l'état brut, subsistait tel quel dans les têtes.

Une structure mentale se situe à la fois en amont et en aval d'une structure sociale ; ou, plus exactement, toute structure sociale invariante représente la projection sociale d'une structure mentale invariante, en même temps qu'elle se heurte à elle en se remodelant et finit par intégrer cette contradiction à la normalisation de son remodelage. Le capitalisme est en partie la projection objective d'une invariance subjective ; mais cette subjectivité, devenue autonome, participe ensuite de la recomposition de cette objectivité, en la contredisant et en la subvertissant à son tour. Les exemples russe et chinois démontrent que l'action répressive sur la réalité objective qu'est le capitalisme en tant que système économique ne détruit pas la tendance subjective, et que cette tendance subjective laisse toujours ouverte la possibilité de réamorcer cette réalité objective.

Est-ce à dire qu'il serait absurde de se déclarer adversaire du capitalisme ? Qu'admettre son caractère structurellement invariant implique un ralliement inconditionnel à son principe ? Évidemment pas. On peut condamner la violence, récuser son emploi, et ne pas imaginer un instant qu'il soit envisageable de l'abolir par décret. A l'inverse, prendre en compte la permanence de cette violence, fût-elle assassine, ne signifie pas que l'on s'y rallie ou qu'on la justifie. Admettre que le crime n'est pas expulsable des recoins de nos sociétés, parce qu'inexpugnable de tous les replis de notre inconscient, ne signifie en rien qu'on s'interdise de le combattre, de le traquer, de le punir. D'autant que, contrairement à la violence (résultant de pulsions quasi immuables), le capitalisme est doté d'une élasticité qui lui permet, en repoussant toujours plus loin ses butoirs, d'intégrer ses contradictions à sa structure et de consolider son invariance par la transgression continue de sa propre rationalité.

Paradoxalement, répétons-le, c'est l'abolition autoritaire (ou plus exactement totalitaire) du capitalisme en Russie ou en Chine qui a permis à celui-ci de se réinstaller paresseusement dans sa structure d'origine, comme si de rien n'était, alors que sa contestation démocratique et continue à l'ouest, les contradictions suscitées par son propre fonctionnement, les réformes qui ont contrarié sa logique, l'ont forcé à démocratiser toujours un peu plus sa forme, à socialiser toujours un peu plus sa dynamique, et, pour ce faire, à refouler toujours plus loin (ou plus bas), à sa périphérie ou dans ses marges, les mécanismes néo-esclavagistes de sa substance originelle pour autoprotéger l'invariance de sa structure globale.

A quoi il convient d'ajouter que l'élasticité d'une structure invariante comme le capitalisme joue dans tous les sens, et qu'une moindre pression collective, une neutralisation passagère de sa contestation continue, une démission de la pensée critique, l'incitent à recomposer sa structure de base dont le néo-esclavagisme reste une composante. Tendanciellement, s'entend. Car cette régression ne débouche jamais sur un retour pur et simple à la forme primitive de la structure invariante. Et cela, pour une raison essentielle que nous avons déjà évoquée : c'est que les mutations internes qui affectent une structure invariante influent à leur tour sur les invariances mentales qui en résultent ; toute évolution objective suscite son émanation subjective.

Dès lors, toute régression, sous forme de retour tendanciel à la structure primitive, est certes favorisée par la persistance des structures mentales archaïques, mais se heurte plus encore à de nouvelles invariances psychologiques, reflet autonomisé des mutations sociales intervenues entre-temps. Cette résistance prend, par exemple, la forme de l'attachement spontané, parce que mentalement intériorisé, aux droits acquis. Il est possible d'employer « au noir » des Sri-Lankais sous-payés et dépourvus de toute couverture sociale, mais très difficile, sinon totalement impossible, non seulement de rétablir l'esclavage, mais même de remettre en cause le principe du salaire minimum garanti. On installera plus facilement, en temps de crise majeure, une dictature de salut public qu'on ne parviendra à remettre en question la couverture sociale des salariés.

Où l'on découvre qu'une régression n'empêche jamais l'irréversibilité

L'exemple de la restauration de 1815 en France est à cet égard tout à fait éclairant. Elle se voulait en principe (et sans fausse pudeur) retour à une légitimité indûment interrompue par une série d'inqualifiables usurpations. Fin d'une simple parenthèse, en quelque sorte ! Pendant vingt-six ans, depuis 1789, il ne s'était rien passé d'autre que le pire. Les comtes de Provence et d'Artois s'étaient même, en 1788, opposés à Necker, qu'ils trouvaient trop réformiste, et à Louis XVI, leur frère, qu'ils jugeaient trop mou. Ils étaient revenus, comme on dit, dans les « fourgons de l'étranger », suivis d'une meute de *ci-devant* perruqués qui n'avaient rien appris et rien compris. La population, saignée à blanc par l'aventure napoléonienne, était apparemment tombée dans un état de totale léthargie, et il suffisait, en outre, d'évoquer les atrocités de la Terreur pour susciter son effroi. Toutes les conditions étaient donc réunies pour que, sous l'égide d'une monarchie réinstallée dans ses meubles, l'héritage de la Révolution, qui avait résisté à l'Empire, fût impitoyablement balayé.

Et, en effet, on fit semblant de revenir au point de départ. On joua, pour une petite galerie courtisane, la farce du retour à l'Ancien Régime. Mais, à y regarder de près, on ne se risqua même pas à remettre en cause les acquis sociaux essentiels de la Révolution française, ceux que l'Empire avait intégrés et qui avaient à la fois engendré une nouvelle recomposition sociale (résultant en particulier de la vente des biens nationaux) et déterminé des mutations collectives de mentalités qui s'étaient stabilisées en s'autonomisant.

Donc la formidable spoliation qui avait permis de transférer à la petite et à la grande bourgeoisie une large part de la propriété récupérée sur la noblesse et le clergé, ne fut absolument pas remise en question, ce qui revenait à légaliser l'acquis fondamental de la Révolution. Un bouleversement radical des structures de propriété avait, en vingt-cinq ans, engendré une mutation tout aussi radicale des structures mentales, au point que même les rescapés de l'Ancien Régime considéraient comme intangible l'invariance mentale issue de la recomposition d'une invariance sociale. De la même façon, on ne revint officiellement ni sur l'abolition des privilèges, ni sur l'égalité devant la loi, ni sur le principe du système parlementaire, institutionnalisé par la Charte. En réalité, la Restauration, malgré les apparences, ne restaura pas.

Nous l'avons déjà souligné : la Révolution française buta sur les invariances structurelles, sociales ou mentales, qu'elle tenta d'attaquer de front, ignora ou chercha à escamoter ; mais s'imposa, même à ses plus énergiques adversaires, lorsqu'elle recomposa de l'intérieur ces invariances sociales, ou initia, par la loi, des réformes qui favorisaient l'émergence de nouvelles invariances mentales. A cet égard, il est frappant de constater que la contestation à laquelle se heurta la Restauration, et qui déboucha sur la révolution de 1830 (puis sur laquelle se fracassa ensuite la monarchie de Juillet) fonctionna sur le mode de la mémoire. Le millénarisme révolutionnaire avait certes échoué, la défaite politique des républicains était pour un temps consommée, mais le « mythe » révolutionnaire, comme point de départ d'une recomposition sociale, était désormais solidement ancré dans la nouvelle réalité.

Finalement, avec le recul, ce ne fut pas la Révolution qui fut une parenthèse, mais la Restauration : tout simplement parce que les mutations des structures sociales et mentales initiées en 1789 prédéterminaient l'évolution qui se réalisa à travers la réémergence de la République, et ne permettaient plus un retour pur et simple à la situation antérieure, c'est-à-dire au point de départ.

C'est si vrai que la révolution de 1830 s'organisa spontanément en réaction à des initiatives excessivement réactionnaires qui donnèrent à croire que le pouvoir monarchique était, cette fois, décidé à ressusciter l'Ancien Régime ; et cette spontanéité de la riposte peut être assimilée à une résistance naturelle, autoprotectrice, des nouvelles structures invariantes — nouvelles parce que recomposées par mutations internes — qui avaient largement pris le pas, l'émanation de nouvelles structures mentales aidant, sur l'ancien état de structures dont les valeurs de la monarchie légitimiste continuaient d'être le reflet. On assista au même phénomène, et pour les mêmes raisons, en Grande-Bretagne où, après l'épisode cromwellien, la restauration de Charles II ne permit pas de récuser purement et simplement les acquis de la révolution, au point qu'une esquisse de retour à l'état antérieur, attentatoire aux nouvelles structures sociales et mentales qu'avait contribué à remodeler la rupture de 1648, provoqua une sorte de rebond révolutionnaire, en 1688, au détriment de Jacques II.

Ainsi constate-t-on que, dans presque tous les cas, après un épisode de rupture, la tentation de revenir aux formes antérieures, avant recomposition, des structures invariantes, provoque un processus de rebond des événements qui avaient engendré des réaménagements structurels. Une nouvelle invariance mentale autonomisée se heurte à l'invariance, elle aussi autonomisée, des mentalités façonnées par l'ancienne structure sociale avant recomposition.

Même la Commune de 1871 (qui se heurta aux invariances qu'elle violait sans parvenir à enclencher le moindre processus de mutations structurelles) eut en revanche une influence considérable à travers la mémoire mythifiée qu'exacerba la répression versaillaise, et qui fonctionna pendant plus d'un siècle sur le mode d'une constante psychologique collective, autrement dit d'une structure mentale invariante.

On n'achève jamais les vieilles structures mentales !

Nous avons vu que l'évolution du capitalisme vers une économie monétaire toujours plus sophistiquée n'abolit aucune des formes antérieures, pas même l'accord de troc ou la référence à une monnaie marchandise. Mais ces formes rémanentes jouent globalement un rôle de plus en plus marginal (bien que, localement, ce rôle puisse épisodiquement être essentiel). D'une façon générale, l'apparition de nouvelles invariances structurelles, en particulier mentales, fruit des mutations internes qui ont affecté les structures invariantes antérieures, n'éradique pas ces dernières ni ne les rend obsolètes. Néanmoins, elle les marginalise, aussi importante que soit leur fonction ponctuelle.

C'est ainsi, pour prendre un exemple simple, que la totale victoire scientifique de la théorie galiléenne du mouvement et de l'inertie sur la théorie scolastico-aristotélicienne n'empêche pas — aujourd'hui encore — un nombre considérable de gens de se mouvoir mentalement dans un espace aristotélicien et de considérer que le mouvement est toujours la conséquence transitoire d'un heurt ou d'une traction, donc d'un désordre, tout objet tendant naturellement à revenir à l'état de repos. D'autres resteront toute leur vie convaincu qu'un kilo de plomb tombe plus vite qu'un kilo de liège, voire que ces objets ne chutent qu'en vertu d'une loi qui les dirige inéluctablement et universellement du haut vers le bas.

Certes, d'un point de vue scientifique, la cause est entendue : la loi galiléenne de l'inertie établissant que tout mouvement est, au même titre que l'immobilité, naturellement infini et uniforme l'emporte sur le dogme scolastique ; mais ce dogme-là, aussi caduc soit-il, n'en exprime pas moins, mieux que la théorie mécanique elle-même, une conception spontanée du mouvement et de l'espace qui constitue en elle-même une structure mentale invariante. Il n'en découle évidemment pas qu'il soit possible, ou même envisageable de restaurer la théorie scolastico-aristotélicienne du mouvement en balayant la révolution galiléenne du champ de la connaissance ; mais que ce savoir théorique ne suffit pas à neutraliser une vision empirique antérieure qui correspond aujourd'hui — et correspondra sans aucun doute demain — à cette invariance mentale qu'on qualifiera de « philosophie du bon sens ». Encore notre exemple est-il quelque peu biaisé dans la mesure où il recoupe un antagonisme structurel plus large entre réalité des apparences et vérité des concepts, la démarche théorique seule proposant sa médiation. En l'occurrence, il est tout à fait possible, et de façon concomitante, de penser la structure galiléenne et de vivre la structure aristotélicienne ; de donner à l'une sa raison et d'offrir à l'autre son instinct.

Aussi la même remarque sera-t-elle plus probante à propos du darwinisme : car il est évident qu'outre les démonstrations théoriques, toutes les confirmations expérimentales et autres preuves empiriques n'empêcheront jamais des centaines de millions d'individus d'être convaincus — aujourd'hui et demain — que Dieu, de quelque nom qu'on l'affuble, a effectivement et personnellement créé l'homme, à son image ou pas. Or, cela ne signifie nullement qu'il soit envisageable de rétablir le dogme biblique, fixiste, créationniste ou même vitaliste dans son statut de théorie unique, ou même dominante, de l'origine de l'homme.

Ce qui est vrai dans le domaine de l'évolution scientifique (non pas, au niveau des mentalités, extermination d'une théorie par une autre, mais victoire purement scientifique et d'ailleurs provisoire, car dépassable, d'une théorie sur une autre) l'est davantage encore dans le domaine de l'évolution politique, économique et sociale. La victoire d'une « forme » issue de la recomposition d'une invariance (par exemple la république ou le capitalisme technologico-financier) laisse derrière elle, comme des séquelles pratiquement irréductibles des formes économico-sociales antérieures, toutes les structures mentales devenues autonomes engendrées par l'état précédent de l'invariance sociale avant recomposition. Le capitalisme multinational, abstraitement financier, hautement technologique, domine aujourd'hui, mais la réalité économique est faite de la permanence de tous ses états antérieurs, y compris l'échange primitif, le commerce en vase clos, l'artisanat, la manufacture, le latifundisme et, bien sûr, l'exploitation néocoloniale, le féodalisme localisé et le néo-esclavagisme ; la raison essentielle étant que la forme du capitalisme moderne a été déterminée par une modification radicale des rapports espace/temps, mais que l'on continue de produire et de commercer dans l'ancien espace et au rythme de l'ancien temps.

La forme monarchique a disparu, en France, en tant que réalité formalisée : mais la structure mentale, tendanciellement monarchique, demeure une dimension invariante de notre configuration politico-sociale, même si cette structure invariante a glissé du statut de dominant à celle de dominé. Le stalinisme de gauche est passé, tout en restant structurellement invariant, d'un état idéologique central à une position idéologique marginalisée. Mais, d'une part, le caractère invariant de ces structures dévalorisées ne nous met jamais à l'abri de leurs brusques revalorisations, fût-ce sous la pression d'un événement extérieur (ainsi la contre-révolution pétainiste), d'autre part, cette résurgence ou réémergence (d'ailleurs toujours provisoire) ne se réduit jamais à un retour pur et simple au point de départ, c'est-à-dire à une « restauration ». C'est ce que la plupart des monarchistes français, pourtant redevenus majoritaires au Parlement, comprirent en 1873 lorsqu'ils renoncèrent à remplacer le drapeau tricolore par l'antique drapeau blanc, comme l'exigeait le prétendant au trône Henri V, quitte, par ce refus, à favoriser la consolidation de la république. C'est que le drapeau tricolore symbolisait une nouvelle invariance mentale issue de la recomposition d'une invariance sociale, alors que le drapeau blanc, au-delà du principe monarchique, apparaissait comme le fanion dérisoire d'invariances mentales désormais sans base sociale, donc en perte de statut.

En résumé — et on excusera la lourdeur de la proposition —, une structure invariante ne joue jamais à huis clos. D'emblée, elle s'articule à un rapport antagoniste avec d'autres invariances structurelles, tel celui qui oppose, nous l'avons vu, dès l'aube de l'évolution sociale diversifiée, la tendance à l'asservissement de l'autre et l'aspiration à la liberté et à la sécurité communautaires. Ces contradictions sont elles-mêmes structurellement invariantes : c'est l'effet « thermodynamique » de leur affrontement, la constante nécessité constante de leur dépassement dialectique qui provoquent, accélèrent, exacerbent les mutations internes dont sont issues les formes toujours rénovées d'invariances sociales ; celles-ci engendrent les nouvelles structures mentales, lesquelles deviennent à leur tour invariantes en s'autonomisant. Et ces « nouvelles » structures mentales devenues invariantes entrent en contradiction avec la tendance de toute structure sociale à retrouver son lit d'origine, sous l'influence des « anciennes » structures mentales (restées elles aussi invariantes en s'autonomisant) qui reflètent l'état antérieur des choses.

D'où un enchevêtrement de contradictions, chaque produit de l'une se heurtant ensuite aux causes de l'autre, qui s'offrent comme carburant à l'évolution ; évolution qu'on ne saurait assimiler purement et simplement au « progrès » dans la mesure où le renouveau et le régressif s'y livrent une lutte toujours recommencée, faite d'avancées et de retraites, parfois de progressions fulgu-

rantes ou de reculs catastrophiques, les avancées les plus spectaculaires pouvant engendrer, en retour, des reculs dramatiques, et les
reculs les plus considérables pouvant déclencher, par réaction, des
processus progressistes momentanément irrésistibles.

Établir qu'il n'y a jamais de simples retours en arrière ne signifie
donc pas que l'histoire ne cesse de se projeter en avant. La période
régressive de la féodalité l'indique assez. C'est pourquoi nous
avons qualifié de « dialectique » le processus qui fait surgir un
progrès tendanciel, à moyen ou long terme, du choc toujours
recommencé entre une invariance sociale recomposée et les traces
mentales restées invariantes de l'état de structure antérieur.

Le communisme a existé : les Russes l'ont rencontré

A cet égard, le cas particulier des anciens pays communistes est
éloquent : chacun voit bien, en effet, que leur état actuel, purement réactif, ne saurait s'identifier au type de devenir qui équivau-
dra pour eux à un progrès tendanciel. Certes, il est infiniment peu
probable qu'on assistera jamais à la restauration, en l'état et en
lieu et place, de la forme hégémonique et totalitaire que le socialisme « réel » avait pris dans ces pays. Néanmoins, et bien que son
instauration ait revêtu un caractère artificiel et autoritaire, qu'on
se soit contenté de plaquer par la terreur une structure décrétée
sur une structure naturelle, il n'est pas déraisonnable d'imaginer
que ce socialisme « réel » ait engendré des structures mentales
devenues invariantes — même si Zinoviev en a, pour sa part, exagéré l'incontournabilité —, et il est aussi peu raisonnable de croire
que pourrait être liquidée par oukase, ou balayée par le simple
jeu de la loi du marché cette tendance fortement câblée dans les
esprits à reproduire spontanément les structure sociales qui ont
présidé à ce câblage.

La Russie nous offre aujourd'hui le cas très intéressant d'un
pays où, d'une part, a triomphé du système totalitaire qui avait
prétendu nier cette structure tendanciellement invariante qu'est le
capitalisme, et où, d'autre part, ont résisté à sa pure et simple
restauration les structures mentales invariantes suscitées et modelées par cette négation.

Tout ce que nous avons analysé plus haut montre que le rejet
total et radical de l'ensemble de l'héritage soviétique, au risque de

se heurter de front à toutes les structures mentales autonomes modelées par l'ancien ordre social, est peu imaginable, sauf à provoquer, en retour, un rebond révolutionnaire : non pas retour à Robespierre, mais appel à Louis-Philippe. Il s'agirait alors de la seconde revanche des structures bousculées. De la recomposition spontanée, comme en 1830 à Paris, d'un équilibre entre les invariances violées par la Révolution et celles qui, issues de cette même Révolution, ont été violentées par la Restauration.

L'analyse des invariances mentales structurellement déterminées par le système communiste — malgré son radical échec pour cause de déviance révolutionnariste — reste à faire. S'exonérer de ce travail, sous prétexte qu'il ne saurait y avoir de réalité « psychologique » (la dictature totalitaire une fois renversée) échappant intrinsèquement à la logique libérale, n'évitera ni les déboires ni les déconvenues.

Notons, à ce propos, que certains historiens allemands ont tendance à ne plus considérer le nazisme comme une parenthèse de l'histoire allemande, mais comme un processus révolutionnaire qui à la fois mobilisa en sa faveur, en les exacerbant, un certain nombre de structures mentales invariantes, mais en même temps accéléra l'émergence, par recomposition interne des vieilles structures sociales, d'une mentalité nouvelle issue du formidable brassage social et de la puissante intégration économique et culturelle que l'aventure hitlérienne provoqua, volontairement ou involontairement. Robert O. Paxton fait une remarque assez semblable à propos du régime pétainiste, qui engendra ses propres invariances (pour ne prendre qu'un exemple, purement formel, ce n'est pas demain qu'on supprimera la fête des Mères) pour relayer celles qui avaient favorisé son avènement[1]. Et cela, bien qu'il fût globalement sans issue, car il se heurtait à une réalité qui avait été largement façonnée par l'œuvre progressivement réformiste de la IIIᵉ République.

De tout ce qui précède, nous déduisons que l'émergence continue de nouvelles invariances mentales suscitées par les mutations internes des structures économiques et sociales, sous la pression d'initiatives politiques, de la pensée critique et d'innovations technologiques, engendre une complexité toujours plus grande de la société, multiplie les lieux de contradiction, oppose à tous les

---

1. Robert O. Paxton, *La France de Vichy*, Paris, Éd. du Seuil, 1974.

niveaux non seulement des invariances structurellement antagonistes, mais également les invariances mentales suscitées par les
recompositions aux invariances sociales dont elles sont issues, et
les nouvelles structures sociales aux séquelles mentales des structures antérieures, ce qui rend pratiquement impossible une pure
et simple restauration de l'état antérieur.

Et nous retrouvons ici l'analyse que nous avons esquissée plus
haut de l'évolution du capitalisme. L'une des invariances auxquelles le capitalisme se heurte prend justement la forme de l'aspiration tendancielle au socialisme : c'est même là un des obstacles
constamment opposés à la tendance du capitalisme à regagner son
lit d'origine. L'aspiration au socialisme constitue une tendance
structurellement invariante en ce qu'elle s'insinue dans les interstices du capitalisme, dont elle renverse en quelque sorte spontanément les tendances. Elle traduit à l'envers ce que le capitalisme
exprime. Elle est, en tant qu'aspiration, la conséquence d'un processus qu'elle accompagne en creux. Et, comme dans le cas du
rapport antagoniste mais complémentaire entre tendance à l'esclavagisme et aspiration à la sécurité et à la liberté communautaires,
le couple « tendance au capitalisme »/« aspiration au socialisme »
noue déjà, dans sa forme primitive, un rapport contradictoire lui
aussi structurellement invariant.

Bien sûr, cette contradiction est d'abord latente. Je ne crois pas
que l'organisation économique et sociale ait d'abord pris la forme
d'un communisme primitif, tel que le postulait Lewis H. Morgan
à la fin du XIXe siècle, et dont Engels reprit l'idée dans son *Origines
de la famille, de la propriété et de l'État.* (Durkheim lui aussi n'était
pas loin de cette conception.) Ce qui est originel, ce n'est pas le
communisme, c'est le capitalisme implicite en tant qu'il synthétise,
en un processus unique, tous les ingrédients naturels constitutifs
de la socialisation. Les singes ne partagent pas. En revanche, le
processus capitaliste, même dans son expression la plus primitive,
au niveau de la horde, suscite, fût-ce là aussi sous la forme la
plus primitive, sa contradiction ou sa contestation de caractère
collectiviste ou préétatique. Ce n'est pas « en soi » que la secte
juive des Esséniens ou les premiers chrétiens de Jérusalem s'es-
sayèrent à la communauté des biens, mais en « réaction à ». Et
lorsque l'évêque de Carthage, saint Cyprien, au IIIe siècle de notre
ère, incite les fidèles au partage intercommunautaire, il s'exprime

avec d'autant plus de force qu'il s'oppose, à l'évidence, à une forte tendance contraire.

C'est en quoi nous conjecturons que si le socialisme ne constitue pas, à proprement parler, une invariance organisationnelle comme le capitalisme, l'aspiration au socialisme s'apparente en revanche à une invariance réactive. Elle participe contradictoirement de l'invariance capitaliste. D'une part, elle est nécessaire à sa recomposition (on peut imaginer que toute socialisation, même au niveau de la horde, exigea à l'origine que la tendance spontanée à l'appropriation individuelle et au profit personnel fût contrebalancée par des règles imposées organisant une certaine répartition collective de nourriture en échange d'une distribution collective de certaines tâches essentielles, en particulier de chasse, d'entretien et de défense). D'autre part, cette aspiration au socialisme résulte des excès, toujours recomposés, inhérents à la logique capitaliste elle-même. Produit réactif du capitalisme, elle lui revient en quelque sorte en tant que correctrice de sa déviance et catalysatrice de ses mutations. C'est en quoi l'invariance de l'une est consubstantielle à l'invariance de l'autre.

Quand les Romains faisaient du socialisme sans le savoir

Évoquons simplement un exemple bien connu. A Rome, dès le IIᵉ siècle av. J.-C., les tribuns de la plèbe mettent au premier rang de leurs revendications la réforme agraire (redistribution) et l'attribution au peuple de moyens de subsistance minimaux (distribution) : d'un côté, volonté de récupération sur le riche, de l'autre, exigence d'une protection sociale assumée par l'État. De la loi frumentaire que fit adopter Caius Gracchus en 124 av. J.-C., Appien écrit par exemple : « Il fit décréter que chaque plébéien de la classe des pauvres recevrait par mois, aux frais du Trésor public, une mesure de froment, genre de libéralité jusqu'alors sans exemple. Cet acte de son administration, dans lequel il fut secondé par Fulvius Flaccus, échauffa en sa faveur l'affection du peuple. »

En fait, cette loi frumentaire stipulait que chaque citoyen résidant à Rome recevrait régulièrement tous les mois un boisseau de blé à prix réduit grâce aux subventions de l'État. Mais ce prix, sous la pression populaire, ne cessa d'être abaissé, et en 58 av. J.-C. la distribution devint gratuite. Elle prit par la suite, sous l'Empire, des proportions considérables.

Quant au frère aîné de Caius, Tiberius Gracchus, il se rendit éternellement célèbre en faisant voter une loi agraire fixant une limite à la possession individuelle de l'*ager publicus* et prévoyant la redistribution aux citoyens pauvres des terres ainsi récupérées, à raison de sept hectares par personne. Ces terres devenaient inaliénables, ce qui dénote un socialisme latent en opposition à un capitalisme agraire déjà patent. « Ce fut, écrit d'ailleurs Appien, ce dernier article de la loi qui excita principalement le mécontentement et l'animosité des riches. Ils ne pouvaient plus espérer tourner la loi comme auparavant et, d'un autre côté, il leur était défendu d'acquérir ; car Gracchus y avait pourvu par la prohibition de toute espèce de ventes. Aussi voyait-on [les riches] de toute part se répandre en doléances. » Ces doléances consistaient évidemment à faire valoir que le principe sacré de la propriété individuelle avait été sauvagement piétiné. « Ils avaient [disaient-ils] arrosé leurs propriétés de leur sueur, ils en avaient planté les arbres, construit les édifices ; les uns disaient que leurs pères étaient inhumés dans les domaines ; les autres, que leurs propriétés toutes patrimoniales n'étaient qu'un lot de successions entre leurs mains. Ceux-ci alléguaient que l'hypothèque dotale de leurs enfants reposait sur cette terre. Ceux-là montraient les dettes qu'ils avaient contractées en devenant propriétaires. De tous côtés on n'entendait que plaintes de cette nature, que clameurs mêlées d'indignation. » L'argumentation « possédante » n'a guère changé depuis ce temps, on en conviendra.

Que ce socialisme agraire latent fût la contrepartie presque mécanique d'un capitalisme agraire patent, les textes de l'époque le démontrent éloquemment. Ainsi, Plutarque nous révèle incidemment que la contestation s'exprimait déjà par des slogans tracés sur les murs : « Passant par la Toscane pour aller à Numance, Tiberius [Gracchus], à la vue du pays désert, sans laboureurs ni pâtres en dehors des esclaves importés et des barbares, conçut la première idée de la politique qui fut, pour les deux frères, la source de mille malheurs. Mais c'est surtout le peuple lui-même qui enflamma le zèle et l'ambition de Tiberius en l'excitant, par des inscriptions tracées sur les portiques, les murs et les monuments, à faire recouvrer aux pauvres le territoire public [confisqué par les gros propriétaires]. Les bêtes, disait Tiberius, qui paissent en Italie ont une tanière et il y a pour chacune d'elles un gîte et un asile ; mais ceux qui combattent et meurent pour l'Italie n'ont que leur part d'air et de lumière, pas autre chose. Sans domicile, sans résidence fixe, ils errent partout avec leurs enfants et leurs femmes. C'est pour le luxe et la richesse d'autrui qu'ils font la guerre et qu'ils meurent. Et l'on a beau les appeler "maîtres du monde", ils n'ont même pas une motte de terre à eux. »

L'appropriation privée nourrit tout naturellement ici une revendication à la réappropriation collective. Les excès de l'une exacerbent l'autre. C'est encore Appien qui explique : « Les citoyens riches [aux IIIᵉ et IIᵉ siècles av. J.-C.] accaparèrent la plus grande partie des terres incultes et, à la longue, ils s'en regardèrent comme les propriétaires inamovibles. Ils acquirent par la persuasion ou ils envahirent par la violence les petites propriétés des pauvres citoyens qui les avoisinaient. De vastes domaines succédèrent à de minces héritages. Les terres et les troupeaux furent mis entre les mains d'agriculteurs et de pasteurs de condition servile. Il résulta de toutes ces circonstances que les grands devinrent très riches et que la population des esclaves fit dans les campagnes beaucoup de progrès, tandis que celle des hommes de condition libre diminuait. Cet état de chose excitait le mécontentement du peuple romain. On n'imaginait pas, néanmoins, de remède à ce mal parce qu'il n'était pas facile, ni absolument juste, de dépouiller de leurs possessions, de leurs propriétés améliorées, enrichies de bâtiments, tant de citoyens qui en jouissaient depuis de si longues années. Les tribuns du peuple avaient en effet anciennement éprouvé de grandes difficultés pour faire passer une loi qui portait que nul citoyen ne pouvait posséder de ces terres au-delà de cinq cents arpents, ni avoir un troupeau au-dessus de cent têtes de gros et de cinquante têtes de menu bétail. Une amende fut établie contre ceux qui refuseraient de se conformer à cette loi, et les portions de terre récupérées en conséquence, l'on devait en disposer sur-le-champ en faveur des citoyens pauvres et les leur aliéner à vil prix. Mais la loi ne fut pas respectée. Quelques citoyens, afin de sauver les apparences, firent, par des transactions frauduleuses, passer leurs excédents sur la tête de leurs parents. Le plus grand nombre brava la loi complètement. » Ce texte est de tous les temps : il dit mieux que toute théorie la tendance naturelle du capitalisme à se recomposer selon la logique monopolistique.

Ce qu'il faut comprendre à travers ces lignes, c'est que ce sont les excès du système, la concentration de plus en plus grande des terres et des richesses, la prolétarisation subséquente des petits paysans libres, les échecs de plusieurs tentatives prudemment réformistes, le détournement, enfin, de la loi par les gros propriétaires, qui expliquent la radicalisation socialisante de la fin du IIᵉ siècle av. J.-C. à Rome, laquelle justifia les velléités redistributrices des frères Gracchus. Caius tenta de compléter d'ailleurs la loi agraire de Tiberius par la fondation de colonies (en particulier à Carthage), façon comme une autre de rejeter à la périphérie cette volonté redistributrice et communautariste qui avait animé Tiberius et que, sous la même forme (les colonies créées par Cabet en Amérique, par exemple), reprendront à leur compte la plupart des utopies collectivistes ou « partageuses » du début du XIXᵉ siècle.

Le précapitalisme, que l'on peut considérer comme un capitalisme implicite, produit donc ici un présocialisme que l'on peut qualifier de socialisme latent. Finalement, on le sait, les Gracques échouèrent et payèrent de leur vie la furieuse réaction qu'ils suscitèrent au sein de la classe sénatoriale. L'inaliénabilité des lots redistribués aux pauvres (initiative antilibérale s'il en fut) fut abrogée. Résultat, nous explique encore Appien : « Sur-le-champ, les riches se mirent à acquérir les lots des pauvres et, sous divers prétextes, les en privèrent par la violence. La condition des pauvres s'aggrava encore. » D'où, jusqu'à la fin de la République, une exacerbation des tensions sociales et une succession de lois agraires et de lois frumentaires qui débouchèrent d'une part sur une accentuation du phénomène de colonisation — c'est-à-dire de la tendance à faire du socialisme sur le dos des peuples conquis (en 103 av. J.-C., Marius fait, par exemple, voter une loi agraire spécifique qui lui permet d'allouer à ses vétérans d'origine prolétarienne des lots de vingt-cinq hectares sur les terres non encore distribuées de l'*ager publicus* africain) —, et, d'autre part, sous l'Empire, sur un gonflement extravagant de la population assistée.

Faut-il citer, à ce sujet, l'empereur Vespasien, à qui un ingénieur proposait une innovation technologique permettant de transporter plus facilement et à moindres frais d'énormes colonnes et qui, tout en lui offrant une forte somme, refusa cette invention en expliquant, selon Suétone : « Permettez-moi de nourrir le pauvre peuple. » Autrement dit, la défense de l'emploi, quel qu'en fût le prix, passait avant le progrès technique et la recherche d'une meilleure productivité.

L'aspiration au socialisme, en tant que structure dynamique invariante, apparaît bien complémentaire de la tendance au capitalisme comme autre structure invariante.

Rapport doublement contradictoire, au demeurant : l'aspiration au socialisme équilibre certes, à Rome par exemple, le processus naturel de concentration capitaliste ; mais, à l'inverse, dès lors que l'État impérial intervient de plus en plus massivement dans la vie économique et sociale, la tendance au capitalisme rééquilibre et freine cette orientation à vocation totalitaire.

Et si l'on redistribuait ce qui n'appartient qu'à Dieu ?

La remarque que nous avons formulée à propos du capitalisme tendanciel qui émerge avec l'appropriation privée d'un instrument permettant de produire des marchandises écoulées ensuite sur un marché (et de réaliser ainsi des profits grâce auxquels on emploiera de la main-d'œuvre), vaut également pour l'aspiration au socialisme, qui s'exprime d'abord par la revendication d'une redistribution des richesses indûment confisquées par les uns aux détriment des autres, ou d'une appropriation plus collective de ces mêmes richesses. D'où, très tôt, la référence, théorique ou pragmatique, à un État capable de gérer directement les contradictions du corps social en élargissant l'espace de contrôle de la puissance publique et en se donnant le droit d'intervenir dans les rapports privés. Cette aspiration au socialisme se situe en aval et en amont du capitalisme tendanciel : tantôt c'est l'aspiration au socialisme qui joue un rôle socialement libérateur, tantôt c'est la tendance au capitalisme qui capte une volonté de libération politique face à l'État autocratique.

Les premiers grands royaumes conquérants n'ont-ils pas conféré un rôle considérable à un État centralisé, à la fois militaire, entrepreneur et maître de l'idéologie, tandis que le capitalisme s'imposait plus aisément dans les cités-États qui esquissèrent un modèle démocratique libéral ?

Aristophane déjà ridiculisait les idéologies collectivistes de la communauté des biens. Cicéron voyait dans les partisans d'une redistribution des richesses et d'un rôle social accru de l'État des

démagogues désireux de séduire le peuple pour imposer une dictature de la masse !

Le catholicisme, pour une part, canalisa et dilua dans une
morale de la générosité volontaire les pulsions égalitaristes, communalistes et autoritairement planificatrices, que l'on vit cependant rapidement resurgir. Au-delà de l'aspiration socialiste, c'est
en effet une vision déjà communisante de la société idéale que l'on
trouve exprimée non seulement chez Platon, dans *La République*
(certes, d'un point de vue élitiste, voire aristocratique), mais aussi
chez certains Pères de l'Église. On peut même lire dans les Actes
des Apôtres, à propos des premiers chrétiens, ces lignes : « Tous
ceux qui croyaient vivaient ensemble, et ils avaient tout en commun. Ils vendaient leurs terres et leurs biens et ils en partageaient
le prix entre tous selon les besoins de chacun. » Rêve collectiviste
que les jésuites tenteront plus tard de réaliser au Paraguay parmi
les populations autochtones.

C'est d'ailleurs au sein de la mouvance religieuse que ne cesse
de réapparaître l'aspiration au socialisme, alors qu'au XIVe siècle
le capitalisme reprend son essor : ainsi, au XVe siècle, les taborites,
aile révolutionnaire du mouvement hussite de Bohême, qui, au
nom du christianisme primitif, revendiquent une absolue égalité
sociale et mènent contre le régime de propriété féodale une guerre
de dix-sept ans ; ainsi Thomas Münzer et ses anabaptistes luthériens revendiquant, au nom de Dieu, une société sans classes et
sans propriété, et dont l'armée paysanne tiendra la campagne allemande pendant près de douze ans, avant de succomber ; ainsi les
puritains niveleurs d'Angleterre qui, au XVIIe siècle, préconisent
« l'égalité dans les biens et les terres », Dieu n'ayant donné, selon
l'un des leurs, Lilburne, « le pouvoir à aucun homme d'en opprimer ou d'en exploiter un autre » ; ainsi, avant même l'abbé Mably
ou Gracchus Babeuf, les utopies communisantes du chrétien
papiste Thomas More (égalité des citoyens devant le travail, donc
pas de propriété individuelle et pas de classes, ni concurrence ni
argent) ou de Campanella (« l'épanouissement de l'homme n'est
possible que si la société se libère de la propriété privée et de
l'exploitation capitaliste »).

Un texte est à cet égard particulièrement intéressant, qui
démontre (ou voudrait démontrer) que l'aspiration au socialisme
imprégnait l'idéologie de l'Ancien Régime alors que la Révolution
française, elle, exprima avec force, dans un premier temps, le

triomphe de la rationalité capitaliste. Il s'agit du discours de Tocqueville, déjà cité au premier chapitre, prononcé le 13 septembre
1848 devant l'Assemblée législative de la IIᵉ République pour
s'opposer à toute référence, dans le préambule de la Constitution,
au « droit au travail ». Se dressant face aux députés d'extrême
gauche, l'auteur de *De la démocratie en Amérique* s'exclamait,
rappelons-le : « L'Ancien Régime était bien plus proche des socialistes que je ne le suis. Il professait en effet cette opinion que la
sagesse seule est dans l'État, que les sujets sont des êtres infirmes
et faibles qu'il faut toujours tenir par la main de peur qu'ils ne
tombent ou ne se blessent ; qu'il est bon de gêner, de contrarier,
de comprimer sans cesse les libertés individuelles (c'est-à-dire économiques), qu'il était nécessaire de réglementer l'industrie, d'empêcher la libre concurrence. L'Ancien Régime pensait, sur ce
point, précisément comme les socialistes d'aujourd'hui », et il
concluait : « Quoi ! Ce serait pour cette société d'abeilles ou de
castors que la Révolution aurait été faite ? Alors la Révolution
était inutile, l'Ancien Régime perfectionné y aurait suffi. »

Ainsi apparaît l'inanité de cette conception d'une évolution progressive et harmonieusement scandée des sociétés qui verrait se
succéder en bon ordre des rapports de production spécifiques, chacun représentant une étape nécessaire à la marche en avant vers
une humanité plus heureuse ou plus juste. En réalité, tout est déjà
au départ, fût-ce de manière implicite et latente : le tribalisme,
l'esclavagisme, le féodalisme, le capitalisme, l'aspiration au socialisme. Ce ne sont pas là des « résultantes », mais des structures de
base inhérentes à tout début de sophistication sociale, et qui, au
rythme de leurs mutations internes, marquent l'évolution des
sociétés de leurs propres invariances.

Tout se passe comme si la société se donnait d'emblée les clés
qui lui permettraient dans l'absolu de déchiffrer toutes ses formalisations probables et de prévoir toutes ses transfigurations possibles. Elle est, en quelque sorte, comme programmée par les prémices de sa propre évolution. Ce qui ne signifie pas que son destin
soit écrit d'avance, mais que les rapports de production sont
inscrits dès le départ, pourrait-on dire, dans son code génétique.

Dès l'instant où la communauté élargie se forme, s'organise et
par là même se stratifie, on a déjà les embryons de tout : du tribalisme évidemment, qui porte en lui son dépassement nationaliste
(ou son expression élargie) ; de l'esclavagisme, on l'a vu, à partir

du moment où il apparaît plus raisonnablement productif d'asservir l'autre, le vaincu, que de l'occire systématiquement ou de le dévorer ; du féodalisme, prolongement de la hiérarchisation familiale pyramidale, qui commence avec la première esquisse de solidarité clanique autour d'un protecteur ; du capitalisme, qui, dès lors que l'on fabrique, que l'on échange, que l'on conserve, implique irrésistiblement que l'on acquière, que l'on possède, que l'on produise, que l'on vende, que l'on accumule ; du socialisme, dont l'émergence du collectif, fût-elle déjà autoritaire, en réaction à l'appropriation individuelle, étaie les prolégomènes ; du communisme enfin, à l'orée des expériences communautaires et des premières utopies monacales.

Toutes ces structures sont autant de bagages accumulés dans les soutes au départ du voyage. Elles y demeurent. Elles n'apparaissent pas plus dans l'ordre que les classifications officielles leur assignent qu'elles ne disparaissent dans le désordre auquel le révolutionnarisme les condamne. Elles sont, elles demeurent. Comme l'ADN dans les chromosomes du noyau des cellules vivantes.

Modifier la cuisine ou changer les règles de la digestion ?

L'homme collectif est d'autant plus libre, et son intervention est d'autant plus essentielle que, loin d'être l'instrument d'un mécanisme évolutif qui le dépasse, il est l'acteur actif d'une partie toujours recommencée qui lui offre d'emblée tout l'échantillon des choix possibles. Les structures sociales ne se succèdent pas au-dessus de sa tête. C'est lui, l'homme, qui, jouant sur les contradictions qui opposent chacune de ces structures sociales entre elles, agit sur l'évolution en imposant et en déterminant leur recomposition, et en se modelant lui-même pour mieux assumer ce destin. Aussi génétiquement programmé qu'il fût pour devenir Napoléon, Bonaparte aurait aussi bien pu être colonel de pompiers, bandit corse, agitateur communiste ou banquier de haut vol ! De même, l'invariance des structures constitutives de l'évolution des rapports de production ne signifie pas qu'aucune fantaisie ne soit envisageable, mais tout au contraire que leur simultanéité rend possibles presque toutes les combinaisons, compte tenu qu'aucun de ces remodelages ne permettra, à terme, d'expulser l'une des structures invariantes du champ du probable. Ce qui exclut non pas l'utopie,

mais le triomphe de l'utopie. L'utopie est facteur de recomposition, non le noyau de sa propre réalisation.

Constater que le capitalisme se recompose pour survivre revient
ainsi à suggérer qu'il persévère en se dépassant sans cesse.

Constater son invariance tendancielle n'implique évidemment
aucun jugement de valeur : pas plus qu'on ne songera à exprimer
un point de vue moral à propos des fonctions digestives ou méta-
boliques de l'organisme. On peut en revanche critiquer la glouton-
nerie ou mettre en garde contre les excès de graisse ; recomman-
der une hygiène alimentaire ou proposer un régime susceptible
d'éviter l'obésité ; on peut encore soit édicter les règles du bien
manger et encourager les arts de la table, soit faire en sorte que
la « goinfrerie » des uns ne nuise pas à la nécessaire alimentation
des autres ; on peut lutter contre la famine en exigeant une plus
juste répartition de la nourriture disponible ; préconiser des périodes de jeûne, interdire la consommation d'alcool, éviter les plats
en sauce ou les féculents, condamner l'usage des hormones, prohi-
ber l'abattage des vaches ou déclarer la viande de porc taboue.
On peut enfin multiplier les règles qui transforment l'alimentation
sauvage dans le cadre d'une lutte implacable pour la vie en une
véritable cérémonie rituelle incluant l'hommage rendu aux convi-
ves et le respect de ce que l'on partage avec l'autre.

De toute façon, le fait qu'on n'ait rien pu changer au processus
par lequel l'être vivant, bien avant de se socialiser, ait eu besoin
d'ingurgiter régulièrement des éléments solides et de lamper un
élément liquide qu'il restitue ensuite à la nature, après digestion,
sous forme de défécation ou d'urine — même si l'on juge ce mécanisme aussi astreignant que répugnant —, n'a pas empêché la civilisation, comme on dit, de passer de la proie horriblement déchiquetée par une meute de loups au festin le plus délicat et le plus
sophistiqué. Considérera-t-on que, dès lors qu'elle n'a pas bouleversé l'invariance du processus digestif et métabolique, une telle
évolution ne saurait en aucun cas être qualifiée de « révolution » ?
Et le pensera-t-on encore le jour où sera garanti dans le monde
entier, à l'issue peut-être de combats épiques, le droit de chacun
à une alimentation équilibrée ?

Dans l'instant, tout est probable, même l'improbable. Mais, sur
la durée, tout est possible, sauf l'impossible. Le jeu consiste à faire
en sorte que l'improbable ne se révèle pas impossible, c'est-à-dire

que le changement investisse de l'intérieur les structures sociales pour éviter de se fracasser contre le mur de leur invariance.

Agir sur le capitalisme ne consiste évidemment pas à populariser, pour sauver la mise de sa forme ancienne, des théories alibis du type « capitalisme populaire » ou « révolution des managers ». Intrinsèquement et naturellement, le capitalisme ne tend ni à diluer le contrôle du capital ni à déconnecter le pouvoir réel de la propriété. Tout au contraire, favoriser une recomposition revient à faire en sorte, par une radicale réforme de la fiscalisation de l'héritage et une vraie redéfinition du pouvoir actionnarial à l'intérieur de l'entreprise, par exemple, que le capitalisme doive absolument, pour sauver son invariance, intégrer à sa logique une redistribution effective de la répartition du capital et une accession réelle des salariés à la propriété.

Étant bien entendu (c'est pourquoi l'action réformiste est par définition continue) que, même recomposée, une structure primitive ne disparaît pas. Ce que démontre, de manière hélas spectaculaire, l'exemple du tribalisme dont nous allons traiter maintenant.

CHAPITRE V

Le langage, la religion
et l'invariance tribale...

Je dis Dieu. C'est-à-dire quoi ? D'abord, ce que je ne sais pas ou ce que je ne veux pas savoir. Mais aussi et surtout, dès lors que je précise quel dieu, j'indique ce que je suis au monde et ce que ce monde qui m'identifie est au monde que j'ai tant de mal à identifier. Dieu, alors, n'est plus seulement interrogation et adoration mêlées ; parfois adoration de cette interrogation, il est encore odeur. Choisir son dieu ou se laisser choisir par lui, c'est-à-dire assumer ce choix collectif et « s'intégrer » à travers lui, c'est s'offrir avec cette senteur-là à l'odorat de l'autre. C'est accepter de se définir, en partie au moins, par le biais de cet effluve. Au marquage chimique qui permettait à certains de nos ancêtres préhominiens de se différencier socialement, hiérarchiquement et, d'une certaine manière, culturellement ou ethniquement en se reniflant, nous avons substitué, entre autres, ce marquage idéologique que Colin Irwin, l'anthropologue irlandais cité au chapitre II, définissait comme une propension innée au *badgeage* identitaire. Si la religion aime tant l'encens, c'est qu'en effet elle est parfum.

Imaginons un instant que tel prélat romain du XVIe siècle qu'effarouchaient les thèses coperniciennes et galiléennes décentralisant et déstabilisant la Terre au sein du système devenu solaire (et, par voie de conséquence, marginalisant les créatures de Dieu qui la peuplent), qui redoutait que cette révélation ahurissante ébranlât la foi de la chrétienté dans l'infinie sagesse du Créateur, qui s'affolait à l'idée que l'image de notre planète tournant sur elle-même, ajoutée à la théorie de la gravitation, donnerait à penser que, dès lors qu'il n'y avait plus de haut ni de bas, il n'existait plus de place désignée pour le paradis et l'enfer, imaginons donc que ce prélat angoissé, prêt à recourir à toutes les mesures disciplinaires pour éviter la propagation de ces horreurs, se soit résolu à aller consulter un devin capable de décrire par le menu les autres catastrophes qui allaient, au cours des cinq siècles suivants, dégringoler sur les mitres des pairs de l'Église. Là, jaillie du marc de café ou irradiée par une boule de cristal, la terrible litanie se déroulerait sous le regard ébahi de notre pontife dubitatif : la pluralité des mondes, l'extension de l'univers, la prodigieuse remontée de la datation de nos origines, la disparition et l'apparition des espèces, la théorie darwinienne de l'évolution, l'exploration toujours plus poussée de la structure de la matière inerte ou vivante, la quasi-dissipation du mystère de l'être jusqu'à l'apparition de la cellule primitive, la chaîne remontant jusqu'à l'homme reconstituée à partir de quelques reptiles marins, la théorie du big-bang, la relativité, la psychanalyse, le matérialisme neurologique...

Qu'en eût déduit le saint homme ? Assurément que la cause était perdue ; qu'à terme la partie n'était plus jouable. Au mieux, on parviendrait à diviniser l'ultime point d'interrogation, à conserver à la foi cette part irréductible que constitue la conviction qu'il y a toujours un avant avant l'avant. Et c'est tout ! Mais quelle place pour la religion, le dogme, l'Église, le catéchisme ? Aucune, assurément. On avait, autant que faire se pouvait, lutté contre la science et la philosophie. Or, leur triomphe annoncé, les fantastiques découvertes qui devaient en découler, toutes allant à l'encontre du message biblique, ne laisseraient plus espérer d'autre issue que le repli en désordre sur un vague panthéisme moralisateur sans temples ni pasteurs. Rien, face à cette vision d'un avenir inéluctable, n'aurait pu convaincre notre prélat que l'Église, ses pompes et ses œuvres, son pouvoir temporel et spirituel, son influence et son prestige, son organisation et sa hiérarchie, son ordre et ses traditions, son rayonnement et son magistère eussent la moindre chance d'échapper au désastre.

Et pourtant... l'Église est toujours là ! Toutes les Églises. Et aussi tous les dogmes, toutes les religions, tous les catéchismes. Qui oserait prétendre que l'islam a été affaibli par l'écroulement des certitudes cosmogoniques sur lesquelles reposait la vision coranique du monde ? Que l'hindouisme, ébranlé par les formidables avancées des sciences positives, a cédé du terrain devant la déferlante laïco-rationaliste ? Que les popes orthodoxes ont troqué leurs saintes icônes contre des manuels de mécanique quantique ?

De la religion comme odeur

L'influence du religieux — même structurellement recomposée — est sans doute plus forte, plus lourde, plus meurtrière aussi, aujourd'hui, à l'échelle planétaire, qu'au début du siècle, alors qu'à l'époque l'origine du vivant, par exemple, demeurait le mystère qu'elle n'est pratiquement plus aujourd'hui, et que les progrès de la génétique et de la biologie moléculaire n'avaient pas encore apporté la confirmation finale du bien-fondé de la théorie de l'évolution. Cependant, on ne saurait comparer des dogmes qui faisaient office de savoir commun à l'époque scolastique à des dogmes divorcés du savoir. Hier, la religion se présentait comme ultime et sainte rationalité ; elle est toujours sainte, mais est devenue l'ultime non-rationalité. Elle ne se propose plus d'expliquer le réel par le biais d'une transcendance, mais de le transcender pour exorciser cette explication. Elle ne s'identifie plus, comme au Moyen Age, à la connaissance, elle ne s'exprime même plus à l'intérieur de la connaissance comme au XVIIIe siècle, ou à sa place comme au XIXe siècle, mais à côté. Là où elle disait l'essentiel, elle parle d'autre chose qu'elle décrète non sans raison essentiel.

Or, la religion, qui n'est plus que conscience sans science, impuissante hélas à empêcher la ruine des âmes, y compris de celles qui lui ont fait allégeance, est redevenue, en cette fin de siècle, la référence universelle primordiale.

Pourquoi ? D'abord parce qu'elle apparaît, en réaction au matérialisme libéral ambiant, comme le dernier refuge de la fonction moralisatrice. Et dans certains cas elle l'est réellement, pour le plus grand profit de la société tout entière. Mais aussi — sans quoi elle serait unique et universelle — parce qu'elle s'offre en odeur à la tribu. Au sens où l'on disait d'un bienheureux qu'il était « en odeur de sainteté ». Comment l'Irlandais unioniste et l'Irlandais nationaliste se distingueraient-ils autrement que par cette différence d'odeur là ? Quelle autre justification les clivages religieux ont-ils en Bosnie que de permettre, au sein d'une même population slave, de se « sentir » différent et de « sentir » la différence de l'autre ? Inversement, qu'est-ce que le Mauritanien et le Soudanais auraient en commun sans ce marquage idéologique qui les réunit en un même effluve offert aux « sens » de l'infidèle ? Et pourquoi en France — dont la monarchie centralisatrice s'est évertuée à chasser les mauvaises odeurs — se déclare-t-on plus croyant dans la grande bourgeoisie que dans la classe ouvrière, plus pratiquant en Vendée que dans le Gard, si ce n'est parce que ce marquage culturel substitué à une émanation naturelle — acquis que la collectivité a peu à peu innéisé — fonctionne aussi comme *badgeage* social et régional ? Est-ce un hasard si, au Liban, les stratifications sociales recoupent à ce point les stratifications religieuses ? Si la confessionnalisation y a épousé les contours de la géographie ? Si, dans le sud du Soudan, comme au Biafra, le christianisme (et l'animisme) sert à étiqueter une différence ethnique ? Si la guerre religieuse au Sri-Lanka prend des dimensions aussi ouvertement raciales ? Et pourquoi croit-on que tant de spécificités religieuses se sont plaquées sur des spécificités nationales (Angleterre, Géorgie, Arménie, Irlande, Albanie, Tibet, Japon, etc.) ?

« Allah est grand. » Cela va de soi. S'il est, il est grand par définition. L'expression est superfétatoire. Mais croit-on qu'elle n'a pour fonction que de signifier ce qu'elle dit ? Elle est « bruit » avant d'être sens, et en cela s'apparente à une version sonore de la peinture qui, appliquée sur le corps, sert de panneau indicateur à la tribu. Les nationalistes réactionnaires de la fin du XIXᵉ siècle l'avaient finalement bien compris, qui, définissant le catholicisme comme « race », faisaient de la religion une composante du « sang », comme ils disaient, plus que de la conscience. « Je suis chrétien », cela signifie quoi ? Non point, dans l'immense majorité des cas, que j'adhère précisément au dogme de la consubstantialité trinitaire ou de l'Immaculée Conception, mais que je ne suis pas nègre. Par ce signe proclamé, j'exorcise en moi le juif ou le « bougnoule », comme ils le font d'ailleurs eux-mêmes, ainsi qu'en témoignent les termes crus d'exclusion par lesquels ils définissent volontiers le chrétien.

Ce ne sont pas ici des croyances qui s'affrontent — on n'en verrait objectivement pas la raison —, mais des tribus qui s'affichent ou se narguent. Croit-on que la théologie explique en quoi que ce soit les drames bosniaque ou libanais ? Ou que le statut de la Vierge est central dans la tragédie irlandaise ? Que l'Iranien, fût-il mollah, a choisi en connaissance de cause le déviationnisme chiite de l'islam plutôt que l'orthodoxie sunnite ? Que sa façon de naître — ici et maintenant, en ce lieu, et dans cette communauté — ne le prédisposait pas à 99,9 % à se retrouver du côté de cette déviance ? Comme le Suédois à être protestant ?

En quoi une croyance à ce point préprogrammée, collectivement précâblée — c'est pourquoi, nous le verrons, on peut parler d'un acquis socialement innéisé — est-elle assimilable à une pensée libre ? A moins d'admettre que l'on puisse penser unanimement de la même façon en fonction soit du lieu de naissance, soit de la couleur de la peau, et cela par tous les temps et quelles que soient les circonstances ! La religion comme idéologie ou comme seconde couleur de peau, en somme ? Comme adhésion à une foi ou comme substitut à l'odeur ? Comme expression autonome d'une émotion mystique ou comme traduction de la prédisposition innée au marquage tribal ?

Pourquoi ne serait-on pas hindouiste en Israël et luthérien au Sri-Lanka ? Pourquoi est-on couvé « musulman » au Pakistan et catholique en Pologne ? Pourquoi le fait d'être catholique maronite au Liban suscite-t-il un vote séparé ? Pourquoi le découpage territorial en Yougoslavie reflète-t-il à ce point le rapport des communautés concernées à Dieu, à Allah ou au métropolite ? Pourquoi le vote catholique de Vendée se démarque-t-il tellement du vote protestant du Gard ? Pourquoi le judaïsme s'est-il identifié à un État, et à un seul ?

L'identitarisme religieux comme enveloppe odoriférante ?

Le catholicisme condamne l'usure et les jeux de hasard : il s'agit même là de points centraux de sa morale. Or, connaît-on beaucoup de catholiques proclamés que cet étiquetage empêche de spéculer en Bourse ou de jouer au Loto ? Combien d'entre eux, en fonction du dogme, s'interdisent-ils de faire l'amour sans intention de procréer ? Les sondages n'indiquent-ils pas que la majorité de ceux qui se proclament partisans de la peine de mort se réclament en même temps de leur fidélité au christianisme, dont le respect de la vie constitue pourtant la spécificité essentielle ? Il est vrai qu'on a beaucoup tué au nom de cette sublime idéologie de l'amour !

Donc, je spécule en Bourse, je joue au Loto, je fornique pour le plaisir, je suis favorable à la peine de mort, je ne pardonne guère les offenses, je ne crois pas vraiment que Dieu ait créé l'homme avec un morceau de terre glaise, ni que tous les animaux vivants descendent nécessairement de ceux qui se réfugièrent sur l'arche de Noé, je ne récuse *a priori* ni l'idée d'une cellule originelle ni la théorie du big-bang, mais... je suis catholique !

Qu'est-ce à dire ? Essentiellement que j'assume le signe de ma tribu ; que je me rallie au totem de ma horde élargie. Que je colle à cette odeur de substitution. Que je choisis d'envoyer à l'autre ce signal-là.

Mais l'intégrisme, dira-t-on ? Ce serait faire injure à l'intelligence humaine que de l'assimiler à une croyance réfléchie. L'intégrisme, à l'examen, n'est que la formalisation apparemment fidéiste d'un racisme identitaire exacerbé : surinvestissement dans l'odeur de sa tribu, en quelque sorte. Il s'agit de sacrifier la pensée libre, source d'angoisse, à la pure sensation d'être collectivement bétonné par le dogme, en deçà et au-delà de toute pensée ; d'étouffer cette pensée sous les signes de reconnaissance, peinture de guerre verbale ou vulgate en guise de plumage. Objectif : fondre la tragédie d'un « moi » agressé par la modernité dans l'exaltation d'un « nous » protégé, des pieds à la tête, par les pin's de la croyance et les badges de la tradition !

Au-delà donc du religieux comme structure idéologique invariante, irréductible (comme nous l'analyserons plus loin), la religion s'est imposée et s'impose toujours, peut-être même de plus en plus, comme un processus sélectif de spéciation qui, en structurant le phénomène identitaire, agit soit comme dépassement communautaire du morcellement tribal (tribalisme élargi), soit au contraire comme facteur de parcellisation cohérente d'une communauté élargie en perte d'unité (tribalisme restreint).

La conversion massive des Wisigoths à l'arianisme au IVe siècle de notre ère (phénomène qui favorisa la victoire de l'islam en Espagne), ou, au XVIe, celle de la Suède à la religion réformée, montre assez à quel point le religieux est inséparable de son soubassement structurellement invariant qu'est la propension à l'identification tribale élargie ou restreinte.

De la langue comme garante de l'ordre tribal

Il est en outre significatif que le champ du religieux coïncide si souvent avec l'espace du langage. L'arabe se donne comme la langue de l'islam, l'hébreu, celle du judaïsme, l'hindou, de l'hindouisme, comme le latin est resté la référence universalisante du christianisme. L'allemand, lui, s'émancipe et s'affirme avec Luther, de même que l'arménien avec saint Mechrop, le slavon avec Cyrille et Méthode. Dans ces trois cas — et dans bien d'autres (on aurait pu citer l'exemple copte) —, l'affirmation d'une identité est double : religieuse et linguistique. Deux schismes en un, en somme. L'alphabet cyrillique souligne par exemple la frontière de l'orthodoxie. A l'inverse, lorsqu'il entreprend de laïciser son pays, Mustafa Kemal procède en même temps, comme si ceci nécessitait d'être conforté par cela, à une désarabisation de la langue par adjonction de composants turcs plus ou moins archaïques qui n'ont d'autre fonction que de la nationaliser. Ajoutons que, pour avoir simplement caressé un projet semblable, le philosophe et historien A. Kasravi (qui proposait de désarabiser en partie le lexique persan) fut déclaré ennemi de l'islam et assassiné en 1946. Au Vanuatu, ancien condominium franco-britannique sous le nom de Nouvelles-Hébrides, le clivage catholiques/protestants recoupe la ligne de partage anglophones/francophones, comme d'ailleurs en Belgique le vote laïco-socialiste et catholique-conservateur épouse pour une part la césure entre le parler wallon et le parler flamand.

Qu'est-ce à dire ? Que le signe renvoie au signe : ils se font signe ! L'ordre, que le religieux induit, a besoin d'une syntaxe à sa mesure qui l'étaie et le protège à la fois, la hiérarchie de l'un s'appuyant sur la hiérarchisation de l'autre.

Ce n'est pas nécessairement que la langue enferme dans sa propre organisation structurale le mode de pensée de la tribu ; mais l'esprit tribal, lui, le ressent comme cela. De même que la façon de croire lui tient lieu de pensée de référence, la manière de la dire fait office de raison de référence. Une odeur mise en scène et un bruit mis en discours fondent, culturellement investis dans une religion et dans une langue, cette spéciation à l'intérieur de l'espèce que représente l'identité tribale, qu'elle soit restreinte ou élargie. (Ce qui n'empêche pas que la religion et la langue, outre cette fonction identificatrice, sont également susceptibles de servir de support à un progrès de la civilisation. En sont les produits Jésus-Christ et Shakespeare aussi bien que la Saint-Barthélemy et la balkanisation, c'est-à-dire une morale qui réunifie les cultures en même temps qu'une culture de cette morale qui multiplie les ghettos. Mais ce que nous entendons examiner ici, c'est l'invariance tribale à l'intérieur de toute dynamique universalisante.)

« Si les langues contribuent largement à façonner des démarches intellectuelles, admet Claude Hagège, agir sur les premières c'est agir médiatement sur les secondes[1]. » En cela, la façon de parler est non seulement, toujours et partout, un enjeu de pouvoir, mais également le lieu même d'une confrontation entre le nationalisme tribal et l'universalisme multiethnique. Le christianisme n'est vraiment universel qu'à travers le latin, c'est-à-dire une langue qui ne se parle pas, alors que, par l'entremise de l'allemand rendu à la Parole sainte, Luther a nationalisé le christianisme en le germanisant.

A cet égard, une controverse qui domina notre XVIIIe siècle est particulièrement significative. En 1747, reprenant à son compte toute une série de travaux antérieurs, un certain abbé Girard écrit un ouvrage, *Les Vrais Principes de la langue française*, qui tend à démontrer que notre langue a cet avantage sur pratiquement toutes les autres que l'ordre des mots structurant l'ordre de la pensée, correspond à l'ordre naturel — sujet, verbe, complément —, contrairement au latin lui-même, qui se serait laissé aller au désordre de l'imagination et des passions. (Cette polémique est très précisément décrite par Claude Hagège.) Rivarol, dans son célèbre *Discours sur l'universalité de la langue française*, reprend et radicalise cette idée : « Cet ordre [propre à la langue française] si favorable, si nécessaire au raisonnement, est presque toujours contraire aux sensations [qui tendent à nommer l'objet d'abord]. C'est en vain que les passions nous sollicitent de suivre l'ordre des sensations. La syntaxe française est incorruptible. Ce qui n'est pas clair n'est pas français. »

On aura compris que l'ordre des mots, dans l'esprit de l'abbé Girard et de Rivarol, participe de l'ordre tout court, que la perfection supposée de cette hiérarchisation sublime la hiérarchie sociale dont cette langue ne peut être que l'émanation. Ce n'est pas un hasard si Rivarol se ralliera furieusement, après 1789, à la contre-révolution, et si, au début du XIXe siècle, les deux grands idéologues du monarchisme réactionnaire, Bonald et de Maistre, se réclameront de son nationalisme linguistique : « Sous la Révolution, écrit par exemple Bonald, la langue française perdit de son naturel, les constructions barbares prenaient la place de sa belle et noble régularité. »

1. Claude Hagège, *L'Homme de paroles*, Paris, Fayard, 1985.

A l'inverse, les grammairiens qui, dans le sillage du philosophe Condillac, s'opposèrent aux théories de l'abbé Girard, refusant la dictature de ce concept au demeurant très théologique (toujours le religieux !) qu'est l'« ordre naturel » et plaidant pour le droit à l'inversion et à l'inventivité syntaxique, se retrouveront après 1789 du côté des partisans... de l'ordre nouveau. On retrouvera ce clivage au moment de la bataille d'*Hernani* entre ceux qui défendent la société à travers l'alexandrin classique et ceux « qui mettent un bonnet rouge au vieux dictionnaire ».

Le pouvoir, toujours, se veut maître de la parole. Le pouvoir social aussi. Staline, avant de commettre dans les années cinquante un libelle consacré à la linguistique afin de stigmatiser la déviation gauchiste du linguiste Marr (Hitler aussi eut des idées là-dessus), avait fait exécuter dès 1936 le philologue Polivanov, accusé d'être trop favorable aux langues turques. Le communisme, il est vrai, a poussé à son paroxysme la confection d'une langue autoproductrice de sens, où la façon de signifier modèle *a priori* un signifiant.

Mais il n'est pas le seul à s'être autoprotégé à ce point derrière sa propre langue de bois. Toute idéologie se rassure ou se conforte en intégrant à sa rationalité ses propres références linguistiques : créer des mots, « ses » propres mots, c'est planter un drapeau sur l'idée que l'on prétend avoir découverte. C'est mettre un cadenas à la grille de cette idée fugace. Cela revient, par voie de conséquence, à créer une école en lui procurant un langage de reconnaissance, donc à tribaliser d'avance l'héritage d'une pensée. Ainsi évolua le freudisme, son tribalisme dialectal engendrant des sous-dialectes claniques. (Et que dire de la langue des linguistes eux-mêmes !) Mais quelle collectivité y échappe, fût-elle de caractère corporatiste ou catégoriel ?

La langue, c'est, à tous les niveaux d'organisation ou de coopération, ce qui permet de spécifier une communication en l'isolant, relativement au moins, des communications environnantes ; de s'identifier par cet isolement. Je suis belge flamand, canadien du Québec, je suis ce que je parle, et je parle ostensiblement ce que je suis. Autrement dit, je sonorise ma différence en la déclinant. Mais que font d'autre le philosophe structuraliste, le syndicaliste ouvrier, le critique d'art ou l'économiste distingué ?

Ce que nous voulons suggérer par là, c'est que la langue, qui à l'origine codifie et dynamise un lien social, finit par ne plus expri-

mer le moyen qu'a trouvé chaque communauté humaine (et seulement humaine) pour s'ouvrir au monde tout en s'ouvrant à elle-
même, mais, au contraire, par traduire la tendance de toute communauté à s'enfermer en elle-même pour mieux affirmer son identité au — et contre le — monde. De là, l'unicité et la diversité du
langage : à la fois fruit universel dont, au-delà des prédispositions
génétiques, l'intelligence de l'espèce fut la matrice, et processus
de câblage culturel qui contribue à structurer mentalement la tribu
à l'intérieur de l'espèce. Le langage révèle l'humanité à elle-même
en même temps qu'il badge ses différences, en marque l'émergence et en démarque les composantes. Par lui, le peuple qui,
enfin, se sait peuple au singulier, se découvre peuples au pluriel.
La singularité inouïe qui unifie devient une pluralité qui parcellise.

La langue, en définitive, structure deux invariances : l'aspiration
à exprimer, par elle, au-delà de soi ; et la tendance, à travers elle,
à réprimer l'au-delà de soi ; le même génère le divers qui se jette
dans le même. « Si des bornes sont imposées à la diversité théoriquement possible, écrit Claude Hagège, c'est seulement parce que
toutes les langues assument un ensemble commun de fonctions
qui appellent des structures formelles non susceptibles de varier
de manière totalement anarchique[1]. » Ce sont ces « universaux du
langage » qui permettent que des opérations analogues — l'art de
dire — puissent couler, dans un même moule primitif, des formes
achevées aussi dissemblables. Il n'y a peut-être pas eu, au départ,
qu'une seule langue, du moins est-ce très peu probable. Mais une
certaine invariance de la structure de base, façonnée par une prédisposition naturelle (« le langage, affirme Chomsky, n'est tout
simplement qu'une propriété biologique de l'esprit humain »), fut
la condition de l'extrême variabilité culturelle dont les langues ont
été porteuses. De la même façon, au fond, que tant d'espèces ont
pu se développer à l'intérieur de la même classe des vertébrés ; là
aussi, l'extrême variabilité n'a été rendue possible que par une
invariance de base.

« On pourrait dans une certaine mesure utiliser les voies du
langage de la génétique pour décrire la génétique du langage »,
écrit Lewis Thomas[2]. « Le langage croît et évolue, précise-t-il. Il
laisse des fossiles derrière lui. On observe des mutations. Les mots

1. *Ibid.*
2. Lewis Thomas, *Le Bal des cellules*, Paris, Stock, 1977.

fusionnent et se reproduisent. Des mots hybrides et des variétés sauvages de mots composés en sont la progéniture. La façon dont on utilise un mot actuellement est son phénotype, et il a une signification immuable profonde et souvent cachée qui est son génotype. » Autrement dit, les mutations au sein du « génome linguistique » créeraient la tribu comme les mutations au sein du génome biologique créent l'espèce.

On peut encore considérer la langue comme une superstructure culturelle qui, à un certain stade, se déconnecte de l'infrastructure génétiquement reproduite dont elle est issue, et s'autonomise ; à partir de ce moment, elle s'auto-élabore comme un organisme en soi, fonctionne comme une œuvre qui, elle-même, génère des œuvres.

Dans tous les cas, la langue accompagne (cause et conséquence à la fois), révèle, structure, puis rigidifie — au même titre que la religion — l'apparition d'une pulsion identitaire tribalisante qui, à l'inverse, ne peut être refoulée que si une guerre victorieuse, forcément brutale, est faite à cette identification. Les langues ne meurent qu'avec les peuples qu'elles badgent. Disparition pure et simple (par génocide ou dilution) ou assimilation après retrait de cette carte d'identité.

Mais quelque chose demeure, toujours. Cette mémoire implicite qui peut prendre la forme d'un patois ou d'un accent. Ces mots qui resurgissent, venus d'un ailleurs qui est en soi. Ces formules syntaxiques qui plaquent l'ordre de la phrase morte sur l'expression victorieuse de la pensée conquérante. Toujours le particularisme ancien resurgit, sous une forme ou sous une autre, dans les interstices de l'uniformisation pannationaliste ; sans cesse se dialectise le produit de cette normalisation. Un siècle de colonisation a suffi pour que *Le Cid* de Corneille puisse être « traduit » en pataouète, identification du pied-noir par la langue (donc par lui-même). C'est dire que la langue fonctionne à deux niveaux — comme la religion — selon (nous le verrons plus loin) qu'elle structure une invariance tribale statique ou une invariance dynamique qui tend à noyer le tribalisme dans le pannationalisme (ou l'impérialisme). Elle intègre le socle de deux versions de la même invariance identificatrice tendancielle : la version restreinte et la version élargie. (L'arabe unifie sur la même base que le gaélique spécifie.)

Typique est à cet égard, en France, la résistance opposée à toute réforme de l'orthographe, vécue à la fois par les conservateurs comme retour possible au désordre tribal (plus de règles unificatrices rigides !) et par les jacobins comme atteinte à l'identité de la nation tribalisée (à son ordre spécifique !).

Au demeurant, toutes les tentatives pour concocter des langues universelles, aussi rationnelle que soit la démarche, ont échoué : l'espéranto du docteur Zamenhof, le volapük du poète allemand Schleyer, le novial du linguiste Jespersen, et naturellement aussi le latin d'empire, puis le latin d'Église. Et les réformateurs du langage eux-mêmes, Agricola (finnois), Sylvester (hongrois), Aasen (norvégien), le prince Wan (thaï), etc., ne se conduisirent jamais en inventeurs, mais en archéologues : leur modernité consista à revenir aux « racines ». Les réformes qui réussissent, note à ce propos Hagège, sont celles qui « ne violent pas les structures auxquelles les énonceurs sont accoutumés ».

Nous voici revenu au cœur de notre problématique. Les langues, par définition évolutives et diverses (on en compte entre 4 500 et 7 000), se situent cependant à la charnière de toutes les invariances, celles basiquement biologiques dont elles découlent (aucune n'est constituée de sifflements, de ululements ou de reniflements), celles structurelles (syntaxe de toutes les syntaxes) qui permettent de coordonner leur différence (on peut toujours traduire une langue dans une autre), celles enfin qu'elles déterminent à l'échelle historique et qui, en fonction de leurs propres contradictions, elles-mêmes invariantes, prennent alternativement la forme du tribalisme restreint de résistance ou du tribalisme élargi de conquête. Résistance par la langue (et souvent la religion), conquête par la langue (souvent aussi par la religion).

Le débat sur l'« identité culturelle » ne dissimule-t-il pas aujourd'hui le choc frontal entre une langue impériale — l'anglais —, qui à partir d'une culture locale a investi le commerce universel, et des langues nationales qui, à partir d'un commerce local, ont irrigué une culture spécifique érigée en muraille protectrice ?

Le langage et la religion prolongent — instrumentalement et culturellement — l'ascension de l'esprit humain. Pouvoir dire implique non seulement que le pouvoir dise (n'est-il pas d'abord le maître de la parole), mais également que l'on dise le pouvoir : ou plutôt les pouvoirs. Et en particulier celui qui a fait que l'on peut dire. Dire, c'est pouvoir désigner Dieu, mais pouvoir penser Dieu déclenche l'aspiration à le dire. Le langage se situe très exactement à cette césure qui le désigne comme sonorisation d'une capacité intellectuelle à communiquer et comme tremplin d'une complexisation conceptualisante de cette capacité. La religion aussi, d'une certaine manière, qui commence par sublimer une ignorance et une peur, et finit par véhiculer un savoir et une espérance. L'évolution a-t-elle jamais connu un aussi parfait, un aussi performant phénomène de *feed-back* ? En définitive — et ce qui s'est noué là est plus fantastique que ne l'eût été tout phénomène prétendument et platement divin —, la nature a sélectionné l'auto-câblage adaptatif de nos capacités cérébrales qui permet le langage et la religion, et, en retour, le langage et la religion, la religion par le langage et peut-être aussi le langage par la religion, ont favorisé les interconnexions neuronales qui ont fait de ces deux avènements les instruments d'une différenciation au sein de l'unité, et d'une unification au-delà des différences. Et tout se passe comme si la partie continuait à se jouer.

Le tribalisme, en conclusion, s'offre une sonorité par la langue et se donne une odeur par la religion. Ainsi harnaché (mais sous toute autre forme également), il représente, comme l'esclavagisme, le féodalisme ou le capitalisme, un « constituant » invariant de nos sociétés, et non un moment de leur évolution. On remarquera qu'il survit, dans sa forme presque primitive, à ses propres recompositions par élargissements que sont le nationalisme ou le pannationalisme.

Nous vivons le temps des tribus

De cette assertion, l'époque nous fournit des preuves si nombreuses qu'il serait vain de les recenser. Des fédérations qui se donnaient des allures immuables ont implosé sous la pression de revendications identitaires, dont la cohérence s'organise autour d'un plus petit commun dénominateur : les Bosniaques s'émancipent-ils de la fédération yougoslave que les Serbes et les Croates de Bosnie leur imposent aussitôt leur propre logique irrédentiste ! La Russie retrouve-t-elle son propre drapeau que les Tchétchène, au sein de la Russie, puis les Ossètes et les Gagaouzes en réaction aux Tchétchènes, brandissent leur propre étendard ! De même, à l'indépendance géorgienne répond l'insurrection séparatiste des Abkhazes et des Ossètes du Sud !

Ici, le regroupement se fait au nom d'une religion minoritaire, là autour d'une spécificité ethnique supposée, ailleurs en référence à une langue ou à un dialecte : ainsi les russophones du Dniepr qui font sécession de la Moldavie, qui elle-même s'était séparée de l'URSS.

Ce que nos contemporains ont découvert avec effroi, consternation, horreur parfois, c'est à quel point, sous les oripeaux du progressisme socialiste et les atours de la modernité libérale, le tribalisme prétendument ethnique s'était autoconservé en état d'incandescence : de Tbilissi à Sarajevo, de Bratislava à Bakou, de Monrovia à New York, de Bruxelles à Johannesburg, nous revivons à l'échelle planétaire le temps des tribus.

Ce qui est invariant, ce n'est pas l'entité ethnique en tant que telle, mais la propension à en fabriquer et à en reproduire : c'est le tribalisme et non la tribu.

Petit clin d'œil : en 507 av. J.-C., Clisthène, pour tenter de démanteler les quatre tribus qui se partageaient le territoire athénien et contribuer de la sorte à sa réunification, les démultiplia en dix tribus à qui il concéda des territoires morcelés dont aucun n'était d'un seul tenant. Il est étrange de constater qu'en 1993, pour tenter de venir à bout de la crise bosniaque — qui opposait entre elles trois grandes « tribus » —, des représentants de la communauté internationale proposèrent un plan tout à fait semblable !

Certes, la tribu peut se fondre : ainsi les douze tribus d'Israël (dont on dit qu'après l'installation des Hébreux en Canaan, onze d'entre elles se partagèrent le territoire par tirage au sort en présence de Josué) ou les trois tribus de la Rome royale avant la réforme de Servius Tullius. L'histoire, surtout quand elle est malheureuse, les mélange et les brasse. Une entité tribale peut apparemment disparaître, soit en conséquence d'un génocide (la plupart des tribus indiennes), soit à l'issue d'un large processus assimilationniste (les tribus gauloises, par exemple). Toute réalité sociale n'en porte pas moins en elle sa préhistoire tribale. André Siegfried le remarquait quand, en France même, il étudiait certaines permanences électorales irréductibles, quitte à assimiler ces archaïsmes latents à des rémanences indicibles de la « race » originelle.

Une communauté, dès lors qu'elle s'est donné une identité à travers une histoire, est assimilable à un terrain dont les plissements, puis l'érosion ne sauraient faire disparaître ni les différentes stratifications géologiques ni les couches sédimentaires. Sous l'ethnie moderne (ou ce qui s'autopromeut ainsi) sourd une infinité de particularismes constituants qui, d'une certaine manière, mais de façon de moins en moins isolable et perceptible, renvoient à la *gens* familiale qui s'abîma dans la horde, aux hordes qui formèrent la tribu, aux tribus qui s'agglomérèrent en peuplades, aux peuplades devenues populations qui se fondirent d'abord dans une province, puis dans la nation. C'est dire qu'il n'y a pas disparition, mais dilution progressive — et incessante — des éléments de base enchevêtrés, fondateurs de toute collectivité spécifique.

En ce sens, la tribu ne constitue pas « en soi », répétons-le, une structure invariante, même si ses recompositions se déploient à l'intérieur de cette invariance structurelle globale qu'exprime le tribalisme.

Précisons que nous considérons ici la tribu non point dans son acception purement ethnologique, mais comme l'expression d'une réalité communautaire sous-jacente à un ensemble organisationnel qui, officiellement, la dépasse. Cette entité n'est pas nécessairement « originelle », ni même très ancienne. Elle peut apparaître au cours du devenir historique, à l'occasion d'un phénomène extérieur : une scission linguistique (l'introduction de l'alphabet cyrillique en Serbie), une mutation religieuse (le schisme chiite à l'intérieur de l'islam), une intrusion étrangère (l'intégration du Canada à l'Empire britannique), une transplantation de population (le cas de Haïti), un choc historique (la Vendée), voire une innovation technologique (l'utilisation du cheval par les Peaux-Rouges américains des plaines). Les Bosniaques musulmans sont, par exemple, des Slaves convertis à l'islam au temps de l'occupation turque ; les Irlandais protestants, des séquelles de la domination anglaise ; les Québécois, des galets qu'un éphémère empire bourbonien francophone a laissés derrière lui après son retrait ; les alaouites syriens, les druzes libanais représentent le type même de la tribu clanique qui s'est organisée, à un certain stade de l'histoire, autour d'une référence mystico-communautaire lui donnant un sens ; les coptes ont structuré une identité autour d'un schisme (le monophysisme) et d'une résistance (à l'islam). La colonisation a elle-même catalysé des regroupements de caractères néotribaux (soit en réaction, soit par osmose), au point que la vie politique israélienne, par exemple, où les Juifs d'Afrique du Nord se sont stratifiés en communautés spécifiques, en constitue une manière de prolongement.

Le tribalisme pourrait, au fond, se définir comme la mise en forme d'une conscience collective de soi, qui survit ou résiste à toute configuration élargie dans laquelle elle a vocation sinon à se fondre, au moins à se diluer. Il témoigne de ce qui subsiste de solide et de profond sous l'apparence de l'appareil intégrationniste qui se propose de fusionner les différences.

Or, que constate-t-on ? Qu'aucun des États-nations issus de la décolonisation, aussi puissante qu'ait pu paraître la dynamique nationaliste qui les a conduits à l'émancipation, qu'aucune des grandes fédérations nées de l'éclatement des empires en 1918, qu'aucun des nouveaux pays remodelés par les effervescences de ce siècle, ne sont parvenus à absorber dans un ensemble plus large la structure de base qu'est la structure tribale, qu'elle soit d'origine ethnique, religieuse ou linguistique.

On assiste là à un phénomène assez semblable à celui que nous avons observé à propos de l'esclavagisme et du capitalisme : la tendance au dépassement du tribalisme primitif par l'élargissement national, fédéral, pannational ou impérial, laisse dans son sillage l'entité tribale en état, comme potentialité sous-jacente. La structure de base, en réserve sous la structure élargie, reste toujours en mesure d'irradier. Et toute crise de la structure élargie réactive la charge de la structure de base.

D'un côté, une double invariance tendancielle : la nécessité de sortir du tribalisme, facteur d'affrontements et de troubles continuels, par le nationalisme ; et l'aspiration à s'émanciper du nationalisme par le fédéralisme ou le pannationalisme. De l'autre, une réalité structurellement invariante : la survivance, potentiellement réactive, de l'entité de départ. Or, cette dualité entretient elle-même une contradiction apparemment indépassable. Les pannationalismes, les impérialismes et, souvent, les fédéralismes finissent par se briser sur la résistance des nationalismes, et toujours les nationalismes se heurtent à la persistance des tribalismes. Le « tendanciel » dynamise ici le réel, mais le réel dynamite le tendanciel.

Résistent apparemment (ou gèrent efficacement cette contradiction) les nationalismes qui s'appuient sur une homogénéité ethnique et intègrent ainsi en eux-mêmes, quitte à l'exacerber, la fonction tribale. (C'est le cas du Japon ou de l'Allemagne.) Ceux qui organisent et gèrent le multitribalisme en leur sein (les États-Unis). Ou encore — apparemment au moins — ceux qui sont le fruit de longues traditions culturelles assimilatrices et d'intégration administrative centralisée, propres à mêler des éléments si hétérogènes que leur dépassement s'est identifié à leur devenir : ainsi en est-il de la France. Encore que, dans ce cas, les structures tribales de base, aussi lointaine que soit leur origine, aussi lourde qu'ait été leur compression, aussi larges et continus qu'aient pu apparaître les efforts destinés à les diluer, ont gardé assez fortement leur spécificité originelle, leur autonomie psycho-culturelle, voire leur capacité irradiante pour réanimer invariablement, sous une forme ou sous une autre, douce ou violente, des pulsions identitaires qui mettent parfois à mal la mythologie de l'intégration nationale. N'est-ce point d'ailleurs pour exorciser cette sous-jacence du refus communautaire que le nationalisme français s'est si souvent donné cette allure impériale et impérieuse dont le chauvinisme représenta l'émanation vulgaire ? Si, contre les tribus, s'est affirmée, parfois par le fer et par le feu, la nation-tribu ?

Certes, l'évident retour au communautarisme auquel nous assistons, auquel racisme et xénophobie sont partie prenante, ne remet pas encore en cause le modèle français d'intégration républicaine (à quoi la monarchie au demeurant n'a pas peu contribué), mais la poussée « tribaliste » ne s'en manifeste pas moins avec de plus en plus de force, fût-ce sous des formes tout à fait nouvelles. En revanche, les nations officiellement pluriethniques ou pluri-identitaires — Belgique, Yougoslavie, Tchécoslovaquie, Union soviétique, Liban, Géorgie, Afghanistan, Canada, Sri-Lanka, Pakistan, etc. —, ont pour la plupart explosé sous les coups redoutables de leurs composantes, ou, comme au Nigeria et en Inde, ne tiennent encore que grâce à l'intervention armée et répressive du pouvoir central.

Quant aux rêves pannationaux, constructions purement idéologiques, tels que le panslavisme, le panarabisme ou le panaméricanisme latin rêvé par Bolivar, ils ont joué et jouent encore un rôle considérable en tant que velléités, mais ne cessent de se briser contre la muraille des réalités tribales ou nationales : dans la stratification d'un pays, en profondeur ou en surface, il y a toujours une couche qui empêche ce dépassement. L'invariance statique enraye l'invariance vélléitaire (ou dynamique).

L'échec de la République arabe unie, dont Nasser fut le

démiurge malheureux, et du nationalisme panarabe exalté par le parti Baas, en sont des exemples éloquents. La cassure du baasisme entre ses deux ailes irakienne et syrienne, toutes deux marquées par un tribalo-nationalisme exacerbé, constitue même un cas d'école. Comme l'inanité de toute construction panmaghrébine, alors même que le berbérisme, en tant que structure de base, affirme, lui, sa solidité et son imperturbable constance socioculturelle.

De ce qui précède, constats recueillis au hasard, découlent un certain nombre de remarques qu'il nous faut maintenant synthétiser.

Sous les pavés de l'État, la plage de la tribu

Si le tribalisme s'affirme comme structure invariante, la tribu, au sens large où nous l'entendons, constitue une entité vivante qui sans cesse se compose et se recompose, et intègre les éléments les plus anciens de sa permanence aux formes les plus neuves de sa rémanence : ainsi, le « berbérisme » kabyle en Algérie, qui fut une carte de la puissance coloniale, se réaffirma avec force dans la résistance anticoloniale, si bien qu'il intègre aujourd'hui à son combat identitaire à la fois la spécificité qu'il doit au fait d'être culturellement plus proche de l'ex-métropole et le « willayisme » qui structura sa lutte implacable contre l'occupant. Ainsi le peuple zoulou d'Afrique du Sud, qui s'identifia, face à l'Angleterre, à la résistance nationale, pour s'offrir ensuite à la minorité blanche comme barrage au nationalisme noir — mais pluriethnique —, s'enfermant dans les deux cas dans une stratégie de défense de sa spécificité tribale. Ainsi la Ligue lombarde en Italie du Nord, qui recompose sur un plan opportunément économico-politique, et décline sur le mode de la lutte anticorruption et anti-Mafia une identité sous-jacente d'ordre ethnico-culturel. Ainsi le séparatisme basque, qui s'est exprimé alternativement sur le mode le plus agressivement révolutionnaire ou le plus caricaturalement conservateur (comme d'ailleurs l'autonomisme celte.)

Le tribalisme n'est pas un « moment » : il est une constante de l'humanité, même si la société a pu prendre, dans un espace particulier, à un moment donné, et notamment à son origine, une forme qui lui était plus strictement et exclusivement adéquate.

Encore les exemples sont-ils extrêmement nombreux de sociétés parvenues à un certain degré d'intégration étatique qui, sous l'effet d'une implosion interne ou d'une agression externe, sont revenues à une parcellisation de type tribal presque traditionnel. Outre les exemples déjà évoqués du Caucase ou de la Bosnie, on a récemment assisté à des phénomènes semblables en Somalie, en Éthiopie, au Liberia, en Afghanistan et en Afrique du Sud, entre autres. Tout processus d'intégration étatique est absolument réversible.

Le grand ethnologue du XIXᵉ siècle, Lewis Henry Morgan, a posé comme principe que « chaque tribu était individualisée par un nom, par un dialecte séparé, par un gouvernement suprême, par la possession d'un territoire qu'elle occupe et défend comme le sien propre », ainsi que « par la possession d'une foi religieuse et un culte commun ». Or, la proposition, à l'évidence, se renverse : une scission linguistique, fût-elle dialectale, le regroupement communautaire sur un territoire, le souvenir d'une existence politique autonome (« avoir eu son gouvernement »), un schisme religieux, voire l'affirmation d'un culte particulier à l'intérieur d'une même religion, fondent l'entité tribale. Les conséquences de tels événements, parfois relativement récents, contribuèrent au regroupement identitaire des Irlandais protestants, des Libanais maronites, des coptes monophysistes, des Alsaciens, des sikhs de l'Union indienne, des Kurdes d'Irak ou d'Iran, des ismaéliens autour de l'Agha Khan, de leurs frères druzes libanais autour de la famille Joumblatt, et d'une infinité de groupes et de sous-groupes qui, cultivant le mythe fondateur des rapports de parenté renvoyant à une origine commune, parfois à un ancêtre commun, se constituent en entités spécifiques, comme ce fut caricaturalement le cas en plein XXᵉ siècle des caodaïstes (Victor Hugo et Pasteur font partie de leur panthéon !). Mais c'est bien l'esprit tribal qui favorise la naissance de la secte qui, en retour, offre une odeur à la tribu : un chef, un totem, une origine, un lien. La franc-maçonnerie elle-même n'est pas étrangère à cette pulsion : pourquoi ce rituel, cette surabondance de signes ? Il peut arriver que le gouvernement suprême, en l'occurrence le leader charismatique ou religieux, soit à lui seul le catalyseur de l'émergence tribale, comme Joseph Smith conduisant sa horde d'or de mormons en direction du Grand Lac Salé (notons, dans ce cas précis, outre la recherche d'un territoire, l'Utah, le retour à des expériences de

propriété commune et à des aménagements conjugaux non orthodoxes). Ou même qu'une tribu ne survive pas à son fondateur.
On relèvera enfin que nombre d'organisations criminelles, souvent
construites sur un modèle analogue, outre qu'elles s'enferment
dans les limites d'une communauté ethnique reproduisant même
d'anciennes stratifications claniques, tribalisent plus encore leur
mode de fonctionnement en se dotant d'un gouvernement, d'un
code, d'un territoire, d'un rite, et en cultivant jusqu'à l'obsession
les rapports de parenté. (Il s'agit dans tous les cas, bien sûr, de
structurer un sentiment d'appartenance.)

Certains « évolutionnistes », comme Marshall Sahlins, ont, dans
les années trente, proposé un modèle de classification en fonction
duquel se seraient succédé, à l'aube de l'humanité, le stade des
bandes ou hordes, puis des tribus, puis des chefferies, enfin celui
des États. Or, outre que la séparation séquentielle entre tribus et
chefferies est discutable, il apparaît en réalité que l'État ne dissout
ni la bande, ni la tribu, ni la chefferie, ni le clan. On a même vu,
avec les Incas et les Aztèques, des États autoritaires, centralisés
et militarisés, s'organiser sur une base purement tribale. Les tribus
indiennes des plaines nord-américaines étaient à la fois bandes,
tribus, peuples et chefferies, et pouvaient s'intégrer à une confédération (la confédération iroquoise, par exemple, était d'essence
tribale). Surtout, loin de constituer des segments spécifiques d'une
droite qui aurait un sens, la bande, la tribu, la chefferie, l'État et
les autres stades intermédiaires comme la confédération de tribus,
le fief féodal, la principauté, la région autonome, s'intègrent à un
continuum historique dont la direction est indéterminée et le mouvement pour le moins ondulatoire. De même que la bande est
encore dans la tribu, et la tribu encore dans l'État — au point que
lorsque l'État explose le socle tribal réapparaît toujours —, de
même que la résurgence de la tribu, comme en Bosnie, dans la
Krajina, en Somalie ou au Caucase, induit le retour de la bande et
de la chefferie, de même assiste-t-on, dans les grandes métropoles
urbaines, lieu théorique de mélange, de brassage et d'intégration,
non seulement à une réapparition de la tribu, de la bande et de la
chefferie, mais encore à une réappropriation par elles de territoires déterminés dont l'autorité du chef, la langue ou le dialecte,
l'origine ethnique, parfois l'héritage religieux sont des éléments de
délimitation. Ne peut-on considérer *West Side Story* comme un
opéra tribal ?

Le tribalisme, même s'il a sa propre histoire, ne correspond pas à un moment particulier de l'histoire de l'humanité : il court tout au long de cette histoire, l'imprègne. Il recompose, à travers elle, sa structure tendanciellement invariante.

Le politique comme camouflage du tribalisme

Ce qui est structurellement invariant, répétons-le, ce n'est pas la tribu elle-même, dont nous avons vu qu'elle est, à l'échelle histo-rique, volatile, y compris dans sa configuration de « peuples » (que sont devenus les Parthes ? les Huns ? les Cimbres ? les Teutons ? les Scythes ?), mais l'apport de la tribu au système général dont elle n'est qu'une composante éventuellement passagère. Autre-ment dit, aussi éphémère qu'apparaisse la tribu au sens strict du terme, elle contribue toujours à l'élaboration de structures menta-les invariantes dont nous avons démontré qu'elles s'autonomisent par rapport aux infrastructures dont elles émanent.

L'exemple de la Bosnie est une fois encore éclairant : cette région se présentait comme le modèle même de l'intégration titiste (c'est d'ailleurs la région de Yougoslavie où Tito reste le plus populaire) et l'on se plaisait à y vanter la profonde cohabitation intercommunautaire. Aucune tension, aucun heurt. On n'était pas serbe bosniaque, croate bosniaque ou musulman bosniaque, à peine d'ailleurs était-on simplement bosniaque ; on était you-goslave : les mariages mixtes se multipliaient à l'ombre des clochers et des minarets qui striaient le même espace. Or, dès lors que la fédération vola en éclats, que la Croatie, la Slovénie et la Serbie retrouvèrent leur pleine autonomie, et qu'y furent organi-sées les premières élections libres et pluralistes, on découvrit que chacune des trois communautés votait avec une discipline parfaite pour l'un des trois grands partis qui les représentaient sur une base strictement communautaire. Et, dans la foulée, surgirent trois milices armées également communautaires ou ethniques, dont les affrontements précipitèrent la dynamique de guerre civile.

Même processus en quelque sorte (bien que ces événements se soient déroulés au centre de l'Europe) qu'à l'issue des premières élections libres au Kenya à la fin de l'année 1992, qui virent chaque parti rassembler très exactement les suffrages de l'entité tribale dont il était l'émanation. (Notons que déjà l'insurrection mau-mau avait été l'expression du tribalisme kikuyu qu'incarnait le père de l'indépendance, Jomo Kenyatta, plus que d'un nationalisme proprement kenyan.)

D'où il ressort, si l'on tient absolument à bipolariser politiquement de tels scrutins, que telle tribu vote massivement à droite et telle autre massivement à gauche. De la même façon, dans l'ancien Congo belge, au lendemain de l'indépendance, les clivages qui semblaient radicalement politiques — gauche prosoviétique contre droite pro-occidentale — épousèrent complètement les bornages tribaux, si bien que, par exemple, les Lulua et les Baluba du Katanga se retrouvèrent à gauche, les Bangala et les Baluba du Kasaï à l'extrême droite, les populations du Kwilu à l'extrême gauche, le Katanga à droite, et les Bakongo au centre. Lumumba tenta, certes, de constituer un parti nationaliste transtribal, le MNC (Mouvement national congolais) ; mais, aux premiers jours de l'indépendance, celui-ci éclata en plusieurs fractions claniques s'appuyant sur des réalités tribales (Adoula, Iléo, Kalondji).

En Angola, la lutte anticommuniste menée par l'Unita de Jonas Sawimbi ne fut en réalité que l'émanation d'une confédération purement tribale, tandis que les Bakongo se regroupaient, eux, autour d'un nationaliste modéré, Holden Roberto, et que les petites tribus minoritaires et les populations urbaines faisaient confiance au MPLA marxisant pour la raison principale qu'il ne représentait aucune des deux grandes ethnies dominantes. On assiste au même phénomène en Afrique du Sud, où l'ANC, marquée très « à gauche », a réussi à fondre, dans un mouvement nationaliste, l'ensemble des tribus dominées face à la fois aux Blancs et à l'ex-tribu dominante (les Zoulous).

On voit bien, par ces exemples, à quel point la lecture idéologique bipolaire de la réalité politique africaine, telle que la pratiquèrent dans les années soixante et soixante-dix aussi bien la gauche progressiste que la droite libérale, était dépourvue de toute pertinence. L'idéologie — et pas seulement en Afrique — n'est souvent que le paravent électoraliste de la fonction tribale : le vote communautaire, entre les mains de ses représentants « qualifiés », représente un atout que ceux-ci peuvent investir dans tel ou tel camp, au profit de tel ou tel courant idéologique, au bénéfice de telle ou telle ambition. Chacun sait que le « progressisme » libanais le plus authentique fut d'origine chrétienne : il n'empêche que le vote tribal chrétien maronite profite massivement, au Liban, aux partis de droite et d'extrême droite, alors qu'on retrouve la même quasi-unanimité dans le vote druze en faveur d'un parti dit « socialiste », ou du vote musulman sunnite en faveur d'un centrisme arabisant modéré. En l'occurrence, le vote des chrétiens libanais répond en partie à des considérations d'ordre économique qui renvoient à des rapports sociaux. Mais la stabilité et la continuité de son expression en faveur de quelques familles conservatrices expriment moins de véritables choix idéologiques qu'elles ne reflètent des critères d'équilibre intertribaux, et même interclaniques. En d'autres lieux et en d'autres temps, une minorité chrétienne culturellement surinvestie au sein d'un monde arabe musulman ankylosé — c'est le cas des coptes en Égypte ou des catholiques palestiniens — exprimera sa « différence » de façon tout à fait inverse. Le vote kabyle, en Algérie, est massivement laïque et de gauche. Mais en serait-il de même si les leaders de cette « grande tribu » étaient eux-mêmes conservateurs, ou si l'arabisme environnant s'exprimait, lui, à travers un réformisme laïcisant ?

Croit-on que cette situation est propre à l'Afrique ou à ses contours ? Évidemment pas. L'irrédentisme kurde, qui prend en Turquie une forme violemment marxiste-léniniste, mais nettement social-démocrate en Irak et néobaasiste en Iran, n'épouse ces configurations pseudo-idéologiques qu'en fonction d'une pulsion qui conduit chacune de ces entités à se définir par rapport à la nation qui l'opprime. Pourquoi les catholiques d'Irlande du Nord votent-ils à gauche (ce qui n'est pas le cas de ceux de l'Irlande indépendante), sinon pour faire pièce au vote protestant solidement conservateur ? Alors qu'au contraire les protestants français de la région d'Alès votent, eux, résolument à gauche, mais pour des motifs identiques ? On pourrait, de la même façon, prendre comme exemple le « placage » de l'expression électorale, en Italie du Nord et du Sud, sur des considérations identitaires à soubassement ethnique.

Certes, nous verrons que les critères économiques et sociaux jouent également leur rôle, ou, plus exactement, qu'il y a presque toujours interférence de la dimension économico-sociale et de la dimension ethnico-communautaire. En outre, les communautés que nous évoquons ne sont pas toujours spécifiquement « tribales » au sens classique du terme ; mais ce que nous entendons souligner, c'est le caractère intrinsèquement « tribaliste », au sens défini plus haut, de cette structure mentale invariante qu'expriment la plupart des expressions politiques que l'on qualifie de « nationales ». Pourquoi les Hongrois de Roumanie se reconnaissent-ils presque unanimement dans le même parti de centre gauche ? Pourquoi les russophones de Moldavie se sont-ils transformés en nostalgiques du système soviétique ? Pourquoi un parti socialisant a-t-il remporté l'élection slovaque quand une formation libérale triomphait en Bohême-Moravie ? (Curieux renversement, au demeurant, des tendances d'avant guerre.) Pourquoi, en Inde, cette importance du « communisme de gauche » au Bengale et seulement dans cet État (tandis qu'une autre frange plus modérée du communisme indien s'implantait au Kerala) ? Pourquoi cette extrémisation politico-idéologique de la contestation tamoule au Sri-Lanka ? Pourquoi la rémanence, en Serbie, d'un néocommunisme qui a quasiment disparu en Slovénie ? Pourquoi, en Belgique, cette remarquable permanence d'un vote socialiste en Wallonie et social-chrétien en Flandre, encore que, comme au Congo belge, les deux grands partis « nationaux » aient fini par se scinder en fractions francophone et néerlandophone ? Pourquoi encore cette constance d'une gauche forte et parfois radicale dans le canton suisse de Genève, alors qu'elle reste, envers et contre tout, presque inexistante dans le canton de Berne ? Ces remarques, certes disparates, conduisent à mettre en évidence le rôle finalement essentiel que joue la rencontre d'un inconscient tribal, comme besoin identitaire et mémoire mythique d'une origine, c'est-à-dire les structures mentales invariantes issues d'une réalité communautaire vivante ou disparue, avec la nécessité de définir cette spécificité par rapport à l'autre, souvent contre l'autre. En définitive, il y a dans toute expression politique collective une part d'apparence ou d'effet d'optique qui dissimule une couche de réel plus profondément enfouie, à la fois dans le subconscient individuel et dans l'inconscient collectif. Chaque séquence d'un peuple porte en elle le souvenir mythique de son « Atlantide » en même temps qu'elle projette hors d'elle une altérité vécue dans le regard de « ceux d'en face ».

Aussi arrive-t-il que le suffrage universel dise ce que le Soleil dit quand il feint de tourner autour de la Terre : qu'il s'échine à dissimuler ce qu'il exprime. En France, ce phénomène affleure. Qu'on y songe : les choix collectifs démocratiques devraient théoriquement y être répartis, soit de manière relativement uniforme sur l'ensemble du territoire, soit selon des lignes de clivages socio-logiques ou socioculturels ; or, il n'en est rien. D'autres facteurs entrent en jeu. La personnalité des candidats, bien sûr, ainsi que toutes sortes d'invariants naturels : le climat, la nature des sols et par conséquent des cultures, la plus ou moins grave dispersion de l'habitat, la manière dont a été mené le processus d'urbanisation, le type d'industrialisation correspondant aux ressources locales, et les rapports sociaux et humains qui en découlent. Mais ce n'est évidemment pas tout. Cela ne suffit pas à expliquer l'emprise élec-torale du « médecinisme » dans les Alpes-Maritimes en général et à Nice en particulier, ni la très forte implantation, dans l'Allier, dans la Creuse ou en Lot-et-Garonne, d'un communisme « agraire ». Ni la longue hégémonie d'un socialisme viticole dans l'Aude et longtemps aussi dans les Pyrénées-Orientales, régions imprégnées de catharisme. Ni la spécificité conservatrice, à toute époque (depuis deux siècles) et en toute circonstance, des scrutins en Maine-et-Loire, dans la Vendée ou dans la Mayenne. Ni même, on l'a déjà signalé, le vote résolument de gauche des Cévennes, marquées par le protestantisme et la répression de l'insurrection camisarde.

Pourquoi donc le petit paysan de cette région-ci et le petit pay-san de cette région-là, le moyen bourgeois de l'Hérault et celui du Haut-Rhin, voire l'ouvrier de Denain et celui de Mulhouse, votent-ils avec une telle constance aussi différemment ? Quand on a fait le recensement de tous les facteurs d'explication, cette permanence dans la diversité n'est pas encore totalement éclaircie. Surtout lorsqu'elle résiste, du moins en partie, à des mutations économiques et donc sociales parfois radicales qui se traduisent, dans le Pas-de-Calais par le formidable déclin de la mine, ou dans l'Allier par l'inéluctable recul de la petite propriété agricole. (La mine et la petite propriété peuvent longtemps entretenir un inconscient identitaire.)

Cette permanence dans la différence paraît encore plus nette lorsqu'on observe, sur plus d'un siècle, l'évolution du vote par vil-lages ou par cantons. On parle alors volontiers, pour évacuer le problème, de « traditions ». Le concept est pour le moins vague. Encore faudrait-il établir comment naît une tradition, ce qui la détermine, comment elle se structure, à quoi elle s'articule, face à quoi elle se stabilise.

Ce qui, en réalité, s'exprime alors derrière le politique enrobé d'une idéologie de circonstance, c'est bien un tribalisme latent, c'est-à-dire une identité communautaire infranationale, et même infrarégionale, à quoi la religion, lorsqu'elle est minoritaire, la langue ou le dialecte, l'origine ou la parenté supposée, une vague mémoire ethnique, l'enclavement géographique, une spécificité culturelle liée à une économie particulière, donc à un métier dominant, un choc historique vecteur de réactions solidaires, le rôle d'un chef de file idéalisé, offrent autant d'éléments constituants.

Évoquons d'abord les facteurs secondaires.

Le rôle du chef de file : rappelons comment l'évolution personnelle du « patron de la meute » a pu, à Saint-Denis avant guerre (Doriot), à Clichy-sous-Bois en 1991, entraîner un glissement massif, nettement vers la droite, d'un électorat, en l'occurrence communiste, qui était censé être à la fois sociologique et traditionnel. Comment, à Dreux, ville traditionnellement de centre gauche, un chef local dont l'épouse reprit la succession entraîna et fixa plus d'un tiers de l'électorat à l'extrême droite. Dans tous ces cas, des villes ont fait violence à leur expression sociale pour investir dans le « gars de chez nous », et contre « les autres », une pulsion identitaire.

La spécificité culturelle liée à une économie particulière ? Relevons encore une fois le caractère particulièrement original de ce socialisme viticole, bien plus égotique qu'idéologique, qui a si longtemps dominé dans l'Aude, l'Hérault, les Pyrénées-Orientales, et qui a relativement résisté à bien des raz de marée.

L'origine ou la parenté supposée ? Qui ne voit que le « médecinisme » à Nice, plus qu'un simple ancrage à droite, en fut et en reste l'expression ?

N'apparaît-il pas qu'un vote intrinsèquement agraire se perpétue même à travers l'urbanisation ? Le rebond intériorisé d'une ancienne césure électorale explique encore qu'une lointaine contestation antibonapartiste ait fini par transcender son objet ; que le laïcisme militant ou le cléricalisme aient laissé des traces déconnectées des affrontements qui les ont engendrés.

Il ne s'agit pas de réduire le suffrage universel (considéré ici comme une simple forme d'expression collective) à ces reproductions presque mécaniques d'invariances mentales devenues autonomes par rapport aux réalités infrastructurelles dont elles sont issues.

Ce qu'il nous suffit d'établir, c'est que le tribalisme fonctionne au sein de toute société, de manière explicitement exacerbée ou implicitement sous-jacente, comme producteur et catalyseur de structures mentales invariantes.

Au commencement était un choc historique

L'histoire ne se situe ni au début ni à la fin de rien. Elle n'a pas de sens particulier ; ni de direction prédéterminée. Elle n'est ni circulaire, ni linéaire. Elle est toujours au milieu ; charnière, par définition. Elle est à la fois produit d'invariances et productrice d'invariances. Elle s'apparente à une incessante catalyse. Étant son propre objet, elle hérite de ce qu'elle façonne, elle transforme une partie de ce dont elle hérite, elle accouche de ce dont elle héritera et qu'elle façonnera, mais laisse toujours derrière elle les strates, les marques, les traces de ce qu'elle a façonné et transformé, et qui, constamment, troubleront, freineront ou accéléreront la catalyse.

Surtout, l'histoire n'est pas seulement une réalité objective. Le « noumène » historique, au sens kantien, est pour une part inconnaissable et n'est finalement perceptible qu'à travers les mutations des structures invariantes qu'il détermine, un peu comme l'évolution visible des fossiles témoigne des grandes phases de temps préhistoriques objectivement indescriptibles. Les « phénomènes » historiques, en revanche, sont beaucoup mieux cernables, soit qu'ils apparaissent clairement comme des conséquences d'un événement réel — peut-on dire objectif ? —, soit qu'ils découlent subjectivement de la marque laissée par un événement supposé, amplifié, dogmatisé ou mythifié.

J'ai largement développé ce thème dans mon *Esquisse d'une philosophie du mensonge*[1] : sans doute la bataille de Poitiers n'eut-elle lieu ni à Poitiers ni à la date indiquée ; sans doute les adversaires de Charles Martel, pour l'essentiel, n'étaient-ils pas des Arabes, et avaient-ils été appelés à la rescousse par un prince chrétien ; de toute façon, il n'y a pas eu de bataille. Sans doute est-il tout à fait improbable que le bon Dieu ait envoyé ses saintes, dont l'une était une pure invention scolastique, inciter Jeanne d'Arc à combattre un prince catholique dont les prétentions à la couronne de France,

1. *Op. cit.*

fût-il anglais, étaient, en vertu du traité de Troyes, juridiquement justifiées. Ce pour quoi d'ailleurs le peuple de Paris avait pris son parti, et la « gauche » réformiste le soutenait. Or, ces remarques n'ont guère d'importance : la bataille de Poitiers comme coup d'arrêt donné par Charles Martel au raz de marée arabe, la mission divine de Jeanne d'Arc, incarnation de la nation résistante, ne sont peut-être pas à proprement parler des faits historiques ; elles n'en participent pas moins puissamment à l'élaboration de structures mentales invariantes assises sur un socle historique. Une réalité historique subjective, en partie déconnectée des événements qui l'ont façonnée, fonctionne donc, au niveau de la mémoire, comme productrice d'invariances identitaires. Notre code communautaire en est profondément imprégné.

Or, ce processus n'a rien d'exceptionnel. La pulsion tribale, que nous analysons ici, s'articule toujours à un inconscient identitaire qui renvoie à une origine plus ou moins mythique. C'est-à-dire à un acte fondateur.

Le récit que nous avons évoqué plus haut des deux aventuriers envoyés par le président Jefferson explorer les territoires réputés vierges de l'Ouest américain nous apporte de passionnants témoignages sur la façon dont chaque communauté indienne faisait remonter sa fondation à un événement mi-historique, mi-magique, qui avait soit provoqué son regroupement, soit suscité la scission dont elle était née. Sans que les Indiens du Missouri sachent rien de la légende de Romulus et Remus, presque tous, pour sublimer leur apparition et marquer leur différence, racontaient une histoire assez semblable à celle qui est censée avoir présidé à la création de Rome.

Au fond, être à la fois chrétien et français, n'est-ce pas être capable de décliner ensemble, presque d'une même voix, un même récit fondateur d'une double identité : la passion du Christ et l'épopée de Vercingétorix ? Le dernier récit, au moins, étant pour une bonne part mythique, le chef arverne, brave certes, étant un rustre écervelé qui se laissa complètement manipuler par César et rassembla autant, sinon plus, de Gaulois contre lui qu'autour de lui.

La fonction cristallisatrice de l'imagerie historique a plus de poids que l'histoire objective. En d'autres termes, l'histoire d'hier détermine l'histoire de demain, autant, sinon plus, par les mythologies qu'elle suscite ou inspire que par les événements réels qu'elle égrène : les structures mentales, devenues invariantes, découlent ainsi plus souvent de légendes que l'histoire paraît cautionner que les nouvelles invariances superstructurelles ne dérivent des mutations infrastructurelles que l'histoire précipite.

Encore une fois, les événements de Yougoslavie nous offrent une parfaite et tragique illustration de ce propos : à l'instant même où ils se sont affrontés, Serbes et Croates ont vécu cette guerre civile non pas comme l'exacerbation irrationnelle d'une crise « actuelle », mais comme la continuation logique de conflits ancestraux dont les historiens des deux camps ont complaisamment adapté la chronique à la rationalité de chacun. Le temps ayant été comme pétrifié par le communisme, on a rejoué en somme, et presque avec la même fureur, le combat qui, cinquante ans plus tôt, avait opposé les oustachi croates aux tchetniks serbes, combat qui se voulait lui-même exorcisme par le sang d'antagonismes plus anciens. Le Croate, même nationaliste démocrate, devint alors pour le nationaliste serbe un néo-oustachi, fils naturel des tueurs fascisants qui avaient servi de supplétifs à l'Allemagne nazie ; et le nationaliste serbe, même socialisant, se transforma aux yeux du Croate — et aussi de lui-même — en un tchetnik résistant royaliste et panserbe des années quarante, dont le nom résonne pour ceux-ci comme une épopée et renvoie pour ceux-là à d'innombrables exactions. Est-il nécessaire de préciser que l'attitude des tchetniks pendant l'occupation allemande fut, la plupart du temps, rien de moins qu'héroïque, et que l'oustachi, patriote un peu exalté pour les uns (les Croates), bête immonde pour les autres (les Serbes), représenta la synthèse de l'ultranationalisme ethnique et d'un fascisme de circonstance, dont, justement, les miliciens serbes de Bosnie apparaissent souvent comme les ardents continuateurs ? Les mêmes Serbes et les mêmes Croates voient en outre se profiler derrière le musulman bosniaque l'ombre ou le fantasme de l'envahisseur turc des siècles passés, ce qui conduit les Grecs à se sentir totalement solidaires de ces mêmes Serbes et les nationalistes russes à combattre à leurs côtés au nom de la solidarité slave face à l'éternel ennemi musulman !

On remarquera d'ailleurs que la guerre civile en Yougoslavie a un peu partout exacerbé des passions qui doivent beaucoup moins à l'analyse géopolitique ou aux partis pris idéologiques qu'aux pesanteurs de ces invariances mentales collectives qui ont contribué à modeler une histoire vécue ou rêvée. (Ainsi l'antagonisme des réactions grecques et autrichiennes, russes et turques, bulgares et albanaises, par exemple.) Le pire étant la situation du Kosovo, peuplé à 90% de musulmans, mais auquel les Serbes tiennent comme les Français à l'Alsace-Lorraine, parce qu'en 1389 s'y déroula la bataille, largement mythifiée, de Kosovo Polje, qui, mettant aux prises le monde slave (serbe et bulgare) et le monde islamo-ottoman, marqua la fin provisoire de l'indépendance serbe (bien qu'y pérît le sultan Mourad Ier). Rien d'autre n'empêche les Serbes d'accorder aux Albanais musulmans du Kosovo l'autonomie interne — qu'ils revendiquent pour leurs compatriotes de Bosnie ou de Croatie — que le poids de cette sorte de mémoire refondatrice d'une identité qui pèse dans l'inconscient national.

L'exemple yougoslave indique bien que l'histoire subjective n'agit pas seulement comme élément constitutif d'une identification tribale en sublimant une origine supposée qui se perd dans le brouillard d'un passé indéchiffrable ; elle remodèle également et actualise sans cesse le stock des structures mentales invariantes, véritable code génétique collectif, à mesure que certaines s'estompent sans pour autant jamais disparaître. Ces séquelles s'intègrent alors sous forme de strates au stock ainsi renouvelé.

L'exemple du bonapartisme en France est particulièrement éclairant : la nature de cette structure mentale collective, qui nourrit et entretient une invariance tendancielle au plan politique national, n'interdit pas de dater très précisément la naissance de ce phénomène, tout en constatant qu'il intègre toutes sortes d'invariances mentales antérieures dont la mémoire collective — et latine — de l'épopée césarienne n'est pas la moindre expression. Le bonapartisme « nationalise » cette continuité, et le gaullisme la démocratise. Un tronc dynamique commun, antérieur à toute historicisation particulière, synthèse naturelle d'un besoin d'autorité, d'un rêve de gloire et du rejet des oligarchies cooptées, se réactive, se ressource, se diversifie par l'entremise de chocs historiques qui lui permettent de réactualiser sans cesse sa modernité et de décliner sur tous les modes possibles, en fonction du milieu et des circonstances, son invariance.

Ce qui nous importe ici, c'est de comprendre comment un choc historique particulier peut concourir à la confection ou à la réactivation d'une identité collective de type tribal, restreinte ou élargie, et en quoi cette sous-jacence induit des comportements dont la simple apparence suggère qu'ils sont de nature politique ou idéologique.

Faut-il évoquer la façon dont la plupart des États sudistes des États-Unis projettent, dans leur expression collective, les frustrations nées de la guerre de Sécession, de la défaite et de l'occupation yankee ? Le cas est presque trop édifiant. Au demeurant, il faudrait surtout montrer en quoi cette structure mentale invariante n'a fait que relayer tout ce qui a concouru au drame qui l'a rendue à ce point « opérationnelle ».

Aussi bien les « démocrates » sudistes, expression politique de cette invariance, sont-ils à la fois les produits et les initiateurs de la tragédie. La guerre de Sécession et la défaite sudiste n'ont fait qu'exacerber, en la fixant, la structure mentale dont elles découlent et qui était, elle-même, la résultante de la plupart des facteurs que nous avons évoqués plus haut : spécificités naturelles et climatiques induisant une économie particulière, impact des leaders fondateurs (Jefferson), particularisme de l'émigration originelle au point que les différences avec le Nord furent parfois traduites en termes ethniques (descendants de Saxons contre descendants de Normands) ou hiérarchiques (nation patricienne contre nation plébéienne), et enfin empreinte psycho-idéologique d'une réalité infrastructurelle (les rapports de production esclavagistes). Ce qui nous intéresse tout particulièrement dans ce cas précis, ce sont les différents facteurs imbriqués qui ont contribué à l'élaboration d'une invariance politico-psychologique, avant qu'un choc historique traumatisant ne la fixe, et la manière dont, ensuite, cette structure s'est parfois adaptée, ou bien a résisté aux mutations sociales, économiques, culturelles qui, depuis plusieurs décennies, l'agressent, la bousculent et la refoulent.

Une secousse historique réelle, puis idéalisée, a bien fonctionné ici comme facteur constitutif d'une identification tribale élargie qui a déterminé de manière sous-jacente une grande variété d'attitudes collectives ; même si, depuis lors, d'autres facteurs ont contribué à équilibrer celui-là.

Le cas exemplaire de la Vendée

On assista à un phénomène comparable en Vendée où l'influence du choc historique que représenta l'insurrection de 1793 et la répression qui s'ensuivit fut encore plus directe ; le réflexe identitaire qu'il provoqua fut presque à lui seul constitutif d'une structure mentale qui a très peu varié depuis lors, mais que rien ne prédéterminait à ce point auparavant : ainsi, des structures de propriété semblables, des facteurs religieux équivalents, et même des paysages du même type, liés aux mêmes spécificités du sol, donnent ailleurs des modes d'expression politique sensiblement différents. L'historien Jean-Clément Martin a parlé à propos de la Vendée de « région mémoire », ce qui sous-entend un processus d'autoprotection de cette mémoire. Et il montre[1] qu'au cours du XIXe siècle, voire encore au XXe siècle, notamment avec l'épisode de Vichy, l'image de la Vendée et, d'une façon plus générale, de l'Ouest intérieur, « s'est forgée et s'est isolée au long de luttes irréductibles qui se sont focalisées autour des souvenirs et des ressentiments mythifiés ». Cet entretien de la mémoire va en quelque sorte « ankyloser » les comportements. Il y a même parfois, en profondeur, accentuation de ce fidéisme. Ainsi, dans l'entre-deux-guerres, recensait-on 25 communes de Vendée, 26 du Maine-et-Loire et 9 de la Loire-Atlantique qui n'avaient pas d'école laïque. En 1984, elles étaient 64 dans la seule Vendée. L'école de la République avait pratiquement disparu des trois secteurs scolaires des Herbiers, de Mortagne et de Pouzauges, trois cantons qui se situèrent au cœur de l'insurrection royaliste de 1793 et qui votent encore aujourd'hui le plus à droite. Même phénomène à Andrezé, commune des Monges, dans le Maine-et-Loire, où Mitterrand n'obtint en 1981 n'obtint que 20 % des suffrages, et où récemment le projet d'ouverture d'une école publique a provoqué une révolte.

L'enjeu de l'école a ici un rapport assez lointain avec la religion : il s'agit, en refusant la « laïque », de rejeter, comme deux siècles plus tôt, le « diable » révolutionnaire, la subversion républicaine.

Le sociologue Henri Mendras, étudiant une ville des Monges, a pu conclure : « Une seule idéologie est commune à tous. Un même système de référence pour tous et les mêmes conduites à tenir selon chaque circonstance vont de pair avec une grande conformité des représentations collectives : l'attachement à l'école catholique doublé du culte du souvenir vendéen, l'implantation traditionnelle de la droite, caractérisent cette stabilité et cette

---

1. Jean-Clément Martin, *Une guerre interminable : La Vendée deux cents ans après*, Nantes, Reflets du passé, 1985.

unanimité idéologique. » On peut difficilement trouver une meilleure définition de l'« identitarisme » tribal[1].

De son côté, l'historien Paul Bois[2] a magnifiquement démontré, à propos du département de la Sarthe, à quel point l'événement fondateur, dont découlent aujourd'hui encore les frontières politiques du département, a bien été la guerre civile de 1793. Ce qu'il remarque, c'est que les immenses transformations qu'a connues la région n'ont eu que des incidences extrêmement faibles sur sa configuration politique. L'industrialisation, la démocratisation, les progrès de l'enseignement sont passés, écrit-il, « sans plus d'effet que la houle sur un récif ». Remarque qui s'applique également aux îlots républicains dont le vote à gauche a résisté à bien des raz de marée. On repérera, dans tel gros bourg, un vote socialiste complètement déconnecté de la réalité environnante et qui renvoie au massacre, il y a presque deux siècles, des notables et des édiles locaux par une troupe d'insurgés chouans.

Reste le cas d'école : le noyau dur du pays chouan. En 1981, au premier tour de la présidentielle, François Mitterrand obtient 10 % des suffrages dans le bocage vendéen, 14 % dans l'est du Choletais et à peine plus dans la Mayenne. Dans la 5e circonscription de Vendée (Les Herbiers), dont l'ultraconservateur Philippe de Villiers était l'élu en 1993, la droite a obtenu 95,3 % en 1958, 95,9 % en 1962, 93 % en 1967, 79,2 % en 1974 et 70,1 % en 1981. Dans l'énorme travail réalisé sous la direction d'Yves Lacoste et intitulé *Géopolitique des régions françaises*[3], Jean Renard remarque : « Une telle configuration politique, d'une aussi nette orientation et d'une ampleur aussi marquée, coïncide étrangement avec la géographie du soulèvement de 1793 contre la République. Une telle pérennité des comportements est au centre du fait régional et de son identité profonde. En 1793, en quelque sorte, la région se serait affirmée et implicitement reconnue avant la lettre. Ne pourrait-on dater de ce traumatisme, et du refus exprimé par le soulèvement populaire contre la République et les valeurs qu'elle accompagnait, la naissance d'un espace social original, d'une struc-

---

1. Henri Mendras, *Les Sociétés rurales françaises*, Paris, Presses de la Fondation nationale des sciences politiques, 1962.
2. Paul Bois, *Paysans de l'Ouest. Des structures économiques et sociales aux options politiques depuis l'époque révolutionnaire dans la Sarthe*, Paris, E.H.E.S.S., 1984.
3. 3 vol., Paris, Fayard, 1986.

ture de représentation du réel homogène, avec ses particularismes, ses valeurs et ses frontières ; en somme tout ce qui fait véritablement une identité collective et, par un processus d'identification-appropriation, un territoire. Cette naissance et ce refus tiendraient au fait que la République a ici présenté ses idéaux et sa liberté au bout des piques et des fusils de la Terreur, ce qui a soudé les habitants contre ce qu'elle représentait et les a rejetés dans le camp du conservatisme, voire de la contre-révolution. »

Ce qui est ainsi décrit ressemble bien à cette révélation communautaire d'une conscience de soi par opposition à l'« autre », qui fonde l'identité tribale. Le choc historique y joue le rôle coagulateur.

Poursuivons cette citation qui éclaire particulièrement bien notre propre propos en mettant en relief, comme dans le cas de l'émergence d'une mentalité spécifiquement sudiste aux États-Unis, les effets cumulatifs et interactifs des facteurs structurants. En ce qui concerne les pays de la Loire et particulièrement la Vendée, Jean Renard écrit : « Quatre grands déterminants paraissent devoir être mis en valeur pour comprendre cette configuration géopolitique. Tout d'abord le poids considérable des héritages historiques. Ensuite le ciment unificateur constitué autour et par la religion, la propriété foncière et l'école ; ces facteurs associés, cumulatifs et interactifs, s'épaulant mutuellement pour se proroger[1]. Il va de soi que chacun de ces déterminants ne peut s'isoler, l'ensemble constituant une structure solide qui explique leur permanence et leur rôle sur les expressions politiques. Dans une telle structure, les différentes parties du tout jouent les unes sur les autres. » Sans doute. Mais certains de ces « facteurs associés » — religion, école, propriété — ne sont pas, en soi, constituants de la structure, mais plutôt régulateurs de son invariance. Ils la veillent, ils la bordent. Ils ont contribué, dans une certaine mesure, à l'avènement de la tragédie. Ils concourent à en entretenir le culte. « On ne peut qu'être troublé, reconnaît d'ailleurs Jean Renard, par la superposition des cartes du soulèvement de 1793 et des cartes des plus forts pourcentages en faveur de la droite. Il y a un cœur du système sociopolitique qui donne des majorités presque caricaturales à force de l'être, et où le consensus est total et ne souffre pas de particularisme. Il s'agit du vaste quadrilatère de bocages au

1. *Ibid.*

sud de la Loire et dont la Sèvre constitue comme l'axe[1]. » On retrouve, au nord du fleuve, dans le Segréen et la Mayenne, des traits politiques tout aussi accentués. Pourquoi ? Parce que « l'ensemble du pays insoumis et rebelle qui a refusé la République en 1793 s'est replié sur lui-même et, au long de près de deux siècles, a évolué différemment du reste de la nation. C'est de cet isolement que l'Ouest a forgé progressivement son identité et sa structure particulière. L'orientation massive vers la droite modérée n'est que la traduction de cette structure de représentation du réel mise en place, il y a près de deux siècles, confortée depuis par la connivence entre tous, et dont la cohérence explique la solidité et l'étonnante pérennité ». Et l'auteur précise encore : « On ne comprendrait rien à l'apparent immobilisme des structures et au consensus des populations si l'on ne faisait pas référence à cette histoire mythifiée et soigneusement répercutée d'une génération à l'autre[2]. »

Évoquant ses souvenirs du pays nantais, Julien Gracq fait la même constatation : « L'histoire est ici une pierre de touche. En 1793, la ville de la Loire prend parti en bloc, les armes à la main, contre sa campagne tout entière insurgée contre elle. En mai 1968, l'hostilité réciproque spontanée ressuscite aussi forte. »

Le cas du département de la Sarthe est à cet égard particulièrement intéressant, puisqu'il fut, en 1793, traversé du nord au sud par la ligne de front. D'un côté, la chouannerie ; de l'autre, la République. Or, les rapports de forces politiques y ont toujours été relativement équilibrés. Le 8 mai 1849, sous la IIe République, la droite y rassembla 44 % des suffrages, l'extrême gauche et la gauche 31 %, le reste allant au centre républicain. Le vote de la droite recoupe alors, à deux cantons près, l'ancienne zone chouanne, et le vote à gauche la partie est du territoire restée républicaine. Pour l'essentiel, ce clivage historico-territorial se retrouve, presque à l'identique, aux élections de 1924, de 1936, de 1958, de 1965.

L'historien Paul Bois a poussé plus loin l'observation en étudiant l'évolution des votes dans un même canton traversé par la « frontière » (soit deux communes, l'une, Saint-Mars-d'Outillé, situé en zone bleue, et l'autre, Laigné-en-Belin, située en zone

1. *Ibid.*
2. *Ibid.*

blanche ; elles ne sont séparées que par la commune de Teloché).
A Saint-Mars, le rapport gauche-droite est, en 1877, de 548 à 28
en faveur de la gauche, en 1902 de 435 à 34, en 1927 de 290 à 63,
en 1946 de 404 à 129. A Laigné, proportion inverse en faveur de
la droite ; 1877 : 279 à 33 ; 1936 : 140 à 85 ; 1956 : 332 à 136 ;
1958 : 315 à 118. « On a ainsi vraiment l'impression, reprend Paul
Bois, d'une ligne de combat où s'affrontent deux armées dont les
arrières s'enfoncent à des dizaines de kilomètres. Ce n'est pas une
frontière, c'est un fossé de part et d'autre duquel se dressent des
remparts monolithiques[1]. »

En réalité, la situation a quelque peu évolué depuis 1958. L'invariance s'est recomposée comme en Bretagne, où, ici et là, un
autonomisme contestataire « de droite » a pu se métamorphoser
en autonomisme contestataire « de gauche ». Les formidables bouleversements suscités, pendant les Trente Glorieuses, par l'industrialisation, l'urbanisation, les mutations technologiques, et
surtout l'effet d'attirance de l'agglomération du Mans, ont très
sensiblement atténué les contrastes idéologico-politiques.

Mais ce qui est frappant, c'est que Saint-Mars n'a pas pour
autant cesser de voter majoritairement à gauche et Laigné à
droite. En 1981, à Saint-Mars, la gauche l'emporte encore (comme
en 1965 et en 1974) par 527 voix contre 476, et à Laigné, comme
lors de tous les scrutins précédents, la droite arrive en tête avec
468 voix contre 422.

On retrouve le même phénomène en Maine-et-Loire (entre
Monges et Segréen à l'ouest et Saumurois et Baugeois à l'est).
Mais, contrairement à ce que nous venons de constater dans la
Sarthe, le boom industriel qu'a connu la région des Monges et la
progression considérable du nombre des ouvriers, qui représentent
désormais plus de 50 % de la population active, n'ont pratiquement rien changé au caractère résolument conservateur de l'expression politique. Dans la commune vendéenne de La Rapate-
lière, ouvrière à 55 %, Giscard obtint pas moins de 94 % des
suffrages en 1974.

L'appartenance territoriale, liée à une mémoire collective structurante, prime à l'évidence sur une hypothétique conscience de
classe. Du côté monarchiste comme du côté jacobin, le choc historique l'emporte sur le choc social.

---

1. Paul Bois, *op. cit.*

André Siegfried avait particulièrement étudié, en 1913, le canton vendéen de Talmont, enclave radicale anticléricale en pays chouan. Le gros bourg de Talmont avait, en 1793, pris le parti de la République, contrairement à la paroisse rivale de Saint-Hilaire qui l'entourait. Il est vrai que les bourgeois talmondais avaient été les principaux bénéficiaires de la vente des biens de l'abbaye de Saint-Hilaire. Or, aujourd'hui encore, la carte des tempéraments politiques du canton recoupe très exactement celle des choix effectués par la population lors des événements de 1793. Même si, là encore, commencent à s'atténuer les contrastes.

Si le cas de la Vendée constitue l'archétype de ce tribalisme identitaire reconstitué à partir d'un choc historique, d'autres exemples abondent, dont celui des Cévennes marquées par la mémoire sous-jacente de l'impitoyable répression qui mit fin à la révolte des camisards. Là encore, implantation protestante et vote à gauche se superposent de manière souvent spectaculaire (Alès, Floirac, Le Vigan, etc.), au point qu'André Siegfried insiste avec gourmandise sur le paradoxe qui voit le patron huguenot voter « rouge » et l'ouvrier catholique donner sa voix aux conservateurs.

Vendée, Sarthe, Cévennes : ailleurs, moins apparentes peuvent être les veines qui diffusent l'invariance que contribue à refouler et à défouler la mémoire d'un choc historique plus ou moins dramatique. Mais, derrière cet acte collectif que représente par exemple la participation à un scrutin, se profile presque toujours, entre autres structures constituantes d'une identité, une imbrication plus ou moins stratifiée d'histoires collectives dont l'impact est d'autant plus fort que le choc psychologique originel se prête à l'élaboration implicite d'un culte. Le tribalisme s'organise alors autour de la totémisation « interne » de cette histoire mythifiée ; l'icône en est soudée dans les têtes. N'importe quel événement, même très ancien, peut être fondateur de cette conscience communautaire. Il peut s'agir d'un massacre datant des guerres de Religion ou de la croisade contre les Albigeois, d'un lynchage de sorcière ou de la répression d'une jacquerie ; mais aussi d'un fait divers qui a soudé tout un village dans une réaction de défense ou de rejet ; ou encore du poids pris par un maquis pendant l'Occupation (Limousin), d'une exécution d'otages (Oradour), ou, à l'inverse, d'excès commis à l'heure de l'épuration par des résistants de la dernière heure. Alors, un inconscient de droite ou de gauche prolongera les cicatrices.

Les premières élections libres en Ukraine ont révélé la permanence de clivages territoriaux liés à la fois à l'histoire présoviétique de cette république et aux conditions mêmes de la formation de son identité nationale (en particulier le partage de 1667 entre la Pologne et la Russie, et la scission religieuse qui s'en est suivie).

Faut-il encore évoquer l'étonnant contraste qui subsiste entre Suisses francophones et Suisses alémaniques, fruit d'un éphémère partage de l'Helvétie romaine entre Burgondes et Alamans ? Ou la stabilité de la ligne de fracture qui marqua le Grand Schisme d'Occident et continue, près de mille ans après, à séparer deux mondes ?

La religion (toutes les religions) ne se ressource-t-elle pas elle-même en permanence à un système de références qui consiste à empiler des chocs pseudo-historiques considérés comme autant d'événements refondateurs ? Ne sommes-nous pas tous, français, chrétiens, modelés par une épopée identificatrice qui brasse les lions du cirque de Néron et les flèches de saint Sébastien, les païens évangélisés par François Xavier et le martyre du père de Foucauld, sainte Geneviève sauvant Paris des hordes d'Attila et Saint Louis rendant la justice sous son chêne, Jeanne et saint Vincent de Paul, le *Dialogue des carmélites* et les mirages aquatiques de Bernadette Soubirou ? Chacun de ces rebonds ne contribue-t-il pas à recâbler, de manière adaptative, notre identité chrétienne dans nos têtes ?

Répétons-le : il n'existe pas, en soi, de permanences géopolitiques, aussi violents qu'aient été les « chocs » historiques qui sont à l'origine de certaines régularités. La Vendée, bien que ce ne soit guère probable à moyen terme, basculera peut-être un jour à gauche, comme le Gers a basculé à droite. Les États sudistes des États-Unis ont fini par élire quelques républicains conservateurs, puis un certain nombre de démocrates libéraux.

Ce que nous entendons établir, en revanche, c'est que l'histoire « subjective » — en ce que sa réalité relative ou sa mythification absolue impriment leur marque sur la conscience collective — concourt sans répit à la refondation, puis à la reproduction d'une structure tribale invariante ; et que ces secousses historiques induisent des invariances séquentielles qui s'intègrent, dans des proportions en revanche très évolutives, à un ensemble de facteurs interactifs, complémentaires ou contradictoires, qui participent de la conscience communautaire de soi.

Les rapports de classes ne constituent que quelques-uns de ces facteurs et subissent puissamment l'influence de cette interactivité.

On notera en outre, même si cela va de soi, que les particularismes religieux, nationaux ou ethniques sont eux-mêmes les produits directs ou indirects de ces ruptures ou de ces effluves historiques. D'un côté, une histoire mythifiée fonde le religieux, de l'autre, le religieux ne cesse de mythifier *a posteriori* l'histoire pour en faire le tremplin de ses rebonds : de cette façon, en France par exemple, le religieux a successivement nationalisé (Jeanne), colonialisé (le père de Foucauld), socialisé (saint Vincent de Paul), repaganisé (Bernadette Soubirou). Toute religion, en se nationalisant, offre à la tribu élargie un nouveau totem fédérateur sous forme, par exemple, d'une vierge spécifique (Vierge noire en Pologne, Vierge de Guadalupe au Mexique, de Fatima au Portugal) dont l'émergence joue le rôle de choc historique.

De même que la tribu, telle qu'elle a été définie plus haut, est toujours latente sous l'apparence d'une entité plus large, de même les sédiments historiques composent, décomposent et recomposent sans cesse le socle de cette sous-jacence. L'histoire tribalise même quand, apparemment, elle nationalise.

Quand le tribalisme structure les rapports de production

Si le tribalisme ne correspond pas, à proprement parler, à un rapport de production, il en est partie prenante. Il est, on l'a vu, à la base de l'esclavagisme restreint et favorise l'esclavagisme élargi. Surtout, il tend, à l'intérieur d'un marché de type libéral, à reproduire sa propre structure : tout à la fois il épouse et détermine les clivages sociaux.

Dans un monde totalement naturel, on pourrait imaginer que des groupes humains s'organisent spontanément à la manière des espèces animales, chacun ayant sa fonction propre, exerçant une activité spécifique et complémentaire, concourant en cela à l'équilibre écologique général et occupant un territoire correspondant très exactement à sa spécialité, donc à son rapport à la nature elle-même.

Il apparaît en effet que dans le système tribal primitif chaque communauté jouait un rôle économique spécifique dans un cadre (qu'on pourrait presque appeler confédéral) à l'intérieur duquel

les spécialités des unes et des autres se coordonnaient et s'équili-
braient. (En cela, on le voit, tribalisme et avènement de l'économie marchande vont de pair.)

Dans l'ouvrage déjà cité de Lewis et Clark, les deux explorateurs
envoyés dans l'Ouest américain par le président Jefferson montrent très clairement comment, dans une région relativement
vaste, cinq ou six tribus indiennes (assez proches, en l'occurrence,
de la « bande », car elles regroupent chacune moins de mille personnes) exercent des activités productrices et surtout commerciales non concurrentes, qui régulièrement convergent en un grand
marché intertribal où s'échangent les produits complémentaires
des activités des uns et des autres pour former un système économique relativement intégré. Ce qui n'empêche pas ces mêmes
communautés de se livrer des guerres incessantes dont le prétexte
est la plupart du temps une violation supposée de ce traité non
écrit d'intégration économique. Les Sioux Tétons, nomades et
guerriers, ne pratiquent pas l'agriculture et, étant peu doués pour
la vannerie et la poterie, dépendent des autres tribus pour les
graines, les légumes et les ustensiles. Ils doivent donc s'intégrer à
une économie générale des Plaines dont ils occupent la position
centrale et contrôlent le commerce. Leur supériorité militaire est
devenue une spécificité économique et ils en abusent. Au cours
du « Dakota rendez-vous » sur la James River, ils échangent avec
les tribus sédentaires des produits manufacturés, achetés aux trafiquants ou volés, contre des produits agricoles. Les Arikaras, qui
cultivent le maïs, les haricots, les courges et le tabac, sont considérés, eux, comme les jardiniers des Sioux. En outre, ils revendent
aux Tétons les chevaux qu'ils obtiennent des Cheyennes, lesquels
les volent aux Espagnols. A ce niveau, donc, la tribu s'ancre à une
spécificité économique — qui peut être productive ou commerciale — dans le cadre d'une répartition relativement fonctionnelle
du travail.

Or, que constate-t-on ? Que l'apparition et la consolidation de
l'État-nation, loin de gommer cette appropriation tribale de l'organisation du travail, reproduisent en son sein des rapports sociaux
qui épousent en partie cette répartition communautaire, dont on
ne saurait évidemment soutenir qu'elle est le résultat d'un pur
hasard.

Pourquoi depuis si longtemps, au-delà même des « bougnats »,
ce contrôle presque exclusif des « bistrots » parisiens par des

Auvergnats du Cantal, du Rouergue ou de l'Aveyron, au point que le recrutement des garçons de café et autres serveurs se fait encore par l'intermédiaire du magazine *L'Auvergnat de Paris*, devenu un véritable organe interprofessionnel ? Pourquoi cette surreprésentation des Corses dans les professions policières et douanières (et aussi, ce qui n'est pas contradictoire, dans le camp d'en face) ? Cette présence spectaculaire des Juifs dans la confection et le commerce du prêt-à-porter ? Ou des Arméniens dans la fourrure et le tapis ? Pourquoi la Provence-Côte d'Azur produit-elle plus d'avocats que la Normandie et la Bretagne ? Pourquoi cette apparente prédisposition des Basques pour la prêtrise, ou cette présence infiniment plus grande des protestants dans la banque ou la haute administration que parmi le prolétariat du bâtiment et de la métallurgie ? Pourquoi les femmes de ménage furent-elles si longtemps bretonnes ou lorraines avant de devenir espagnoles ou portugaises ? Pourquoi y a-t-il, à ce point, plus d'originaires de l'Ouest que de l'Est ou du Sud dans les chemins de fer ?

En ce qui concerne la France, la tradition assimilatrice aidant, il s'agit là surtout, soit de séquelles, soit d'une esquisse de recomposition sociale sur une base ethnico-tribale élargie. Reste que partout où s'affirment des différences prétendument ethniques, religieuses ou simplement régionales, celles-ci s'articulent à une différenciation économique et sociale. Quelque chose se passe qui fait que se refonde spontanément, à tous les niveaux, cette division du travail qui plonge ses racines dans l'organisation même de la structure tribale originelle. Précisons qu'il s'agit bien d'une « refondation », dont une multitude de facteurs historiques contribuent à préciser puis à accentuer les contours, et non d'une simple reproduction mécanique.

Il n'en demeure pas moins qu'il n'existe pratiquement pas de clivages communautaires apparents ou sous-jacents qui ne recoupent à la fois une stratification sociale et une répartition des fonctions économiques, le paroxysme de ce phénomène étant symbolisé par le système des castes en Inde, explicite et institutionnalisé dans ce cas, mais implicite et spontané en d'autres. Ainsi, en Égypte, le Nubien, omniprésent dans le personnel d'hôtellerie, s'identifie-t-il au serviteur, ou le copte pauvre au chiffonnier (ou à l'intellectuel !), de même que le sikh (adepte ethnicisé d'une secte religieuse, comme le copte) est mécanicien en Inde et l'originaire du Mzab commerçant en alimentation générale en Algérie.

La guerre civile au Nigeria n'a-t-elle pas eu comme cause première le fait que les Ibo du Biafra remplissaient, dans la fédération, des fonctions essentiellement administratives et, au sens large, intellectuelles, face aux populations musulmanes du nord confinées dans un rôle apparemment plus subalterne ? Un cas exemplaire : en février 1994, une tragédie éclata au Ghana ; près de 2 000 morts à la suite d'une bagarre consécutive au vol d'un coq ! En 1981, une partie de cartes qui avait mal tourné s'était déjà soldée par 1 500 victimes ! A l'origine de ces horreurs, l'antagonisme entre les Kokomba d'un côté, les Nanumba et les Dagomba de l'autre. Or les Kokomba, originaires du Burkina-Faso, sont animistes et confinés à des tâches agricoles et commerciales subalternes, alors que leurs adversaires, musulmans, sont gros commerçants ou propriétaires fonciers. Le nationalisme ethnique qui, en Haïti, permit au dictateur Duvallier d'enraciner sa dictature, fut d'abord dirigé contre une population créole qui s'identifiait à une élite économique et culturelle, si bien que, là comme ailleurs, une confrontation politique « de race » prit objectivement la forme d'une lutte de classes détournée ou pervertie. Et l'on sait bien que cette même ségrégation sociale spontanée se retrouve dans l'antagonisme à la fois religieux et social, mais en réalité religieux parce que social, qui oppose, en Irlande du Nord, les catholiques aux protestants. Voire, de manière beaucoup plus complexe, en Belgique où les Flamands, tel le tiers état de l'Ancien Régime, ont transcendé par leur réussite économique le statut qui faisait d'eux les serviteurs de l'oligarchie wallone.

Ce qu'il faut imaginer, c'est que le régime d'apartheid patent, tel qu'il a fonctionné en Union sud-africaine et s'est élaboré pratiquement sous nos yeux, n'est que la manifestation tardive, bureaucratique et intitutionnalisée, et par conséquent politiquement insupportable, d'un processus latent qui, au cours des âges, s'est développé à l'échelle planétaire, et dont les hiérarchisations de type féodal, les constitutions de castes, les stratifications en « ordres », furent quelques-uns des épiphénomènes.

Deux types de flux migratoires ont rythmé le devenir historique : tantôt l'on vient pour dominer, tantôt, de gré ou de force, pour répondre à l'appel du dominant. Le tribalisme, l'impérialisme, l'esclavagisme, le capitalisme ont, à des échelles différentes, contribué à orienter et à accélérer ces flux. Le Blanc d'Afrique du Sud est arrivé pour dominer et le Noir d'Amérique est venu à l'appel des dominants : ici, une différence ethnique exportée structura une aristocratie de fait ; là, une différence ethnique importée fonda un esclavagisme de droit. Reproduction presque palpable de bien d'autres migrations volontaires ou involontaires qui, de manière aujourd'hui devenue impalpable, parce que trop éloignées dans le temps, permirent l'auto-élaboration de systèmes au sein desquels la différence, selon la signification et la direction du flux dont elle était issue, fonda l'appartenance à la classe des dominants ou à celle des dominés. Et si l'abolition de l'esclavage en Amérique ou la fin de l'apartheid en Afrique du Sud privent désormais cette hiérarchisation autoritaire de toute base légale, il n'est cependant pas douteux qu'elles ont marqué et marqueront pour longtemps de leur empreinte les rapports sociaux et raciaux dans ces pays.

Rien n'est apparemment plus rigide qu'une hiérarchisation sociale. Or, le paradoxe veut que des flux migratoires impliquant l'éclatement, la division, l'extension dans l'espace des structures tribales originelles, et donc une immense fluidité dans le temps, en constituent souvent l'origine. A la limite, on pourrait presque soutenir que, sur un territoire donné, les deux extrémités du spectre social sont le reflet de la distance qui a originellement séparé, à tout point de vue, ces composantes d'une même nation. Quand une communauté, un groupe ou un peuple glissent d'un espace à l'autre, ils programment en quelque sorte — selon qu'ils sont portés en avant par le mouvement des vainqueurs ou attirés comme vaincus dans le sillage du dominant, qu'ils sont conquérants ou conquis — leur propre devenir dans l'intégration sociale future. Une communauté venue d'ailleurs — mais pratiquement toutes les communautés sont venues d'ailleurs — ne se dilue jamais totalement ; elle tend non seulement à se regrouper et à reconstituer son propre espace communautaire, mais surtout à s'insérer, soit dans une pyramide sociale dont elle recompose la tête ou la base, soit dans un système de répartition du travail en fonction de ses propres spécificités. Dans ce dernier cas, l'effet d'attirance ou la cooptation d'un côté, le retrait progressif des communautés devenues minoritaires de l'autre, débouchent sur le contrôle quasi hégémonique d'une branche de l'activité économique ou sociale par le groupe qui en a fait le vecteur soit de son intégration (ou assimilation), soit de son regroupement tribal. Ainsi les Chinois en Indonésie, les Indiens aux îles Fidji, les Libanais en Côte-d'Ivoire qui ont en quelque sorte colonisé le secteur du commerce de proximité. Ce processus est d'ailleurs presque identique, qu'il soit interne ou externe. En Bosnie, les musulmans sont dans les villes et les Serbes orthodoxes dans les campagnes. Autrement dit, se reconstitue à l'infini cette organisation tribale originelle de l'espace économique sur une base communautaire qui induit une interférence de plus en plus accentuée, à mesure que la société se complexise en se stratifiant, entre tensions communautaires et tensions sociales.

L'étonnant est que la ville, loin de mélanger comme un fleuve ses affluents, de fondre les particularismes itinérants en les malaxant dans son maelstrom pluriethnique et pluriculturel, les fixe et les recompose, en les exacerbant, sur une base fonctionnelle et territoriale encore accentuée. Le modèle américain (ainsi Los Angeles, New York et Vancouver) illustre la prégnance de cette figure dont on trouve la réplique, sur une base tribale évidemment plus apparente, dans les grandes métropoles africaines telles Lagos ou Kinshasa. Non seulement apparaissent et se développent (à Paris la rue des Rosiers, Belleville, le quartier de la porte d'Italie) des quartiers juifs, chinois, indochinois, italiens, portoricains et même, en Amérique, russes, mais des professions, plus exactement des spécialisations à l'intérieur du grand marché urbain, finissent par s'identifier à des ethnies.

On remarquera que cette répartition communautaire du travail porte en elle et véhicule une incessante recomposition des rapports dominants-dominés qui plonge ses racines dans une hiérarchisation géopolitique originelle de la structure tribale (dont l'actuel ordre inégal du monde représente d'une certaine façon la forme élargie).

Il est clair qu'à s'en tenir à l'aspect religieux, ou prétendument ethnique, de la contradiction fondamentale qui provoque, à notre époque, tant de guerres intestines, on néglige l'essentiel : à savoir la double intégration, à cet antagonisme élargi, de la sous-jacence tribale et de l'affrontement social en tant que formalisation complémentaire d'une même structure invariante. Déjà le soulèvement de Spartacus contre Rome fut à la fois guerre ethnique et affrontement de classes. Ses adversaires, Pompée et Licinius Crassus, étaient non seulement romains mais également riches propriétaires.

Il découle de cette remarque, puisque la structure tribale primitive se retrouve en filigrane (fût-elle considérablement remodelée sous l'effet des mutations historico-sociologiques qui l'affectent) derrière la plupart des grandes césures sociales apparentes, qu'il importe non de réduire les antagonismes sociaux à cette composante, mais de ne pas les en déconnecter pour des raisons idéologiques. Sans quoi — et les événements de cette fin de siècle nous le rappellent avec fureur — la réalité se venge. On joue à la lutte de classes et on se retrouve un jour broyé par une guerre de races. On encourage les antagonismes de races et on déclenche une guerre de classes.

Et le nationalisme, dans tout ça ?

Où se situe, dans cette configuration, le nationalisme ? Rupture avec le tribalisme ou sa métamorphose ? Constitue-t-il une entité totalement spécifique ou la forme élargie du tribalisme ?

La contradiction n'est sans doute qu'apparente. La nation transcende et dépasse la tribu, c'est sa fonction, mais en même temps la prolonge. Ce qui se passe n'est pas très différent du processus que nous avons observé à propos de l'esclavagisme : dépassement de la contradiction primaire par élargissement, et réintégration de cette contradiction dans la structure élargie.

Un paradoxe historique illustrera cette ambiguïté. La nation se veut intégrante. Elle vise à dépasser les particularismes plus ou moins antagonistes, à les sortir de leur auto-enfermement en les « fusionnant » dans un ensemble plus large, identifié à une valeur transcendante. La nation, donc, *a priori* inclut quand la tribu exclut. La première se définit d'abord par rapport à elle-même, alors que la seconde s'identifie à travers son rapport à l'autre.

La nation, telle que les révolutionnaires de 1789 la sublimèrent, une et indivisible, représentait en effet cette fusion civique en un même collectif d'une multiplicité d'identités particulières. Eric Hobsbawnn note fort justement : « Si la nation avait quoi que ce soit en commun du point de vue révolutionnaire, ce n'était pas, au sens fondamental, l'ethnie, la langue ou quoi que ce soit de semblable ; mais précisément la représentation des intérêts communs contre les intérêts particuliers[1]. » On ne voit d'ailleurs pas

1. Eric Hobsbawnn, *Nation et nationalisme depuis 1780*, Paris, Gallimard, 1992.

comment la jeune république américaine aurait pu définir la nation en termes ethniques, linguistiques ou même culturels, puisqu'elle parlait la même langue, était issue de la même ethnie et partageait la même culture que l'Angleterre.

A l'inverse, les Constituants de 1789 n'ignoraient pas à quel point la France était multiethnique, multiculturelle (même à l'époque), et multilinguistique. Ce qui conduisit, puisque l'idée nationale était censée épuiser les différences, la Convention nationale, puis le Directoire, puis Napoléon à admettre la constitution d'une « grande nation » républicaine, expansionniste, formée de peuples disparates.

C'est donc tout naturellement que cette nation naissante reconnut la citoyenneté des Juifs et rendit leurs droits aux protestants. Toute différenciation était censée s'épuiser en son sein. En détruisant les ordres, elle croyait avoir aboli les tribus. De ce passé, elle voulait vraiment faire table rase. La nation figurait en quelque sorte la coupole majestueuse qui couronne ce temple qu'est la souveraineté populaire. La citoyenneté effaçait la race. Or, c'est en rupture avec tous ces principes que le nationalisme s'affirme réellement au XIXe siècle et se constitue en idéologie fermée. Il fait passer la nécessité d'exclusion avant toute volonté intégratrice. Loin de chercher à diluer les différences en un consensus civique collectif, il les débusque et les traque de façon obsessionnelle. Sous la nation, il perçoit la race, et, sous la race, il devine la tribu qui la subvertit. La race, c'est « soi ». La tribu, c'est l'autre. Mais l'autre n'est évidemment que le miroir inversé de soi.

Autrement dit, si la « nation » se voulait d'emblée dépassement du tribalisme, le « nationalisme » retribalise la nation. Il en exalte les communautés prétendument constituantes et en diabolise les apports décrétés allogènes.

Le grand prêtre du nationalisme clérical et réactionnaire, Louis Veuillot, journaliste monarchiste au demeurant talentueux et dont l'influence de son vivant fut considérable, écrivit un jour : « Né chrétien, catholique de France, vieux en France comme les chênes et enraciné comme eux, je suis constitué, déconstitué, reconstitué, gouverné, régi, taillé par des vagabonds d'esprit et de mœurs. Renégats ou étrangers, ils n'ont ni ma foi, ni ma prière, ni mes souvenirs ni mes attentes. Je suis sujet de l'hérétique, du juif, de l'athée et d'un composé de toutes ces espèces qui n'est pas loin de ressembler à la brute. »

A cette clameur fait écho le cri de Charles Maurras : « Ce pays-ci [la France] n'est pas un terrain vague. Nous ne sommes pas des bohémiens nés par hasard au bord d'un chemin. Or, notre sol est approprié depuis vingt ans par les races nomades dont le sang coule dans nos veines. »

Pour compléter ce florilège, citons ce texte de 1935 d'un certain Maurice Bedel à propos de Léon Blum : « C'est un trait curieux de ce chef de l'Internationale ouvrière qu'il semble craindre les contacts de la terre [...] il n'a jamais frémi en sentant monter à ses narines l'odeur du sillon ouvert par le fer de la charrue ; il est étranger à tout ce qui est sève, humus, sources entre les mousses, sentiers entre les haies, [...] glèbe, argile, terre grasse, terre de bonne amitié. Ah ce n'est pas un homme de chez nous[1] ! » Nous reviendrons sur ces archétypes d'invariances structurelles que nous offrent, aussi loin qu'on puisse les repérer dans l'histoire, les discours racistes en général et antisémites en particulier. Ce qui nous importe ici, c'est cette idée, explicite ou implicite, largement répandue et déclamée dans la mouvance nationaliste, selon laquelle la « nation » française s'identifie à une race, cette race étant profondément enracinée dans un sol, et son identité étant menacée par l'intrusion de hordes vagabondes ou nomades.

Il s'agit bien ici en effet, de manière presque caricaturale, d'une recomposition sauvage d'un tribalisme originel sur les bases d'un nationalisme perverti.

Car la « race », concept en l'occurrence mythique lié à la présence ancienne sur un territoire, à une identification sang et sol, ne se définit que par référence aux « bonnes » tribus qui se sont fondues en elle (Gaulois, Celtes, Francs), et en réaction aux mauvaises qui, au contraire, menaceraient le sang dès lors qu'elles envahissent le sol.

Tout naturellement, au demeurant, les nationalistes exaltent non la « nation » globalisante qui synthétise tous les apports en son creuset, mais au contraire ses composantes particulières, qu'ils hiérarchisent en fonction de la plus ou moins grande ancienneté de leur ancrage au terroir. Ainsi la nation qui transcende la tribu engendre le nationalisme qui renvoie à la tribu.

Remarquons à cet égard que dans la littérature nationaliste, la religion, en l'occurrence le catholicisme, est assimilée à la race, et

---

1. In Pierre Birnbaum, *La France aux Français*, Paris, Éd. du Seuil, 1993

que, tour à tour, non seulement les Juifs, les Arabes ou les Slaves, mais également les francs-maçons, les protestants, les laïques, les incroyants, les socialistes, les humanitaristes ou les « cosmopolites » sont identifiés à l'envahisseur étranger, c'est-à-dire, de manière souvent transparente, à des tribus hostiles. L'expression « nationalisme ethnique » qui a fleuri à partir de 1992 est d'ailleurs exemplaire de cette double ambiguïté : d'une part, parce qu'elle intègre au concept de « nation » ce qui est censé représenter son contraire — là encore elle le tribalise ; d'autre part, parce qu'elle donne au qualificatif « ethnique » le sens d'une spécificité identitaire qui peut être aussi bien religieuse que culturelle, et se conforte dans l'hostilité à l'autre ; ce qui, à l'intérieur d'une même ethnie (par exemple les Slaves), renvoie en réalité à une structure tribale.

La soudaine actualité de cet étrange concept indique, au fond, que nationalisme et tribalisme ne marquent pas les différents stades d'une évolution, mais des structures concomitantes qui se chevauchent et s'interpénètrent.

Aussi bien, que constate-t-on ? Que la plupart des grandes nations modernes ont soit explosé sous la poussée d'identitarismes qui se disent « ethniques » pour se dissimuler qu'ils sont au sens large tribaux (c'est le cas de l'Union soviétique, de l'Éthiopie, de la Somalie, du Pakistan avec la sécession du Bangladesh, de l'Afghanistan, demain peut-être de l'Inde ou du Sri-Lanka) ; soit se sont refondées sur une base également tribale que l'on prétend ethnique (Yougoslavie, Tchécoslovaquie, Belgique, peut-être Canada) ; soit ont intégré la tribu à une définition multicommunautaire de leur identité propre (États-Unis) ; soit encore, comme la France, ont cherché à tribaliser, dans un cadre plus vaste, leur propre transcendance nationale.

Il n'empêche : cette invariance tribale que nous retrouvons sous la nation, dans la nation, à travers la nation, que par conséquent la nation ne parvient jamais totalement à escamoter, et qui finit presque toujours (toujours, même, à l'échelle des millénaires) par triompher d'elle, ne parvient jamais, en contrepartie, à effacer ces autres invariances tendancielles que sont les structures nationales, pannationales ou impériales. Ce qui fut survit à ce qui se fait ; mais ce qui s'est fait survit au retour apparent de ce qui fut. De même que la tribu est invariante, non pas en tant que telle, mais comme élément continuellement refondateur d'une structure tribale invariante, de même toute nation qui disparaît, au-delà de son existence éphémère, impose sa propre structure mentale invariante sous forme d'une « mémoire » nationale. Là où il y eut une nation, là où il y eut une fédération, là où il y eut un empire, s'affirme toujours cet élément invariant de la conscience collective qu'est justement le souvenir, plus ou moins mythifié, qu'il y eut cette nation, cette fédération ou cet empire : ce qui, toujours, peut favoriser une résurgence, une aspiration à cette résurgence, ou la volonté d'exorciser coûte que coûte cette résurgence. L'histoire allemande en est une illustration, depuis Charlemagne et Otton, en passant par le Saint-Empire, lequel se voulait une continuation de l'Empire romain d'Occident, qui lui-même, en s'hellénisant s'était laissé fasciner par l'aventure d'Alexandre. Sans cette mémoire de l'Empire romain, y aurait-il eu et l'unité italienne et l'impérialisme colonial qui vit Mussolini s'autocélébrer en nouveau César ? Et sans l'impérialisme de Napoléon, y aurait-il eu celui de Jules Ferry, celui-ci ayant entre autres pour fonction d'exorciser celui-là ?

N'a-t-on pas vu de jeunes nations africaines brandir, sur les ruines de leur passé colonial, les emblèmes d'empires apparemment broyés par l'histoire, mais dont le souvenir brillait d'une inextinguible lueur dans la nuit des temps ? Ainsi le Mali, le Bénin ou le Ghana. Y aurait-il encore un Cambodge entre le Vietnam et le pays thaï si, tapi dans la jungle, l'Empire khmer pétrifié n'avait semé derrière lui la rumeur de son ancienne magnificence ? Qui doute que pèsera désormais de tout son poids, dans le futur d'une Europe centrale rebalkanisée, le regret forcément irrépressible d'une Yougoslavie unifiée qui, à la proue de la coalition des pays dits « non alignés », joua pendant trois décennies, dans le concert international, un rôle de quasi grande puissance ? Désormais, à l'évidence, un présent déchiqueté se heurtera sans cesse au bloc symboliquement unitaire de cette mémoire. Croit-on que de l'immense cratère qu'est devenue l'Union soviétique, et au fond duquel bout le magma incandescent de mille tribus qui s'enflamment, ne resurgira pas, nettoyé par le temps comme l'armure d'un héros mythique, le souvenir sublimé d'une époque où le pays démantelé était un monde, son socle un empire, son espace un continent, son drapeau un univers et son chant une *Internationale* ?

Le moment n'est même pas si éloigné où les pays tchèque et

slovaque cultiveront la nostalgie de leur ancienne confluence, comme l'Autriche dépouillée de 1919 rêva l'Anschluss !

« Avoir été » représente une dimension de l'être. Dans tout ce qui fut impérial demeurent des comètes d'empire. Constatons encore cette fracture que l'appartenance réelle (ou psychologique, dans le cas des Serbes) à trois empires concurrents a provoquée à l'intérieur de l'ex-Yougoslavie ; la trace québécoise d'un empire défait presque sitôt que fait ; la différenciation, parfois presque comique, qui s'est établie, en Afrique, entre pays issus de l'empire colonial français et anciennes possessions de l'Empire britannique ; la tendance des jeunes nations émancipées à s'organiser et à se définir, fût-ce négativement, par rapport à l'ancienne métropole ; l'empreinte culturelle qui défie le temps et qui transgresse tous les aléas au point de fonder une spécificité proprement latine dans tout l'ancien empire espagnol, pourtant démantelé depuis presque deux siècles, ou de redécouvrir, après deux millénaires, ce que furent les marches ultimes de l'empire romain d'Afrique, de l'empire grec d'Asie, de l'empire mogol des Indes ou de l'empire tatar de la Russie profonde !

A l'inverse — mais il s'agit de l'autre face du même phénomène —, les nations baltes ne se sont jamais diluées dans l'Empire russe, la Pologne a survécu à tous ses partages, toujours debout dans sa propre tête avant de l'être sur son propre sol ; la Bohême a cultivé jusqu'à sa résurrection le culte de sa grandeur rebelle ; l'Algérie s'est refusée à l'étreinte coloniale, comme la Kabylie à l'étreinte arabe ; l'Arménie a véhiculé sans répit l'évidence de son inévitable rejaillissement ; le peuple d'Israël exilé a porté en lui pendant 2 000 ans l'essence et la substance d'une nation dont il avait reconstruit les fondations sur le terreau de sa mémoire collective.

Deux invariances se heurtent, dont la complémentarité prend la forme d'une contradiction elle-même invariante : quand, entre l'empire et la tribu, la nation s'impose comme subversion de l'un et négation de l'autre, on constate qu'elle ne saurait en réalité ni se soustraire à la culture de l'un, ni s'émanciper de la nature de l'autre.

On le voit : nous nous trouvons là face à l'imbrication de plusieurs prédispositions tendancielles dont aucune n'est naturellement en mesure d'éliminer l'autre, d'autant moins qu'elles n'interviennent pas à des stades différents de l'évolution, mais à des niveaux différents de la conscience que l'on a du temps vécu.

Ce qui demeure, dans tous les cas de figure, au-delà ou en deçà de l'expérience que l'on en a, c'est la structure tribale comme invariance naturelle sans cesse reformée par l'histoire, même lorsqu'elle se donne une apparence nationale ; c'est la nation comme invariance culturelle, même lorsque la tribu la subvertit ou lorsque ses profiteurs la tribalisent ; c'est enfin l'empire ou le pannationalisme comme invariance mentale, toujours latente au creux d'une mémoire ou dans le recoin d'un rêve.

Il s'ensuit qu'il n'y a pas, là non plus, succession linéaire de ces différents stades. Hegel avait tort quand il imaginait une histoire s'épuisant dans l'avènement de l'État-nation.

Dès lors que la complexité sociale nécessite l'émergence d'un État, fût-ce dans le cadre d'une ville-État, nous retrouvons à la fois la tribu, la nation et l'empire : la tribu qui enracine, la nation qui idéalise, l'empire qui élargit et transcende·la nation, comme la nation élargit et transcende la tribu. Mais toujours la nation veille sous l'empire, comme la tribu veille sous la nation.

Rome en est un exemple : tribus devenues nation, elle-même devenue empire, mais empire qui, à son tour, éclate en tribus sous les coups de boutoirs de tribus qu'il a transformées en nations.

Comment ne pas être saisi par la reproduction, siècles après siècles, d'un processus dont la complexité n'abolit jamais la répétition ? Ainsi Gengis Khan, chef de tribu, autour duquel s'agrège une nation qui crée un empire, lequel un jour explosera de nouveau en tribus (la tatarisation de la Horde d'or) sous la pression conjuguée des nations qu'il a lui-même suscitées ou bâties (la Chine de Kubilay, par exemple) sur les ruines des tribus soumises. Ainsi l'Empire russe, puis soviétique, confluence de tribus qui s'investissent en une nation, laquelle construit un empire qui à son tour réveille des nations dont l'émancipation renvoie aux tribus. Ainsi les empires coloniaux français et britannique : nations qui avalent impérialement les tribus qu'elles soumettent, parfois elles-mêmes séquelles d'empires mémorisés, et suscitent en réaction de nouvelles nations qui dynamitent l'empire avant de vaciller à leur tour sous la poussée des tribus !

Qui ne devine que nous nous situons, en cette fin de siècle, au creux même de cette dialectique : l'empire, majestueusement suivi de sa cohorte de clients dociles et d'alliés turbulents, dont la grande nation nord-américaine constitue le cœur, dont le bras armé impose, du Koweït à la Somalie en passant par Panama, sinon la domination temporelle, au moins l'ordre immanent, à la fois subjugue des tribus qui ont brisé leur ancien carcan et ressuscite des nationalismes qui déjà minent ses propres fondations.

Les évolutionnistes ont proclamé le XIXe siècle « siècle des nationalismes ». Ce qui est plus que contestable, on l'a vu, si l'on donne à ce concept le sens purement idéologique qu'avaient élaboré les révolutionnaires de 1789. D'ailleurs, les nationalismes suscités par l'impérialisme napoléonien furent justement des réactions, sur fond religieux ou ethnique, à cette conception néojacobine de la grande nation ! De même qu'un nationalisme prussien s'exprima contre l'Autriche (bataille de Sadowa) dans le cadre d'un nationalisme germanique qui prit toute sa dimension en 1914, de même y eut-il un nationalisme athénien qui s'affirma contre Sparte dans le cadre d'un nationalisme grec mobilisé contre la Perse sans que jamais celui-ci ne parvienne à gommer celui-là, pas plus que celui-là ne se dilua définitivement dans l'impérialisme hellénistique d'Alexandre. Pas plus que le capitalisme libéral, le nationalisme n'est une idée neuve ou moderne. Il est inhérent à toute socialisation contradictoire. Il constitue déjà l'enveloppe de tout tribalisme élargi.

Que fut en l'occurrence le duel épique entre Scipion et Hannibal, sinon un affrontement entre deux nationalismes au sens non « jacobin » mais prétendument « moderne » du terme ? Il faut relire, à ce propos, les « exordes » patriotiques d'Hamilcar Barca à son fils, formé ainsi à bonne école. Que représentèrent, face à l'impérialisme romain, Jugurtha ou Mithridate ? Que défendait Ramsès contre les Hittites ? Comment qualifier le soulèvement des Pays-Bas contre l'Espagne (1579), de la Bohême écrasée par les troupes impériales à la bataille de la Montagne-Blanche (1620), des trois cantons suisses (1315) contre les Habsbourg ?

A l'inverse, lorsque Cavour et Bismark réunifient l'Italie et l'Allemagne, ils fondent certes deux grandes nations, mais, outre qu'ils le font en souvenir d'un empire, on pourrait aussi bien soutenir que, ce faisant, ils substituent un tribalisme élargi à des nationalismes restreints. Les nationalismes de cette fin du XIXe siècle ne portaient-ils pas déjà en eux l'exacerbation des tribalismes ethniques du milieu et de la fin du XXe siècle ?

Ainsi, quelque espace géopolitique que nous considérions, nous sommes toujours confrontés, à l'échelle historique, à cette réalité qu'est la tribu, à cette aspiration qu'est la nation, à cette mémoire ou à ce rêve qu'est l'empire, et l'évolution est faite de cette réalité qui s'estompe, de cette aspiration qui s'investit, de cette mémoire qui se perpétue, mais aussi de cette réalité refoulée qui se venge, de cette aspiration réalisée qui vacille, des rêves qui rythment cette respiration selon qu'ils s'évanouissent ou annoncent on ne sait quel réveil.

Le néotribalisme dans tous ses états

Nous l'avons souligné d'emblée : nous entendons par tribu non pas une entité ethnique pure et nettement différenciée, mais le produit d'un enfermement communautaire qui enracine une partie de sa spécificité dans l'opposition à l'autre (ou l'opposition réelle ou supposée de l'autre), et se construit une identité propre à partir d'un élément structurant qui induit de manière généralement mythique une origine commune et donc un rapport de parenté élargi.

Nous avons constaté que la religion, ou un culte particulier à l'intérieur d'une même religion, un choc historique collectif, un commun héritage culturel auquel la langue, le dialecte ou l'alphabet sert de vecteur, le pays d'où l'on vient dans sa dimension abstraite, offrent quelques-uns de ces éléments structurants.

Le dernier élément est particulièrement intéressant, car c'est moins le pays d'origine « en soi » qui coagule alors la communauté, que l'institutionnalisation différencialiste de cette origine. C'est dire que ce pays est alors moins un territoire réel qu'une sorte de référence magique qui fonde une appartenance à un groupe soudé autour d'une initiation dont on accentue d'ailleurs le caractère exotique, voire ésotérique.

Ainsi les descendants d'expatriés de souche chinoise, indienne, polonaise, irlandaise, italienne ou autre, que tout eût sans doute séparé dans le pays dont leur famille est issue, fondent des associations, des ligues, des confréries, des syndicats dont l'homogénéité détermine souvent des attitudes uniformes, en particulier sur le plan politique et même, on l'a vu, économique. Le lien mystique et mythique avec la patrie idéologique conduit alors l'Irlandais de New York, par exemple, à entretenir avec sa propre histoire un rapport beaucoup plus nostalgique et revanchard que son coreligionnaire de Belfast ; le Juif communautaire américain à se montrer souvent plus raide à l'égard du problème palestinien que le sabra israélien ; les Indiens des îles Fidji à voter en bloc pour un appendice du parti du Congrès, même quand ce dernier est devenu minoritaire en Inde. De même, l'Arménien du Liban a toléré, s'il ne les a pas soutenus, des groupes ultranationalistes antiturcs dont l'extrémisme était sans commune mesure avec les courants majoritaires en Arménie même ; le Russe exilé s'est long-temps complu dans un folklore slavisant qui renvoyait à un monde évanoui digne de celui de Don Quichotte. Dans ce cas précis, la patrie « biologique » a fini par s'aligner sur cette représentation expatriée d'elle-même : mais beaucoup de nationalismes (le polo-nais, l'arménien, le juif) se sont entretenus puis ressourcés de cette façon. L'exil est toujours un facteur de renaissance nationale. On a également vu certains Allemands du Chili se regrouper en d'étranges colonies dont le climat devait plus au culte du Grand Reich qu'à la fidélité à la République fédérale.

Poussé à son paroxysme, ce tribalisme, à la fois solidariste et défensif, conduit non seulement au regroupement territorial et au monolithisme idéologique, mais, également, soit à la mainmise totale sur un secteur d'activité devenu terrain de chasse de la tribu, soit sur la constitution d'organisations occultes ou secrètes (les *carbonari*), éventuellement parfois criminelles, dont la mafia amé-ricaine ou les triades chinoises sont des exemples limites.

Mais, pas plus que les autres, cet élément structurant ne consti-tue en lui-même une invariance. C'est, répétons-le, le tribalisme, dont ce dernier phénomène est une composante, qui représente en soi une tendance structurellement invariante, laquelle se refonde à l'infini au gré des conditions et des occasions particulières favori-sant un ancrage identitaire.

Ainsi apparaît-il également qu'un enfermement tribal peut être provisoirement suscité par le regroupement autour d'une idéolo-gie structurante. Le communisme a joué ce rôle jusqu'à la carica-ture, le rituel contribuant largement à entretenir le sentiment d'appartenance à une sorte de famille élargie. Tout y était : la langue de bois comme dialecte ; le marxisme comme semi-reli-gion ; la classe comme territoire ; l'URSS comme patrie mythi-que ; la révolution de 1917 comme choc historique collectif ; et l'appellation de « camarade » comme quasi-signe de parenté.

Beaucoup de groupes à connotation violemment idéologique reproduisent, au même titre que certaines sectes, cette fonction tribale, telles les mouvances trotskistes ou les groupuscules d'extrême droite, jusqu'à se scinder en tendances ou sous-tendances qui n'ont d'autre intérêt que de resserrer une communauté restreinte autour d'une orthodoxie et d'un chef de meute.

On remarquera à cet égard avec quelle facilité la dimension tribale se reconstitue, sous des dehors parfois claniques, au sein des grands partis modernes de masse, jusqu'à reproduire le processus qui provoqua l'implosion, sur des bases ethnico-religieuses, de nations, de fédérations ou d'empires. De grands partis majoritaires, tels le parti socialiste en France, la démocratie chrétienne en Italie, le parti social-chrétien belge ou le parti libéral japonais, ont connu de telles évolutions. La tendance est alors à organiser, à institutionnaliser, à rigidifier, puis à autoprotéger coûte que coûte ce qui, au départ, n'est qu'une divergence, qu'une dissension, qu'une ambition, mais devient peu à peu pure affirmation mécanique, autour d'un chef de file, d'une volonté de gérer une spécificité fonctionnelle pour mieux contrôler un territoire. On peut également se demander si, poussé à son stade à la fois ultime et naturel, le corporatisme ne participe pas de cette invariance tribale qui incite à refermer le cercle autour d'un moi collectif sublimé.

On pourrait évidemment multiplier les exemples qui montrent comment telle profession, recréant spontanément ou perpétuant la corporation ou la jurande d'Ancien Régime, se forge un système autoprotecteur dont le langage plus ou moins crypté, le dialecte en quelque sorte, est le fil barbelé, les codifications internes, le blindage, et le rituel, volontiers ésotérique, le moyen de se différencier de l'environnement social (ainsi la profession publicitaire). On a également vu les ouvriers du Livre se doter en France d'une organisation propre à projeter un autoprotectionnisme identitaire au-delà des circonstances économiques qui l'avaient à l'origine favorisé. Il est remarquable que toutes ces pulsions catégorielles s'exacerbent à mesure que la fonction intégrante de l'État-nation est plus ouvertement contestée.

Cet élargissement de notre concept de départ n'est pas innocent : il nous permet de mieux indiquer que ce qui est ainsi, indéfiniment et à tous les niveaux, reproduit, refondé, recomposé, est bien la structure tribale originelle, invariance essentielle et consubstantielle à toute dynamique historique, et non pas entité particulière et ethnologiquement définie.

De la hiérarchisation de la fonction tribale

Cependant, tous ces éléments n'ont pas la même valeur. Tout se passe comme si un modèle dominant encourageait la multiplication de ses propres dissidences. Il existe une manière de hiérarchie pyramidale dont l'ordre apparaît clairement lorsqu'on observe les rapports de préséance qui s'établissent pragmatiquement entre les différentes formes de tribalisme. On évoquera à ce propos le jeu de mains cher aux enfants, en vertu duquel la feuille recouvre la pierre sur laquelle, en revanche, le ciseau se brise...

Qu'est-ce à dire ? Que le tribalisme corporatif ne parvient jamais à briser un identitarisme ethnico-religieux, alors que le tribalisme ethnico-religieux parvient toujours à détruire un système de solidarité purement professionnel ou catégoriel, aussi refermé sur lui-même soit-il. Les exemples de la décolonisation, de la partition indienne, du démantèlement de la fédération yougoslave ou de l'implosion de l'empire soviétique en ont apporté d'évidentes et dramatiques illustrations. Cela explique que le tribalisme idéologique, par exemple, n'apparaisse à l'échelle historique que comme une parenthèse dans la continuité du tribalisme ethnico-religieux, lequel finit toujours par le submerger ; que tout choc historique collectif est en fin de compte relayé ou récupéré par l'affirmation d'un inconscient ethnico-religieux ; que le tribalisme ethnico-linguistico-religieux, dont on a vu qu'il parvient à se plaquer sur des structures économiques ou commerciales (ou à les pénétrer), résiste en revanche à toutes les formes d'intégration économique et d'internationalisme commercial ; que toute forme de tribalisme restreint ou élargi organisé autour d'un chef charismatique, quand ce dernier n'est pas lui-même à l'origine d'une dissidence ethnique ou religieuse, s'éteint avec lui ou se dilue dans une mouvance plus large, le plus souvent d'ordre ethnico-religieux.

Il découle de ce constat que si la structure tribale est invariante (contrairement à l'entité tribale elle-même), il existe en revanche, à l'intérieur de cette structure globale, un facteur de hiérarchisation. Une sorte de dominance automatique, qui est elle aussi structurellement invariante.

La fin du deuxième millénaire illustre ce propos de façon tragique. Or, nous n'ignorons pas que le tribalisme ethnico-religieux est à la fois partie prenante à cette réalité (et d'ailleurs à toute réalité), et complètement inadéquat au réel en soi.

L'origine de cette invariance ?

On ne sache pas que les animaux qui nous précédèrent sur la bonne voie — la nôtre évidemment, entretiennent le culte de leur « merveilleuse » origine. Mais qui sait ? Les chats, qui rêvent, se berceraient-ils de l'illusion d'un dieu chat mythique, que nous l'ignorerions superbement. Qui, au fond, peut affirmer qu'il n'existe pas d'esquisse primitive d'une religion des chimpanzés (ou des dauphins), que la régularité de certains des comportements « sociaux » des babouins n'a rien à voir avec l'observation d'un rite qui les révèlent à eux-mêmes ? Que chaque entité, restreinte ou élargie, n'a pas câblé un totem dans les têtes ? Que les oies sauvages ne se racontent pas, en cours de pérégrination, des histoires mythologiques d'oies sauvages ? Ou que les lions ne transmettent pas à leurs rejetons les secrets de la conquête de leur statut de lions ?

Ce que nous savons, en revanche, c'est que non seulement la nature opère par spéciation, mais aussi que les espèces elles-mêmes n'ont cessé (donc ne cessent) de produire des différenciations en leur sein et de les caractériser par quelque particularisme identitaire : plumes de diverses couleurs, ramage dissident, rayures variées sur une robe, taches reconnaissables sur une fourrure, dessins repérables sur un fourreau d'écailles. Le zèbre de Grévy ne s'apparente-t-il pas à une tribu au sein de l'espèce des zèbres, la truite arc-en-ciel à une ethnie au sein du genre des truites ? Si la sélection recale les foutaises ou les fantaisies, elle a un faible pour les étiquetages décoratifs et identificateurs. La nature badge de manière aussi pointue que la culture. Ce que l'homme social et religieux fait pour se différencier à partir de la même Bible, livre saint originel, ces plumages et ces ramages divergents que sont le judaïsme, le christianisme, l'islam, l'orthodoxie, le protestantisme, etc., l'évolution sélective ne l'offre-t-elle pas à l'animal sous forme d'infinies déclinaisons de l'apparence de la même forme ?

Ce que nous savons également, c'est que non seulement chaque espèce, mais souvent chaque sous-espèce a élaboré sa propre capacité héréditaire à émettre, non pas un son général neutre, flou, unique, mais précisément par un protolangage qui identifie le groupe en le désignant ainsi à lui-même et aux autres.

Ce que nous savons encore, c'est qu'à cette étape existent la meute, la bande, la horde, la communauté donc ; que les oiseaux migrateurs, par exemple, projettent vers les lointains horizons une formidable dynamique collective qu'ils inscrivent, en tant que groupe cohérent et intégré, à travers l'espace parcouru dans l'immensité duquel ils ne sauraient s'orienter sans, au moins, une réminiscence biologiquement intériorisée.

Qui en pourrait douter, sauf à considérer l'avènement de l'espèce « homme » comme un miracle pur et simple ?

L'important n'est donc pas de rappeler cette évidence que toute invariance sociale continue d'une manière ou d'une autre les archéo-prédispositions innéisées qui ont contribué à structurer la socialisation, mais de comprendre (ou de tenter de comprendre) comment il est possible d'agir, et d'agir sans cesse sur la recomposition culturelle de cette invariance, en l'occurrence le tribalisme tendanciel, pour métamorphoser en diversité créatrice, en pluralité dynamisante, en interactions novatrices multiformes ce que toute négation idéologique, compression matérielle, étouffement nationaliste ou dérive impériale transforment, au contraire, par effet de retour, en pulsions régressivement, rageusement et souvent criminellement autoprotectrices !

La définition d'une telle démarche est d'une importance majeure. Car, au-delà du tribalisme tendanciel, se profile la version plus difficilement recomposable que ce concept véhicule et sous-tend, et qu'exprime parfaitement la notion de « race ». La race non comme réalité, mais comme image de cette réalité : structuration toujours implicite du rapport de l'identité du moi à la communauté de l'autre. Non-être objectif qui débouche sur une invariance de sa représentation subjective.

Nous ne pouvons évidemment éluder cette interpellation.

CHAPITRE VI

La race

ou de l'invariance d'une non-réalité

Au moment où je corrigeais ce chapitre, un événement consternant vint dramatiquement souligner la dimension que je désirais lui donner.

A Hebron, ville sainte de Cisjordanie, un extrémiste juif nommé Goldstein, dont le racisme n'était nullement refoulé, tira froidement au fusil-mitrailleur sur un groupe de musulmans réunis en prières dans le Tombeau des Patriarches, faisant 35 morts. Or, ces Palestiniens croyants étaient rassemblés en ce lieu dans l'adoration de ce même Abraham qui, prophète des trois religions monothéistes, fut le père (avec, il est vrai, deux femmes différentes) de deux fils, Israël et Ismaël, dont juifs et musulmans se disent les descendants. Sur la tombe d'Abraham, donc, un homme qui s'enorgueillissait de cette ascendance massacra dans une optique raciste d'autres hommes et femmes qui se réclamaient de la même ascendance, au nom d'une religion qui vénérait, en vertu du même Livre saint, le même patriarche fondateur !

Toute l'ambiguïté du racisme était résumée dans ce drame, en conséquence de l'ambiguïté même de la notion de « race ».

Nous avons précédemment évoqué la religion comme odeur et la langue comme sonorisation de la tribu. Que Dieu puisse fonder la race, quand Il est censé avoir, dans un premier temps au moins, créé l'homme à son image, est en soi paradoxal. Et pourtant... Le chantre inspiré de l'impérialisme britannique, Rudyard Kipling, qui avait une foi inébranlable en « la vertu supérieure et la virilité de la race anglo-saxonne », se faisait du Dieu des chrétiens, comme le souligna Bertrand Russell dans son *Histoire des idées au*

XIXe siècle, « une image qui paraissait celle d'une divinité de la tribu britannique[1] ». « C'est Dieu, écrivait donc Kipling, qui nous a frayé la voie jusqu'aux confins de la terre. » Et il ajoutait dans l'un de ses plus beaux poèmes héroïques : « Dieu de nos pères, Dieu de toujours, Dieu des batailles que nous menons au loin, dont la main terrible nous a consenti l'empire des palmiers et des pins, Seigneur Dieu, sois avec nous, garde-nous d'oublier, de jamais oublier, si, éperdus de puissance, nous laissons aller nos langues cessant de te respecter, plein de vantardises à la façon des païens ou des races inférieures qui n'ont pas de lois... »

A quoi faisait écho Cecil Rhodes, l'incarnation même de l'idéologie impériale, dont son biographe Basil Williams écrivait : « Dieu essaie sans doute de créer un type d'humanité qui amènera la paix, la liberté et la justice au monde, et de faire prédominer ce type. Une seule race, selon Cecil Rhodes, approche du type idéal de Dieu : sa propre race anglo-saxonne. Le dessein de Dieu est donc de faire prédominer la race anglo-saxonne... »

Joseph Chamberlain, au ministère britannique des Colonies, ne raisonnait pas différemment, qui affirmait que la divine Providence avait désigné l'Angleterre pour « civiliser le développement de races immenses sur la surface du globe ».

Dieu, donc, choisit « sa race ».

Mais voilà qu'un siècle plus tôt, Fichte, père du nationalisme germanique, proclame dans ses *Discours à la nation allemande* que « ce sont les Allemands qui sont destinés à commencer la nouvelle ère comme pionniers et modèles pour le reste de l'humanité ». « Tous les maux qui nous ont amenés actuellement à la ruine, ajoutait le philosophe, sont d'origine étrangère [...], mais l'esprit allemand est un aigle dont le corps puissant s'élance et plane dans l'azur grâce à des ailes fortes et bien exercées, afin de se rapprocher du soleil qu'il aime à contempler. » Or, qu'est-ce qui fait l'Allemand, selon Fichte ? L'origine ethnique ? Dieu ? Non : cette fois, c'est la langue. « C'est par la langue, résume Russell, que les Allemands sont plus purs que les nations qui parlent des langues dérivées du latin ; ces dernières sont usées et aviliés, car elles doivent leur origine aux essais des émigrants de parler un bas latin. Les langues romanes sont impures. C'est pourquoi les Allemands

---

1. Bertrand Russell, *Histoire des idées au XIXe siècle*, Paris, Gallimard, 1951.

sont plus sérieux et plus profonds que les étrangers, etc.[1] » Si l'influence étrangère prenait le dessus, précisait Fichte, « le développement jusqu'à présent continu de notre race toucherait à sa fin ».

Dieu, la langue, et quoi encore ?

C'est un socialiste anglais, Ruskin, idole des jeunes progressistes de la fin du XIXe siècle, qui, converti à l'impérialisme, déclare dans un discours prononcé à Oxford : « Nous avons maintenant la possibilité du destin le plus élevé qu'ait jamais eu une nation. La race n'est pas encore dégénérée. C'est une race mélangée avec le meilleur sang du Nord. Notre caractère n'est pas encore dissolu... »

Que constatons-nous ? Que, dans un cas la race est une civilisation à qui Dieu a réservé une destinée manifeste, dans l'autre une culture, structurée par une langue, dans le troisième une nation résultant d'un « mélange » ethnique.

Qu'en concluons-nous ? Que ce n'est pas la race qui fait le racialisme, mais le racialisme, sous toutes ses formes possibles et imaginables, qui fait la race. Que ce qui est biologique, ce n'est pas la race, c'est la tendance toujours recommencée à l'inventer, à la définir, à la promouvoir.

Du racisme à l'absolutisation de la différence

Défini comme une doctrine ou une idéologie biologique, le racisme est une théorie scientifiquement fausse, souligne Pierre-André Taguieff. « Or, cette fausseté a été une fois pour toutes démontrée. La question serait dès lors définitivement réglée. Le racisme n'existerait plus qu'en tant que fable ou illusion. Or, paradoxe : mort en tant que théorie pseudo-scientifique, le racisme montrerait une intense vitalité hors des frontières de la communauté savante. L'hypothèse la plus simple consiste à supposer que, lorsque l'on parle de racisme, l'on ne parle pas toujours et nécessairement du même type de phénomène [...]. Il est temps que le mouvement antiraciste, aussi diversifié que figé en ses divisions, prenne conscience de la rupture qui s'est opérée dans les représentations et les argumentations racistes élaborées, à savoir le déplacement de l'inégalité biologique vers l'absolutisation de la diffé-

1. *Ibid.*

rence culturelle, et en tire les conséquences pour le type ou le style de combat à venir[1]. »

Et l'auteur de distinguer avec raison le racisme idéologique, le racisme préjugé et le racisme comme comportement, dénonçant au passage la tendance à renvoyer tout racialisme populaire latent au racisme comme système structuré d'extermination tel que le national-socialisme le poussa à son paroxysme.

« Ethnocentrisme et racisme, remarque encore Taguieff, devaient disparaître au terme d'un processus d'éducation et de diffusion des connaissances sur les civilisations ou les systèmes culturels dont on postulait soit l'égalité de valeurs, soit l'incomparabilité de principe, ce qui disqualifiait toute tentative de les hiérarchiser[2]. »

On sait ce qu'il en advint. Toutes les théories racialistes pseudo-scientifiques se sont effondrées, mais les attitudes persistent et les comportements demeurent. « Comme si les évidences premières qu'elles avaient mobilisées étant indestructibles, inaccessibles à l'argumentation rationnelle, persistaient à travers censures et refoulement, en deçà des opinions verbalisées ; comme si le racisme n'avait besoin pour exister d'aucune légitimation marquée par une quelconque science des races. »

A ne pas saisir l'invariance sous-jacente d'un processus, à se contenter de l'exorciser au lieu de tenter de le recomposer radicalement, on se prive du moyen d'avoir prise sur lui. Ont fait long feu, en particulier, toutes les idées selon lesquelles le racisme disparaîtrait avec l'impérialisme, le colonialisme, le capitalisme, l'eurocentrisme, etc. Ne voit-on pas se développer, ici et là, accompagné d'un fort parfum d'anti-impérialisme, d'anticolonialisme, d'anticapitalisme et d'antioccidentalisme, un authentique néoracisme qui peut fort bien être noir, basané ou jaune, et n'hésite pas, lui non plus, à racialiser la langue ou la religion ? Résultat, peut-être, de cette formidable dérive intellectuelle qui a consisté, au nom du culte de la différence, à présenter tout universalisme tendanciel comme socle d'un hégémonisme racialisant !

Ce que nous entendons montrer dans ce chapitre se résume en trois points :

1) L'invariance raciste ou racialiste n'a pas besoin de la race.

1. Pierre-André Taguieff (dir.), *Face au racisme*, Paris, La Découverte, 1991.
2. *Ibid.*

Elle en remodèle le fantasme à sa guise. Elle peut faire de la « race » avec tout ce qui lui tombe sous la main, c'est-à-dire tout ce qui se trouve à la portée d'un regard racialisant. Y pourvoiront, outre la religion et la langue, non seulement un accent, une dissidence culturelle, une originalité alphabétique, mais aussi et surtout le mythe d'une origine supposée.

2) Si la « race » ainsi reconstruite devient socialement et historiquement une réalité, ce n'est jamais une vérité. C'est dans la mesure même où elle n'existe pas qu'elle offre à la recomposition du racisme sa formidable plasticité.

3) Le fait que, globalement, le concept de race ne recouvre plus aucune donnée objective n'élimine en rien le fait qu'il existe une réalité raciale objective sous-jacente dont la continuelle dilution constitue en soi une subversion du racisme.

La « race » comme camouflage de la classe

Les ennuis commencent.

Il nous faut, à ce stade de notre réflexion, manipuler des charbons ardents. Descendre dans une arène où s'affrontent une erreur que le fanatisme criminalise, et une vérité que l'idéologie rend folle. Empoigner un concept qui a cette particularité d'être à la fois omniprésent et tabou, ancré dans les têtes et interdit aux langues.

La race comme représentation de l'autre et de soi n'est pas seulement au cœur de toute analyse du phénomène tribal : elle renvoie également à notre examen antérieur de l'esclavagisme et du capitalisme en tant qu'invariances structurelles de base.

Qu'est-ce que la race ? Au sens où nous la rencontrons, à tous les tournants de notre démarche, elle est ce qui permet l'identification d'une différence constatée ou désirée par sa matérialisation explicite. Elle affirme et protège une identité en définissant, de manière apparemment rationnelle, une altérité. Elle est donc ce qui, par l'étiquetage de la différence, permet au groupe, et d'abord à la tribu, de dégager un chemin vers soi-même. Le marquage de l'autre en tant qu'entité clairement identifiable et repérable devient, en quelque sorte, une condition de l'affirmation de sa propre identité communautaire.

On peut, en cela, considérer la race comme le résultat d'une structuration invariante de la conscience collective de soi par enfermement autoprotecteur de la spécificité de l'autre.

Dès lors, au niveau qui nous intéresse, la scientificité de cette notion nous indiffère relativement. C'est moins, en effet, la race en soi, en tant que concept anthropologique pertinent, qui nous importe que la prégnance de l'idée de race dans l'histoire des rapports entre collectivités humaines. De même que la question de l'existence ou de la non-existence de Dieu intervient fort peu dans la prise en compte du rôle culturel et historique de l'idée que l'on se fait de Dieu.

La notion de race contribue fortement à l'élaboration des grands mensonges de référence, et c'est paradoxalement en cela surtout qu'elle exprime une incontestable et puissante réalité sociale : sa vérité est le fruit de sa mobilisation constante dans le champ de l'erreur ou du mensonge.

Nous avons déjà souligné comment les nationalistes de la fin du XIXᵉ siècle et du début de notre siècle ont presque unanimement défini comme race (et même comme race pure) ce qui n'était qu'allégeance à un culte religieux particulier (en l'occurrence, ce qui est un comble, le nationalisme racial était également ultramontain). L'importance ainsi donnée, y compris par quelques savants réputés, à cette notion particulièrement saugrenue de « race française » nous montre assez qu'il ne s'agissait pas — et qu'il ne s'agit toujours pas — de cerner, de dégager une réalité ethnique concrète, mais de fonder une idéologie, en l'occurrence nationalo-populiste ou contre-révolutionnaire, ou plus exactement de lui forger un socle pseudo-biologique. Ensuite, par glissement, la race devint une figure littéraire (chez Péguy, par exemple), puis une pure sonorité suggérant le patriotisme ; enfin, par récupération, une valeur de référence d'un néojacobinisme républicain. Alors elle fut synonyme de « peuple ».

N'empêche : même purgée de son contenu inital, elle l'induit ; sous sa forme idéologiquement affirmée ou politiquement larvée, la notion de race agit sur la confection du réel. Outre que l'impérialisme colonial y puisera sa justification, on verra en 1914-18 à quelles extrémités, d'abord verbales, puis phraséologiques, puis pseudo-théoriques, enfin physiques et matérielles, conduira l'idée, devenue lieu commun, qu'à travers l'antagonisme franco-allemand se poursuit et s'exacerbe l'affrontement de deux « races ».

Auparavant, la thèse progressisto-racialiste selon laquelle l'anta-

gonisme révolution/réaction, autrement dit gauche/droite, se per-
pétuait, et lui aussi exacerbait la lutte séculaire entre tribus
conquérantes franques et tribus gauloises indigènes, telle qu'Augustin Thierry et Eugène Sue contribuèrent à la véhiculer, eut des
conséquences sur la forme radicale que prirent, au XIXᵉ siècle, les
affrontements socio-politiques.

Les citations abondent qui montrent que, de part et d'autre,
la lutte sociale fut vécue comme lutte raciale. A droite, l'ouvrier
socialiste était couramment identifié, au mieux à un tartare ou
à un barbare ostrogoth, au pis à quelque peuplade de l'Afrique
profonde. C'est donc tout naturellement que les généraux, déjà
formés en Algérie à casser du « bougnoule », furent systématiquement utilisés pour mater les révoltes des « classes dangereuses ».
A l'inverse, l'assimilation de l'aristocratie à une sale race, voire à
une race maudite, et l'animalisation du gros bourgeois renvoyé
généralement à son statut soit de « cochon », soit de chien
couchant de la « sale race », imprégnèrent la littérature pamphlé-
taire de l'extrême gauche. En outre, d'un côté comme de l'autre,
on se désignait bien sûr comme agent de puissances étrangères.
Non seulement la droite était « cosaque » et la gauche « hotten-
tote », mais derrière l'une et l'autre se profilait immanquablement
le Germain à l'œil venimeux ou l'Anglo-Saxon perfide. Faut-il
alors s'étonner qu'en juin 1848, comme en mai 1871, on se soit
massacré avec cette sombre et froide fureur qui caractérise d'ordinaire les affrontements religieux ou ethniques ?

En l'occurrence, Augustin Thierry et Eugène Sue n'avaient fait
que traduire une réalité vécue avant même que d'être théorisée,
et dont le principe aristocratique, impliquant la pureté du sang
(race noble devenue classe noble), était l'émanation directe. Les
massacres qui ensanglantèrent Paris au XIVᵉ siècle (cabochiens
contre Armagnacs), la répression de la Grande Jacquerie, de
même que la Saint-Barthélemy, prirent, au-delà de leurs justifications idéologiques et sociales, des allures de pogroms raciaux dont
témoignent les documents de l'époque.

A ceux qui feront remarquer, non sans raison, que le concept
de race ne correspond à aucune définition scientifiquement recevable, on objectera que les concepts de « nation » et de « peuple »
recouvrent également, en fonction du sens qu'on investit en eux,
tout et n'importe quoi, qu'ils sont donc en vérité indéfinissables,

mais n'en constituent pas moins des paramètres fondamentaux de tout devenir historique.

Un sondage réalisé en 1972 par des sociologues de RFA montrait que si 83 % des Allemands de l'Ouest pensaient savoir ce qu'était le « capitalisme », et si 78 % se disaient capables de décrire le « socialisme », une grande partie d'entre eux, qui ne s'en prétendaient pas moins « nationalistes », s'avouaient incapables de définir ce qu'était une « nation ». Adhésion à une forme qui n'a pas besoin de définition.

Ne vit-on pas, en 1992, des Slaves catholiques croates, des Slaves musulmans bosniaques et des Slaves orthodoxes serbes se découvrir des particularités ethniques antagonistes telles qu'ils entreprirent eux-mêmes de s'isoler les uns des autres, de s'exclure de leur champ de souveraineté, ce qui engendra une épuration « néoraciale » effroyable destinée à purger chaque communauté de ses éléments allogènes ? Or, en d'autres temps, c'est au nom du même concept ethnique qu'avaient été justifiés et le nationalisme panslave et le nationalisme spécifique des Slaves du Sud, dont les Croates, avant 1914, ne furent pas les plus tièdes partisans.

Cet exemple — de même qu'au Liban le double clivage interarabe entre musulmans et chrétiens, et intermusulman entre sunnites et chiites (à quoi se sont ajoutées les spécificités palestiniennes et druzes) ; de même que la guerre ethnique à forte connotation religieuse qui oppose le Nord musulman et le Sud animiste et chrétien du Soudan, ou celle qui mit aux prises les Ibo du Sud nigérian et les Haoussa du Nord ; de même que la grande scission intervenue en Inde entre musulmans et hindouistes de même souche un temps unis dans le combat anti-impérialiste, suivie d'une explosion d'irrédentisme sikh ; de même que les affrontements meurtriers qui opposèrent au XIXe siècle Polonais slaves catholiques et Ukrainiens slaves orthodoxes ; et l'on pourrait hélas à l'infini multiplier les références — tous ces exemples, donc, démontrent que la religion, fût-elle le résultat d'un simple schisme, d'une dissidence culturelle, se transforme peu à peu, dans l'inconscient collectif, en identitarisme ethnique ; ou, plus précisément, que l'on racialise presque spontanément la différence communautaire de l'autre. Encore une fois, la Saint-Barthélemy fut vécue — et les libelles de l'époque en témoignent éloquemment — comme une entreprise d'exclusion raciale plus qu'elle ne refléta la dérive sanguinaire d'une divergence philosophique.

En l'occurrence, dans tous les cas que nous venons d'évoquer — et aussi, aujourd'hui, en Irlande —, la haine ne s'encombre pas de considérations doctrinales et la controverse théologique, souvent minime, ne joue pratiquement aucun rôle dans l'antagonisme qui génère le massacre ou la partition. A preuve cette diabolisation ou animalisation de l'adversaire qui le projette quasiment hors de l'espèce. C'est en évangélisant les Indiens qu'on fut censé les « humaniser » en leur rendant une âme ! Et, jusqu'à la fin du XIXᵉ siècle, on retrouve, dans un nombre considérable de textes de tendance impérialiste, cette idée que la propension des Noirs païens d'Afrique à l'animisme est moins le signe d'un particularisme culturel que la preuve de leur infériorité raciale.

C'est Ernest Renan qui, dans une conférence prononcée à la Sorbonne en 1883, déclarait : « Toute personne un peu instruite des choses de notre temps voit clairement l'infériorité naturelle des pays musulmans, la décadence des pays gouvernés par l'islam, la nullité intellectuelle des races qui tiennent uniquement de leur religion leur culture et leur éducation. » L'islam, ici, n'est pas simplement la religion des Arabes, elle racialise l'Arabe.

De la racialisation de la différence religieuse

En quelque sorte, la tribu se fait religion et la religion se fait race : ainsi les Wisigoths, conquérants de l'Espagne, qui, sous l'impulsion de leur chef, et comme un seul homme, basculèrent au IVᵉ siècle dans l'arianisme (hérésie chrétienne qui réintégrait un ordre dans la hiérarchisation des trois personnes de la Trinité) et pour cette raison peut-être se rallièrent plus facilement à l'islam rigidement monothéiste. Mais aussi, à l'inverse, l'assimilation par les Francs de tous les musulmans d'Espagne, fussent-ils Basques, Galiciens, Ibères ou Goths, à des Sarrasins, c'est-à-dire à des Arabes ! C'est de cette façon que, pour la chronique, devinrent sarrasins les Basques qui avaient tendu une embuscade à l'armée de Charlemagne à Roncevaux...

Non seulement la religion fait la race, mais il arrive même bizarrement que la race s'estompe, débarrassée du support de la religion, comme en témoigne la solidarité spontanément manifestée, en France, à l'égard des chrétiens libanais, naturellement assimilés à des « gens comme nous », donc intrinsèquement des non-Arabes. Ce sont, à l'inverse, les Vietnamiens catholiques qui, assez généralement, prirent le parti de la France, à laquelle ils s'identifièrent lors de la guerre avec le Viêt-minh. Comme si leur conversion les avait, en partie au moins, « désasiatisés ».

On ne peut exclure que cette racialisation de la différence religieuse — et son corollaire, l'intégration mentale de la ressemblance — aient conduit l'opinion, dans les pays catholiques ou protestants, à diaboliser d'emblée, lors de la guerre civile yougoslave, la partie serbe, et à idéaliser la partie croate. Aussi bien les nations orthodoxes, la Grèce, l'Ukraine et la Russie, réagirent-elles de façon opposée. Or, ces mêmes Serbes, tout bellicistes et extrémistes qu'ils fussent déjà à l'époque, furent encensés par nos nationalistes de 1914 lorsqu'ils se heurtèrent à l'infâme « race » germanique !

Cette racialisation de la religion, aussi scientifiquement absurde qu'elle soit, n'est cependant pas totalement irrationnelle : d'abord parce que le choix religieux a le plus souvent une origine tribale ou féodale *(cujus regio, ejus religio)* quand il n'est pas lui-même fondateur de tribus, restreintes ou élargies.

Si Clovis s'était converti à la dissidence « arianiste », alors qu'au contraire il s'y opposa avec force, la France serait aujourd'hui à la chrétienté ce que l'Iran chiite est à l'islam orthodoxe. Nul doute en effet que l'ensemble de ses Francs l'eussent unanimement suivi dans son schisme comme ils le soutinrent dans son ralliement à l'Église de Rome.

Il nous faut une fois encore revenir à cette observation de bon sens : une pure logique théorique voudrait que toutes les grandes religions du monde soient représentées de manière à peu près égale dans tous les pays de la planète. On ne voit pas pourquoi il y aurait plus de Suédois que de Polonais, plus de Hollandais que de Belges pour avoir un point de vue si particulier sur la prédestination, la consubstantialité de l'Eucharistie ou le statut de la Vierge Marie ; pourquoi les Iraniens auraient aussi massivement un avis différent des Égyptiens sur la descendance du Prophète Mahomet par les femmes ; pourquoi l'enseignement du Christ ne séduirait pas, au premier chef, les hindous ou les Tamouls, et la philosophie bouddhiste n'enthousiasmerait pas les citoyens de Brive-la-Gaillarde ou de Mont-de-Marsan ! Mais il n'en est rien. Or, si la répartition des religions sur des bases territoriales ou ethniques n'étonne personne, c'est bien qu'elles sont le produit

des civilisations du creuset desquelles elles ont émergé. Leur enracinement territorial n'est presque jamais la conséquence d'un libre
arbitre : il traduit la volonté d'un chef de tribu (Clovis), d'un seigneur féodal (l'Électeur de Saxe en Allemagne), d'un souverain
(l'empereur Constantin) ou d'un conquérant (Mahomet) de doter
ses sujets d'une idéologie commune, susceptible de structurer une
identité transcendant les particularismes anciens en même temps
que de conforter sa propre assise.

Il s'ensuit que la religion, s'identifiant à un peuple, fondatrice
qu'elle est de sa spécificité, pénètre peu à peu sa musique, ses
rêves et son âme. Elle façonne sa représentation du monde. Elle
dicte des règles à son art, irrigue sa culture. Elle devient le ciment
de son affirmation nationale. Elle recompose l'être même de ce
peuple jusqu'à faire corps avec lui : elle finit par l'exprimer presque physiquement.

D'autre part, l'impossibilité de distinguer, après des millénaires
de migrations et de transferts, d'invasions et d'exodes, de colonisa-
tions et de conquêtes, de mélanges et d'intégrations, les identités
ethniques originelles (à supposer même que cette pureté première
ait un sens hors de la horde préhistorique ou de la tribu primitive,
et encore !), conduit chaque communauté à se redéfinir non en
fonction d'une réalité indéchiffrable et par conséquent indescriptible, mais à partir de l'apparence qu'elle s'est donnée, de la spécificité qu'elle a acquise, de l'identité qu'elle s'est construite.

Or, autant les particularités réellement ethniques ont tendance
à se diluer (ou plus exactement à exprimer la synthétisation de
plus en plus complexe d'une multitude de composantes), autant
les particularismes culturels induits par une pratique religieuse
collective accusent les traits de la communauté et les fixent. Il y a
quelques années, à l'époque du condominium franco-britannique
sur les Nouvelles-Hébrides (devenues le Vanuatu indépendant),
on pouvait constater à quel point, en un temps pourtant relativement court, les comportements collectifs et les prédispositions psychologiques des populations, pourtant issues d'une même ethnie,
se différenciaient selon que celles-ci étaient protestantes-
anglophones ou catholiques-francophones. Les votes aux élections
épousent d'ailleurs toujours aujourd'hui ce clivage.

Toute attitude collective fortement spécifiée suggère la race,
non pas ethnologiquement, mais socialement, au point que les
amishs, secte religieuse particulièrement concentrée dans certai-

nes régions des États-Unis, sont perçus par beaucoup comme une race particulière (et d'autant plus qu'ils se donnent une apparence particulière), ou que les témoins de Jéhovah furent, sous le nazisme, traités de la même manière que les tsiganes.

Ce qui est ressenti ou vécu comme entité ethnico-raciale peut aussi, nous l'avons vu, être la conséquence d'une originalité linguistique et donc culturelle (Basques et Catalans), d'un choc historique collectif (encore qu'il se traduise le plus souvent en termes religieux), voire d'une dissidence d'ordre idéologico-politique (mais qui, là encore, se retourne généralement en spécificité religieuse).

La race exprimant, au sens commun, une différence marquée, dont la première est bien sûr la couleur de peau, il est toujours possible, soit de confectionner son propre marquage différencialiste (et même de se faire « peau rouge » quand on est d'origine asiatique, de se mettre un anneau dans le nez, de se laisser pousser la barbe, de se raser les cheveux ou de se confectionner une crête de coq, de paraître tibétain ou iroquois en quelque sorte), soit, faute de s'être transformé soi-même, de marquer la différence supposée d'autrui comme on le fit de manière particulièrement extravagante pour identifier « le juif ». Il n'y a pas si longtemps que de distingués universitaires réduisaient les diversités culturelles et linguistiques apparues en Europe à une différenciation de la forme du crâne.

En définitive, la race est d'abord ce qui permet de badger une différence, de lui donner forme (éventuellement infra-humaine), de la montrer du doigt, mais aussi de la « naturaliser » en la biologisant, de l'enfermer de la sorte dans le cadre d'une rationalité primitive : l'autre ne peut être que d'une autre espèce. On s'affirme en excluant !

Il est clair, par exemple, que les koulaks russes, ces moyens propriétaires fonciers d'abord dénoncés comme séquelles des rapports de classes, furent, au début de l'époque stalinienne, exterminés comme race ; que l'anticommunisme prit, en Indonésie par exemple, lors de la grande tuerie des années soixante, une connotation raciale (le rouge était asiatique).

Lueber, l'un des principaux leaders, avant la Première Guerre mondiale, du courant populiste antisémite en Autriche, se mit à fréquenter des notables de la communauté israélite après avoir été élu maire de Vienne. Comme ses partisans lui en faisaient le reproche, il répondit par cette phrase : « C'est moi qui décide qui est juif ! »

C'est que, pour une part, le Juif abstrait est un double produit culturel de l'antisémitisme et de la résistance à l'antisémitisme. Dans un essai paru en 1872 *(Quelques caractéristiques de la race sémite)*, le grand orientaliste allemand Theodor Nöldeke, qui enseignait à Strasbourg, où la communauté juive était importante, écrivait : « Lorsqu'il décrit les Sémites, l'historien doit se garder de voir dans les Juifs d'Europe de purs représentants de cette race. S'ils ont conservé, avec une remarquable ténacité, bien des traits de leur type primitif, ils n'en sont pas moins devenus des Européens ; qui plus est, beaucoup de leurs caractéristiques ne sont pas d'origine sémite, mais résultent de l'histoire particulière qui a été la leur, de l'oppression qu'ils ont subie ou de l'isolement prolongé qu'ils ont en partie choisi et qui, en partie, leur a été imposé. »

Dans la mesure où les peuples qui habitaient le pays de Canaan, lorsque s'y installèrent les Hébreux parlaient une langue sémitique proche de l'hébreu — au point que Juifs et Canaanéens communiquaient sans difficulté —, on peut aussi bien soutenir qu'ils appartenaient à l'origine à la même ethnie que prétendre, au contraire, que les Juifs ne firent qu'adopter la langue sémitique du pays conquis, étant eux-mêmes d'une tout autre origine. Dans un cas, Juifs et Palestiniens seraient de la même origine ethnique ; dans l'autre, les Juifs ne seraient pas nécessairement des Sémites. Mais cela a-t-il la moindre importance ? D'une part, on connaît des Berbères, ou même des Noirs éthiopiens, convertis au judaïsme, qui se considèrent comme fils d'Abraham ; d'autre part, de nombreux Juifs venus de Pologne ont autant de rapports avec un Tunisien séfarade (sans parler d'un Yéménite), la croyance religieuse mise à part, qu'un Norvégien avec un copte égyptien.

Une musique qui s'adapte à tous les livrets

Pour l'instant, notre propos n'est pas d'examiner cette structure mentale invariante qu'est le racisme en général, et l'antisémitisme en particulier, mais de montrer que la notion explicite ou implicite de race est à la fois un facteur essentiel de l'invariance tribale et l'expression, elle-même invariante, d'une réactivité de défense ou d'affirmation identitaire. Laquelle, du moins je le soupçonne, traduit une angoisse de nature beaucoup plus biologique que ne l'est le prétexte de cette angoisse.

Rien n'est cependant plus intrinsèquement variable que le racisme en tant qu'invariance. Son discours n'étant qu'une musique, les possibilités de recomposition de la partition paraissent quasi illimitées. Il s'agit moins d'exprimer que de dire. Plusieurs sondages réalisés dans différents pays occidentaux ont démontré qu'une majorité des personnes interrogées jugent que tel peuple, totalement inventé par les enquêteurs mais affublé d'un nom aux consonances étranges, par exemple les Bakhtitchènes, est *a priori* jugé non seulement « très différent de nous », mais en outre « difficilement intégrable ». A l'inverse, un « ratonneur de bougnoules », tel que les guerres coloniales en révélèrent tant à eux-mêmes, n'aura aucun scrupule à se mettre au service d'un riche prince saoudien.

Cette relativité est particulièrement apparente lorsque, se souvenant que de Gaulle avait parlé des Juifs comme d'un peuple « d'élite, sûr de lui et dominateur », on lit sous la plume de Drumont, dans *La France juive* (livre qui fut un formidable best-seller), que, contrairement à l'Aryen « noble, illustre, généreux » mais surtout « héroïque, chevaleresque, désintéressé, allant joyeusement au-devant du péril et bravant la mort », le Juif, lui, « jamais fier, rampe à vos genoux ». Et d'opposer ensuite « l'Arabe, noble et loyal, qui se bat », à la « race abjecte qui ne vit que de trafics honteux ». Idée reprise par un certain Georges Meynie dans *L'Algérie juive*, où l'Israélite « lâche, errant et rampant » est comparé à l'Arabe « vaillant soldat, fort et courageux, versant son sang pour la France ». « Si la couardise d'Israël est proverbiale, ajoute l'auteur, la vaillance de l'Islam est certaine. » Pour Gustave Le Bon, auteur injustement oublié de la très prémonitoire *Psychologie des foules*, autant « l'Arabe est fier », autant le Juif est « naturellement craintif ». Citons encore Proudhon, l'ancêtre du socialisme farfelu, qui écrit : « Le Juif est par tempérament antiproducteur, ni agriculteur, ni industriel, pas même vraiment commerçant. C'est un entremetteur, toujours frauduleux et parasite. »

Faut-il préciser que, de même que le Juif « pleutre et rampant », deviendra « belliciste et dominateur » (chez le même auteur) il peut d'ailleurs être les deux, qu'importe !), de même l'Arabe « noble, fier, fidèle et guerrier » deviendra, en particulier dans l'inconscient de certains Juifs, cet être retors à qui on ne saurait faire confiance et qui abandonne ses babouches en fuyant dans le désert.

Ce n'est peut-être pas le regard de l'antisémite qui fait le Juif, mais la nature particulière du Juif loge bien dans la tête de l'anti-sémite, comme, d'une façon générale, la nature particulière des races gît dans la tête des racistes. D'où il résulte que le concept de race exprime moins sa propre substance qu'il ne reflète l'essence passagère de la mentalité qui le capte et l'utilise.

Le dictionnaire de Furetière, qui date du règne de Louis XIV, nous indique que la race est synonyme de lignée (génération conti-nue de père en fils), ce qui permet aussi bien de désigner l'espèce humaine en soi comme race (« le Déluge fit périr la race mor-telle ») que de qualifier de race la famille élargie, mais, précise-t-il, surtout si celle-ci est « illustre » : ce qui permet de parler de « la race des Héraclides en Grèce, des Scipions ou des Fabiens à Rome, ou des Ptolémées en Égypte, de la race de Salomon dont descendrait le roi d'Éthiopie, ou de la race de David dont est issu le Christ », mais apparemment pas de la race des Dupont, des Truc ou des Machin. Il y a une race de rois, pas de roturiers, à moins que le roturier (ce qu'il fait d'ailleurs généralement) se confectionne lui-même sa propre définition de la race...

Or, Furetière montre bien l'absurdité de cette racialisation par pure filiation directe, en notant d'emblée, comme élément essen-tiel de sa définition, qu'il vaut mieux être « le premier que le der-nier noble de la race », ce qu'en l'occurrence répondit Iphicrate, général athénien, vainqueur des Thraces et des Spartiates, à Her-modius qui lui reprochait la bassesse de sa naissance parce qu'il était fils de cordonnier. Autrement dit, le général victorieux peut créer une race ; pas le cordonnier. Tout est là : l'intérêt principal du concept est qu'il permet aussi bien de valoriser l'un que d'ex-clure l'autre.

Le dictionnaire de Furetière note d'ailleurs quelques emplois courants du mot à l'époque : « les laquais font une chienne de race » ; « Jésus-Christ appelle les pharisiens race de vipères » ; « c'est une maudite race que les filous » ; et enfin : « on appelle race patibulaire une famille dans laquelle il y eut quelques gens suppliciés. » La racialisation de la différence sociale est donc bien « originelle ».

Tout se passe comme si, au sens élargi où on l'entend et qui alimente tous les racismes patents ou latents, la race était non pas une réalité, mais une nécessité. Nécessité sociale d'abord, en ce qu'elle justifie, fût-ce implicitement, des organisations en castes (comme en Inde), en ordres — l'aristocrate ne se définissant que par la prétendue unité raciale de la filiation (le sang bleu) —, et même parfois en classes, les premiers Romains traitant en termes de race la séparation entre patriciens et plébéiens. Que cela soit dit ou simplement admis, l'idée que telle race est vouée par nature à une fonction manuelle et subalterne, et telle autre à une fonction administrative, intellectuelle ou supérieure, fut courante, sinon générale, jusqu'au début du siècle, et demeure encore largement dominante aujourd'hui, ici dans de nombreux pays, là dans de nombreux esprits.

Quand la ségrégation sociale devient ethnique

Nous avons déjà rencontré ce phénomène à propos du triba-lisme. Mais il convient de le réexaminer brièvement à la lumière de cette tendance à l'interpénétration entre diversifications socia-les et diversifications raciales.

La tragédie sri-lankaise s'explique en grande partie par le fait que les Tamouls, très largement minoritaires par rapport aux Cin-ghalais, étaient, sous la domination britannique, surreprésentés dans les services publics et l'enseignement supérieur. La colonisa-tion ne fit en l'occurrence que reproduire un vieux schéma : telle ethnie était vouée à l'armée (les Gourkhas népalais), telle autre aux travaux du bâtiment, une troisième fournissait les serviteurs ou les hommes de peine (parfois même des prostituées), tandis que quelques autres, placées en position dominante (souvent à l'issue d'une conquête), se réservaient des fonctions de prestige. Cette forme d'apartheid social à base ethnique, qui apparaît dans les sociétés les plus frustes (on a vu que les Sioux refusaient les tâches subalternes) et explique la participation de certains peuples africains au ramassage d'esclaves dans d'autres tribus au profit des négriers, n'est pas sans avoir déterminé cette forme apparemment spontanée de répartition du travail et des fonctions économiques et sociales à laquelle, on l'a vu plus haut, on assiste un peu partout, sur le plan national et international. Il n'y a pas d'ouvriers japonais en Corée, mais il y a une main-d'œuvre surexploitée coréenne au Japon. En Égypte même, où n'existe pas de système officiel de castes, et malgré les effets du néosocialisme nassérien, la couleur de peau des prolétaires n'est pas tout à fait la même que celle de la majorité des élites bourgeoises.

La ségrégation sociale naturelle, c'est-à-dire non imposée par la loi, qui est si visible aux États-Unis, et de plus en plus en France ou en Allemagne, est tout aussi évidente dans la plupart des pays africains, mais moins visible puisque ce n'est pas la « négritude », mais la tribalisation à l'intérieur de cette négritude qui fait la différence.

Pratiquement aucun membre de l'élite péruvienne, malgré le nationalisme à base de réminiscences précolombiennes qui triompha un temps dans le pays, n'est de souche amérindienne ou de culture quéchua, et cela, bien que ces « indigènes » soient pratiquement majoritaires dans le pays : il a été apparemment plus facile d'élire un président d'origine japonaise. De même, au Paraguay, pour être élu président, mieux vaut être d'origine allemande comme Stroessner, que de souche guarani.

Autrement dit, aussi « peu réelle » que soit la race, la racialisation des clivages sociaux et la socialisation des clivages ethniques constituent une structure invariante. D'autant plus que le renvoi d'une communauté spécifique à des fonctions spécifiques crée une culture spécifique qui, en fin de compte, rend effectivement cette communauté à la fois particulièrement apte à cette fonction et prisonnière des préjugés qui l'y destinent. Surtout quand elle en vient, pour cette raison, à dominer (parfois même à symboliser) un secteur d'activité. Le cas de l'omniprésence des sikhs, en Inde, dans les métiers « mécaniques » est à cet égard tout à fait frappant. Sans parler, bien sûr, de la situation des Juifs dans les pays où ils finirent par exceller dans les seules activités qui leur étaient ouvertes.

Et c'est bien pourquoi les nationalismes ethnocentristes tendent presque naturellement à transformer toute lutte de classes potentielle en lutte de races effective. Ce qui se passa en 1648 en Pologne nous en offre une illustration paradoxale. Les Ukrainiens orthodoxes, particulièrement les paysans cosaques, se jugeaient scandaleusement exploités par les gros propriétaires terriens polonais catholiques. La Diète polonaise, réagissant à cette agitation sociale, abolit les privilèges dont jouissaient les Cosaques et les soumit à l'autorité d'une administration aristocratique. Les Cosaques se soulevèrent alors à l'appel du « héros national » Bogdan

Khmelnitski, et entreprirent de massacrer les Juifs, qui, étant meuniers, intendants, régisseurs, aubergistes et parfois collecteurs d'impôts, furent jugés complices et supplétifs de la noblesse polonaise. Ce fut le premier massacre antisémite des Temps Modernes : près de 100 000 victimes. (Notons qu'à Moscou, une avenue, qui conduit à la synagogue, porte le nom de Bogdan Khmelnitski.)

C'est de la même façon que, se sentant menacés par la poussée communiste, les militaires et la droite musulmane indonésienne parvinrent à diriger la fureur populaire vers la communauté commerçante chinoise, dès lors victime d'épouvantables pogroms. Le tsar de Russie réagit de la même façon dans le climat prérévolutionnaire de 1905 en utilisant les Juifs comme exutoires. Et l'on a vu avec quelle ardeur aussi bien les réactionnaires que les ex-communistes serbes, devenus les uns et les autres nationalistes ethnocentristes, communièrent dans la même volonté de transcender leurs propres contradictions sociales en cassant du musulman bosniaque.

Il s'agit là, en somme, d'une tentation invariante générée par une structure invariante.

Du rôle racialisant de l'angoisse de soi

Dans la mesure où la race supposée dessine le squelette de la structure tribale, elle participe à tous les niveaux de son irréductibilité. Nécessité sociale, donc, mais aussi nécessité psychologique. La race, on l'a dit, rassure, parce qu'elle feint de rationaliser la différence ; elle protège, en isolant l'identité collective qu'elle désigne. Elle fait de l'étrangeté de l'autre la caution et, au-delà, la condition de l'affirmation de soi.

Or, cette étrangeté serait souvent insupportable si elle n'était pas légalisée par une évidence d'ordre pseudo-biologique : si celui-là ne réagit pas comme moi, ce n'est pas parce qu'il a fait d'autres choix (il faudrait alors s'interroger sur la pertinence des miens), c'est parce que la nature a fait d'autres choix pour lui.

A l'inverse, seul le sentiment d'appartenance à une « race » particulière, donc définissable, étiquetable, permet de fonder, face à l'autre, ma propre différence, ce qui apparaît d'autant plus nécessaire que justement, cette différence, socialement ou culturellement, s'estompe. C'est, par exemple, pour réaffirmer la légitimité de l'ordre féodal mis à mal par la monarchie centralisatrice et l'émergence de la bourgeoisie marchande que, sous Louis XIV, donc bien avant Augustin Thierry, le comte de Boulainvilliers défendit la thèse de l'origine spécifiquement germanique de la noblesse. C'est naturellement dans un but aussi évidemment réactionnaire de réhabilitation du vieux système aristocratique que les nationalistes monarchistes du début du XIXe siècle insistèrent aussi obsessionnellement sur la pureté de la race et le danger des mélanges : ils visaient ouvertement les Juifs, mais mettaient en réalité en garde contre toute dilution de la « classe supérieure » dans la masse de la classe inférieure.

Cette réaction protectrice à une angoisse face à l'indifférenciation sociale est particulièrement violente lorsqu'une catégorie donnée se sent menacée d'être reléguée au même niveau que celle qui lui était précédemment inférieure, et ainsi la valorisait. Ce phénomène, largement décrit chez « les petits Blancs » du sud des États-Unis, s'exacerba également en Algérie, où ce sont les pieds-noirs les plus pauvres, et non les grands bourgeois libéraux, qui donnèrent parfois un contenu ouvertement raciste à leur rejet de toute émancipation de la communauté arabe. En Afrique du Sud, ce sont les bourgeois anglophones, et non le petit peuple afrikaner, qui apportèrent leur soutien au mouvement libéral anti-apartheid. L'antisémitisme moderne théorisé naquit de la même manière, non point, quoi qu'on ait pu en dire, d'un particularisme affiché de la communauté juive, mais, bien au contraire, en réaction au mouvement d'intégration massive de cette communauté qui lui permit de sortir du ghetto pour investir en particulier l'Université.

D'où le fait que la race s'affirme d'autant plus fort qu'elle se dilue ; qu'elle se désigne elle-même avec d'autant plus de violence qu'elle est devenue indéchiffrable ; qu'elle s'enferme dans sa spécificité supposée avec d'autant plus de fureur que les migrations sont plus amples et les métissages plus nombreux ; qu'elle dévalorise l'ethnie jugée concurrente avec d'autant plus d'acharnement que celle-ci s'émancipe. A l'inverse — ou de façon complémentaire —, une volonté arrogante d'assimilation ou la manifestation rugueuse d'un paternalisme dominateur déclenchent chez ceux qui les subissent une réaction de défense qui passe par l'exaltation du génie occulté de la race, quitte, comme ce fut le cas des Kikuyu du Kenya à travers la révolte des Mau-Mau, à revendiquer par défi des pratiques ou des traditions, telles que l'excision, que l'autre, le Blanc, qualifiait de « barbares ».

On remarquera que les plus éloquentes et parfois talentueuses affirmations d'identitarisme ethnico-racial sont nées dans des situations où la communauté concernée était en situation d'étouffement culturel, parce que confrontée sur un territoire donné à une pression communautaire plus dynamique. Ce fut le cas du slavisme serbe, de l'hellénisme d'Asie Mineure, du berbérisme en Afrique du Nord, voire d'une certaine manière, des nationalismes palestiniens à l'intérieur du monde arabe, du réveil basque dans l'Espagne hispanisante de Franco, et surtout de cette réappropriation de la négritude initiée par des mouvements qui se situaient tous en marge de l'Afrique proprement dite (Mouvement de la négro-renaissance apparu à New York en 1919, *Revue du monde noir* créée à Paris dans les années vingt par des Antillais, dont le prix Goncourt René Maran, les Martiniquais Étienne Lero et Aimé Césaire, par le Guyanais Léon Damas et l'Américain Langston Hughes, bientôt relayés et radicalisés par de jeunes Noirs des Caraïbes, tel le Haïtien Jacques Roumain).

La négritude, telle qu'en 1939 Aimé Césaire la définit dans *Cahiers d'un retour au pays natal*, n'est pas seulement alors la couleur de la peau, mais la manière « nègre » d'assumer l'espèce humaine en affrontant son destin particulier. La négritude, c'est au fond le processus par lequel le Noir, expatrié ou déraciné, rationalise et intellectualise (mysticise parfois) sa différence physique pour en renvoyer aux colonisateurs l'image libérée d'elle-même. Il s'agit en quelque sorte de prendre le raciste à son propre piège, de lui lancer au visage : moi, noir ? seulement ? Non, bien plus que cela : nègre ! Et alors l'esclavage, comme l'exode, comme le génocide, deviennent les composantes d'une anabase qui, loin de rabaisser la race, la transfigure en la rendant consubstantielle à un drame devenu épopée. Ici le choc historique collectif ne fonde pas à proprement parler la « race », qui existe anthropologiquement, mais lui donne un tout autre statut : le Noir américain ou antillais n'est plus seulement de « race » africaine, il est en outre descendant d'esclaves, comme l'Américain pur est censé être affilié aux premiers colons puritains, et le Juif aux rescapés des geôles de Nabuchodonosor. Une race affirmée s'ajoute à une race héritée. On ne choisit pas d'être Noir, mais on choisit de s'affirmer Nègre.

On peut même, dans l'incertitude, décider de s'ancrer à un peuple ou à une ethnie originels, et la descendance assumera alors ces racines choisies comme s'il s'agissait d'un bagage génétique. Qu'importe, en effet, la réalité de ces fameuses « origines » qu'on ne renie jamais : l'important n'est pas qu'elles soient vraies, mais justement qu'on ne les renie pas ; s'en croire issu et s'en réclamer crée en soi une identité ethnique.

Ce qui, paradoxalement, est en partie vrai pour le Noir pourtant identifiable comme Noir l'est évidemment beaucoup plus encore en ce qui concerne ces innombrables communautés qui se vivent comme racialement originales et homogènes et ne sont que les produits, à l'issue d'inextricables interpénétrations de peuples, de ruptures historiques, de catastrophes économiques ou militaires, de scissions politiques, de dissidences idéologico-religieuses, d'aléas événementiels. Pour une part, on crée, on élabore, on construit, on choisit sa « race ». Et telle tribu tsigane, dont on sait qu'elle est originaire d'Allemagne, n'en est pas moins partie prenante, totalement, vis-à-vis d'elle-même et des autres, à un peuple venu semble-t-il des fins fonds de l'Inde ! Le Falacha d'Éthiopie est effectivement juif, puisqu'il le dit. Et les Ivo Livi devenu Yves Montand, et les Colucci devenu Coluche, sont d'aussi purs Français que les Poniatowski, les Kopa, sont effectivement de purs Français à partir du moment où ils se sentent tels. Combien de « martyrs » de l'« Algérie française » s'appelaient Fernandez ou Kovacs ? Le Tatare devient slave à partir du moment où il est russifié dans sa tête. Alors que l'Abkhaze qui en décide ainsi n'a rien à voir avec le Géorgien, pas plus que l'Ossète avec le Tchétchène, ou le Tchétchène avec l'Ingouche. Et qu'à l'inverse le descendant des Wisigoths germaniques est un « latin » au même titre que l'Ibère de souche, à supposer qu'il en existe. Et l'on a vu comment les Sudistes américains se découvrirent « saxons », un peu comme Hitler se proclama de souche aristocratique indo-iranienne.

Et si l'on ne descendait que de soi-même...

La « race », au niveau où nous la décrivons ici (et qui recouvre en partie la notion d'ethnie), est la manifestation non d'une spécificité morphologique héritée de la nature, mais d'un autocâblage mental. (Un parti gabonais qui s'est créé en février 1994 n'a-t-il pas pris le nom de Rassemblement gaulois ?) Au fond, on ne descend vraiment que de soi-même. De même qu'à l'échelle de la pérégrination de l'espèce on ne vient au fond de nulle part (c'est-à-dire d'un peu partout) : sauf à ce que nous nous réclamions tous, par convention, d'ancêtres qui campaient autour du lac Tanganyika, notre ascendance est en grande partie livrée à notre libre arbitre, et c'est par pur détournement que la société en décide pour nous. Nos gènes ne *produisent* pas une culture, mais notre culture, indirectement, produit des « gènes » : mythiques, certes, qui ne s'en prennent pas moins pour des gènes réels et, sous cette apparence illusoire, déterminent des peuples qui façonnent des nations.

Virgile l'avait bien compris qui décida que les Romains étaient descendants des Troyens d'Homère — et, pour cette raison, s'étaient heurtés aux Carthaginois —, ce qui était sans doute farfelu mais devenait vrai à partir du moment où la majorité des citoyens de Rome n'en doutaient point.

De même peut-on considérer que même les bourgeois annoblis sous Louis XI, François Ier ou Louis XIV étaient descendants des croisés, puisque leur nouveau statut social l'impliquait, ou que les barons d'Empire n'étaient pas du même sang que les palefreniers, l'eussent-ils été eux-mêmes. Le dernier shah d'Iran, dont l'arrière-grand-père gardait les troupeaux, n'en était pas moins, à l'en croire, descendant de Cyrus le Grand, comme le négus d'Éthiopie de la reine de Saba.

Ce que nous voulons dire, c'est qu'à ce niveau — et à ce niveau seulement — de notre examen de la race comme structure invariante, nous n'entendons pas constater une réalité anthropologique, mais cerner une nécessité sociale, psychologique et en partie culturelle, qui, à travers l'histoire, scande le rapport collectif des uns aux autres.

Autrement dit, ce qui est structurellement invariant, ce n'est pas la notion pseudo-biologique de race, mais la race, quel que soit par ailleurs le mot qu'on emploie pour la nommer, comme rebond de l'invariance tribale, sous une forme généralement élargie, qui catalyse une revendication identitaire, celle-ci se donnant à elle-même une apparence anthropologique structurante.

Illustrons ce propos. A Djibouti, les Afars et les Issas, qui se vivent, par suite d'une ancienne confrontation militaire, comme des ethnies antagonistes, n'en sont pas moins issus d'un même groupe somali et parlent d'ailleurs la même langue. La Somalie elle-même se caractérise par une assez grande unité ethnique, linguistique et religieuse : or, une organisation en clans et en sous-clans engendrés par le nomadisme y a provoqué une effroyable et complexe guerre civile à connotations raciales où apparaissent, derrière chaque faction armée, les sous-clans ogader ou merehan d'un clan principal darod confronté au sous-clan hawaye du clan dir, lui-même opposé au clan ishak, etc. Guerre ethnique dont les prétendues ethnies ne sont que les émanations de regroupements corporatisto-féodaux ! Cela peut paraître exotique, mais on ne compte pas, dans le monde, les entités ethniques pures et dures qui ne sont que la simple résultante de la racialisation de clans originels.

En Éthiopie, l'ethnie longtemps dominante des Amhara chrétiens constituait en fait une sorte de caste hiérarchique supérieure à laquelle des groupes inférieurs, ethniquement différents, avaient peu à peu accédé pour monter dans l'échelle sociale et dont l'hégémonisme provoqua la révolte à contenu « de classe », mais à forme « raciale », des Tigréens musulmans. A l'inverse, en Érythrée, la grande diversité religieuse, linguistique et ethnique n'empêcha pas l'affirmation, contre l'Éthiopie, d'un nationalisme identitaire et unitaire qui, provisoirement au moins, forgea une race « érythréenne » qui puise pour l'essentiel sa cohérence dans l'histoire coloniale.

Toute l'histoire du Rwanda et du Burundi est dominée par la haine raciale, sauvage et assassine, que se vouent les Hutu et les Tutsi : or, il apparaît que peu de choses, sur le plan culturel, distingue ces deux communautés bantoues qui parlent la même langue, le kirundi, se ressemblent physiquement, contrairement à ce qui a été prétendu, et qu'elles semblent plutôt correspondre à une vieille ségrégation sociale à stratification hiérarchique accentuée, là encore, par le système colonial, si bien que leur affrontement a pris une coloration ouvertement politique et même idéologique.

Au Liberia, premier pays africain où tentèrent de se réenraciner les esclaves noirs américains affranchis, c'est ce groupe afro-américain qui finit, en accaparant le pouvoir, par se donner, vis-à-vis des autochtones qu'il méprisait ostensiblement, une identité ethnique spécifique, jusqu'à ce que sa domination ait été mise à mal par la révolution de Samuel Doe. Révolution qui, à son tour, devait déclencher un épouvantable massacre racisto-tribal et déboucher sur l'éclatement du pays.

En Afrique du Sud, où l'on a vu se constituer, dans la mesure où elle s'est vécue comme telle, une race « afrikaner » blanche (ou boer) de pure composition, c'est le peuple noir anciennement hégémonique, les Zoulous, qui s'affirme ethniquement avec le plus de force et de violence, alors que les composantes minoritaires de cette population longtemps opprimée, bien que majoritaire (Xhosa, Basuto, etc.), se sont donné une identité politique à travers un mouvement de libération nationale idéologiquement marqué. On notera que le « racisme » zoulou a manifesté assez logiquement une certaine indulgence à l'égard du système de l'apartheid que les nationalistes combattaient au contraire avec fureur.

Changeant de continent, nous nous arrêterons au cas du Pakistan, pays créé sur une base religieuse *a priori* homogénéisante où, face aux Sindhi, les réfugiés musulmans venus de l'Inde ont formé une communauté particulière, dite Mohazir, dont le discours prend une tonalité raciale de plus en plus extrémiste, tandis que Pathans et Baloutches, ethniquement proches, s'exterminent avec rage. (Soulignons, car le phénomène de criminalisation d'une communauté par une autre est fréquent, que les Pathans sont identifiés par leurs adversaires à des trafiquants de drogue.) Au Bangladesh, où la population est à 90 % musulmane et bengali, ce sont les Biharis de langue ourdou, réfugiés venus de l'Inde, qui, entassés dans les bidonvilles de Dacca, sont victimes d'une politique d'exclusion raciale. Ainsi le peuple majoritaire du Bangladesh a-t-il tour à tour exprimé son identité de quatre façons : en faisant sécession vis-à-vis de l'Inde avec la majorité des musulmans qui ont créé le Pakistan ; en faisant ensuite sécession d'avec le Pakistan sur une base ethnique bengali et avec l'aide de l'Inde ; en se livrant à des exactions anti-hindoues sur une base religieuse musulmane ; et en opprimant les Biharis musulmans, à la fois parce qu'ils sont originaires de l'Inde et parce qu'ils sont restés fidèles au Pakistan !

Nous avons déjà souligné à quel point la revendication sikh au Pendjab, à la fois religieuse (un syncrétisme de l'islam et de l'hindouisme) et sociale (le sentiment de n'être pas reconnu à sa juste valeur) a pris une dimension raciale et a suscité, en retour, des rejets racistes, à quoi il faut ajouter la radicalisation par le parti extrémiste hindouiste (le BJP) de la question musulmane, alors que les musulmans de l'Inde sont moins des descendants des conquérants mogols que des hindous convertis à l'islam ! A l'inverse, les Tamouls du sud de l'Inde, de souche dravidienne — en l'occurrence, leur teint très foncé marque leur différence —, ont investi leur réaction de défense ethnique dans une opposition culturelle virulente à l'impérialisme de la langue hindi.

Glissons vers l'est de l'Europe. On pourrait se demander si la politique stalinienne de multiplication des nationalités (autonomes et territorialement repérables), aggravée par des déplacements autoritaires de populations, n'a pas largement contribué à l'exaspération de mininationalismes ethniques dont les spécificités proclamées sont d'essence religieuse, culturelle ou simplement politico-historique. Ainsi, les 6 ou 7 millions de Tatars ne sont évidemment pas des descendants des guerriers mongols de Gengis Khan, mais des séquelles de peuples divers à structures tribales qui se fondirent dans l'Empire mongol : race confectionnée par l'histoire, pourrait-on dire. Leur souvenir de l'épopée de la Horde d'or, mais aussi leurs tribulations plus récentes, en particulier celle des Tatars de Crimée déportés par Staline, n'ont évidemment pas peu contribué à leur repli farouche sur un identitarisme ethnico-culturel exacerbé.

On pourrait imaginer que soient regroupées sur une base panethnique les mininationalités qui, par exemple, transforment le Caucase montagneux en un puzzle inextricable. Illusion ! Le nationalisme racial se déconnecte à l'évidence de l'ethnie réelle, comme le prouve d'ailleurs la virulence d'un nationalisme ukrainien ethniquement affirmé : le peuple ukrainien est tout aussi slave que les peuples russe ou biélorusse.

Staline décida, par exemple, que les Meskhès devaient être transplantés de Géorgie en Ouzbékistan : en l'occurrence, Ouzbeks et Meskhès sont de même souche turque, et musulmans. Les seconds n'en furent pas moins victimes d'épouvantables pogroms de la part des premiers. Il est vrai que ceux-ci sont sunnites et ceux-là chiites...

Mais, surtout — et on vient de voir l'importance de ce phénomène au Pakistan et au Bangladesh — on constate une racialisation spontanée de la communauté qui vient d'ailleurs, fût-elle de même origine ethnique (ainsi les séfarades en Israël et même, dans une certaine mesure, les pieds-noirs en France). A Saint-

Domingue, un racisme social s'exerce à l'encontre de la communauté noire haïtienne venue de l'autre partie de l'île. C'est pourquoi il faut malheureusement s'attendre à ce que des centaines de milliers de personnes déplacées en ex-Yougoslavie soient victimes de ségrégation à l'intérieur de l'ethnie de référence qu'ils ont dû rejoindre. *A priori*, il serait plus raisonnable que les Gagaouzes, de souche turque, qui ont proclamé leur république indépendante au cœur de la Moldavie roumaine, se joignent à une entité territorialement conséquente qui leur serait ethniquement proche. Or, ils n'en feront sans doute rien : d'abord parce qu'ils n'en ont sans doute pas envie, se sentant spécifiquement gagaouzes (d'autant qu'ils sont bizarrement de religion orthodoxe) ; ensuite parce qu'ils seraient certainement mal accueillis.

Ainsi, le territoire, en suscitant la nation, crée la race autant que la race supposée crée la nation. Au Pérou, où 43 % de la population est amérindienne, de langue quéchua ou aymara, et où l'on recense en outre 54 ethnies regroupées en 15 familles linguistiques, la revendication à la fois sociale et culturelle ne prend pas pour l'instant de forme ethnico-nationaliste affirmée, parce que les communautés ne s'identifient pas clairement à un territoire et ne bénéficient pas non plus d'un territoire de référence. (Sans compter que le nationalisme proprement péruvien a fini par intégrer l'épopée amérindienne.) A l'inverse, les Allemands de Pologne, dont beaucoup sont des Polonais germanisés, se sentent évidemment attirés par la patrie ethnique et, comme les Allemands des Sudètes avant guerre, expriment et suscitent des pulsions racialistes.

C'est encore la division d'un territoire par Staline — en l'occurrence — qui explique que se soit affirmé dans l'ex-Union soviétique un virulent ethno-nationalisme ossète ou tchétchène, mais pas grec ou kurde, bien que ces communautés soient fortes de plusieurs centaines de milliers de membres. A quoi on ajoutera, une fois encore, que l'ethnie assumée est réactive et qu'il n'y aurait pas eu d'ethno-nationalisme abkhaze ou ossète sans un nationalisme historico-ethnique géorgien, pas de république gagaouze sans revendication identitaire moldave.

La race est un choix, avons-nous dit. Alors que se déchaînait un séparatisme racialiste tchétchène, c'est un Tchétchène, devenu en 1993 président du Parlement de Moscou, qui se fit le porte-parole intransigeant d'un nationalisme slavo-russe. Et c'est un Géorgien,

Staline, qui poussa à son paroxysme (à l'image de Bonaparte) l'exaltation du nationalisme grand-russe.

Faut-il encore rappeler que dans de nombreux pays, les mulâtres ou créoles se considèrent — ou sont considérés — comme une race en soi ? Que les nationalistes polonais les plus ombrageux développent, à l'encontre des Russes et des Ukrainiens, un discours qui fait oublier que ces peuples relèvent de la même ethnie ? Et qu'enfin, ce qui n'est pas le moindre constat, l'affirmation ethnico-identitaire correspond bien souvent à une volonté communautaire — quand elle coïncide avec un territoire — de s'approprier une richesse ou de s'en réserver les fruits (c'est ce qui apparaît nettement dans l'émergence de la Ligue lombarde en Italie), ou bien au contraire de s'insurger (par exemple au Québec) contre l'impression d'être les laissés-pour-compte d'un développement économique non équilibré ?

Race et esclavage

Donc la race, en tant que structure invariante, est l'expression multiforme, en grande partie inadéquate à sa définition anthropologique, d'une multitude d'aspirations qui recoupent toute sorte d'attitudes d'autodéfense vécues comme autant de nécessités.

C'est d'abord, depuis les temps les plus reculés, la nécessité de justifier l'esclavage, ou plutôt sa forme élargie, dès lors que l'asservissement du semblable n'est pas socialement tolérable. Lorsque les Israélites, conformément à l'usage du temps, réduisirent en esclavage les Cananéens qu'ils avaient vaincus et qui étaient peut-être issus du même groupe ethnique qu'eux, ils se distinguèrent du cynisme ambiant en se confectionnant un alibi religieux. En fonction de quoi, ils se référèrent à la Bible et à l'histoire de Cham, fils de Noé, qui, ayant gravement offensé son père, fut maudit et condamné, ainsi que sa descendance, à la servitude. Il se trouve que le Livre saint précise que cette malédiction ne toucherait qu'une branche de la descendance de Cham : à l'évidence, ce ne pouvait être que celle de Canaan. Or, lorsque les Arabes musulmans, pénétrant en Afrique noire, commencèrent à rafler des esclaves, et cela même après que l'islam (qui interdit d'asservir un croyant) y fût implanté, ils recoururent à la même explication justificatrice : la négritude était l'effet de la malédiction de Cham et justifiait par conséquent la servitude. L'idée que certaines races sont destinées à être asservies fut admise par Aristote et reprise par plusieurs philosophes musulmans du Moyen Age, applicable dans ce dernier cas non seulement aux Noirs, mais également aux Nordiques à la peau anormalement blanche ! L'argument plut beaucoup, on l'a vu, aux Sudistes des États-Unis qui brandissaient volontiers la Bible en guise d'argument. Si Dieu a créé, au sein du genre humain, des sous-espèces aussi différentes, c'est qu'Il avait une idée derrière la tête ; et s'il apparaît que certaines d'entre elles sont promises à l'esclavage, c'est que la chose correspondait bien à ses intentions. Sans quoi, comment pourrait-Il tolérer une telle iniquité ? Il faut admettre qu'Il avait manifesté sa terrible colère pour beaucoup moins que ça ! La théorie de la « servitude naturelle » fut encore brillamment soutenue en 1556, à propos des Indiens, lors de la controverse de Valladolid, par Juan Ginès de Sepulveda.

Ainsi se retourne l'argument de l'exploitation de l'homme par l'homme : l'universalité et la perpétuité de l'asservissement ou de l'oppression d'une ethnie particulière prouvent que tel est le « statut que Dieu a réservé à cette race ». C'est ce qui se disait communément au Moyen Age à propos des Juifs. En 1803, un Allemand, Karl Friedrich Grattenauer, écrit encore dans un ouvrage destiné à informer les chrétiens : « Que les Juifs soient une race très particulière ne peut être contesté par aucun historien ou aucun anthropologue ; mais l'affirmation jadis universellement valable, selon laquelle Dieu a châtié les Juifs par une odeur spéciale et par diverses maladies héréditaires et infirmités repoussantes, ne peut être ni sérieusement démontrée, ni complètement réfutée sous tous les rapports théologiques. » L'idée, au moins implicite, que certaines différences physiques, dès lors qu'elles induisent apparemment une position subalterne, sont le signe d'une volonté divine, reste une donnée sous-jacente de l'inconscient raciste. Admettre une hiérarchie à soubassement biologique revient, si l'on est croyant, à considérer que Dieu l'a voulu ainsi !

Mais cette justification théologique, aujourd'hui condamnée par toutes les instances religieuses, n'est absolument pas nécessaire : l'impérialisme colonial s'en passa fort bien. Car, sans référence à la « race », omniprésente par exemple dans l'œuvre de Kipling (mais envisagée d'un point de vue néodarwinien), la colonisation n'était ni envisageable ni justifiable. Pourquoi les disciples de Jules

Ferry considéraient-ils généralement comme normal que des Français administrassent directement, à tous les niveaux, un pays comme Madagascar (qui, avant la conquête, avait pourtant déjà pris la forme d'un État-nation), en s'emparant de la majorité des terres, et y soumissent les indigènes au travail forcé, alors que Napoléon lui-même n'eût jamais songé à traiter de la sorte les nations qu'il avait subjuguées ou les territoires qu'il avait conquis ? Parce qu'il apparaissait évident à tout républicain laïque modéré, c'est-à-dire de « bon sens », que l'archaïsme féodal du régime monarchique malgache était inhérent à la nature fruste de la race qui peuplait ce pays. Par conséquent, l'Européen blanc, républicain et démocrate de surcroît, voué par les lois de la sélection naturelle à un rôle civilisateur, se devait de prendre par la main de tels peuples infantiles. Et ce qui était vrai pour Madagascar ou l'Indochine, pays dotés d'une administration étatique relativement développée, l'était plus encore pour l'Afrique tribale. Il appartient au colonisateur européen, écrivait E. Clémentel, « de réveiller les races de leur torpeur séculaire ». On pouvait lire en 1897, dans la revue anglaise *Nineteenth Century*, cette définition des objectifs de l'impérialisme colonial : « A nous — à nous et non aux autres — un certain devoir précis a été assigné : porter la lumière et la civilisation dans les endroits les plus sombres du monde. Éveiller l'âme de l'Afrique et de l'Asie par les idées morales de l'Europe. Donner à des milliers d'hommes, qui autrement ne connaîtraient ni la paix ni la sécurité, ces conditions premières du progrès humain. »

Tout est dit : la race élue (non par Dieu sans doute, mais par ce que les Américains appelèrent « une destinée manifeste ») a pour vocation et devoir de « traîner » vers le progrès les races que leurs spécificités mêmes ont condamnées à subir la dure loi de la sélection naturelle. Jules Ferry parle ouvertement de « civiliser les races inférieures ». Il précise même : « Les races supérieures ont un droit vis-à-vis des races inférieures. »

Qu'une race soit prédestinée à l'impérialisme, tel est le fondement idéologique de l'expansionnisme colonial de la fin du XIXe- siècle : « Nous sommes, écrit Chamberlain, une race dominante prédestinée par nos qualités, aussi bien que par nos vertus, à nous étendre dans le monde. » Cecil Rhodes, dans son *Testament*, évoque cette mission réservée « à la race anglo-saxonne », et Lord Roberts, héros de la guerre afghane et vainqueur des Boers à Pretoria, salue « la race impériale ». (Curieusement, le racialisme va jusqu'à justifier la mise sous tutelle de cette même race hindoue que le racisme du XXᵉ siècle exaltera.)

En fait, si le racisme n'est pas la cause de l'impérialisme colonial, le racialisme à connotation raciste en est la condition.

La cause, elle, a été fort simplement résumée par un théoricien du colonialisme, Leroy-Beaulieu : « Les colonies offrent à nos sociétés [capitalistes] des matières premières à bas prix » et constituent « de nouveaux marchés pour le débit des produits manufacturés d'Europe » ; en outre, elles sont un exutoire à la question sociale. Il en résulte que le capitalisme industriel à un certain stade de son développement eut besoin — ou crut avoir besoin — de l'impérialisme colonial, lequel, reproduisant naturellement, en particulier par le travail forcé, la structure de l'esclavagisme élargi, nécessitait une justification idéologique par le recours à la théorie de la spécificité inégalitaire des races. Autrement dit, le racialisme tendanciel, en tant que structure invariante, s'est ancré au capitalisme, considéré comme invariance structurelle, ne serait-ce que par l'entremise de son prolongement que fut l'impérialisme colonial. Nous disons bien : il « s'est ancré » ; car, contrairement à ce qui ressortait d'une certaine logomachie anticapitaliste et anticolonialiste, il ne lui est pas consubstantiel — il lui a d'ailleurs survécu.

Tout cela alla tellement de soi qu'en France — si l'on excepte l'œuvre marginale du comte de Gobineau —, ce racialisme consubstantiel au processus capitalistique d'expansion coloniale, et qui déboucha dans un premier temps sur l'instauration d'un néo-esclavagisme de fait, n'eut pas besoin de théorisation ouvertement « raciste » pour se justifier. Les colonisateurs démocrates et radicaux de la IIIᵉ République ne doutaient pas, d'un côté, que tous les hommes fussent égaux, et que, de l'autre, il y eût des races supérieures destinées à assurer la promotion des races inférieures pour contribuer justement à l'avènement de cette égalité. Cette contradiction trouvait sa source dans le fait que l'égalité entre les hommes correspondait à leur morale, et l'inégalité entre les races à leur idéologie ; ou, plus exactement, que la logique de leurs principes démocratiques leur imposait de proclamer cette égalité, alors que la nécessité de leurs convictions libérales les incitait à cautionner cet inégalitarisme.

Si l'on admet que la loi du marché révèle à lui-même un ordre naturel, comment n'en point déduire que la communauté qui, de manière homogène, se trouve toujours à la même place et occupe toujours le même rang dans le cadre des rapports internationaux de production est bien une race dont la spécificité induit à la fois cette place et ce rang ? C'est encore une fois le caractère général de son asservissement qui « démontre », par exemple, que la race noire, étant de nature servile, doit être confinée dans des tâches subalternes de semi-servage ; simplement, désormais, cette évidence n'est plus expliquée par la volonté divine, mais prouvée par la loi du marché !

La race est, disions-nous, l'expression d'une structure invariante en tant que « nécessité » psychologique et sociale ; elle s'articule donc, en outre, aux invariances structurelles que nous avons déjà examinées et qui, par définition, se perpétuent concomitamment, mais sous des formes diverses, à travers l'évolution sociale : le tribalisme, l'esclavagisme, le féodalisme, le capitalisme, le nationalisme et l'aspiration au socialisme.

Le rapport de la race avec le capitalisme n'est pas, on l'aura compris, intrinsèquement lié à sa théorie restreinte, mais inhérent à sa pratique élargie. Par un processus dialectique que nous avons déjà observé à propos de l'esclavage, le racialisme, condition de l'impérialisme colonial, se métamorphose en racisme dès lors que la colonisation fait glisser une partie de la main-d'œuvre depuis le lieu d'extraction des matières premières vers le pays producteur de marchandises. L'impérialisme colonial ayant permis, dans l'espace ainsi élargi, de racialiser les antagonismes de classes, son effondrement réintègre dans le cadre métropolitain cette composante purement raciale des clivages sociaux.

Dans tous les cas, la loi du marché, dans le cadre de la libre entreprise, conduit à une ségrégation naturelle, soit expansive par conquête ou contrôle du territoire où se trouve la matière première, races et produits bruts mélangés, soit intensive par disqualification de la part de travail spontanément réservée à ce succédané de la race prolétaire qu'est devenu le travailleur immigré.

A tous les niveaux de son développement, le capitalisme intègre la race au déploiement de sa logique — sans le dire, bien sûr. A chacun de ces stades, il tend à racialiser la différence sociale.

La race comme nécessité du principe de la guerre

La race donc, non comme réalité, mais comme nécessité. Le nationalisme, à l'évidence, y ramène. L'impérialisme l'englobe. Toutes les formes de bellicisme la suggèrent. Impossible de faire à l'autre une guerre à mort sans le racialiser. Le Chypriote musulman est donc un Turc aux yeux du Chypriote grec. Et d'ailleurs, il le devient. Le Nordiste américain est, à l'oreille du Sudiste, un « Yankee », mot qui finit par résonner comme un nom de tribu sauvage. Chleuh ou Boche, c'est-à-dire « Bochiman », est l'Allemand de la tranchée d'en face. L'ennemi est le barbare, toujours : les anciens Grecs, déjà, n'en doutaient pas. Le processus joue au demeurant dans les deux sens : le racialisme porte la guerre et la guerre racialise. Les récents affrontements ethniques au Caucase — région dont on fit, à la fin du XIXe siècle, le berceau d'une grande race blanche homogène, dite caucasienne — le prouvent éloquemment. Or, la racialisation de l'ennemi (et, au-delà, ce qui en est le prolongement, son animalisation) indique bien que cette biologisation de l'altérité est la condition de la mise à mort. En cela, de même que le génocide est une guerre, toute guerre tend théoriquement dans l'absolu au génocide : l'extermination de la tribu adverse racialement définie. Les Japonais sont un peuple, le « Jap » est une race. Une sale race, même. Comme le « Viet ». Ou le « Vietcong », qui rappelle l'affreux King Kong. Et c'est naturellement aux « Mongols » que les Allemands se heurtèrent en 1941 devant Moscou. Comment accepter de détruire un autre soi ? Ou d'être détruit par son double ? D'effacer en l'autre l'image du même ? Seule issue : détruire d'abord toute part de soi qui gît en l'autre ; effacer en lui tout ce qui pourrait faire reflet à notre propre image. Au pacifiste ou chrétien authentique qui proclame que nous sommes « tous frères », ce qui en effet suspend le sabre, l'homme de guerre — ou l'homme dans la guerre — répond en dénonçant la sauvagerie intrinsèque de l'ennemi qui, toujours, sous toutes les latitudes, se complaît à violer les femmes, à assassiner tout spécialement les petits enfants, à prendre systématiquement les hôpitaux et les lieux de culte pour cibles, à crever des yeux, à couper des mains et des doigts pour récupérer les bijoux et les montres, à exterminer gratuitement les populations civiles, à utiliser le poison sous toutes ses formes, et de façon générale à accumuler les perfidies.

Pourquoi l'ennemi fait-il toujours cela ? Parce que, ce faisant, il dévoile le tréfonds de sa spécificité raciale. Et d'autant plus que celle-ci n'est pas évidente et ne correspond à aucun marquage physique : ainsi les Serbes, Croates ou musulmans de Bosnie qui se ressemblent effectivement comme des frères et qui, sans cette redondance dans l'horreur, sans cette emphase dans la cruauté, eussent été incapables de se désigner à leurs coups mutuels comme races maudites. L'ennemi fait « ça », d'une part parce que la racialisation de l'adversaire le conduit parfois à le faire, d'autre part parce que sa propre racialisation implique de toute façon qu'il le fasse. A cet égard, parler de « guerre ethnique » confine en partie au pléonasme.

Certes, les guerres de 1793-1795 en Europe furent avant tout idéologiques ; mais les soldats de l'an II n'en chantaient pas moins avec ferveur que le « sang » ennemi, propre à « abreuver nos sillons », était « impur ». Et les Allemands de 1940, par-delà leur conversion supposée au nazisme, furent allègrement racialisés, non seulement par Hitler lui-même, dont le ralliement aux thèses saugrenues sur l'aryanité de la germanité constitua le soubassement politico-biologique de l'holocauste, mais aussi par les tenants du camp antiraciste, comme l'illustre la tonalité des articles et des caricatures de la presse soviétique (et communiste en général) à cette époque : naturellement bestial, l'Allemand était aussi par bonheur ethniquement stupide, ce qui apparaît clairement dans presque tous les films français qui le mirent en scène après la guerre (exemple : *La Grande Vadrouille*). Pourrait-on d'ailleurs supporter, au cinéma, l'identification biologique à soi-même — ce sont nos frères ! — de ceux qu'on est censé voir tomber avec délectation comme des mouches sous le feu des mitrailleuses du camp de la civilisation ?

La double racialisation de l'Américain cupide et dégénéré par la presse et la caricature communistes de la période stalinienne, et du communiste soviétique, sous-homme mongoloïsant, par le cinéma américain des années cinquante, est, avec le recul, particulièrement frappante, l'un, entre deux forfaits, inoculant la peste à la Corée, l'autre étant généralement assimilé à cette brute cosaque qui faisait déjà frémir les petits enfants en 1815 en tant qu'incarnation de la sauvagerie des steppes ! Que fut le conflit apparemment idéologique entre la Chine et l'Union soviétique sinon, fondamentalement, un affrontement impérialisto-nationaliste au sommet qui prit tout de suite, et de manière souvent exacerbée, un caractère racial et même raciste ? (J'ai assisté à Canton, en pleine révolution culturelle, à des scènes probantes.)

La race, non comme réalité mais comme fantasmagorie diabolisante, est donc nécessaire à la guerre !

Le fait que les Paraguayens fussent à 90 % des métis d'Indiens explique en grande partie la rage exterminatrice dont firent preuve les Argentins et les Brésiliens lors de la guerre de 1865 qui vit le Paraguay perdre les deux tiers de sa population et se retrouver avec un homme pour vingt-huit femmes.

Qu'on y songe : l'effondrement du bloc communiste européen, la désagrégation du pacte de Varsovie, la réintégration du capitalisme dans les soutes du socialisme chinois, l'asphyxie de Cuba ont marqué la fin de la guerre froide. Plus de risques apparents de confrontation nucléaire Est-Ouest ! D'où le brutal décapage de ce vernis idéologique qui permit, par exemple, aux rebelles érythréens ou tigréens de se proclamer marxistes-léninistes, ou à l'Unita en Angola de se poser en rempart du monde libre face à l'impérialisme soviéto-cubain. Tous ces alibis ont sauté d'un seul coup. Et derrière, qu'a-t-on vu apparaître, dévoilée, nue, parfois obscène ? La race ! Obsessionnellement présente. La race derrière la tribu, tapie sous la religion, en embuscade derrière une langue ou un dialecte. Au creux de tous les cratères où bout l'effroyable mixture des guerres intestines « réelles » dont l'horreur s'est substituée à l'angoisse du grand choc virtuel ; partout l'ethnie qui tue et meurt, se substituant à l'idée au nom de laquelle on tue ou on meurt.

L'on voit ainsi à quel point les antagonismes prétendument idéologiques induits par la séparation du monde en deux blocs — l'idéologisation par le marxisme-léninisme de toutes les rébellions anti-impérialistes qualifiées de « nationales » et la diabolisation concomitante des nationalismes internes au système communiste ; à l'inverse, la transformation par l'anticommunisme de toute pulsion ethnisante, raciale ou nationaliste à l'intérieur des pays communistes en contestation libertaire (tout ce qui faisait face au communisme était la liberté) — ont occulté l'ampleur de l'invariance raciale et ethnico-religieuse dans la structuration des réactions collectives défensives ou offensives.

Réalité sous-jacente ou conséquence des naufrages idéologiques ? Les deux, sans doute, et de manière fort enchevêtrée.

Où l'on découvre le racisme de « gauche »

Car il y eut des signes annonciateurs intéressants : ainsi Frank Ryan, militant de gauche et combattant républicain irlandais qui partit se battre en Espagne dans les Brigades internationales, puis, capturé par les forces franquistes, se rallia à l'hitlérisme sur la base d'un nationalisme irlandais intégral : la revendication ethnique déchirant alors son propre emballage idéologique. Ou encore Chandra Bose, nationaliste « gauchiste » bengali, membre du parti du Congrès, qui se rallia au fascisme et, avec des Japonais, organisa en 1942 une armée de libération antibritannique ! Inversement, dans les années cinquante, la plupart des grands mouvements d'émancipation nationale, à l'image d'ailleurs du sionisme, se réclamèrent du socialisme, firent corps avec cette aspiration qui leur servit de passeport pour l'accès à l'aide de l'Union soviétique — mais aussi, à l'examen, de camouflage vis-à-vis d'opinions métropolitaines peu enclines, après la victoire sur le nazisme, à l'indulgence envers un nationalisme ethnique pur. Comme le remarque l'universitaire britannique de gauche Eric Hobsbawnn : « Les nouveaux mouvements ethniques et séparatistes d'Europe de l'Ouest en vinrent paradoxalement à adopter une phraséologie sociale-révolutionnaire et marxiste-léniniste correspondant très mal à leurs origines idéologiques qui remontent à l'extrême droite d'avant 1914, leurs militants les plus âgés ayant eu un passé pro-fasciste, et même pendant la guerre, collaborationniste. »

Ainsi les deux invariances structurelles que sont l'aspiration au socialisme et la référence à la race se sont-elles largement recoupées, ici pour idéologiser un nationalisme ethnique, là pour racialiser une protestation sociale.

Pendant près de trente ans, l'ethno-nationalisme se camoufla derrière un discours et une pratique socialistes-révolutionnaires, voire marxistes-léninistes, destinés d'une part à universaliser et à moderniser une revendication qui renvoyait d'abord au passé et à soi, d'autre part à éviter un pluralisme politique et économique qui eût risqué de rompre l'homogénéité nationale et ethnique.

Si le communisme a été victime de la mythologie racialiste, c'est parce qu'il l'a exaltée au point d'en faire l'élément moteur de son instinct de conquête. Et aussi parce que « l'autre camp » n'a pas hésité à retourner contre lui, comme en Afghanistan ou en Yougoslavie, les fureurs ethnico-religieuses les plus archaïques. Dès lors que le communisme était le mal absolu, rien de ce qui s'opposait directement à lui n'était condamnable. Le bien n'était que l'envers du mal. Dans les deux cas, les tribalismes raciaux servirent de vecteur à un combat qui broya les valeurs universalistes des uns et des autres. Nous avons hérité des dégâts. La structure invariante fut d'autant moins ébranlée qu'elle était confortée par ceux-là mêmes qui la niaient. Avant de « s'effondrer », comme on dit, les idéologies furent donc happées, avalées par ces invariances qu'elles prétendaient être capables de dissoudre dans un révolutionarisme entropique.

D'un point de vue rationnel, ce qui s'est passé dans l'ex-Union soviétique ou en Yougoslavie est absurde. Eric Hobsbawnn a osé écrire, en rupture avec l'espèce de pensée unique qui a désormais cours en Occident : « Comme nous le comprenons maintenant avec mélancolie, ce fut la grande réussite des régimes communistes dans les pays multinationaux que d'avoir limité les effets désastreux du nationalisme en leur sein. La révolution yougoslave réussit à prévenir les massacres entre les nationalités enfermées dans ses frontières étatiques pendant une période plus longue que jamais dans leur histoire, bien que cette réussite soit hélas compromise actuellement. De même, les discriminations ou même l'oppression contre lesquelles protestent les champions expatriés des diverses nationalités soviétiques sont bien moins graves que les conséquences à attendre du retrait du pouvoir soviétique. En fait, pendant la longue ère brejnévienne, l'autonomie locale et régionale n'était pas du tout illusoire. De plus, comme les Russes n'ont jamais cessé de s'en plaindre, les habitants de la plupart des autres républiques s'en sortaient plutôt mieux que ceux de la république de Russie. L'antisémitisme soviétique officiel, indubitablement observable, doit s'évaluer par comparaison avec l'essor de l'antisémitisme populaire depuis que la mobilisation politique, y compris celle des réactionnaires, est à nouveau autorisée[1]. »

Ces remarques peuvent être considérées comme assez justes. L'évolution des événements les a hélas confortées. Mais si cela

1. Eric Hobsbawnn, *op. cit.*

s'est passé ainsi — et partout —, c'est qu'il y avait des raisons objectives à cela. On aurait au demeurant pu en formuler de semblables au lendemain de l'éclatement de l'empire austro-hongrois ou du démantèlement de l'Empire ottoman. Quel État multinational a en effet mieux assuré la sécurité, et aussi le développement des différents peuples qui le composaient, que celui des Habsbourg ? Est-on sûr que la Bohême, que la Bosnie aient eu à se féliciter de leur sortie de ce glacis protecteur ? Qui ne voit que les drames palestinien, arménien, chypriote, libanais, kurde, que la tragédie arabe elle-même, furent la conséquence de la façon dont on brisa, après la Première Guerre mondiale, l'héritage impérial turc ? Risquons même une interrogation sur l'intérêt objectif que put avoir tel ou tel peuple d'Afrique noire à l'effondrement des empires coloniaux, tel complexe multitribal totalement artificiel à se doter d'une forme nationale plutôt que de se fondre dans une fédération plus large, susceptible peut-être de dissoudre dans l'espace les antagonismes ethniques latents ?

Constatons surtout que les balkanisations sauvages auxquelles nous assistons depuis la chute du communisme, sur la base d'un tribalisme ethnico-racial, et dont l'effet d'entraînement n'épargnera sans doute aucune région du globe, ne peuvent qu'engendrer, outre un effroyable exode des peuples, une évidente régression économique, sociale et même culturelle.

Aujourd'hui, le pouvoir d'achat en Slovénie, et bien que ce pays ait échappé à la guerre civile, est spectaculairement plus bas qu'il ne le fut lorsque cette république faisait partie de la fédération yougoslave. La Slovaquie, séparée de la Bohême, traverse en conséquence de cette sécession une crise économique et sociale épouvantable.

Aussi bien ce processus d'émiettement ethnique va-t-il complètement à rebours de la dynamique dominante de notre fin de siècle, qui tend à la mondialisation intégrée, à l'internationalisation interactive des économies et des cultures comme des flux financiers et des courants d'échanges. « Le rôle des économies nationales, note encore Eric Hobsbawnn, a été miné ou même remis en question par de grandes transformations dans les divisions internationales du travail, dont les unités de base sont des entreprises transnationales ou multinationales de toute taille, et par le développement correspondant de centres et de réseaux de transactions économiques internationales qui, pour des raisons pratiques,

échappent au contrôle des gouvernements[1]. » L'intégration européenne vise à accompagner une évolution qui fait de la Banque
mondiale ou du FMI des institutions plus puissantes que la plupart
des ministères de l'Économie et des Finances des États-nations, à
l'exception de celui des États-Unis, dont le propre nationalisme
fait corps avec cet internationalisme libéral.

Or, loin d'être contradictoires, ces deux mouvements, celui qui
porte au-delà de la nation et celui qui ramène en deçà, sont peut-
être, sinon complémentaires, au moins articulés l'un à l'autre.
Hobsbawnn se trompe lorsque, adoptant un point de vue évolutionniste classique, il juge le tribalisme racial totalement à contre-
courant du mondialisme ethnico-capitaliste et le considère, pour
cette raison, comme une séquelle dérisoire d'une galaxie en perdi-
tion.

Non seulement la mondialisation des économies et des échanges, la dénationalisation des principales décisions financières ne
rendent pas irréductiblement caduc le tribalisme racial, mais, bien
au contraire, elles l'exacerbent en faisant éclater l'écorce nationale
qui, longtemps, en comprima les pulsions.

On peut fort bien imaginer cette situation, évidemment provisoire : un tribalisme ethnique presque généralisé dans le cadre
d'un universalisme hégémonisé qui régirait l'ordre global et intégré de ce nouvel empire éclaté.

Retour aux sources : le centre impérial, où vient s'articuler un
réseau d'organismes supranationaux, règne sur un fourmillement
de tribus. Chaque nouvelle sécession renforce alors une centralisa-
tion à l'échelle de la planète. Ce n'est là qu'une hypothèse destinée
à montrer qu'une intégration très sophistiquée peut fort bien aller
de pair avec une immense balkanisation racialisante.

L'invariance structurelle a une autre signification encore : l'extrême modernité sous-tend l'extrême archaïsme ; un apparent
archaïsme, simple manifestation de cette invariance, est à la fois
la cause et la conséquence d'une éphémère modernité. D'ailleurs,
on voit bien que ceux-là mêmes qui ne voulaient plus de la Yougoslavie demandent l'Europe ; que ceux qui ont brisé l'Union
soviétique exigent l'Amérique.

Résumons : la race fantasmée ou choisie, souvent qualifiée pudiquement d'« identité », apparaît comme ce qui reste quand tout

1. *Ibid.*

vacille. On connaît la musique : les idéologies universalistes ou pannationalistes qui canalisaient et structuraient l'aspiration justi- cialiste des « masses opprimés » ont libéré, en s'effondrant, les pulsions racialistes ou tribales. Encore fallait-il qu'elles fussent sous-jacentes. Que sous les apparences d'un socialisme unificateur, d'un communisme conquérant, d'un libéralisme intégrationniste, elles tissassent une réalité en filigrane.

Un vide s'est soudain créé que les archéonationalismes ethni- ques ont en effet aussitôt comblé : mais le « rien » ne devient pas subitement « quelque chose » à l'effondrement du « tout ». La crise de l'invariance structurante a en réalité permis la réémer- gence de l'invariance structurelle. Sous la pelouse, le roc.

Où l'on constate que l'ouverture favorise la fermeture

Il y eut sans doute, aussi, l'effet d'une déchirure provoquée par une crise dont on sait qu'en accentuant les déséquilibres, elle a élargi en même temps toutes les fissures à l'intérieur des nations et entre les nations. A la vue de ces béances, à l'écoute de ces craquements, on se protège, on recherche un socle, on s'assure une prise : la tribu et la race sont là qui vous disent ce que vous êtes « au minimum », quand s'estompe l'utopie qui vous permet- tait d'être « au maximum ». Quand le genre recule devant l'espèce, l'espèce expose ses variétés. Retour à la meute. La race demeure quand l'humanité fuit. Elle veillait alors même que l'espérance éveillait. L'argile du « nous tous » craque et dénude la vérité du « nous autres »...

Mais ce n'est pas là un accident : le naufrage est à l'idéologie ce que la sècheresse est au climat. Pas plus que les universalismes ne survivent aux empires qui les cautionnent, les empires ne résis- tent aux universalismes qui les ont fondés. Ce qui se passe n'est pas sans rappeler l'implosion qui suivit la chute idéologique et politique de la romanité : tribalisme ethnique généralisé d'où devaient surgir de nouvelles nations qui allaient construire à leur tour de nouveaux empires ; sans rappeler non plus cette libanisa- tion avant la lettre qui affligea, aux XVe et XVIe siècles, une Europe déchiquetée par les factions et les hordes que généra l'éclatement de son unité religieuse, chaque groupe ethnique choisissant en quelque sorte sa religion de référence identitaire, comme les peuples slaves l'avaient fait quelques siècles plus tôt. Faut-il rappeler comment, après la Première Guerre mondiale, la subversion (économique par la crise politique par la révolution) du grand rêve de démocratie libérale transforma l'Europe des nationalités enfin émancipées en un effroyable chaudron de haines recuites et de racisme chauffé à blanc.

On remarquera que le racialisme (nationalisme ethnique) et le racisme ne sont apparemment pas la conséquence des fermetures, mais des ouvertures. Plus exactement, que les ouvertures révèlent à elles-mêmes ce que les fermetures entretiennent. Le racialisme et le racisme ont été couvés à l'Est par le communisme, mais c'est après sa chute qu'ils ont explosé. La concurrence exacerbe les réactions de défense tribale de caractère racialo-corporatiste que le protectionnisme avait précédemment anesthésiées en rassurant les angoisses identitaires. Les grandes migrations que permet la libération relative des espaces provoque les mêmes réflexes de défense que la vision spontanée de l'« étrangeté » que permet la libération relative des ondes. La télévision souvent enferme les esprits en défonçant les portes, de même que les barrières mentales s'abaissent au rythme auquel s'ouvrent les frontières. Plus s'élargit l'horizon et plus devient puissant le besoin de s'enraciner dans sa terre. Or, en civilisation urbaine, la terre n'est pas sous les souliers, mais sous le bonnet. C'est là, entre conscience et mémoire, qu'un racialisme, formulé ou pas, laboure et creuse ses sillons.

Le concept d'« identité », touillé par les politiciens en panne de base sociale, n'est, nous l'avons dit, que le paravent chinois du nationalisme ethnique. On dira encore : « retrouver ses racines ». Cela signifie tout simplement que lorsque tout se brouille, lorsque aucun repère ne résiste à la brisure des boussoles dogmatiques, l'attraction est irrésistible qui conduit à revenir à la source de l'origine biologique mythifiée, de réintégrer la matrice qui relie à une vérité communautaire.

On notera, à l'appui de cette remarque, avec quelle agilité de nombreux tenants du révolutionnarisme soixante-huitard (gauchistes des années soixante et soixante-dix) se sont recyclés, à partir des années quatre-vingt, dans l'identitarisme régionaliste, ethnico-culturel, religieux ou racial, en particulier, pour certains, dans le sionisme pur et dur. Ou encore se sont réfugiés — c'est le cas entre autres de certains « révolutionnaires arabes » — dans cette forme racialisée de la religion qu'est l'intégrisme. Dieu reprend la place que Nasser et Mao avaient usurpée : chef d'une race devenue classe. Phase de repli généralisé sur ce qui demeure quand se lézardent les certitudes : l'illusion.

L'illusion invariante comme éternelle substitution à des certitudes éphémères. Retour aux divinités archaïques quand Carthage vacille. Triomphe *a posteriori* de l'avant : est sacralisé alors tout ce qui était antérieur à ce que le présent a impitoyablement consommé. La race est aussi cela : ce qui reste lorsque se fanent les fleurs et tombent les pétales, enfouie qu'elle est dans la terre dont tout vieillard vous dira qu'elle ne ment pas, elle, cette terre, structure invariante par excellence, qui conserve en son flanc ce que Barrès appelait justement le « génie de la race » — ce qui revient certes à réduire les talents multiformes d'un peuple à l'état d'un pissenlit, mais qu'importe : l'idée est là, invariante, avons-nous dit, qui assimile le sang à la sève, et protège l'homme de lui-même en le métamorphosant en arbre. Et la race intervient alors, qui le fait chêne, saule ou peuplier. Monde de peuples-forêts où il n'est pas recommandé de mélanger les frênes et les baobabs, sauf à répartir les essences en fonction de leurs origines comme dans n'importe quel parc paysager !

Derrière l'empire, donc, la nation ne dort toujours que d'un œil ; sous la nation, la tribu est à l'affût, et derrière la tribu, la race affleure. Socle invariable de la structure pyramidale.

Répétons-le : il ne s'agit pas ici de la race réelle, mais d'une projection dans l'imaginaire des effets décalés d'une réalité évanouie : un peu comme ces étoiles si lointaines qu'elles continuent à clignoter au fin fond de la voûte céleste, bien qu'elles aient totalement et depuis longtemps, disparu.

Aussi bien la race, dont nous venons de montrer le rôle invariablement structurant ou déstructurant, peut-elle être, comme nous l'avons vu, indéfiniment remodelée et reconstruite, réinventée ou choisie, assimilée non seulement à une langue, à une religion, à une culture, à une caste, mais parfois même à un refus ou à une rancœur, à une sensibilité ou à une aspiration. « Il y a des races linguistiques, pardonnez-moi cette expression, écrivait Ernest Renan dans *Qu'est-ce qu'une nation ?*, mais elles n'ont rien à faire avec les races anthropologiques. » Et il ajoutait : « Les races sont des moules d'éducation morale plus qu'une affaire de sang. » En deux ou trois décennies peut s'affirmer (et, à partir de là, se perpétuer) une « race occitane » aussi réelle que la « race celte », pour peu qu'un inconscient collectif s'investisse dans la revendication protestataire de cette identité spécifique.

Le mythe de la « race pure »

Mais que dire alors de la race au sens anthropologique du terme ? D'abord que celle-ci ne saurait paradoxalement participer d'une structure invariante. Pourquoi ? Parce qu'elle est d'autant plus réelle qu'elle n'est pas vraie. La race en soi, en effet, n'est pas déchiffrable, indéfiniment diluée qu'elle fut dans les méandres enchevêtrés de ses innombrables métamorphoses. Si la théorie et l'examen empirique se rejoignent, c'est bien pour établir de manière irréfutable que les communautés les plus dynamiques sont issues d'un *melting-pot*, que les brassages et les métissages favorisent l'amélioration de l'espèce, et que les races les plus pures, celles qui s'organisent selon un système d'autoreproduction fermée, tendent à dépérir, à dégénérer, puis à disparaître. Le triste spectacle qu'offrent d'eux-mêmes ces descendants de Bretons qui, dans un île des Antilles françaises, refusent tout apport de sang étranger, c'est-à-dire nègre ou mulâtre, et pensent se protéger de la sorte de toute contamination, est à lui seul exemplaire et augure mal de leur postérité.

Il en résulte qu'il existe d'autant moins de races pures ou semi-pures que la sélection darwinienne joue en faveur de celles qui ne le sont pas, comme en témoigne *a contrario* la situation peu enviable des Pygmées, des Hottentots d'Afrique du Sud ou des Négritos de Malaisie. Encore qu'il semble bien, à en croire les biologistes modernes, que la plupart des races pures aient disparu dès le néolithique.

Ce point est à l'évidence important : s'il était, en effet, établi que ce qu'on appelle aujourd'hui, de manière difficilement définissable, un « peuple » ou une « population » pouvait correspondre à un groupe racialement homogène susceptible de reproduire pendant des siècles, sinon des millénaires, les mêmes traits communautaires spécifiques, non seulement sur le plan physique mais également sur celui des caractères, nous serions confrontés à une invariance structurelle telle — fondamentale au sens exact du terme — qu'elle l'emporterait sur presque toutes les autres. Or, cette hypothèse, qu'on ne saurait écarter pour la seule raison qu'elle est « choquante », mais qu'il est nécessaire d'exclure dès lors qu'elle se montre à l'examen et à l'expérience, absolument non plausible, est admise comme une évidence par le sens commun (ou, si l'on préfère, le bon sens populaire). On pourrait même la considérer comme la première invariance structurelle, sinon la seule, désignée spontanément par le sens commun.

Pourquoi tels événements se déroulent-ils en Algérie ? Parce que ce sont des Arabes ! Pourquoi l'Afrique est-elle si mal partie ? Parce que ce sont des Nègres ! Pourquoi cette situation tout à fait particulière en Italie ? Parce que ce sont des Italiens ! On pourrait donc, avant d'aller plus avant, admettre comme structure mentalement invariante l'idée toujours reproduite et reformulée selon laquelle le destin d'un peuple est en grande partie inscrit dans ses gènes, thèse que reprenaient d'ailleurs à leur compte de très nombreux savants du XIXe siècle (pas forcément tous réactionnaires) et qu'induisent, encore aujourd'hui, certains sectateurs lointainement issus de la sociobiologie !

Cette théorie (si l'on ose la qualifier ainsi) a ceci de pratique qu'elle se déploie de manière systématiquement *a posteriori* et fait finalement sienne la fameuse loi, formulée par Molière, selon laquelle l'opium fait dormir parce qu'il est doté d'une vertu dormitive. Donc les Allemands sont agressifs parce qu'ils ont le bellicisme dans le sang, de la même façon que le Russe porte le communisme dans ses chromosomes. Ce qui naturellement n'explique ni pourquoi les Allemands sont devenus aussi viscéralement pacifistes, ni comment les Russes se sont si facilement émancipés du communisme.

Comme on le voit, il est très aisé de transformer après coup en apriorisme ce qui n'est qu'un discours *a posteriori* sur la nature immuable des peuples. Ainsi, on constatera qu'Ernest Renan, avant d'évoluer vers une conception radicalement non biologique de la race, considérait que tout juste au-dessus de la race inférieure entre toutes, la race noire, se trouvait la race jaune, peu perfectible et vouée pour l'essentiel à demeurer barbare, les Sémites, et, au-dessus d'eux, les Aryens, appelés par la détention du monopole de la culture, de la science et de la technologie à dominer le monde ! Non seulement ce genre d'idiotie ne troubla très longtemps personne, mais la preuve donnée *a posteriori* de leur inanité ne les empêche pas de se recomposer sous d'autres formes.

Sous la plume d'André Siegfried, ce parangon de l'esprit académique modéré, on peut lire, extrait d'un discours prononcé en novembre 1954 à l'Institut d'études politiques : « Le meilleur Oriental ne vaut pas le dernier Occidental. Un Occidental, même ouvrier, fait un chef en Orient. L'Oriental, même le meilleur, ne fait pas un chef[1]. » Le même Siegfried, dans une conférence prononcée en 1952, et partant du point de vue que « chaque race correspond en gros à un type physique, à un type psychologique, à une civilisation, à une étape dans le degré de civilisation », tentait de définir les particularités de la race noire : « Jambes élancées et fines. Même façon de marcher avec un mouvement des jambes projetées en avant, bassin étroit, épaules larges, ventre inexistant. Race d'artiste. Puérilité foncière, d'où sa bonne humeur. Vanité dans ses costumes (couleurs voyantes, mode excessive), dans ses dents aurifiées, dans ses admirations ; susceptibilité. Le Noir est intelligent, mais de son intelligence à lui, fondée sur une conception animiste de la nature toute moniste ; il ne sait ni ne veut séparer les causes premières des causes secondes, faisant intervenir les premières dans son raisonnement. Par exemple : panne de carburateur = intrusion d'un esprit. Expérience chimique ratée = un mauvais esprit. Son rôle dans la production : actuellement il ne peut être qu'un appoint, il ne peut être dirigeant ; il ne saurait nous remplacer dans la direction (nous étant partis). Il peut en revanche nous concurrencer dans les étapes inférieures. » Ou encore : « Sa vanité puérile se manifeste de toutes les façons : par exemple, des vélos avec TSF. Surtout, il est incapable de raisonner comme nous ; le raisonnement logique, le sens de la cause et de l'effet lui échappent. Descartes, Bacon ne sont pas passés par là. Le meilleur des Noirs reste au-dessous du moins bon des Blancs ! » Conclusion : « La ségrégation, dans l'égalité et la dignité, serait la meilleure solution. »

On pourrait certes se demander comment un représentant de cette race noire incapable de former des chefs est devenu, entre autres, le chef d'état-major de l'armée américaine, armée la plus puissante et la plus technologique du monde ; ou comment l'un des plus grands leaders de notre temps, Nelson Mandela, a pu s'en « extraire ». Mais qu'importe ! La solidité d'une invariance ne se juge pas à l'aune de sa pertinence.

1. Cité par Pierre Birnbaum, *op. cit.*

Aujourd'hui, ces mêmes préjugés alimentent les increvables plaisanteries sur la couardise supposée des Italiens, dont on oublie étrangement qu'ils sont des héritiers génétiques de ce peuple romain qui subjugua la plus grande partie du monde connu grâce à son endurance et à ses redoutables capacités militaires. Sans même rappeler le jugement cité plus haut sur la « lâcheté des Juifs », mauvais soldats par définition, parce que naturellement craintifs, et l'évidente supériorité des Arabes en ce domaine, notons que les Libanais, volontiers décrits sous les traits de commerçants phéniciens pleutres et pusillanimes, mais fondamentalement aimables, firent hélas preuve, au cours de leur guerre civile de plus de dix ans, d'une fureur, d'une violence, d'un héroïsme et parfois d'une cruauté dont les Syriens, eux-mêmes « peuple de guerriers », firent parfois les frais. Faut-il encore évoquer ces Suisses particulièrement lents, placides et doux, qui, jusqu'à la fin du XIXe siècle, pour avoir infligé aux troupes des Habsbourg une série de mémorables piquettes, furent considérés comme les meilleurs guerriers du monde et employés comme tels ? Croit-on qu'un citoyen romain de l'époque de Tibère, ou même de Marc Aurèle, eût pu imaginer un seul instant que les sauvages hirsutes, frustes et irrémédiablement barbares qui hantaient les forêts de Germanie en poussant des cris épouvantables donneraient un jour à la civilisation Kant, Goethe et Beethoven ?

Pour la petite histoire, citons cette lettre de Friedrich Engels à Bernstein à propos des Slaves du Sud (Croates) : « Et même si ces braves gens étaient aussi évolués que les anciens Écossais célébrés par Walter Scott, qui étaient également bel et bien des voleurs de bétail de la pire espèce, nous pourrions tout au plus condamner la manière dont la société contemporaine les traite. Si nous étions au pouvoir, nous aussi serions obligés de mettre fin aux aventures héritées des aïeux de ces gens-là. »

Toutes les grandes théories racialistes, peu soucieuses de s'en tenir à la couleur de peau, et incapables de distinguer un Lorrain d'un Bavarois, un Catalan d'un Piémontais, ont élaboré de savantes constructions fondées sur la taille et surtout sur les formes du crâne, censées se répartir, selon qu'elles étaient rondes ou plus ou moins allongées, en brachycéphales, dolichocéphales, etc. Ces plaisanteries seraient anecdotiques si elles n'avaient servi de justifications pseudo-scientifiques à des pratiques criminelles de persécution.

Or, on sait que la taille est pour une bonne part liée au mode de vie et à l'alimentation, et que la forme du crâne, comme l'ont établi entre autres les professeurs Jean Bernard et Jacques Ruffié, « n'est que très imparfaitement contrôlée par des facteurs héréditaires. Elle dépend surtout des conditions du milieu (nourriture, mode de vie, maladie et climat) qui s'exercent, peut-être même avant la naissance et durant toute la période de croissance. C'est la raison pour laquelle, malgré de nombreux travaux, jamais aucun généticien n'a pu mettre en évidence l'hérédité du format crânien ».

Quant à la distinction entre groupes sanguins, elle est d'autant moins opératoire qu'on trouve par exemple un pourcentage de plus de 70 % de sang O dans le nord de l'Écosse, l'Irlande, le pays de Galles, quelques parties de la Bretagne et le Pays basque, ce qui pourrait certes être intéressant, mais aussi en Sardaigne, en Corse, en Kabylie, chez les Touareg, etc. Faut-il y voir, comme la thèse en a été soutenue, une commune origine ligurienne (les Ligures étant un peuple néolithique qui fut submergé par les Celtes et refoulé par les Romains) ? Ce n'est ni prouvable ni réfutable. D'autant que personne n'a jamais fait l'analyse du sang des Ligures, que bien des migrations ont balayé les espaces qu'ils occupèrent et que le rapport même entre spécificités ethniques et groupes sanguins est loin d'être établi.

C'est quoi, la race française ?

Jetons un coup d'œil sur le cas de la France. On nous parle d'une race « alpine » qui serait apparue au mésolithique et au néolithique. Construction purement théorique. Que signifie « apparu » ? Et qu'y avait-il avant l'avant ? Quelle preuve avons-nous de son homogénéité ? La structure tribale et le nomadisme préalable n'impliquaient-ils pas des migrations, invasions et exodes, submersions et refoulements, voire alliances, fusions, métissages ? Et comment peut-on ne serait-ce que suggérer que cette race alpine hypothétique correspondrait au « type brun, petit ou moyen, au crâne court, etc. » ? Car enfin, il faudrait être certain que le squelette que l'on analyse 3 000 ans après correspond bien à l'individu issu de cette prétendue race « alpine »... De toute façon les Ligures, qui n'étaient apparemment pas de race alpine, mais atlantico-méditerranéens, nous explique-t-on, ont essaimé jusqu'à l'ouest de la France et peut-être la Grande-Bretagne. Lesquels Ligures, au demeurant, n'étaient sans doute pas à proprement parler une « race », mais disposaient déjà d'une culture qui englobait aussi ceux qu'on a appelés les Ibères. Il semble en outre que ce soient ces « atlantico-méditerranéens » de culture ligure qui ont fait surgir ces milliers de mégalithes, surtout connus sous le nom de dolmens et de menhirs, et non les Celtes, n'en déplaise aux archéo-racialistes de la celtitude qui feraient volontiers leur emblème de ces « monuments », lesquels témoigneraient surtout du retard considérable de cette civilisation-là sur celle qui, mille ans auparavant, fleurissait entre le Tibre et l'Euphrate ou au bord du Nil, c'est-à-dire en milieu sémitique.

Là-dessus surgissent au premier millénaire avant notre ère (des régions danubiennes, dit-on, mais ils n'y ont pas laissé leur carte de visite) de nouveaux arrivants qui s'établissent particulièrement dans le Nord et dans l'Est, apportant leur spécificité aux races dites « lorraines » ou « nordiques ». Et les Celtes ? Ils apparaissent entre le VIIᵉ et le Vᵉ siècles av. J.-C., en provenance, semble-t-il, des territoires qui forment aujourd'hui la Suisse, l'Autriche ou la Bavière. Qui sont-ils ? Une petite phalange de conquérants qui, par l'épée (les leurs étaient semble-t-il en fer, d'où leur supériorité), auraient imposé politiquement leurs lois ? Une masse en marche qui submerge les autochtones ? Plus probablement, les Celtes comme les Ligures formaient moins une race particulière, dotée de traits spécifiques, qu'une culture qui aurait pris alors le pas sur les protocivilisations précédentes, et conféré ainsi sa particularité à la Gaule, encore que ces mêmes Celtes ou Gaulois se soient installés également en Asie Mineure, au centre de la Turquie actuelle, sans que le rapport étroit entre les Turcs du centre et les habitants de l'Ille-et-Vilaine apparaisse aujourd'hui au premier coup d'œil.

Sur cette culture celte, elle-même adossée à un socle ethnique préexistant mais résultant d'alliages, viennent se greffer les apports grecs sur le pourtour méditerranéen, puis romains ou italiens, d'où il résulte une nouvelle et profonde mutation linguistique et culturelle. Ensuite les Germains traversent le Rhin par vagues et déposent, ici et là, leurs strates, burgondes en Savoie, alamanes en Alsace, wisigoths en Languedoc, tandis que les Francs s'infiltrent dans la Gaule du Nord. Combien sont-ils ? Sans doute peu, mais suffisamment tout de même dans la mesure où leur spécificité ne cesse, par mariage avec les femmes autochtones, de se répandre en se diluant dans la masse, jusqu'à devenir une composante essentielle, même si elle est marginale, de notre « nationalisme ethnique ». Encore, dans des régions peu peuplées situées en particulier au nord de la Somme, ces populations germaniques ont-elles pu constituer un apport majoritaire.

Vinrent ensuite quelques Sarrasins au sud, et des Celtes mélangés d'Angles expatriés de Grande-Bretagne où les opprimaient des Saxons, à l'ouest, en particulier en Bretagne, puis les Normands, d'abord Germains venus de la basse Saxe actuelle, ensuite Vikings en provenance de Scandinavie, qui, par vagues, accaparèrent l'espace qui porte désormais leur nom, à quoi on ajoutera une poussée basque à l'époque mérovingienne, qui remonta jusqu'à la Garonne. Les migrations économiques qui prirent le relais (Suisses, Italiens, Polonais) ou politiques (Écossais au XVIIᵉ siècle, Russes après 1917, Espagnols, Juifs dès le début du XXᵉ siècle) eurent sur ce brassage déjà consommé une influence considérable, comme en témoigne le nombre très important de patronymes qui rappellent ces origines. A quoi se superposèrent des phénomènes liés à l'existence d'un empire colonial dont la chute provoqua l'intégration à la communauté métropolitaine d'une population allogène qui avait choisi la patrie colonisatrice et des éléments largement métissés produits par la colonisation elle-même. On ne saurait non plus exclure, en outre, que les Cimbres et les Teutons partis de la Baltique, les Huns mongolo-magyars, les Alains venus du rivage des Scythes, les Anglais pendant la guerre de Cent Ans, les mercenaires des Grandes Compagnies, les cosaques en 1815, n'aient point allègrement abusé, lors de leur transit, des femmes autochtones, ne fût-ce que par « gauloiserie ». Les flux migratoires Nord-Sud de la fin du XXᵉ siècle, ajoutés à la baisse de la fécondité en Europe, ont fait le reste.

Ce rapide survol, très simplifié, doit d'ailleurs être lui-même relativisé. En effet, évoquer les apports germaniques ne signifie pas grand-chose tant ces courants sont eux-mêmes le produit d'une histoire complexe, fruits de brassages qui trouvent sans doute leurs origines plus loin vers l'Est continental. Sans compter que la connaissance éventuelle des branches laisse dans l'obscurité la véritable nature du tronc. Un jour, les anthropologues nous expliquent que la découverte d'un fossile humain dans le Périgord prouve le caractère asiatique, voire négroïde, de cet ancêtre ; le lendemain, d'autres savants mettent en doute ces extrapolations. Qui croire ? Nous restons, faute de preuves expérimentales possibles, dans le domaine de la spéculation pure.

Outre l'explication religieuse, deux écoles resteront toujours face à face : celle, largement dominante, qui affirme que l'unité originelle se serait, au cours de centaines de milliers d'années, divisée en une multitude de branches en fonction du milieu, du climat, de la nature des sols, et par conséquent de l'alimentation, du relief qui isole ou projette, favorise les mariages consanguins ou au contraire encourage les migrations, de la capacité d'adaptation à des situations données et de la transmission héréditaire de spécificités sélectionnées liées à cette capacité d'adaptation, du plus ou moins grand taux d'exogamie, donc de métissage, de la langue, de la religion, de la culture, de l'histoire ; et, d'un autre côté, celle qui professe la variété originelle, autrement dit l'apparition, à partir d'une proto-hominisation commune, en des milieux différents et à des époques différentes, de branches originellement différenciées du même tronc, qui, par élimination des variétés les moins adaptables et dégénérescence des entités les plus isolées, aurait tendu, au fil des migrations, conquêtes et métissages, à l'uniformisation de l'espèce. Sans doute la première théorie est-elle devenue officielle, au point que ne pas exclure l'autre *a priori* suscite la méfiance. Le précédent de l'homme de Néanderthal, branche autonomisée greffée sur notre arbre commun, ne doit absolument pas distiller le doute. On remarquera que la quasi-obligation qui nous est faite d'adhérer à ce dogme n'empêche en rien le racialisme et le racisme de faire, à l'échelle planétaire, encore plus de dégâts aujourd'hui qu'il y a un ou deux siècles ; que l'idéologie qui a absolument besoin de cet alibi (ou de cette bonne conscience) de l'« homme unique » est la même qui se satisfait parfaitement de la mise sous tutelle d'un monde désocialisé par des organismes tendant à rendre opératoire l'hégémonisme de fait de l'homme occidental libéral blanc !

Unicité totale ou partielle de l'espèce ? Quelle importance au regard de l'irréductibilité, quoi qu'on en ait, de cette représentation de l'autre, et de soi en référence à l'autre, qui sous-tend toute ségrégation de fait, y compris lorsqu'elle feint de refuser toute atteinte à l'unicité théorique ?

Certes, il est aussi absurde de parler d'une « race noire » que d'une « race blanche » tant les différenciations de tous ordres et les recompositions indéfinies et infinies sont aussi nombreuses, complexes, enchevêtrées en Afrique qu'en Europe ; s'y ajoute ce gigantesque mouvement de populations autoritairement brassées qu'ont constitué, là-bas, la traite et l'esclavage. Le Noir n'en reste pas moins une race pour le Blanc, et le Blanc une race pour le Noir.

Antiracisme savant et racialisme populaire

Cette invariance-là, on l'admettra sans mal, se situe bien au cœur de notre réflexion. Se pourrait-il qu'une théorie scientifique juste, qui tend à l'extrême à nier la pertinence de toute prise en compte de la différenciation raciale au nom de l'unicité du genre humain, soit à ce point déconnectée, à tous les niveaux, de toute réalité sociale, psychologique et culturelle, vécue, intériorisée et projetée ?

Quoi qu'il en soit, l'intégrisme « unitariste » ne sert pas ici à grand-chose. Aussi, en montrant l'inanité, dans la plupart des cas, du concept purement anthropologique de race, n'avons-nous pas épuisé la question : celle d'une éventuelle différenciation « objective ».

Proclamer que la race, fût-ce au sens populaire dont on a vu à quel point il sous-tend une invariance structurelle de base, « n'existe pas » ne constitue pas une réponse adéquate. On peut certes clore le débat, jeter l'anathème sur la question même. Mais comme les Noirs n'en cessent pas pour autant d'être noirs et d'afficher des cheveux crépus, comme les Chinois n'en ont pas les yeux plus ronds, comme l'Algérien moyen ne s'en différencie pas moins de l'autochtone natif du Pas-de-Calais, comme les Tamouls à peau foncée n'en affrontent pas moins, armes à la main, les Cinghalais à peau plus claire, comme les émeutiers « de couleur » de Los Angeles, physiquement reconnaissables puisque désignés comme tels par les journaux, ne s'en prennent pas moins aux Asiatiques, qu'ils repèrent à l'évidence à leur physique, comme beaucoup de Juifs, fussent-ils des défenseurs intransigeants du principe d'unicité, ne s'en définissent pas moins comme ethniquement juifs, comme nos propres banlieues sont agitées de soubresauts dont les médias audiovisuels soulignent complaisamment, images à l'appui,

le caractère ethnico-communautaire, un extraordinaire et dangereux fossé se creuse entre ce que l'intelligentsia démocrate tend à
occulter pour ne point risquer d'incontrôlables dérives et ce que
l'opinion perçoit comme une dimension évidente de la crise qui la
prédispose, en effet, à toutes les dérives. Ainsi tendent à se développer parallèlement une approche commune et une appréhension
savante des mêmes problèmes qui non seulement ne communiquent pas entre elles, mais n'ont en outre aucun impact l'une sur
l'autre ; d'où le danger de plus en plus manifeste de voir la pensée
savante se couper du réel vécu et la pensée commune ne plus être
ni orientée ni canalisée par la pensée savante. Celui-là qui, blanc
ou noir, voit l'autre noir ou blanc, entend qu'il n'y a en réalité « ni
blanc ni noir », et, du coup, s'enfermant dans le champ de sa seule
perception, refuse tout ce qui se propose de la mettre en perspective. Il oppose « ce qui est » à ce qu'on lui explique. Résultat :
parce que, pour ceux-ci, il n'y a pas de races, ceux-là renvoient les
Noirs, les Juifs, et d'autres avec eux, au vieux modèle du déterminisme biologique. Ainsi construite, la pédagogie antiraciste fait
eau de toute part. Formidable succès : on proclame que « la race
n'est qu'une culture » et, du coup, l'opinion transforme la culture
en race !

Déjà, dans *L'Invention de la France*, Emmanuel Todd et Hervé
Le Bras mettaient en parallèle les deux tendances. D'un côté
« chaque nation se replie sur elle-même [à la fin du XIXᵉ siècle] et
veut se penser comme mise en forme étatique d'un peuple particulier, unique, défini par ses mœurs, ses coutumes, son génie. A la
recherche d'un point d'ancrage, d'une définition et d'une explication étroite de la nation, l'Europe se passionne pour le concept de
race. L'être biologique des peuples doit expliquer l'être social des
nations[1] ». De l'autre, l'intelligentsia française progressiste « reste
fidèle à l'idéal national d'un homme universel, plus ou moins civilisé, plus ou moins primitif, mais toujours situable sur la ligne
droite et unique du progrès[2] ».

On peut se demander si cette terrible erreur (le premier terme)
ne profite pas de cette folle illusion (le second). Oserai-je évoquer
ici cette déclaration que me fit un jour l'un des principaux respon-

---

1. Hervé Le Bras et Emmanuel Todd, *L'Invention de la France*, Paris,
Hachette Pluriel, 1981.
   2. *Ibid.*

sables des Nations unies pour les problèmes de développement,
lui-même libanais : « On cherche toutes les explications à l'échec
économique de l'Afrique noire, me dit-il. Il en est une cependant
que l'on met volontairement sous le boisseau, et que personnellement je n'évoquerai jamais publiquement, c'est l'inadaptation de
la mentalité spécifique moyenne de l'Africain noir au modèle économique absurde que l'Occident a plaqué artificiellement sur ce
continent. » Aussi discutable que soit cette manière de la dire —
la notion de mentalité spécifique est extrêmement vague —, est-il
raisonnable de s'interdire de formuler une telle hypothèse ?

Serait-il d'ailleurs scandaleux de la décliner à l'envers et de
constater que, plaqué sur la réalité occidentale, tel modèle de rapports économiques spécifiquement africains risquerait de se heurter à la mentalité inadéquate des populations concernées ? Sent-
on le fagot dès lors que l'on constate aux jeux Olympiques l'omniprésence des Noirs, de toutes nationalités, africaines, américaines,
antillaises, dans les courses de sprint ou les épreuves de saut (et
des Africains de l'Est dans les courses de fond, ce qui tend à prouver une particularité dans la particularité), ou encore leur apport
considérable à la musique universelle, fût-elle la plus sophistiquée,
y compris à l'art lyrique (réputé spécifiquement occidental) ? Ou
lorsqu'on observe en revanche que, placés dans le même milieu,
américain en l'occurrence, les Chinois ou les Vietnamiens s'imposent beaucoup plus massivement dans le domaine de l'informatique que les représentants des autres communautés ? Il semblerait
que le scandale commence à partir du moment où l'on se demande
pourquoi. Il n'est pourtant pas question ici de supériorité ou d'infériorité, sauf à nous considérer nous-mêmes comme « génétiquement inférieurs » dans un nombre considérable de domaines ! La
roue de la prétendue infériorité ou supériorité ne cesse de tourner
— on l'a vu, et on le verra encore. Il s'agit simplement de se
demander si les spécificités anthropologiques objectives ne constituent pas structurellement, dans certains cas, une composante plus
ou moins importante d'invariances plus larges.

Si l'on s'en tient aux apparences, c'est-à-dire à l'aspect visible
de ce que le sens commun considère comme une différence de
race, on admettra sans difficulté que le fait d'être blanc ou noir,
d'avoir les yeux bridés, les pommettes saillantes, les cheveux crépus, s'apparente à une invariance qui contribue largement à structurer un rapport collectif aux autres. S'il nous fallait renoncer à

prendre en compte ce problème de la différenciation raciale effective dans l'analyse que nous avons précédemment esquissée de la fonction tribale ou de l'invariance esclavagiste (et même capitaliste), il ne nous resterait plus qu'à mettre définitivement fin à notre réflexion. L'« être blanc » ou l'« être noir » (non pas « en soi », mais en tant que facteur premier d'identification du groupe par le groupe), pour ne prendre que cet exemple, n'agit pas simplement sous la forme d'une reproduction mécaniquement invariante de cette identification, mais induit des comportements, offensifs ou défensifs. Et cela, qu'on le veuille ou non, se vérifie à tous les niveaux de la vie sociale. Y compris à travers le racisme et l'antiracisme. Y compris dans la façon de vivre les antagonismes sociaux.

Est-ce tout ? La question, sous-jacente mais dérangeante, est de savoir si à une différence physique inscrite dans les gènes correspondent d'autres spécificités d'ordre comportemental ou psychique. Dans son célèbre opuscule *Race et histoire*, écrit en 1952 à la demande de l'Unesco, Claude Lévi-Strauss traçait les limites à ne pas franchir : « Quand on cherche à caractériser, écrivait-il, les races biologiques par des propriétés psychologiques particulières, on s'écarte autant de la vérité scientifique en les définissant de façon positive que de façon négative. [...] » Si l'apport des races humaines à la civilisation est divers et original, poursuivait-il, cela « tient à des circonstances géographiques, historiques et sociologiques, non à des aptitudes distinctes liées à la constitution anatomique ou physiologique des Noirs, des Jaunes ou des Blancs. [...] Cette diversité intellectuelle, esthétique, sociologique, n'est unie par aucune relation de cause à effet à celle qui existe, sur le plan biologique, entre certains aspects observables des groupements humains : elle lui est seulement parallèle sur un autre terrain[1]. » Mais Lévi-Strauss ajoutait aussitôt : « Deux cultures élaborées par des hommes appartenant à la même race peuvent différer autant ou davantage que deux cultures relevant de groupes racialement éloignés[2]. » Or, cela ne nous paraît pas exact. Les cultures qui diffèrent le plus fondamentalement les unes des autres (la musique en particulier en fait foi) sont toujours celles qui émanent de peuples racialement les plus différenciés. Il y a plus de divergences

---

1. Claude Lévi-Strauss, *Race et histoire*, Paris, Folio, 1987.
2. *Ibid.*

culturelles entre un Japonais et un Australien qu'entre un Japonais et un Chinois, qu'entre un Australien et un Suisse.

Il existe certes une invariance des invariances (c'est même ce qui plaide le plus en faveur de l'unicité originelle de notre espèce) : tous les hommes, dans quelque environnement qu'ils vivent, de quelque organisation sociale qu'ils se soient dotés, et indépendamment de leur histoire communautaire, ont en effet acquis une langue, élaboré une musique, produit un art.

Or, si ces cultures, issues au départ des mêmes prédispositions — dont l'homme a auto-élaboré ensuite le câblage sélectivement stabilisé par son propre environnement —, n'ont pas pris les mêmes formes, et même se sont à ce point différenciées, c'est qu'elles ont épousé à l'origine les orientations qu'ont connues les différents rameaux du tronc commun originel.

Mais la remarque vaut aussi pour la morphologie humaine qui, si nous descendons tous de la même souche, s'est également différenciée par rameaux au rythme d'une stabilisation sélective des prédispositions adaptatives (qu'il se soit agi, comme nous le verrons plus loin, d'une sélection externe de mutations aléatoires ou de la pression sélective interne d'une auto-élaboration somatique).

De toute façon, on ne voit pas pourquoi ce qui est vrai pour les morphologies ou les physiologies ne le serait pas pour les prédispositions qui tendent à l'élaboration d'une culture. Si la nature a sélectionné une façon d'être ou d'apparaître physiquement dans un milieu donné, pourquoi aurait-elle dédaigné de sélectionner aussi la façon la plus appropriée de se comporter culturellement ou intellectuellement dans ce milieu donné ? Autrement dit, au nom de quelle curieuse ségrégation naturelle la peau, les yeux, le nez, la bouche, les cheveux auraient-ils pu être la cible d'une sélection adaptative, et non, par exemple, certains câblages synaptiques des interconnexions neuronales en fonction de leur meilleure adéquation aux contraintes de l'environnement ?

Mais cette remarque — ou cette hypothèse — n'infirme en rien la première partie de la remarque de Claude Lévi-Strauss. Pourquoi ?

D'abord parce que la sélection d'un câblage cérébral auto-élaboré n'est pas comparable à une mutation morphologique ou anatomique, cette dernière étant mille fois plus stable que la seconde que la plasticité structurelle du cerveau rend, par définition, évolutive.

Ensuite, parce qu'il n'y a pas de rapport direct entre une morphologie et une culture (au sens large). Autrement dit, la façon de penser ne dépend pas du fait que l'on est blanc, noir ou jaune, bien que, dans un milieu donné, certaines aptitudes intellectuelles sélectionnées aient pu correspondre à une certaine morphologie également sélectionnée, sans pour autant que celle-ci ait évolué par rapport à celles-là.

Enfin, parce qu'il en va de la « prédisposition intellectuelle » comme de la prétendue « pureté de la race » : les brassages ont fait qu'il n'existe pratiquement plus de culture qui n'ait hérité non seulement des acquis, mais également d'une partie des prédispositions dont sont issues toutes les autres cultures. Dans le concept subjectif de race peuvent donc entrer des ingrédients ou composants qu'on ne saurait occulter et qui ont un rapport avec la notion objective (ou biologique) de race, mais ils tendent irrémédiablement à se diluer, à s'universaliser même à terme. Et ce que nous constatons en fin de compte, à l'échelle historique, c'est moins l'intangibilité d'une identité ethnique que, tout au contraire, son incessante recomposition, ne serait-ce qu'en réponse aux transformations du milieu. D'une certaine façon, les « races » ne cessent de naître.

C'est pourquoi nous avons noté que l'invariance ne porte pas sur la vérité de la race, mais sur l'irréductibilité de son mensonge, même si une part de réalité « objective » — et pas seulement d'ordre morphologique — sert toujours en filigrane d'alibi à cette non-vérité agissante.

Bien sûr qu'il y a une spécificité négro-africaine, elle-même composée d'ailleurs d'une infinité de différences ! Mais ce qu'elle doit à la race (quelle race, d'ailleurs ?) est largement noyé dans l'ensemble des facteurs historiques, sociologiques, économiques, politiques, climatiques, alimentaires, culturels — même s'il y a eu constante interaction entre ceux-ci et celle-là — qui ont contribué à façonner un homme africain, comme a été façonné, au-delà et en deçà de la race, un homme occidental.

C'est pourquoi il ne saurait y avoir de réponse simple et univoque à notre interrogation.

Nier la part que la race réelle — biologiquement définie — peut prendre, au-delà même de la morphologie, dans la recomposition de cette invariance que représente pour l'essentiel la race fantasmée serait une erreur. Mais, en même temps, comme l'a si admirablement rappelé l'historien Lucien Febvre en réaction aux élucu-brations de Spengler, mais aussi aux généralisations de Toynbee, derrière l'apparence de ces entités abstraites que sont les civilisa-tions, les peuples, les ethnies, et plus encore les races, se dissimu-lent toujours une infinité de destins particuliers, de personnalités diverses, de talents originaux, de sensibilités inclassables, au point que l'histoire en marche est plus souvent faite de ces différences que des particularismes unificateurs de communautés. Rien ne res-semble moins au « Monsieur Dupont » du fantasme racialiste franco-gaulois que Robespierre, Victor Hugo, le général de Gaulle ou Napoléon Bonaparte ! On doit simplement admettre que la singularité qui fait avancer l'histoire doit prendre en compte les particularités collectives dont elle épouse le destin.

Ajoutons que la quasi-inexistence de races pures, l'ampleur des glissements, des déplacements, des interpénétrations de peuples et, par voie de conséquence, des croisements, des brassages, des malaxages, des mixages, des métissages, ont non seulement favo-risé l'élaboration incessante de synthèses, précipité des mutations que le milieu a sélectionnées, mais encore déterminé l'apparition de ce qu'il conviendrait d'appeler, par redondance, des « spécifici-tés spécifiques » qui englobent, dans une même totalité créatrice, les effets croisés des confluences génétiques, de l'environnement, du climat et des conditions générales de vie, dont l'alimentation, le confort et les exercices physiques pratiqués ne constituent pas les plus minces composantes.

Enfin, la confusion même entre ethnies et races indique suffi-samment à quel point on ne saurait isoler les données anthropolo-giques ou biologiques objectives des différents apports culturels qui les investissent, les prennent en charge, qu'il s'agisse, on l'a vu, de la religion, de la langue, de l'organisation familiale (rapports de parenté) ou de l'extraordinaire puissance d'intégration qu'exerce parfois une histoire collective, héroïque ou tragique. L'inexistence biologique d'une race arabe au sens large rapportée à la charge idéologique qui se dégage de l'identification de centaines de mil-lions d'individus à cette même race arabe nous en apporte la plus forte illustration. Comme, en sens inverse, à l'intérieur du même peuple « arabe » libanais, les évidentes différences de comporte-ment qui caractérisent la communauté chrétienne maronite, au point de recouvrir en partie une stratification de classe ; comme le fait encore que, sous cet arabisme qui unifie un monde jusqu'à déterminer en son sein un éventail impressionnant de traits communs, racialisés par les tenants de la loi coranique comme par ses adversaires, apparaissent tout aussi nettement des particularismes ethnico-nationaux, les uns hérités de sa préhistoire, les autres engendrés par les aléas de son histoire.

Mais, pour autant, nous n'avons pas encore répondu à cette interrogation sulfureuse : derrière la race imaginaire, produit de civilisation, qu'en est-il de ce réel biologique en soi qui tout à la fois nous agresse et se dérobe, nous interpelle et nous paralyse ? Quelle est la dose d'invariance partielle ou séquentielle que l'hérédité dépose dans la corbeille de l'invariance globale et structurelle ?

La race objective derrière la race fantasmée

Nous voici confrontés à une interrogation formidable, dont la réponse nous échappe en partie. Non seulement parce que nous ne sommes pas en mesure de trancher dans une discipline qui, si nous nous y risquions, nous renverrait brutalement à notre ignorance, mais surtout parce que les experts eux-mêmes, biologistes, généticiens et anthropologues, reconnaissent que leur science n'a pour l'instant investi que quelques lopins de cet immense champ d'incertitude.

Le professeur Axel Kahn, mon frère, qui dirige le laboratoire Inserm de recherche en génétique et pathologie moléculaire, a fort bien montré, au cours d'une discussion avec Jean-Francis Held (pour *L'Événement du jeudi*), à quel point le dilemme qui nous occupe ici recoupe les préoccupations des spécialistes. « L'idée, expliquait-il, qu'il pourrait y avoir des différences comportementales héréditaires entre deux populations qui ont évolué loin les unes des autres ne me choque pas du tout. Ni scientifiquement, ni moralement. Mais nous n'en avons pas l'ombre d'une preuve. Et, c'est un fait que la part de l'acquis culturel est devenue, pour finir, de plus en plus envahissante. » Et de développer cette comparaison : « Pour le sculpteur, la qualité de la pierre est un élément important mais brut. Le résultat du travail va faire oublier cette pierre dont personne ne dira qu'elle fait la différence entre Rodin et Maillol. La pierre corticale innée est façonnée par le milieu dès le début de la vie : certains prétendent même dès la vie intra-utérine. Elle se sculpte selon l'expérience, l'environnement culturel. La qualité de la pierre compte peu, comparée à celle de l'artiste. Et rien ne prouve que cette pierre originelle varie assez d'un groupe à l'autre pour que la structure s'en ressente. »

Nous voici au cœur de l'énigme : un sculpteur de talent peut, en effet, transformer n'importe quelle matière en chef-d'œuvre. Mais, aussi génial soit-il, il ne pourra pas réaliser exactement la même sculpture selon qu'il utilise du calcaire, du granite ou du marbre. Donc, si la pierre travaillée par Michel-Ange et Rodin n'est rien en comparaison de sa métamorphose, elle compte pour beaucoup dans l'orientation que l'artiste a donnée à cette métamorphose. D'ailleurs, Axel Kahn ajoute : « Chez l'homme, l'instinct et les conduites apprises se mélangent si bien que l'on distingue mal la pierre innée de l'acquis apporté par le talent du sculpteur. Partant, il y a en nous de l'instinct héréditaire qui coexiste avec les performances du cerveau supérieur. Cela ne me pose aucun problème éthique. » Et pourquoi, en effet, cela poserait-il un problème éthique d'affirmer, par exemple, que l'Africain noir excelle d'autant plus spectaculairement dans le domaine de l'informatique, ou de la haute technologie en général, qu'il a adapté la rationalité interne de ces disciplines à celle que, tendanciellement, son héritage biologique le prédispose à privilégier ?

Poursuivons la citation : « Bien sûr qu'il y a des groupes de populations génétiquement apparents (il n'est pas scandaleux d'admettre que ces populations ont d'importants caractères communs). Mais quelle est au juste la proportion de gènes marqués par l'héritage du groupe, métissé ou non ? Impossible à dire. Notre bagage héréditaire est fait de quelque 100 000 gènes. Chaque gène est comme une lettre. Or, avec 26 lettres, notre alphabet peut lire toute la pensée humaine. Alors avec 100 000 ! Certains de nos caractères, les plus simples, sont contrôlés par un seul ou par un très petit nombre de gènes (taille, groupe sanguin, couleur de la peau). En revanche, c'est l'interaction complexe et subtile entre un très grand nombre de ces gènes qui intervient, en résonance avec des facteurs extérieurs, dans le contrôle des fonctions aussi élaborées que les processus psychiques ; si bien que parler de "gènes de l'intelligence" ou de "gènes des mathématiques" est une ineptie. Bien sûr, le cerveau humain est un organe, et, comme tel, dépendant de l'héritage de chacun. Certaines formes de débilité mentale sont d'origine génétique. Mais la multiplicité des facteurs gouvernant le fonctionnement cérébral est telle que la diversité individuelle qui en découle est, selon toute évidence, bien supérieure aux différences moyennes existant entre les performances de deux groupes raciaux. Il n'y a donc aucune raison de penser que les Chinois, indépendamment de leur éducation, sont, disons, plus ou moins doués pour la poésie que les Bochimans. Le développement du cerveau s'est-il inscrit équitablement dans le bagage héréditaire de toutes les races encore isolées ? On l'ignore. Mais 1) les éventuelles différences quantitatives ou qualitatives entre les groupes sont moins notables que les différences individuelles au sein d'une même population ou d'une même famille, 2) les performances d'une ethnie donnée ne peuvent pas être évaluées hors de son acquis culturel, 3) la complexité combinatoire des gènes et des fonctions qu'ils induisent est un défi aux microscopes des laboratoires. Pas question pour le moment d'y aller voir. » Pression idéologique ? Pudeur morale ? « Certes, en confirmant la permanence de traits raciaux héréditaires, la science peut donner du blé à moudre aux partisans de la hiérarchie des populations. Et pourtant ! Et pourtant, la diversité des hommes existe, biologique et surtout culturelle, dès qu'il s'agit de comportements et d'aptitudes. Il vaudrait mieux, plutôt que d'affirmer qu'il n'y a pas de vraie différence entre un Breton et un Bochiman, définir l'être humain dans la diversité de son espèce ; et nous persuader qu'au-delà des variantes biologiques ou culturelles, c'est le cerveau, propriété commune à toutes les populations, qui fait l'homme. »

On remarquera à quel point l'homme de science se fait aujourd'hui circonspect et dubitatif. Il sait qu'il manie une matière explosive. Un certain Arthur Jensen, de l'université de Berkeley, en Californie, a pu énoncer, après manipulation de tests de QI, cette ineptie : « Les Noirs, américains ou non, sont dépourvus du gène de l'intelligence. » A quoi un de ses collègues, afro-américain celui-là, le professeur Jeffries du City College de New York, a aussitôt répliqué que « c'est la mélanine qui confère génétiquement aux Noirs leur supériorité intellectuelle » !

La science d'aujourd'hui ne peut ignorer à quelles criminelles aberrations ont conduit les errements de la science d'hier. C'est le grand Linné qui décrivait les Asiatiques comme des êtres « jaunâtres, mélancoliques, avares, gouvernés par l'opinion ». C'est l'immense Buffon qui notait à propos des Lapons : « Ils n'ont qu'un seul trait humain, celui de se savoir abjects. » C'est surtout Vacher de Lapouge qui, entre autres élucubrations parano-scientistes, « démontrait », applaudi par presque toute la droite monarchiste de son époque, que la Révolution française fut l'œuvre de brachy-céphales inférieurs qui, s'étant débarrassés de leurs maîtres légi-times, les dolichocéphales blonds, étaient condamnés à tomber sous la coupe des « Chinois ou des Juifs ». Encore ce Vacher de Lapouge, sociologue et anthropologue distingué, était-il relative-ment lucide dans sa folie, puisqu'il ajoutait : « Je suis convaincu qu'au siècle prochain on s'égorgera par millions pour un ou deux degrés d'indice céphalique. » En effet ! Ultraréactionnaire, celui-là ? Certes. Mais Karl Marx écrivait à propos de Lassalle, son concurrent en socialisme : « Il descend, ainsi que le démontrent la forme de sa tête et sa chevelure, des Nègres qui se sont joints aux Juifs lors de la sortie d'Égypte. » Aujourd'hui, c'est un ancien ministre français de la Vᵉ République, Michel Poniatowski, qui pose calmement ce postulat : « Seule la race indo-européenne porte l'élan scientifique, technique, culturel. »

Le bêtisier est trop fourni, et les conséquences en furent trop souvent tragiques, pour que nos chercheurs ne s'aventurent désor-mais sur ce terrain miné qu'avec d'infinies précautions. D'autant plus, les citations précédentes le montrent, que la complexité inouïe du domaine en question, malgré le chemin parcouru depuis trois décennies, ne met à l'abri ni des interprétations contestables, ni des généralisations abusives.

Mais nous ? Notre problème n'est pas d'établir une hiérarchie des races ou sous-races humaines. Encore moins de chercher les fondements d'une quelconque inégalité biologique. La cause est entendue : outre qu'aucune race « réelle » n'est vraie, comme nous l'avons déjà souligné, nous ne supposons pas un instant qu'un groupe ethniquement défini, fût-il physiquement identifiable, puisse reproduire héréditairement une intelligence particulière ni même une aptitude spécifique, pour au moins une forte et incontestable raison : à savoir que l'intelligence et les aptitudes qui en découlent sont le fruit du processus ininterrompu par lequel le cerveau humain s'auto-élabore en fonction des sollicitations qu'il reçoit du milieu, en investissant de l'inné dans une incessante composition de l'acquis, l'acquis à son tour recomposant sans trêve de l'inné. L'intelligence est ce qui fabrique de l'intelligence avec de l'intelligence. Capacité propre non à telle ou telle espèce d'hommes, mais à l'homme en tant qu'espèce. C'est ce qui explique que le « sauvage » d'il y a quatre siècles puisse devenir le roi de la technologie d'aujourd'hui ou de demain. Reste l'éventualité, au moins ponctuelle, de prédispositions comportementales, de « propensions intellectuelles à »... Un certain nombre de questions à ce sujet ne sauraient être éludées. Sommes-nous oui ou non, dès que nous examinons l'évolution des sociétés sur une période relativement courte, confrontés à des phénomènes de reproduction, fussent-ils marginaux ? Ces phénomènes reproductifs affectent-ils les comportements sociaux collectifs ? Constatons-nous, oui ou non, des propensions moyennes, différentes selon les groupes humains, à réagir de telle ou telle façon à une interpellation donnée ? Arrive-t-il que ces comportements tendanciellement différenciés se manifestent au sein du même environnement naturel et culturel ? Les caractéristiques d'une population donnée, transplantée hors de son milieu d'origine, se diluent-elles complètement après quatre ou cinq générations, et hors métissage, au point de ne plus la différencier du tout au sein de son groupe d'adoption ? Le Noir américain venu d'Afrique au XVIIIe siècle est-il devenu un Nègre blanc ? La famille du colon portugais, après trois siècles passés en Angola, s'est-elle « culturellement » fondue dans la négritude ? Le descendant d'Italien arrivé à New York au milieu du XIXe siècle a-t-il perdu tous ses traits caractéristiques latins ?

Nous avons constaté, et analysé, tout au long des pages qui précèdent, des phénomènes de recompositions mécaniques de ségrégations ethniques par la fonction sociale, dont il est impossible de ne pas se demander si elles doivent quelque chose, et quoi, à une prédisposition à la fois innée et acquise, l'une agissant sur l'autre. Si l'on admet en outre — ce que la science nous concédera sans problème — que le psychisme d'un individu est le fruit d'interactions complexes entre ses aptitudes génétiques et le milieu socio-culturel dans lequel il évolue, on conviendra que le fait, pour un groupe issu d'une même souche, de vivre dans le même milieu peut effectivement induire des comportements de groupe reproductibles et par héritage, et par acquisition.

Censurer ces questions pour éviter le risque d'encourager un conformisme théorique générateur de racialisme pratique reviendrait à nous interdire l'accès à notre propre champ d'investigation dans la mesure où l'on ne saurait traiter de l'invariance structurelle sans s'interroger sur la part d'hérédité collective de comportements génétiquement déterminés en fonction d'une appartenance à un groupe qui peut éventuellement, de manière marginale, évolutive et segmentée, intervenir dans la structuration de cette invariance.

En conclusion, la « race » en tant que composante de l'invariance tribale est une réalité marginale mais jamais une pure vérité. En d'autres termes, elle agit subjectivement en dehors de tout statut d'objectivité. Mais, cependant, dans l'inextricable magma de facteurs qui concourent à l'élaboration des spécificités dites « culturelles » récupérées par le tribalisme, gît une part d'objectivité. Sous la race tribalisée qui agit sans exister sourd une race innéisée qui existe sans agir. Elle existe non pas « en soi », non pas sous la forme d'une complexion génétique qui induirait des comportements, mais en tant que composante d'une interactivité en boucle entre l'acquis et l'inné, entre les conséquences d'une lointaine sélection d'un type d'adaptation mentale au milieu et les émanations culturelles de ces adaptations auto-élaborées par le groupe dans le cadre de ses propres prédispositions, entre l'effet de retour de chacune de ces élaborations culturelles appropriées et l'influence multiforme des cultures environnantes selon que la collectivité originelle les a intégrées à son identité ou a intégré leur rejet au façonnage de son identité. On pourrait poursuivre à l'infini ce dévissage de poupées russes. Sans oublier qu'à la multiplicité des effets de *feed-back* des acquis (par élaboration ou par emprunt) sur tout ce qui a été préalablement innéisé, il faut ajouter, à l'inverse, le poids qu'exerce le biologique à travers la spécificité morphologique (la couleur de peau, par exemple) sur la production d'une culture qui intègre cette différence, soit qu'elle détermine la définition de l'autre, soit quelle façonne à travers le regard de l'autre la définition réactive de soi.

La race comme illusion ou mensonge participe de la reproduction de l'invariance tribale. Une petite part de vérité participe de l'élaboration de cette illusion. Mais, en dehors des apparences physiques, les rapports interactifs, propres à l'espèce humaine, de l'inné et de l'acquis, et l'extraordinaire multiplication des interférences qu'il convient de prendre en compte ne permettent absolument pas d'en repérer l'importance ni d'en définir la nature.

Aussi, ce qu'il faudra se demander, ce n'est pas ce que telle spécificité raciale doit au biologique, mais, tout au contraire, le biologique fondant pour l'essentiel l'universalité et l'unicité de l'espèce humaine, en quoi des spécificités culturelles collectives acquises tendent à être innéisées au cours de l'évolution.

N'est-ce pas cette plasticité du cerveau de l'homme qui, le distinguant radicalement en cela de toute autre espèce vivante, permet de recomposer sans cesse des invariances, qu'ainsi il détermine autant qu'elles le déterminent ?

Exorciser le racisme ? Non ! Le subvertir !

Résumons notre propos : au sens où elle ne fait que désigner un repère identitaire et collectif de soi par globalisation réductrice et rationalisante des différences collectives de l'autre, la « race » constitue une invariance structurelle et structurante. Non pas secondaire, hélas, mais essentielle.

Certes, on ne prononcera pas nécessairement le mot : on parlera par exemple de « civilisation occidentale », concept qui ne recouvre rien, sinon à la fois l'Athènes de Démosthène et le Chicago d'Al Capone, mais cela aura en réalité exactement la même signification que lorsque Rudyard Kipling parlait de « race blanche » ! Là où Charles Péguy chantait la « race », qui signifiait « peuple », on dira pudiquement « communauté » pour signifier bel et bien la race.

On a pu soutenir que le rapport exacerbé à la différenciation raciale qu'exprime le racisme spontané est un phénomène relativement moderne : mais, outre que les exemples abondent qui infirment cette thèse, on remarquera simplement que le racisme populaire implique une confrontation effective avec cet « autre » racialement différencié. Or, jusqu'à une époque assez proche, en France par exemple, plus de 95 % des habitants n'étaient jamais, et à aucun moment de leur vie, confrontés à cette différence-là, fût-elle simplement religieuse ou linguistique. A peine imaginait-on qu'il pût y avoir des Noirs ou des Jaunes. On peut difficilement rejeter ce dont, par défaut, on ignore jusqu'à l'existence.

La seule spécificité qui paraissait vraiment dissidente de la communauté — et encore se révélait-elle plus souvent fantasmée que vécue était celle de quelques dizaines de milliers de Juifs. Or, d'emblée se manifestèrent à leur endroit des bouffées de rejet souvent meurtrières, en particulier à l'occasion des premières croisades. Ne furent-ils pas expulsés d'Angleterre dès 1290 ? Encore les Juifs étaient-ils à cette époque confinés dans des ghettos, parqués aux « marges », soumis à une ségrégation assumée, et victimes surtout d'un ostracisme lié à l'accusation de déicide portée contre eux par l'Église ; mais, dans un premier temps, les conversions forcées, en particulier en Espagne au XVe siècle, transformèrent cette exclusion à caractère religieux en animosité d'ordre racial ; et, dans un second temps, leur sortie des ghettos, à l'occasion de l'émancipation voulue par les révolutionnaires de 1789, leur intégration réussie à la société, en particulier leur accès à l'Université, provoquèrent l'élaboration d'un antisémitisme idéologique, lequel sécréta très vite les stéréotypes qui fonctionnèrent ensuite de manière quasi invariante pendant deux siècles.

Autrement dit, le racisme antisémite s'est radicalisé en trois étapes. Première étape : parce qu'il y avait des Juifs. Deuxième étape : parce que leur conversion forcée les racialisa. Troisième étape : parce que leur émancipation les banalisa.

On observera à plusieurs reprises la reproduction du même processus : c'est à l'égard des Noirs émancipés que la haine raciale s'exprima, dans les États du sud des États-Unis, avec le plus de fureur, alors que l'esclavage faisait souvent place à un paternalisme teinté de bons sentiments. Le système colonial favorisa pendant un temps, en France, un orientalisme qui conférait à l'Arabe le rôle du héros exotique. Le rejet, en revanche, s'exacerba avec la décolonisation. C'est le Noir en costume ou en bleu de travail, installé avec sa famille, intégré à la société métropolitaine, qui suscita les pires pulsions xénophobes, et non le Nègre en pagne ou en boubou que l'on venait voir et complimenter à l'Exposition coloniale.

Ce qui est insupportable, c'est, dans un premier temps, la prétention de la différence à la non-différence ; dans un second temps, l'aspiration de cette non-différence à la différence.

On pourrait ramener à trois stades les trois conditions de l'ostracisme racial : exister ; exister en ressemblant ; ressembler sans disparaître. Ce sont, en l'occurrence, ces trois stades qui rythment l'invariance.

Le racisme, en tant que forme agressive du racialisme, ne participe donc pas d'une évolution progressive du « moins » vers le « plus », ou régressive du « plus » vers le « moins », en fonction soit d'une dégradation, soit d'une revalorisation de la conscience publique, mais, à partir d'un état sous-jacent que nous appelons invariance structurelle, il exprime les différents types de réactions toujours recomposées aux trois stades que nous venons d'énumérer.

Ainsi apparaît-il clairement que la mondialisation, doublée d'une intensification des flux migratoires, l'homogénéisation qui, en rabotant les spécificités les plus marquées, élargit le champ de la concurrence intercommunautaire (tout en provoquant des réactions de défense identitaire), renforcent et durcissent les phénomènes racialistes de toutes natures. D'où le paradoxe : le fantasme de la race se nourrit de sa négation ; l'internationalisation l'exacerbe. Chaque avancée de la ressemblance accentue le besoin autoprotecteur de marquer une différence. Le repli sur une conscience de race, à l'heure où s'estompent les consciences de classe, est le fruit non d'un enfermement, mais tout au contraire d'une trop brutale ouverture au monde. L'irruption multiforme de « l'autre » incite à la clôture de soi.

Croyait-on que l'égalisation relative des statuts et une meilleure connaissance de l'altérité serviraient mécaniquement la cause de la fraternité humaine ? C'est le contraire qui se passe (comme nous l'avait déjà démontré dans le passé l'évolution de l'antisémitisme). Par rapport à nous, le plus lourd fardeau que le « racialement autre » doit porter est celui de sa potentielle réussite. C'est moins le fait de se situer de l'autre côté d'une frontière « biologiquement sociale » qui suscite le rejet ou l'exigence d'une distance maintenue, que le risque du franchissement de cette frontière grâce à l'émancipation sociale. Devient alors crime chez l'autre sa propension à être moi. Et plus encore à être moi en restant autre. On a pu en outre constater qu'une meilleure connaissance de l'altérité, loin de l'intégrer par le savoir, la réifiait au contraire en la transformant en pur objet d'investigation, la surdifférencialisait en mettant l'accent, sous prétexte de la mieux comprendre, sur ses particularismes les plus exotiques et sur ses plus succulentes étrangetés : ainsi, c'est avec l'antisémitisme que sont apparues les premières études savantes consacrées à la nature hypothétique des Juifs, à leur origine, leurs traditions, leur histoire ou leur culture.

Encore une fois, le progrès ouvre des espaces nouveaux à la régression, et là où l'internationalisme improbable favorisait l'internationalisme rêvé, l'internationalisme réel et accompli (par le capitalisme) réveille toutes les angoisses, donc toutes les fureurs

qui, derrière l'apparence religieuse, ethnique, linguistique, révèlent un retour à la mythologie de la race.

Qu'est-ce qu'une régression, en réalité ? Le moment où l'invariance enfouie affleure. Où l'iceberg sort de l'eau. Loin d'être en
contradiction avec le progrès, la régression en est une composante.
Lui est consubstantielle, plus exactement, dans la mesure où elle
ne fait qu'exprimer l'adaptation structurelle d'une invariance à
chaque stade de la révolution qui modifie l'ordre de l'espace et du
temps. Ce qui signifie bien sûr que le terme de « progrès » lui-
même n'est pas très adéquat, puisqu'il forme avec le non-progrès,
en frère siamois de celui-ci, le moteur à la fois contrôlé et fou
(déterministe et aléatoire), d'un devenir qui ne cesse d'intégrer
des séquences régressives à sa progression.

On en déduira que réduire le racialisme et le racisme à des
séquelles régressives qu'il reviendrait aux « forces de progrès »
d'extirper — comme les révolutionnaires de 1789 se proposaient
de terrasser une fois pour toutes le fanatisme — est une illusion
qui laisse le champ libre à toutes les monstrueuses dérives qui en
découlent. Rejeter purement et simplement le « racialisme » dans
le ghetto de l'archaïsme fait fi de sa capacité à se glisser dans tous
les moules que lui propose la modernité ; ne pas voir qu'il s'agit
d'une structure invariante ne permet pas de prendre la dimension
de ses métamorphoses et interdit d'en projeter les formalisations
en fonction des évolutions probables.

Comprendre en revanche que la race imaginaire structure une
invariance non seulement ne conduit pas à se résoudre au racisme,
mais indique, à l'inverse, que le combat contre ce mal, et contre
toute forme de haine ou d'exclusion ethnique, passe par la prise
en compte de cette invariance, par l'action visant à en accélérer
et à en orienter les mutations internes, par son retournement
enfin, c'est-à-dire par sa mobilisation contre les effets de sa propre
perversion. Il s'agit, entre autres, de déracialiser radicalement l'aspiration identitaire, de partir de ce qui est pour en faire le vecteur
de ce qui devrait être. Ouvrage à remettre sans cesse sur le métier,
car le « devrait être » restera toujours l'horizon de l'être. Recomposer encore et encore, inlassablement. De ce têtard, faire peu
à peu Einstein, et de cette amibe l'abbé Pierre. Viser d'abord à
désenclaver socialement un antiracisme élitiste ou d'alibi, pour
intégrer à cette bataille une population condamnée à subir la réa-

lité des apparences et qui ne sacrifiera pas des repères concrets à des valeurs abstraites.

L'acceptation de l'autre ne passera jamais par la négation de soi ni par l'exaltation unilatérale de la particularité ; ni par un universalisme hautain qui néglige les différences ; ni par un différentialisme qui sacrifie l'universel aux identités. Il est au fond nécessaire, par un renversement de perspectives, de remplacer le « je vous aime parce que vous êtes moi », ou le « je vous aime parce que vous êtes différent », par un « je vous aime, vous qui êtes différent, parce que je suis moi ».

Admettre l'invariance structurelle de la tendance à fantasmer la race revient, en définitive, à réenraciner l'antiracisme dans le réel pour le remodeler aux normes d'un universalisme lucide et ouvert qui, sans cesse, subvertit la structure de cette invariance en y injectant ses acquis. L'exorcisme rituel n'y suffira jamais.

CHAPITRE VII

Faut-il traquer le grand singe qui sommeille en nous ?

A la source du racialisme, il y a cette idée : puisque cet individu n'est pas comme moi, il ne peut pas penser comme moi. Le poids de cette conviction pèse infiniment plus lourd que celui des philosophies de Locke, de Descartes, de Spinoza ou de Kant réunis. Au demeurant, cette réaction s'applique à toutes les différences de peau, qu'elles soient naturelles ou artificielles : c'est-à-dire également aux particularismes vestimentaires. Instinctivement, le porteur de costumes trois pièces soupçonne le porteur de boubous de penser « boubou », comme le bourgeois suppose qu'un bleu de travail empaquette une culture qui lui est adéquate. En l'occurrence, ce qui est absurde « en soi » devient socialement en partie vrai dès lors que se promener en boubou sur les Champs-Élysées, défiler en bleu de travail ou s'affubler systématiquement d'un costume trois pièces revient souvent à afficher sa spécificité culturelle boubou, bleu de travail ou costume trois pièces.

Et la peau naturelle peut jouer à l'occasion le même rôle que la peau artificielle : le colon européen, en Afrique, portant sa peau en guise d'uniforme, comme aujourd'hui certains militants noirs radicaux aux États-Unis.

Ce qui donc, en l'occurrence, serait « biologique », ce n'est pas une manière noire, blanche ou jaune de penser, c'est la propension universelle à faire penser différemment la différence (y compris souvent la sienne propre), ou plus exactement le câblage mental spécifique qui nous fait, généralement et spontanément, soupçonner un autre esprit derrière l'apparence, fût-elle artificielle, d'un autre corps. Quitte à se donner soi-même un autre corps pour manifester un autre état d'esprit.

Or, émettre une telle hypothèse revient à suggérer que cette prédisposition à rejeter l'altérité physique dans le camp de l'altérité mentale est un produit de notre évolution sélective (qu'elle nous vient de loin, comme on dit) ; que l'homme aurait simplement, en quelque sorte, intellectualisé (et même parfois, hélas, théorisé) un instinct qui s'est intégré à son patrimoine comportemental avant l'hominisation.

Il est tout à fait étrange, à cet égard, que ceux-là mêmes qui psychologisent à ce point les écarts morphologiques s'arrêtent en si bon chemin : car si toute différence « signifie », les ressemblances doivent signifier quelque chose elles aussi. Si le fait d'avoir la peau noire ou blanche, les cheveux raides ou crépus, le nez aquilin ou écrasé — détails pourtant assez secondaires au regard de notre architecture générale — induit un comportement « réfléchi » ou « réflexe » particulier, que dire des qualités communes et des prédispositions comparables qu'impliquent les innombrables similitudes morphologiques, y compris cérébrales, qui nous rapprochent par exemple des grands primates ? On admettra qu'il y a plus de ressemblances entre un homme et un chimpanzé qu'il n'y a de différences entre un Écossais et un Coréen.

On peut par conséquent s'étonner que, si longtemps, les racialistes, et même les racistes (il est vrai que, paradoxalement, ils étaient souvent religieux) aient violemment rejeté toute idée d'une innéité qui nous renverrait à des ascendances animales. Or, en fait, cette attitude était logique. Car, outre qu'il est fort désagréable, pour un raciste, d'admettre qu'il y a en nous, et au même titre, quelle que soit notre race supposée, la même part originelle de primate, il est clair que notre propre évolution, à partir de ce primate originel (sans parler du poisson ou de la bactérie), indique assez que la plasticité de l'organisme vivant — et donc, entre autres, de ce chef-d'œuvre de l'organisme vivant qu'est le cerveau — est quasiment sans limites, et qu'il est donc aussi absurde de figer une mentalité en fonction de la race que de réduire intellectuellement l'homme au têtard aquatique qu'il fut un jour.

Il nous semble nécessaire, répétons-le, de prendre en compte la part de race objective qui entre dans la confection de cette invariance toujours recomposée qu'est la racialisation subjective : mais à condition de ne jamais perdre de vue qu'il n'y a d'autres invariances que structurelles, et que les possibilités quasi illimitées de recomposition d'une telle structure infirment par définition, et de manière radicale, toute forme de racisme et même de racialisme !

C'est à partir d'un point de vue semblable (ou d'une même démarche) qu'il nous faut aborder le problème posé par la part de notre patrimoine comportemental qui nous est léguée par la chaîne anté-hominienne de l'évolution ; ou, en d'autres termes, par la part d'attitudes innéisées antérieurement à notre propre avènement qui entre dans la composition de toute structure sociale invariante. Ce qui implique que l'on soit au préalable capable d'établir ce qui est inné dans le comportement de l'animal lui-même.

Apparemment, non seulement l'oisillon vole avant même d'avoir appris (et le petit canard s'en va nager sitôt éclos), mais, de surcroît, il n'y a pas d'exemple qu'une hirondelle ne reproduise une certaine façon spécifique à l'espèce de construire son nid. Tous les castors s'adonnent, avec la même dextérité, aux mêmes exercices architecturaux, et seulement à ceux-ci. D'innombrables ouvrages ont par ailleurs été consacrés à la transmission d'une organisation sociale aussi contraignante que sophistiquée par des générations de fourmis ou d'abeilles, sans que la moindre variation ou dissidence sur une longue période permette de soupçonner une auto-élaboration spontanée.

Le problème est de savoir, pour dire les choses simplement, si l'organisation sociale des fourmis, par exemple, est inscrite dans leur code génétique. Ou si, de manière moins sophistiquée, l'ensemble des techniques automatiques nécessaires à l'oiseau pour réaliser un certain type de nid toujours le même lui sont, telles quelles, héréditairement transmises.

Ce n'est ni certain ni impossible : tant que la science n'aura pas découvert une forme jusqu'ici inconnue d'acquisition « animale » impliquant une transmission d'ordre pédagogique (apprentissage) ou « culturel », cette hypothèse est la plus probable. Encore conviendrait-il de se demander comment ce qui, nécessairement, commença par un acquis en relation avec le milieu et en réponse aux pressions de l'environnement (à moins de croire à la génération comportementale spontanée), devint un inné collectif.

Il y aurait donc, à ce niveau, un instinct social, déterminant des pratiques collectives relativement complexes, porté comme un bagage communautaire par les chromosomes de l'espèce. S'il en est ainsi, l'hypothèse est-elle en partie applicable à l'homme ? Non, dans la mesure où l'homme doté de l'intelligence (elle lui est spécifique) transforme (recompose) de manière individuelle ou collective n'importe quel inné social ou comportemental éventuel en acquis, et où cet acquis devient héritage culturel et non plus naturel.

Jusqu'à quel point peut-on faire parler les fourmis ?

Cependant, si l'on doit exclure dans ce domaine tout déterminisme biologique — c'est même cela qui fait l'originalité radicale de l'homme dans la chaîne des espèces —, on ne peut *a priori* censurer l'idée qu'il y aurait transmission génétique de prédispositions sociales, générales ou de groupes.

Ainsi l'évitement de l'inceste constitue-t-il un tabou universel. Marque du passage de la nature à la culture, selon Lévi-Strauss. A moins que... Car voilà qu'intervient un certain et fameux Edward O. Wilson, lequel suggère que les effets de la consanguinité sont tellement désastreux, comme Darwin l'avait déjà souligné, que des prédispositions génétiques à développer des comportements d'évitement de l'inceste ont pu être sélectionnées au cours de l'évolution des espèces. Le tabou de l'inceste ne serait donc que « l'habillage culturel d'un mécanisme biologique hautement adaptatif ». Ces prédispositions héréditaires à une telle aversion auraient même pu être sélectionnées avant l'apparition de l'espèce humaine proprement dite. Ne les constatons-nous pas chez de nombreux primates ?

Il se trouve qu'Edward O. Wilson est l'initiateur (du moins le présente-t-on comme tel, ce qui est d'ailleurs discutable) de cette discipline qu'on appelle la « sociobiologie ». Or, selon un processus classique dont Darwin lui-même fut victime, cette approche nouvelle a été utilisée, en France particulièrement, de manière si perverse par certains qu'elle fut, par voie de conséquence, diabolisée par d'autres. Le « crime » venait du fait que Wilson, spécialiste des fourmis, consacrait le vingt-septième chapitre de son ouvrage fondateur[1] à l'espèce humaine, « dont les comportements, explique Pierre Jaisson, spécialiste des insectes sociaux et professeur à l'université de Villetaneuse, était présenté, à l'instar des animaux sociaux, comme la conséquence des prédispositions génétiques

---

1. Edward O. Wilson, *Socio-Biology*, Cambridge (Mass.), Harvard University Press, 1975.

sélectionnées au cours de la longue histoire évolutive des ancêtres de l'homme actuel[1] ».

Le malentendu commence en effet avec les fourmis. Darwin les avait prises en exemple, ainsi que les abeilles, pour montrer comment les instincts avaient été modifiés par la sélection naturelle (c'est-à-dire la sélection des dispositions génétiques des plus performantes). Mais comme, chez la plupart des espèces de fourmis (ou d'abeilles), les ouvrières sont exclues du processus de reproduction, car elles sont stériles (ce qui troublait fort Darwin, et on le comprend, car on voit mal dans ces conditions comment ces délicieuses bestioles pourraient transmettre des pratiques sélectionnées à une quelconque descendance), l'auteur de *L'Origine des espèces* émit l'hypothèse osée que « la sélection naturelle puisse s'appliquer à la famille aussi bien qu'à l'individu ».

La suggestion fut reprise en 1964 par un étudiant de l'université de Londres, William Hamilton, qui proposa, toujours à partir de l'exemple des fourmis, une théorie de l'évolution génétique du comportement social dite « théorie de la parentèle ». Les fourmis ouvrières non reproductrices favoriseraient en réalité, en fonction d'un altruisme social sélectionné pour sa performance, les meilleures conditions de reproductivité de la reine. C'est ce travail qui attira l'attention d'Edward O. Wilson : il se fixa alors pour objectif « l'étude systématique des bases biologiques du comportement social et de son évolution [...] chez l'animal comme chez l'homme[2] ».

Ce « comme chez l'homme », donc, provoqua la tempête : sur cette prétention à induire une prédestination des comportements par le gène pesait un terrible soupçon. Les inégalités sociales ne s'en trouveraient-elles pas génétiquement justifiées ? Et le capitalisme le plus sauvage biologiquement légitimé ?

Derrière ces allégations supposées, on voyait même poindre la reproduction héréditaire du comportement collectif particulier de chaque race. Wilson étudiait-il, à la suite de Darwin, les pratiques sociales inconsciemment esclavagistes de certaines fourmis qu'il était accusé de justifier l'esclavage chez les humains.

Réaction émotionnelle, donc irrationnelle, à y regarder de plus près, et qui ressemblait à un procès d'intention idéologique pour

1. Pierre Jaisson, *La Fourmi et le sociobiologiste*, Paris, Odile Jacob, 1993.
2. Edward O. Wilson, *op. cit.*

le cas où... En réalité, si le dénommé Edward Wilson (qui a commis depuis un ouvrage passablement ennuyeux et alambiqué consacré à l'écologie, dont il est un défenseur acharné) a réussi — mais on l'y a aidé — à se mettre ainsi en vedette, la démarche sociobiologique lui est bien antérieure. Elle n'est en l'occurrence ni de droite ni de gauche. Nous avons vu, dans notre deuxième chapitre, qu'elle fut sous-jacente à un colloque organisé à Royaumont il y a près de vingt ans, sous l'égide d'Edgar Morin. Il ne s'agit pas d'une théorie, mais d'une simple discipline, parallèle à l'éthologie, aujourd'hui admise et même enseignée dans pratiquement tous les pays du monde, à l'exception de la France, et qui peut (mais au même titre que la sociologie ou que la biologie) déboucher sur toutes les théories possibles, y compris évidemment les pires. Chacun sait que Torquemada était un disciple de Jésus-Christ !

En réalité, la plupart de ceux qui se réclament de la démarche sociobiologique, loin d'être des partisans sectaires d'un panbiologisme, estiment simplement que les aptitudes comportementales des animaux et, parfois de l'homme, sont non pas déterminées, mais permises par des potentialités génétiques qui ne se déploient que sous l'influence du vécu de l'individu au contact de son environnement. En quoi y aurait-il scandale à suggérer qu'il ait pu y avoir sélection naturelle de comportements sociaux (ou de groupes) permettant une meilleure adaptation à des situations particulières données ?

L'une des étrangetés de la démarche est qu'elle suppose, à l'encontre du procès qui lui est fait — parfois même de la conscience qu'en ont ses défenseurs —, une synthèse entre le lamarckisme et le néodarwinisme, c'est-à-dire la reproduction génétique, après sélection naturelle, d'un acquis culturel de groupe.

Un exemple : une équipe de chercheurs lyonnais a montré que, même après de nombreuses générations d'élevage en laboratoire, les rats, lorsqu'ils sont exposés (fût-ce pour la première fois) à l'odeur des excréments de renards, manifestent spontanément une réaction émotionnelle typique et forte, caractérisée entre autres par une nette accélération de leur rythme cardiaque. Cette réaction ne se manifeste pas à l'égard de tous les excréments, mais bien au contact odorant de ceux qui indiquent la présence possible de ce prédateur qui se trouve être un ennemi traditionnel et mortel du rat.

Ce comportement, ne résultant apparemment d'aucune expérience préalable, correspond selon toute probabilité à une information génétique. Explication darwinienne élargie au comportement : les individus qui, au cours de l'histoire évolutive des rats et de leurs ancêtres, ont les premiers manifesté, en guise de réponse à ce terrible danger qu'était pour eux le renard, une tendance à l'évitement spontané par simple détection de cette odeur indicatrice, ont été largement avantagés : « L'individu possédant le caractère transmissible (aversion pour l'odeur de l'excrément du renard), écrit Pierre Jaisson, a pu mieux se maintenir à l'écart de son prédateur qui représente la pression sélective du milieu. Mieux adaptés, les porteurs des gènes favorables à cette aptitude ont pu se reproduire en plus grand nombre jusqu'à ce que, la pression des prédateurs aidant, le caractère ait envahi toute l'espèce[1]. » (Notons que le signal chimique responsable de cette réaction salvatrice a pu être identifié.)

De leur côté, les prédateurs, sous la pression sélective des comportements d'évitement de leurs proies, vont reproduire des caractères servant à déjouer les parades qu'elles inventent (par exemple la tendance de certains félins au recouvrement de leurs excréments).

Peut-on ici glisser de l'animal à l'homme ? Wilson s'y est en effet essayé, au grand scandale des sociologues et des psychiatres. Ainsi la peur du serpent apparaît dans toutes les cultures et pratiquement chez tous les individus, dès la plus tendre enfance (avec accélération du rythme cardiaque, tremblements, sueurs froides, etc.). Or, ce phénomène se manifeste également, non seulement chez les singes, mais aussi chez les mammifères de plus lointaines origines comme le chat ou certains rongeurs (même élevés en laboratoire). Explication de Wilson : cette peur panique aurait été sélectionnée chez nos ancêtres pour sa valeur protectrice, elle serait donc innée, mais renforcée par l'expérience. Devoir établir sa peur des serpents sur une expérience vécue serait en effet très coûteux ; ceux qui furent les premiers à manifester cette prédisposition, ayant été avantagés, auraient engendré une descendance plus nombreuse héritière de cette capacité : « On voit, conclut Pierre Jaisson, quel impact pourrait avoir, sur la culture humaine,

1. Pierre Jaisson, *op. cit.*

une propriété hautement adaptative sélectionnée au cours de l'évolution et qui émerge au niveau de l'émotion[1]. »

On le voit en effet. La thèse, difficilement vérifiable par expérimentation, est évidemment sujette à caution. Mais pas plus que l'interprétation psychanalytique classique qui renvoie la peur du serpent aux fantasmes sexuels. Peut-être d'ailleurs les deux approches contiennent-elles une part de vérité et sont-elles complémentaires.

A vrai dire, l'idée émise par Hamilton à propos des fourmis — et élargie à l'homme, un peu précipitamment, par Wilson — selon laquelle on pouvait appliquer un modèle d'explication génétique à l'apparition du comportement social au cours de l'évolution des espèces avait souvent été caressée ou évoquée auparavant dans le sillage du darwinisme lui-même. Un chercheur américain, William Wheeler, constatant que dans la compétition imposée par la sélection naturelle, on est plus fort quand on s'associe et coopère de façon à former (comme les fourmis et les abeilles justement, dont la prolifération montre l'efficience remarquable) non plus un simple agglomérat d'individus, mais une sorte de super-individu plus apte à s'imposer collectivement tout en assurant la survie de chacun de ses membres, proposa en 1911 la théorie du « superorganisme » (assimilation d'une société d'insectes à un organisme multicellulaire).

La démarche de Hamilton est du même ordre puisqu'elle vise à valider le concept darwinien de sélection familiale : chez la plupart des insectes sociaux, l'individu stérile (les fourmis ouvrières, par exemple) mais altruiste assure le succès de son propre patrimoine génétique en favorisant la reproduction des individus fertiles avec lesquels il est étroitement apparenté. « Altruiste » ici n'est pas à prendre au pied de la lettre, car les intérêts du groupe correspondant aux intérêts des individus qui le composent, cette attitude est en même temps tout à fait égoïste.

Un sociobiologiste particulièrement radical, Richard Dawkins (université d'Oxford), a même développé à ce propos la théorie selon laquelle l'altruisme est la forme la plus avancée de l'égoisme des gènes, car ces derniers manipuleraient à leur profit exclusif les organismes qu'ils ont construits. Ainsi, pour caricaturer, l'oiseau

---

1. *Ibid.*

ne serait que la machine volante dont se sont doté ses gènes pour s'exprimer tout à loisir. Nous y reviendrons.

Reste que l'idée d'une « hérédité de groupe » est antérieure à la démarche sociobiologiste. En 1962, donc avant que ne soit énoncée l'hypothèse de Hamilton et publié le livre sulfureux de Wilson, un spécialiste britannique du coq de bruyère avait déjà défendu l'idée que la sélection naturelle s'appliquait au processus évolutif des groupes d'individus dans leur globalité, ce qui aurait favorisé l'apparition de nombreux comportements sociaux. Cette minithéorie de la « sélection de groupe » fut à l'époque générale-ment rejetée par la communauté scientifique, mais réapparut et gagna du terrain à partir des années soixante-dix. Ainsi, selon Michael Wade, de l'université de Chicago, les sélections de carac-tères nouveaux peuvent s'opérer particulièrement rapidement dans des populations animales à partir du moment où elles sont avantageuses pour l'individu et pour le groupe. A en croire Patrick Bateson, de l'université de Cambridge, « les gènes travaillent en équipe et la sélection naturelle s'exercerait donc globalement sur ces associations coopératives, entités de plein droit ». (Pierre Jais-son, précédemment cité, parle, lui, de « coopération sociale ».)

La sélection naturelle a-t-elle favorisé génétiquement, au moins chez les animaux, les comportements collectifs et coopératifs les plus performants (qui sont également les plus socialisés) ? Par exemple, chez les fourmis, espèce en vertigineuse expansion, les comportements qui permettent l'élevage des jeunes par la commu-nauté, la défense en commun du nid, la cohésion interne, la spécia-lisation des tâches et des fonctions, en particulier celle d'approvi-sionnement, autant de pratiques sociales qui permettent un rendement maximal de l'investissement reproductif ?

Et chez l'homme ? Remarquons simplement qu'admettre que l'espèce humaine est un produit de l'évolution, que certains des messages génétiques qu'elle véhicule sont antérieurs à son appari-tion proprement dite, et que quelques-unes de ces prédispositions biologiques peuvent être collectives, donc sociales, ne signifie en rien que l'homme soit un animal dont les comportements seraient génétiquement programmés. Au-dessus de toutes les structures sous-jacentes se détachent en effet la liberté et l'intelligence de l'homme (celle-ci favorisant celle-là), qui, à la limite, lui permet-tent de faire ce qu'il veut de ces structures (sauf les nier ou les abolir) et de gérer ou de dilapider à sa guise son héritage. (Jean-Paul Sartre opposait déjà cet argument au dogmatisme de certains structuralistes.)

L'acquis ne peut pas annuler l'inné, mais de cette pierre le sculpteur peut faire un menhir grossier ou la Vénus de Milo !

Pourquoi et comment les fourmis reproduisent-elles à l'identique un système social intégré tellement sophistiqué dans sa précision collectiviste et tellement efficient ?

Il ne s'agit évidemment pas d'un acquis culturel. Il n'est donc pas interdit d'imaginer (Galilée aussi avait « imaginé » le mouvement de la Terre) que cette organisation sociale, à la fois précise et automatisée, ait été sélectionnée en tant que prédisposition génétique la plus performante, et qu'il s'agisse par conséquent d'une spécificité biologique de groupe. En réalité, nous savons que l'organisation sociale des fourmis est régie par un certain nombre de marqueurs chimiques ; et que, si prédisposition il y a, elle est extrêmement primitive, impliquant seulement une capacité à se conformer mécaniquement à ces indicateurs chimiques, à suivre des rails en quelque sorte. Mais l'hérédité de ce marquage s'applique bien au groupe et pas simplement à l'individu.

De toute façon, le fait que des imbéciles en tirent parti, soit pour justifier biologiquement des hiérarchisations sociales inégalitaires, soit pour démontrer que le communisme totalitaire correspond à la réalisation politique d'une réalité naturelle sous-jacente, ne jette pas en soi le discrédit sur cette interrogation. De même que le social-darwinisme, répétons-le, dont le fascisme fit ses choux gras, ne disqualifie par le darwinisme scientifique, ni que le transformisme lamarckien ne peut être réduit à sa dérive stalino-lyssenkiste. L'Américain Charles Fraenkel, philosophe éminemment démocrate, a pu écrire : « La démarche sociobiologique offre un passionnant champ d'exploration : il est simplement regrettable de la voir prétendre à une nouvelle vision du meilleur des mondes. » Censurer toute réflexion sur le moment humain de l'évolution des espèces serait aussi réducteur que dissoudre ce moment humain dans l'évolution des espèces.

Quand la machine s'émancipe des génies qui la fabriquent

Dans son remarquable ouvrage intitulé *Vies de singe*, Hans Kummer, professeur d'éthologie à l'université de Zurich, s'interroge : « Plus d'un problème que nous considérons comme le nôtre est plus ancien que nous et a déjà été résolu par d'autres créatures vivantes. Nous ne sommes pas aussi totalement à l'écart du monde vivant qu'il peut nous paraître[1]. » Mais il ajoute aussitôt : « Que l'idée de l'évolution ne puisse inspirer à certains que frissons d'effroi découle d'un quiproquo scientifique et objectif. La mutation et la sélection constituent les processus de base de l'évolution, mais ne sont pas toute l'évolution. Au-dessus d'eux se bâtissent, couche après couche, au fil de synthèses et de transformations toujours plus incroyables, les ordres particuliers de la vie, les organes, les individus, les systèmes de comportement, les stratégies, les communautés[2]. »

Et c'est ici que nous retrouvons la théorie de Richard Dawkins selon laquelle les plantes, les animaux et les êtres humains sont des machines bâties par les gènes afin d'assurer l'efficacité de leur propre propagation. C'est vrai, concède Hans Kummer, mais il est tout aussi manifeste que les machines peuvent s'émanciper de leurs initiateurs aveugles et même, fréquemment, leur jouer des tours. « Les machines ont des capacités supérieures à celles de leurs fabricants, sans cela on ne les construirait pas. » Et cela s'applique aussi aux gènes : « Nous avons par exemple nuancé l'activité sexuelle pour en faire une culture érotique et nous pouvons simultanément lui dénier sa fonction de multiplication[3]. » Faire l'amour muni d'un préservatif est en effet une sacrée réponse que la machine-berger fait aux gènes-bergères. La création joue en quelque sorte avec elle-même, quand elle le peut, et ce n'est pas toujours dans l'intérêt des gènes.

En fait, dans le cas particulier de l'homme, nous sommes en présence d'une machine qui a la capacité de créer des machines. Et ces machines peuvent à leur tour l'aider à créer de nouvelles machines. Cette capacité particulière, fruit de la liberté consciente

1. Hans Kummer, *Vies de singe*, Paris, Odile Jacob, 1993.
2. *Ibid.*
3. *Ibid.*

d'elle-même propre au génie humain, permet à notre espèce de concevoir et de réaliser les différentes « navettes » qui l'éloignent toujours un peu plus de la pesanteur des gènes et en réduit proportionnellement le déterminisme, en particulier le déterminisme social éventuel. Mais l'inverse est potentiellement vrai : dès lors que s'affaiblit, s'annihile ou démissionne cette capacité créatrice et transcendante que permet une liberté auto-assumée parce que transparente à elle-même, l'espèce, ou plus exactement des segments de notre espèce réintègrent le champ de gravitation qui les rend de plus en plus dépendants d'un déterminisme biologique.

Ce point particulier n'a rien d'une incidente : il est clair en effet que, pour une part, l'ampleur des mutations internes qui affectent les structures sociales invariantes mais plus encore l'importance des libertés marginales prises à l'égard de ces invariances elles-mêmes dépendent de la distance qui s'est établie entre la machine humaine et son champ de gravitation génétique originel. C'est cette distance qui lui permettra — ou pas — de s'émanciper plus ou moins de cette pesanteur. Mais cette capacité d'autonomisation de la machine, aux dépens du programme génétique dont elle est issue, ne constitue pas une spécificité humaine « radicale ». Ou, plus exactement, le processus en aurait été esquissé un peu avant nous.

A cet égard, Hans Kummer, qui est aussi président de l'« Association internationale des primates », a fait, en étudiant pendant une bonne partie de son existence les babouins hamadryas qui hantent le désert éthiopien et somalien, de bien intéressantes constatations. Et en particulier celle-ci : au zoo, ces babouins développent des comportements sociaux luxuriants et gratuits, répondant apparemment au seul principe de plaisir, que l'on ne constate en revanche jamais lorsqu'ils sont en liberté dans leur milieu naturel : enlacements, danses, jeux, soins de peau. Le zoo agirait donc comme une serre favorisant le développement des inventions sociales.

Mais, se demande Kummer, pourquoi les hamadryas sauvages ne laissent-ils pas s'épanouir les germes que recèle le potentiel de l'espèce ? La réponse tient en partie à la rudesse du milieu naturel qui, en mobilisant l'essentiel des comportements à des tâches utilitaires, ne permet guère d'investir de la créativité ou de l'énergie supplémentaire dans la fantaisie et la bagatelle. En revanche, « au zoo de Zurich, avec une nourriture suffisante et un effort réduit au minimum, on mettait au point de nouveaux comportements, les interactions sociales devenant luxuriantes et occupant 70 % du temps[1] ».

Ce qui montre que le système génétique que les espèces mettent au point au cours de leur évolution ne propose pas simplement un programme déterministe rigide et autoritaire, mais offre en fonction de l'environnement tout un choix de programmes possibles. « Cette capacité, fixée génétiquement, de pratiquer des modifications le plus souvent adaptatives, note donc Kummer, fonctionne aussi là où l'intelligence de l'individu elle-même n'est pas capable de prendre la décision correcte[2]. » Ce serait cette modification adaptative qui, chez nos primates en manque aigu de nourriture, réduirait le social et notamment le jeu, grand consommateur d'énergie. D'ailleurs, n'organise-t-on pas plus de *garden-parties* à Neuilly qu'à Aubervilliers ? Et les riches ne fréquentent-ils pas plus ardemment l'opéra que les pauvres ?

Cela ne nous explique cependant pas, en ce qui concerne les babouins inconscients de leur propre état, pourquoi le confort relatif du zoo suisse rend leur comportement social surabondant. Modifications adaptatives ? On n'imagine pas que le système génétique ait élaboré un programme adapté à cet environnement totalement improbable, du point de vue de l'évolution, qu'est un parc zoologique helvétique ! En outre, les programmes héréditaires ne peuvent être théoriquement sélectionnés que pour favoriser les fonctions de reproduction : or, dans le cas que nous examinons, ce n'est pas le cas. Donc, suggère Hans Kummer, le phénomène s'explique par l'émancipation du jeu, libre du contrôle exercé par le système génétique. Autrement dit, dans une situation où cela devient possible sans mettre en danger la survie individuelle, nos primates sociaux privilégient la « valeur de satisfaction » pour l'individu au détriment de la « valeur de survie » pour les gènes.

Kummer va même plus loin : « Les systèmes de satisfaction mis au point par l'évolution, écrit-il, engendraient [dans le cas des babouins du zoo] leur propre dynamique et s'auto-alimentaient indépendamment de leur valeur de survie. C'est un jeu, dans le sens le plus large, parce que l'animal libéré de la pression de la survie peut choisir plus librement que l'animal sauvage la quantité

1. *Ibid.*
2. *Ibid.*

d'efforts, d'émotions, d'incertitudes, de sécurité, de tranquillisation qu'il veut éprouver. Il peut apprendre, dans beaucoup de domaines, comment porter la satisfaction à son plus haut niveau [...]. Le jeu est le plaisir du système de satisfaction inné, sans recherche d'un profit dans la valeur de survie. S'agit-il de la première ébauche d'une tendance à la culture sociale ? Je crois que le zoo peut devenir la serre du social parce qu'un animal disposant de temps libre et d'énergie commence à jouer avec son système de satisfaction comme le fait l'être humain[1]. » La machine, en quelque sorte, a commencé à s'émanciper de ses gènes concepteurs.

Cet exemple est doublement frappant. En ce qu'il nous montre l'intérêt que peut représenter pour notre propre démarche, dans le cadre d'une conception non étroitement anthropologique de l'évolution des comportements sociaux, l'étude des sociétés animales. (On pourrait même se demander si la tendance, au sein de toute collectivité élargie confrontée à de terribles pressions environnementales, au retour à un comportement « animal » exclusivement dépendant de la valeur de survie pour les gènes, ne représente pas en soi une invariance.) Mais en cela surtout qu'il montre qu'une approche de type sociobiologique peut déboucher sur une radicale remise en cause de tout déterminisme génétique réducteur au profit d'une exaltation de la capacité de tout organisme à jouer avec lui-même.

Deux autres exemples empruntés aux recherches de Hans Kummer sur les babouins nous indiquent en quoi ce type de démarche peut enrichir une analyse structurale des comportements sociaux en général.

Le premier concerne le respect de la propriété. Point de départ : le fait que les mâles hamadryas, pourtant avides de constituer des harems, ne s'attaquent pas aux femelles possédées par un autre, fût-il plus faible. Signe d'honnêteté primitive, amorce de morale ? Évidemment pas. Mais bien plutôt illustration de l'hypothèse de William Hamilton sur « l'évolution génétique du comportement social » : c'est-à-dire une circonspection inculquée par le processus d'évolution dans la mesure où il s'est avéré que ce renoncement à l'agression pour s'emparer de la femelle d'autrui « engendrait de lui-même le meilleur bilan des coûts et profits pour celui qui l'ac-

1. *Ibid.*

cepte ». L'expérience montre d'ailleurs que les mâles hamadryas s'approprient immédiatement les femelles de leurs compagnons de bande quand ceux-ci sont sans défense, en cas par exemple de captivité. Cela n'étonnera pas le lecteur contemporain du *Diable au corps.*

De même, une autre étude a établi que les mâles hamadryas respectaient toujours la propriété d'un autre mâle sur une boîte en fer-blanc remplie de grains de maïs et percée de trous, mais s'en emparaient sans scrupules lorsque le propriétaire était une femelle. Donc : non-respect de la propriété d'un partenaire inoffensif. En revanche, les mâles libres ont des canines si acérées que les affronter pour s'emparer de leurs biens se révèle trop coûteux par rapport à l'avantage à attendre. Peter Hammerstein a proposé à ce propos un modèle simple selon lequel le respect de la propriété peut devenir une convention si les coûts d'un combat pèsent plus lourds dans la balance que la valeur de ce pour quoi l'on se bat. Cette convention peut-elle être sélectionnée naturellement et devenir une convention sociale transmissible sans être pour autant ni formulée ni enseignée ? Rien à voir, de toute façon, avec une morale ! Et Kummer en conclut que propriété et respect de la propriété, en tant que principes de maîtrise de la concurrence, « sont beaucoup plus anciens que leur intégration dans notre morale et notre droit[1] ».

Mais comment alors la morale sociale a-t-elle bien pu faire son apparition ?

Franchissant allègrement le mur du tabou, Kummer répond : « Nous n'avons pas d'autre explication scientifique que celle-ci : la morale était avantageuse dans le processus de sélection[2]. » Explication : l'homme a, au cours de sa propre évolution biologique, acquis de plus en plus d'agilité manuelle et mentale. Or la ruse et d'une façon plus générale toutes les trouvailles intellectuelles et techniques dont l'homme peu à peu se montre capable pour tromper, voler, annihiler, dominer l'autre constituent certes des variables de cette agilité, mais représentent très vite un sérieux handicap pour le développement de la vie sociale. En effet, l'inconvénient essentiel de la coexistence est la concurrence, et son avantage essentiel la coopération ; mais la coopération n'est

1. *Ibid.*
2. *Ibid.*

possible que si chaque participant de la collectivité peut prévoir les actions de l'autre. A un certain stade, la ruse systématique et généralisée à des fins dominatrices ou appropriatrices rend la concurrence tellement dangereuse et exacerbée que la vie de groupe devient impossible, parce que insupportable. D'où, nous l'avons vu, le rejet de l'esclavagisme à la périphérie du groupe ; d'où, également, l'organisation de l'échange par la définition d'une valeur de référence qui, en rationalisant les équivalences de valeur, a permis le capitalisme. D'où aussi la régulation par la morale[1] : « La capacité à respecter une morale, note Kummer, était une solution imaginable à ce problème : elle réprimait, par des règles simples, l'agilité fondée sur la ruse dans la coexistence de ceux qui étaient proches les uns des autres[2]. » On remarquera qu'en l'occurrence l'Église d'Occident s'est conduite de manière parfaitement « naturelle » lorsque, au début du Moyen Age, elle a édicté en règle morale le respect du « Jour du Seigneur », ce qui a permis de mettre fin, au moins en fin de semaine, aux innombrables et incessantes guerres privées qui décimaient l'élite du royaume. Ce fut pour le coup un avantage pour la propagation de ses gènes.

Mais si l'on admet que sont sélectionnés au cours de l'évolution des facteurs potentiellement héréditaires qui aident, dans des circonstances écologiques et existentielles données, à promouvoir la réponse la plus avantageuse aux stratégies des partenaires, on peut effectivement se demander si certaines règles considérées comme morales, et dont on retrouve l'essentiel dans presque toutes les formes de collectivités humaines socialisées, ne correspondent pas à la mise en forme intelligente et acquise d'une pression innée qu'on assimilera à une nécessité naturelle.

De notre prédisposition au confort par la morale

Mais allons plus loin : si le bilan des coûts et des profits constitue le critère qui détermine la sélection naturelle dans l'intérêt de la survie de l'espèce — et, dans le cas qui nous intéresse, de la

1. Voir aussi *Les Fondements naturels de l'éthique* (*op. cit.*) évoqué au chapitre III.
2. *Ibid.*

survie du genre humain —, donc qui détermine le succès d'un programme génétique au cours de l'évolution, on n'en déduira nullement (comme certains ont pu le craindre ou le dire) que, par exemple, le capitalisme libéral est la réalisation économico-sociale du programme génétique le plus performant ; mais on comprendra éventuellement mieux pourquoi et en quoi la pulsion et la pratique capitalistes correspondent, au même titre que la tendance rééquilibrante à la socialisation, à des invariances structurelles recomposables à l'infini.

A partir de quoi s'ouvre, chez l'homme, le champ immense de la liberté et de la créativité qui fait, d'un côté, que la meilleure stratégie possible en termes de bilan des coûts et profits propices à la survie et à la reproduction de l'espèce n'est pas nécessairement celle qui est collectivement choisie, et, de l'autre, que cette stratégie oriente mais ne détermine pas — tant l'intelligence favorise la capacité d'en transcender les contraintes par l'imagination — l'innovation, la simulation et la réalisation de nouveaux modèles.

« Sur le plan de la vie sociale, s'exclame Hans Kummer, l'évolution a réussi un chef-d'œuvre : faire coopérer des congénères qui sont par nature concurrents[1]. »

Mais comment cela se passa-t-il ? Quelle est l'histoire de cette socialisation ? Lorsqu'il s'agit d'animaux peu doués pour la littérature, aucun document (ou chronique) ne nous le révèle. Une expérience intéressante fut cependant réalisée avec des singes géladas, capturés en Éthiopie, et ayant une expérience sociale. Deux mâles et cinq femelles adultes furent rassemblés dans un enclos quatre heures par jour et observés en permanence. Constatation : ces primates commencèrent aussitôt à s'organiser. Dès le troisième jour, deux familles à un mâle se dessinèrent. Les femelles de chaque famille s'étaient querellées et avaient établi entre elles une hiérarchie. Mais, surtout, dans un premier temps, nos babouins composèrent leur nouvel ordre dans l'espace : les deux mâles se plaçant aux deux extrémités d'une droite, tandis qu'entre les deux les femelles s'alignaient par ordre hiérarchique. Cette organisation permettait à chaque femelle de tenir éloignées de son époux toutes les femelles de l'autre famille et les femelles de rang inférieur au sein de sa propre famille. Elles renonçaient même à un accès plus

---

1. *Ibid.*

avantageux à la nourriture pour maintenir cette position stratégique. Mais, au bout de trois semaines, cette organisation rigide dans l'espace commença à se décomposer « sans que rien ne change à la répartition des familles et aux hiérarchies ». On devait en conclure que les femelles abandonnaient la formation en ligne dès qu'elles étaient sûres de la position qu'elles avaient acquises. Ce que confirmèrent d'autres « manipulations » postérieures.

Conclusion : l'ordre social n'est apparent, visible, affirmé dans l'espace que lorsque les membres du groupe n'en sont pas sûrs. « Une fois que cet ordre accepté par tous est crédible, il devient invisible. L'ordre interne et l'ordre externe sont inversement proportionnels : plus l'un est clair, moins l'autre l'est[1]. »

Cette remarque ne doit rien à la sociobiologie : elle indique cependant que la notion de structure sociale sous-jacente (dont l'invariance apparaît plus ou moins, et parfois se dissimule sous l'apparence de certaines variations adaptatives, mais resurgit en temps d'incertitude — c'est au fond le cas des clivages ethnico-religieux, par exemple) renvoie en partie à l'esquisse d'une évolution sociale coopérative dans les sociétés préhumaines.

On ne saurait négliger ce type d'intuition.

Pour le reste, il n'est pas question de prétendre, ni même de sous-entendre que le comportement social est biologiquement déterminé. Mais simplement de prendre en compte le fait, non moins contestable, comme l'écrit Ernst Mayr, professeur à l'université de Harvard et chef de file du courant néo-évolutionniste moderne, « qu'une part remarquablement importante de nos attitudes, qualités et propensions est plus ou moins affectée par notre héritage génétique[2] ». Nous avons vu que c'était probablement le cas des rapports d'altruisme parentaux (les sacrifices de l'un en faveur de l'autre) déjà bien développés chez la plupart des animaux, et qui contribuent au succès reproductif des groupes concernés.

La sélection est égoïste, mais l'égoïsme de groupe peut, encore une fois, prendre la forme de l'altruisme.

A priori, la sélection de parentèle ne joue que dans les groupes de parents proches, car l'avantage génétique que l'on trouve à

1. *Ibid.*
2. Ernst Mayr, *Charles Darwin et la pensée moderne de l'évolution*, Paris, Odile Jacob, 1993.

aider un autre individu décroît rapidement avec l'éloignement génétique. C'est tout à fait vrai dans nos propres sociétés, et Jean-Marie Le Pen, hélas, en a même fait une plateforme. Il existe cependant, remarque Ernst Mayr, un autre mode par lequel l'évolution peut encourager un comportement altruiste : chez certains groupes élargis aux membres non apparentés, des comportements sociaux se sont instaurés qui profitent au groupe tout entier, telle l'apparition de guetteurs qui surveillent l'espace environnant pendant que le reste du groupe s'alimente, et lancent un cri d'alerte à l'apparition d'un prédateur. Le guetteur se rend ainsi plus vulnérable, mais son comportement profite à la survie et au succès reproductif (les deux dimensions de la sélection) du groupe pris globalement. Un tel comportement (qui ne deviendra moral que lorsqu'il sera conscient de lui-même) existe à l'état rudimentaire chez de nombreux organismes vivants, mais connaît un développement hautement qualitatif chez l'espèce humaine. D'où cette remarque de Mayr : « Chez les humains, il est clairement nécessaire de distinguer deux composantes dans le comportement altruiste, l'une ancestrale, fondée sur l'aptitude globale, en particulier les soins parentaux, l'autre culturelle, codifiée dans toutes les civilisations en lois et dogmes religieux. Sans nul doute une propension génétique à accepter et soutenir de telles prescriptions culturelles est-elle favorisée par la sélection, [...] mais les contenus du répertoire éthique sont acquis dans le courant de la vie et non pas génétiquement[1]. » C'est pourquoi la notion d'« altruisme » à laquelle recourent de nombreux éthologues ne nous paraît pas adéquate. La propension à favoriser son groupe, et à le favoriser d'autant plus qu'il est plus restreint et surtout plus proche de soi, sélectionné en fonction de son adaptativité génétique, participe certes de toute structure sociale invariante de base ; mais le mot « altruisme » devrait être réservé à la désignation de l'attitude culturelle (et donc morale) consciente d'elle-même qui, au sein des sociétés proprement humaines, ne cesse de recomposer cette invariance.

Des groupes entiers, et pas seulement des gènes ou des individus, peuvent donc être la cible de la sélection ? « C'est vrai, tranche Ernst Mayr, mais seulement pour les groupes dont la valeur d'aptitude est supérieure à la moyenne arithmétique des valeurs

1. *Ibid.*

d'aptitude des individus qui la composent. Il en existe deux sortes : ceux qui consistent en parents (c'est le cas des fourmis et des abeilles), où l'aptitude globale contribue à l'aptitude du groupe ; et ceux constitués de membres non apparentés possédant des comportements sociaux et d'autres formes d'aide mutuelle[1]. »

S'il en est ainsi — et l'on admettra que l'incidente est considérable —, on peut imaginer par exemple que la religiosité primitive (fondée sur des conduites d'entraide mutuelle) ait été favorisée par une propension génétique issue de la sélection de groupe. Mais en est-il réellement ainsi ? Dans ce domaine si fascinant de la biologie, les théories se succèdent et se heurtent depuis un siècle à un rythme proprement hallucinant. Les réponses restent encore hasardeuses. Pourtant, nous sentons bien ce qu'ont de réductrices les oppositions artificiellement rigides entre culture et nature, inné et acquis, nécessité et hasard, génotype et phénotype. Nous soupçonnons que les implications idéologiques, *a priori* et *a posteriori*, pèsent de tout leur poids sur le cours des recherches apparemment les plus neutres. Alors que nous demandons, peut-être naïvement, à la science dite « naturelle » de nous fournir un socle objectif susceptible d'asseoir une démarche interprétative de l'évolution sociale, nous nous heurtons non seulement aux incertitudes d'une discipline radicalement neuve appliquée à la réalité la plus complexe qui soit, mais également, ici, aux pesanteurs des mauvaises intentions, là, au veto des bonnes intentions, tantôt à la prudence des autocensures, tantôt à l'excès des querelles d'écoles, à la fois au trop-dit et au non-dit.

Et cependant, nous ne pouvons nous contenter de regarder passer la course. Nous avons nous aussi nos impératifs. Car nous constatons, à tous les niveaux de notre approche du social, que non seulement il n'existe pas, à ce stade, de clivage étanche entre l'inné et l'acquis, mais qu'en outre l'interpénétration est telle entre ce qui est biologique et ce qui est culturel, c'est-à-dire entre ce qui n'est jamais purement biologique et ce qui n'est jamais totalement culturel, qu'il nous faut récuser également toute conception à la Konrad Lorenz, tendant à nous offrir une réalité-sandwich constituée de tranches d'inné et de tranches d'acquis superposées...

Les invariances dont nous avons déjà montré qu'elles structurent l'évolution historico-sociale (ou plus exactement, pour

1. *Ibid.*

employer un langage darwinien, que ce sont les sélections de leurs mutations qui rythment l'évolution), par exemple la tendance au tribalisme, au féodalisme ou à l'esclavagisme, participent-elles de l'acquis ou de l'inné ? Héritage génétique qui aurait triomphé d'une sélection de groupe, ou formalisation, sous la pression d'une concurrence exacerbée du milieu, d'un apprentissage social ? La question est évidemment un piège. Dans le premier cas de figure, on sera accusé de réduire la société humaine à celle, par exemple, des fourmis dont certains, qui allaient un peu vite en besogne, ont voulu démontrer qu'elles pouvaient être esclavagistes ! Dans le second, on se verra reprocher d'avoir érigé l'esclavagisme ou le tribalisme en acquis culturels. Les deux reproches sont justes. Ce qui indique qu'aucune de ces réponses n'est acceptable en soi. Qu'il faut donc refuser ce dualisme. D'une part, parce que cette opposition, on l'a déjà dit, est artificielle, et qu'on assiste plus communément à une fusion de ce dont nous héritons et de ce que nous conquérons. D'autre part, parce que rien ne prouve que le choix se réduise à cette alternative entre héritage génétique et apprentissage social sous la pression de l'environnement.

L'idée émise plus haut, selon laquelle la machine conçue par les gènes s'émancipe — et s'émancipe même tellement que, dans le cas de l'homme et de sa spécificité cérébrale, elle en arrive à manipuler les gènes, à les isoler et à les transplanter, et donc à jouer consciemment avec son fabricant —, ouvre en effet des horizons immenses. L'autonomisation de l'organisme induit, à partir d'un certain stade, l'autonomisation du cerveau en tant qu'organisme dans l'organisme. Ce que les philosophes, pour se débarrasser du problème, ont appelé l'esprit.

Mais où se situe l'esprit dès lors qu'issu du patrimoine génétique, et à l'issue de son évolution autonome, il a barre sur ce patrimoine au point de le pouvoir « manipuler » ? Il n'est ni du côté de l'inné ni du côté de l'acquis, dans la mesure où il peut « imaginer » et « modeler » des solutions qui ne doivent rien à l'interpellation du milieu ou à la pression de l'environnement. Il se situe entre celui-ci (dont il est l'émanation) et celui-là (qu'il formalise). Il représente donc peut-être en soi un troisième terme.

En mettant provisoirement de côté ce facteur essentiel qu'est l'autonomisation relative de l'intelligence, revenons à notre dilemme. Le féodalisme, le tribalisme ou l'esclavagisme tendanciels, comme structures invariantes, penchent-ils du côté de l'inné ou de l'acquis ? Ni de l'un ni de l'autre. Ils sont en quelque sorte en équilibre : à la fois résultats d'une prédisposition naturelle dont l'esquisse est évidemment antérieure à l'émergence du genre humain proprement dit, et produits d'une pression sociale du milieu qui a précipité leur mutation interne. En quelque sorte, et pour simplifier, les tendances au tribalisme, au féodalisme ou à l'esclavagisme sont naturelles, mais les systèmes esclavagistes, tribaux et féodaux sont culturels.

Mais il advient immédiatement que d'autres tendances culturelles — l'aspiration à la liberté, à l'universalité, à l'égalité (c'est-à-dire à s'émanciper de ses propres contraintes biologiques) — se heurtent à ces transformations culturelles d'une prédisposition innée que sont le système féodal, le système tribal ou le système esclavagiste, et suscitent à leur tour une culture (antiesclavagisme, égalitarisme, internationalisme) qui s'oppose à l'inné tendanciellement esclavagiste, tribal ou féodal qui gît en l'homme. La même remarque vaut pour cette autre invariance structurelle tendancielle qu'est le capitalisme (dont on peut voir l'esquisse dans l'instinct de propriété chez les babouins), que l'on peut identifier au principe de la sélection naturelle elle-même (éclosion des aptitudes en fonction d'un bilan des profits et des coûts), mais aussi considérer comme une formalisation toujours recommencée des capacités de l'esprit à imaginer et à conceptualiser une situation d'équilibre par le marché adaptée aux conditions du temps et aux particularités de l'espace.

Il est probable qu'aucune de ces dimensions d'une même réalité n'exclut totalement l'autre. Autrement dit, qu'il n'y a pas rupture, ni même discontinuité, entre l'apport biologique héréditaire, et donc inné, d'une prédisposition, l'auto-élaboration psychique des attitudes correspondant le mieux à ces prédispositions, et l'incessante formalisation et reformalisation par successions d'acquis culturels d'une rationalité moralisante adaptée aux conditions de déploiement de cette prédisposition. C'est dire que le biologiste ou le naturaliste, le psychiatre ou le psychologue, le sociologue, l'éthologue et l'ethnologue ont là-dessus à nous dire ensemble, de façon complémentaire, et non les uns contre les autres. L'économiste et le politologue passent au second plan. Leurs discours resteront vides, du moins pour comprendre l'évolution sociale, tant que n'auront pas été élucidés et définis les niveaux infrastructurels déterminants que sont le génétique, l'inconscient psychique, le conscient culturel, et surtout tant que n'auront pas été éclaircies la nature et l'importance de leurs rapports interactifs.

Dire cela laisse grande ouverte la possibilité pour l'homme, non d'effacer les structures invariantes qui organisent et enferment son triple héritage naturel, culturel et psychique, mais de les gérer à sa guise, d'en faire ce qu'il entend dans les seules limites fixées 1) par la nécessité d'inscrire son évolution collective et individuelle dans le cadre des recompositions de ces structures ; 2) par les contraintes sociales qu'il s'est lui-même imposées pour organiser et cadrer son rapport à ces invariances.

CHAPITRE VIII

Doit-on s'incliner devant le dogme de la théorie néodarwinienne de l'évolution ?

Il fut un temps où l'on ne pouvait aborder le problème de l'apparition « naturelle » de notre planète qu'en faisant semblant de prouver l'existence de Dieu. Ce genre de précaution reste fortement recommandé. Pourtant, suggérer que la continuité évolutive des espèces, dont l'hominisation représente un palier, et la sélection naturelle de prédispositions à certains comportements sociaux de groupe permettent d'esquisser une histoire préhominienne de la socialisation élargie n'a rien *a priori* de bouleversant. Nous avons d'ailleurs, à la fin du deuxième chapitre, évoqué un colloque au cours duquel, en 1992, en France, furent examinées sous la présidence de Jean-Pierre Changeux, par un aréopage de savants internationaux, « les bases naturelles [c'est-à-dire biologiques] de l'éthique ».

Cependant, il y a effectivement un problème. Et il est curieux que l'on manifeste tant de pudeur à l'aborder de front : c'est ce qu'on appelle la « théorie synthétique de l'évolution », qui prend sa source dans le darwinisme et dans le dogme mendélien de la non-flexibilité, c'est-à-dire de la « non-hérédité des caractères acquis ».

C'est en réalité cet interdit scientifique qui rend toute démarche de type sociobiologique suspecte de déterminisme génétique réducteur.

On admettrait sans doute, à la suite de Bergson ou du père Teilhard de Chardin, que l'homme ait hérité de ses prédécesseurs sur terre une pulsion créatrice, qu'il ait intégré génétiquement, puis porté à un niveau inégalé, une mystérieuse « force vitale » qui, peu à peu, à travers lui, aurait auto-élaboré sa perfection ; autrement dit, on ne serait pas fâché que l'homme ait fabriqué de l'intelligence sociale avec une vague propension sociale à « désirer » de l'intelligence ; mais que notre ancêtre se soit contenté de socialiser les résultats d'une vaste loterie dont quelques immatures quadrupèdes nous auraient simplement légué, avec leurs génomes, les numéros déclarés gagnants par la sélection, est évidemment plus difficile à avaler. Or, sauf à se mettre en marge de toute orthodoxie en la matière, nous devons admettre qu'une prédisposition comportementale, et donc sociale, dès lors qu'elle aurait un socle biologique, ne peut être que le fruit de la sélection par la nature des mutations génétiques aléatoires les plus performantes.

A propos du déterminisme du hasard

Dans ces conditions, l'esprit se trouble : ainsi, les gènes qui construiraient leur machine — pour reprendre l'image de Dawkins — le feraient tout à fait par hasard ; ou, plus exactement, construiraient sans logique apparente un nombre considérable de machines dont la nature, juge suprême des opportunités, retiendrait, après un test d'aptitude, certains prototypes, rejetant tout le reste à la ferraille. Pour prendre une image volontairement absurde : parmi des millions d'engins apparus spontanément, sans aucune raison, et donc pour la plupart totalement inutilisables, pendant la guerre de 14-18, la nature aurait sélectionné le sous-marin parce qu'il se trouvait, par pur hasard, être le plus apte à l'attaque en plongée des convois de ravitaillement de l'ennemi. L'esprit serait alors au corps ce que le moteur est au sous-marin, les gènes les programmant l'un et l'autre, toujours par hasard, devenant de plus en plus performants ; et c'est donc encore un hasard technique complet qui, un jour, favoriserait l'émergence d'un moteur de sous-marin nucléaire !

C'est parce que ce genre d'extrapolation, fût-elle ubuesque, rend en effet toute démarche de type sociobiologique insupportable que la plupart de ceux qui y trouvent de vivifiantes pistes de recherche s'appliquent à ce point, comme Kummer, à démontrer l'autonomie autocréative de la « machine » par rapport à ses gènes « concepteurs ».

On est effectivement en droit de se poser quelques questions. Nous allons nous y risquer de manière volontairement naïve, la philosophie du bon sens nous fournissant, en l'occurrence, une bonne prise de terrain.

Prenons l'exemple des oiseaux d'une même espèce. Nous voyons bien que des mutations génétiques aléatoires ont pu différencier la couleur de leur plumage, mais on comprend moins sur quels critères d'aptitude ou d'adaptabilité à la concurrence la nature les a, dans certains cas, sélectionnés ; à moins d'admettre que ses goûts futiles la conduisent à diversifier les sous-espèces par pure coquetterie !

La sélection naturelle, à l'évidence, ne rend pas compte à elle seule de l'extraordinaire luxuriance de la diversité des genres, de l'existence de particularités apparemment gratuites ou qui, telles les différences des dessins sur les pelages des gazelles ou des anti-lopes, doivent moins aux pressions de la concurrence et aux impé-ratifs de la survie qu'à une nécessité présociale d'identification au sein de la différenciation.

Si l'évolution favorise à ce point le *badgeage* des différences, c'est peut-être qu'une pression sélective interne (ou somatique) y joue un rôle aussi important que la pression sélective externe. Au demeurant, on se demande pourquoi la nature a par exemple sélectionné les gnous stupides qui se font si facilement dévorer par les lions et qui ne feraient pas long feu s'ils ne s'organisaient en vastes troupeaux. On peut penser que ce n'est pas le gnou en tant que tel qui a été sélectionné, mais sa capacité à s'organiser en troupeaux. Or, cette organisation, à l'origine, a dû être acquise. Comment, alors, a-t-elle été sélectionnée en tant que prédisposi-tion génétique favorable ?

A l'évidence, les mutations aléatoires tendant à l'optimum grâce à la sélection n'ont pas doté les gazelles d'une peau cuirassée qui, à l'instar des rhinocéros, les mettrait à l'abri des carnivores. D'où la question : courent-elles vite parce qu'elles sont mangeables ou ont-elles été sélectionnées parce qu'elles courent vite ? Dans le second cas, c'est bien une forme d'acquisition qui a été retenue par la nature. De toute façon, si la sélection jouait unilatéralement en faveur du seul critère de plus grande aptitude dans la concur-rence, chacun serait tellement apte à résister à l'autre que nul ne pourrait plus se nourrir de l'autre, et que les espèces disparaî-traient ! Heureusement pour l'homme, la vache est assez mal

armée dans la concurrence qui les oppose l'un à l'autre. La sélection, dans sa complexité, tendrait donc, au-delà des intérêts vitaux
de chaque espèce, à assurer la survie écologique de l'ensemble par
un équilibre entre ses composantes, impliquant nécessairement
des forces et des faiblesses complémentaires pour chacune d'entre
elles. Il faut des gnous pour le lion, des gardons aux brochets.
(C'est peut-être pourquoi les gardons prolifèrent beaucoup plus
que les brochets et les gnous infiniment plus que les lions !) La
sélection, qui favorise l'émergence de l'espèce, ne la dispense pas
de s'en tirer par ses propres moyens et sans doute de s'organiser
à cet effet, après sélection, autrement dit — ce qui fut le cas pour
l'homme —, de s'adapter de manière plus ou moins volontariste
« après », tant l'adaptation aléatoire sélectionnée « avant » était
insuffisante. C'est dire que cette adaptation était en réalité une
adaptabilité. Mais la transformation d'une adaptabilité en adaptation est un acquis. Or, apparemment, cet acquis est non transmissible ! Question piège : une intelligence (ou plutôt l'aptitude à l'intelligence), conséquence hasardeuse de mutations génétiques, est-
elle à l'origine de la sélection de l'homme, ou bien la sélection
quelque peu aléatoire de l'homme a-t-elle, tant ses capacités à
survivre à travers la concurrence étaient limitées, conduit au développement autoprotecteur de son intelligence ? Autrement dit,
est-on bien sûr que l'homme devait être sélectionné en tant que
tel et que sa spécificité n'est pas, au contraire, la conséquence du
fait qu'il est le miraculé d'une sélection qui avait toutes raisons de
le recaler ?

Pourquoi, d'ailleurs, si la sélection tend à l'optimisation des
aptitudes, y a-t-il tant d'espèces ? En économie capitaliste, par
exemple, la sélection favorise non pas les PME, mais la concentration monopolistique ; et ce qui équilibre cette tendance naturelle
au monopole, c'est l'esprit individuel d'entreprise. Y aurait-il, chez
l'animal, un esprit de diversification qui mettrait en échec les excès
de la rationalité sélective et permettrait aux oiseaux de se doter,
par plaisir ou tendance autosélective à la singularisation, de plumages différenciés et multicolores ? Dans le cas contraire, c'est la
sélection qui ferait preuve d'un ahurissant laxisme.

Pourquoi, en outre, la sélection sexuelle qui est censée favoriser
les aptitudes à la reproduction les plus performantes a-t-elle laissé
passer entre ses mailles tant d'espèces dont les capacités en la

matière sont si loin d'être optimales qu'elles risquent de disparaître, et cela après avoir été sélectionnées ?

Il est clair, et les chercheurs s'en avisent de plus en plus, que
l'on a exagérément purgé la sélection (plus volontiers identifiée à
une infaillible machine trieuse qu'à un jury avec ses préjugés et ses
humeurs) de sa part de hasard. Part de hasard qui, en revanche, a
été surinvestie dans le processus antérieur à la sélection.

Car, plutôt que l'aspect mécaniste de la sélection darwinienne
(contemporaine de cette autre idéologie mécaniste qu'est le marxisme), c'est le caractère purement et simplement aléatoire (même
quand elles sont régulières et graduées) des mutations génétiques,
en tant que facteur d'évolution, qui fait problème.

Certes, on veut bien qu'imperceptiblement, par étapes, voire
par petits sauts, mutations aléatoires sélectionnées après mutations aléatoires sélectionnées en fonction des aptitudes adaptatives, le mammouth soit devenu éléphant, ou même que la souris
se soit transformée en cheval ; mais doit-on aussi facilement (ou
aveuglément) admettre que ce sont quelques mutations génétiques
totalement aléatoires qui ont permis (car il a bien fallu que cela
commence) par un pur hasard au poisson de sortir de l'eau ou à
l'oiseau de voler ? Ici la sélection naturelle s'impose : un oiseau
qui vole est effectivement plus apte qu'un oiseau qui ne vole pas
(encore que quelques « empotés » comme les autruches et les
émeus aient été sélectionnés, et même deux fois, en Afrique et en
Australie), mais le passage révolutionnaire, en termes de comportement, du non-vol au vol, de la marche sur terre à l'envolée dans
les airs, c'est-à-dire ce moment tout à fait inouï où l'on essaie, où
l'on ose, où l'on réalise, est-il le résultat d'une simple mutation
génétique hasardeuse de plus ?

Sans doute la capacité à voler, l'acquisition de cette technique
extraordinaire, ne peuvent *a priori* être le résultat d'un apprentissage, car, dès lors, cette acquisition ne serait pas transmissible
génétiquement.

Alors ce saut historique d'un ordre dans un autre, qui fait par
exemple que l'on devient oiseau, ne serait que la conséquence d'un
hasard, d'un coup de dés génétique, s'ajoutant à cette incroyable
succession de hasards qui fait que, justement, par bonheur, l'oiseau avait des plumes et des ailes ? « Merveilleuse coïncidence... »,
comme dirait la Cantatrice chauve. Déjà, Voltaire remarquait,
pour se moquer de Leibniz, que la nature avait bien fait les choses

puisque l'homme avait justement cinq doigts, ce qui lui permettait d'enfiler plus facilement des gants, ou que, par une chance qui ne pouvait qu'être divine, toutes les rivières passaient sous les ponts. La nature donc joue-t-elle à pigeon vole ?

La théorie lamarckienne selon laquelle l'oiseau se serait donné des ailes par pur désir de monter dans les airs est évidemment fallacieuse. Sans quoi, comme tout le monde le désire furieusement, nous devrions tous être devenus des volatiles. Nous le sommes d'ailleurs devenus, mais artificiellement, grâce à un large détour culturel. D'ailleurs, si le désir et la nécessité de voler suffisaient à créer le vol, il est évident que le désir de parler suffirait à créer le langage, et alors la plupart des animaux parleraient.

On veut donc bien admettre que les oiseaux finirent par voler parce qu'une série de hasards — ou, plus exactement, la sélection de mutations génétiques aléatoires — les avait dotés de deux ailes à plumes. Mais comme ils ont eu, à l'évidence, deux ailes bien avant de savoir voler, comment la sélection a-t-elle pu deviner que c'était, à terme, un avantage ? Pourquoi, dans un premier temps, avoir sélectionné des individus à ailes qui ne volaient pas ? Mystère immense, on en conviendra. Et enfin, comme la possession de deux ailes n'induisait pas plus, *a priori*, de voler dans les airs que la possession de deux bras n'induit le crawl ou celle de deux pieds le fox-trot, et qu'en effet les singes ne nagent pas le crawl ni ne dansent le fox-trot, pas plus que les autruches ne se risquent au vol plané ni les pintades à des vols de fond, comment le hasard génétique a-t-il permis l'acquisition d'une technique aussi sophistiquée que le vol des mouettes ou des éperviers ?

Comment le vol vint aux oiseaux

Est-il vraiment interdit de se demander si, au cours de certains processus d'évolution, et compte tenu de l'apport des mutations génétiques aléatoires, n'est pas intervenue une nécessité absolue induisant une volonté non consciente, mais organique, de résoudre le problème ainsi posé pour survivre, et dont le vol, pourrait-on dire, fut le triomphe ? Vol dont on remarquera que, simple saut de puce sans doute à l'origine, il n'a cessé de se perfectionner, devenant dans certains cas admirable de technicité ; ailes à propos desquelles on notera que les insectes sans plumes qui en sont dotés volent également, ce qui signifierait que le même hasard génétique qui a permis, ici et là, l'émergence de ces appendices instrumentaux chez la mésange, le vautour, l'abeille, le hanneton et le moustique, voire la chauve-souris, a débouché sur une même série de hasards qui a permis à ces espèces-là de voler !

Car enfin, s'il devait y avoir un rapport logique préétabli entre le fait d'avoir des ailes et le fait de voler, la théorie néodarwinienne de l'évolution prendrait un sérieux coup... dans l'aile. Cela signifierait qu'il existe des hasards génétiques intentionnels et des sélections par anticipation ; que toutes les causes aléatoires ont les mêmes effets hasardeux ; que le darwinisme ne serait en somme qu'un lamarckisme qui fait semblant de ne pas faire exprès !

Si nous insistons sur ce point, c'est que le fait que l'évolution a favorisé, par sélections, des techniques de vol de plus en plus sophistiquées chez l'oiseau n'est pas sans rappeler la sophistication fonctionnelle de plus en plus affirmée de l'intelligence humaine. Ce qui laisserait supposer qu'il y a optimisation adaptative, autodépassement, d'une certaine manière, des fonctions qui font la différence sélective. Ainsi de la faculté de voler ou de penser. Ce qui paraît évident, mais n'est concevable que s'il y a, d'une façon ou d'une autre, possibilité de transmission d'un apprentissage, donc d'une technique acquise. Or, les biologistes orthodoxes (adeptes de la théorie « synthétique » de l'évolution) sont là-dessus aussi fermes que catégoriques : il n'y a pas d'hérédité des caractères acquis. Les fameuses femmes-girafes de Birmanie, qui s'allongent le cou par déformation volontaire, n'ont jamais transmis héréditairement cette élongation acquise. (Je reprends cet argument parce qu'il est classique, mais, à vrai dire, on ne voit vraiment pas pourquoi cette acquisition serait sélectionnée !)

D'ailleurs, le simple raisonnement tend à recouper ce que nous indiquent l'expérimentation et la théorisation scientifique : si les caractères acquis étaient génétiquement transmissibles, il y aurait une telle optimisation par sélection des acquisitions culturelles les plus performantes qu'il n'y aurait réellement aucune raison pour que subsistent des imbéciles ou des incultes ! En outre, les compteurs n'étant jamais remis à zéro, il y aurait reproduction des mêmes élites intellectuelles sur des millénaires, et accentuation continue de leur « supériorité ». Le moins qu'on en puisse dire, c'est que les nouvelles acquisitions se bousculeraient au portillon du génome. Enfin, en deux générations, un Noir américain serait devenu, la couleur de peau exceptée, un Américain blanc !

Donc, il n'y a pas d'hérédité génétique des caractères acquis : pas d'hérédité flexible ! La biologie moléculaire a démontré que les informations inscrites dans les propriétés des protéines somatiques ne peuvent remonter dans les acides nucléiques de l'ADN.

On ne saurait cependant se satisfaire d'une simple sélection naturelle, après test d'aptitude, de mutations graduées dues au simple hasard. Un hasard qui aurait si bien fait les choses que l'oiseau qui vole se retrouve avec des ailes, la girafe avec un cou assez long pour atteindre les feuilles des arbres les plus hauts, et que le poisson a tout à fait fortuitement échangé ses branchies contre des poumons lorsque le recul des eaux lui a donné l'idée de tenter des excursions sur la terre ferme.

Quant à l'homme, le hasard, comme chacun sait, l'a doté de la capacité de concevoir des épées en fer, des haches, des javelots, des bombardes et des arbalètes, ce qui tombait bien puisqu'il ne disposait naturellement d'aucun moyen naturel de défense ou d'attaque.

Ainsi, il faudrait admettre que le vol de l'oiseau en tant que technique, que l'intelligence humaine, également en tant que technique, ne pouvant être acquis, puisque héréditaires, correspondent à une simple optimisation sélective de mutations génétiques aléatoires ! Mais alors pourquoi, encore une fois, la nature a-t-elle sélectionné, chez certains ex-poissons, des appendices respiratoires qui n'étaient pas d'une grande utilité avant qu'ils allassent gambader dans les champs ? On dira que l'oiseau a volé parce que, précisément, il en avait les moyens. Mais comment prit-il conscience, le bougre, qu'il avait ces moyens ? Admettons qu'un poisson qui, par hasard, put se le permettre, poursuivit une mouche jusque sur la rive : quelle mutation génétique aléatoire peut expliquer qu'un beau jour il décida de ne pas retourner dans l'eau ?

Nous savons bien que le bon sens n'est pas raison, et que la théorie a des raisons qu'ignore par définition toute raison préalable à la théorie. Le dilemme reste entier, cependant, et les chercheurs en sont conscients qui, inlassablement, sentent le besoin de refonder la théorie, de l'élargir, de l'étayer en la précisant, de la réviser parfois aussi, et de plus en plus de la dépasser.

Un signe ne trompe pas : tous ceux qui écrivent sur l'évolution, des espèces en général ou de l'homme en particulier, bien qu'a-deptes du néodarwinisme, s'expriment inconsciemment en termes lamarckiens. Évidence d'un malaise !

Revenons pour tenter de sortir de la contradiction, à notre oiseau qui vole, d'autant que ce n'est pas fortuitement que nous avons établi un parallèle entre les ailes et le cerveau. Joseph Reichholf, qui enseigne la biologie à l'université de Munich, nous y aide dans un ouvrage iconoclaste[1]. Commençons donc par un indice. Il a un nom ; un peu barbare, en vérité : archéoptéryx. Il est certes un peu défraîchi. Agé, dit-on, de plus de 140 millions d'années. Il s'agit encore d'un reptile, mais qui, étant doté déjà d'ailes et de plumes, pouvait théoriquement voler. Le hasard (cette fois, c'est vraiment le hasard) le fit tomber, en ces temps perdus de la préhistoire des espèces, sur une feuille qui, grâce à la nature du sol bavarois où l'événement s'est produit, en conserva l'empreinte. Ce pour quoi nous pouvons aujourd'hui faire sem-blant d'être informés. Nous voici donc devant un encore-reptile-déjà-oiseau. Cela dit, cet oiseau potentiel volait-il ? Ce n'est pas sûr, ou alors très maladroitement. Le cervelet très peu développé de ce burgrave n'intégrait pas, en effet, un système de commandes assez élaboré pour contrôler le vol et les enchaînements moteurs complexes qu'il implique. Alors pourquoi les plumes, qui sont cer-tainement apparues beaucoup plus tôt, puisque chez l'archéopté-ryx elles ont déjà atteint un haut degré de perfection ?

Première hypothèse : l'archéoptéryx était un reptile grimpeur qui, peu à peu, par extension de ses écailles, s'était constitué un parachute pour dégringoler plus facilement des arbres. Cette idée a été généralement abandonnée. Elle est d'ailleurs implicitement « transformiste », puisqu'elle implique que les plumes ont été conçues pour favoriser un effet parachute. Or, la théorie de l'évo-lution ne peut pas cautionner ce genre de finalité. *A priori*, l'abou-tissement de l'évolution ne peut avoir été le but de l'évolution, car alors il n'y aurait aucune place pour le hasard ! D'où cette interrogation : pourquoi la sélection des plumes, étant donné que, pendant un temps considérable (environ 50 millions d'années), elles n'ont pratiquement pas servi à voler et qu'aujourd'hui encore, de nombreuses espèces d'oiseaux (autruches, kiwis, manchots) ne volent pas ? D'ailleurs, même chez un oiseau normalement apte

1. Josef Reichholf, *L'Émancipation de la vie*, Paris, Flammarion, 1993.

au vol, une centaine de plumes seulement sur vingt mille servent à cet exercice. A quoi il faut ajouter qu'à l'époque de notre reptile à plumes existaient des ptérosauriens sans plumes qui planaient dans les airs à l'aide d'immenses ailes membraneuses semblables à celles des chauves-souris.

Donc les plumes, et donc les ailes, n'ont pas été sélectionnées parce qu'elles permettaient de voler. Alors pourquoi ? Parce que, avance Reichholf, les plumes réchauffent mieux que les écailles ou les poils, et que, grâce à elles, les oiseaux réussissent à atteindre et à conserver une température moyenne supérieure à celle de tous les autres organismes vivants. Elles servent en outre de protection contre la chaleur extérieure et contre l'humidité. Le vol ne serait intervenu que comme effet secondaire.

On imagine le chemin qu'il a fallu alors parcourir depuis notre lézard à plumes jusqu'aux oies sauvages qui survolent les sommets de l'Himalaya à plus de 8 000 mètres d'altitude pour aller d'Europe aux plaines du nord de l'Inde ! « Du point de vue de la performance, note Joseph Reichholf, ce ne sont pas les mammifères mais les oiseaux qui se trouvent à la pointe de l'évolution. Ils ont les meilleurs systèmes circulatoires et respiratoires, un sens de l'orientation dont la qualité nous demeure incompréhensible et leur permet de traverser les continents et les mers en sachant très précisément où ils vont, et même de faire le tour du globe ; enfin, ils peuvent s'adapter aussi bien aux terres glacées de l'Antarctique qu'aux régions chaudes de la zone tropicale ou subtropicale[1]. » Conséquence d'une simple série de hasards génétiques ?

On en revient alors à la question : pourquoi les oiseaux ont-ils mis cinquante millions d'années à exploiter leur supériorité ? Parce que, répond notre guide, un événement considérable s'est produit touchant leur environnement et, par voie de conséquence, leur alimentation : la profusion des insectes due à l'épanouissement des plantes florifères. Le vol est en effet le mode de locomotion qui consomme le plus d'énergie. Ce qui nécessite un carburant de haute valeur énergétique, en particulier des graisses. D'où l'intérêt gastronomique que les volatiles portent aux insectes, riches en protides. Ce fut la grande chance des oiseaux. Leur aptitude au vol leur permit de tirer parti de l'expansion prodigieuse de ces bestioles. Et le vol constitua le vecteur de leur évolution,

1. *Ibid.*

certains acquérant même un larynx de forme particulière qui leur permit de produire une variété de sons étendue susceptible d'améliorer leur communication à travers les feuillages. Autrement dit, les oiseaux n'ont pas volé parce que la nature avait sélectionné un hasard qui les avait dotés de plumes, mais parce que ayant des plumes, et donc des ailes, ils ont trouvé dans les insectes un moyen de s'approvisionner en graisses pour l'énergie et en protides pour le métabolisme, cet approvisionnement providentiel nécessitant le vol en même temps qu'il le favorisait ! Ici on risquera une comparaison qui ne doit rien, apparemment, à la biologie : quand l'homme européen, à la sortie du Moyen Age qui l'avait pendant huit siècles isolé, eut l'appréhension de nouveaux espaces, il élabora des moyens techniques pour les atteindre et y trouva ensuite de quoi améliorer la technique de ces moyens.

Ou encore (dois-je confesser que cet exemple m'a longtemps obsédé) : pendant des millénaires, l'homme eut sous les yeux, chaque fois qu'il faisait cuire la marmite, l'image de la vapeur qui poussait le couvercle, mais il n'en tira aucune conclusion. L'énergie se livrait à lui, mais il ne la voyait pas ! Il fallut que l'apparition de nouvelles matières premières et l'expansion de la demande en produits fabriqués rendissent nécessaire l'accroissement de la productivité des machines pour que l'homme conçût et élaborât la machine à vapeur qui, par effet de retour, provoqua une sophistication qualitative et quantitative radicale de son système économique, laquelle ne cessa ensuite d'enclencher des réactions évolutives de cause à effet (en particulier l'apparition de nouvelles machines).

Ce parallèle nous aide à comprendre que nous ne sommes plus dans le domaine du hasard. L'hypothèse de Reichholf (difficilement testable, il est vrai, c'est-à-dire falsifiable au sens où l'entend Popper) n'est qu'une reconstruction abstraite qui sera bientôt peut-être totalement remise en cause. Elle est cependant intéressante en ce que, partant de la conception évolutionniste classique, elle finit par s'écarter du modèle mendélo-darwinien orthodoxe. Nous ne sommes plus là, en effet, devant un hasard génétique sélectionné parce qu'il correspond à un besoin ou à une nécessité, mais face à un hasard finalisé, même si la sélection ensuite le favorise. Ce qui devient déterminant dans l'évolution de la technique du vol de l'oiseau, ce n'est plus le hasard, mais d'abord le changement de fonction, et ensuite l'adaptation continue de l'organisme à cette nouvelle fonction. Va-t-on alors transgresser le tabou ? Suggérer qu'une opportunité environnementale, correspondant à une nécessité, a enclenché un processus de « volonté » prise biologiquement en charge par le génome ? Mais nous retombons alors du côté du lamarckisme. Cette volonté acquise, comment se serait-elle transmise ?

N'empêche, tous ceux qui se penchent sur le mystère du vol de l'oiseau, même quand ils s'inscrivent dans un cadre évolutionniste orthodoxe, emploient inconsciemment, nous l'avons dit, un langage étrangement transformiste en ce qu'il présuppose une finalité consciente. Ainsi G. Heilman nous expliquant, dans son *Origine des oiseaux*[1], comment des ailes sont advenues à des reptiles : « Sous l'effet du frottement de l'air, les bords externes des écailles s'effrangent, les franges se transformant graduellement en excroissances cornées encore plus longues ; au fil du temps, celles-ci deviennent de plus en plus proches de la plume, jusqu'à ce que soit produite la plume parfaite [...]. L'usage plus intensif des bras, cependant, a aussi allongé ces derniers et stimulé le développement de muscles plus puissants pour assurer leur mouvement, etc. » Il n'y a pas beaucoup de hasard dans tout cela et la nature paraît bien sélectionner génétiquement une acquisition !

Grand spécialiste de la question, Hostrom, de son côté, explique en 1979 dans l'*American Scientist* : « L'évolution se poursuit par des stades d'élongation des membres antérieurs et l'élargissement des écailles des bras afin d'accroître leur dimension plane, formant ainsi des surfaces de poussée de plus en plus large, etc. » On aura remarqué le « afin de ». Une autre thèse a été proposée plus récemment par des chercheurs de l'université de l'Arizona pour qui les ailes ont initialement évolué en tant qu'organes d'équilibre afin d'assurer la stabilité pendant la course et d'aider au contrôle de la position quand l'animal sautait sur sa proie.

Le processus, tel que le résume Michael Denton, directeur du Centre de recherche en génétique humaine de Sydney, serait ensuite celui-ci : « Une fois développées ces proto-ailes qui augmentent la portance et le contrôle aérodynamique, le gain en capacité de prédation acquis par l'animal a favorisé une sélection

1. Londres, 1926.

rapide dans le sens d'une force ascensionnelle de plus en plus grande, jusqu'à l'acquisition du vol propulsé[1]. »

Aucune de ces reconstructions abstraites n'est totalement convaincante, mais elles ont toutes en commun de ne pas se satisfaire du rôle anarchique des mutations aléatoires. D'autant que le concept d'évolution graduée laissant supposer que l'ex-reptile devenu oiseau a connu une étape intermédiaire où il n'avait plus réellement de pattes et pas encore vraiment d'ailes, on se demande comment ce mutant hybride, plutôt handicapé, a pu passer entre les mailles de la sélection. Comme préfère le confesser Barbara Stahl dans son *Histoire des vertébrés*[2], « la manière dont les plumes de l'oiseau sont apparues, vraisemblablement à partir des écailles de reptiles, défie toute analyse ». La théorie de l'évolution buterait-elle sur l'exemple justement le plus spectaculaire et apparemment le plus parfait d'une évolution régulière et optimisée ?

Encore convient-il de bien percevoir les articulations et les interconnexions époustouflantes de cette perfection relative. Relative, parce que toute perfection apparente constituant sa propre limite, elle ne se définit que par rapport à elle-même. (Jusqu'à l'apparition de l'automobile, les diligences pouvaient paraître toucher à la perfection.) La véritable perfection de l'oiseau voudrait évidemment qu'il soit également doté d'une carapace susceptible de le mettre à l'abri des coups de fusils des chasseurs, de nageoires et de branchies lui permettant d'aller rechercher sous l'eau les poissons les plus succulents, et enfin d'une intelligence grâce à laquelle il résoudrait ces deux problèmes en se construisant de petits chars d'assaut et de petits sous-marins de poche ainsi que quelques mitrailleuses capables de décourager les prédateurs pilleurs de nids.

Cette lourde parenthèse vise à préparer le terrain à cette idée que la nature ne tend pas à promouvoir une perfection par sélections successives des cadeaux du hasard, mais que chaque espèce a dû trouver des parades à la non-perfection des apports hasardeux sélectionnés dont elle est issue.

En ce sens, l'oiseau, pour en rester à cet exemple à la fois simple et spectaculaire, nous offre bien le spectacle d'une extraordinaire

1. Michael Denton, *L'Évolution : une théorie en crise*, Paris, Flammarion, 1992.
2. New York, 1974.

et difficilement concevable ingéniosité adaptative. « Les plumes, explique Michael Denton, lui permettent ainsi d'utiliser une géométrie variable pour modifier la forme et les propriétés aérodynamiques de ses ailes au décollage ou à l'atterrissage, en vol battu ou en vol plané. Cette technique est assurée par un système complexe de tendons qui lui permettent d'adapter différentes configurations : lorsque l'aile s'élève, les plumes s'ouvrent comme les lames d'un store vénitien, tandis qu'elles se ferment complètement pendant que l'aile s'abaisse. Ce jeu de réduction-accroissement de la résistance à l'air augmente considérablement l'efficacité du vol[1]. »

On remarquera que nous sommes là en présence non pas simplement d'appendices spécifiques à haute vertu adaptative, mais d'une interactivité tellement fine, entre cette spécificité et la sophistication de la technique qui en découle, qu'on peut se demander ce que la technique doit à l'organisme et ce que l'organisme doit à la technique ; et si, surtout, ne s'est pas établie entre organisme et technique, par l'entremise de la « fonction », une dialectique naturelle de cause à effet réversible.

En outre, la technique de vol, dans la mesure où elle ne se réduit pas à un mécanisme répétitif simple, s'apparente à un comportement — ou « induit » un comportement — et, quoi qu'en dise Stephen Gould, ce comportement, comme celui d'ailleurs qu'implique la confection du nid ou la régularité dans le temps et l'espace des grands mouvements migratoires, se transmet de génération en génération. On ne réapprend pas, à chaque génération d'oiseaux, la technique complexe du vol : le mode d'emploi est génétiquement intégré aux organes qui le réalisent, et cela, d'autant plus qu'en retour ces organes sont minutieusement adaptés à toutes les phases de cette technique. Comme si organe et technique étaient consubstantiels.

Cette constatation mérite d'être poussée plus loin, car « l'étanchéité et la rigidité de la plume, qui en font une si belle adaptation au vol, dépendent avant tout d'un système tellement exceptionnel de composantes coadaptées qu'il semble impossible qu'une structure de transition plus ou moins ressemblante puisse posséder la moindre de ces propriétés initiales[2] ». Par cette notation, Michael

1. Michael Denton, *op. cit.*
2. *Ibid.*

Denton cherche à déstabiliser les théoriciens d'une évolution régulière et graduée, que conteste également Stephen Gould, convaincu que des phases de brusques sauts qualitatifs succèdent à des périodes de relative stabilité.

Mais cette controverse ne concerne en rien notre propos. Ce qui nous intéresse, c'est cette tendance à la complexisation interactive non pas gratuite, mais en relation directe avec une fonction et induisant un comportement. « Outre le problème de l'origine du vol et de la plume, les oiseaux possèdent d'autres adaptations propres qui semblent également défier toute explication évolutionniste plausible, par exemple l'adaptation du poumon et du système respiratoire. De même que la plume ne peut fonctionner comme organe de vol que si les crochets et les barbules sont coadaptés de manière à s'ajuster parfaitement, le poumon aviaire ne peut fonctionner comme organe respiratoire que si le système des parabronches qui le traversent et le système des sacs aériens qui assurent la circulation de l'air sont chacun entièrement achevés et capables de fonctionner de manière parfaitement intégrée[1]. »

Ajoutons, ce qui est pour le moins troublant, qu'aucun poumon d'aucune autre espèce de vertébrés ne ressemble à celui des oiseaux, mais qu'en revanche celui-ci est identique, dans tous ses détails essentiels, chez toutes les espèces d'oiseaux, du colibri à l'aigle.

Ainsi, une série de hasards aurait permis cette complexité interactive, mais ensuite, plus aucune série de hasards ne l'aurait modifiée ? Équilibre tellement réussi entre la fonction et l'organe que l'organe ne peut plus fondamentalement muter sans trahir la fonction ? Ou bien, comme nous l'avons suggéré plus haut, véritable fusion autocréatrice entre fonction, organe et technique ?

Nous voici revenus à l'interrogation de départ : doit-on se résoudre à admettre, « faute de meilleure explication », comme le précise Stephen Gould, la théorie de l'évolution par simples successions de mutations aléatoires, par définition aveugles aux effets qu'elles peuvent entraîner, les résultats de cette roulette ou loterie géante étant optimisés par la sélection naturelle ?

Dans cette optique, les mutations aléatoires auraient non seulement permis l'élaboration par petites étapes (ce qui, en soi, on l'a vu, pose déjà problème) de ces formidables instruments, si précisé-

---

1. *Ibid.*

ment adaptés à une fonction particulière, que sont les organes spécifiques à l'oiseau, de la plume aux poumons en passant par le système cardio-vasculaire ou le syrinx, mais encore auraient assuré l'interdépendance et la complémentarité de ces systèmes qui, bien que complexes et cohérents en soi, tendent à une intégration telle que la déficience ou l'« à-peu-près » de l'un d'entre eux ne justifierait plus la fonction et ne permettrait pas la technique.

N'est-il pas étrange de se résoudre ainsi à s'en remettre à un hasard étrangement déterministe et finaliste en ce qu'il produit l'*ordre* seul et jamais le chaos ? Le hasard est, d'ordinaire, ce qui fait que la voiture glisse sur la route et se fracasse contre un arbre (encore appelle-t-on hasard, dans ce cas, un déterminisme trop difficile à élucider), et non ce qui lui permet de poursuivre son chemin et d'arriver à bon port sans catastrophe. Le hasard, c'est encore la succession d'impondérables qui empêchent de réaliser un projet minutieusement planifié, et non ce qui, par accumulations successives de novations complémentaires, concourt à l'élaboration d'un plan dont tous les éléments sont étroitement imbriqués, telles la conception et la construction d'un avion supersonique ou d'un sous-marin nucléaire...

Peut-on écrire une tragédie de manière aléatoire ?

Mais la question sérieuse est en fait celle-ci : quelle est la probabilité pour qu'en 150 millions d'années un jaillissement hasardeux de mutations aléatoires débouche sur la conception et l'élaboration de cette machine à ce point intégrée et finalisée qu'est une oie sauvage ou un épervier ? Autrement dit, pour reprendre l'assimilation classique des lignes chromosomiques à un alphabet, quelle est la probabilité pour que, fût-ce en 100 millions d'années, une série de tirages, comme à la tombola, de lettres de cet alphabet, permette de composer l'équivalent d'une pièce de Shakespeare en anglais ? Pour former un mot de trois lettres, le hasard offre une chance sur trente environ. Pour sept lettres, il y a déjà huit milliards de combinaisons envisageables. Mais pour une phrase anglaise simple de cent lettres environ ? Il faut tomber juste sur l'une des innombrables séquences de cent lettres existantes. Combien ? Autant que d'atomes dans tout l'univers observable. Or, cette phrase, encore faut-il qu'elle sacrifie à la syntaxe.

Par hasard ? Qu'elle ait un sens. Par hasard ? Qu'elle s'articule à une autre phrase et que cette nouvelle séquence prenne à son tour un sens qui dépasse le sens particulier de chaque phrase particulière. Le hasard ?

Certes, on peut toujours dire que, dans l'absolu, le tirage aléatoire des lettres de l'alphabet, parce qu'il n'y en a finalement que vingt-six, laisse une chance, sur un nombre infini de combinaisons éventuelles, de composer l'équivalent d'une pièce de Shakespeare. Mais cet absolu est une abstraction dépourvue de sens que personne ne songerait à intégrer à la moindre explication rationnelle. Quelle est la probabilité pour que des pièces agencées au hasard composent une montre qui donne effectivement l'heure ? Ou simplement pour que le hasard permette l'existence de l'ensemble des pièces qui la composent, serait-il même incapable de les articuler les unes aux autres ? Quand a-t-on eu la moindre preuve, fût-ce par modélisation cybernétique, qu'une telle hypothèse était possible, même *à la limite* ? Jamais la méthode de résolution d'un problème par effets et erreurs n'a été possible de façon purement aléatoire, c'est-à-dire sans être dirigée par des algorithmes spécifiques.

Certes, la sélection naturelle ordonne *a posteriori* et finalise les innovations aléatoires. Ainsi pourrait-on nuancer notre exemple précédent en faisant remarquer que, chaque fois que l'on extrait, par hasard, une lettre de l'alphabet pour tenter de composer une pièce digne de Shakespeare, on ne garde que la lettre qui convient et l'on jette les autres au rebut. Mais, comme il ne s'agit pas en fait de reproduire une œuvre déjà décrite, comment la sélection peut-elle prévoir que chaque mot formé s'intégrera bien au sens général (et non implicite) de la phrase, et chaque phrase au scénario de la pièce, par définition non prédéterminé ? A quoi on ajoutera qu'il ne s'agit pas seulement, en 150 millions d'années, de composer une pièce de Shakespeare en tirant des lettres au hasard, mais en 300 millions d'années de permettre de cette façon l'avènement purement aléatoire de l'ensemble des chefs-d'œuvre de la littérature et de la philosophie de tous les pays et de tous les temps.

Suffit-il d'un supergendarme universel pour que la loterie (plus exactement une roulette russe à l'envers qui n'épargnerait que ceux qui tirent le bon numéro, comme le soutient le biologiste japonais Motoo Kimura) ait du génie ? Car les remarques faites à propos des oiseaux s'appliquent non seulement à des organes en soi, par exemple l'œil et le cerveau, laboratoires inouïs de complexité finalisée, mais également à tout ce qu'a permis de mieux percevoir la biologie moléculaire : le code génétique lui-même, la structure des protéines fonctionnelles et leur cortège d'acides aminés.

Il est assez saisissant de constater, à ce propos, que plus l'homme pousse loin, grâce à son intelligence spécifique, sa capacité d'innovation technologique, plus il retrouve des formes, des accessoires, des ustensiles, des pièces, des mouvements, des techniques qui s'apparentent étrangement à ce qui, dans la nature, est censé avoir été le fruit du pur hasard. Comme si ce hasard n'était ici que le nom que l'on donne, pour l'instant, à l'ignorance (comme on disait *Dieu*), la sélection n'étant que le centre de tri qui permet d'accepter ou de refuser un miracle.

Stephen Gould, pourtant défenseur infatigable de l'orthodoxie évolutionniste, l'admet d'une certaine manière quand il reconnaît que le mécanisme exact de la sélection naturelle reste à découvrir, car on ne sait pas comment les gènes déterminent les formes extérieures ! Et qu'on ignore également quel est le type exact de relation de cause à effet qui s'établit entre le génotype et le phénotype.

C'est de toute évidence à l'intérieur de cet espace d'incertitude que se trouve la clé qui nous permettra d'ouvrir la chambre forte où se dissimule cette rationalité encore impensable que l'on désigne sous le nom codé de « mutation aléatoire ».

« L'aventure de l'humanité, estime Albert Jacquart, est le cas extrême du jeu des interactions entre milieu, organisme et génome. » Or, dans la théorie néodarwinienne de l'évolution, à quoi joue exactement l'organisme ?

Joseph Reichholf nous propose ici une piste qui corrobore en partie nos intuitions. La sélection naturelle n'est évidemment que stabilisante. Elle ne peut engendrer d'innovations. Celles-ci résultent d'un jeu permanent entre les gènes qui stockent l'information et l'organisme qui leur permet de s'exprimer et de se reproduire. L'organisme n'est pas une machine manipulée par les gènes. Il en est bien le partenaire autonome.

Il faut avoir particulièrement à l'esprit cette donnée essentielle : la différence de patrimoine génétique entre l'homme et le chimpanzé est inférieure à 1 %. Même entre un singe et un oiseau, la différence est très faible : à vrai dire, il suffit d'examiner les squelettes des mammifères, des oiseaux et des poissons, mais aussi des dinosaures, pour s'apercevoir que nous nous trouvons devant l'archétype de la structure invariante qui gère ces mutations internes en fonction même de cette invariance. Il est tout de même extraordinaire, quand on y songe, de constater qu'en plusieurs centaines de milliards d'années aucune mutation aléatoire n'a permis de changer fondamentalement la structure du squelette des vertébrés.

Vers la théorie de la double sélection

Pour que les patrimoines génétiques soient si proches, la structure générale des organismes si semblable (cœur, poumons, intestins, etc.), mais en même temps les différences extérieures si considérables (y compris la différence de couleur des plumes des oiseaux), et surtout les spécificités adaptatives des différents composants de l'organisme si diverses, si riches, si performantes, il faut, remarque Reichholf, que l'évolution « ait connu d'autres forces que la sélection qui opère précisément la différenciation du patrimoine génétique[1] ». Les gènes livreraient le programme général et la sélection se chargerait de l'adaptation fine ? C'est trop simple et intellectuellement insuffisant.

Les grandes percées du processus évolutif reposeraient en réalité plus largement sur les modifications du fonctionnement de l'organisme que sur les modifications du patrimoine héréditaire. Les variations au sein du code génétique, souvent infimes et marginales, sont d'ailleurs infinies et constantes. Outre les mutations, interviennent une infinité de recombinaisons dont la plupart paraissent neutres ; c'est-à-dire qu'elles n'ont apparemment aucune conséquence. Et, apparemment également, beaucoup de gènes ne jouent aucun rôle. La fonction essentielle des gènes est l'information : celle de l'organisme, le métabolisme, la transformation de l'énergie. L'équilibre interne serait une fonction autonome du métabolisme, et par conséquent de l'organisme, indépendamment du génome. Citons ce passage essentiel de l'ouvrage de Reichholf : « Le génome ne peut imposer de nouveautés qui aillent à l'encontre des possibilités de l'organisme. La sélection natu-

---

1. Josef Reichholf, *op. cit.*

relle ne peut retenir, à l'issue de son test d'aptitude, que des innovations conciliables avec le maintien des capacités de fonctionnement de l'organisme. En revanche, par l'intermédiaire de son métabolisme, l'organisme peut faire appliquer par le génome, sans aucun test d'aptitude, toute nouveauté qu'il a lui-même produite[1]. »

Inutile de souligner l'importance considérable de la dernière phrase. Si elle décrit effectivement non pas une réalité (quand l'appréhenderions-nous totalement ?), mais une probabilité qui se rapproche de la réalité, alors la situation, dont nous avons montré l'absurdité relative, se débloque et de nouvelles perspectives s'ouvrent qui permettent de s'émanciper du réductionnisme comme du déterminisme du hasard.

L'approche de Joseph Reichholf et de quelques autres, encore minoritaires mais de plus en plus nombreux (Wolfgang Gutmann à Francfort, par exemple), et d'ailleurs largement anticipée à la suite de Popper par plusieurs philosophes anglo-saxons comme Daniel C. Dennett, a d'abord l'intérêt de montrer que l'alternative à un néo-évolutionnisme à la fois mécaniste et régi par le hasard ne se réduit pas au créationnisme ou au transformisme (dont les épigones sont le fondamentalisme religieux et le lyssenkisme stalinien), ni même au vitalisme à la Teilhard de Chardin ; résolument ouverte à tous les acquis de la science, elle s'inscrit en effet, en la dépassant, à l'intérieur de la théorie synthétique de l'évolution.

Outre ce positionnement original de contestation interne, l'approche proposée par Reichholf est enrichissante : parce que, sans nier le rôle peut-être essentiel des mutations ou recombinaisons génétiques aléatoires, elle ne leur concède la priorité qu'en aval et en amont d'une évolution en partie finalisée, parce qu'auto-assumée par l'organisme lui-même. Le hasard joue en quelque sorte ici son rôle normal de hasard. Il est moins le non-déterminé que le non-déterminable.

On nous permettra une comparaison volontairement grossière. Une grande part de chance, ou d'approximation chanceuse, a pu présider à la conception originelle du moteur à explosion. Et l'on peut considérer comme autant de hasards l'ensemble des processus qui conduisent une automobile à se fracasser contre un arbre. Mais, entre ces extrêmes, la continuelle amélioration adaptative

---

1. *Ibid.*

des organes internes de l'automobile, dans le cadre d'un système de fonctionnement préétabli, relève d'une évolution finalisée tendant à l'optimisation des performances.

Ramenées à notre problématique, toutes les remarques précédentes nous conduisent à suggérer une théorie de la « double sélection », l'organisme jouant dans la sélection interne le rôle qui est dévolu à l'environnement dans la sélection externe.

En résumé, le génome transmet la structure invariante dont il a codé toutes les informations et reçoit en retour, sous forme de pressions sélectives, des indications relevant de la façon dont l'organisme ne cesse d'auto-élaborer une adaptation adéquate de cette invariance. A quoi s'ajoutent ses propres mutations aléatoires qui déterminent à leur tour des évolutions adaptatives de l'organisme. On ne saurait *a priori* — dans la mesure où la théorie orthodoxe n'est pas satisfaisante en soi — refuser cette explication théorique.

Le problème si fondamental du patrimoine héréditaire prend alors une tout autre dimension. Il n'y a effectivement pas de transmission génétique des caractères acquis. Mais il n'y a pas non plus simple reproduction mécanique des conséquences, sélectionnées après coup, d'une succession de hasards génétiques. L'oiseau ne s'est pas fait pousser des ailes par pur désir de planer dans l'azur, mais sa capacité à le faire ne s'est pas jouée sur un simple coup de dés.

On peut donc envisager ce processus (tout au moins ce processus parmi d'autres, car pourquoi n'y en aurait-il qu'un seul infiniment répété ?) : les gènes stockent et transmettent des informations qui permettent la reproduction d'une structure relativement invariante (aussi invariante, pour reprendre notre métaphore grossière, que la structure primitive du moteur à explosion à travers la chaîne d'évolution de l'automobile). L'organisme gère ce patrimoine. Sur le très long terme, il le fait fructifier au mieux : autrement dit, dans le cadre de cette invariance transmise, et dans le strict respect de ses interconnexions, il produit, si besoin est, sous la pression du milieu, son propre système adaptatif interne ; il répond aux interpellations de l'environnement, qui prennent le plus souvent la forme de ruptures d'équilibre, par l'auto-élaboration de minimécanismes et la tendance à produire les instruments de ces minimécanismes qui permettent de sauver l'invariance en en rétablissant les équilibres ébranlés. Capacité autorégulatrice, en somme, par auto-élaboration réactive de spécificités adaptatives.

Ces réalisations ou innovations de l'organisme qui, dans les limites des règles et des structures strictes transmises par les gènes, se réorganisent si nécessaire en fonction des pressions du milieu et des opportunités offertes par l'environnement, modifient en retour, à la marge, par affinements et enrichissements successifs, le patrimoine génétique. Ou bien (pour ne point trop s'éloigner de l'orthodoxie) elles rendent plus probables, par pression interne, le type de mutations ou de recombinaisons qui favorisent et accompagnent cet ajustement interne de l'organisme — mutations qui seront ensuite favorisées par la sélection ; ou bien (cas de figure qui me paraît le plus intéressant à explorer) elles activent et mobilisent, en jouant le rôle d'une sélection interne, les mutations passives et les recombinaisons neutres.

Ce processus est évidemment constamment troublé par des mutations génétiques réellement aléatoires. Mais, loin d'être impitoyablement sélectionnées en vertu des aptitudes qu'elles recèlent (ce qui revient, on l'a dit, à imaginer un hasard déterministe), ces mutations réellement hasardeuses contribuent à la diversification des espèces, en ce sens que les produits de ces mutations, aussi peu adaptées qu'ils soient à l'origine, conservent une chance de développement par auto-élaboration, au niveau de l'organisme, de spécificités adaptatives. Des milliers d'espèces mutantes, on le sait, ont survécu sans pour autant bénéficier au départ des avantages adaptatifs qui leur eussent normalement permis de réussir le terrible examen de la sélection darwinienne. Simplement, elles n'ont pas connu, avant que leurs organismes n'auto-élaborent les instruments de leur performance future, une grande expansion. De cela, nous avons sous les yeux de nombreux exemples.

Il ne s'agit donc pas, on le voit, de réhabiliter par un biais l'hérédité des caractères acquis. Il ne saurait s'instaurer de remontée mécanique des changements auto-élaborés par l'organisme, de celui-ci au génome. L'hypothèse est différente : la tendance de l'organisme à l'auto-adaptation pourrait non pas s'inscrire directement, en tant qu'information nouvelle, dans le code génétique, mais orienter des recombinaisons également adaptatives de certaines ministructures du génome. Double sélection, donc : les auto-adaptations tendancielles de l'organisme contribuant à favoriser certaines recombinaisons du génotype parmi une infinité d'autres recombinaisons latentes.

Autrement dit — et c'est cette piste-là qui mérite d'être explorée pour s'échapper par le haut d'une orthodoxie qui ferme l'horizon de la rationalité : la tendance de l'organisme à l'auto-adaptation (ou à l'auto-élaboration de ses instruments de conquête) pèserait sur le choix que fait le génome de ses propres mutations et recombinaisons aléatoires.

Nous verrons plus loin (chapitre XIII) que cette hypothèse recoupe en grande partie la théorie de la « stabilisation sélective » élaborée par Antoine Danchin et Jean-Pierre Changeux pour expliquer la reproduction de l'auto-élaboration de nos capacités cérébrales.

Nous avons évoqué le cas de l'oiseau avant qu'il ne vole, du mammifère encore à demi-poisson avant qu'il ne prolifère sur la terre ferme... Mais il faut surtout imaginer l'état d'improbabilité misérable, d'inadaptabilité chronique qui caractérisait l'homme avant que le développement de son intelligence spécifique ne lui permette d'élaborer par lui-même ses propres moyens de protection et de défense. Ce n'est évidemment pas sa faiblesse originelle qui a été sélectionnée, mais l'effort interne de son organisme cérébral pour auto-élaborer, dans le cadre préétabli fourni par les gènes, les innovations adaptatives susceptibles de remédier à cette infériorité de départ. Innovations qui soit furent transmises pour information au génome qui les a stockées dans sa mémoire, puis reprogrammées en activant peut-être des aménagements génétiques neutres, soit augmentèrent considérablement les probabilités de mutations génétiques capables de prendre ces innovations en charge.

Nous voici donc à égale distance du tout-hasard et du tout-déterminisme par sélection.

La théorie de la « double sélection » a pour nous une importance considérable. Elle suggère en effet que le génome serait le maître de la structure invariante, alors que l'organisme auto-élaborerait la recomposition évolutive de cette invariance. Une dialectique incessante nouerait la tendance génétique à la reproduction à la tendance somatique au remodelage.

Nous nous sommes permis d'extrapoler, en fonction de notre propre démarche, sans trahir pour autant l'approche nouvelle que nous proposent un certain nombre de chercheurs. Il s'agit de sortir d'un cul-de-sac en ouvrant une perspective, non de proposer une vérité !

On remarquera à cet égard que Michael Denton, dont nous avons cité certaines des plus impitoyables critiques de l'orthodoxie évolutionniste, dénonce ce qu'il appelle, à la suite de Thomas Kuhn, « l'exterritorialité du paradigme », c'est-à-dire la pression qu'exerce sur la réflexion une théorie globale et cohérente (le néo-darwinisme synthétique) d'autant plus fascinante qu'elle n'est pas réellement testable et que rien d'aussi global et d'aussi cohérent ne lui est opposé ; mais il se garde bien lui-même de risquer la moindre contre-proposition théorique, si ce n'est qu'il penche, tout chercheur en génétique humaine qu'il soit, pour un « vitalisme » qui doit plus à l'intuition métaphysique qu'à la démonstration scientifique.

Du danger d'être installé trop confortablement

Revenons donc à ce qu'ose formuler en revanche, avec quelques autres, Joseph Reichholf. Alors que Darwin et ses disciples modernes insistent sur l'adaptation optimale au milieu ambiant grâce au couple hasard-sélection, celui-ci affirme : « Force nous est de constater que le développement supérieur des organismes a surtout consisté à se "libérer" des contraintes de l'environnement. Le développement évolutif se caractérise davantage par un mouvement d'émancipation par rapport à l'impératif de l'environnement que par l'adaptation à cet environnement[1]. » Cette remarque, particulièrement séduisante, n'est formulable qu'en référence au processus qui a été décrit plus haut. Elle implique que l'organisme conserve la latitude de présenter à la sélection son propre plan de sauvetage ou de conquête. On verra la confirmation de cette intuition dans le fait que plus une espèce est spécialisée (donc prisonnière de son milieu), plus sont limitées ses possibilités d'expansion. C'est vrai pour les poissons comme pour les communautés humaines : ce qui favorise dans un cas la sophistication adaptative de l'organisme, et, dans l'autre, l'innovation technologique. Il est évident que le chat, qui peut se nourrir de manière extrêmement variée dans un environnement très divers, est plus performant que

---

1. *Ibid.*

le koala, qui est lié à la présence d'eucalyptus, ou même que la chèvre, qui dépérit si elle ne dispose pas d'herbe à proximité. L'oiseau, par le vol aérien, l'homme, par l'intelligence, ne s'adaptent pas à leur milieu d'origine, mais s'en émancipent. Ils s'en libèrent comme les mammifères quand ils ont quitté leur base aquatique. La souris est moins dépendante du milieu que la bernique, et la mouche que la moule. Or, il s'agit là d'espèces à l'évidence plus développées et plus performantes. Il y a beaucoup plus d'espaces où peut se faufiler une souris que d'endroits où peut s'installer une moule.

Le cas limite est celui de notre propre espèce, qui s'est tellement émancipée de son environnement qu'elle a fini par renverser le rapport et à le transformer presque à sa guise. Le stade le plus décisif de l'évolution de l'homme n'est-il pas celui où, au lieu de s'adapter confortablement au milieu, il a commencé à adapter le milieu à son propre confort ? Quitte à se demander, dans un second temps, comment protéger contre lui-même ce milieu qu'il avait soumis...

La conséquence de ce phénomène, c'est que plus une espèce est adaptée à son milieu, plus elle en est dépendante, et moins elle se développe. Le caméléon est sans doute un exemple parfait d'adaptation à un environnement particulier, mais il y est misérablement confiné, comme l'ours blanc sur sa banquise, comme le chameau dans le désert, alors que le rat multiadaptable prolifère, sans parler des fourmis, que leur organisation sociale rend performantes dans presque tous les environnements.

C'est dans la mesure où, dans sa faiblesse première, il a dû s'accommoder d'environnements très divers que l'homme a acquis une adaptabilité souple qui a favorisé son expansion. Au stade inférieur de l'évolution, Darwin a raison : le plus naturellement adapté s'impose et résiste. Mais il est justement tellement adapté, comme la moule sur son rocher, qu'il n'évolue plus. Le rhinocéros redoutable, sorti de sa niche écologique, est condamné. Aussi roi des animaux qu'il soit, le lion dépérit alors que le lapin prolifère. Rien n'est plus fragile que ces merveilles de la nature totalement intégrées à leur environnement que sont, par exemple, le panda ou le tigre du Bengale. N'accèdent au stade supérieur que les espèces apparemment les plus inadaptées, donc originellement les plus fragiles, dont l'homme est le prototype, mais aussi peut-être ces insectes sociaux qui, à cause de leur faiblesse individuelle, se sont dotés d'une organisation collective.

Ces constatations ne sont pas sans inspirer des réflexions concernant le développement historique des sociétés humaines elles-mêmes. Là aussi, le développement passe par l'« émancipation par rapport à l'impératif de l'environnement ». Et les collectivités qui ont pu, à un moment de l'histoire, apparaître les plus fragiles, les plus écrasées par une nature hostile, ou les plus ballottées par des événements contraires, sont souvent celles qui ont, par la suite, connu les plus prodigieux destins. Le cas du peuple juif est assez probant. Mais aussi celui de ces Japonais, dépourvus de toutes les matières premières et sources d'énergie qui avaient permis l'explosion du capitalisme industriel en Europe occidentale. Celui encore des colons nord-américains, confrontés — tandis que le Vieux Monde découvrait déjà le confort — à une nature particulièrement hostile ; celui même des Européens continentaux, si longtemps restés à l'écart de tous les grands courants de civilisation, parce que installés dans un environnement réputé défavorable.

De façon plus générale, n'en déplaise aux « identitaristes » de tout poil, plus un peuple s'émancipe de son milieu, prend des distances à l'égard de ses « racines », sort de sa serre environnementale, et plus il devient performant. D'où le succès des expatriés et la créativité des colons (exemple des colonies grecques d'Asie Mineure). On en tirera les enseignements que l'on voudra. Toynbee en a fait une théorie d'où il résulte que la magnificence d'une civilisation dépend de l'ampleur des défis auxquels elle est confrontée. Remarquons simplement que, contrairement au principe darwinien, ce sont aujourd'hui les populations les plus pauvres, les plus déracinées, les plus destructurées qui ont le taux de reproduction démographique le plus fort. La prédiction évangélique selon laquelle les premiers seront les derniers, et *vice versa*, n'est pas tout à fait étrangère aux lois effectives de l'évolution.

Où l'on voit que la continuité a besoin de ruptures

Le développement de la vie, note encore Reichholf, a été déterminé par le « déséquilibre qui a produit la nouveauté et marqué le progrès. La nouveauté véritable a jailli du champ des tensions résultant du déséquilibre. Le déséquilibre est un facteur qui a influencé la vie des organismes bien plus profondément que les informations génétiques[1] ». La remarque va presque de soi. Elle est induite par ce qui précède.

Le déséquilibre se manifesterait soit par l'excédent, soit par le manque. L'excédent d'insectes, provoqué par l'excédent de pollen, aurait, on l'a vu (mais c'est une simple supposition), non pas incité les oiseaux à voler, mais révélé à elle-même cette capacité sous-jacente qui se serait ensuite autodéveloppée par une succession d'améliorations adaptatives. Le manque, au contraire, favoriserait la diversification des espèces.

Retenons ceci (qui n'est d'ailleurs pas en contradiction avec l'orthodoxie évolutionniste) que des capacités implicites mais inutiles, dues à des mutations aléatoires, peuvent se révéler à elles-mêmes, prendre tout leur sens à partir d'une rupture de l'équilibre environnemental et enclencher du même coup le processus d'auto-optimisation de l'organisme lui-même.

Un exemple est devenu célèbre. Trop, peut-être. Il paraît qu'à l'intérieur d'une population de papillons blancs appelés « phalènes du bouleau », existait une infime minorité de mutants noirs. Or, en Angleterre, les effets de la pollution industrielle, qui a recouvert de suie les bouleaux, auraient eu pour conséquence que les phalènes noires sont devenues majoritaires, cette couleur leur donnant soudain un avantage en les camouflant plus efficacement. (Bizarrement, le Japonais Kimura raconte la même histoire, mais appelle ces bestioles, vertes à l'origine, les « mites de Manchester ».) Prenons donc cet exemple pour une métaphore. Au demeurant, c'est ce qui se passe avec des bactéries mutantes qui résistent aux antibiotiques et occupent ensuite l'espace laissé libre par l'hécatombe. On voit bien comment l'ours blanc a pu s'imposer dans son milieu, alors que la panthère noire est restée minoritaire dans le sien, etc.

Une catastrophe, ou rupture d'équilibre, est dans de nombreux cas à l'origine du développement d'une espèce mutante qui lui préexistait dans un quasi-anonymat. (C'est vrai aussi à l'échelle historique.) C'est sans doute ce qui, à l'origine, donna un coup de fouet au processus d'hominisation. On peut même se demander si la répartition des races humaines sur des territoires bien délimités

---

1. *Ibid.*

n'est pas tout simplement le résultat de la sélection, après rupture d'équilibre, d'une sous-espèce mutante qui préexistait à cette catastrophe mais se révéla tout à coup, pour on ne sait quelle raison, mieux adaptée.

Dans la mesure où, comme nous l'avons exposé, les mutations aléatoires sélectionnables *a posteriori* n'affectent que des aspects superficiels de l'individu sans toucher en rien au système de fonctionnement général de son organisme (exemple de la multiplicité des couleurs des plumes des oiseaux), cette hypothèse de simple bon sens permettrait de résoudre de manière assez satisfaisante le problème de la « race », c'est-à-dire de la différence dans la non-différence, de la diversité dans l'unicité de l'espèce. Cependant, il faudrait, pour corroborer cette explication : 1) retrouver les causes premières du triomphe localisé de ces mutations en fonction de leurs qualités adaptatives ; 2) établir dans quel sens s'est faite la mutation (apparemment à partir de la peau noire). Aussi étrange et paradoxal que cela puisse paraître, on découvrira peut-être — qui sait ? — que l'explosion du « blanc », ou plus exactement du basané, s'est réalisée sous les tropiques, en réponse à la sécheresse et au recul de la forêt, comme meilleure adaptation aux rayons d'un soleil que les feuillages n'arrêtaient plus. (Le Blanc serait alors d'origine africaine !) 3) admettre qu'à ces mutations aléatoires sélectionnées ont dû correspondre, dans le strict respect de la structure invariante transmise par les gènes, quelques retouches auto-adaptatives et autorégulatrices de l'organisme (double sélection). En outre, il n'y a aucune raison pour que ne se soient produites que trois ou quatre grandes mutations superficielles aléatoires : il faudrait donc prendre en compte les mutations dans les mutations. Ainsi apparaît-il nettement que les Indiens d'Amérique ne reproduisent pas à l'identique les traits asiatiques. Que les Arméniens blancs ne ressemblent pas à des Norvégiens blancs, ou que l'apparence des Noirs africains, y compris leur couleur de peau, est extraordinairement diverse selon les régions. Les métissages, les migrations mélangeant le tout, on conviendra de nouveau que classifier les races revient à rationaliser *a posteriori* une multitude enchevêtrée de hasards perdus dans le hasard.

A l'échelle historique, disposons-nous d'un exemple tangible, à l'intérieur de l'espèce humaine, de mutations aléatoires sélectionnées à la suite de ruptures d'équilibre ? Oui et non. Ainsi peut-on estimer qu'en Amérique du Nord, par exemple, s'est plus particulièrement affirmé, développé, un type particulier qui fait en général que l'on reconnaît spontanément (de loin) l'archétype du *Yankee*, même si, en l'occurrence, le vêtement joue un certain rôle dans l'identification en question.

Ce qui, en revanche, est beaucoup plus évident, c'est qu'à l'occasion de la rupture d'équilibre provoquée par l'arrivée des colons européens, ont été éliminées au profit de ces mutants des populations précédemment majoritaires, trop bien adaptées à leur milieu, incapables de résister aux nouveautés (en particulier aux épidémies et à l'alcoolisme que les envahisseurs véhiculèrent).

Si notre civilisation ne produisait pas de témoignage écrits, on peut concevoir que, dans 50 000 ans, de distingués savants s'interrogeraient sur les raisons « naturelles » qui ont favorisé l'émergence biologique de la race blanche en Amérique du Nord ou de la race noire dans les Antilles !

Le rôle des ruptures d'équilibre dans les processus de dépérissement ou de novation est évidemment fondamental : les désordres ou « catastrophes » rythment aussi bien l'évolution des espèces que les évolutions internes aux espèces, et, naturellement, cette évolution particulière interne à notre espèce que l'on appelle l'« histoire ». Le saut technologique qui permit et accompagna l'explosion du capitalisme industriel fut le résultat d'un formidable déséquilibre, marqué à la fois par la crise agricole et par un excédent de matières premières et de populations, dont les révolutions à la fois politiques et sociales du XVIIIe siècle et du début du XIXe tracèrent la ligne de brisure. Ces déséquilibres, puis l'instauration de nouveaux équilibres, favorisèrent l'émergence, bientôt l'explosion d'une classe mutante préexistante qui, en passant de rien à presque tout, enclencha le processus économique, et, par voie de conséquence, détermina le processus technologique qui lui permit d'asseoir et de consolider son pouvoir.

C'est encore une rupture d'équilibre, accentuée par les excédents dus à la découvertes du Nouveau Monde, et le désordre idéologique et social considérable qui en résulta, qui, à l'époque de la Renaissance européenne, permit l'émergence d'une nouvelle classe de grands marchands, banquiers et hauts administrateurs constituant une nouvelle noblesse, laquelle, libérée du vieux monde féodal, eut intérêt au triomphe des grandes novations scientifiques, techniques et philosophiques qui confortaient son statut. Là encore, à la suite d'un changement d'équilibre, une sélection s'opéra en faveur d'une catégorie sociale en expansion. Le hasard — ainsi la découverte de l'Amérique ou la prise de la Bastille — joua son rôle, de même d'ailleurs que l'héritage, génétique et patrimonial, mais c'est l'organisme social qui autoproduisit les conditions de son exceptionnel développement.

Que les périodes de rupture soient plus propices aux novations que les périodes de longue stabilité dans la mesure où, d'un côté, elles offrent des opportunités (tous les caporaux roturiers de la Révolution devenus des maréchaux anoblis de l'Empire), et, de l'autre, imposent une créativité adaptatrice (le rôle de la guerre comme initiatrice de progrès technologiques), cette observation découle aussi bien des recherches sur l'apparition du vivant, de l'étude de l'évolution des espèces, de l'analyse du développement des espèces elles-mêmes que d'une observation de l'histoire des sociétés et de l'examen des différentes phases du progrès technologique.

Tous les êtres vivants, remarque Reichholf, sont des transformateurs d'énergie dynamique. « Alors que le patrimoine génétique peut exister en tant que pure information (il n'a pas besoin de métabolisme), l'organisme ne le peut pas. Il a besoin du déséquilibre créé par le métabolisme. La vie tire son énergie de là[1]. » D'où cette formulation possible de la théorie de la double sélection : ce qui est transmis, ce ne sont pas les caractères acquis, mais les adaptations auto-élaborées de l'organisme aux transformations de l'environnement ; organisme qui doit préserver son invariance structurelle première, condition de sa survie, en redéfinissant, en fonction des changements qui affectent le milieu, les conditions des métabolismes et des synthèses qui définissent les secondes conditions de sa survie.

Cette hypothèse nous permet, en attendant son dépassement, de nous libérer du mécanisme réducteur induit par la prise en compte du seul hasard. Ce qui paraissait impossible devient probable, et ce qui restait insupportablement obscur s'éclaire en partie : si, à un certain stade de l'évolution, une espèce amphibie, intermédiaire entre le poisson et le mammifère, a rompu avec son milieu marin, ce n'est pas le résultat d'une simple mutation aléatoire, mais parce que son organisme s'étant peu à peu auto-adapté (à partir peut-être d'une mutation aléatoire) à des excursions sur la

1. *Ibid.*

terre ferme, elle s'est trouvée en situation de mieux optimiser cette évolution interne quand les sortes de marécages où elle vivait se sont asséchés. Si l'évolution a dirigé les poissons vers les mammifères et non (en général) l'inverse, c'est parce que c'est la terre qui a pris l'ascendant sur l'océan, et non le contraire.

Les mutations aléatoires jouent bien leur rôle, mais les changements de fonctions prennent l'avantage. Et nous en sommes au fond la preuve : inadapté à tous les milieux, sans défense spécifique, l'homme n'a trouvé son salut que dans une constante migration qui exigeait qu'un élément de son organisme, en l'occurrence le cerveau, développât une perception coordonnée de l'espace et du temps. Peut-être ne s'agissait-il à l'origine que du développement adaptatif et, pour cette raison, sélectionné, de corrélations fonctionnelles entre éléments préexistants.

Assenons enfin, pour le plaisir de la rhétorique, un argument massue : que l'organisme soit susceptible de pousser jusqu'à des limites extrêmes sa capacité de s'émanciper de la dictature des gènes, n'en trouve-t-on pas l'illustration la plus spectaculaire dans le fait que l'homme, la plus évidente réussite de l'évolution des espèces, non pas à partir de sa force, mais à partir de sa faiblesse, a finalement réussi, grâce à l'évolution fonctionnelle de son organisme cérébral, à agir sur les gènes, à les contrôler, à les isoler et à les manipuler ? Comme si la finalité implicite de l'évolution était bien l'avantage que l'organisme prend sur le génome...

L'interdisciplinarité ne s'use que si l'on ne s'en sert pas

Ce nécessaire détour avait, on l'aura compris, un objectif : faire sauter un obstacle dogmatique. Et, par voie de conséquence, libérer l'intuition de type sociobiologiste de toute pesanteur mécaniste, réductionniste et outrageusement déterministe : restituer à la recomposition interne d'une structure le rôle moteur qui lui incombe dans le cadre de l'invariance de cette structure. Non pas risquer de soumettre l'organisme à l'impérialisme des gènes (de la même façon qu'un certain structuralisme sectaire avait risqué d'emprisonner l'homme dans le carcan de sa structure), mais redonner toute leur dimension, à la fois complémentaire et relativement autonome, à ce qui découle d'un héritage et à ce qui est autoproduit par un organisme. Et cela, d'autant plus qu'il y a toujours interaction entre un héritage, surtout s'il est comportemental, et une auto-élaboration de l'organisme, surtout si elle est sociale ; compte tenu, encore et surtout du fait que cette capacité auto-élaboratrice de l'organisme, dans le cadre d'une invariance structurelle génétiquement reproduite, a permis à l'homme de construire et d'acquérir une culture qui agit et sur l'héritage et sur l'auto-élaboration de l'organisme social.

Peut-être objectera-t-on qu'il est illicite de glisser d'une discipline à une autre sans que l'on sache très bien, par ailleurs, ce qui légitime les frontières tracées autour de telle ou telle d'entre elles. Comme si l'approche du réel pouvait être cloisonnée de manière étanche ! Le passage du biologique au social véhiculerait-il nécessairement une dérive ? Mais, outre que le darwinisme le plus orthodoxe implique, lui, le passage du social au biologique (les concepts y sont interchangeables, au point qu'on a pu faire au darwinisme le procès absurde de vouloir justifier l'impérialisme comme stade suprême du capitalisme libéral, et à Mendel, au contraire, d'être à la solde de la pensée réactionnaire hostile à toute idée de transformation des comportements par l'action « révolutionnaire » sur le milieu), on ne voit pas comment on pourrait récuser tout passage contrôlé du biologique au social sans remettre en cause le principe même de la continuité évolutive des espèces.

Au demeurant, les biologistes attachés à l'orthodoxie néodarwinienne s'appuient allègrement sur les travaux de Prigogine sur les structures dissipatives en thermodynamique et sur certaines données de la physique quantique pour justifier la primauté de l'aléatoire. Les mathématiques viennent au secours de la génétique ; les généticiens, de leur côté, interviennent avec ardeur dans le débat philosophique et moral. Albert Jacquart brandit les acquis de la biologie moléculaire pour apporter une contribution engagée aux controverses sur le racisme, l'immigration, l'intégration, et, accessoirement, la guerre et la paix. Stephen Gould, à travers sa propre orthodoxie, à peine tempérée par son refus d'un évolutionnisme gradué, défend l'idée qu'il se fait du progressisme sociétal.

Comment peut-on dresser une barrière infranchissable — et pourquoi ? — entre le biologique et le sociologique, voire entre le génétique et l'anthropologique, alors que nul ne songerait à récuser toute corrélation entre le physique et le psychique, entre l'instinct et la culture ?

L'idée que toute prise en compte du biologique dans l'analyse sociale, toute référence à une histoire des espèces antérieures à la préhistoire humaine, toute confrontation de ce qui reste de l'inné avec ce qui affleure de l'acquis, reviendrait à renvoyer l'homme à sa condition animale, est particulièrement absurde. Pourquoi ? Parce que, tout au contraire, partant de cette donnée incontestable que l'homme, et lui seul, peut culturellement contrôler, dominer, transcender, modifier, grâce au développement autonome de son organisme cérébral, toutes les prédispositions comportementales qui découlent de son héritage génétique, c'est en repérant, en isolant, en analysant ce qui participe de dimensions biologiques innées que l'on peut plus efficacement définir les espaces d'avancées et les champs de progression souhaitable de l'acquis culturel. Retrouver, par exemple, dans telles sociétés animales l'essentiel des ingrédients d'un sexisme ou même d'un machisme dominateur, ne signifie pas que cette prédisposition ancrée dans un héritage biologique s'en trouve légitimée, mais qu'elle est renvoyée à sa nature « animale ». Et que son dépassement est justement un acquis culturel qui contribue à fonder l'hominisation !

Toute lumière qu'une science renvoie sur une autre est éclairante. Mais, de surcroît, entre le biologique et le social, il n'y a pas discontinuité ou changement total d'horizon par transfert d'une dimension dans une autre : il s'agit d'une réflexion à plusieurs niveaux qui remonte le processus de l'évolution collective des organismes vivants jusqu'à son stade qualitativement supérieur, en fonction du principe de la continuité et de la diversité des espèces à partir d'une origine commune.

Intégrer à une réflexion sur la société totalitaire une analyse de la structure de la société des colonies de fourmis ou d'abeilles (ce qui ne rebutait pas, on l'a vu, Tocqueville), peut être contesté en soi (et, pour ma part, ce type de démarche me paraît en effet souvent très contestable), mais n'est pas méthodologiquement plus discutable que la modélisation mathématique d'une évolution économique supposée, ni que l'élaboration d'une « psychologie » de l'art, ni que la remise en cause du déterminisme historique à partir de la théorie des structures dissipatives en thermodynamique.

On confond, en réalité, deux démarches : la généralisation synthétique, inhérente à toute avancée théorique et nécessaire à l'épreuve de « falsification » à laquelle cette théorie doit être soumise ; et le placage mécanique d'une théorie particulière sur une réalité qui l'éloigne de son objet.

Ce qui a ruiné le dogme marxiste, ce n'est pas d'avoir cherché, comme le pense François Jacob dans *Le Jeu des possibles*[1], à s'appliquer à des structures tout à fait différentes (car si le marxisme ne s'appliquait qu'à la situation de la France et de l'Allemagne à la fin du XIXᵉ siècle, ce n'était évidemment pas une théorie), mais c'est d'avoir manipulé et arrangé des situations objectives quand elles ne se pliaient pas aux exigences de cette théorie. Ce qui condamne le lyssenkisme, ce ne sont pas les intentions sociales ou économiques légitimes qui ont présidé à la tentative d'élargir les enseignements de Mitchourine, c'est d'être faux. Et cette fausseté n'a pu faire autant de mal que parce qu'elle était idéologisée.

Là se situe le véritable clivage. D'un côté, une percée théorique globalisante, qui prend toujours appui sur une discipline de départ. De l'autre, une globalisation mécanique de cette percée à des fins idéologiques. Une approche darwinienne des conflits de classes est licite, et même indispensable si l'on veut tester les limites de la théorie s'appliquant à notre espèce. Ce qui ne l'est pas, c'est l'assimilation réductrice du développement social à la mécanique de la sélection naturelle. (Notons à ce propos que Karl Popper a fort opportunément montré — nous y reviendrons — ce qu'il y avait de darwinien dans le mécanisme évolutif qui préside à l'histoire des grandes théories universelles.)

En d'autres termes, il n'y a pas eu dérive perverse parce qu'on s'est demandé, à un certain moment, en quoi la théorie de l'évolution pouvait contribuer à éclairer les processus sociaux antagonistes de développement (Friedrich Engels s'y est essayé d'une manière qui n'était pas en soi répréhensible dans *La Dialectique de la nature*, et d'ailleurs au nom de quoi faudrait-il s'interdire ce seul test possible ?), mais dès lors que des fanatiques se sont retranchés derrière un darwinisme primitif mal assimilé pour camoufler leur propre obsession idéologique.

Le prix Nobel de médecine François Jacob, généticien de renom, a bien montré où se situe la ligne qui sépare ces dérapages vulgaires d'un processus « créatif » de synchrétisme interdisciplinaire. A certains « profiteurs » français de la sociobiologie, solidement conservateurs, qui crurent à l'époque (c'était en 1981) pou-

---

1. Paris, Fayard, 1981.

voir faire idéologiquement leurs choux gras de ce qui n'était que l'ouverture d'un champ d'investigations, il reprochait avec véhémence — et il avait mille fois raison — de vouloir fonder une morale sur des considérations éthologico-évolutionnistes. « Vouloir fondre l'éthique dans les sciences de la nature, écrivait-il, c'est confondre ce que Kant considérait comme deux catégories bien distinctes. Cette biologisation, si l'on peut dire, relève idéologiquement du scientisme[1]. »

Cette prétention est en effet aberrante et dangereuse. Mais François Jacob ajoutait aussitôt : « En fait, la capacité d'adopter un code moral peut être considérée comme un aspect du comportement humain. Elle doit donc avoir été modelée par des forces de sélection, tout comme, par exemple, la capacité de parler, ce que Noam Chomsky appelle une "structure profonde". En ce sens, il revient au biologiste d'expliquer comment les êtres humains ont, au cours de l'évolution, acquis les capacités à avoir des croyances morales[2]. » Et le professeur Jacob d'ajouter : « Cela ne s'applique en rien au contenu de ces croyances. Ce n'est pas parce qu'une chose est naturelle qu'elle est bonne. » Et, pour être bien compris, il précisait encore : « Même s'il existait des différences de tempérament et de capacité cognitive entre les deux sexes, il n'en serait pas, pour autant, bien ou juste de refuser aux femmes certains droits et certains rôles dans la société[3]. » En revanche, comme nous le verrons plus loin, il serait légitime d'en conclure que l'égalité « réelle » passe par la prise en compte de ces différences.

Finalement, seul un tabou de caractère idéologique peut nous empêcher de rechercher ce que les structures plus ou moins cachées du comportement humain collectif doivent à l'histoire présociale des espèces, à l'évolution des instincts de notre espèce, à la dialectique adaptative sous la pression du milieu qui lie l'organisme au génome.

A la limite, à partir du moment où le cerveau humain a conçu lui-même, à ses propres fins, ce que la nature elle-même a sélectionné de ses propres chefs-d'œuvre, des ailes pour voler (comme l'oiseau), des palmes pour mieux nager (comme le canard), des ordinateurs pour stocker l'information (comme le génome), des

1. *Ibid.*
2. *Ibid.*
3. *Ibid.*

chenilles pour franchir les obstacles, des blindages pour se protéger (comme le rhinocéros), des camouflages (comme le caméléon), des lunettes optiques pour mieux voir, des sabots à se mettre aux pieds (comme le cheval), des fourrures pour tenir chaud (comme l'ours), des poisons pour éliminer l'adversaire (comme la vipère), des dards et des épées pour le transpercer (comme la guêpe ou l'espadon), des usines pour transformer l'énergie, accélérer les métabolismes et précipiter les synthèses, des couleurs pour égayer son vêtement (comme les colibris), des hélicoptères en forme de libellule, des pinces comme les crabes, des antennes comme les langoustes, de l'encre comme la pieuvre, des lances à eau comme les éléphants, bref, tout ce qui prouve que la finalité conquérante (et consciente de soi) rejoint singulièrement l'œuvre supposée du hasard, on est en droit de se demander par quel hasard la nature n'a pas inventé la roue...

Au-delà de la plaisanterie, retenons que l'homme a reçu de la nature le moyen de modifier la nature, en héritage la capacité d'agir sur l'héritage, et de l'évolution la possibilité de recomposer à ses propres fins des mécanismes découlant de l'évolution.

CHAPITRE IX

L'être-ensemble

ou regard sur l'avènement du social

La question qui maintenant nous préoccupe (et a justifié le détour du chapitre précédent) est celle-ci : de nombreux comportements dits « sociaux » se révélant à l'examen innés, la sélection de groupe induit-elle la transmission de comportements collectifs, et ces comportements sociaux devenus autonomes (et se développant en intégrant les acquis) interfèrent-ils à leur tour sur la sélection de groupe ?

Il est clair, désormais, que la sélection peut favoriser — et favorise effectivement — un comportement collectif (social) performant. De deux choses l'une : soit l'adaptation d'une recombinaison purement aléatoire du programme génétique à une sociabilité plus performante de groupe déclenche en sa faveur le processus sélectif naturel ; soit, et plus probablement, des intérêts collectifs de groupe (ceux qui favorisent la survie et la reproduction) contribuent à l'émergence et à la sélection d'une recombinaison latente parmi beaucoup d'autres non utilisées.

Au-delà de cette question ouverte, une évidence demeure : il n'y a pas chez l'homme, individuel ou collectif, de la pure nature ou de la pure culture. Le « naturel » est là qui imprègne, le culturel est là qui pétrit. L'idée qu'un développement linéaire, identifié au « progrès » de l'humanité, éliminerait peu à peu ce que l'homme doit à la nature au profit de ce qu'il obtient par la culture est à ranger au magasin des illusions utopistes. Il y a toujours autant de nature, bien qu'il y ait toujours plus, potentiellement, de culture. L'actualité le prouve. Et tout notre propos l'illustre.

Condensons, avant d'aller plus loin, quelques données simples.

La nature est au cœur des structures invariantes, alors que la culture agit comme catalyseur des mutations qui régissent la recomposition interne de ces structures. Les structures invariantes participent, en tant que contraintes, de l'évolution en général, de celle des espèces en particulier, de la nôtre plus précisément. Elles permettent l'évolution dont elles figurent la charpente. La culture, elle, n'est que le produit de notre histoire propre. Nous héritons collectivement des structures invariantes, alors que nous agissons, y compris individuellement, en particulier par la culture, sur les mutations et recompositions qui les affectent. Mais ces mutations, acquises, ne sont transmissibles que par la voie culturelle, même s'il est vrai qu'elles finissent par déterminer l'apparition de nouvelles séquences d'invariances secondaires qui, sans doute par l'entremise des recâblages cérébraux (des réaménagements synaptiques), s'intègrent à l'héritage.

C'est en fait la recomposition constante de l'outil (le cerveau) et la redynamisation continuelle de l'action (ce qu'on appelle l'« histoire ») qui favorisent ou précipitent les mutations au sein des structures invariantes. Ce qui conduit à faire de la liberté — c'est-à-dire de la créativité collective libre et de la pensée critique individuelle — le moteur de l'évolution historique.

Reste la part d'inconnu largement évoquée précédemment : dans quelle mesure des mutations internes, culturellement acquises, peuvent-elles modifier l'aspect transmissible de la structure invariante ?

Avant d'aborder le problème, il convient de répondre à cette question : des comportements sociaux de groupe peuvent-ils être sélectionnés en soi et s'intégrer à un héritage grâce au jeu de la double sélection ?

Où nous retrouvons, en rangs serrés, les fourmis

Et nous voici à nouveau confrontés à l'exemple saisissant des insectes sociaux.

L'organisation sociale de certaines fourmis et de la plupart des abeilles est une structure quasi invariante. Les pratiques sociales collectives, pour ne pas dire collectivistes, qui caractérisent ces sociétés ne sont pas le résultat d'un apprentissage, sauf à admettre une capacité de conceptualisation, d'information synthétique et de pédagogie qui contredirait radicalement la mécanique répétitive, par définition « déshumanisée », de ces organisations. On n'imagine pas non plus l'hirondelle exposant si magistralement à ses oisillons la technique complexe et minutieuse de l'élaboration du nid que ces derniers, en quelques semaines, soient susceptibles d'en assimiler, d'en mémoriser et d'en reproduire chaque détail. Une telle aptitude à l'acquisition rationalisée impliquerait en effet que ces mêmes hirondelles soient capables, par échanges d'expériences, d'améliorer et de diversifier constamment leurs conceptions architecturales, ce qui n'est pas le cas.

Nul ne songe, par ailleurs, à soutenir que les abeilles, en quelques semaines d'existence, s'initient auprès de leurs aînées à l'organisation du travail, à la spécificité de tâches multiples, à l'élevage et à l'alimentation des larves, à l'élaboration extrêmement stricte des rayons et des alvéoles après confection des composants chimiques très élaborés qui permettent leur construction. Cela supposerait une compréhension, une décomposition et une recomposition conscientes de tous les stades de cette action collective parcellisée, une capacité de les exposer clairement et d'en saisir, à l'issue d'un *briefing*, à la fois les interactions et la finalité. Dans ces conditions, les abeilles eussent été en mesure, en quelques millions d'années, les unes enseignant tout ce qu'elles savent, les autres comprenant la signification globale de tout ce qu'elles font, de concevoir des formes de coopération toujours plus efficaces débouchant sur l'invention de techniques et de produits toujours plus sophistiqués susceptibles de les conduire, dans le cadre de leurs propres coordonnées temporelles et spatiales, à une maîtrise de la nature comparable à celle de l'homme lui-même. Pourquoi pas alors des New York et des cap Canaveral à l'échelle des fourmis et des abeilles ?

Tout au contraire, les travaux les plus récents ont indiqué à quel point les abeilles sociales, comme les fourmis ou les termites, sont génétiquement programmées à reproduire mécaniquement des tâches précises et minutieusement intégrées qui en font des éléments non évolutifs et non interchangeables d'un superorganisme à composantes étroitement coordonnées. Ce sont des marquages innés, telle l'odeur, qui orientent leur comportement en fonction de leur place prédéterminée dans la colonie. Les ouvrières, génétiquement inhibées par une substance émise par les reines, qui a sur elles un effet castrateur, vaquent à des occupations précises, en fonction de leur âge, donc d'une réalité organique. Des chercheurs ont même récemment émis une hypothèse complémentaire : la reine d'une société d'abeilles, au cours de son vol nuptial, se fait inséminer par plusieurs mâles ou faux bourdons ; or, le fait d'être sœurs ou demi-sœurs (car une société d'abeilles est en réalité une famille de plusieurs milliers de membres dont la reine, seule reproductrice, est la mère) contribuerait à prédéfinir la spécificité sociale de chaque ouvrière (balayeuse, maçonne, jardinière, nourrice, pourvoyeuse de nourriture, domestique de la reine, etc.) dans le cadre d'une véritable organisation de castes ; on sait que certaines ouvrières ont même pour fonction de ventiler la ruche par battements d'ailes lorsque la température risque de monter au-dessus de 37 degrés.

D'autres expériences ont montré que, lorsque plusieurs reines non apparentées sont isolées dans de petites cages au milieu d'une population d'abeilles mélangées, les ouvrières se forment spontanément en essaim autour de leur reine mère. Il est donc clair que non seulement nous avons affaire ici à des comportements sociaux biologiquement déterminés et sélectionnés en vertu de leur intégration globale à un processus reproducteur, mais que la cible de la sélection est une collectivité en tant que telle.

Faisant le point sur la validité de la « sélection de groupe », Ernst Mayr, pape orthodoxe de la synthèse évolutionniste, écrit : « Nous savons à présent que cette thèse est vraie dans le cas des groupes dont la valeur d'aptitude est supérieure à la moyenne arithmétique des valeurs d'aptitude des individus qui les composent. Il en existe deux sortes en particulier : ceux qui consistent en parents, où l'aptitude globale contribue à l'aptitude de groupe (cas des abeilles ou des fourmis)[1] », l'autre sorte pourrait être assimilée à la tribu primitive.

Une société d'abeilles constituerait donc une tribu familiale génétiquement homogène, un organisme intégré dont les individus seraient les composantes préalablement marquées en vue de leurs fonctions spécifiques. Le comportement social collectif de cette société est génétiquement programmé, la reine génitrice assurant à tout point de vue le relais de l'information et la coordination de son application.

Tout se passe en définitive comme si la sélection, passé un cer-

1. Ernst Mayr, *op. cit.*

tain stade (sans doute marqué par l'aspect le plus aléatoire de l'évolution), prenait moins pour cible le gène particulier ou l'individu global que la capacité de l'organisme ou d'une fraction de l'organisme (y compris le superorganisme social) à optimiser une potentialité latente particulière : le vol chez l'oiseau, la rapidité chez le guépard, l'agilité chez le singe, l'allongement du cou chez la girafe, le stockage de l'eau chez le chameau et l'intégration communautaire chez les insectes sociaux, mais aussi la socialisation, puis la pensée chez l'homme. Le groupe, dans ces derniers cas, joue le rôle d'un organisme qui auto-élabore sa propre fonction spécifique et exerce, ce faisant, sa propre pression sélective sur le génome.

Ici s'ouvre une immense fenêtre : *a priori*, l'homme, ce vieux bébé empoté, chétif et nu, évidente bévue de la nature, ni agile ni rapide, dépourvu de crocs et de cuir, aurait été sélectionné en vertu de ses prometteuses capacités intellectuelles. Mais comment la nature a-t-elle deviné qu'un Érasme ou un Einstein sommeillait dans le pithécanthrope ? Que l'être fruste interpellant gutturalement sa femelle serait un jour capable d'écrire *Éloge de la folie*, de chanter *Marinella* et, accessoirement, de composer *Le Mariage de Figaro* ?

La théorie de la double sélection nous suggère au moins une réponse : la tendance à l'auto-élaboration de nos capacités cérébrales, comme seule réplique possible à notre infériorité patente, aurait sélectivement pesé sur le génome en favorisant l'activation des mutations ou des recombinaisons latentes qui, sans cela, seraient restées neutres.

Mais on est en droit d'évoquer une autre hypothèse. Et si, au départ, l'homme avait été sélectionné non pas en tant qu'animal doué de raison, mais en tant qu'animal social ? Si, en d'autres termes, cette espèce apparemment ratée avant même que de prendre conscience d'elle-même, avant même que d'être capable de conceptualiser le rapport espace-temps, avait compensé son infériorité individuelle par l'auto-élaboration d'une intégration sociale de groupe ? Alors ce n'est pas l'homme individuel qui, d'abord, aurait été sélectionné, mais la tribu ou la horde primitive. C'est la famille élargie qui, en optimisant à des fins adaptatives une sociabilité fondée sur la répartition coordonnée des fonctions, — l'altruisme réciproque —, aurait tiré le gros lot ! C'est l'homme collectif qui aurait été choisi, en ce qu'il transcendait l'homme individuel : le groupe aurait été, avant le cerveau, l'organisme d'auto-adaptation au milieu. Et, par voie de conséquence, ce n'est pas le développement de ses capacités cérébrales qui aurait déterminé la socialisation de l'espèce, mais au contraire la socialisation, par intégration adaptative de groupe, qui aurait enclenché et accéléré le processus de développement cérébral.

Comment la coopération est advenue à l'homme

Ce n'est là qu'une piste. Richard E. Leakey, célèbre archéologue anglais et directeur des musées nationaux du Kenya, l'a explorée dans un livre important qu'il a rédigé avec Roger Lewin[1]. « Certes, écrivent-ils, nous appartenons au règne animal, mais les hommes n'auraient jamais pu s'épanouir d'aussi remarquable manière si, au départ, nos ancêtres n'avaient témoigné d'étroite coopération. La clé de la transformation d'une créature sociale semblable au singe en un animal cultivé, vivant au sein d'une société hautement structurée, est le partage : partage du travail et partage de la nourriture. » La coopération fut, à en croire ces auteurs, un stade supérieur de la socialisation primitive telle qu'elle a été largement esquissée par les primates. Car ce sont eux (dont descendent à la fois l'homme moderne et les singes actuels) qui ont (ainsi le gelada à long pouce d'Éthiopie) commencé à utiliser leurs mains comme outils de préhension et à acquérir une perception du monde en couleurs et en trois dimensions, devenant ainsi, comme l'homme (et les seuls d'ailleurs avec l'homme), « capables de manier les choses, de les saisir, de les retourner, de les inspecter, de les serrer. Ce faisant, ils pouvaient apprécier la forme, la texture, le poids, l'odeur et l'utilité d'un objet. Les conséquences de cette nouvelle dimension furent immenses. Elles constituèrent l'arrière-plan essentiel sur lequel doit toujours être considéré le développement de l'intelligence humaine. Au fond, concluent Leakey et Lewin, nous sommes redevables du langage aux primates supérieurs qui ont usé de leurs mains pour analyser leur monde tridimensionnel[2] ».

1. Richard E. Leakey et Roger Lewin, *Les Origines de l'homme*, Paris, Champs/Flammarion, 1985.
2. *Ibid.*

Mais, à en croire ces deux auteurs, nos ancêtres primates auraient fait un pas de plus, dès lors qu'ils ont commencé à s'aventurer hors de la forêt. Ainsi auraient-ils développé une vie précommunautaire de plus en plus hiérarchisée, on l'a vu, permettant de favoriser l'apprentissage de leurs rejetons (chez les chimpanzés, la dépendance du bébé atteint trois ans, et sa jeunesse près de sept ans) et surtout de s'organiser en terrain découvert contre les prédateurs. C'est d'ailleurs dans le cadre de cette présocialisation défensive que certains d'entre eux auraient commencé à se dresser systématiquement sur leurs pattes de derrière pour faire le guet.

« On peut soutenir, écrivent Leakey et Lewin, que c'est l'exploitation plus efficace des ressources ambiantes (grâce à une meilleure connaissance par apprentissage des enfants auprès des parents) qui est à l'origine du bénéfice que représente la présocialisation, et que l'acquisition d'aptitudes sociales a simplement suivi pour permettre à cette exploitation de se réaliser. » Et ils ajoutent (mais peut-être vont-ils là un peu vite en besogne) : « Parallèlement à l'apprentissage en groupe, la "sagesse" du groupe peut se définir comme un début de culture. Une entité sociale (une troupe de chimpanzés, par exemple) accède à un ensemble de connaissances plus vaste que celui de l'individu isolé. Et pourtant chaque membre peut disposer de ce savoir. »

Jane Goodall avait déjà montré comment un chimpanzé peut apprendre à un autre à se servir d'un bâton pour aller pêcher les termites dans leurs trous. D'autre part, il arrive que des singes lancent des pierres sur d'autres singes : par exemple, des chimpanzés sur des babouins. Le chemin à parcourir n'était donc pas bien long pour que le ramapithèque, afin d'impressionner ses adversaires, se mette debout en brandissant un bâton. (Un primatologue américain, Sherwood Washburn, est allé jusqu'à prétendre que c'est l'outil, ou plutôt l'arme, qui a poussé les hominidés à se dresser sur leurs membres postérieurs, et non l'inverse.)

Toujours est-il que ce ramapithèque, notre plus lointain ancêtre hominidé, un peu perdu en terrain découvert, exposé aux prédateurs, vulnérable, aurait à la fois songé à agiter une branche pour impressionner ses ennemis, et à le faire collectivement, « en coopération ». Et Leakey et Lewin de s'interroger : « Doit-on alors penser que cette coopération, supérieure à la normale, rendue nécessaire pour se défendre, s'est présentée comme un moyen de faire disparaître la tension latente au sein du groupe ? L'esprit de coopération s'est-il manifesté comme un caractère distinctif de ce primate social à petites dents se risquant dans un nouvel habitat plein de périls ? Nous le pensons. En fait, c'est un exemple montrant que la solidarité sociale est un facteur clé de l'heureuse évolution de *l'homo sapiens*. »

Ensuite, comme nous l'avons analysé au chapitre IV, consacré à la naissance du capitalisme, la diversification de l'approvisionnement en nourriture par la chasse et la cueillette entraîna le partage du butin, qui renforça la solidarité de groupe. Nous verrons plus loin comment Reichholf complique un peu ce schéma, sans cependant en remettre en cause le principe.

La thèse que nous venons de résumer est intéressante, car elle supposerait que c'est la prédisposition à certains comportements sociaux qui renvoie effectivement à un passé biologique, et non le développement de l'intelligence, processus beaucoup plus autonome, que l'on qualifiera par opposition de « culturel ». La pensée serait la fonction devenue nécessaire au social, et non le social un produit dérivé de la pensée : ce qui ne signifie évidemment pas que les structures sociales soient innées, et toute pensée totalement « acquise », car toute réalisation sociale a été culturellement retraitée et toute pensée est amenée à se déployer dans le cadre de certaines prédispositions à des comportements sociaux particuliers.

Que l'on accepte ou non l'hypothèse résumée ci-dessus, on ne pourra cependant évacuer la question : comment a bien pu se former la prédisposition innée à un comportement social donné ? Et l'on retrouve là la théorie de la « double sélection » : le groupe en tant qu'organisme collectif aurait auto-élaboré un comportement social optimisé, lequel aurait à son tour contribué à sélectionner, parmi des recompositions génétiques peut-être aléatoires et *a priori* neutres, celles qui prédisposaient chaque individu à adopter son comportement particulier à ce comportement de groupe optimisé (ce processus se nouant bien sûr dans le cerveau).

A quoi l'on ajoutera (et on nous excusera de le répéter) que, chez l'homme cette interpénétration de l'inné et de l'acquis s'élargit et se complexise d'autant plus que, s'il y a stabilité de l'inné, qui constitue une structure profonde et sous-jacente, il y a incessante recomposition qualitative de l'acquis et donc évolution de leurs interférences.

A propos de la prédisposition à un comportement altruiste

« intéressé », telle que Kummer l'a analysée chez les babouins, Ernst Mayr écrit par exemple, rejoignant le propos déjà cité du professeur Jacob : « Chez les humains, il est clairement nécessaire de distinguer deux composantes dans le comportement éthique : l'une, ancestrale, fondée sur l'aptitude globale, en particulier les soins parentaux ; l'autre, culturelle, codifiée dans toutes les civilisations en lois et en dogmes religieux. Il ne fait pas de doute qu'une propension génétique à accepter et soutenir de telles prescriptions culturelles est favorisée par la sélection, mais les contenus du répertoire éthique sont acquis dans le courant de la vie de l'individu et non pas génétiquement fixés[1]. »

Faut-il maintenant aller plus loin ?

La xénophobie du cloporte de Réaumur

A y regarder de près, certains comportements collectifs de type mécanique que l'on peut recenser dans certaines sociétés animales, notamment au sein des plus intégrées d'entre elles — les vastes colonies d'insectes sociaux —, recoupent étrangement ces prétendues « étapes » de notre développement social que nous avons identifiées comme invariances structurelles : ne serait-ce que la reconnaissance et l'identification instinctive de l'« étranger », particulièrement spectaculaire chez les abeilles. Ce marquage génétique, qui favorise la délimitation de soi par différenciation collective de l'autre, y est d'autant plus remarquable que, régulièrement, les colonies se scindent, une partie de la ruche suivant la reine dans son exil volontaire à la recherche d'un lieu où installer son nouvel essaim. L'étranger est donc, à l'origine, une dissidence de soi (comme dans le cas des schismes religieux), ce qui n'empêche en rien son marquage en tant qu'altérité.

Les cloportes de Réaumur, qui colonisent le désert et s'organisent en groupes apparentés totalement investis dans la construction de terriers capables de les protéger du soleil au moment des grandes chaleurs, tracent une frontière autour de leur abri et attaquent systématiquement l'intrus qui la transgresse, alors qu'ils le croisent avec une apparente indifférence si la rencontre inter-

1. Ernst Mayr, *op. cit.*

vient hors de ce périmètre : forme biologiquement primitive de tribalisme et de racisme ?

Nous avons évoqué en outre le cas, qui intriguait tant Darwin lui-même, de ces fourmis qui organisent des expéditions guerrières pour s'emparer de cocons étrangers et, les larves une fois élevées, font travailler à leur service ces ouvrières importées de force. De nombreux naturalistes estiment que cet asservissement des captives a suivi, par sélection adaptative, une phase de cannibalisme pur et simple. Il s'est révélé plus profitable en termes d'équilibre coûts-profits de faire travailler celles qu'antérieurement on dévorait toutes crues.

Du tribalisme et de l'« esclavagisme », passons au féodalisme : prenons le cas des fourmis dites « outres à miel », qui peuplent le désert du sud des États-Unis et du nord du Mexique, étudiées par des chercheurs de l'Université de Harvard. Leur nom vient du fait qu'à l'intérieur de leurs colonies certains individus stockent dans leur abdomen le miellat rapporté par des ouvrières récolteuses. Quand vient la saison de disette, ces « outres », accrochées au plafond des chambres du nid, régurgitent le sirupeux liquide dans la bouche de leurs sœurs.

Au début de leur fondation, ces colonies de fourmis comprennent plusieurs reines. Celles-ci se côtoient sans problèmes et pondent une masse d'œufs qui sont agglutinés tous ensemble dans un parc unique. Ensuite, elles soignent de concert les larves qui apparaissent et les nourrissent au prix de l'atrophie des muscles de leurs ailes, qui ne leur servent donc plus à rien, une fois le vol nuptial effectué. Quand naissent les premières ouvrières, les relations entre les reines commencent à se dégrader. Celles-ci sont séparées les unes des autres, l'une d'elles est écartée du couvain de vive force par les ouvrières impétrantes, puis attaquée et expulsée du nid. Elle meurt après avoir tenté sans succès de le réintégrer. Les autres reines subissent ensuite le même sort, jusqu'à ce que ne reste plus qu'une reine unique, replète et triomphante.

Le processus de hiérarchisation ne s'arrête pas là : les ouvrières effectuent des raids contre les fondations voisines dont elles pillent le couvain. A l'issue de ces guerres intercommunautaires, la fondation la plus forte dans un espace donné capitalise l'ensemble du couvain des fondations voisines dont les membres désertent et rejoignent la fondation victorieuse. Ils sont intégrés, à l'exception de la reine vaincue, qui, elle, est refoulée et meurt d'inanition.

Dans d'autres sociétés d'insectes, après le départ d'une reine avec sa suite, les ouvrières orphelines, très agitées, couvent aussitôt plusieurs cocons de reines dans des cellules réservées à cet effet. La première reine à éclore s'empresse alors d'aller tuer dans l'œuf les reines concurrentes. Pierre Jaisson résume le phénomène tel qu'on l'observe chez les abeilles domestiques : « La reine produit toutes les ouvrières, mais aussi les reines-filles. Or, les reines d'abeilles ne se tolèrent pas mutuellement : si de futures reines sont en formation dans des cellules royales, la reine en exercice quitte la ruche quelques jours avant leur éclosion en entraînant avec elle un essaim composé d'environ la moitié des ouvrières de la colonie. Une seule des jeunes reines émergeantes prendra ensuite la place de l'ancienne, les autres quitteront généralement la ruche avec une petite escorte d'ouvrières. Autre scénario possible : si la reine meurt, les ouvrières se mettent immédiatement à élever des remplaçantes à partir des derniers œufs fécondés pondus par leur mère. Dans ce cas, la première jeune reine à éclore se dirigera vers les autres cellules royales pour piquer ses rivales potentielles avant qu'elles n'aient eu le temps d'achever leur développement[1]. » Ces descriptions sont évidemment frappantes. Trop, sans doute.

La grande erreur, en effet, non seulement de certains sociobiologistes ou assimilés, mais de leurs nombreux prédécesseurs, est d'avoir donné l'impression qu'on pouvait allègrement extrapoler à partir du comportement de certains insectes sociaux. A cet égard, les élucubrations sur le système préesclavagiste de certaines fourmis sont en effet grotesques. Or, tous les exemples précédents renvoient non pas (contrairement aux comportements sociaux des primates) à notre propre façon d'organiser nos sociétés ou même de nous laisser organiser par elles (pour la raison évidente que l'organisme cérébral n'y joue strictement aucun rôle), mais, ce qui est totalement différent, à une tendance naturelle de tout organisme vivant, hors même de toute conscience, ne fût-il qu'un assemblage de cellules sans aucune autonomie, à l'élaboration et à la reproduction de structures impliquant en particulier la hiérarchisation pyramidale de soi et l'exclusion identificatrice de l'autre. N'en trouve-t-on pas déjà l'esquisse, comme le remarquait le professeur Edelman, dans le système immunitaire d'élaboration

---

1. Pierre Jaisson, *op. cit.*

des anti-gènes ? Le système même de la partition régulière de l'essaim, qui se scinde pour engendrer d'autres essaims, ne rappelle-t-il pas le mécanisme génétique de la reproduction ?

Autrement dit, si l'étude de l'organisation des insectes sociaux d'une part, celle des sociétés de babouins de l'autre, contribuent puissamment l'une et l'autre à une compréhension plus large des mécanismes de l'évolution sociale, elles ne le font absolument pas au même niveau. Une société d'abeilles agit comme un organisme qui nous en dit plus sur la façon dont travaillent nos cellules dans notre corps que sur la socialisation de notre propre corps. Une société de primates, en revanche, commence à élaborer une auto-organisation de son rapport social au monde dont notre propre socialisation sera en partie le prolongement. Mais, en mettant les deux modèles en parallèle, nous devinons en revanche qu'une socialisation consciente recompose en partie, en reprenant le pro-blème à zéro, la structuration quasi invariante de la socialisation naturelle, inconsciente, telle que la sélection en a favorisé l'optimi-sation interactive de groupe.

La fantastique révolution dont l'homme est issu ne résulte pas d'un bouleversement de cette structure de socialisation, mais d'un passage de l'inconscient au conscient, du subi au voulu, du mécani-que au pensé. Il réinvente (le primate ayant esquissé le processus) le social naturel, comme il a réinventé l'aile naturelle, la palme naturelle, la pince naturelle, l'antenne naturelle, le dard naturel, la cuirasse naturelle, le décorum naturel, comme il s'est recomposé des crinières, des fourrures, des plumages, des camouflages et des sabots.

Qu'on se rassure donc : les observations développées plus haut ne nous conduiront pas à remonter une filière linéaire qui ferait de nos actuelles sociétés de castes un simple prolongement biolo-giquement déterminé de la hiérarchisation sociale chez les four-mis, de nos luttes politiques implacables une continuation du règlement de comptes entre les reines au sein de la ruche, de Le Pen un héritier des cloportes de Réaumur, et des disciples moder-nes de Gracchus Babeuf les descendants génétiques des diverses composantes du collectivisme des termites. Entre le prétendu « esclavagisme » de certaines fourmis et celui qui provoqua la guerre de Sécession américaine, il y a au moins cette différence que le second était théorisé en fonction de la conscience qu'il avait de lui-même !

Faut-il le répéter ? Si les gènes composaient un programme d'ordinateur, ils auraient programmé chez l'homme la capacité, entre autres, de concevoir, de construire, de programmer ses propres ordinateurs, ainsi que d'intervenir à terme sur son propre programme : saut qualitatif tellement considérable qu'il a permis à l'*homo sapiens*, et à lui seul, de jouer, en les domptant, les domestiquant, les élevant, les exterminant, avec les autres espèces, alors que nul n'ose même fantasmer l'inverse !

C'est dire que ce qui est biologique dans le comportement social de l'homme — et seulement de l'homme — est ponctuellement à la merci de sa propension culturelle à le refouler, à le transcender, à le remodeler. Et aussi de sa capacité à élaborer consciemment du social alternatif.

Il n'en demeure pas moins qu'on ne saurait occulter, par confort, toute sous-jacence biologique de la réalité sociale structurelle de base.

Comment la sélection joue-t-elle avec la socialisation ?

Résumons-en les aspects essentiels :

1. Une entité sociale collective, famille élargie ou colonie à noyau familial, peut être la cible d'une sélection de groupe, et ce, qu'il s'agisse de sélection naturelle favorisant l'aptitude à survivre dans les meilleures conditions d'expansion possible ou dans un espace donné, ou bien de sélection sexuelle optimisant les capacités reproductives.

2. Cette sélection avantage un comportement adaptatif qui permet au groupe tout entier de développer une aptitude supérieure à la moyenne des aptitudes de ses membres.

3. Tout comportement de groupe sélectionné est théoriquement le résultat de mutations et recombinaisons génétiques aléatoires interdépendantes, justement sélectionnées en fonction de cette complémentarité. La même remarque vaut pour les cas les plus spectaculaires de coévolution que nous offre la nature, telles ces chauves-souris qui favorisent la pousse des arbres qui les nourrissent.

4. L'hypothèse de la « double sélection » développée plus haut permet de rééquilibrer ce déterminisme du hasard : la tendance à pallier une faiblesse ou à une inadaptabilité individuelle par un

comportement social adéquat sélectionne parmi toutes les recombinaisons et mutations génétiques aléatoires *a priori* neutres celles qui favorisent, accompagnent, épousent cette tendance à une complémentarité sociale interactive.

5. Ce qui, dans le cas d'une sélection sexuelle primitive (chez les fourmis, par exemple), débouche sur une société génétiquement prédéterminée qui se contente de reproduire un programme intégré d'interactions mécaniques devient, au stade supérieur où l'individu affirme sa capacité d'autonomie relative (les primates), une prédisposition biologique à élaborer des comportements sociaux de groupe. L'individu, fût-ce encore inconsciemment, commence à pouvoir moduler l'usage de cette prédisposition.

6. Chez l'homme, et ce fut en soi une révolution inouïe, des prédispositions comportementales innées peuvent être, sans limites, mobilisées, exacerbées, organisées, neutralisées, refoulées, modifiées, remodelées, recomposées sous l'effet des acquis culturels auto-élaborés. Mais, alors que des prédispositions sociales innées nécessairement transmissibles font partie du patrimoine de l'espèce, les acquis culturels dépendent de l'intensité de la pression sociale qui les favorise. Chaque fois que cette pression faiblit, les prédispositions sociales innées ont tendance à retrouver leur stabilité et leur forme naturelle.

7. Les prédispositions sociales innées, naturelles, participent largement mais pas exclusivement de la stabilité des structures invariantes dont les acquis culturels précipitent les mutations internes.

8. Dans la mesure où l'on en trouve d'innombrables traces dans les sociétés animales — sous différentes formes, à des stades divers de développement —, les prédispositions innées à certaines pratiques socialisées semblent relativement stables. Si, en effet, on examine l'ensemble des comportements sociaux qui découlent d'une prédisposition biologique, on constate qu'ils se ramènent à un certain nombre d'archétypes. Les cas les plus simples et les plus universels renvoient aux conditions mêmes de survie et de reproduction : construction d'un abri, chasse collective destinée à s'assurer l'alimentation, approche et prohibition sexuelles, alimentation et défense de la progéniture, migration régulière adaptative, etc. Des comportements collectifs plus complexes tournent autour de trois axes : affirmation communautaire à partir de rapports de parenté et marquage concomitant de la différence de l'autre susceptible

d'enclencher des réactions d'exclusion, d'agressivité, parfois simplement d'indifférence ; instauration d'une structure hiérarchique à l'intérieur de la communauté à noyau parental incluant la possibilité d'affrontements pour le contrôle du pouvoir et une tendance à réserver les tâches domestiques à la base de cette hiérarchie ; délimitation d'un territoire qui implique le caractère hostile de toute incursion au-delà d'une frontière délimitée.

A partir de ce constat, il serait tout aussi absurde (et lamentable) de justifier le racisme, la hiérarchisation féodale ou le système des castes que d'en conclure que les architectes devraient se contenter de creuser des terriers ou d'installer des nids dans les arbres. A l'inverse, on ne saurait mieux mettre en valeur la spécificité proprement humaine des acquis culturels qui caractérisent notre espèce qu'en repérant la filiation animale de certains aspects les plus contestables de la socialité naturelle !

Il faut, encore une fois, se pencher sur ces événements tragiques qui n'ont pas été totalement étrangers à la rédaction de ce livre. Depuis un demi-siècle, toutes les formes de culture acquises — par l'école, les livres, la presse, et même souvent par la famille — tendaient à convaincre les Bosniaques qu'au-delà de leurs croyances (différence d'ailleurs peu marquée et peu ostensible) ils étaient tous frères ou concitoyens au sein d'un même peuple. Et cet enseignement correspondait à la fois en l'occurrence à une réalité vécue et à un intérêt collectif. Or, soudain, à l'occasion d'une rupture d'équilibre — ou d'une modification de l'environnement —, remonta des profondeurs une sorte de pulsion instinctive qui, balayant ce demi-siècle d'acquis culturels, précipita les unes contre les autres, en une bacchanale assassine, les trois communautés jusqu'alors intégrées constitutives de cette nation, bien qu'elles n'eussent d'autre réalité que celle que soulignait tout à coup le marquage de leurs différences. Aux acquis récents se serait donc substitué, en quelques semaines, un acquis antérieur ? Mais comment expliquer le triomphe aussi rapide d'un acquis en déshérence et abstrait sur un acquis enseigné et vécu ? Et comment pourrait-on admettre qu'un acquis si peu culturellement transmis (ou d'une manière marginale) se montre en quelque sorte héréditaire ? Il apparaît bien plutôt, à cette occasion, que c'est un comportement instinctif inné, mais relayé par les séquelles d'une culture antérieure, qui a pris le pas sur la culture acquise. A un acquis culturel « en soi » s'est opposé un héritage culturel (en l'occurrence reli-

gieux) qui avait pris en charge une prédisposition innée au tribalisme. Ce qui a fonctionné là, c'est donc la fusion du naturel et
du culturel.

Car, bien sûr, cette prédisposition innée à un comportement qui
englobe l'antagonisme tribal et l'exclusion ethnique est lui-même
imprégné d'acquis culturels. Il y a, derrière lui, le poids considérable d'une histoire elle-même déterminée par des structures naturelles invariantes (le relief). Mais ce n'est pas l'histoire qui induit
mécaniquement les comportements criminels tels que ceux qui ont
ensanglanté la Bosnie ; car alors l'actualité ne serait qu'une suite
d'horreurs reproduisant à l'infini celles que l'histoire véhicule. Ce
sont les comportements qui enfilent les défroques de l'histoire. Et,
en cela, ces comportements permettent à des instincts innés de se
prévaloir de justifications acquises. C'est la justification qui est
totalement humaine, quand l'instinct, lui, plonge parfois ses racines dans un passé antehominien.

Cela est vrai même lorsque les instincts innés ne sont pas criminels, ou encore lorsqu'ils contribuent à ébranler une culture
acquise qui a débouché, elle, sur une pratique criminelle. C'est le
cas de ce qui s'est passé en Union soviétique, où la prédisposition
innée à des rapports d'échange et d'appropriation de type primiti-
vement capitaliste a ébranlé et miné un système totalitaire qui se
prévalait d'une culture acquise.

Soit des bébés envoyés sur une île déserte...

Un autre exemple nous permettra de mieux cerner l'interaction
de l'inné et de l'acquis, tout en les différenciant. La mémoire,
comme processus cérébral, constitue une prédisposition innée à
soubassement biologique, par conséquent héréditaire, dont nous
ignorons d'ailleurs le rôle exact dans les sociétés animales. (Comment, par exemple, les oiseaux migrateurs parviennent-ils à effectuer les mêmes parcours sur des distances aussi considérables ?)
Chez l'homme, elle a cette particularité de pouvoir devenir
mémoire d'une mémoire. Ensuite elle s'exerce, se cultive, se développe : on passe alors de la mémoire duplicative et automatique
à une mémoire chercheuse, consciente d'elle-même, capable de
reconceptualiser (ou de conceptualiser) ce qu'elle réactive. A partir de ce moment (de cette étape), une capacité innée s'identifie à

la culture qu'elle intègre, stocke, classe et restitue. Être « géorgien » est le fruit d'une capacité à se souvenir que l'on est géorgien (et à s'en souvenir ensemble) et le produit d'événements culturels qui se sont offerts à cette mémoire. Sans la prédisposition innée à la mémoire collective, on ne pourrait pas être géorgien. Sans le patrimoine culturel commun non plus. L'histoire intervient pour catalyser l'élaboration d'une mémoire collective, culturellement acquise à partir d'une prédisposition biologique, qui devient un élément central de toute identité de groupe. Les supposées ethnies juive ou arménienne sont avant tout des concrétions de mémoire collective. Cette donnée éminemment culturelle ne s'en inscrit pas moins dans la continuité d'une prédisposition naturelle.

Une telle dualité reflète l'ambivalence de toute structure invariante : refondation continuelle d'un héritage biologique de base par réinvestissement de ses prolongements culturels acquis et induits. La prédisposition à une mémoire collective fondatrice d'une identité est innée, mais la mémoire collective elle-même ne l'est pas.

Imaginons un instant cette hypothèse purement théorique et volontairement simpliste : des bébés des deux sexes, les uns d'origine juive, les autres d'origine arménienne, sont transplantés respectivement dans deux îles désertes totalement coupées du reste du monde. Au bout de deux siècles, ils auront créé une société spécifique adaptée à leur environnement propre. Ils auront non seulement intégré à leur patrimoine culturel une mémoire collective acquise, mais, étant donné la relative pauvreté de celle-ci, ils l'auront sans doute enrichie d'un mythe fondateur. Il est probable qu'une manière d'épopée sera censée avoir présidé à leur établissement et que quelque puissance divine ou surnaturelle y aura donné un sérieux coup de pouce. En revanche, on ne trouvera évidemment pas trace, dans ces substrats culturels collectifs, d'une mémoire de l'holocauste des juifs ou du génocide arménien, d'autant moins que les habitants supposés isolés de ces laboratoires insulaires ignoreront totalement, les uns qu'ils sont juifs, les autres qu'ils sont arméniens. (Et du coup, subjectivement, ne le seront plus.) Reproduiront-ils tout de même certains traits, autres que physiques, de leur spécificité ethnique originelle ? C'est ce que nous ignorons, et la science nous invite à en douter.

En revanche, il est quasi certain que ces sociétés étanches, coupées de leurs racines, sans mémoire antérieure à leur établissement, ni documents écrits permettant de tisser un lien avec cette antériorité, auront conçu une langue (peut-être plusieurs), élaboré un art et surtout développé, après un certain temps (plusieurs générations), à leur manière, en repartant de zéro, des formes relativement primitives d'organisation sociale qui laisseront apparaître, ici et là, des structures différenciées et hiérarchisées de type tribal, clanique, féodal, éventuellement même esclavagiste, ou « impérialiste » : asservissement d'une communauté par une autre, ou conquête par les uns du territoire des autres. S'y seront développés, à l'échelle de l'île et compte tenu de ses ressources, des rapports marchands incluant des modes d'appropriation, de répartition, d'accumulation et d'échange de type précapitaliste, le tout éventuellement doublé d'aspirations justicialiste ou socialisante à une redistribution des richesses confisquées par une aristocratie, et de toute façon imprégné de mythologie implicitement religieuse.

Toutes ces formes de socialité structurelle, sous des dehors fort divers, de façon plus ou moins apparente, ont pu être repérées dans des sociétés continentales ou insulaires restées, jusqu'à leur découverte ou leur exploration, totalement coupées de nos vieilles références occidentales.

Prenons le cas de l'Océanie où de nombreux peuples (tels ceux d'Australie ou de Tasmanie) ont vécu dans un quasi-huis clos. En Mélanésie, outre une hiérarchie de caractère gérontocratique, un système de grades codifiés différenciait les individus en fonction de leurs qualités personnelles supposées, mais surtout de leur richesse en biens consommables ou capitalisables. En Polynésie, où les pouvoirs socialement très structurés étaient généralement héréditaires, le mana, cette force surnaturelle de caractère spiritualiste qui contribue à conférer la force, la puissance, l'efficacité et par voie de conséquence le pouvoir, non seulement s'investissait dans les individus de façon évidemment inégalitaire, mais pouvait en outre être, lui aussi, héréditairement transmis, ce qui revenait à conférer une essence religieuse au principe féodal. D'une façon plus générale, la qualité supposée de l'ancêtre déterminait, pour l'essentiel, la place (et les droits) de l'individu et même du groupe entier dans la société, selon un système s'apparentant à celui des castes. La ségrégation était, dans certains cas, extrêmement poussée. Ailleurs, il y avait osmose entre classe sacerdotale et classe aristocratique, les femmes étant généralement dévolues aux tâches « non nobles, quoique essentielles », ce qui était le cas chez les aborigènes d'Australie, organisés eux aussi en minitribus établies sur des territoires définis, socialement hiérarchisées et clanisées en fonction du sexe, des rapports de parenté, de l'âge et du rôle économique. Les aborigènes australiens, que caractérisait le culte totémique, représentaient, notons-le, la population la plus isolée du continent océanien et, pour cette raison, la plus apparemment archaïque ; les ethnologues ne nous en apprennent pas moins que la tendance profonde de la société Arunta (ou Aranda) du centre de l'Australie, « peuplade » à l'apparence extrêmement primitive qui inspira tant Durkheim, la poussa à se donner « des modèles de comportements susceptibles de justifier la conformité des conduites et, par là même, de permettre à la fois de dénoncer les excès marginaux ou contraires à la norme, et de fonder une casuistique ». D'où une organisation sociale extraordinairement complexe, à connotations très machistes, articulée à des structures claniques de parenté très hiérarchisées.

Notons encore que, dans la plupart des îles d'Océanie, des guerres tribales pouvaient déboucher sur d'épouvantables entreprises d'extermination des vaincus (c'est sans doute ce qui s'est passé à l'île de Pâques) qui apparaissent bien comme socialement antérieures à la pratique de l'asservissement.

Il ne s'agit pas de nier le foisonnement prodigieux des institutions dites « primitives », dont l'ethnologie nous a révélé la richesse et la complexité, d'autant que leurs dimensions sexuelle et sociale, politique et religieuse, se confondent souvent ; mais simplement de souligner qu'au-delà, à travers et au-dessous de ces merveilles ethnologiques, bijoux culturellement taillés d'archaïsme organisationnel, se profilent toujours, de façon latente ou patente, les structures archétypiques dont nous avons démontré l'invariance.

Revenons donc à nos insulaires d'origine juive et arménienne, transplantés et coupés du monde. Dira-t-on que leurs comportements sociaux, dans la mesure où ils ne doivent rien à une culture universelle acquise non plus qu'à la mémoire collective de leurs communauté d'origine, sont innés ? Non, bien sûr. Pourquoi ? Parce que l'organisme social élabore de façon de plus en plus autonome sa propre manière de gérer les contraintes que constituent les prédispositions héréditaires à des comportements de groupe, les instincts naturels de l'individu, les besoins et caractéristiques physiologiques de l'espèce, la pression multiforme de l'envi-

ronnement. Et cette auto-élaboration créatrice injecte sans discontinuité de l'acquis adaptatif dans l'inné.

En outre — et c'est ce qui est le plus difficile à cerner —, les
intelligences de tous ces individus originellement transplantés et
isolés n'en continueront pas moins l'autodéveloppement adaptatif
des intelligences antérieures, celles de leur ascendance dont elles
ont intégré, au cours de l'ontogenèse, une partie des potentialités.

Ce que nous voulons dire, c'est que les comportements sociaux
de nos cobayes ne seront pas innés, mais acquis par autodéveloppement adaptatif en fonction des fortes contraintes que gère l'inné
et des prédispositions qu'il lègue. Les structures invariantes dessi-
neront en quelque sorte l'espace où s'équilibrera ce que la nature
dicte et que la culture corrige, étant entendu que si la nature ne
dicte pas n'importe quoi, l'intelligence ne peut corriger n'importe comment.

En d'autres termes, l'homme collectif (le cas de l'enfant-loup
est totalement différent) ne reproduit jamais, en aucune occasion,
même totalement coupé de son patrimoine culturel, un comportement de type animal, mais son animalité (y compris son animalité
spécifique, celle qui est propre à son espèce, telle la tendance à
l'extermination collective de l'altérité) est présente comme facteur
inhérent aux contraintes qui contribuent à modeler son être-au-
monde, c'est-à-dire son comportement socialement adaptatif de
groupe. Les structures invariantes sont, entre autres, l'expression
de ces contraintes. Mais leurs formes sociales expriment surtout ce
à travers quoi — et pourquoi — l'homme remodèle les invariances
biologiques pour produire des variables culturelles. Ce qui, chez
l'homme, est devenu inné, c'est sa capacité à s'émanciper de l'inné
par l'acquis.

CHAPITRE X

Évolution et histoire

L'invariance sociale reproduit-elle l'invariance moléculaire ?

Dès lors que nous réintégrons l'évolution sociale dans le plan général de l'évolution tout court, ne nous étonnons pas de l'importance que prend, dans notre propos, le non-changement reproductif qui structure de fantastiques changements adaptatifs à la marge.

Au cours de centaines de millions d'années, les adaptations sélectives, aussi infiniment nombreuses qu'aient été les mutations graduées ou brusques qui les ont favorisées, ont eu des effets étonnamment limités par comparaison avec la stabilité relative des structures contraignantes. Et la remarque vaut pour tous les niveaux du monde vivant : « Ce qui le caractérise, écrit François Jacob, ce sont à la fois sa diversité apparente et son unité sous-jacente. Bactéries, virus, éléphants, tous ces organismes présentent une remarquable unité de structure et de fonction. Les mêmes polymères, acides nucléiques et protéines, composés des mêmes éléments de base, jouent toujours les mêmes rôles. Le code génétique est le même et la machine à traduire ne change guère. Les mêmes co-enzymes interviennent dans des réactions semblables. De la bactérie à l'homme, de nombreuses réactions restent essentiellement les mêmes[1]. »

Tout se passe comme si, une fois la vie commencée, l'évolution s'était contentée de remanier les composés existants, les nouvelles protéines n'étant que des variations sur des airs connus : « La créa-

---

1. François Jacob, *Le Jeu des possibles, op. cit.*

tion de structures moléculaires ne pouvait se fonder que sur un remaniement de structures préexistantes », note François Jacob[1]. Autrement dit, l'évolution biologique s'apparente à un bricolage moléculaire qui consiste « à réutiliser constamment du vieux pour faire du neuf ». Même les protéines qui remplissent dans l'organisme des fonctions différentes possèdent d'importants fragments de séquences en commun.

Que montre la biologie moléculaire ? « Que la structure chimique des acides nucléiques et des protéines est la même dans toutes les cellules et qu'il en est ainsi parce que les règles du jeu de construction sont invariables[2]. »

Mais écoutons encore ce que nous dit François Jacob : « La spécialisation et la diversification, autrement dit l'évolution des espèces, n'ont demandé qu'une utilisation différente de la même information structurale. Quand on analyse les vitesses d'évolution chez les grenouilles et les mammifères, par exemple, on constate que les changements dans la séquence des gènes de structure restent, pour une large part, indépendants des changements anatomiques. Chez les groupes voisins, comme les vertébrés, la chimie est la même [...]. Les différences entre les vertébrés sont un problème de régulation, non de structure[3]. » Et ceci : « Ce qui distingue une aile de poulet d'un bras humain, ce sont moins les différences dans les matériaux dont sont faits ces organes, que dans la manière de les construire, dans la répartition des molécules et des cellules qui les constituent. Il suffit de petits changements qui redistribuent les mêmes structures dans le temps et l'espace pour modifier profondément la forme, le fonctionnement et le comportement du produit final : l'animal adulte. Il s'agit toujours d'utiliser les mêmes éléments, de les ajuster en retaillant ici ou là, de les agencer en combinaisons différentes pour produire des objets nouveaux de complexité croissante[4]. »

Philippe Kourilsky, qui dirige à l'Institut Pasteur une unité de l'INSERM consacrée à la génétique et à la numérologie moléculaire, résume ainsi cette forme biologique d'invariance structurelle que l'on retrouve dès l'origine de la complexisation du vivant :

1. *Ibid.*
2. Philippe Kourilsky, *Les Artisans de l'hérédité*, Paris, Odile Jacob, 1987.
3. François Jacob, *op. cit.*
4. *Ibid.*

« Vu l'universalité de structure des acides nucléiques et des protéines, il n'est pas vraiment surprenant que le code génétique soit lui-même universel. A quelques variances mineures près, il est identique chez tous les êtres vivants, ce qui reflète une profonde homogénéité de la machinerie qui exécute le décodage et synthétise les protéines[1]. » Les biologistes moléculaires n'ont-ils pas travaillé ardemment sur telle bactérie ou sur la fameuse mouche du vinaigre, pour, à les en croire, mieux comprendre l'homme ? (Précisons cependant que cette universalité invariante de la structure génétique n'empêche pas qu'entre deux êtres humains, par exemple, on puisse déceler plusieurs millions de différences, la plupart mineures, ce qui affecte moins de 1 % des bases constitutives des génomes.)

Tout change parce que rien ne change ! Ainsi, l'évolution qui mène de la bactérie aux chimpanzés, du poisson à l'homme, se résumerait à la chronique très aléatoire des recombinaisons marginales au sein de structures invariantes, celles-ci adaptant, grâce à la sélection, ces mutations à leur invariance et recomposant leurs structures en fonction de cette sélection.

Ici, tout est condensé : comme si la clé du vivant était la répétition du même comme vecteur de l'apparition de l'autre. Comme si la liberté était d'abord cette capacité illimitée de jouer à l'intérieur des contraintes, de faire surgir du « nouveau » de la reproduction infinie de l'« ancien », de décliner toutes les variables possibles d'un invariant. Entre l'amibe et le triton, entre le triton et la souris, la souris et l'hippopotame, l'hippopotame et l'homme, que se passe-t-il ? Une superposition adaptative de presque rien qui détermine presque tout. L'histoire fabuleuse d'un changement inouï engendré par l'incessante recomposition qu'implique la nécessité de ne pas changer. Nous ne saurions bouder, surtout quand elle contribue à élucider notre propos, l'apport d'une discipline qui nous a tant aidés à concevoir l'unité « structurelle » du vivant.

Structure naturelle et structure culturelle

Mais quand nous passons du biologique au sociétal, de l'homme comme composé à l'homme comme composant, parlons-nous des

---

1. Philippe Kourilsky, *op. cit.*

mêmes invariances structurelles ? En partie oui, en partie non. Aucune situation sociale n'a jamais surgi, fût-ce à l'état primitif, du fond du chaos. Le comportement collectif de l'homme est une pièce qui n'a pas de scénariste attitré, tant il se situe à la confluence de deux longues histoires croisées : celle d'une espèce unique ; celle des espèces en général. Double histoire, donc double origine. Ou, plus exactement, deux niveaux d'une même origine, dont l'une renvoie à l'histoire et l'autre à l'évolution.

Pourquoi faudrait-il dresser une barrière infranchissable à l'intérieur d'une continuité qui, à l'évidence, connut des sauts et des expulsions (les dinosaures), mais pas de cassure ? Le moment de l'intelligence, aussi mystérieux que le moment du vol de l'oiseau, participe du même processus évolutif, et leurs effets induits constituent autant de pièces d'un puzzle universel et quasi intemporel.

Non seulement les comportements sociaux ont un « avant » et prennent place dans une chaîne de causes à effets, mais cet avant a lui-même toujours un avant. Aussi respectables que soient les principes idéologiques qui président à un tel décret, nul ne peut décider qu'à un instant donné, correspondant à un stade de l'évolution, l'avant n'a plus d'avant ; que tout s'articule jusqu'à ce que l'homme, cassant les ressorts de l'articulation, abolisse le passé dont il est issu ; que l'intelligence, en quelque sorte, serait le siège d'un anéantissement *a posteriori* de tout ce qui a contribué et contribue à la déterminer en tant qu'intelligence. Absurde et dérisoire ! Le comportement social de l'homme résume à la fois ce qu'on appelle une histoire (ou une préhistoire), en référence à sa présence sur terre, et ce que l'on baptise évolution eu égard à son absence. L'homme ne peut expulser de son comportement la part de son ascendance qui est antérieure à sa présence. On dira donc qu'à travers une histoire (et une préhistoire) l'homme a produit une culture sur le socle naturel et dans le cadre biologique que lui a légués l'évolution. Or, si l'histoire se poursuit à un autre rythme, l'évolution continue. Les comportements sociaux expriment la synthèse de ces deux parcours qui, au regard du temps, s'apparentent l'un à l'actualité, l'autre à l'éternité. Autrement dit, l'homme collectif ne cesse de produire, à travers son « histoire », du culturel sur le socle du naturel qui ne cesse, de son côté, de sculpter « l'évolution ».

Il n'est donc ni surprenant ni fortuit qu'aux structures invariantes que la culture sans discontinuité remodèle correspondent les structures invariantes qu'indéfiniment la nature recombine. Ici s'expriment dans toute leur ampleur l'unité, l'universalité et la stabilité du vivant. L'invariance structurelle est à la fois la conséquence relative de cette unité et la condition absolue de cette universalité. Si le changement, non déterminé et non déterministe, est par définition le moteur de toute évolution, les contraintes prédéterminées et prédéterminantes pèsent sur ses orientations dans la mesure où elles en définissent les équilibres et en délimitent les probabilités formelles. Et cela est vrai à tous les niveaux de l'évolution, même quand elle devient « histoire ». En ce sens, on peut considérer qu'à ces trois stades — celui où la nature se produit elle-même, où elle tend à produire de la culture, et où la culture transforme et corrige la nature —, le mouvement général de l'organisme vivant renvoie à la chronique des mutations internes qui, sous la poussée d'événements relativement aléatoires, remodèlent ou recomposent des structures pour justement en préserver l'invariance.

L'évolution, comme l'histoire, s'apparente à une reproduction du même qui produit de l'autre. En réalité, la production de l'autre est l'incontournable condition de la reproduction du même. En cela réside sans doute tout le mystère de l'évolution. La nature, mais aussi la société, créent, apparemment par inadvertance, alors que leur fonction est de répéter. Or, compte tenu justement de la part d'aléatoire qui glisse de l'impondérable dans la succession des duplications mécaniques, il apparaît que la nature, comme la société, ne peuvent répéter qu'en créant. La création est donc bien ce qui permet la répétition, étant donné l'inéluctabilité des dérives et des erreurs susceptibles de provoquer des dysfonctionnements. Mais la répétition n'est possible qu'en étant toujours plus créative.

Il en découle que « l'évolution » comme « l'histoire » ne sont pas à proprement parler la conséquence de mutations aléatoires mais, au contraire, le résultat de la créativité autonome de l'organisme biologique qui tend à favoriser, par la recombinaison innovante de ses composantes, une reproduction structurellement invariante, mais formellement et fonctionnellement différenciée, capable d'expulser, de neutraliser, de digérer ou d'intégrer les variations aléatoires déstabilisantes.

Mais, s'il n'y a pas de rupture ou de radicale discontinuité entre structures naturelles et structures culturellement acquises, des différences immenses apparaissent d'emblée. Toute structure sous-

jacente à l'organisation collective de l'espèce *homo* est potentiellement consciente de soi ; elle ne subit pas, mais organise son invariance ; elle gère un héritage qu'elle est capable de conceptualiser
par la pensée, de modifier par le savoir, de projeter grâce à la
connaissance qu'elle en a. Le hasard, qui favorise des mutations
internes, prend la forme d'actes individuels ou d'actions collectives
volontaires, s'identifie à une pensée critique. Et ainsi, ce qui était
aléatoire au cours de l'évolution devient, au cours de l'histoire,
l'expression d'une liberté, l'individu acquérant du pouvoir là où il
ne bénéficiait que d'aptitudes.

Enfin, à l'intérieur du temps historique, extraordinairement bref
au regard de l'évolution, la cible de la sélection ne peut être que
le produit d'une intelligence collective.

Supposons, pour simplifier : 1) des structures invariantes naturelles ; 2) des structures invariantes sociales. Les premières, for-
midablement rigides, ne dissimulent jamais leur invariance, fût-ce
pour la mieux préserver par une recombinaison interne. Alors que
les secondes rusent avec elles-mêmes et feignent des métamorphoses pour sauver cette invariance. La structure naturelle est toujours là, alors que la structure sociale est parfois ailleurs, souvent
en attente, en réserve, en embuscade. La structure naturelle représente en quelque sorte ce qu'il y a de moins vivant dans le vivant,
la structure sociale gère ce qu'il y a de plus spontané dans le vécu.
Aussi bien, comme nous l'avons vu, toute structure sociale invariante, à mesure qu'elle se recompose, suscite-t-elle de nouvelles
invariances mentales qui agissent en retour sur la structure de
base, alors qu'en ce qui concerne les structures naturelles ce processus est extrêmement lent et n'empêche jamais la répétition
presque à l'identique de la structure de base.

Si la structure naturelle, enfin, contribue puissamment à décréter l'orientation du devenir, la structure sociale corrige et souvent
bloque les décrets qui anticipent l'avenir. Donc, les structures
sociales ou culturelles constituent des réalités « en soi », même si
elles participent de l'unité du vivant, même si tous les apports
naturels de l'évolution forment leur soubassement inné. Comme
l'organisme naturel, l'organisme social s'insère dans l'épopée de la
vie, mais il n'est jamais un simple instrument de ses composantes.

A propos d'une course d'Alain Prost sur Ferrari

Recourons à une image. La somme des éléments inanimés et mécaniques constitutifs d'une voiture de course et des éléments vivants constitutifs d'Alain Prost ne suffira jamais à rendre compte d'une victoire ou d'une défaite de ce champion sur cette voiture-là. Chacun de ces éléments y participe certes ; mais si la défection d'un seul d'entre eux — une bielle qui coule, au même titre qu'une conjonctivite, un pneu qui crève ou un furoncle à la fesse — est susceptible de provoquer la défaite, leur parfait fonctionnement à tous ne suffirait pas à assurer la victoire.

Il est clair que cette figure symbolique, Alain Prost sur une Ferrari, s'insère à *tous* les niveaux dans l'anabase de l'être. Elle renvoie aussi bien à l'évolution naturelle qui a fait qu'un demi-singe puisse devenir Alain Prost qu'à l'histoire culturelle qui a permis de passer de la brouette à la Ferrari. Des milliards d'atomes, de cellules, de molécules, agencés à la suite de milliards de mutations, des millions d'interactions finalisées enclenchant des millions de mécanismes de la pensée, eux-mêmes provoquant des millions de gestes techniques, ont contribué à la probabilité de cet attelage Prost-Ferrari capable de gagner une course. Or, si la chaîne, l'accumulation, l'articulation de toutes ces composantes, dont la préhistoire couvre des centaines de millions d'années, constituent des corrélations absolument nécessaires à l'avènement d'une victoire de Prost sur Ferrari, l'événement ne pourrait pas se produire si une structure économico-culturelle ne s'était greffée sur un comportement social collectif proprement humain, bien qu'invariant lui aussi : la tendance (a) à intégrer au système capitaliste la tendance (b) des foules à apprécier le spectacle de la tendance (c) des individus à la compétition.

A l'arrivée, donc, apparaît une structure sociale « en soi » (invariante des jeux du cirque aux courses automobiles) qui se résume à l'organisation intéressée de spectacles populaires consistant à opposer entre elles des performances individuelles ou collectives. Structure sociale qui s'adapte à toutes les époques, à toutes les latitudes, à tous les milieux, mais qu'on ne saurait réduire à aucun des éléments qui la rendent effective, ni à leur somme, ni à leur moyenne.

Les animaux de la même espèce s'affrontent volontiers en combats singuliers n'impliquant aucune lutte pour la vie. Mi-duels, mi-compétitions. Souvent pour s'approprier une femelle, affirmer un pouvoir hiérarchique, s'assurer un territoire. Par jeu ou par défi. Cette propension, à la fois violente et ludique, à confronter les forces ou les habiletés, participe d'une invariance naturelle. Mais il est clair que l'invariance culturelle que représente chez l'homme la pratique des matches, joutes, jeux ou courses, à la fois prolonge l'invariance naturelle et la dépasse largement en l'intégrant à une structure sociale autonome à travers laquelle s'expriment presque toutes les autres invariances de la société : le capitalisme tendanciel (qui transforme la compétition en industrie et greffe sur elle les jeux d'argent), l'aspiration au socialisme (le plaisir que l'on prend à se couler, l'espace d'une grande fête païenne, dans la même foule), le tribalisme (il arrive même que les bandes de supporters s'apparentent à des hordes primitives), le féodalisme (qui caractérise l'organisation des clubs et fédérations), voire l'esclavagisme (dont les combats de gladiateurs furent la quintessence).

Théorème : toute structure invariante culturelle ou sociale prolonge des invariances naturelles qu'elle intègre, mais les dépasse et les transcende en se constituant en structure invariante autonome.

La réforme comme recomposition historicisée

Élargissons maintenant le propos à partir d'un exemple contemporain que nous avons développé précédemment. Le communisme, ou « socialisme réel », a acchoppé sur les invariances structurelles qu'il avait cru pouvoir mépriser. Dès lors que ce système s'effondrait, on a vu resurgir, sous l'appareil d'apparences qui les dissimulait, le tribalisme, y compris sous ses formes claniques et ethniques, le capitalisme sauvage, y compris sous sa forme criminelle, le féodalisme, incluant le servage, et même une manière recomposée d'esclavagisme. Mais le communisme n'en a pas moins été, pendant une période relativement importante à l'échelle historique, une réalité qui a engendré ses propres invariances mentales, structuré des aspirations universelles et précipité, en retour, des mutations internes au sein de cette structure invariante qu'est le capitalisme. Avec la chute du communisme, on a certes assisté à un phénomène d'apparente réversibilité, mais

qui, en réalité, ne permet pas l'occultation pure et simple de la
« déviance ».

Dans la nature, un tel processus est évidemment impossible.
Pourquoi ? Parce que la vie, au sens biologique du terme, ne peut
rien tenter, même avec une chance de succès éphémère, hors des
structures qui orientent son évolution. Les déviances qui n'entrent
pas dans leur cadre sont effectivement néantisées, après rejet, et
ne laissent nulle trace (alors que les étapes éphémères de l'évolution, ou les branches mortes, laissent toujours des vestiges). Le
communisme léniniste, comme excroissance négatrice des structures sociales invariantes, a pu vivre pendant soixante-treize ans et
même, ici et là, survivre à son naufrage ; alors qu'une dissidence
négatrice d'une structure naturelle invariante (un cœur à la place
de l'estomac, un métabolisme inversé, de l'eau dans les veines) est
aussitôt annihilée. L'invariance sociale tolère l'essai de ce qu'elle
rend impossible. L'invariance naturelle censure d'emblée. Certes,
des espèces ont été, qui ne sont plus. Mais ce qui disparaît au
cours de l'évolution, c'est ce qui ne parvient pas à s'adapter aux
chambardements du milieu et ne subsiste donc que sous forme de
séquelles. Ce qui meurt en revanche au cours de l'histoire, c'est
ce qui tente de s'émanciper du milieu sans l'avoir préalablement
transformé ; c'est ce qui a fait sécession d'avec les structures invariantes. Or cela prouve *a contrario* que c'est possible. Condamné
à terme, certes, mais possible. En cela, les aventures déviantes ou
dissidentes jouent dans l'histoire un rôle considérable, l'ensemen-
cent en quelque sorte. Elles constituent cet engrais indispensable
qu'on appellera « rupture dynamisante » ou « utopie créatrice ».
L'essai est une dimension de l'histoire, alors qu'il n'est qu'un accident de l'évolution. Même un essai raté, parce que frontalement
attentatoire aux structures invariantes contribue puissamment, au
cours de l'histoire, à précipiter (en riposte ou en adaptation) des
mutations internes au sein de ces mêmes structures invariantes.
Alors qu'au fil de l'évolution à laquelle ne concourent que les
essais réussis, l'essai raté est purement et simplement digéré par
la structure invariante.

Il en résulte que, la révolution étant spécifique à l'histoire, la
réforme aussi lui est propre en tant qu'elle anticipe, par suite
d'une décision volontaire, une mutation adaptative interne de la
structure invariante.

En termes crus, on constatera qu'un monstre est plus rapidement rejeté par l'évolution que par l'histoire, mais que l'homme, au cours de l'histoire, a réussi à voler plus vite que l'oiseau au cours de l'évolution.

La continuité évolution-histoire n'en est pas moins présente, en filigrane, dans l'exemple que nous évoquons : établir en effet que le communisme ou « socialisme réel » s'est fracassé contre les structures invariantes qu'il entendait dissoudre, c'est suggérer, par voie de conséquence, qu'il s'est heurté à leur composante « naturelle ». Aussi monstrueux qu'il ait été, sous ses formes stalinienne ou maoïste, le communisme entendait fondamentalement rompre avec toute sous-jacence animale de l'espèce, croyant pouvoir écraser le naturel sous le culturel, expulser l'inné par l'acquis (d'où Lyssenko). Or, devant l'évidence du désastre, l'ampleur de l'échec, il fut peu à peu conduit à remobiliser artificiellement en sa faveur de l'animalité, à se réenraciner sauvagement dans un naturel de composition, à mettre l'inné au service de ses illusions acquises.

Staline a correspondu, en somme, à la tentative effarante de sauver l'idéologique par le biologique. Tentation folle et démoniaque, dans la mesure où cela revenait à retourner contre les structures sociales invariantes la part d'animalité de leur propre socle.

Au demeurant, on pourrait également se demander — mais ce serait hors de propos — ce qui, en Staline lui-même, résultait d'actes réfléchis ou de pulsions irraisonnées. En quoi les décisions du tyran ressortissaient à une pensée consciente ou à un comportement instinctif, ce qui nous renverrait à une structure inaccessible à nos recherches : celle du cerveau d'un dictateur psychopathe.

Cependant, d'une manière plus générale, nous ne saurions totalement escamoter cette interrogation : l'invariance de la structure cérébrale ne constitue évidemment pas la plus mince composante de l'invariance sociale en général. « La biologie et ses contraintes, écrit François Jacob, s'arrêteraient devant le cerveau humain ? Sous cette forme extrême, cette attitude est simplement insoutenable[1]. » On peut (on doit) s'interroger sur le rôle spécifique du cerveau humain en tant qu'il constitue le lieu même de l'articulation entre ce qui découle de l'évolution naturelle et ce qui produit de l'histoire sociale ou culturelle. C'est à cela que nous allons nous attacher dans les chapitres suivants.

---

1. François Jacob, *op. cit.*

CHAPITRE XI

Entre l'évolution et l'histoire

Quand le cerveau du dinosaure dialogue avec celui d'Einstein

Le cerveau : c'est là que tout s'est joué, que tout s'est noué. Ou, plus exactement, que tout s'est joué en se nouant. Et c'est ce constant recâblage qui a permis à notre histoire d'être intégrée à l'engrammage de notre évolution, et à notre évolution de s'exprimer à travers notre manière d'y câbler les acquis de notre histoire.

Le neurobiologiste MacLean a acquis une certaine célébrité en exposant, dans les années cinquante, la thèse des trois niveaux de notre organisme cérébral correspondant aux trois phases de son développement : le complexe strié primitif, archéocerveau représentant notre préhistoire évolutive (le rhinencéphale) ; le système limbique qui gère notre rapport différencié et multiforme au milieu ; le néocortex, enfin, apparu plus tardivement, propre aux vertébrés supérieurs, et dont nous avons fait l'instrument de notre appropriation conquérante du monde. Cerveau de l'intelligence d'un côté, cerveau des instincts de l'autre ? Certes, admet MacLean, chez l'homme le cerveau imaginatif a pris un considérable ascendant sur le cerveau instinctif, mais « il y a maintien d'un antique système nerveux et hormonal, en partie resté autonome, en partie placé sous la tutelle du néocortex ». En termes crus, le cerveau d'Einstein n'éradique pas celui du dinosaure qui lui est sous-jacent.

Ici donc, dans le cerveau humain, s'articulent les deux chaînes : celle qui tire l'évolution et celle qui permet de remonter par l'histoire ; cohabitent sans jamais s'exclure, en interférant toujours l'un sur l'autre, l'homme d'hier et l'homme futur, enchaînés par l'évolution qui se poursuit et par l'histoire qui sans cesse recommence.

S'inspirant des travaux de MacLean, Henri Laborit a résumé de manière assez saisissante cette synthétisation intracérébrale d'une continuité *a priori* contradictoire[1].

Cette conception est sans doute aujourd'hui sensiblement dépassée, prisonnière qu'elle est (ou qu'elle fut) de la prégnance des expressions ambiguës qu'elle a popularisées (cerveau « reptilien », par exemple). Elle ne nous en offre pas moins un bon point de départ pour l'exploration que nous entreprenons du lieu où les invariances naturelles explosent en variables culturelles.

Sur les trois étages de l'immeuble cérébral

Il y a plus de deux cents millions d'années, donc, apparaissait, étape provisoire d'une évolution de plus en plus complexe, le cerveau des reptiles. « Cette structure, suggérait Laborit, est toujours présente dans le cerveau humain dont elle constitue l'acquisition philogénétiquement la plus ancienne[2]. » Ce cerveau primitif (ou reptilien) détermine des comportements stéréotypés programmés à l'issue d'apprentissages ancestraux, qui présupposent, bien que Laborit n'aborde pas la difficulté de front, que les acquis de l'organisme engrammés par la répétition puissent être, d'une manière ou d'une autre, intégrés au patrimoine génétique.

Ce cerveau achaïque gérerait — et gère effectivement, mais pas seul — les fonctions instinctives, celles dont la finalité est la survie de l'organisme dans son ensemble, telles que l'établissement du lieu de séjour, la recherche de nourriture, l'autoprotection, le rut et l'accouplement. Mais il faut bien voir ici que la seule « autoprotection » implique des capacités de réactions différenciées déjà extrêmement complexes. Dans son combat contre la mangouste, le cobra n'est pas particulièrement mollasson.

En fait, le cerveau dit « reptilien » coordonnerait les comportements mécaniques innés. Il constitue la fondation sur laquelle s'est bâti peu à peu le cerveau développé de l'*homo sapiens*.

MacLean insiste même sur la part prise par ce cerveau primitif

---

1. Henri Laborit, *L'Agressivité détournée*, Paris, UGE, coll. 10/18, 1971.
2. *Ibid.*

dans les comportements humains d'obéissance aux rites, aux préjugés, aux conformismes d'une époque. Au colloque de Royaumont sur l'« Unité de l'homme » que nous évoquions au chapitre II, il en fit même l'organisateur des comportements mécaniques de type parades de séduction amoureuse.

L'étape suivante aurait doté le cerveau primitif d'une enveloppe corticale plus développée, système propre à tous les mammifères : ce système « limbique » jouerait un rôle fondamental dans les activités émotionnelles et continuerait, en connexion étroite avec l'hypothalamus, à fonctionner à un niveau purement émotif et instinctif.

Enfin, plus tardivement, apparaît chez les mammifères supérieurs le néocortex, enveloppant les deux autres, et qui connaît chez l'homme un développement prodigieux : il s'agit avant tout d'un cortex associatif qui fournit la base fonctionnelle de l'imagination, y compris de l'imagination de nouvelles structures fonctionnelles, elle-même créatrice d'activités nerveuses plus complexes et de moins en moins dépendantes de l'environnement. « Le paléocéphale, écrit Laborit, fait de la programmation. Il déduit le futur du passé. Le néocéphale fait de la prospective. Il construit le futur à sa guise et tente de conformer le présent à cette construction imaginaire[1]. »

Cette description, d'ailleurs simplifiée, est évidemment un peu réductrice ; d'autant que l'expression « reptilien », nous l'avons dit, appelle un jugement de valeur et suggère que les comportements humains les plus détestables seraient la manifestation du serpent diabolique que nous portons en nous. Il est clair cependant — ou il devrait être clair — que l'imagination peut par exemple conduire au crime parfait, alors qu'un comportement mécanique tel qu'est censé le déterminer un cerveau dit reptilien soustend en particulier l'amour maternel. Nous verrons qu'en réalité, les interconnexions cérébrales transcendent les fonctions particulières.

Qu'est-ce d'ailleurs qu'un comportement instinctif ? « Un mécanisme nerveux, explique le prix Nobel Tinbergen, célèbre éthologue britannique, organisé hiérarchiquement, sensible à certains influx amorçants, déclenchants et dirigeants, d'origine aussi bien interne qu'externe, et répondant à ces influx par des mouvements

1. *Ibid.*

coordonnés qui contribueront à la conservation de l'individu et de l'espèce[1]. » Par exemple, le réflexe de succion que suscite chez l'enfant le contact avec la tétine, mais aussi les réactions de défense stéréotypées (le hurlement, entre autres) que provoquent une agression ou un danger. « Faculté innée, dit Pierre-Paul Grassé, le grand biologiste français, d'accomplir sans apprentissage préalable certains actes spécifiques sous certaines conditions du milieu extérieur et de l'état psychologique de l'individu. »

Qu'il n'y ait point d'intelligence humaine qui ne soit pétrie d'instincts (ou d'émotions) qu'elle dépasse et retraite, chacun l'admet. Même lorsqu'il élaborait la théorie de la relativité générale, Einstein avait faim, se désespérait, souffrait, ressentait de la tristesse ou était tenaillé par l'angoisse.

Mais ce qu'il faut bien comprendre également, à partir des deux définitions précédentes, c'est que l'instinct est tributaire de son histoire à l'intérieur d'une évolution, et que le cerveau qui le règle ne peut ignorer le développement du cerveau qui le transcende. L'instinct de « conservation » n'est évidemment pas indépendant de la nature évolutive de ce qu'il s'agit de conserver. (C'est pourquoi un « conservateur » d'aujourd'hui ne ressemble pas à un « conservateur » d'hier.) Et l'instinct agressif — qui peut devenir culturellement révolutionnaire ou réactionnaire — se remodèle lui-même au rythme de l'apparition des nouveaux stimuli, intellectuellement intériorisés, qui le déclenchent et l'exacerbent.

L'homme n'est évidemment pas doté de trois cerveaux, héritage de trois phases de l'évolution : un cerveau animal, un cerveau barbare et un cerveau technicien. Le cerveau humain est un tout, et ce tout est quelque chose de plus que la somme de ses composantes. Les interactions entre ces trois « plages » de l'évolution cérébrale, au sein d'un même organisme intégré, sont telles qu'il est quasiment exclu, au moins socialement, d'être confronté à des comportements qui ne renverraient qu'à l'activité fonctionnelle de l'une de ces plages. Même l'acte instinctif est devenu conscient de soi, non point en tant qu'il est instinctif (car l'inconscient est inconscient de lui-même), mais en tant qu'il est acte.

Surtout, outre que l'intelligence associative et imaginante véhicule toujours de l'instinct et de l'émotion, l'émotion elle-même relève en grande partie du processus instinctif — ce que confir-

1. Nikolaas Tinbergen, *Étude de l'instinct*, Paris, Payot, 1980.

ment d'ailleurs les très fortes interconnexions entre l'hypothalamus et le vieux cortex — et l'émotion comme l'instinct irriguent la pensée imaginante, comme le montre la créativité littéraire et artistique en général. A quoi on ajoutera :

1. que l'homme garde toujours la faculté « culturelle » de se révéler à lui-même sous forme de valeur intangible — principe moral, tradition ou tabou —, ce qui n'est que la manifestation d'un instinct biologique ; faculté, en quelque sorte, d'offrir au néocéphale ce qui relève du paléocéphale.

2. qu'à l'inverse, puisque les mécanismes instinctifs actifs peuvent être équilibrés par des mécanismes instinctifs inhibiteurs, à un certain stade, la société joue un rôle essentiel dans ce processus : c'est elle qui excite puis canalise certains instincts et incite au refoulement et à l'inhibition de quelques autres.

Le cerveau comme organisme social, l'organisme social comme cerveau

Dans la mesure où le cerveau est une structure complexe qui intègre et recompose à l'intérieur de lui-même une réalité extérieure complexe elle aussi, on peut esquisser un parallélisme entre la structure d'un système nerveux et la structure d'un système social. Ce dernier — par exemple l'organisation d'un peuple donné, à un moment donné, sur un territoire donné — est également le fruit d'une évolution et d'une histoire qui ont, l'une et l'autre, abandonné leurs galets sur les différentes plages de sa réalité vivante. Autrement dit, le système social global peut théoriquement se décomposer en éléments constitutifs archaïques, anciens, modernes et contemporains, chacun exprimant un moment de son processus de cristallisation.

Il y a, dans toute société, des espaces, situés dans ses profondeurs et artificiellement recouverts par les diverses strates de la modernité, qui continuent à fixer pour l'essentiel son état primitif : reflet, en somme, de la structure cérébrale dont elle est, d'une certaine manière, le produit.

Mais les composantes les plus archaïques des structures sociales n'ont jamais une autonomie telle qu'elles puissent fonctionner déconnectées des autres composantes de la structure. Le paganisme, par exemple, imprègne le catholicisme qui irrigue à son tour toute culture acquise, fût-elle laïcisée. Si bien que la culture laïque baigne dans un catholicisme environnemental et mental, lui-même pénétré par le paganisme originel ; mais il n'y a pas, à l'intérieur de notre société, fonctionnement parallèle et étanche de trois aires : celle du paganisme, celle du catholicisme et celle de la culture laïque. Pas plus que la société n'isole sa pensée sauvage de sa pensée policée.

Ce parallélisme entre organisme cérébral et organisation sociale n'est pas simplement métaphorique : le cerveau, en effet, structure structurante, ne reflète pas passivement, mais recompose à l'intérieur de lui-même une réalité extérieure. Ce n'est pas l'œil qui livre l'image au cerveau, mais le cerveau qui livre l'information à l'œil. « Ce que nous connaissons du monde, ce n'est pas un environnement siégeant autour de notre organisme, mais seulement l'activité relationnelle que les neurones de notre système nerveux entretiennent entre eux », écrit Henri Laborit[1]. La même réalité « en soi » n'est pas pour la grenouille, le cheval et l'homme, la même réalité « pour soi ». Et c'est bien parce que le cerveau reconstruit les structures apparentes qui lui sont extérieures (perception) qu'il parvient à se représenter des structures qui n'apparaissent pas immédiatement et, surtout, à en imaginer de nouvelles. Le monde est donc, au sens kantien, doublement structuré, « en soi » et par notre système nerveux, au point que l'on pourrait même résumer l'évolution de la connaissance à un processus de rapprochement (qui ne débouche jamais sur l'identique) entre structure externe et structure interne, entre le monde structurant et notre structuration du monde. Quand nous parlons de structure sociale invariante, nous mélangeons donc en un même concept la structure réelle invariante d'un système social donné et l'invariance de notre propre restructuration de cette réalité, elle-même fonction de l'invariance relative des mécanismes structurels et structurants de notre système nerveux.

Le cerveau contribue à la fabrication du social, le social influe sur l'évolution du cerveau ; le social intègre d'ailleurs des cerveaux, et les cerveaux intègrent le social ; d'où la structuration du social par le cerveau et du cerveau par le social, et l'adéquation relative de la structure de l'un à la structure de l'autre.

1. *Op. cit.*

Par où cela commence-t-il ? De la structure sociale ou de la structure mentale, laquelle détient l'antériorité ?

Il apparaît que s'il y a interaction en boucles, le social agit plus fortement sur le mental que le mental sur le social. Nous avons d'ailleurs vu que toute mutation interne d'une structure sociale — et même que toute tentative avortée de révolutionner une structure invariante — favorise l'émergence de nouvelles invariances mentales qui rapidement s'autonomisent, alors que ces invariances mentales autonomes ne peuvent que freiner (quand elles sont conservatrices) ou précipiter (quand elles s'identifient à une utopie) les mutations internes au sein des mêmes structures invariantes. Une mutation sociale peut produire une révolution décisive dans l'ordre de l'intelligence (Descartes, Galilée, Einstein), mais même une telle rupture qualitative dans le domaine intellectuel ne parvient pas à révolutionner en profondeur les structures objectives du réel, y compris les structures sociales réelles.

Le marxisme n'a pas durablement enfanté le communisme, mais le communisme éphémère a durablement engendré de nouvelles structures mentales. Ce qui a triomphé après 1789, ce n'est pas la Révolution en ce qu'elle était fille de Jean-Jacques Rousseau et plus accessoirement de Voltaire et de Montesquieu, mais les nouvelles mentalités favorisées *a posteriori* par la mutation interne au sein de la structure de propriété résultant de la vente des biens nationaux.

J'ai émis l'hypothèse que ce que la nature avait sélectionné chez l'homme, ce n'est pas son intelligence, très fruste à l'heure de l'examen de passage, mais sa propension à l'intégration sociale. Je pousserai plus loin cette supposition : ce n'est sans doute pas le cerveau pensant qui, à l'origine, a guidé la main, mais le processus physiologique — répondant aux pressions de l'environnement — de redressement, de dégagement des membres inférieurs et d'autonomie tactile de la main, qui enclencha le processus d'adaptation du néocortex à cette nouvelle faisabilité.

Et nous retrouvons là tout entière la problématique, largement évoquée plus haut, de l'oiseau qui, à partir du moment où il utilise ses ailes pour le vol, ne cesse d'adapter son organisme à l'optimisation technique maximale, génétiquement relayée, de cette capacité acquise.

S'il en est ainsi, les différentes sphères du cerveau, aussi articulées et intégrées soient-elles, ne renvoient pas simplement à leur passé organique, mais bien aux contraintes environnementales et aux conditions du milieu qui ont présidé à leur propre développement. Le cerveau n'est pas seulement la résultante de son évolution et de son histoire, mais de l'évolution et de l'histoire.

Aussi ne dirons-nous pas que le cerveau de l'homme intègre le cerveau du reptile et celui du chat, mais que son propre développement a englobé, en les articulant les unes aux autres, les étapes correspondant aux types de rapports que d'autres témoins de l'évolution des espèces entretiennent ou ont entretenus avec leur milieu. Et que l'homme, par conséquent, dans l'évolution et dans l'histoire, projette constamment, à travers son appréhension du monde et sa réaction au monde, ces moments différenciés de son évolution et de son histoire.

Ce qui signifie que le cerveau humain véhicule, au sens large, de l'évolution et de l'histoire plus encore qu'il n'en produit ; qu'il projette plus qu'il n'anticipe. Ce qui passe, s'évanouit ou disparaît, certes, mais demeure en tant que composantes de sa structure : cela explique pourquoi une structure mentale devenue autonome survit à la disparition ou à l'évolution de la structure sociale qui l'a engendrée.

Du rôle de l'intelligence émotive et de l'intelligence imaginante

Diviser le cerveau en trois sphères correspondant à trois périodes témoigne, en conséquence, d'une simplification abusive : le processus ne s'arrête jamais. S'il y a un cerveau reptilien ou félin, il y a également, à la limite, un cerveau féodal ou esclavagiste ou révolutionnaire, voire, en France, un « cerveau 68 » ! Il se trouve simplement que certaines périodes englobées — et donc costructurantes de notre système nerveux — pèsent cent millions d'années, d'autres trois siècles ou une seule année, et que leur pression structurelle s'en ressent.

Il se trouve également que ce qui concourt le plus fortement à l'organisation sociale est ce que l'on pourrait appeler le cerveau « collectif », c'est-à-dire une somme d'activités cérébrales synthétisées. Or, plus la capacité de notre système neuronal à abstraire ses propres associations pour construire des structures nouvelles (la pensée) s'autonomise en s'optimisant, plus en même temps elle s'individualise. Il n'y a pas des milliards d'Aristote, ni des millions de Descartes, ni des centaines de milliers de Galilée. Pour des raisons d'ailleurs plus culturelles que naturelles, mais cela ne change rien à l'affaire. Le cerveau humain est comme une pyramide dont la base la plus archaïque est la plus universellement partagée (y compris par certains animaux) et dont le sommet ou la pointe ne concerne, à l'image de la hiérarchisation sociale elle-même, que la minorité qui a acquis, par apprentissage culturel, la capacité d'utiliser totalement un instrument aussi sophistiqué ; capacité dont, au surplus, cette minorité elle-même est naturellement plus ou moins bien dotée.

Évidemment, au cours de l'évolution, et plus encore au cours de l'histoire, tous les étages de la pyramide remontent et sa pointe atteint finalement des hauteurs qui font que l'homme parvient à agir sur les structures les plus complexes de la nature dont il a réussi à percer les secrets. Mais le fait que la pointe contrôle, utilise, recompose l'énergie atomique, conçoit les moyens de s'arracher à l'attraction terrestre et s'apprête à agir sur sa propre programmation génétique, n'empêche pas qu'à la base, des tribus fanatisées se massacrent mutuellement avec une sauvagerie totalement irraisonnée.

Cela ne signifie pas que l'intelligence pure soit dévolue à la pointe, tandis que la base serait confinée à une utilisation économique de son paléocéphale (encore une fois, tant l'intelligence abstraite que les pulsions instinctives sont communes à tous les hommes), mais : a) que le développement de plus en plus complexe des capacités de plus en plus inouïes de notre système cérébral maintient la structure pyramidale en pointe, quels que soient les progrès généraux de la culture acquise et la propension intellectuelle à l'acquérir. Nous avons déjà signalé, à cet égard, que malgré Galilée (sans parler des découvreurs d'une réalité quantique), l'essentiel de la communauté humaine continue à penser dans un espace-temps aristotélicien ; ou que, malgré Darwin et ses successeurs, la croyance à une origine divine de l'espèce est largement majoritaire ; b) que l'intelligence conceptuelle étant personnelle, et d'autant plus qu'elle atteint un certain degré de sophistication analytique et synthétique, plus une collectivité est large et plus ce que nous appellerons les intelligences instinctives et émotives, directement liées aux états les plus anciens de la structure cérébrale, l'emportent sur l'intelligence associative — par définition individuelle — capable d'imaginer et d'anticiper les structures nouvelles.

A quoi on ajoutera que la société, de manière générale, mobilisera plus systématiquement les intelligences instinctives et émotives que les intelligences imaginantes, par définition incontrôlables, inclassables, inintégrables, quitte bien sûr à en exacerber certaines et à en enhiber d'autres qui se verront implacablement refoulées dans l'espace sous-jacent de l'inconscient.

Le système industriel moderne, par exemple (et son paroxysme qu'est le taylorisme), fait prioritairement appel aux réactions du cerveau instinctif au détriment du cerveau imaginatif, quitte à inhiber certaines émotions qui risqueraient de le déstabiliser en tant que système rationnel. Mais, dans tous les cas, nous enregistrons le même résultat, à savoir que le poids du passé cérébral — ou du passé de la structure cérébrale — est d'autant plus lourd que la collectivité est plus large et le groupe plus dense. Toute réalité sociale qui s'autocollectivise au lieu de s'universaliser doit plus au cerveau qui tire son passé de l'évolution qu'à celui qui élabore le devenir de son histoire.

On peut dire les choses ainsi : les réactions fonctionnelles qui, par l'entremise de notre système neuronal, présidaient déjà aux instincts primitifs et aux émotions ancestrales, jouent, dès lors qu'une somme d'intelligences individuelles fusionne en une intelligence collective, un rôle accru en projetant systématiquement sur l'avenir (par définition inconnu) l'ensemble des réflexes structurants (et rassurants) engrangés au cours de l'évolution et de l'histoire ; l'intelligence conceptuelle et créatrice, imaginative et anticipatrice, plus individualisée, agit alors à la périphérie.

Il y a, nous le verrons, enclenchement d'un processus de changement quand l'intelligence créative rencontre, pénètre, influence l'intelligence collective, ou que la pensée instinctive et émotive capte et utilise l'intelligence créative individualisée.

J'utilise ici les termes « instinct » et « instinctif » par opposition à l'intelligence imaginante et prospective, bien qu'il soit aujourd'hui de bon ton d'en proscrire l'emploi. Mais on comprendra que l'intelligence instinctive reste de l'intelligence, qu'elle n'est jamais déconnectée ni de l'environnement dans lequel elle se déploie, ni de la culture qui la pénètre, et qu'elle n'a rien à voir avec la pulsion mystérieuse et irrationnelle chère à Konrad Lorenz.

L'intelligence instinctive constitue déjà un moment de la rationalité. C'est dire que ce qui précède n'implique aucune hiérarchie de valeurs : le patriotisme, la résistance à l'occupant et l'héroïsme qu'il induit, la colère insurrectionnelle, l'altruisme humanitaire participent d'une intelligence collective à la fois instinctive et émotionnelle, alors que l'intelligence créatrice et imaginante peut, à travers les utopies qu'elle élabore, provoquer de véritables hécatombes ou, au contraire, au nom d'un esprit critique asséché, favoriser un scepticisme démobilisateur. La haine des assassins d'enfants relève de la sphère des instincts et des émotions, alors que le cerveau imaginant est capable de concevoir des systèmes, des idéologies ou des armes propres à détruire des centaines de milliers d'enfants.

Ce que nous entendons simplement mettre en relief, c'est que les formes les moins prospectives et les moins anticipatrices de l'intelligence, les plus fortement liées (mais non point exclusivement) aux fonctions instinctives et émotives du système neuronal, parce qu'elles sont plus collectives, constituent un élément important de l'invariabilité globale des structures sociales, alors que l'intelligence créatrice (ou imaginative) contribue à en précipiter les mutations internes et les recompositions. On fera remarquer que les intelligences instinctives et émotives concourent largement à l'enclenchement des processus révolutionnaires. Mais, justement, quand elles ne sont articulées à aucune pensée critique, elles nourrissent des révoltes sans perspectives qui confortent l'ordre antérieur.

On pourrait d'ailleurs, en exprimant la même idée, lui donner une tout autre tonalité : si l'invariabilité structurelle de la réalité sociale est largement confortée par la mémoire lourde et prégnante que véhicule la pensée collective, toute pensée créatrice, aussi individualisée soit-elle, en favorisant à terme les mutations et recombinaisons au sein de la structure invariante, contribue en revanche puissamment au processus de changement. En ce sens, la pensée qui anticipe, même si elle ne parvient jamais totalement à ses fins, l'emporte toujours, jugée à l'aune des effets, sur la pensée qui reproduit.

Ce qui ouvre le chemin du possible, par conséquent, c'est notre capacité cérébrale à associer abstraitement des concepts arrachés à leur propre passé qui les comprimait, pour les combiner en une structure imaginante, parce que prospective. Et ce « possible » est toujours le fruit d'une liberté prise par la pensée vis-à-vis de son propre passé structurant.

La pensée critique comme catalyseur du changement

Le constat théorique de l'universalité et de l'intemporalité des « invariances structurelles » ne banalise donc ni l'acte ni la pensée libre au profit d'un déterminisme mécanique qui réduirait le devenir historique à une simple reproduction de structures, mais, tout au contraire, fait de l'acte « libre », articulé à la pensée libre, le moteur essentiel du changement, dans la mesure où c'est précisément cet attelage créatif qui précipite les mutations adaptatives autoprotectrices de la structure invariante.

C'est, en l'occurrence, parce que les structures globales sont invariantes que la pensée créatrice, surgissant d'un espace libre, y joue un rôle à ce point essentiel comme catalyseur continuel d'une recomposition interne.

Si en effet les structures, dotées d'une vie propre et closes sur elles-mêmes, répondaient à une logique évolutionniste linéaire qui les ferait se succéder les unes aux autres, comme l'imaginaient en particulier les marxistes, la pensée et l'acte libres ne joueraient plus qu'un rôle très marginal en tant que facteurs de changement.

La liberté découle de la capacité qu'a toute composante d'un organisme de prendre ses distances à l'égard de sa logique globale, nécessitant une recomposition de la logique structurelle englobante pour y réinsérer cette dissidence. Une telle prise de distance permet, sans trêve, d'agir sur les déterminismes, en s'en émancipant.

Nous avons constaté que le « socialisme réel » s'est fracassé sur les invariances structurelles qu'il croyait pouvoir nier et avoir escamotées. En ce sens, le marxisme, et plus encore sa variante léniniste, s'identifie à un formidable échec doublé d'un gigantesque gâchis. Ce n'est pas l'idée qui est venue à bout de la structure, c'est la structure qui a refoulé puis défait l'idée. En tant qu'idéologie ambitionnant de reconstruire le réel sur de nouvelles bases, le marxisme a fait naufrage. Mais, en tant que moment théorique (pensée libre prenant à une époque donnée ses distances à l'égard des pesanteurs déterministes de l'organisme social), il a joué un rôle tout à fait essentiel d'incitation à la mutation et à la recomposition au sein des structures invariantes. Toutes les sociétés démocratiques occidentales lui sont, en ce sens, redevables !

L'idéologie a raté la révolution, mais la théorie a favorisé la réforme. C'est si vrai que le marxisme a totalement fait faillite là où il s'est installé de force comme structure de remplacement négatrice des invariances structurelles, mais qu'il a *réellement* réussi comme interpellation périphérique, provoquant des transformations autoprotectrices profondes au sein de ces mêmes structures. Le marxisme a été le facteur primordial et de la régression orientale et du progrès occidental, dans le domaine économique comme dans le domaine social, en ce qu'il a fonctionné ici comme suppléance au réel, là comme catalyseur du réel.

Et le propos vaut aussi, dans une moindre mesure, pour le léninisme dont le bilan en tant qu'idéologie officielle d'une contre-structure fut terrifiant, mais qui eut une influence considérable comme catalyseur d'une immense recomposition structurelle en ce qu'il pensa librement (par rapport au marxisme même) les contradictions réelles spécifiques à l'impérialisme colonial.

Paradoxe apparent : en tant que théorie anticipatrice de la recomposition du système colonial et des antagonismes nouveaux qui en découlaient, le léninisme a triomphé alors même qu'il a sombré corps et biens sous sa forme institutionnalisée d'idéologie de substitution à l'idéologie coloniale !

On a beaucoup glosé sur l'influence directe ou indirecte que les encyclopédistes et Jean-Jacques Rousseau auraient pu avoir sur les événements qui conduisirent à la Révolution française. Aucun théorème n'établit évidemment qu'il existe un rapport mécaniste de cause à effet entre une pensée individuelle périphérique et un acte collectif central : on ne sache d'ailleurs pas que le cartésianisme ait profondément imprégné la vie politique et sociale au XVIIe siècle !

Au demeurant, le seul grand rescapé du mouvement encyclopédiste, l'abbé Raynal, invité en 1792 à s'adresser à la Convention, consterna l'assistance en confessant qu'il n'y reconnaissait absolument pas ses petits. Ce déphasage n'était pas très surprenant. La pensée anticipatrice contribua, certes, au climat qui favorisa l'orientation d'un mouvement populaire essentiellement social et émotif, mais les émotions collectives, justement, prirent très vite le pas sur les idées déclenchantes, au point de précipiter la reconstruction — et même l'aggravation — d'un système coercitif dont Bonaparte fut finalement l'héritier. Apparemment, là encore, l'idée s'était brisée sur l'invariance. L'utopie du contrat social laissa place au césarisme, puis au légitimisme ressuscité.

Mais, outre que la structure sociale avait, on l'a vu, intégré en son tréfonds une recomposition, sous forme de transfert de propriété (et cela, en conformité avec les finalités de la philosophie des Lumières), il advint que, tout naturellement, sous les dehors d'une Restauration, la société fit peu à peu de cette philosophie des Lumières — Montesquieu, Voltaire et Rousseau mêlés — la base idéologique du sauvetage, par recomposition interne, de son nouvel ordre acquis. La pensée imaginative et conceptuelle resta certes à la périphérie d'événements dominés par la pensée instinctive et émotive, mais alors que ces passions furent gérées, refoulées, puis dissoutes dans les structures invariantes, les idées anticipatrices en catalysèrent irrésistiblement les métamorphoses, les remodelages, ne serait-ce qu'à travers les nouvelles structures mentales qu'elles avaient contribué à forger. En fin de compte, Montesquieu, Voltaire et Rousseau (en tant que symboles d'un mouvement intellectuel qui, bien que personnalisé, dépassa évidemment leurs personnes) figurèrent en grands triomphateurs de cette saga révolutionnaire, quand les sans-culottes ne furent que les instruments passagers d'une catharsis.

Il va sans dire que la pensée « imaginante » et prospective n'est pas le propre de quelques individus d'exception. Bien qu'individualisée, elle est largement partagée et, à chaque niveau d'organisation qui peut être celui de la cité, du village, de l'entreprise, du quartier, du bureau, de la communauté, du clan, du club, du parti, du syndicat, elle intervient de la même façon, à la périphérie de l'intelligence émotive.

Nous touchons là du doigt la problématique, déjà évoquée, de la hiérarchisation en tant que véritable squelette de toute invariance. En vérité, une individualisation générale laissant le champ libre à la pleine expression de toutes les intelligences prospectives et conceptuelles — à toutes les capacités anticipatrices et imaginatives dont sont capables les intelligences — rendrait impossible quelque organisation sociale que ce soit. Ainsi, chaque employé d'une entreprise travaillerait dans le cadre d'un plan de développement individualisé qu'il aurait auto-élaboré ; tous les citoyens d'une nation concevraient eux-mêmes la législation particulière à laquelle ils se soumettraient scrupuleusement. Toute directive ou consigne pourrait être contournée ou refusée au nom du droit à substituer l'imaginaire de chacun à ce qui se veut l'expression d'une volonté ou d'un intérêt collectifs. Aucun ordre social n'y résisterait. Il s'agit d'ailleurs là de la définition même de l'anarchie.

Paradoxalement, c'est en tant qu'elle reste à la périphérie de la société que la pensée imaginante change le monde (c'est-à-dire précipite les mutations internes des structures invariantes), alors qu'elle s'abîme dans le chaos dès lors qu'elle se substitue à la société.

La société reflète-t-elle la hiérarchisation de l'organisation cérébrale ?

Le cerveau structuré, avons-nous dit, est un cerveau structurant. Il exprime organiquement sa propre évolution et sa propre histoire. L'intelligence humaine, faut-il le rappeler une fois encore, n'est pas la conséquence de mutations génétiques aléatoires, mais le résultat de l'autogestion par le cerveau de ses relations interactives avec l'environnement, y compris l'environnement social.

C'est pourquoi nous avons émis l'hypothèse que l'intelligence spécifique à notre espèce n'était pas antérieure à sa socialisation, voire à l'autonomisation de la main, mais qu'au contraire ce sont ces sauts qualitatifs, suscités par la nécessité et autorisés par l'auto-élaboration de l'organisme, qui ont entraîné le développement de l'intelligence.

Aussi bien, de même que les oiseaux disposèrent d'ailes et de plumes avant de voler, le cerveau du chimpanzé est-il doté des principaux mécanismes qui permettent la parole ; or le chimpanzé ne parle pas. Le manque est au niveau de l'interaction sociale, non de la capacité biologique. Ce n'est pas parce qu'il ne parle pas que le chimpanzé n'est pas un homme, c'est parce, que socialement, il n'est pas un homme, qu'il ne parle pas. La parole, comme le vol chez les oiseaux, ne découle pas d'une révolution structurelle (cela n'arrive jamais), mais de la découverte par une structure donnée — sous la pression interactive de l'environnement — de ses propres potentialités, ce qui a, pour se réaliser, provoqué et nécessité une mutation et une recomposition structurelles.

Mais il faut se demander si, en retour, le cerveau qui intériorise la réalité extérieure sous forme de représentation ne projette pas sa propre hiérarchisation sur cette réalité qu'il se restitue à lui-même, c'est-à-dire sur le monde social avec lequel il dialogue en permanence. Qu'est-ce au fond qu'une réalité sociale sinon le produit d'une projection structurante après restructuration interne par un cerveau structuré ?

En d'autres termes — c'est en cela qu'il y a dialogue interactif —, le social concourt à la structuration de l'intelligence en fonction de la structure propre aux mécanismes cérébraux qui représentent la « contrainte » ; mais l'intelligence, ainsi structurée sous la double pression d'une structure biologique et d'une structure sociale, restructure à son tour le réel à son image. L'intelligence se pose, en cela, en médiatrice entre l'invariance biologique et l'invariance sociale.

Dans quelle mesure donc la société reproduit-elle, à la fois spontanément et sous la contrainte, une stratification cérébrale structurée par l'évolution et socialisée par l'histoire ? Encore une fois, nous ne prenons pas ici en compte l'individu pensant « en soi », mais son intégration communautaire à une intelligence collective.

Dans un livre profond, *L'Homme agressif*, Pierre Karli insiste avec beaucoup de force sur la dynamique interactive de la fonction cérébrale. Le « neurobiologiste, écrit-il, considère, à l'évidence, que c'est au sein du cerveau que se rencontrent et que dialoguent l'individu, la personne et l'être social. Le neuro-biologiste est donc conduit, dans son essai de synthèse, à envisager le cerveau humain comme un lieu de convergences, d'interactions et de structurations réciproques de systèmes biologiques, de systèmes psychologiques et de systèmes sociologiques[1]. » C'est pourquoi, s'il est légitime de distinguer le « cerveau des émotions et le cerveau des activités cognitives », il serait profondément erroné de les considérer comme des entités concrètes bien délimitées et quasi autonomes qui entretiendraient entre elles des relations conflictuelles : cerveau de l'instinct contre cerveau de l'intelligence. « En réalité, précise Karli, à chaque niveau d'évolution, le cerveau constitue une entité fonctionnelle dotée d'une dynamique qui lui est propre et qui ne résulte pas de la simple addition de quelques nouvelles acquisitions à un cerveau qui, pour le reste, serait resté inchangé

---

1. Pierre Karli, *L'Homme agressif*, Paris, Odile Jacob, 1987.

[...]. C'est ainsi que le système limbique, notre paléocerveau en quelque sorte, a poursuivi sa propre évolution et a donc contribué lui aussi à l'hominisation. Parallèlement à l'apparition de la sphère spécifique de l'intelligence prospective, il y a eu développement de la sphère des émotions, ne serait-ce que par effet de retour de la capacité d'autocontrôle que permet la conscience de soi[1]. »

De cela, il y a des preuves matérielles : alors que le nombre des fibres du faisceau pyramidal (qui relie directement le cortex à la moelle épinière et favorise les activités motrices) double en passant du singe à l'homme, celui des fibres du trigone cérébral qui partent de l'hippocampe (structure essentielle du système limbique) et participent de l'habileté sociale est multiplié par cinq (voir sur ce point les études de Levington, citées par Pierre Karli, sur « l'évolution et le développement du système limbique[2] ». Et Pierre Karli de préciser avec beaucoup d'insistance : « Dans la genèse comme dans l'évolution des représentations internes [au cerveau] et des comportements qui en sont l'expression, il y a interdépendance étroite de l'individu biologique, de la personnalité psychologique et de l'être social. Qu'on considère l'individu, la personne ou la société dont l'être social fait partie intégrante, il ne s'agit nullement de systèmes clos, avec des déterminations internes étroites et rigides, mais bien au contraire de systèmes ouverts, en interaction dynamique les uns avec les autres. Il y a, à tous les niveaux d'organisation, des structures et des normes qui constituent un ensemble de contraintes, mais qui laissent néanmoins libres cours au "jeu des possibles". A tous les niveaux se produit une évolution sous la poussée de l'expérience, de l'histoire, avec recherche de nouveaux équilibres, de nouvelles cohérences[3]. » Ce qui est vrai pour le cerveau, en rapport interactif avec la personne psychique et l'environnement social, est également vrai, à l'évidence, pour toute réalité sociale en rapport interactif avec des individus biologiques et des personnes psychiques.

En d'autres termes, la structure sociale dialogue toujours à la fois avec la structure biologique (celle du cerveau entre autres) qu'elle intègre et qui l'intègre, et une structure psychique (le moi collectif) qu'également elle intègre et qui l'intègre. C'est pourquoi

1. New York, 1978. Cité par Pierre Karli, *op. cit.*
2. Pierre Karli, *op. cit.*
3. *Ibid.*

il nous semble légitime d'établir un parallélisme entre les processus d'autorégulation structurelle propres d'une part au cerveau biologique, d'autre part à la vie sociale, et de dégager les rapports interactifs qui les lient l'un à l'autre. En termes plus directs, la hiérarchisation du social n'est sans doute pas sans rapport avec la hiérarchisation de l'organisme cérébral. Ce qui revient tout simplement à prendre acte de l'unité du vivant. Mais tout cela n'a de sens que si l'on prend en compte l'homme collectif (celui-là même qui constitue la cible de notre propos). Pourquoi cette dichotomie entre réalité individuelle et réalité collective ?

Quand le bon Monsieur X devient un raciste collectif

Quelques exemples éclaireront notre intention.

Il est certes possible, mais relativement peu probable qu'un individu solitaire qui n'a pratiquement rien mangé depuis trois jours, passant devant une charcuterie dont la devanture regorge de victuailles, fasse irruption dans la boutique et s'empare de vive force d'un pâté en croûte. Disons moins d'une chance sur cent ! En serait-il autrement, la probabilité serait-elle d'une chance sur deux, voire sur dix, que tout ordre social deviendrait impossible. Cette inhibition en est en quelque sorte la condition.

En revanche, imaginons que, dans un camp de réfugiés où vivent plusieurs milliers de personnes sous-alimentées, passe un camion non gardé et visiblement rempli de vivres : il y aura alors au moins une chance sur deux pour que ce camion soit attaqué et pillé par la foule.

On relèvera encore qu'un groupe confronté à une forte présence policière extériorisera plus spontanément des réactions hostiles, voire agressives, qu'un particulier. Parce qu'en l'occurrence l'attitude collective est moins dangereuse ? Pas sûr. L'actualité nous fournit constamment l'exemple de manifestants (ou d'émeutiers) qui affrontent, au prix d'innombrables victimes, des forces de l'ordre en armes, parfois réputées pour leur sauvagerie, alors que la plupart des participants à ces insurrections ou démonstrations n'oseraient jamais, seuls, prendre un pareil risque, fût-il moindre. Le même qui n'envisagerait pas d'interpeller un sergent de ville frappera un CRS armé et casqué au cours d'une échauffourée syndicale.

On a, en outre, pu très souvent constater (j'en ai fait personnellement l'expérience en Algérie en 1961) que tel participant apparemment déchaîné à un rassemblement de caractère raciste était incapable, dès lors qu'il était individuellement confronté à la différence ethnique, de manifester ostensiblement des sentiments de haine.

Pour comprendre de telles différences d'attitudes, arrêtons-nous au cas archétypique du racisme en tant que rapport agressif à la différence. Isolons d'une foule de lyncheurs potentiels — au moins en paroles — une personnalité donnée. Monsieur X est un être doué de raison, un roseau pensant, dirait Pascal, dont toutes les formes enchevêtrées d'activité cérébrale s'articulent à une culture acquise, à une histoire personnelle que médiatise une intelligence, dont la mémoire consciente d'elle-même est le support. Si Monsieur X était un animal, un chimpanzé par exemple, sa réaction d'agressivité à l'endroit de la différence pourrait être qualifiée d'« instinctive ». Sa simple confrontation à un congénère d'une autre race provoquerait un processus réactif (élaboré de manière assez complexe au sein de son système limbique) à un stimulus qui pourrait être de nature olfactive, auditive ou visuelle. Encore que, même à ce niveau, l'interaction sociale joue son rôle. Ainsi, des chercheurs français et américains ont procédé à de nombreuses expériences tendant à agir directement — au niveau de l'amygdale ou de l'hypothalamus, composantes du cerveau limbique — sur le système émotionnel des rats brusquement confrontés à des souris. D'un rat tueur qui, systématiquement, se précipitait sur toute souris introduite dans sa cage et la trucidait promptement, ils parvinrent à neutraliser de cette manière la meurtrière agressivité. En sens inverse, en affectant le support de son inhibition, ils suscitèrent une agressivité destructrice chez un rat dit « naïf » qui, naturellement, épargnait une souris intruse. Réjouissante découverte... Hélas ! On démontra par la suite que l'agressivité du rat tueur envers la souris qui fait irruption dans son univers dépend considérablement du degré de familiarité qu'entretient ce même rat avec cette même souris. Autrement dit, un processus préalable de socialisation qui intègre la souris à l'univers du rat suffit à rendre inopérante toute action artificielle de l'expérimentateur sur le système limbique. En outre, la nature de l'agressivité du rat tueur à l'égard d'une souris intruse change à mesure que l'agression se répète : elle cesse peu à peu d'être pure réaction émotionnelle à une différence pour devenir intolérance, ou plutôt systématisation semi-consciente d'un rejet. Si le rat avale la souris (ou une partie de la souris), l'agression se transforme insensiblement en réaction appétitive enclenchée par une attirance, et non plus par une répulsion.

Or, Monsieur X n'est ni un rat ni même un chimpanzé, mais un *homo sapiens*. Certes, l'émotion agressive (ou répulsive) que suscite en lui le rapport à un certain type de différence « ethnique » se noue ou se dénoue, comme chez les rats ou les chimpanzés, au sein du système limbique de son organisme cérébral, en fonction du rapport qui s'établit entre un stimulus particulier et une zone réactive donnée (et aussi, bien sûr, des sécrétions hormonales qui en découlent). Mais Monsieur X, aussi potentiellement raciste qu'il soit, ne réagira pas de façon ouvertement agressive à l'égard d'un Noir avec lequel, par exemple, il entretient une relation de travail ou de voisinage. (Notons, là encore, que s'il en était autrement, si toute personne potentiellement raciste, ou la moitié seulement de ces personnes, manifestaient individuellement de l'agressivité ouverte envers tout partenaire racialement différencié, toute vie civique normale dans un pays de forte émigration deviendrait totalement impossible.)

En réalité, un nombre considérable d'autres éléments contribuent au « retraitement » de la relation émotionnelle conflictuelle qu'entretient Monsieur X avec l'altérité raciale (ou avec un certain type d'altérité raciale).

D'abord intervient son intelligence spécifique, dont le néocortex n'est pas à proprement parler le siège, mais le lieu géométrique : c'est elle qui lui permet de retourner, contre une émotion qui tend à le dominer, la conscience plus ou moins distanciée qu'il en a. Autrement dit, l'homme conscient qu'est Monsieur X sait, lui, qu'il n'aime pas les nègres (même s'il ignore précisément pourquoi), et surtout il sait qu'il le sait. Grâce à quoi, contrairement à l'animal, il aura, lui, la capacité soit de contrôler et même de corriger cette pulsion, soit de l'idéologiser en lui trouvant des justifications *a posteriori*.

En un second stade intervient, de manière considérablement enchevêtrée, tout ce qui concourt à façonner l'histoire spécifique de Monsieur X : le vécu, l'expérience personnelle, la culture acquise, la morale acceptée, la pression sociale ou familiale.

Autant de facteurs susceptibles d'interférer avec sa tendance à la haine de l'autre, éventuellement en la nourrissant, mais aussi en l'équilibrant, en l'inhibant, en la neutralisant (ces facteurs participant de cette spécificité humaine qu'est la prise de conscience du bien et du mal) : car Monsieur X n'ignore pas, même s'il se fabrique des alibis, que sa réaction répulsive envers telle ou telle altérité raciale relève du « racisme ». Alors que ses instincts ou ses émotions (les deux sont imbriqués), tels qu'ils s'élaborent dans le laboratoire chimiquement complexe de son système limbique, l'apparentent à un mammifère supérieur, sa conscience lui permet de projeter sur les soubassements biologiques de cette réalité psychique les effets puissamment correctifs, ou même extincteurs, d'une pensée distanciée, transcendante et autorégulée dont les impératifs éthiques, la conscience civique et la pratique sociale constituent le support, et qu'alimentent en particulier sa morale de catholique, sa responsabilité de citoyen d'une république démocratique, sa culture d'Occidental (Montaigne, Socrate ou Locke y sont présents, même s'il n'en a jamais entendu parler) et son statut de travailleur salarié...

Épicure écrivait dans une lettre à Hérodote : « C'est parce que quelque chose des objets extérieurs pénètre en nous que nous voyons les formes et que nous pensons. » L'intelligence, telle qu'elle résulte chez l'homme d'un développement du néocortex en interaction avec le milieu social, lui confère cette faculté inouïe de procéder abstraitement, de manière autonome et relativement libre, à toutes les recombinaisons et recompositions possibles des objets mentaux que déposent dans cette formidable organisation cybernétique qu'est le cerveau — et que gère la mémoire — la perception des choses, la sensation des épiphénomènes et l'appréhension des phénomènes (ou événements), mais aussi l'histoire léguée, la culture acquise, l'enseignement dispensé, la morale intériorisée, la technique apprise, l'expérience vécue et les actions antérieures entreprises.

Mais voici que Monsieur X s'intègre à un groupe. Participant à une réunion publique, il se fond dans un collectif. Il se socialise à l'extrême. Qu'est-ce qui a conduit ces deux ou trois mille personnes à se retrouver ? Non point évidemment ce qu'elles ont en propre, mais ce qu'elles ont en commun. Non point ce qui fait que chaque intelligence est à nulle autre pareille, modelée qu'elle est, nous l'avons dit, par un vécu, une expérience, une éducation, une histoire particulières ; sans cesse reconstruite à l'issue d'un dialogue permanent, solitaire, difficile, personnel même — souvent angoissant — de soi avec soi. L'extrême hétérogénéité de ces auto-élaborations intimes ne saurait en effet permettre à un groupe de vibrer à l'unisson. Ici le chacun, dans sa richesse, ne fait pas un tout, mais une addition de chacuns. Celui-ci compte tenu de ses ascendances sociales ou de son quotidien familial (incluant la sexualité et le rapport à l'enfant), celui-là en fonction de l'importance prise par sa culture acquise, cet autre étant donné l'extrême particularité de sa profession ou la radicale originalité de son aventure personnelle, ont individuellement développé un rapport intellectuel spécifique aux idées et aux choses. Chacun d'entre eux incarne donc un monde original, un destin particulier, un « livre » possible. L'expression polyphonique de différences parfois aussi irréductibles, ne pourrait déboucher que sur une invraisemblable cacophonie (dont les assemblées générales soixante-huitardes ont donné un aperçu malgré des aspirations supposées communes). Elle est donc collectivement impossible. En réalité, dans un cadre collectif actif impliquant un minimum d'homogénéité, l'extrême différenciation tend à annuler la différenciation. Ce qui revient à constater que les intelligences individuelles, justement en ce qu'elles sont spécifiques, diverses et complexes, se neutralisent au profit des émotions. Une foule active (c'est évidemment différent s'il s'agit d'un colloque ou d'un séminaire d'étude) n'est jamais en mesure de synthétiser l'extrême richesse des intelligences qui la composent. Et ceci est vrai aussi, par exemple, pour une majorité politique massive au sein d'un Parlement.

Cette même foule peut, en revanche, se doter d'une intelligence collective, soit en rationalisant les émotions qui la dominent (rôle des idéologies de substitution ou de justification *a posteriori*, y compris celles de caractère religieux et ethnico-nationaliste), soit, ce qui revient presque au même, en regroupant des intelligences sélectionnées sur la base de présupposés idéologiques qui les fédèrent. Un leader charismatique, gourou, chef de bande, mage, guide ou chef, peut tout à fait jouer ce rôle fédérateur.

Dans un cadre collectif dynamique et homogénéisé, le vécu de chacun, inexprimable, indicible, laisse facilement place à un vécu de type communautaire (ou tribal). On est catholique, protestant, juif, conservateur, marxiste, anticommuniste, partisan de Dupont ou de Mathieu, originaire de telle ou telle contrée, affilié à telle ou telle ethnie, héritier supposé de telle ou telle culture, appartenant à telle corporation ou catégorie sociale. La façon singulière qu'ont chacune des composantes de la collectivité de vivre ces particularités parmi toutes celles qui pourraient les fédérer, disparaît partiellement derrière l'affiliation structurante, au point qu'elles s'excluent partiellement. L'ouvrier catholique ne sera ni ouvrier dans une assemblée catholique, ni catholique dans une assemblée ouvrière.

Voici donc Monsieur X extériorisant tout à coup ses pulsions racistes, hurlant sa haine de la différence, au cours d'un meeting organisé pour protester contre la politique migratoire. Que se passe-t-il dans sa tête ? Dira-t-on vulgairement que ses instincts et ses émotions ont pris le pas sur son intelligence ? Mais pourquoi une telle démission subite d'une des fonctions intégrées de son système cérébral ?

De même que Jean-Paul Sartre pouvait écrire que l'homme est libre de tout, sauf de ne pas être libre, l'intelligence n'a pas la capacité de se mettre elle-même entre parenthèses. Elle peut, en revanche, être victime de sa capacité à réagir de manière prudemment adaptative compte tenu d'un environnement qui ne lui est pas favorable. (L'expérience des pays totalitaires a montré qu'il y avait une façon intelligente de faire semblant, pour des motifs autoprotecteurs, de n'être pas intelligent, qui finissait par agir de manière régressive sur l'intelligence elle-même.) En l'occurrence, l'explication est plus simple. Supposons que Monsieur X ne partage pas, avec la collectivité à laquelle il s'est intégré pour un soir, les différents éléments de rééquilibre personnel et interne qui interfèrent fortement avec ses pulsions émotives. Donc l'image de l'étranger ethniquement différent qui, en tant qu'objet mental, peut prendre dans l'inconscient conscientisé de Monsieur X (c'est-à-dire un inconscient qui se connaît mais s'ignore comme inconscient) la forme de son camarade de travail ou de son sympathique voisin de palier, mais aussi de cette altérité raciale indéterminée qui provoque chez lui un fort rejet répulsif, se purge spontanément, sous la pression communautaire, de sa composante non collectivisable, parce que trop intimement liée à un vécu particulier.

De la même façon, le salarié, au cours d'une réunion syndicale, extériorisera volontiers son hostilité « aux patrons », quelles que soient ses relations particulières amicales (voire admiratives !) avec tel patron particulier qui peut être le sien. De même encore, le Serbe de Bosnie vibrera à des discours assassins dirigés contre la communauté musulmane sans qu'en soit nécessairement affectée l'amitié qui le lie aux Bosniaques musulmans avec lesquels, dans la même rue ou le même village, il a partagé son enfance. Évidemment, la cérémonie collective, répétée et relayée par la propagande finit par agir sur les comportements individuels. Mais nous nous situons volontairement en deçà de cette conséquence.

Monsieur X, donc, est exempté par la pression collective des efforts que dépense son intelligence pour rééquilibrer ses émotions agressives. Plus simplement, ce ne sont pas leurs intelligences analytiques, cognitives ou prospectives, par définition irréductibles les unes aux autres, qui rassemblent et unifient pour un soir les participants à ce meeting (et d'autant moins qu'elles intègrent des cultures et des savoirs, des vécus et des expériences sociales très différents), mais une propension à répondre de la même façon à une incitation semblable. La preuve en est qu'ils réagiront vivement (qui n'en a pas fait l'expérience lors de réunions publiques ?) non à une idée, à une conception ou à un enchaînement de concepts, mais à une image, à un mot, à une évocation. Pourquoi ? Parce que ces déclencheurs renvoient à ce stimulus qui provoque chez eux, par exemple, la pulsion « objectivement » raciste. Ou, plus exactement, parce que le mot ou l'image excitent en eux l'objet mental (en l'occurrence une racialisation archétypique) qui active le processus agressivement émotif.

Et c'est pourquoi on ne peut pas parler de « démission » de l'intelligence, mais de prime à l'intelligence émotive, dans la mesure où, contrairement à celle de l'animal, cette réaction n'est pas directement liée à l'apparition effective de la différence ethnique, mais à l'idée intériorisée, tartinée de culture, que l'on s'en fait.

L'exemple que nous avons choisi est évidemment péjoratif. Mais il vaut pour une multitude de situations plus nobles (un congrès de militants de gauche, une assemblée revendicatrice paysanne, une manifestation de caractère religieux, la réunion électorale d'un tribun de droite, etc.). Avec, tout de même, ce correctif que la personnalité de l'orateur (ou du leader), la nature de la cause rassembleuse, l'objectif ou le prétexte du rassemblement, la spécificité de l'idéologie structurante et la composition de la collectivité réactive contribuent à répartir de manière plus ou moins caricaturale l'espace submergé par l'intelligence émotive et celui où est confinée l'intelligence critique.

Notons que si une intelligence purement émotive porte facilement à l'agressivité ou à l'exclusion en activant des instincts défensifs et aversifs, elle peut tout autant favoriser des campagnes humanitaires, des élans de solidarité, des débordements de compassion ou d'amour (fût-ce envers Staline ou Hitler), des manifestations d'altruisme patriotique !

La pensée émotive comme « état », la pensée critique comme « moment »

D'un côté, il est clair qu'un stimulus sexuel provoque une érection : dans ce cas précis, tout pourrait se passer au niveau du système archéocéphalique, comme chez l'animal, sans interférence du néocortex. Mais, chez l'homme, le rôle de l'imagination érotique fait que nous avons tout de même très vite affaire à une forme d'intelligence émotive. Chez l'animal, l'érection précède généralement l'acte sexuel, le suscite. Dans le cas de l'homme, il est rare qu'une érection consécutive à la vue d'une jolie femme aux formes suggestives, ou à un contact lors d'un bal, se traduise immédiatement par une tentative de viol. Si, en revanche, une collectivité — tel un groupe de jeunes gens — est soumise à une incitation sexuelle, elle réagit beaucoup plus spontanément par une extériorisation verbale de son désir qui, à l'extrême, s'apparente à un viol simulé. Et, dans certains cas, par exemple dans une situation de guerre ou de troubles civils, par le viol effectif.

C'est dire que les facteurs culturellement inhibants s'affaiblissent lorsqu'on passe de l'individuel au collectif, sans disparaître pour autant (ils prennent alors la forme de transferts « ritualisés »). Mais une brusque montée de pression énergétique (la guerre) peut contribuer à les rejeter totalement à la marge du processus émotif.

Nous avons déjà eu l'occasion de constater que, dans des situations où s'exaspèrent les antagonismes tribaux, ethniques ou religieux (la pression énergétique que nous évoquions plus haut), chaque communauté concernée a tendance à faire bloc et, par conséquent, à s'exprimer de manière homogène et monolithique. Alors la pensée émotive prend le pas sur toute pensée critique, et l'émotion la plus coagulante, qui se trouve dans la plupart des cas être la plus instinctive, l'emporte sur toutes les autres. C'est ainsi que la réaction de race prend l'ascendant sur la réaction de classe, que l'idéologisme religieux déborde l'idéologisme laïque. Ces comportements sont tous, pourtant, sous-tendus par des pensées émotives ; mais la part du culturel est plus importante dans les secondes que dans les premières. Autrement dit, la réaction de classe induit un raisonnement de classe qui suscite un instinct de classe, alors que la réaction de race découle d'un instinct de race qui produit un raisonnement de race. Là, le raisonnement précède l'émotion ou l'instinct, alors qu'ici il le justifie *a posteriori*. L'instinct de race existe, d'une certaine manière, chez l'animal ; pas l'instinct de classe. L'idéologisme religieux cimente le tribalisme primitif ; pas l'idéologisme laïque.

Une fois de plus, les événements contemporains illustrent ce constat : l'effondrement du système soviétique n'a pas spontanément débouché sur la recomposition d'un pluralisme politique clairement axé sur des divergences sociales, idéologiques et culturelles, mais d'abord sur une profusion de factions véhiculant des affirmations identitaires, communautaires, ethniques et religieuses. En Yougoslavie, on a assisté pareillement, après le démantèlement de la fédération, à une telle explosion de multi-unanimismes ethniques arc-boutés à des passions communautaires où le point de vue fédéraliste, à l'évidence le plus raisonnable, parce que le plus raisonné, ne bénéficia d'aucun espace pour se faire entendre. En Algérie, les premières élections libres, annulées pour cause de déviance schizophrène, ont permis l'émergence majoritaire d'une tendance politique — le Front islamique du salut — qui invitait ouvertement les électeurs à donner libre cours à leurs pulsions émotives au détriment de toute forme de rationalité.

On pourrait multiplier les exemples, puisés dans l'histoire récente, qui témoignent d'une tendance de la pensée émotive à l'emporter — dans un cadre collectif, tout particulièrement en période de crise — sur la pensée critique.

Nous avons déjà esquissé l'explication : la pensée critique est individualisée alors que la pensée émotive résulte de mécanismes cérébraux communs à l'espèce. La première s'auto-élabore en interaction avec l'environnement, alors que la seconde se reproduit (même si elle évolue, nous le verrons, au rythme des acquis culturels) en fonction d'un patrimoine génétique qui la programme. La pensée émotive est dépendante de l'émotion qui la détermine ; la pensée critique dirige et coordonne l'esprit critique qu'elle suscite.

Qu'est-ce que la pensée critique ? Cette capacité qu'a l'homme seul (sans partage) d'articuler entre eux des objets mentaux (le réel dans la tête, c'est-à-dire cette représentation qui se donne comme perception) pour les combiner en images mentales, déconnectées du monde extérieur, qui elles-mêmes entrent en liaison pour former (ou promouvoir) des concepts permettant de mieux comprendre le monde extérieur.

Mais avoir la capacité « de » ne signifie pas qu'on l'utilise (ou qu'on soit en mesure de l'utiliser), moins encore qu'on l'optimise. Le fait d'être armé d'un fusil ne signifie pas nécessairement qu'on vise juste. Tous les chevaux ne courent pas aussi vite, tous les kangourous ne sautent pas aussi haut. Einstein avait sans doute ni plus ni moins d'aptitudes biologiques à la pensée abstraite que sa femme de ménage. Chaque personnalité, en corrélation interactive avec son milieu, organise plus ou moins efficacement la mise en valeur de ses capacités à abstraire, à imaginer, à anticiper. En cela, on le voit, l'intelligence se construit. Elle n'est pas une donnée génétique mais, pour partie, un fait culturel (qui s'appuie sur un socle biologique) dont le développement est « orienté » au cours de l'ontogenèse et se poursuit de manière auto-élaborée au cours de la croissance sociale.

En ce qui concerne les réflexes, les instincts et les émotions, il en va tout autrement. Non seulement les comportements qui en résultent participent d'un déterminisme relatif qui a son origine dans le génome de l'espèce *homo* (lequel intègre, sans en modifier radicalement le message, les étapes de l'évolution antérieure), mais, surtout, ils renvoient à des réactions et mécanismes chimico-physiques qui ne sont en rien propres à un individu particulier. La douleur fait crier Pierre et Paul, l'extrême chagrin les fait pleurer l'un et l'autre, la faim les tenaille pareillement, le désir les invite également à copuler, le danger leur fait peur, l'inconnu les inquiète, une agression provoque leur fuite et une provocation suscite leur colère. Ce qui fait la différence (laquelle peut être effectivement considérable) d'un individu à l'autre, c'est : 1) leur capacité à dominer et à canaliser ces instincts, ces réflexes et ces émotions grâce à la conscience qu'ils en ont, et par l'entremise de la pensée critique qui les retraite en les enveloppant (la volonté, à cet égard, exprimant soit un dopage de la pensée par elle-même, soit une oppression de l'émotion par la pensée critique) ; 2) la pression sociale ; 3) l'inhibition culturelle ou l'intériorisation de stimuli culturels.

C'est dire que, dans un cadre collectif à forte pression communautaire, la pensée critique se diluant en fonction de son individualisation spécifique, toute pression sociale contraire aux pulsions collectives étant neutralisée par la levée des inhibitions, ce que nous avons appelé l'« intelligence émotive » (et même souvent les émotions instinctives) prend largement l'avantage.

Si toute pensée critique est particulière, toute réaction émotive est potentiellement partagée : par définition, il est difficile de communier dans une même pensée critique, alors qu'il est naturel, dès lors que le contexte favorise cette osmose, de se fondre en une même réaction émotive. Il s'ensuit qu'une émotion est capable de « collectiviser » un collectif (ou de l'agglomérer) alors que la pensée critique tend à le déstabiliser en le parcellisant. Ce que l'espèce lègue à l'individu est évidemment plus fédérateur que ce que chaque individu apporte à l'espèce. Cette explication en entraîne une autre : les instincts et les émotions demeurent à l'état brut d'une génération à l'autre, produits qu'ils sont, avant leur remodelage culturel, par des processus inscrits dans le génome, alors que l'intelligence critique sans cesse se reconstitue, se refonde, se réinvente. On hérite de ses instincts et de ses émotions, on fabrique son intelligence. L'attachement qui me lie à une « tribu » particulière est certes culturellement acquis ; mais ma tendance à m'intégrer au groupe qui me ressemble (ou m'exprime), et par conséquent à voir de l'étrange ou de l'étranger dans toute exterritorialité à ce groupe, est innée. Quant à l'intelligence critique qui me fait éventuellement dépasser ou dominer cet instinct, voire m'incite à me révolter contre lui, je l'élabore, en interaction avec un environnement idéologique et familial, au cours de mon existence, particulièrement durant mes années d'apprentissage intellectuel.

Cet effort de dépassement-là est donc toujours à recommencer, génération après génération. Alors que l'intégration tendanciellement identitaire au groupe reste présente, au fil des générations, fût-ce de manière sous-jacente. Le besoin de religion, c'est-à-dire de surnaturel, n'a-t-il pas survécu à tous les sauts qualitatifs de la pensée scientifique ? N'a-t-il pas resurgi intact sur les ruines d'un empire dont l'athéisme se voulait doctrine d'État ? Le Serbe et le Croate ne sommeillaient-ils pas sous le Yougoslave, comme le clanisme le plus archaïque sous le socialisme somalien ?

C'est pourquoi — l'histoire ne se lasse jamais de décliner cette évidence — l'internationalisme ou le nationalisme fédérateur ne sont que des « moments » plus ou moins longs, quand les nationalismes « ethniques » et les tribalismes sont des « états » qui se perpétuent par-dessus (ou par-dessous) leurs parenthèses.

C'est pourquoi toutes les aspirations transcendantes (de type révolutionnaire, unitaire, œcuménique, laïque, millénariste ou rationalisant) ne déterminent elles aussi que des « moments » qui agissent certes sur l'état antérieur, mais n'en bouleversent jamais fondamentalement la structure. L'échec de l'expérience kémaliste en Turquie, en tant que tentative de transformation radicale et définitive des mentalités archéo-islamistes, en apporte une illustration. De même que la réémergence d'une Chine spécifiquement invariante sous le décorum logomachique du révolutionnarisme maoïste !

Nous avons déjà souligné — nous y reviendrons — que ce non-changement structurel global, outre qu'il doit gérer les nouvelles invariances mentales issues du processus révolutionnaire, intègre des éléments de changement réel par recomposition interne. Le kémalisme, par exemple, a initié une radicale mutation à l'intérieur de l'invariance structurelle globale : la révolution de l'écriture. Il n'en reste pas moins que si chaque génération lègue ses acquis à la génération suivante, elle emporte avec elle le processus intellectuel qui a permis de les arracher. Cette bataille cérébrale, la nouvelle génération doit la reconstituer pour la poursuivre (l'école est d'ailleurs faite pour cela), alors que les données biologiques de l'espèce, médiatisées par l'histoire, lui sont apportées sur un plateau. Divorce d'autant plus traumatisant que la pensée critique, d'Aristote à Hegel en passant par Spinoza ou Kant, évoluant par sauts théoriques, ne cesse de modifier notre appréhension du réel, alors que ce que nous avons appelé la « pensée émotive », stabilisée par les instincts qu'elle canalise, offre à la dramaturgie, depuis au moins trois mille ans, les mêmes ressorts, à la politique les mêmes filons, à l'histoire les mêmes redondances.

Galilée a révolutionné Ptolémée, Maxwell et Einstein ont révolutionné Newton, mais qui songerait à révolutionner Sophocle ou Shakespeare dès lors que les passions humaines qu'ils expriment, telles qu'en elle-même l'éternité les conserve, jettent un inébranlable pont entre l'extrême archaïsme et l'extrême modernité, au point qu'Anouilh s'est contenté d'actualiser Antigone, Giraudoux Amphitryon, et Bernstein, dans *West Side Story*, de transposer Roméo et Juliette ?

Tout « progrès » se fracasse contre l'intangible permanence de ces thèmes : l'amour entre deux êtres confrontés à la haine entre deux clans ou deux races ; la césure religieuse passant à l'intérieur d'une famille ; le rapport d'une conscience individuelle exaltée à la raison d'État. Même par Minitel, Tristan peut communiquer avec Iseult ; Clytemnestre peut assassiner Agamemnon au fusil-mitrailleur ; on retrouvera Andromaque dans un camp d'Herzégovine et l'OLP sera solidaire de Bérénice.

Sans cesse le genre humain repolira les mêmes galets, remuera les mêmes eaux au tréfonds des mêmes âmes. La littérature, à l'image de la mer qui la fascine, est un recommencement. La jalousie d'Othello, la fureur d'Oreste, la passion de Phèdre, la paranoïa de Macbeth, la froideur bureaucratique de Créon, l'oppression retournée du marchand de Venise peuvent changer de forme, mais jamais de nature.

Qui, en revanche, aurait l'idée de réécrire le théorème de Pythagore ; de redécouvrir la loi galiléenne de l'inertie ; de réinventer, derrière Newton, la gravitation universelle ; de publier sous son nom, fût-ce en verlan, le deuxième principe de la thermodynamique, de *rewriter* le *Discours de la Méthode* ou de signer une version rap de la *Phénoménologie de l'esprit* ? L'univers de Galilée n'est pas celui d'Aristote, bien que toutes les émotions qui agitaient l'un se retrouvassent certainement chez l'autre.

Ici, une pensée émotive en boucle. Là, une pensée critique en ligne. Tout se passe comme si son intelligence imaginante et prospective permettait à l'homme de pénétrer toujours plus profondément les secrets d'une réalité dont ses propres pulsions contribuent à assurer la permanence.

L'esprit comme suprême expression du corps

A ce stade, résumons notre propos avant de le confronter à des données scientifiques plus concrètes.

Notre cerveau, ouvert au monde, contient et résume le monde :

son passé, son présent, son avenir. Constatation inouïe qui confine pourtant au simple bon sens : il n'y a de mémoire, donc de passé, que par et dans notre cerveau ; il n'y a d'action possible, donc de présent, que par la mise en œuvre, par le cerveau, des projets qu'il programme ; il n'y a de prospective, donc d'avenir, que par la capacité qu'a le cerveau de projeter des combinaisons d'objets mentaux déconnectés du réel immédiat. Ce qui existe par le cerveau existe dans le cerveau. A cette aune, Charlemagne et Robinson Crusoé, Attila et Don Quichotte existent au même titre. Dieu aussi ! Mais, par définition, une planète inconnue n'existe pas. L'expression « découvrir » est révélatrice : Christophe Colomb a « découvert » l'Amérique. Qu'est-ce à dire, puisqu'elle existait en soi, et pour les Indiens ? Simplement que, grâce à Christophe Colomb, l'Amérique a pénétré le cerveau occidental.

Et si le cerveau enregistre et conceptualise, il projette aussi. Il prend au monde et donne au monde. Il s'ouvre au milieu, s'imprègne du milieu, et renvoie sur le milieu. En particulier, il s'imprègne d'aujourd'hui, s'ouvre sur demain, mais ne cesse de propulser de l'hier sur cet aujourd'hui et sur ce demain : parce qu'il est à la fois produit d'une culture acquise que résume l'histoire (son histoire) et d'un héritage biologique qu'a élaboré, pendant des millions d'années, l'évolution.

C'est en ce sens que les trois phases que résumait Henri Laborit, après MacLean (bien que simplificatrices et réductrices, car les liaisons interactives entre cerveau reptilien et hippocampe, système limbique ou plus exactement hypothalamo-limbique et néocortex, suggèrent une intégration dynamique assez poussée pour exclure des activités étanches et totalement parallèles), a tout de même valeur symbolique. Ce qui est exprimé là, c'est que trois « moments » ou « phases » de l'humanité cohabitent dans le cerveau humain, en interaction croisée avec l'environnement : le moment des instincts, le moment des émotions, y compris des intelligences émotives et sensitives, le moment de l'intelligence conceptuelle et imaginante. Et que par conséquent le cerveau, qui enregistre le monde en fonction de ces trois dimensions issues de ces trois époques, agit sur le monde, d'une part à travers la perception que ces trois dimensions lui en donnent, d'autre part par l'entremise des actions que ces trois époques déterminent : l'action instinctive, l'action émotive, l'action raisonnée.

D'où l'illusion qui consiste à rêver d'un monde régi par la seule raison, traversé de part en part par l'intelligence.

Puisque l'intelligence critique doit sans cesse se reconstituer, se réinventer, alors que les instincts et les émotions premières s'offrent en héritage, il peut se faire — et il se fait effectivement dans de nombreuses circonstances — qu'une panne de l'intelligence critique laisse le terrain pratiquement libre aux instincts et aux réactions émotives.

Ce grippage de la pensée « raisonnante », qui cesse alors de dominer et de coordonner les pulsions qui lui sont antérieures, sera éventuellement assimilé par certains psychologues ou psychanalystes à un sommeil de la conscience de nature par exemple schizophrénique ou même épileptique.

Si l'on nous permet une image un peu fruste, nous tournerons cette idée autrement : l'intelligence critique est un train qui roule, avance de gare en gare, mais n'est jamais le même de génération en génération, puisque le progrès technique ne cesse de l'affecter, d'accroître sa puissance énergétique et donc sa vitesse, de modifier la forme de ses wagons et qu'il pourrait pour beaucoup de raisons (des grèves ou des accidents, par exemple) ne pas être là où il est. Instinct et émotions sont les rails, qui demeurent même quand il y a débrayage à la SNCF, réduction de fréquence des liaisons, déraillement d'un convoi, ou même, pendant un certain temps, suppression de la ligne. Le train a un conducteur libre confronté à un moteur complexe (et même de plus en plus complexe). Le conducteur change, le moteur évolue dans le cadre de sa structure, mais les rails immuables servent de support toujours recommencé au train, et ne disparaissent pas fatalement avec lui. Ce que nous entendons exprimer à travers cette métaphore naturellement discutable, c'est qu'en dehors des cas pathologiques extrêmes, il est dans la nature des intelligences critiques (conceptuelles, imaginatives, prospectives) d'être victimes de déraillements, de grèves, de blocages de voies, d'espacements des liaisons, voire de suppressions de lignes ; mais que les instincts et les émotions qui portent l'intelligence, qui surtout l'ont permise, et que l'intelligence irrigue en retour, ont, eux, cette particularité (étant ancrés à une réalité biologique) de rester fonctionnels même s'ils ne sont plus irrigués par l'intelligence critique, c'est-à-dire même si le train ne roule plus sur les rails.

On ne saurait certes parler de panne collective de l'intelligence.

Si les pouvoirs totalitaires sont toujours contraints de recourir à la répression, et parfois à la terreur, c'est bien parce qu'il n'existe pas de situation où, naturellement, toutes les consciences libres sont mises en sommeil et les pensées critiques éradiquées.

Mais dès lors que, dans des circonstances favorables à cette dérive, une propagande qu'aucun pluralisme démocratique n'équilibre suffisamment (et, dans certains cas, n'équilibre pas du tout) parvient à mobiliser les instincts et les émotions collectives par définition latentes, et donc disponibles « en l'état », il advient généralement que toute pensée critique patente, en quelque sorte asphyxiée par manque d'interaction avec l'environnement ou paralysée par la pression que l'environnement exerce sur elle, tend provisoirement à se recroqueviller à la périphérie de ces pulsions collectives. Elle n'est point anéantie, mais, pour un temps, marginalisée. Et cela d'autant plus facilement, comme nous l'avons souligné, que l'intelligence critique, s'auto-élaborant selon un processus individualisé, ne saurait spontanément opposer un front unitaire, contrairement aux passions (au sens large) qui, elles, sont spontanément collectives. On pense évidemment en premier lieu à ces situations paroxystiques qui ont favorisé (et ont été en retour favorisées par) le déchaînement unilatéral d'une propagande d'État.

Mais, en réalité, le nazisme comme le stalinisme — archétypes de ce modèle totalitaire — mobilisèrent les instincts les plus sauvages et les émotions les plus frustes au nom d'une pensée imaginative perverse. Or, l'intelligence démoniaque n'est pas pure démission de l'intelligence. Elle n'est pas fondamentalement plus « naturelle » que l'intelligence angélique : c'est pourquoi Staline et Hitler durent de plus en plus recourir à la terreur. Plus fréquents sont les cas où l'affaiblissement de l'État rationnel, la crise des institutions démocratiques (parfois leur non-existence), la démission, pour les raisons déjà évoquées, de la pensée critique (ou encore son inadéquation au réel, ce qui revient au même) laissent les instincts et les émotions envahir l'espace du débat et se donner soit comme rationalité alternative, soit comme revanche insurrectionnelle d'une authenticité basique opposée au déracinement des « élites ». (Cette situation est presque celle de la France à l'heure où sont écrites ces lignes.)

En conclusion : le système nerveux humain, dont la dynamique créatrice est conquérante, en même temps que ses capacités cognitives et conceptuelles sont devenues le principal vecteur du changement en général (du moins à l'échelle de notre planète), projette, sur la réalité qu'il remodèle et hiérarchise, les contraintes, les déterminismes tendanciels, les redondances et la hiérarchisation de ses propres structures invariantes. Il agit en cela comme corégulateur des invariances sociales qu'il détermine et absorbe, traite et restitue.

Nous avons insisté sur l'auto-élaboration de la fonction intellectuelle du cerveau humain. Cette notion simple est importante, car elle permet d'échapper à deux écueils : d'un côté, un déterminisme génétique réducteur ; de l'autre, un retour au néovitalisme bergsonien, forme moderne du créationnisme.

Le dualisme traditionnel corps/esprit n'a en effet, ici, guère de sens. D'abord parce qu'il n'y a pas d'un côté un corps matière, et de l'autre une âme esprit, mais une seule entité vivante intégrée, évolutive et ouverte au monde, dont l'interaction dynamique entre toutes les composantes a permis, à l'issue d'une évolution diversifiée, le corps et l'esprit, le corps pour l'esprit et l'esprit pour le corps.

Autrement dit, tout renvoie à une vie biologique à la fois unique et multiforme dont l'intelligence et la conscience sont les ultimes prolongements, les plus prodigieux aussi, puisqu'elles médiatisent des processus par lesquels la conséquence d'un déterminisme biologique peut devenir le vecteur de la correction radicale de ce même déterminisme.

En outre, la réalité biologique elle-même ne saurait se réduire à un déterminisme génétique dans la mesure justement (c'est le cœur de notre propos) où le changement ne s'inscrit pas dans les structures transmises, mais dans leur recomposition interne auto-élaborée sous la pression de l'environnement. C'est ce que montre éloquemment l'évolution de l'organisme cérébral lui-même, déjà évoquée au chapitre II, qui, depuis l'avènement de l'*homo habilis*, ne cesse de promouvoir, favorisé par un incessant autocâblage et autorecâblage de plus en plus complexe des mêmes structures (c'est-à-dire par une interconnexion en boucle des différentes strates de son passé, devenues autant de composantes dynamiques de son devenir) la plus fantastique épopée que le « tout change » doit à la prégnance régulatrice du « rien ne change ».

C'est ce que nous allons maintenant examiner.

INTERLUDE CÉRÉBRAL

Rapide exploration du lieu où le complot se trame

Le héros des chapitres qui vont suivre est le cerveau humain.

Première interrogation : comment et pourquoi s'est auto-élaboré le câblage spécifique qui a produit de l'intelligence ?

Seconde interrogation : comment s'articule l'interaction entre cette intelligence qui se construit et les émotions ou les instincts qui préexistaient à toute conscience ? Ou, plus exactement, que fait l'intelligence de tout ce qui lui est antérieur ?

D'où la troisième interrogation : comment l'évolution sociale gère-t-elle les rapports conflictuels entre les invariants qu'elle hérite de la nature et les variables que, telle Pénélope, tisse la culture ? Le système de la guerre nous servira, à cet égard, de révélateur.

Nous n'ignorons plus que la plupart des gènes de structure du chimpanzé se retrouvent chez l'homme, mais également chez le rat ou la souris. Leurs relations de voisinage sur les chromosomes se conservent même du chat à l'homme. Or, le cortex cérébral a connu, de la souris à l'homme, un développement formidable. « Une illustration de plus, écrit Jean-Pierre Changeux, du paradoxe de non-linéarité évolutive entre l'organisation du génome et celle de l'encéphale [...]. De toute évidence, aucun bouleversement du matériel génétique n'a accompagné le développement du cerveau humain[1]. »

À la fin du XIXe siècle, dans son *Histoire de la création des êtres*

1. Jean-Pierre Changeux, *L'Homme neuronal*, Paris, Fayard, 1983.

organisés d'après les lois naturelles, Ernst Haekel a publié un tableau absolument bouleversant qui montre à quel point, à leur premier stade de développement, les fœtus de la tortue, de la poule, du chien et de l'homme se ressemblent. Plus exactement : leurs structures globales sont quasi identiques. La diversification apparaît et s'accentue au cours des dernières étapes du développement. Des reptiles à l'homme, elle se caractérise par l'expansion remarquable du néocortex. D'où l'hypothèse fort légitime d'une évolution des vertébrés supérieurs par addition d'étapes au cours du déroulement de l'ontogenèse.

Le temps de fabrication embryonnaire est en effet beaucoup plus long chez l'homme que chez le chimpanzé, chez le chimpanzé que chez le chat, et chez le chat que chez la tortue. « Dans la mesure où les étapes initiales persisteraient, ajoute Jean-Pierre Changeux, une récapitulation apparente de l'évolution des espèces se produit au cours du développement embryonnaire des organismes les plus évolués. Ainsi l'embryon des mammifères passe-t-il par des stades poisson ou reptile[1]. »

Nous avons vu qu'il en est de même pour l'organisme cérébral qui intègre structurellement sa propre histoire à la composition de son système d'organisation interactive. L'un des traits caractéristiques du développement de l'encéphale humain est précisément que ce développement se poursuit longtemps après la naissance. La capacité crânienne du chimpanzé n'augmente que de 60 % après la naissance ; celle de l'homme, d'environ quatre fois et demie. Après 224 jours de gestation contre 270 chez l'homme, le volume cérébral du chimpanzé atteint 70 % de sa capacité finale au cours de sa première année, alors qu'il faut attendre trois ans chez l'homme pour obtenir le même résultat. Il en découle tout naturellement que les comportements d'un jeune enfant ressemblent assez fortement à ceux d'un bébé chimpanzé et se diversifient très nettement à partir du moment où son cerveau commence à pouvoir combiner des objets mentaux. Ce qui, en quelque sorte, marque le saut qualitatif entre le chimpanzé et l'homme, ce n'est pas une structure biologique génétiquement programmée — celle-ci reste au contraire étonnamment invariante —, mais, ce qu'à partir de légères mutations génétiques affectant des liaisons neuronales, le cerveau humain parvient à faire de lui-même par auto-

1. *Ibid.*

élaboration au cours de son propre développement. Car, au cours de son autodéveloppement, la structure cérébrale reste elle aussi globalement invariante : « Celle-ci, écrit Changeux, se compose de cinq catégories principales de neurones organisés en trois couches parfaitement distinctes. Le nombre de types cellulaires et leurs organisations stratifiées ne changent pas. De la souris à l'homme, le cortex cérébral se compose des mêmes catégories cellulaires, des mêmes circuits élémentaires. Mais du rat à l'homme, le nombre total des neurones dans la catégorie des cellules de Purkinje (catégorie cellulaire principale du cortex du cervelet) passe de 0,35 à 15 millions[1]. »

Comment, avec de l'ancien, a été élaborée une nouveauté sublime

Le changement, on le voit, n'est pas dans les structures, qui restent invariantes, mais, à mesure que leurs éléments constitutifs se développent par redondance, dans le nombre de plus en plus considérable d'interconnexions croisées et complexes qui s'établissent entre ces éléments pour maintenir la cohérence de la structure (donc son invariance). D'où l'importance que Changeux accorde à la synapse, ou région de contacts entre deux neurones. « Des vertébrés supérieurs à l'homme, et en particulier du singe à l'homme, note-t-il, de nouvelles vagues de synapses surgissent et se succèdent au cours du développement, augmentant le nombre de connexions possibles chez l'adulte. » Grâce à quoi « le développement de l'encéphale s'ouvre à l'environnement qui, en quelque sorte, prend le relais des gènes. Le temps de contacts, on l'a vu, se prolonge de manière exceptionnelle chez l'homme, la contribution de l'interaction avec l'extérieur à la construction de l'encéphale s'élargit[2] ». Remarquons que la période d'évolution extraordinaire du cerveau, qui le fait passer du stade australopithèque au stade *homo sapiens*, est étonnamment courte au regard de l'évolution et du temps génétique, et plaide puissamment en faveur d'une auto-élaboration organique stabilisée par un processus de double sélection.

1. *Ibid.*
2. *Ibid.*

Ce qui a été sélectionné et optimisé, c'est la capacité humaine à la socialisation comme réponse défensive aux interpellations de l'environnement en fonction des besoins biologiques. Mais, en retour, ce développement de la coopération sociale a accéléré l'évolution de l'organisme cérébral en favorisant son auto-élaboration.

Il est probable que l'une des premières formes qu'ait prises l'organisation consciente d'une socialisation défensive autoprotectrice a été l'utilisation « altruiste » de l'agressivité, c'est-à-dire sa collectivisation au service du groupe, puis de la tribu. Alors que chez les animaux, les affrontements internes à l'espèce restent la plupart du temps des jeux ou des simulacres, l'homme primitif (déjà, semble-t-il, l'*homo habilis*) a sans aucun doute inventé la guerre ; c'est-à-dire la socialisation, par une intelligence devenue imaginative, et grâce au développement du néocortex, de l'agressivité qu'induisait son système lymbique. Avant que la pensée critique n'accède à un stade autonome, qu'elle s'enroule dans la spirale ascendante d'une pensée qui se pense, les capacités organisationnelles et prospectives dont était devenu capable l'encéphale humain ne permettaient que d'inscrire dans une stratégie de groupe (impliquant que se soit dégagée la notion d'ami et d'ennemi, de congénère et d'étranger) des pulsions instinctives ou émotives préalablement instrumentalisées. Les premières armes de pierre taillée n'eurent-elles pas entre autres cette fonction ?

Or, écrit Changeux, sans malheureusement insister assez sur cette intuition remarquable, « l'état fonctionnel, l'activité d'un instant, laisse une trace dans la structure, devient lui-même structure[1] ».

Et de citer A.D. Ritchie qui écrivait dès 1936 dans son *Histoire naturelle de l'esprit* : « A l'intérieur de l'histoire de l'organisme, il y a des événements relativement stables qui ne changent pas beaucoup et ceux-ci sont appelés structures. A l'opposé, il y a des événements instables et ceux-ci sont appelés fonctions. »

Ainsi, l'exploration neurologique confirme largement les orientations que nous avons d'ores et déjà esquissées : ce qui a marqué le stupéfiant développement qualitatif de l'encéphale humain par rapport à celui des mammifères supérieurs, ce ne sont pas des révolutions de sa structure, celle-ci restant quasi invariante, mais :

1. *Ibid.*

1) La prolifération, par redondance sectorielle, des cellules nerveuses ou neurones : cette reproduction multiplicatrice restant totalement adéquate à la cohérence de la structure. De la même façon qu'un pays peut fort bien, en vingt siècles, multiplier par dix ou vingt le nombre de ses habitants (l'Inde, par exemple) sans qu'il y ait pour autant modification de ses structures sociales de base.

2) L'extraordinaire multiplication et diversification des liaisons neuronales croisées (et interactives) grâce au nombre accru de synapses résultant de l'accroissement du nombre des neurones spécifiques. De la même manière, si une tribu de mille membres se transforme, en deux mille ans, en un peuple de plus d'un million d'âmes, la structure sociale de base restant identique, on assistera à une complexisation des liaisons croisées et interactives entre groupes et sous-groupes, clans et sous-clans de plus en plus nombreux.

3) Cette évolution quantitative du nombre de connexions interneuronales aura un effet éminemment qualitatif (comme le démontre sans conteste l'évolution de la cybernétique, les capacités synthétiques et analytiques d'un ordinateur résultant de l'importance et de la sophistication de ses interconnexions internes). Le cerveau du chat ou du rat avait déjà la faculté d'enregistrer des informations extérieures et de déclencher des réponses à des stimuli de l'environnement. L'accroissement des interconnexions neuronales, grâce à la multiplication redondante des neurones spécifiques, permettra d'emmagasiner plus d'informations, de les stocker, de les interconnecter à leur tour et finalement (en cela réside le saut qualitatif) de produire une information nouvelle, éventuellement déconnectée de l'environnement, par connexion de plusieurs informations préalablement données par l'environnement.

Le terme « qualitatif » n'implique ici aucun jugement de valeur, car c'est cette nouvelle faculté qui a permis à l'*homo sapiens* d'imaginer l'usage que l'on peut faire d'un silex taillé pour chasser, certes, mais aussi pour trucider son prochain ; puis, grâce à ce progrès technologique, d'optimiser des pulsions agressives collectives mises au service d'un groupe particulier au détriment d'un autre. Peut-être même est-ce ce « progrès »-là (la rationalisation de la guerre par l'utilisation des armes) qui a été sélectionné par la nature.

4) Le développement, au sein d'une structure donnée (ici, la

structure de l'encéphale), de liaisons interactives permettant des combinaisons et recombinaisons diversifiées, est toujours créateur de formes, donc de capacités nouvelles, qui elles-mêmes engendrent des fonctions nouvelles. Ceci est vrai pour toutes les formes de structures (on l'a vu à propos de l'acquisition par l'oiseau de capacités de vol de plus en plus performantes), et c'est vrai aussi, d'une certaine manière pour les structures sociales.

5) L'accroissement des éléments constitutifs d'une même structure, et par voie de conséquence des synapses ou « liaisons » possibles entre ces éléments, les nouvelles combinaisons de relations interactives qui en résultent, engendrent de nouvelles capacités qualitativement supérieures qui déterminent de nouvelles fonctions. Or ces fonctions, d'une part agissent par effet de retour sur les capacités qui les ont permises, d'autre part suscitent à leur tour leur propre structure.

Ainsi, la capacité du cerveau humain à imaginer et à concevoir une arme, par exemple l'arme de silex taillé, a engendré la fonction guerrière qui, à son tour, a nécessité le développement qualitatif des techniques d'armement : le passage du silex taillé à la hache de bronze, puis à l'épée de fer, par exemple.

Or, la fonction guerrière, favorisée par les progrès techniques de l'armement, a développé sa propre structure. Et cette structure, que l'on qualifiera de « militaire », s'est plaquée sur la structure sociale dont elle est issue (comme le néocortex sur le système lymbique) et est devenue elle-même invariante au point de se perpétuer et parfois même d'accroître ses contraintes en dehors des périodes de conflits.

De la même façon, nous avons précédemment constaté que toute fonction, fût-elle éphémère, découlant d'un état de structure, engendre sa propre invariance structurelle mentale qui survit à la disparition de la fonction. Ceci est vrai aussi bien lorsque cette fonction est devenue obsolète — parce qu'elle ne correspond plus à l'évolution interne de la structure qui l'avait favorisée, — que lorsqu'elle a disparu parce qu'elle était le fruit, d'avance condamné, d'une dissidence par rapport à cette structure invariante.

Pour illustrer le premier cas de figure, on retiendra par exemple qu'un type de pensée (et de comportement inhérent à cette pensée) qui correspondait à des situations fonctionnelles propres à l'organisation économique et sociale de l'Ancien Régime (les corporations, la subdivision en ordres, le servage, le régionalisme, le légitimisme monarchique) se perpétue bien après qu'a été aboli le système dont elle était « fonctionnellement » partie prenante.

Pour illustrer le second, nous rappellerons qu'en dehors de toute pression idéologique, les mentalités et les comportements correspondant à des fonctions propres au système communiste ont largement survécu à l'écroulement de ce type de régime.

La sagesse populaire tient pour évidente que la fonction crée l'organe. En réalité (c'est vrai pour les plumes d'oiseau comme pour le cerveau de l'*homo sapiens*), l'organe crée la fonction, laquelle détermine ensuite une spécialisation qualitative de l'organe. Et de même que l'organe, très souvent, survit à la fonction comme vestige (*La Pravda* a même survécu à l'Union soviétique), telles les branchies du poisson dans les poumons du mammifère, de même des comportements qui, à l'origine, sous-tendaient des fonctions, se perpétuent de manière autonome. Il suffit d'examiner les traditions anglaises pour s'en convaincre. Que toute activité fonctionnelle laisse des traces, à la fois sous forme de vestiges (dans le cerveau ou hors du cerveau) et de comportements archaïques ou nostalgiques, correspond parfaitement à ce que nous avons appris de la stratification évolutive du cerveau lui-même !

Même si la pensée prospective et imaginative (qui a conçu l'élevage et la culture intensive) a rendu caduc l'instinct de chasse en tant que réponse biologique programmée à une nécessité vitale, celui-ci se survit à l'échelle planétaire sous toutes les formes socialisables possibles. On pourrait aussi bien souligner que le tir à l'arc est devenu un sport ou un jeu, au même titre que le maniement de l'épée ou l'équitation ; que la prolifération des dictionnaires de référence n'empêchent pas l'Académie française, archétype de la survivance, de poursuivre à l'infini la réalisation du sien, désormais totalement inutile ; que l'alibi de l'apparat permet de préserver, contre toute logique, des usages — tels le port des épaulettes, de la perruque, du bonnet à poils ou du tricorne, des casques à crinière de cuirassiers, voire (au Vatican) des armures et des hallebardes du XVe siècle — totalement déconnectés de leur fonctionnalité originelle ; ou encore que les pays qui n'ont plus d'accès à la mer (comme la Bolivie) n'en entretiennent pas moins une flotte dirigée par un nombre conséquent d'amiraux ; que les généraux et les divisions de l'arme blindée se considèrent comme des « cavaliers » ; que de nombreuses sectes imposent à leurs adhérents des tenues inspirées de l'Antiquité ; qu'un peu partout dans le monde des groupes extrémistes se coiffent et se peinturlurent en Hurons de l'âge d'or ou se déguisent en chevaliers du Moyen Age ; que la mythologie fonctionnelle est devenue mythologie culturelle de référence ; que la croyance en Dieu n'a pratiquement pas subi les contrecoups des découvertes scientifiques qui ont drastiquement réduit son espace de pertinence ; qu'on continue imperturbablement à enseigner le latin et le grec ancien dans les écoles, etc.

6) Le développement des capacités cérébrales, par multiplication des interconnexions neuronales, a permis de projeter sur l'environnement des conceptualisations prospectives ou imaginatives sans cesse nourries et enrichies par l'accumulation, le stockage et la combinaison synthétique des informations fournies par le milieu. Ce qui alors a pris une dimension tout à fait particulière, c'est cet exceptionnel aller-retour démiurgique, cette capacité du système neuronal humain à synthétiser et à conceptualiser les données du monde extérieur, à en retraiter les informations grâce à (et à travers) ses propres structures pour les transformer en projets organisationnels susceptibles d'agir en *feed-back* sur l'environnement. A ce stade, l'interaction dynamique entre structures cérébrales et structures sociales, l'auto-élaboration de l'une concourant à l'élaboration de l'autre, devient le moteur à la fois de l'évolution cérébrale et de l'évolution sociale. Oserais-je suggérer que certaines structures sociales reproduisent la stratification des structures cérébrales en ce sens, au moins, que ce que l'intelligence a conçu « enveloppe » ce que les instincts déterminent ?

7) Tous ces sauts qualitatifs sont advenus à structure constante. Rien ne se perd, mais tout se crée par redondance duplicative d'éléments spécifiques (les différents types de neurones) dont les connexions interactives précipitent l'émergence de capacités nouvelles favorisant des fonctions nouvelles.

Non seulement rien ne se perd, mais, à chaque étape du développement de l'intelligence et de la conscience (par multiplication d'interconnexions neuronales interactives permettant une recomposition toujours plus riche et plus complète d'objets mentaux), interviennent puissamment ces données biologiques de base, permanentes et invariantes, que sont les réflexes, les instincts et les émotions. Celles-ci constituent en quelque sorte les matériaux bruts et irréductibles à partir desquels le cerveau élabore de l'intelligence sans cesse à reconstruire. La guerre ne résulta-t-elle pas d'une socialisation intelligente des pulsions agressives individuelles, laquelle a permis et nécessité, dans le domaine de l'armement, une succession de sauts technologiques — dont la maîtrise de l'énergie atomique, la conquête de l'espace, l'exploration de la lune, le laser et l'ordinateur ne furent en réalité que des conséquences induites ?

On peut fort bien reconstituer un processus social de ce genre : la faim, en tant que stimulus, enclencha un désir qui lui-même déclencha une tendance à orienter et à dynamiser le type d'intelligence qui engendra l'outil (le premier aurait pu consister en un bâton utilisé pour faire tomber les fruits d'un arbre), puis la sophistication des techniques de chasse grâce à l'action coopérative et à la ruse, le partage des dépouilles (et par conséquent une socialisation organisée en fonction d'une hiérarchie des droits et des besoins), la cuisson puis l'art culinaire, l'utilisation fonctionnelle des os et des peaux des animaux consommés, la confection des ustensiles de cuisine et des couverts, puis leur décoration — esquisse d'un art —, l'élevage et la mise en valeur des terres, le stockage des récoltes, l'hybridation des plantes pour les rendre comestibles, les systèmes sociopolitiques se donnant enfin comme optimisation rationnelle de la production, de l'accumulation et de la répartition des vivres.

Faut-il poursuivre ? A partir de l'instinct sexuel, fruit sélectionné d'une nécessité biologique de reproduction qui détermine par sécrétion hormonale l'action émotive désir-plaisir, la capacité humaine à conceptualiser et à abstraire a peu à peu fait surgir ce sentiment inouï qu'on appelle l'amour. Et ce sentiment est devenu, sous des formes culturelles, religieuses, juridiques, institutionnelles, sociales, incitatives ou contraignantes, le ciment même de toute « mise en société ». Dans l'amour, la culture a socialisé l'instinct sexuel, comme la guerre a socialisé, dans la haine de l'ennemi, l'agressivité qu'enclenche le stimulus de la différence et de l'extranéité. La faim, elle aussi, a été socialisée (et par là domptée) par l'entremise du principe de propriété : ce lopin de terre m'appartient, je n'ai donc plus à me battre pour obtenir ma part d'aliments, ni à arracher par la force ce qui participe de la propriété de l'autre.

CHAPITRE XII

Instincts, émotions et intelligences
Du système de la guerre

L'amour, la haine, la propriété (ou la possession) : nous avons désigné là les trois principaux piliers sur lesquels repose le socle de nos invariances sociales. Tout « ordre » revient d'ailleurs à canaliser la haine pour l'orienter dans un sens voulu, à soumettre l'amour à des règles organisationnelles précises et structurées, à hiérarchiser la société à partir du principe de propriété. Telle est la fonction des généraux, des prêtres et des consuls. Or, à quoi renvoient ces « incontournables » soubassements de tout ordre social, sinon aux instincts et aux émotions que s'emploie, génération après génération, à socialiser l'intelligence, fût-ce l'intelligence la plus perverse ?

Aussi sophistiqué que soit le stade auquel est parvenue la pensée conceptuelle et imaginative, elle ne saurait concevoir la guerre sans passion agressive, la propriété sans réflexe de possession issu d'une originelle pulsion vitale d'accaparement, la gastronomie sans la faim, l'œnologie sans la soif, l'érotisme le plus intellectualisé sans l'instinct sexuel, et même, *a contrario*, l'aspiration toujours recomposée au nationalisme ou à l'universalisme sans la pression constamment destructrice du rejet individuel de la différence, ou tribal de l'altérité. Et nous retrouvons cette évidence que l'actualité illustre chaque jour : la guerre une fois mise hors la loi, ou rendue impossible par la progression exponentielle des découvertes technologiques qu'elle induit, ce qui reste, c'est l'agressivité à l'état brut, en particulier sous sa forme tribale, ethnique, clanique, communautaire. La fonction sociale de tout cérémonial gastronomique oublié, la propriété balayée par les effets destructeurs des explosions d'antagonismes religieux ou raciaux, reste la faim. L'amour idéalisé battu en brèche à l'occasion d'une régression culturelle provoquée par le même type de déflagration, reste l'instinct sexuel !

La réalité biologique qui, sous forme de réflexes, d'instincts, de réactions émotives, a servi de vecteur, sous la pression de l'environnement, à l'élaboration d'une pensée conceptuelle, réapparaît toujours en l'état quand la pensée, prise dans la spirale de sa propre logique, tue la pensée.

L'exemple de la socialisation de l'agressivité

On aura compris que la permanence de certaines fonctions chimico-neuronales génétiquement programmées et des déterminismes biologiques qui induisent des comportements particuliers, constitue dans le temps un élément constitutif et structurant de toute invariance sociale. (A-t-on jamais vu d'ailleurs la vie sociale des animaux se transformer de manière apparente en quelques siècles ?)

Nous précisons bien « dans le temps », dans la mesure où les facteurs de changement (et donc de devenir historique) découlent, eux, des capacités du cerveau humain à constamment reconstruire son rapport au monde et à auto-élaborer sur cette base des interactions dynamiques (grâce à la multiplication des synapses différenciées) qui lui permettent de concevoir, de comprendre, de transformer son environnement.

Tout se passe comme si le changement réel et même considérable étant le fruit d'un non-changement, se régulait lui-même en renvoyant rythmiquement (pour ne pas dire rituellement) à ce non-changement sans renoncer à ses acquis. Et nous retrouvons là, dans toute sa force, l'image d'un fœtus quasi identique chez la tortue, la poule, le chat et l'homme, qui, au cours de son développement, se différencie de manière prodigieuse, mais renvoie cycliquement à la quasi-identité des fœtus sans que les transformations acquises au cours de l'ontogenèse soient pour autant annulées.

L'expression « dans le temps » est importante à un autre titre. A chaque moment, en effet, chez un individu donné, l'instinct est plus ou moins repensé (ne serait-ce que pour être socialisable) : soit culturellement inhibé, soit exalté. Les émotions, dès lors qu'elles sont conscientes d'elles-mêmes, sont retraitées en fonction d'un héritage identitaire et d'une histoire personnelle. Mais ce qui nous intéresse ici, ce sont les structurations collectives dans le temps, qui font l'évolution sociale. Or, on constate que le psychisme particulier fait place à la psychologie collective (ou à l'inconscient collectif, si l'on préfère) qui, pour des raisons que nous avons déjà largement explicitées, en est d'une certaine manière la négation.

Si l'on examine, par exemple, le problème du mensonge (que nous avons étudié par ailleurs), on constate que l'individu isolé témoigne d'une infinie capacité à élaborer des schémas de dissimulation autoprotecteurs, divers, originaux, sans cesse renouvelés : son imagination apparaît dans ce domaine comme sans limites. Intégré, en revanche, à une collectivité, il se contente de rallier mentalement un grand mensonge de référence. La collectivité ne produit pas de mensonge spécifique : elle reproduit les mensonges depuis longtemps auto-élaborés par et pour la collectivité.

L'individu s'invente souvent des aventures imaginaires, sans cesse réécrites dans sa tête en fonction et à partir du réel. La collectivité, en revanche, a tendance à décliner les mêmes mythes (jaillis de sa préhistoire) sur tous les modes et à conjuguer à tous les temps les mêmes épopées fondatrices ; ou bien à se fabriquer, au présent, des explications manichéennes autoprotectrices, des alibis fédérateurs, structurellement identiques depuis des siècles, sans que le réel ne vienne jamais froisser cette répétition qui défie le temps et l'espace. L'individu isolé concoctera d'étranges leurres pour camoufler ses crises ou ses échecs, quand l'homme collectif fera peser la responsabilité de ses échecs et de ses crises, même imaginaires, sur le dos d'un bouc émissaire, répétition du même, qu'il soit Juif, travailleur immigré, technocrate de Bruxelles, exportateur japonais, ouvrier coréen sous-payé, ou tous ensemble à la fois !

Dès lors qu'on analyse une réalité sociale au niveau collectif et dans le temps, il est évident que le particulier se dilue dans le général, que le vécu de chacun se fond dans l'histoire de tous, que les cultures individuellement acquises se dissolvent dans une culture collectivement transmise, que chaque intelligence auto-élaborée intègre une raison ou une déraison fédératrice, que la pensée critique, état transitoire, déserte l'espace de l'être-ensemble pour se cramponner à sa périphérie. Alors, un certain déterminisme comportemental, dont nos instincts et nos émotions sont les vecteurs, apparaît bien comme une composante de l'invariance qui caractérise la structure même de l'évolution sociale.

Au fond, il ne faut pas être grand clerc pour prévoir qu'invariablement, et sans exception, le mot « cocu », jaillissant d'un dialogue, fera rire une large assemblée alors qu'il pourra laisser froid un auditoire restreint ; que, même si un individu de droite (en France) ne hurle pas à chaque fois qu'il entend prononcer le nom de François Mitterrand, et si un individu de gauche reste généralement calme à l'évocation de Jacques Chirac, en revanche, toute allusion nominative à François Mitterrand et à Jacques Chirac, devant une assemblée militante de droite dans un cas, de gauche dans l'autre, provoquera un formidable charivari réprobateur. Pourquoi les mots « France », « République », « valeurs », ridicules quand ils sont utilisés avec emphase en petit comité, deviennent-ils, en réunion publique, des stimuli propres à déchaîner l'enthousiasme ?

Allons plus loin : le type de discours susceptible de faire vibrer des rassemblements de plusieurs milliers de personnes classées très à droite ou très à gauche (ou bien très catholiques, très juives ou très musulmanes) pourrait être composé par un ordinateur, après repérage et programmation des types de mots, d'images, d'évocations ou d'invocations qui provoquent immanquablement les mêmes types de pulsions, en fonction d'un même processus physico-chimique à l'intérieur de l'encéphale. Ce qui prouve que ce qui caractérise structurellement l'invariance sociale, ce n'est pas à proprement parler l'instinct ou l'émotion (sans quoi l'homme s'apparenterait réellement à l'animal), mais les modèles que la collectivité, à l'image du système cérébral (et pour cause), a socialement auto-élaborés pour encadrer, utiliser, canaliser, orienter, contrôler les processus invariants qui déterminent les instincts et les émotions. Ce qui signifie qu'aux stimuli bruts qui enclenchent les réactions instinctives et émotives se sont peu à peu ajoutées, ou même substituées, des symboliques (par la parole, la culture, l'art, la mythologie, l'idéologie) que l'on peut considérer comme une réappropriation culturelle par la société de ces stimuli. Ce qui est stupéfiant, dans le cas des sociétés humaines, c'est que, l'invariance tribale aidant, chaque communauté non seulement ethnique ou nationale, mais plus encore religieuse, idéologique, voire corporative, a conçu et institutionnalisé sa propre grille de déclencheurs et de signaux symboliques destinés à relayer ou à remplacer les stimuli naturels primitifs. Ainsi le dégoût que finissent par susciter les aliments condamnés par la religion. Ainsi l'horreur instinctive que provoquent le blasphème, et plus encore le sacrilège, non pas en général, mais à l'intérieur de la structure religieuse dont ils transgressent le tabou.

Que le mot, en tant que fait de culture, agisse en soi comme stimulus d'une réaction physico-chimique, un seul exemple l'illustrera : prononcé au cours d'un dîner mondain, le terme « sexe » ne choquera personne, mais « bite » suscitera pour le moins un rougeoiment prononcé des joues, en particulier de la gent féminine. La sonorisation de certains injures ou gros mots a été spécialement concoctée à cet effet.

A contrario, la politesse (ou le « maintien ») ayant par définition une vertu culturelle inhibante, la violation brutale et ostensible de ses règles agit directement sur le système lymbique, avant toute médiation de l'intelligence. Un convive qui jettera par terre, au cours du repas, les reliefs de son assiette, provoquera spontanément la gêne des invités. Pourquoi des seins nus sur une plage laissent-ils aujourd'hui indifférents (et pas hier) quand, au bureau par exemple, ils déclencheraient un trouble que seules des exclamations libératrices parviendraient à rompre ? Parce que ce n'est plus l'objet en soi qui enflamme notre système nerveux, mais son rapport de dissidence à un interdit culturel.

Qu'est-ce encore que l'érotisme, sinon la formalisation sophistiquée d'un processus culturellement contrôlé de déclenchement de l'instinct sexuel (du désir) ? Comment qualifier le rire qui accompagne la chute du clown, l'effet comique en général, ou, à l'inverse, l'état d'affliction que ne manque pas de susciter, qu'on le veuille ou non, le finale de *Madame Butterfly* ? Quand un cinéaste réalise un film-catastrophe et en soigne les effets, il n'agit pas différemment d'Adolf Hitler mettant minutieusement en scène les congrès du parti nazi à Nuremberg afin d'exciter les émotions qu'il comptait canaliser à son profit.

L'intelligence, ici, n'agit pas en amont, mais en aval, car cette mobilisation « orientée » d'une affectivité collective a été préalablement pensée. Le défilé militaire, la procession religieuse, le grand meeting de fin de campagne électorale, les obsèques solennelles, les mariages royaux, les *Te Deum* et *Requiem* — sans parler de l'art quand il se veut populaire — n'ont-ils pas la même fonction ? Et les grandes réunions sportives ? La Révolution française a fait un usage immodéré de ce qu'on a appelé les « grandes messes laïques » que fascisme et stalinisme, péronisme et nationalismes divers élevèrent en techniques de pouvoir. Mais la République se serait-elle imposée dans les esprits sans cette institutionnalisation d'une symbolique-spectacle propre à « tremper les âmes » et à « réaffermir les volontés », c'est-à-dire à ancrer les émotions dans un autre terreau que celui que les « monarchistes » proclamaient éternel et intangible ?

On pourrait gloser savamment sur le césarisme ou le bonapartisme comme idéologie spécifique, mais, à la vérité, comme la campagne électorale qui vit en 1849 le triomphe de Louis-Napoléon Bonaparte l'a spectaculairement prouvé, il s'est agi avant tout de la mise en forme laïque la plus rationnelle (et peut-être la plus démocratique) de la mobilisation des instincts et des émotions collectifs (aspirations à la sécurité, à l'autorité, à l'égalité, à la propriété, à la gloire) au service de la Nation et de l'Empire.

En conséquence, non seulement une grande partie de l'activité intellectuelle dont la société s'imprègne revient à penser le biologique pour le détourner au profit de la société par le biais du culturel, mais, en outre, cette tendance naturelle à l'adéquation entre réalité biologique et réalité sociale (autrement dit entre les composants les plus invariants de la structure cérébrale et les facteurs les plus invariants d'une structuration de type sociopolitique) représente l'élément le plus stabilisateur de l'évolution des sociétés. Ce qui signifie *a contrario* que la stabilité de cette structure-ci renvoit à la stabilité de cette structure-là.

Mieux : l'invariance des structures sous-jacentes constitue souvent l'axe stable autour duquel tourne la valse des évolutions apparentes. Est-on sûr que l'extraordinaire transformation des mœurs qu'a connue le monde occidental en trois décennies a structurellement bouleversé le discours conservateur sur les mœurs, réduit le nombre de ceux qui y adhèrent, ou profondément changé leurs spécificités sociales ? L'argumentaire d'extrême droite, qui n'a quasiment pas varié en deux siècles, a-t-il moins d'impact aujourd'hui que dans les années trente ?

Le « tout change rien ne change » prend ici tout son sens : le rapport à la nudité a considérablement évolué en mille ans, et de manière non linéaire, passant alternativement de l'extrême liberté de la Renaissance (ou, par défoulement, du Directoire) à l'extrême pudeur du XVIIe ou du XIXe siècle. Pourtant, ce que l'on montre ou ce que l'on ne montre pas modifie certes la nature formelle de la réaction globale à l'exhibition du corps, mais pas la structure émotive du rapport à ce qu'on ne montre pas, par opposition à ce que l'on montre. Malgré la nudité au cinéma, la nudité dans la rue suscite toujours la même émotion. Et, finalement, pourrait-on tout montrer que cette réactivité structurée par les tabous sociaux se reconstituerait à l'identique, en référence cette fois aux lieux et aux heures où il serait licite ou illicite de le montrer ! Alors, en effet, tout aurait changé et rien n'aurait changé.

Il est assez visible, à cet égard, que d'impressionnants changement quantitatifs, produisant au moins des apparences de changements qualitatifs, ne bousculent en rien les structures qui les englobent. L'avion a totalement modifié les distances ; est-il cependant certain que Paris soit devenu mentalement plus proche d'Alger, Kaboul de Moscou, Lagos de Londres, Karachi de Genève ? L'informatisation complète d'une entreprise bouleversera-t-elle jamais en son sein les données subjectives sous-jacentes qui font que les mêmes chocs, les mêmes crises, les mêmes antagonismes internes reproduisent structurellement les mêmes effets ? Nous pouvons témoigner qu'entre un journal version 1994 (la feuille de papier y a quasiment disparu) et un journal de 1950, il y a autant de différences qu'entre un Boeing et un avion à hélices ; mais, au sein de la « famille » des journalistes, les interactions subjectives ressemblent aujourd'hui à la description qu'ont pu en faire les publicistes d'avant guerre...

On remarquera accessoirement que la théorie marxiste se trouve ici complètement inversée : ce sont les rapports de production patents qui figurent la superstructure, alors que l'infrastructure participe non de la logique des choses, mais de celle des mentalités.

Le système de la guerre comme invariance recomposée

Dira-t-on que le progrès technologique a fait du système moderne de la guerre le support d'une idéologie belliciste ou impérialiste ? C'est le contraire qui est vrai. Le passage de la sarbacane à la fusée à têtes multiples, de la stratégie du choc frontal aux batailles d'enveloppement (grâce aux blindés) et aux combats à distance (grâce aux missiles), a radicalement bouleversé l'art de la guerre, sa dimension dans le temps et dans l'espace, son impact sur l'environnement et les populations civiles, mais non le ressort profond de ses mécanismes structurants. Les mêmes déterminants psychobiologiques font que l'agressivité ou la peur, la hargne ou le découragement, l'exaltation ou la démoralisation, d'où découlent offensive et défensive, assaut et fuite, résistance et effondrement, les mêmes pulsions — haine de l'ennemi, horreur physique d'une altérité animalisée, ivresse du combat, réflexe de survie et instinct de mort —, culturellement rationalisés en patriotisme, en héroïsme, en soif de gloire, en volonté de puissance, voire en défaitisme ou en pacifisme, submergent, aujourd'hui comme hier, l'espace de déploiement de toute logique guerrière sans compter que la symbolique omniprésente de la guerre pour les femmes (enlèvement d'Hélène, rapt des Sabines, etc.) montre assez que l'épée prolonge le sexe. Aujourd'hui comme hier, en outre, la supériorité en effectifs, l'avance technologique en matière d'armements, la formation professionnelle et physique des combattants, la puissance économique qui sous-tend la machine de guerre, constituent, au-delà des aléas d'un choc ponctuel, des facteurs décisifs de l'issue des opérations. Aujourd'hui encore comme hier, de l'adaptation d'une stratégie au terrain et du matériel au relief et au climat, de l'adéquation de la logistique à la nature du combat, de l'allongement des lignes de communication et d'approvisionnement, dépend en partie la fortune des armes. Et, tout cela étant dit, l'état d'esprit de la troupe, sa cohésion, sa foi en la justesse de sa cause, ou au contraire le malaise que le moindre doute entretient, ses complexes collectifs d'infériorité ou de supériorité qui lui font soit prévoir la victoire, soit anticiper la défaite, l'endurance du soldat, sa propension à l'idéalisme ou à l'altruisme, à l'indiscipline critique ou à la soumission fataliste, mais aussi son degré d'endoctrinement ou de fanatisme, l'ampleur des passions qui l'enflamment ou de la hargne qui le pénètre, les qualités humaines de l'encadrement, le moral de l'arrière, l'adhésion du peuple aux valeurs que son armée défend, l'unité de la nation enfin, forment le socle sans le support duquel, aujourd'hui comme hier, tout le reste s'écroule.

Les progrès de la technologie militaire ont eu, dans l'histoire, des conséquences en chaîne considérables : scientifiques d'abord (l'artillerie à elle seule et les efforts pour en optimiser l'efficacité sont à l'origine de la plupart des découvertes en balistique, en dynamique, en mathématiques, en chimie et en informatique), architecturales (la conception des fortifications), sociales (elles ont par exemple favorisé au Moyen Age les hiérarchisations sociales — l'étrier ayant contribué à féodaliser la chevalerie — ou, après la tragédie de 1914-1918, le travail des femmes), idéologiques et politiques (dès lors que les populations civiles ont massivement été englobées dans la tourmente ou que les chars sont devenus les fers de lance des coups d'État). Cependant, aucun saut technologique n'a jamais eu pour conséquence de rendre totalement caduc fût-ce un seul des composants structurels du principe de la guerre que nous avons déclinés plus haut. Même l'aviation à réaction n'a pas supprimé le handicap que représente, pour un attaquant, un trop grand éloignement de sa base arrière d'approvisionnement.

La guerre du Golfe est présentée jusqu'à la caricature comme la guerre technologique par excellence. Complète erreur de perspective ! L'enjeu pour Bagdad n'était évidemment pas, compte tenu de la disparité des forces, une impossible victoire, mais la résistance de l'infanterie appuyée par l'artillerie tractée (et des chars enterrés) : c'est elle qui eût permis à Saddam Hussein, en provoquant des pertes importantes que les alliés n'auraient pu assumer face à leurs opinions publiques, d'imposer une solution de compromis. Et tout s'est joué non pas lors de la phase purement technologique des opérations, qui n'a pas suffi à mettre l'Irak à genoux, mais au moment où le premier choc terrestre de type classique provoqua l'effondrement total et presque instantané d'une armée de terre irakienne mentalement laminée, à l'évidence peu concernée par ce douteux combat. La psychologie a fait la différence. A l'inverse, au Vietnam, l'incontestable supériorité technologique américaine atteignit son seuil d'impuissance à partir du moment où, l'arrière n'adhérant plus aux valeurs au nom desquelles était menée cette croisade, elle se heurta à l'inadéquation du terrain aux intentions tactiques du Pentagone et à la résistance « mentale » de l'adversaire qui mit en échec une rationalité stratégique qui lui était « extérieure ». L'offensive du Têt fut à cet égard une défaite pour Giap, mais, en même temps, une victoire subjective pour le Vietcong, laquelle pesa beaucoup plus lourd sur l'issue du conflit.

La guerre d'Algérie s'était déroulée selon un schéma quasiment identique, qui lui-même reproduisait celui de la guerre d'Espagne qui avait sonné le début du déclin de Napoléon. Ces deux conflits évoquant eux-mêmes une tradition fatale qu'illustrèrent, vingt-deux siècles plus tôt, les opérations romaines en Afrique du Nord contre Jugurtha, ou en Espagne contre Sertorius.

De la même façon démontrerait-on facilement que les types de difficultés auxquelles se heurta, il y a 2 000 ans, l'armée romaine de Varus, opposée dans les forêts de Germanie aux Chérusques menés par le chef Arminius, furent structurellement semblables à celles qui provoquèrent l'échec des Français, puis des Américains en Indochine. (Les légions engagées dans des forêts denses, humides et sombres, au fond desquelles se terrait un ennemi invisible, insaisissable mais omniprésent, furent psychologiquement minées par la peur et l'angoisse qui les hantaient.)

Ce qui, à l'examen, est stupéfiant, c'est de constater à quel point le bouleversement technologique des rapports espace-temps, articulé à une croissance considérable de la puissance de feu, a eu peu d'influence sur la configuration générale de la réalité militaire : au-delà de toutes les innovations, ses éléments constitutifs renvoient hiérarchiquement, de manière quasi invariante, au relief (structure du sol), à la capacité logistique (structure fonctionnelle), au soubassement objectif de la puissance (structure économique et démographique) et surtout aux composants archéocéphaliques (les instincts et les émotions) du socle psychologique sur lequel tout le reste est construit. Aussi les « sauts qualitatifs » dans l'art militaire correspondent-ils moins à une innovation technologique en soi qu'à une adaptation stratégique adéquate de cette innovation (légions romaines, phalanges macédoniennes, technique d'utilisation des panzers).

La structure de base du système de la guerre est devenue d'autant plus invariante que, par la conscription et l'élargissement considérable du champ de bataille, les populations (toutes les couches de la population) y sont plus massivement impliquées, et que, par voie de conséquence, les sentiments, les sensations, les pulsions (ce qu'on appelle le moral) en deviennent une composante encore plus essentielle.

Certes, le progrès de la technologie militaire, lorsqu'il profite à un seul camp, transforme effectivement de façon radicale les conditions de l'affrontement (exemple : l'utilisation de la bombe atomique contre Hiroshima). Mais la tendance à la diffusion, et donc à une répartition de plus en plus équilibrée de ces « acquis », fait qu'on en arrive toujours, et assez vite, à un niveau où la technologie annule, pour partie, la technologie : soit par l'émergence d'un antidote (arbalète/armure ; blindage/bazooka ; missile/antimissile), soit par la double dissuasion (équilibre de la terreur), soit encore parce que la capacité de destruction d'une arme (bactériologique ou chimique par exemple) devient telle que ses effets possibles rendent son emploi de moins en moins probable. L'utilisation des parachutistes comme force d'assaut fut un succès en Crète (mars 1941), mais un échec à Arnhem (septembre 1944) parce que la parade avait été trouvée entre-temps. Alors — et les récents conflits en Yougoslavie, au Caucase, en Angola, au Liban, au Sri-Lanka en sont l'illustration — le principe de la guerre reconstitue sa structure de fonctionnement antérieure à la révolution technologique qui l'a un moment affecté ; jusqu'à redécouvrir la fonction du corps à corps...

Voici une illustration frappante de ce phénomène. Du XIIIe au XVIIe siècles, les grands conflits prirent souvent la forme d'une guerre de sièges. L'accroissement de la puissance de l'artillerie renvoya, dans un premier temps, l'affrontement décisif en rase campagne ; puis, en 1914, ce sont les nouveaux progrès de la puissance de feu qui débouchèrent sur la guerre de tranchées, véritable reproduction de la guerre de sièges.

Cette continuelle recomposition de la structure sous-jacente, sous (et malgré) la pression des bouleversements quantitatifs induits par les sauts technologiques se manifeste d'une autre manière : à travers le décalage qui, en règle générale, se creuse entre les nouvelles données polémologiques que le progrès technique détermine et la mentalité collective des états-majors, dont la pensée militaire se déploie presque toujours, fût-ce inconsciemment, dans le cadre des coordonnées antérieures. (En 1914, on sait que presque tous les généraux du front, marqués par l'expérience de 1870, durent être reversés dans la réserve.) La pression catégorielle des différentes armes, dont la permanence est totalement déconnectée de leur fonction, n'y est d'ailleurs pas pour rien, comme en témoignent les protestations que provoquèrent dans les années soixante, en France, la dissolution du corps des méharis et des spahis, ou, plus récemment, l'incapacité à remettre en cause, malgré l'écroulement du pacte de Varsovie, l'importance et la nature d'une arme blindée destinée à l'origine à contenir un déferlement de chars à travers les plaines de l'Europe centrale.

Les processus mentaux qui conduisirent à la construction de la

Grande Muraille de Chine en 220 av. J.-C. — mais aussi de la ligne Maginot, du Mur de l'Atlantique, de la ligne Maurice en Algérie, toujours avec les mêmes résultats navrants — ou qui conduisirent Hitler à reproduire en Russie l'erreur de Napoléon, et les Américains à s'enliser en Indochine dans le même bourbier que les Français, mériteraient une étude particulière, au même titre que ces absurdités héroïques (dont l'empreinte dans les mémoires collectives est en soi assez éloquente) que furent la charge des cuirassiers de Reichshoffen ou celle de la brigade légère britannique en Crimée.

Pourquoi d'ailleurs sont-ce les défaites qui marquent surtout les inconscients ? Le Custer de Little Big Horn est plus célèbre aux États-Unis que le général Bradley. Et c'est d'abord sa défaite qui fit de MacArthur un héros. N'est-ce pas le maréchal hitlérien qui a le plus franchement perdu une bataille, Rommel, qui est resté le plus populaire ? Pourquoi ? Peut-être parce que les défaites correspondent le mieux aux formes stéréotypées de la guerre que le cerveau véhicule de génération en génération : la charge de cavalerie, la résistance au fond d'une cuvette (Diên Biên Phu), la formation en carré de la Garde (Waterloo), la défense de la forteresse (Alamo), versions inversées, mais qu'importe, des Thermopyles ou des Phalanges d'Alexandre. En revanche, Hohenlinden, l'une des plus belles victoires françaises, remportée en 1800 par le général Moreau sur les Autrichiens, est parfaitement méconnue du public. Même Azincourt, lourde défaite et stupide charge frontale de cavalerie lourde, est plus célèbre que Fleurus, victoire moins schématisable, remportée par Jourdan sous la Révolution.

La guerre, comme l'art, est toujours projection d'une image mentale. Tentative de recomposition, à l'extérieur du cerveau humain, de ce qui se noue à l'intérieur de lui à partir des formes archaïques qui y ont laissé des empreintes. Toute bataille est en partie une bataille recommencée : d'une part, parce que le socle de ses composantes sous-jacentes est invariant (le rapport collectif au danger, à la peur, à la mort) ; d'autre part, parce que tout stratège qui se rêve Alexandre, César ou Bonaparte, tend à faire entrer le réel dans le dessin préalable qu'il en a tracé dans sa tête en fonction des anciennes estampes que gère sa mémoire. (Ceci fut particulièrement vrai pour Bonaparte et Hitler — sans parler de Patton, qui mentalement faisait la guerre à cheval !) D'où cette prime à ce qui est le plus rare en matière stratégique : la capacité prospective et imaginative.

La réflexion que nous avons précédemment développée à propos du rôle de la pensée critique à la fois périphérique par rapport aux structures mentales collectives et marginalement déterminant s'applique parfaitement à ce nouveau cas de figure. Ce qui, dans l'histoire militaire, fait la différence (le moment de « rupture », que la structure générale récupère ensuite), c'est justement la dissidence (anticipatrice d'une pensée stratégique critique) par rapport à la pensée dominante, souvent confortée par l'opinion publique. Et, justement parce que les structures de base sont tendanciellement invariantes et se reconstituent en digérant les sauts technologiques, le moment (car ce n'est toujours qu'un « moment ») où une pensée stratégique anticipatrice s'adapte, à la périphérie de cette invariance, aux dimensions nouvelles de la guerre, joue un rôle décisif et procure au camp qui en profite un incontestable avantage ponctuel. Ce fut le cas de l'Allemagne en 1940 (faute que le général de Gaulle ait été entendu par l'état-major français) et de l'Amérique en 1943, dont la supériorité matérielle eût été insuffisante sans les anticipations stratégiques de son état-major. Ce fut également le cas des Carthaginois d'Hannibal avant que Rome ne procède à sa propre révolution culturelle, des Anglais à l'époque d'Azincourt (grâce à quoi, à 15 000, ils battirent 50 000 Français) ou des Yankees à Gettysburg (utilisation concentrée de l'artillerie en tant qu'arme « offensive » de trouée, et équipement de la cavalerie en carabines à tir rapide).

Notons que cette pensée prospective, toujours périphérique par rapport à la pensée dominante (dans les états-majors comme dans l'opinion), peut prendre en compte d'autres mutations que les mutations technologiques, ce qui fut le cas de Napoléon Bonaparte, totalement indifférent au progrès technique en matière d'armement mais qui sut intégrer à sa nouvelle pensée stratégique certains acquis sociologiques, idéologiques et psychologiques de la Révolution française ; ou encore de Gustave-Adolphe de Suède, qui fit du « démocratisme » protestant le fer de lance de sa mobilité offensive (victoire de Breitenfeld, de Lutzen, etc.). Sa puissance de feu était inférieure à celle des troupes impériales, mais sa conception de l'« ordre mince », sur trois ou quatre rangs, lui permit de l'optimiser en en allégeant la ligne d'utilisation.

On a pu constater, au cours des soixante dernières années, à quel point l'adéquation d'une stratégie à l'ensemble des données structurelles objectives (relief, climat, végétation, espace, mais aussi psychologie, idéologie, anthropologie, sociologie) permettait d'équilibrer largement un désavantage purement technologique. En termes qualitativement et quantitativement d'armements, la Syrie et l'Égypte n'avaient-elles pas largement l'avantage au cours de la guerre des Six-Jours ?

Reste cette constatation essentielle, qu'après toute percée stratégique favorisée par l'anticipation intellectuelle d'un progrès technologique, la structure de départ se reconstitue. La guerre irano-irakienne, malgré la sophistication des armements employés, en particulier du côté irakien, ne fut que la réédition des interminables batailles statiques de la Première Guerre mondiale. Hitler, qui fut d'une façon générale (sur les plans politique et militaire) un grand stratège, déclarait en 1932 à Rauschning : « La prochaine guerre ne ressemblera en rien à celle de 1914. Plus d'attaques d'infanterie, plus d'assauts en masses compactes, tout cela est périmé. Quant au grignotement du front s'éternisant pendant des années, je vous affirme qu'on ne reverra plus jamais ça. C'était une déliquescence de la dernière guerre. Cette fois nous retrouverons la supériorité que donne la liberté de manœuvre. » C'est effectivement ce qui se passa en 1939 (campagne de Pologne) et en 1940 (campagne de France). Mais, à partir de 1943, dans le fameux saillant de Koursk (à l'issue de l'opération Citadelle), on en revint à des stratégies qui rappelaient celles de Ludendorff en 1918 : importance de la préparation d'artillerie, premiers assauts menés par les divisions d'infanterie, utilisation des chars en lieu et place de cavalerie pour exploiter et élargir la brèche (ou pour attaquer sur les flancs), replis sur des lignes fortifiées, d'où retour à des stratégies défensives qui limitaient les possibilités de manœuvre. D'où aussi enlisement et grignotages[1]. A Koursk, le char est redevenu le cavalier lourd d'Azincourt qui attaque frontalement et se brise contre une défense meurtrière.

L'innovation technologique n'agit jamais hors des structures qui l'intègrent. La preuve : c'est au moment où ils étaient acculés à la retraite, sans grande possibilité d'initiative concluante, que les Allemands firent les plus formidables progrès en technologie de l'armement : le 75 et le 88 antichar, le Panzer faust lance-roquet-

---

1. Philippe Masson, *Une guerre totale, 1939-1945*, Paris, Hachette/Pluriel, 1993.

tes, la mitraillette MP 42, la mitrailleuse MG 42 à 1 200 coups/minute en tir rasant, les chars Mark IV, Tigre (60 tonnes et canons de 88), Tigre royal (68 tonnes), Panther, le Jagdtiger (de 72 tonnes, avec canons de 128), sans parler des Messerschmitt à réaction, des V1 et des V2. Or, ces avancées techniques considérables ne changèrent strictement rien aux données structurelles de base. En réalité, ce qui avait donné l'avantage à l'Allemagne en 1940, ce n'est pas une supériorité technologique, mais l'anticipation stratégique d'une potentialité technologique : le char utilisé de manière compacte comme force de rupture en coordination avec l'aviation désintégrant les flancs et les arrières de l'ennemi. Or il s'agissait là, typiquement, d'une recomposition. Ce qui avait fait la force des Grecs anciens face aux Perses dotés de cavalerie et d'infanterie légère, c'était la puissance compacte des hoplites, infanterie lourde organisée en phalanges massées sur huit rangs, comme facteur de rupture. Mais les Grecs avaient peu de cavalerie si les Perses n'avaient guère d'infanterie lourde : d'où l'avantage que prit d'emblée Philippe de Macédoine lorsqu'il recourut à la phalange grecque réorganisée sur 16 rangs (pour accentuer sa puissance et sa souplesse) et à la cavalerie légère de type perse pour harceler les flancs de l'ennemi et transformer sa défaite en débâcle. La coordination démoniaque de 1940 entre la phalange lourde (les panzers) et la cavalerie légère (l'aviation) est déjà là en filigrane. Or ce qui, à la sortie du Moyen Age, marquera la renaissance de l'art militaire (sa nouvelle modernité), ce sera la redécouverte par les Suisses de la supériorité tactique de la phalange lourde, dont la forêt de lances décime les rangs adverses, et son adaptation sous forme de *tercio* à l'infanterie espagnole (par Gonzalve de Cordoue).

Ça, les animaux ne le font pas

Reste un mystère, à la fois traumatisant et fascinant : comment les humains, contrairement aux animaux, ont-ils pu ainsi institutionnaliser, rationaliser, et ce, sur une telle échelle, des affrontements aussi meurtriers ? Comment ont-ils pu donner cette forme quasisuicidaire à la socialisation de leur agressivité collective ? Et la renforcer d'un fondement culturel ? Sans doute parce qu'on ne peut socialiser que ce qui existe. C'est-à-dire ce qui est, de manière invariante, structurellement sous-jacent à toute apparence fugace. De même que la culture ne peut que donner une forme de plus en plus élaborée aux émotions qui sous-tendent les sentiments, que la gastronomie est la forme culturelle la plus sophistiquée de satisfaction de la faim, l'œnologie de la soif, l'érotisme de l'instinct sexuel, de même que la nation est la forme élargie sans doute la plus rationnelle que se donne l'aspiration identitaire (l'instinct de groupe), et le syndicat (ou la corporation) sa forme sociale la plus cohérente, de même la guerre représente la forme fonctionnellement la plus adaptée à toute structuration collective des pulsions agressives.

On a déjà vu que l'esclavagisme élargi fut la réponse sociale aux tendances déstructurantes à l'asservissement de l'un par l'autre à l'intérieur du groupe. De même, la guerre a correspondu à un élargissement restructurant de la tendance à l'agressivité de l'un à l'encontre de l'autre à l'intérieur d'un même groupe. C'est pourquoi on est passé de la guerre entre familles pour l'accès à la nourriture ou son partage, puis entre hordes, à l'affrontement entre tribus, entre ethnies, entre peuples, entre nations, entre empires, pour, finalement, à l'occasion de l'éclatement des empires, revenir tout naturellement et continuellement aux guerres entre peuples, entre ethnies, entre tribus.

C'est avant tout pour détourner la noblesse des incessantes petites guerres féodales que l'Église conçut l'idée de la grande guerre contre les infidèles pour la reconquête du tombeau du Christ (qui pourtant avait d'autant moins d'intérêt que le Crucifié en était sorti pour ressusciter). Saintes croisades dont on sait qu'elles échappèrent vite à leur finalité pour « glisser » sur leurs propres structures, soit en échouant du côté de Tunis et d'Alexandrette, soit en s'abattant sauvagement sur la très chrétienne Constantinople, soit enfin en se transformant en simple entreprise d'exploitation féodale de la Palestine, parfois d'ailleurs en collaboration avec les infidèles !

La croisade (mais ce fut aussi la grande idée d'Alexandre, de Napoléon et même de Jules Ferry) fut la réalisation idéale de cette logique qui veut que l'élargissement de l'espace de la guerre soit le seul moyen d'imposer la paix chez soi. Paix romaine, paix coloniale ! Et peut-être Hitler — qui sait ? — rêvait-il réellement d'une Europe définitivement pacifiée sous sa férule ! On sait bien en réalité que ce qu'on appelle « pacification » signifie rejet de la guerre à la périphérie (il y a toujours des « marches » à défendre, des hordes à contenir) et par conséquent possibilité d'exporter de l'agressivité en échange, par exemple, de matières premières.

La guerre est devenue, chez l'homme, non seulement une réalité historique que l'on apprend dans les écoles, mais surtout (et en partie d'ailleurs pour cette raison) une image mentale invariante qui contribue à structurer l'expression de l'agressivité : une invariance culturellement acquise au service d'une invariance innée, en somme.

L'ennemi, en Yougoslavie, ce n'est pas nécessairement l'« autre » (le Serbe, le Croate, le musulman), dès lors qu'il habite dans la même ville, la même rue, le même immeuble, mais l'autre « collectivement » à partir du moment où il prend abstraitement place dans la logique que structure l'image mentale de la guerre. S'est-on fait la guerre parce qu'on était ennemi en tant que Serbe, Croate et musulman bosniaque ? Non, on est devenu serbe, croate et musulman bosniaque, donc ennemi, à partir du moment où on a « pensé » la guerre. Il y a eu rencontre, à l'intérieur du cerveau humain, entre les objets mentaux correspondants à cette altérité et l'image mentale de la guerre.

En conclusion, la guerre, par-delà les évolutions technologiques qui en affectent les dimensions, est bien une structure invariante (jusqu'à devenir, comme récemment en Somalie, le vecteur d'une intervention dite « humanitaire ») dont les éléments constituants reflètent à la fois l'intangibilité de réalités biologiques sous-jacentes (par définition innées) et la pérennité de schémas mentaux (culturellement et socialement acquis), cette pérennité servant d'écran et d'écrin de sûreté à cette intangibilité.

La guerre est absurde ; rationnellement, moralement, physiologiquement insupportable. Il n'est pas d'exemple qu'elle ne coûte en vies humaines, en dégâts psychologiques, en destructions matérielles de toutes sortes, infiniment plus qu'elle n'est susceptible de rapporter dans l'immédiat. Les seuls pays qui ont profité des conflits de 1914-18 sont ceux qui n'y ont pas été militairement mêlés (les pays scandinaves aussi bien que l'Argentine), l'Amérique y trouvant avantage non point parce qu'elle a combattu, mais parce qu'elle a prêté, tandis que tous les autres belligérants empruntaient. Même si la conquête peut enrichir à moyen terme, il n'est pas d'exception à la règle qui veut qu'elle ruine toujours à long terme. Si Alexandre le Grand avait vécu, il aurait, comme les successeurs de Gengis Khan, de César et d'Attila, de Soliman le Magnifique et du Grand Moghol, comme Napoléon et Hitler, comme l'Angleterre et la France coloniales, comme l'Union soviétique, assisté à l'inéluctable écroulement de ce qu'il avait construit par le fer et par le feu. Or, malgré l'évidence mille fois prouvée de sa perversité totale — qui a pour corollaire paradoxal que les perdants en subissent généralement moins les conséquences que les vainqueurs (ainsi l'Allemagne et le Japon après 1945, mais aussi les puissances coloniales qui se sont mieux portées de leur défaite que les nouveaux pays émancipés de leur triomphe) —, la guerre reste l'élément irréductible qui, plus encore que les cycles économiques ou les ruptures sociales, rythme géopolitiquement l'évolution de notre monde. Dès lors, aucune explication ne tient face à celle-ci : ce n'est pas la société qui fait la guerre, c'est la structure de la guerre qui se perpétue au travers des sociétés. Ce n'est pas la guerre qui crée le désir de guerre, c'est l'invariance du désir de guerre qui reproduit le principe de la guerre. Elle est au macro-social ce que le crime est au microsocial. Et c'est bien pourquoi le crime, comme la guerre, irrigue l'art et la littérature au même titre que l'amour et l'utopie.

C'est bien pourquoi aussi, *a contrario*, toute l'évolution sociale est déterminée par ces deux invariances inverses que sont l'aspiration à écraser le crime et à éviter la guerre, c'est-à-dire à obtenir de la société qu'elle parvienne à retourner la part collective de soi la plus créatrice contre la part collective de soi la plus destructrice.

Au demeurant, toute structure invariante est elle-même structure induite d'une invariance, et on constatera en effet que le féodalisme est impossible sans la guerre, que l'esclavagisme implique la guerre, que le tribalisme provoque la guerre, que le capitalisme porte la guerre et que la tendance au socialisme véhicule la guerre. Tout le monde savait que seule une solution pacifique négociée entre Juifs et Palestiniens pourrait mettre fin au conflit israélo-arabe dans l'intérêt de toutes les parties. Cependant, si la logique de la guerre l'a emporté pendant près d'un demi-siècle, c'est parce qu'elle structurait des invariances psychologiques dont la politique, la religion, l'idéologie (c'est leur fonction) firent leur fonds de commerce.

Comment la « culture » retraite la « nature »

Peut-être conviendrait-il, dans ces conditions, de s'interroger sur la structure de l'agressivité proprement dite.

« Lorsqu'une situation suscite un comportement agressif, écrit Pierre Karli, cette agression vise souvent à mettre un terme ou à atténuer une émotion de nature aversive (inquiétude, peur, contrariété, colère) générée par la situation et par l'interprétation dont elle est l'objet. Les émotions aversives sont générées par toute situation perçue comme une menace pour l'intégrité physique ou psychique de l'individu. Elles suscitent un comportement qui vise à mettre un terme à l'expérience affective déplaisante et à abaisser, à un niveau optimal, le degré d'activité cérébrale. C'est par l'agression ou par la fuite que l'être vivant réalise ce double objectif. Ce système neuronal d'adversion prend une part prépondérante à la génèse de l'émotion aversive et l'élaboration du comportement qui en découle[1]. »

Pierre Karli précise par ailleurs : « Ce qui déclenche et oriente un tel comportement ce n'est donc pas l'événement extérieur en tant que tel [considéré comme un stimulus déclencheur, susceptible d'activer un système émotionnel donné] mais bien plus sa signification qui, elle, est endogène [c'est-à-dire se forme à l'intérieur de l'organisme cérébral] ; car elle naît de la confrontation de l'information sensorielle présente avec les traces laissées par le vécu individuel, et plus précisément avec les représentations internes forgées et mises au point par et pour le dialogue avec l'environnement[2]. »

Et l'auteur d'expliquer enfin : « Loin de constituer un quelconque épiphénomène, l'émotion aversive assure une fonction de médiation qui est vitale pour l'être vivant. Médiation nécessaire entre les circonstances changeantes de l'environnement et les réponses adaptatives qui reflètent une interprétation de ces circonstances sur la base des traces laissées dans le cerveau par l'histoire individuelle[3]. »

Mais il existe aussi chez l'homme, à l'issue d'un étrange retraite-

---

1. Pierre Karli, *op. cit.*
2. *Ibid.*
3. *Ibid.*

ment culturel, des agressivités offensives qui ne correspondent à aucune nécessité vitale, fussent-elles complètement fantasmagoriques, mais portent un désir de contrôle, d'appropriation non nécessaire, de puissance, de domination, de destruction gratuite. Comment expliquer, dans des situations particulières dont la guerre est l'archétype, la reproduction toujours recommencée — malgré les « progrès de la civilisation » — de l'activité tortionnaire ? La tendance au sadisme de nombreux officiers instructeurs à l'égard des jeunes recrues ? Les déprédations commises à l'occasion d'un cambriolage ?

L'importance de telles autostimulations témoigne, chez l'homme, d'une agressivité totalement intériorisée qui produit ses propres stimuli. L'agression renvoie alors à des objets mentaux qui sont déjà, en soi, structurants de l'agression. Forme de folie ? Peut-être, mais assez répandue pour constituer un phénomène social...

Pierre Karli délimite bien cependant l'espace d'investigation et surtout la hiérarchisation de cet espace. Ce qu'il nous dit, entre autres, c'est que l'homme, à la différence de l'animal, peut auto-élaborer individuellement ou collectivement sa propre médiation culturelle de stimuli donnés, lesquels renvoient alors moins à leur existence réelle qu'à l'image mentale qu'il leur a substituée. En fonction de quoi l'étiquette « Juif » (le sujet n'étant pas immédiatement repérable), le mot « patron », le qualificatif « communiste » ou « collectiviste », les qualificatifs « pédéraste » ou « infidèle » — mais aussi « fasciste », « réac » ou « enculé » —, compte tenu de leur capacité à réactiver des conglomérats d'objets mentaux eux-mêmes conditionnés par un héritage historique, un acquis culturel ou une expérience vécue, jouent, dans l'enclenchement du comportement agressif provoqué par l'émotion aversive, le même rôle que l'apparition d'un prédateur pour l'animal.

Mais il ne suffit pas de constater qu'Azeris et Arméniens tuent l'image de l'autre dans leur tête, ou que les Serbes tirent sur les relents aversifs de leur propre mémoire, car ils ne le faisaient pas trois mois plus tôt. Il y a donc des circonstances qui favorisent le réveil brutal d'une latence. Dans ces cas particuliers, les circonstances furent l'éclatement de l'Union soviétique et de la Yougoslavie — et, au-delà, l'implosion de l'univers communiste — qui a libéré autant d'agressivité comprimée que le démantèlement de l'Empire romain. Mais il est bien clair que si toute organisation sociale a pour fonction primordiale de refouler ou d'endiguer des pulsions agressives interindividus (y compris en les projetant à la périphérie par l'expansionnisme militaire) et si sa désorganisation les voit immanquablement réapparaître, c'est non seulement qu'elles préexistaient à cette socialisation, mais encore et surtout que, même compressée, leur structuration sous-jacente reste intacte.

J.-P. Scott a multiplié les exemples tendant à prouver qu'aussi bien chez les poissons et les oiseaux que chez les mammifères, une désagrégation sociale provoquée se traduit toujours par une nette augmentation de la fréquence des affrontements[1]. L'expérience, en l'occurrence, confirme l'intuition. Mais imagine-t-on ce qu'eût été l'avenir des gardons et des goujons si, outre la menace constante que font peser sur eux les brochets, murènes et autres poissons-chats, ils se massacraient entre eux (pour des raisons religieuses, par exemple) ? Le contrôle ou l'inhibition de l'agressivité interne à l'espèce sont à l'évidence la condition de leur survie. On peut même considérer que cette socialisation minimale s'apparente à une stabilisation génétique sélectionnée par la nature. Chez l'homme, au contraire, ce qui a été sélectionné est justement ce qui permet à l'un de s'imposer à l'autre, au groupe de s'opposer au groupe et, au-delà, la tendance de l'espèce *homo* tout entière (ou ce qui en a survécu) à maximiser les moyens d'attaque et de défense qu'infère cette capacité. En d'autres termes, la socialisation minimale innée qui, chez la plupart des animaux, protège l'espèce d'elle-même, tend à ne protéger chez l'homme qu'une collectivité particulière, horde, tribu, ethnie ou nation. Tout se passe comme si les différenciations nationales ou ethniques, les hiérarchisations sociales, les identitarismes religieux ou linguistiques, jouaient finalement le rôle que joue la spéciation chez les animaux. Il va sans dire que ce qui est vrai, selon J.-P. Scott, chez les poissons ou les oiseaux (des expériences terrifiantes de déstructurations sociales ont été faites et filmées chez les rats) l'est plus encore chez l'homme. Toute désagrégation sociale (y compris celle d'un système totalitaire ou oppressif, comme on a pu le constater en Somalie ou en Éthiopie) se traduit à l'intérieur de la collectivité, par une exacerbation de tensions agressives qui, antérieurement, étaient socialement ou politiquement inhibées.

---

1. Cité par Pierre Karli, *op. cit.*

Pierre Karli cite le cas des Yanomanis du Venezuela ou de telle société désintégrée de la côte orientale du Groenland. Mais on pourrait aussi bien évoquer le cours que prirent les révolutions française et soviétique, l'effet de l'implosion du monolithisme religieux en Europe aux XVe et XVIe siècles, le paroxysme de violence que connut le Congo belge après l'éclatement de la chape coloniale, la guerre civile au Liban ou au Liberia, etc.

Entre émotions et instincts, où est l'âme ?

Sans doute n'est-il pas niable que l'on peut, dans un premier stade, décrire le comportement agressif primaire en termes béhavioristes. Nul ne nie le rôle déclencheur des éléments constitutifs du système limbique : bulbes olfactifs, septum, hypothalamus, noyaux du raphné. Une lésion du septum ou de l'hypothalamus « entraîne une hyperactivité émotionnelle marquée et facilite le déclenchement d'un comportement d'agression en réponse à un stimulus ou à une situation ayant un caractère agressif[1] ».

De nombreuses expériences concluantes ont été réalisées qui montrent (par exemple celles de M.D. Weatley en 1944 citées par Pierre Karli) que, chez le chat, la probabilité de déclenchement d'une attaque hostile est nettement accrue à la suite d'une lésion hypothalamique. Chez le rat, une lésion semblable facilite le déclenchement d'une agression entre mâles, ou à l'égard d'une souris. A l'inverse, des lésions de l'amygdale « diminuent nettement la probabilité de déclenchement d'une agression intra-spécifique chez les rongeurs comme chez l'homme, et abolissent — tout au moins de façon transitoire — des réactions d'agression interspécifiques chez le rat comme chez le chat[2] ».

Henri Laborit a poussé aussi loin que possible la mise en forme de cette constatation expérimentale : « Le vieux cerveau des mammifères avec son système lymbique, en utilisant toujours le même mécanisme fondamental, est déjà supérieurement organisé et capable d'aboutir à une variété considérable de comportements lorsqu'il réfléchit le stimulus sur la périphérie motrice : fuite, lutte, agressivité, colère, affection[...]. Le système limbique est également-

---

1. Pierre Karli, *op. cit.*
2. Cité par Pierre Karli, *op. cit.*

ment capable de provoquer toute la gamme des émotions. Nous savons en effet que celles-ci ne sont que la conscience de certaines activités dites végétatives (gorge serrée, bouche sèche, cœur qui bat, peau moite ou froide, frisson). Les émotions ne sont donc que le résultat de l'activité du système limbique mis en jeu soit par un événement survenant dans le milieu extérieur et dont nous n'avons pas l'expérience, ou une expérience désagréable ou douloureuse, soit par l'activité intériorisée de notre système nerveux que nous avons décrite comme source dans nos représentations[1]. »

Tout y est. Et c'est vrai que le tressaillement à la vue d'un serpent, la tendance à se recroqueviller à l'écoute d'un coup de feu, le hurlement que provoque une souris, la fuite spontanée devant le surgissement d'un danger inconnu, la peur dans le noir, mais aussi peut-être les comportements que manifestent généralement les automobilistes confrontés à une contrariété, participent sans doute de ce déterminisme biologique quelque peu mécaniste, bien qu'infiniment complexe. Encore que des réactions qui paraissent tout aussi instinctives — l'effroi provoqué par l'apparition d'un squelette, la hantise des fantômes, la terreur suscitée par les rats ou les araignées — ne sont pas de simples réactions physico-chimiques à des stimuli, mais impliquent déjà que ces déclencheurs prennent sens dans le cadre d'un système culturel de référence.

Il est théoriquement possible de faire jouer par les lapins, pour peu qu'ils se mettent à pulluler, le rôle révulsif qui incombe aux rats (c'est d'ailleurs ce qui s'est passé en Australie), ou de banaliser, en agissant sur le statut social et culturel de la mort, le rapport au squelette. On sait également que les tabous religieux favorisent les réactions de réel dégoût envers certains aliments. Mais ce que formule Laborit (après MacLean et avant Changeux) correspond incontestablement au noyau dur de notre propre réalité réactive.

Nous sommes, que nous le voulions ou non, une machine vivante. (A cet égard, le célèbre livre de La Mettrie, *L'Homme machine*, contenait à la fois des éléments insupportablement réducteurs et des intuitions profondément justes.) Il est assez extraordinaire, quand on y songe, que l'on ait pu consacrer tant d'ouvrages à l'histoire collective des hommes et au rôle des individus dans cette histoire, sans jamais ne serait-ce qu'évoquer la part qui revient, dans les motivations, réactions et actions individuelles

---

1. Henri Laborit, *op. cit.*

ou collectives, aux processus physico-chimiques qui régissent le fonctionnement de l'homme-machine.

Cette machine est cependant incomparable en ce qu'elle a auto-élaboré sa programmation à travers une constante interaction dialectique entre le hasard et la nécessité pendant plusieurs millions d'années, pour parvenir, à force de complexité, à un stade de dédoublement où la machine peut agir consciemment sur le devenir de la machine.

Ce mystère-là, totalement naturel, explicable parce que constamment déterminé (même si l'aléatoire ne cesse d'y semer ses graines), peut certes paraître insondable, aussi profond que descendent les scaphandriers de la connaissance, mais on ne résout rien en balayant d'un revers de dogme les pressions du savoir pour leur substituer un improbable souffle divin qui aurait doté la dernière lignée des espèces d'un « plus » transcendental qu'on appelle une âme.

L'âme n'est que le nom qu'une variable de l'histoire donne à une variable de la structuration mentale de l'organisation humaine.

Qu'est-ce que l'âme qui permet à l'homme de tuer son prochain sur une grande échelle, ce dont les animaux sont incapables ? Ou de l'emprisonner, de le torturer, de le faire périr lentement et à petit feu, conscient de l'extrême souffrance qu'il lui impose ? Sans doute aucun animal n'a cette faculté. Est-ce l'âme qui nous la donne ? Ou qui, dès lors que nous déclinons notre foi en un Dieu unique, créateur d'un monde unique, nous conduit à nous confectionner chacun le sien, en fonction de nos intérêts tribaux, de telle façon qu'au nom de ce monothéisme commun découpé en rondelles chaque communauté soit prête à exterminer les fils du Dieu de la communauté d'à côté ? Les animaux, qui n'ont pas d'âme, ne sauraient en effet atteindre une telle sophistication dans la perversité. Si l'âme, plus l'intelligence, plus l'esprit, plus la conscience, sont des attributs d'ordre divin consentis à la seule espèce humaine, il faut évidemment en conclure que les animaux sont totalement privés de ces apports surnaturels. En conséquence, tout ce qu'ils font n'est que la réalisation d'un projet biologique ou physiologique mécaniquement préréglé. Corollaire de ce postulat : tout ce que fait l'homme qui ressemble à ce que font les animaux, y compris l'amour, la chasse, la vie de famille, la défense d'un territoire, le rejet de la différence, n'est que la réalisation d'un projet physiologique et biologique mécaniquement préréglé. Mais comme 80 % des comportements qui affectent la collectivité humaine sont de cet ordre, toute conception créationniste ou vitaliste anthropocentrique revient paradoxalement à conforter le réductionnisme biologique le plus étroit !

Où l'on redécouvre que le social remodèle même les instincts

L'homme dont les comportements émotionnels correspondraient exactement au processus que résume Laborit existe donc — c'est lui, l'homme machine — mais il s'agit d'un homme dans le vide, pris à l'état brut, sans connexion auto-élaborée entre sa perception, son vécu et sa mémoire culturelle. L'homme, mais aussi l'animal. Car pourquoi un crapaud qui happe les insectes passant à sa portée, mais est un jour piqué par une abeille, ne touche plus jamais aux abeilles qui virevoltent non loin de sa bouche ? Le stockage, par sa mémoire, de l'expérience du risque, et le mini-raisonnement qu'implique la mise en connexion d'une douleur particulière et d'une cause supposée générale ont incontestablement modifié une façon instinctive de répondre au stimulus appétitif.

Nous avons d'autre part déjà signalé que les expériences tout à fait concluantes réalisées sur des rats ou des chats, démontrant le rôle joué par le système lymbique dans le déclenchement d'un processus réactif émotionnel, cessent d'être pertinentes dès lors que l'on change les conditions de sociabilité du cobaye. Telle lésion du septum et de l'hypothalamus, par exemple, augmente effectivement la probabilité d'une agression meurtrière du rat au détriment de la souris, mais cesse d'avoir cet effet si le « patient » a préalablement été habitué à vivre en compagnie de souris. (Donc s'il a l'expérience mémorisée, peut-être en partie par l'odeur, d'une convivialité possible avec cette espèce.) Si l'on procède à une ablation du bulbe olfactif d'un rat, la probabilité d'apparition de comportements meurtriers, y compris envers une souris, est beaucoup plus forte si la pauvre bête est ensuite maintenue en isolement que si elle est intégrée à une société de congénères. Ou encore tel type de comportement agressif qu'il est possible d'obtenir par intervention directe (une pulsion électrique, par exemple) sur telle ou telle aire du système limbique, change profondément selon que l'intéressé a déjà fait l'expérience soit d'une victoire, soit d'une défaite. Il a été démontré à cet égard que les répercussions d'une lésion du septum étaient tout à fait différentes selon qu'elle était réalisée aux dépens d'un animal dominant ou au contraire d'un animal dominé. Chez le hamster qui vient de subir une défaite, une destruction du septum ne produit pas l'accentuation escomptée des conduites agressives. Une punition ou une récompense, surtout si elles sont reproduites, ont le même effet correcteur du processus physico-chimique induit par le système limbique. Ce qui prouve que même une réaction répulsive spontanée peut être rééquilibrée par le calcul que fait le cerveau (y compris celui de l'animal) du rapport coût/profit qu'impliquerait le déclenchement d'une agression effective. En outre, toute agression répétée se renforce elle-même lorsqu'elle devient non plus réaction à un stimulus, mais réponse à une attraction appétitive. Au fond, la chasse pratiquée comme un sport est de cet ordre.

Ces exemples prouvent qu'une action directe sur le système lymbique n'empêche pas l'expérience précédemment acquise de se répercuter sur le comportement.

En revanche, il semble que les répercussions comportementales d'une défaite (le vaincu, alors, se tient à bonne distance du vainqueur dont la présence annihile, en quelque sorte, sa propre réactivité) sont fortement atténuées par une lésion bilatérale de l'amygdale (qui intervient, elle, dès la phase d'acquisition de l'apprentissage social). Enfin et surtout, chez l'animal comme chez l'homme, l'agressivité à l'état pur est largement retraitée par trois types de pressions sociales qui découlent non d'un déterminisme, mais d'une prédisposition génétique :

1) celle que constitue *en soi* le groupe, qui tend à orienter les émotions aversives vers tout ce qui lui est étranger : la xénophobie naturelle à un individu, animal ou humain, devient alors rejet d'une altérité définie à partir de sa propre identité ;

2) celle qu'implique la répartition territoriale de chaque groupe et qui, de la même façon que précédemment, conduit à faire de la défense de son territoire ou de l'attaque du territoire de l'autre le vecteur principal d'une agressivité socialisée ;

3) celle, enfin, qui prend la forme, au sein d'un groupe, d'une hiérarchisation autour de l'opposition dominant-dominé (ou maître-esclave) et qui soit inhibe l'agressivité latente du dominé et

stabilise celle du dominant, soit, au contraire, oriente les deux agressivités vers la défense par l'un et la tentative d'acquisition par l'autre du statut de dominant. On l'a dit, il a été démontré chez les macaques qu'une même stimulation pouvait déclencher un comportement d'agression, ou au contraire de soumission, selon le rang que le partenaire occupe dans la hiérarchisation du groupe. Et que, chez le rat, une même intervention directe sur l'hypothalamus peut favoriser une réaction d'attaque envers un congénère subordonné, alors qu'elle n'aura absolument pas le même effet face à un congénère dominant.

Ces trois types de pressions sociales, déjà présentes chez l'animal, visent à détourner et à capter les pulsions agressives spontanées afin de les intégrer aux structures pour le compte desquelles elles opèrent, à savoir : le groupe à structures communautaires qui figure la tribu ; la structure territoriale qui annonce la propriété, ou l'État ; la structure hiérarchique qui anticipe le féodalisme. Il n'est donc pas choquant de supposer qu'à partir du moment où ces structures de base se développeraient au cours de l'évolution et de l'histoire spécifiquement humaine, et deviendraient les composantes de ces structures globales invariantes que sont le capitalisme, le tribalisme, le féodalisme, l'esclavagisme, l'aspiration au socialisme, ces pulsions agressives, socialement retraitées, donneraient naissance, à partir d'un réflexe de groupe, à la xénophobie, à l'intolérance ou au racisme ; à partir du réflexe de territoire, au nationalisme, à l'impérialisme, au chauvinisme ; à partir, enfin, du réflexe hiérarchique ou antihiérarchique, aux guerres sociales, aux luttes de classes, aux révolutions et contre-révolutions.

Reste que si les processus physico-chimiques invariants qui déterminent les pulsions agressives sont largement réorientés, réinterprétés grâce à l'interaction dynamique du vécu individuel et de la pression sociale, les variables qui en découlent renvoient tout de même, en définitive, à un processus biologique invariant. Et d'ailleurs, chacun voit bien que, dans les mêmes circonstances, le même cadre social, confrontés aux mêmes provocations, des individus manifesteront une agressivité réactive beaucoup plus forte que d'autres. En effet, d'une personnalité à l'autre, le niveau de réactivité diffère beaucoup, rendant celui-ci placide et celui-là hargneux, celui-ci détestant la bagarre et celui-là la recherchant. L'éducation et l'influence familiale jouent ici un rôle, mais également la spécificité biologique qui concourt à la personnalité et au caractère de chacun. Il s'agit là d'une loi du vivant. Chez les rongeurs a été mise en évidence (M. Davis, 1980[1]) la corrélation étroite entre le tressaillement ou le sursaut provoqué par une stimulation artificielle et la probabilité de déclenchement d'une agression à l'encontre d'un congénère intrus. Des recherches consacrées à l'enfant et à l'adolescent (D. Olweus, 1984[2]) ont montré une incontestable stabilité du caractère agressif ou non agressif au cours de l'évolution de l'individu : « Des différences individuelles observées à l'âge de trois ans sont retrouvées deux ans plus tard. Les conduites agressives observées chez les garçons de 8 à 9 ans peuvent être largement mises en relation avec des conduites similaires constatées dix à quatorze ans plus tard. Enfin, on retrouve chez les sujets, vers le milieu de la trentaine, des attitudes et des comportements agressifs observés quinze à dix-huit ans plus tôt, lorsque ces sujets étaient adolescents. » Le chercheur, en l'occurrence, insiste surtout sur le rôle déterminant du milieu familial et des relations à la mère. Mais pourquoi de telles différences à l'intérieur d'une même famille ?

Du rôle de la frustration comme sous-jacence

Cela dit, le milieu familial, en particulier l'origine sociale, joue effectivement un rôle important en ce qu'il est source de frustration et qu'à y regarder de près, la plupart des comportements d'agression renvoient à une forme ou à une autre de frustration individuelle ou collective. C'est à ce niveau qu'il faut chercher et dégager la sous-jacence invariante la plus fondamentale.

Ce n'est pas sans raison que l'on évoque les frustrations culturelles, économiques, sociales de la jeunesse algérienne pour expliquer qu'une large fraction d'entre elle ait basculé dans l'intégrisme. Ou que l'on a mis les succès électoraux du parti national-socialiste allemand, dans les années trente, sur le compte des frustrations nées de la crise et du traité de Versailles.

Toutes les expériences montrent que, chez l'animal comme chez l'homme, une frustration simulée (par exemple une récompense liée à une activité particulière soudain interrompue) provoque de

1. Cité par Pierre Karli, *op. cit.*
2. *Ibid.*

très fortes pulsions agressives (par l'entremise émotive de la colère ainsi suscitée) : « Lorsqu'un pigeon a appris une réponse qui est renforcée par l'obtention de nourriture et que ce renforcement est brusquement suspendu, il donne des coups de bec dirigés vers la tête — et surtout vers les yeux — d'un congénère proche, que ce dernier soit vivant ou empaillé[1]. »

La faim, mais aussi le manque chez un drogué, une sexualité non assouvie ou artificiellement inhibée, une insulte non relevée à temps, une occasion manquée, une injustice subie et intériorisée, s'apparentent à des frustrations lourdes de potentialités agressives.

Qu'il existe une mécanique complexe de nature biologique qui enclenche, par l'entremise de la colère, le processus réactif lié à la frustration, après qu'une autre mécanique complexe, en interaction avec la mémoire, en a intériorisé les stimuli déclenchants, cela est peu contestable. Mais personne ne songerait pour autant à expliquer de cette façon — et de cette façon seulement — la réaction des Allemands à l'humiliation du traité de Versailles, ou le basculement dans la violence intégriste d'une partie de la jeunesse algérienne.

Formulons la même problématique autrement : on peut fort bien avancer que la seule sous-jacence invariante, évoquée ci-dessus, du mécanisme biologique impliqué dans le processus de réaction à une frustration, suffirait à avancer qu'il n'existe pas et ne saurait exister de frustration nationale qui ne finisse par déboucher sur une explosion insurrectionnelle (ce qui s'est passé en particulier en Algérie, en Arménie, en Palestine, etc.). Cette affirmation ne me paraît pas loin d'être exacte et peut, à la limite, être élargie à l'étude de la frustration sociale ou culturelle. En revanche, se contenter, pour expliquer la révolution algérienne, la résistance palestinienne, l'irrédentisme arménien ou la violence irlandaise, d'en appeler aux mécanismes physico-chimiques propres à cette invariance sous-jacente serait stupide et intellectuellement dangereux. Il n'y a évidemment pas plus de sécrétion hormonale de la révolution que de chromosomes du crime ! Qu'en conclure ? D'abord, nous le verrons plus loin, que ce qui structure une invariance globale, c'est la façon dont les données économiques composent et recomposent, par l'intermédiaire des acquis socioculturels qui agissent sur elle en retour, les types de variables

1. Cité par Pierre Karli, *op. cit.*

qui permettent, en osmose avec le niveau invariant, de préserver cette structure en favorisant ses mutations internes. Il faut donc à la fois récuser le déterminisme économique ou biologique et le double rejet (par certains) de tout déterminant biologique et de tout déterminant économique.

Prenons, pour clarifier cette remarque, l'exemple de la révolution algérienne telle qu'elle s'est exprimée à travers la guerre d'indépendance. Nous l'avons déjà souligné : le triptyque frustration-colère-pulsion agressive investi dans la révolte nationaliste n'explique pas tout. Mais rien ne s'explique sans cette donnée de base invariante, toujours reproduite. Ensuite, les données démographiques et économiques objectives — la croissance accélérée de la population musulmane et son rejet de plus en plus insupportable à la périphérie du système de production — ont joué un rôle médiateur essentiel. Si l'Algérie était devenue une province française de petits propriétaires relativement prospères, les événements y auraient pris un cours tout à fait différent. Mais c'était impossible. En outre, qu'aurait été cette frustration révélée à elle-même et politiquement orientée par cette médiation, sans le troisième terme : la variable culturelle, en l'occurrence l'attachement, exacerbé par la domination étrangère, à l'identité arabo-musulmane ?

Voilà, sous une forme dépouillée, le triangle dans lequel s'inscrit toute structure sociale invariante. Il s'agit ici de la structure propre à pratiquement toutes les révolutions nationales. Dans ce triangle figurent le biologique, l'économique et le culturel, l'ensemble participant du social. Le reste, qu'on appellera les « circonstances », est important, intervient en marge de la structure, ne l'affecte pas en tant que structure, mais peut changer considérablement la façon dont elle s'exprime à travers l'histoire. Ici (pour ce qui a favorisé la révolution algérienne) : l'influence de l'accession de l'Égypte à l'indépendance, le rôle joué par la conférence anticolonialiste de Bandung, le coup de tonnerre de la défaite française à Diên Biên Phu, l'arrivée au pouvoir de Bourguiba en Tunisie, la crise du mouvement nationaliste légal (MTLD), l'action volontariste spécifique des neuf chefs historiques créateurs du FLN, etc.

Bien entendu, des événements contingents pèsent considérablement sur l'orientation que peut prendre une bifurcation. Certains ont une influence d'autant plus considérable qu'ils agissent non pas dans le vide, hasard de goutte tombant dans un hasard de flaque, mais sur une structure latente qu'ils contribuent à rendre patente, explicite, fonctionnelle, parfois explosive. La structure est alors ce à travers quoi et grâce à quoi les événements contingents agissent sur les sous-jacences invariantes pour les orienter, par le jeu des variables culturelles, dans un sens en grande partie déterminé par la médiation des données économiques objectives.

La dialectique de la guerre et de la révolution

Ce qui apparaît, à travers le schéma que nous avons défini, c'est que la révolution ou la guerre sont la conséquence d'une alchimie dynamisante qui, à l'intérieur d'une structure invariante, produit de la guerre ou de la révolution dès lors que les trois éléments précités fusionnent et que les circonstances favorisent l'incendie.

Ce ne sont donc pas les pulsions agressives en soi qui, mécaniquement, portent la révolution ou la guerre (elles peuvent même être mobilisées à des fins pacifiques et socialement stabilisatrices : à quoi sont parvenus la plupart des pays démocratiques développés) ; leur enclenchement nécessite toujours un rapport interactif entre les structures invariantes de base et les variables socioculturelles que dynamise, en les médiatisant, la réalité économique.

On pourrait aujourd'hui, sans risque de se tromper beaucoup, dresser la liste des régions où tous les éléments sont réunis pour composer un tel rapport interactif, sans qu'un apport démocratique ait été susceptible, en plusieurs générations, de provoquer les mutations internes propres à modifier l'équilibre de cette invariance. Et en déduire qu'à l'exemple de la Yougoslavie, du Caucase, de la corne de l'Afrique, de la Russie ou de l'Ukraine, toutes les conditions y sont réunies pour engendrer la guerre et la révolution.

A l'inverse, toute guerre et toute révolution, en ébranlant la couche des variables — parfois à bon escient —, en balayant provisoirement certains acquis culturels (y compris les plus archaïques), tend à nettoyer la structure d'ensemble au profit de son seul niveau invariant. C'est pourquoi, la plupart du temps, la guerre débouche sur la révolution et la révolution sur la guerre. Il en découle — ce qui n'est pas une simple banalité — que l'agressivité ne produit mécaniquement ni la guerre ni la révolution, mais que guerre et révolution produisent de l'agressivité, et que cette exacerbation des pulsions agressives par la guerre et la révolution fait qu'elles précipitent l'une et l'autre la recomposition interne de la structure dont elles sont issues, les sous-jacences invariantes refoulant dans un premier temps la couche des variables. Ce nouvel équilibre ou déséquilibre sera caractéristique de ce qu'on pourra appeler la structure dynamique invariante de la guerre ou de la révolution...

Cette situation n'étant pas tenable, on assistera alors à une nouvelle recomposition interne de la structure invariante propre à la restabiliser, sous l'effet de la médiation des nouvelles données économiques objectives nées de la guerre et de la révolution, grâce aussi à l'apport de nouvelles variables que modèlent toute guerre et toute révolution.

C'est ce qui s'est passé entre 1910 et 1930. L'attentat de Sarajevo figura l'élément contingent qui activa la structure dont les pulsions agressives sous-jacentes (les mêmes qui avaient embrasé le pays au moment de l'affaire Dreyfus), les données économiques objectives (la phase expansive d'un capitalisme dopé par une forte accumulation de capital) et les variables socioculturelles (nationalisme, impérialisme, montée des socialismes) constituèrent les composantes. La guerre recomposa alors sa propre structure invariante qui enclencha la révolution. Il en résulta un nouvel équilibre à partir duquel la société tenta, en fonction de nouvelles variables (pacifisme chez les faux vainqueurs, esprit de revanche chez les faux vaincus), de reconstituer son invariance. Mais, en l'occurrence, les nouvelles données économiques (la grande crise de 1929) et de nouvelles variables (aspirations culturelles à la jouissance d'un côté, ultranationalisme compensateur de l'autre) ne permirent pas d'accélérer une mutation infrastructurelle telle qu'elle empêchât des causes semblables de provoquer des effets identiques.

Il fallut le choc inouï de la Seconde Guerre mondiale pour que, dans certains pays au moins, dont l'Allemagne et le Japon, quasiment réduits à l'état de champs de ruines, la plupart des variables antérieures ayant été criminalisées, les mutations internes à l'invariance globale atteignent une ampleur telle que la reproduction de la même tragédie devienne non pas impossible, mais improbable. Encore assiste-t-on en Allemagne, au Japon comme en France, à des rémanences de l'histoire antérieure sous forme de xénophobie, de racisme, de néofascisme, d'enfermement nationaliste, dont les rescapés du génocide croyaient à tort être définitivement débarrassés.

Trois niveaux sont en quelque sorte à prendre en compte : le biologique, le psychologique et le sociologique. Il faudrait y ajouter le neurologique et le culturel (le psychologique n'étant au fond qu'une médiation susceptible de devenir autonome entre le biologique, le sociologique et le culturel). Mais insister sur les interactions globales entre tous ces niveaux ne doit pas nous faire perdre de vue l'essentiel : à savoir que, par exemple, une attitude raciste renvoie à tous les niveaux sous-jacents, alors que ces niveaux sous-jacents ne disparaissent pas du simple fait qu'on n'est plus confronté explicitement à une attitude raciste.

Le granit des invariants, l'humus des variables

Cette remarque, qui frise le lieu commun, n'a certes pas grand sens tant qu'elle s'applique à un individu particulier (que son éducation, son environnement culturel, son milieu familial, son intelligence critique, la pression sociale et les circonstances historiques auront contribué à arracher à l'attraction de ces niveaux sous-jacents) ; ou même lorsqu'il s'agit d'une collectivité particulière, prise à un moment donné qui se caractérise par sa stabilité (les circonstances, la pression sociale, l'environnement culturel jouant alors un rôle plus important). Mais elle devient primordiale dès lors que notre démarche concerne une entité collective à travers le temps. Car, à considérer tous les niveaux qui interviennent dans l'apparition et le déclenchement d'une conduite collective agressive, il apparaît que certains sont invariants et les autres variables. Et c'est l'évolution de ces variables qui fait qu'elles recouvrent, étouffent, isolent plus ou moins les niveaux invariants. Une fois encore, les événements qui ont ensanglanté l'ex-Yougoslavie ou le Caucase illustrent parfaitement ce constat : une brusque désagrégation politico-sociale a eu pour effet, en balayant plusieurs niveaux de variables, de mettre à nu les niveaux invariants. Comme l'érosion qui, par suite de l'abattage des arbres protecteurs, révèle un paysage lunaire sous l'apparence de quelques vertes frondaisons.

Mais, à l'inverse, d'autres exemples montrent que la capacité des sociétés humaines à élaborer culturellement des couches de variables toujours plus denses leur permet soit d'éliminer, soit de digérer des situations potentiellement explosives (qui auraient, quelques années plus tôt, débouché sur une véritable déflagration). C'est le cas des États-Unis d'Amérique, mais aussi, de manière plus générale, de la plupart des démocraties occidentales, qui parviennent à gérer aujourd'hui les contradictions auxquelles elles n'eussent pas résisté hier.

Les deux « figures » que nous venons de définir — les invariants mis à nu par érosion des variables, les variables accumulant leur humus par-dessus les invariants — sont parallèles et expriment la même réalité.

En voici une illustration. L'illusion absurde selon laquelle l'idéologie fasciste ou néofasciste ne survivrait pas aux horreurs de la Seconde Guerre mondiale a évidemment fait long feu. N'avait-on pas sous-estimé, dans l'apparent déclin des extrêmes droites pendant une trentaine d'années (l'équivalent d'une génération), par le fait que les épurations d'après guerre en avaient réellement éradiqué l'encadrement ? Cependant, les réalités objectives qui forment le terreau sur lequel les idéologies fascisantes prospèrent toujours (crise morale, chômage, insécurité, immigration) n'ont pas disparu ; d'autre part, les réalités subjectives qui structurent le niveau invariant de toute mentalité collective sont par définition restées intactes. Comme l'aspiration au socialisme, la tendance au fascisme représente, de manière latente ou patente, sous une forme ou sous une autre, une structure invariante : on en retrouve la plupart des traits aussi bien chez Catilina dans la Rome précésarienne (celui dont Cicéron dénonça la fameuse « conjuration ») que dans le mouvement ligueur du XVIe siècle.

Cette tentation touche d'ailleurs une fraction relativement stable de la population, surtout si l'on tient compte des mutations sociologiques qui l'affectent. Le fascisme tendanciel est stable, mais l'antifascisme tendanciel aussi. Et d'ailleurs, bien qu'il y ait aujourd'hui en France beaucoup plus d'immigrés ethniquement « différents » qu'en 1930, que la criminalité (la petite délinquance) liée à l'urbanisation y soit beaucoup plus forte, que la part jugée irréductible du nombre de chômeurs soit plus importante, que la crise des valeurs marquée par l'effondrement d'un certain nombre de repères soit infiniment plus traumatisante, les tentations fascisantes se heurtent à beaucoup plus de blocages mentaux, de butoirs sociaux, de résistances spontanées, de tabous culturels, de rejets révulsifs, de pesanteurs contraires qu'il y a soixante ans. C'est vrai en France, mais aussi en Allemagne, en Belgique, en Espagne et même, semble-t-il, en Italie. Sans parler des pays comme la Suède, le Danemark, la Hollande, l'Australie, la Nouvelle-Zélande et autres, qui paraissent avoir su se construire, pour s'en prémunir, des niveaux de variables extraordinairement solides et efficaces.

Sans doute l'effet répulsif de toute référence à l'expérience nazie joue-t-elle ici un rôle dissuasif non négligeable. Mais pourquoi, dans des pays comme la Yougoslavie ou la Russie, qui souffrirent beaucoup plus que d'autres de la terreur fasciste, la poussée d'extrême droite est-elle si forte et surtout ne se heurte-t-elle pas aux mêmes obstacles socioculturels ? Et pourquoi 15 % des électeurs français ont-ils échappé à cette inhibition par le souvenir ? En réalité, ce qui fait la différence entre ces pays-ci et ces pays-là, entre ces électeurs-ci et ces électeurs-là, c'est à la fois le degré de culture démocratique qu'induisent la solidité et la permanence des structures démocratiques elles-mêmes, et la part d'éducation, d'influence familiale, de pression environnementale que nourrit et qui nourrit le développement de la pensée critique. On déduira de cette remarque, au risque de proférer une évidence, que la nécessité, et par conséquent la volonté de produire, de penser, d'approfondir, d'enrichir, de faire triompher, d'inculquer, de défendre, d'enraciner dans les consciences ce qu'on appelle des « valeurs » ou des « principes », constitue le principal vecteur de renforcement du niveau des variables susceptibles de faire pièce à l'effet attracteur des niveaux invariants. Combat toujours à recommencer et dont les traces sont cependant et heureusement ineffaçables.

Quand nous avançons que certains des niveaux qui se superposent à travers le temps et participent de la gestion de l'agressivité sont variables, nous signifions qu'ils sont soumis aux aléas de l'histoire. Et qu'à tout moment, dans un espace donné et en fonction de circonstances données, ils peuvent être emportés, balayés comme, sous l'effet d'une terrible tempête, une terre arable et son humus recouvrant un socle granitique. Mais, outre que l'ingéniosité humaine consiste à protéger les cultures — au sens propre — des déchaînements de la nature, en particulier par des plantations adéquates d'arbres protecteurs, les variables expulsées ne disparaissent pas, pas plus que le terreau qui se répand en poudre dans tout l'environnement : toute variable qui a contribué à équilibrer une invariance subsiste comme trace mentale invariante. Ce sera par exemple, comme nous l'avons déjà souligné, le cas du fédéralisme en Yougoslavie ou du néosoviétisme dans les ex-républiques de l'URSS.

Sur le rapport interactif entre les invariants et les variables

Nous venons d'examiner deux cas de figure contradictoires mais complémentaires, celui des strates variables qui recouvrent ou enrichissent le socle invariant (ce qui s'identifie à un « progrès de civilisation ») et celui, s'apparentant apparemment à une régression, d'une érosion brutale de la couche fertile formée par les apports variables qui laissent à nu la roche dure des invariants. La troisième possibilité — le niveau variable se libérant totalement, au moins en apparence, du niveau invariant — s'apparente à un épiphénomène qui, sous la forme par exemple de l'intellectualisme, du snobisme, mais aussi de l'utopisme, peut jouer ponctuellement un rôle.

Mais le rapport entre niveaux invariants et niveaux des variables peut s'articuler de toute autre façon :

1) Le niveau des variables peut contribuer à renforcer quantitativement (et même à exacerber) le niveau invariant : ainsi la guerre, dont les différentes formes organisationnelles déterminées par le progrès technologique représentent autant de variables mises au service d'une structure d'agressivité invariante.

2) Un acquis culturel, agissant d'abord comme variable, équilibrant une structure sous-jacente invariante, peut finalement se fondre en elle et lui servir de support : c'est le rôle qu'ont souvent joué les apports religieux.

3) En sens inverse, le niveau invariant capté, exploité mais corrigé, réorienté et canalisé par la dynamique constitutive des différents niveaux de variables, peut devenir un formidable moteur de progrès qualitatif : c'est le cas du détournement de l'agressivité à des fins créatives et constructives.

4) Il y a toujours une limite à la capacité d'équilibrer de l'invariant par les variables : elle est imposée, tracée, par les données

objectives telles la démographie, les mouvements de population, les contradictions économiques et les antagonismes sociaux qui en découlent. Et il n'est pas sûr à cet égard que 25 % de chômeurs au Danemark, un afflux considérable de populations immigrées d'origine africaine en Norvège, une paupérisation périphérique massive d'une partie de la population suédoise, ne contribueraient pas puissamment à la réémergence du roc invariant sous le terreau des variables.

5) En conséquence de ce qui précède, on ne peut jamais affirmer, à l'échelle du temps historique, que l'apport des éléments variables serait devenu tellement considérable que rien ne serait plus susceptible de favoriser une réémergence brutale, non médiatisée et peu corrigée, de la sous-jacence invariante. Était-il plausible que le fascisme triomphe dans les années vingt en Italie ? Et resurgisse aussi puissamment en 1994 ? Qu'Athènes devienne au XXᵉ siècle la capitale d'une junte ridicule de colonels intellectuellement archaïques ? Qu'un candidat néonazi obtienne plus de 30 % des suffrages à l'issue d'une élection dans l'État américain de Louisiane pour le siège de gouverneur ?

Ce que nous avons décrit n'est, encore une fois, qu'un cas de figure simplifié destiné à faire apparaître un rapport « complémentaire d'opposition » : non pas entre deux, mais entre une infinité de niveaux. Car, d'une part, le niveau invariant est constitué d'un nombre considérable de strates correspondant aux différentes étapes de l'évolution renforcées par des couches sédimentaires d'origine historique, et, d'autre part, pour filer la métaphore agricole, la fonctionnalité d'un espace (forêts, vignes, élevage, friches, lotissements, urbanisation, jardins publics ou complexes de sports), la nature des cultures qui l'expriment (blé, orge, colza, maïs, etc.), la composition des engrais utilisés, l'importance de l'irrigation, l'origine du limon ou de l'humus, l'utilisation de telle ou telle technique, de la jachère alternante à la culture intensive en serre, forment autant de niveaux de variables.

Il est clair, en outre, que la nature et l'évolution des variables sont largement dépendantes des contraintes qu'imposent les niveaux invariants : on ne fera pas pousser n'importe quoi sur n'importe quel sol, on n'obtiendra pas n'importe quel rendement à partir de n'importe quel terreau et sous n'importe quelle latitude, on ne construira pas n'importe quel bâtiment sur n'importe quel terrain, on n'implantera pas une cité sans tenir compte du relief. La nature granitique, argileuse ou calcaire du socle sous-jacent induit, on le sait, une chaîne de conséquences qui vont de la structure de la propriété à l'importance et à l'espacement des agglomérations, du rapport à la religion aux pesanteurs électorales. Il en est de même en matière sociale, et pas plus le communisme que le capitalisme ne prendront la même forme selon que leurs soubassements seront, par exemple, européens, asiatiques ou africains.

Il est tout aussi indubitable que le climat, variable dans le temps et dans l'espace (que l'on identifiera à la fois au milieu et aux circonstances), jouera un rôle décisif. En réalité, à l'échelle historique, le climat figure assez bien le trait d'union possible entre niveaux invariants et niveaux des variables, car il participe des deux : en tant qu'invariant, il détermine des contraintes et s'impose comme un élément constitutif essentiel d'une civilisation. Nul n'imagine que les Pygmées puissent vivre dans des igloos, ou que les Esquimaux se vêtent d'un simple pagne. (Le cas des Juifs orthodoxes qui, en Israël, par 30º à l'ombre, perpétuent une tradition vestimentaire élaborée en Pologne dans les frimas, ne contredit pas cette évidence, mais témoigne de l'autonomisation des structures mentales, déconnectées de leur socle et devenues elles-mêmes invariantes.) En tant cette fois que variable, le climat a non seulement constitué l'un des plus puissants facteurs de différenciation évolutive, mais a également largement contribué à infléchir des oscillations de l'histoire, sinon à déterminer des bifurcations. (Ne dit-on pas que la pluie a contribué à disperser les partisans de Robespierre le 9 Thermidor ?). Enfin et surtout, il apparaît que ce sont presque toujours des données économiques objectives qui servent de médiation entre le niveau des invariants et le niveau des variables. Nous allons, dans le prochain chapitre, illustrer cette assertion.

CHAPITRE XIII

Comment l'économie « objective »
rehiérarchise les émotions
et les comportements

Peut-on au moins admettre que l'humanité devient peu à peu moins barbare ? Dans toute recomposition sociale d'une structure invariante par l'entremise de variables culturelles intervient un facteur économique objectif. C'est vrai, bien sûr, de l'agriculture, puisque nous filons cette quintessence symbolique des rapports nature-culture : son développement sous forme d'élevage, de mise en valeur du sol, de semailles, de récoltes et de croisement a répondu à l'épuisement des ressources en gros gibier (très vite exterminé dans certaines régions), parallèlement à l'accroissement démographique qui provoquait une baisse de rendement de la chasse et de la cueillette par bouche à nourrir, et a conduit les groupes itinérants à se sédentariser pour réunir des troupeaux, stocker des graines, labourer, planter et récolter. A partir de ce moment-là, l'activité des sociétés humaines a largement consisté à accumuler les variables qui permettaient soit de faire contrepoids à l'attraction des niveaux invariants, soit, au contraire, d'optimiser la mise en valeur de ce niveau invariant ; par exemple, par le développement des cultures en terrasses en Chine, ou par la régulation artificielle des crues du Nil, mais aussi par l'utilisation des engrais et la mise au point de systèmes d'arrosage continu.

Mais ce rôle de médiation que joue l'économie objective apparaît dans pratiquement tous les domaines, en particulier dans celui, abordé au chapitre précédent, de la guerre.

La nécessité de s'assurer le contrôle des ressources, d'élargir son accès à la nourriture à mesure que croît la population (quitte, en période de pénurie, à s'emparer des réserves des collectivités voisines) et d'interdire son espace à des groupes étrangers ressentis comme des prédateurs, tout cela a fonctionné comme vecteur structurant de l'activité guerrière. En retour, la guerre a engendré un certain nombre de conséquences — progrès techniques, regroupements de populations, fortifications, hiérarchisations — dont les effets économiques et sociaux ont été considérables.

Peu à peu, on voit donc se dessiner une figure englobant d'un côté les niveaux invariants, de l'autre les niveaux variables, et, entre les deux, un axe médiateur constitué par les données économiques objectives. La médiation économique revient en quelque sorte à déterminer, non pas toutes les variables, mais les types de variables nécessaires à la fois à l'optimisation sociale des invariants et à leur équilibrage culturel.

Toute structure invariante tend, sous la pression de l'environnement, à préserver son invariance par recomposition interne de ses composantes : les données économiques objectives fonctionnent alors comme moteur de cette recomposition, à partir des variables qu'elles déterminent en partie.

Pourquoi les Indiens ont ignoré la roue

Voici une illustration de la façon dont un déterminisme économique peut agir sur l'évolution de plusieurs variables essentielles, telles l'agriculture et la guerre.

Il se trouve qu'en Amérique précolombienne l'extermination précoce du gros gibier (par suite d'un changement de climat aussi bien que d'une chasse intensive), la disparition du cheval, l'inexistence de troupeaux de bovins ou de chèvres domestiques (le bison restait extrêmement rétif), ne permirent pas aux sociétés de chasseurs-cueilleurs de développer l'élevage. Ce qui eut pour conséquence que, dépourvus d'animaux de trait, ils n'eurent absolument pas l'idée d'inventer la roue et que c'est cette infériorité technologique, impliquant un manque de souplesse sociale et un handicap stratégique, qui eut pour conséquence de les placer à la merci des envahisseurs.

Marvin Harris, directeur du département d'anthropologie de l'université de Columbia à New York, résume ainsi ce phénomène : « Dans le Nouveau Monde [...], la roue fut inventée par les

Indiens américains peut-être pour faire de la poterie et certainement en tant que jouet, mais son développement ultérieur fut arrêté par le manque d'animaux capables de tirer des charges lourdes. Le lama et l'alpaga étaient sans valeur en tant qu'animaux de trait, et le bison, difficile à apprivoiser de toute façon, vivait en dehors des centres où naissaient l'agriculture et l'État. Parce qu'il n'a pas développé la technique de la roue, le Nouveau Monde fut laissé loin derrière, dans tous les processus de levage, de traction ou de manufacture où des poulies, des transmissions, des roues dentées et des vis jouent un rôle essentiel[1]. »

On notera que les civilisations précolombiennes (inca, maya, aztèque, nazka, shimu) démontrèrent qu'en matière d'art, d'inventivité et de créativité, d'habileté technique, de sophistication organisationnelle, elles n'avaient rien à envier à la plupart des civilisations du Vieux Monde. Les fonctionnaires d'Atahualpa valaient intellectuellement ceux qui étaient au service du tsar russe ou du sultan de Constantinople. Aussi bien les différentes sociétés précolombiennes d'Amérique du Sud élaborèrent-elles des systèmes politiques qui, pour le meilleur et pour le pire, rappelaient les unes la démocratie primitive et communautaire des cités grecques, les autres les empires conquérants de type macédonien, ou encore les systèmes esclavagistes étatiques et autocratiques propres au despotisme oriental. On y trouve toutes les structures sociales invariantes que nous avons précédemment analysées, soit à l'état archaïque, soit déjà extrêmement développées.

Or, une seule donnée économique objective, la quasi-absence de bêtes de trait domestiques, par ses conséquences technologiques et culturelles (car, les unes entraînant les autres, les Indiens pensaient un monde dépourvu de moyens de locomotion sur roues), détermina une déviance de l'évolution sociale du Nouveau Monde qui, à l'heure de sa confrontation avec les conquistadores européens, entraîna sa ruine.

Nous retrouvons là le principe fondamental du rôle déterminant de la variation marginale par rapport aux invariances structurelles, variation dont nous avons montré qu'elle résulte presque toujours des effets culturels induits par une donnée économique objective. Pour résumer notre propos, nous dirons que la médiation économique objective (qui inclut la démographie ainsi que la nature,

---

1. Marvin Harris, *Cannibales et monarques*, Paris, Flammarion, 1970.

l'importance et la répartition des richesses) peut déterminer une « variation des variables » telle que la structure invariante s'en trouve qualitativement et quantitativement affectée. L'extrême différenciation de notre monde, son développement inégal et l'approfondissement des fossés culturels qui le scindent en sont la plus spectaculaire illustration.

L'économie, précisons-le, est intimement liée aux fonctions essentielles de l'organisme. Nous nous sommes polarisés, au chapitre précédent, pour cibler notre démarche, sur les pulsions agressives. Mais le propos vaut pour toutes les formes de réactions émotives ou instinctives. L'agressivité n'est que la conséquence comportementale de ce qui lui est à elle-même sous-jacente : le désir, le plaisir, la peur, la souffrance, l'amour, l'angoisse, la colère. Au-dessous de quoi on trouve les fonctions biologiques qui régissent la reproduction de l'espèce : manger, boire, se protéger, se reproduire.

En réalité, chacune de ces nécessités vitales détermine une infinité de plus en plus complexe de comportements socio-collectifs. Il serait absurde et vain de nier qu'une part considérable de la créativité sociale renvoie à ces quatre fonctions. Toute urbanisation s'organise autour du point d'eau et se stabilise par la fortification, avant même qu'interviennent la variable culturelle à travers le temple et l'économie objective à travers le commerce. La cité résume la structure de base. Elle vise à rassembler les foyers, c'est-à-dire des familles qui ont besoin de protection et de nourriture pour se perpétuer. L'extrême sous-jacence correspond naturellement à l'instinct de survie et à l'instinct sexuel : être et avoir, pour permettre de devenir.

Invariances et variables : ce qui descend et ce qui remonte

Mais, là encore, une constatation s'impose : l'instinct sexuel et l'instinct de survie, même dans un cadre social, peuvent fonctionner à l'état brut sans médiation économique organisée, sans apport culturel. Alors qu'il n'y a pas de manifestations culturelles collectives, pas de processus de socialisation ni de pratique économique qui n'intègrent quelque part l'instinct de vie et l'instinct sexuel.

A-t-on le droit d'en conclure que, dans toute structure sociale, les sous-jacences invariantes ont tendance à remonter alors que les variables ne descendent jamais ? Autrement dit, que l'instinct sexuel, ou encore les instincts de possession et d'appropriation liés à un réflexe de survie (très apparent chez les plus jeunes enfants), tendent à progresser vers le sommet de la structure sociale qu'ils submergent, alors que tous les acquis culturels du monde et de l'histoire n'empêcheront jamais les invariances sous-jacentes d'être dominées par les pulsions sexuelles et les instincts de possession et d'appropriation ?

Dans une certaine mesure, de même que les acquis ne s'inscrivent jamais directement dans le génome, cette manière de théorème, qui étaie le « rien ne change », est exact. Les psychanalystes ne sont pas loin de le faire leur, qui, de quelque sommet de la pyramide psychosociologique ou culturelle qu'ils partent, retrouvent toujours au bout du compte la même base : le sexe.

D'ailleurs, on pourra bien proclamer à tout vent, non sans autosatisfaction, que le cartésianisme imprègne la mentalité française, et même la caractérise, il n'en reste pas moins que trois siècles et demi après la mort de Descartes, les mouvances émotionnelles sont chez nous toujours aussi largement dominantes et l'emportent sur la raison. Dans le même laps de temps, la sexualité, encore refoulée il y a trois siècles, a peu à peu envahi la quasi-totalité de la sphère sociale. L'instinct sexuel aurait-il plus fondamentalement tendance à remonter que les acquis culturels à redescendre ? On trouve effectivement aujourd'hui plus de succursales du sexe que de la philosophie, et davantage de publications pornographiques que théologiques. Aussi bien la prostitution est-elle devenue universelle, quand le marxisme a cessé de l'être. (Avantage des invariants sur les variables.) Galilée a balayé saint Thomas, Einstein et Bohr ont refoulé Galilée, mais, à relire les documents de police datant du règne de Saint Louis[1], la structure de la criminalité (que les pulsions sexuelles ou la tendance à l'appropriation du bien d'autrui la sous-tendent) reste remarquablement invariante !

L'Église catholique s'est évertuée à condamner la sexualité hors mariage, et, par extension, l'amour-plaisir, mais elle a également dépensé beaucoup de zèle à réprouver les pratiques spéculatives et les jeux d'argent. Comme la France est restée un pays très majoritairement catholique, mais qu'on y fait fort communément

---

1. Cité dans l'ouvrage du professeur Bronislaw Geremek, *Truands et misérables dans l'Europe moderne : 1350-1600*, Gallimard, 1980.

l'amour pour le plaisir hors mariage ou avec préservatif, qu'on y joue massivement au tiercé et au loto et que la spéculation ne s'y est jamais si bien portée, on en déduira que ce n'est pas le message de l'Église qui est descendu au niveau des invariants sous-jacents (instincts sexuels, tendances à l'appropriation et à l'accumulation), mais que ce sont des invariants qui se sont installés au cœur de l'espace balayé par le message de l'Église.

De même et *a contrario*, si les fondamentalistes islamiques sont à ce point obnubilés par les questions de sexe et les rapports de l'homme à la femme, c'est bien que cette préoccupation a envahi leurs propres territoires culturels, et non l'inverse.

Dans le duel entre les pressions sociales et religieuses destinées, souvent en communion, à inhiber les pulsions sexuelles, à contenir l'instinct d'appropriation cumulatif, et les tendances naturelles qui poussent l'être humain à assouvir ses désirs sexuels, à convoiter, à prendre, à accumuler, qui, en définitive, l'a emporté ? Le partage des richesses n'a jamais été aussi inégal et la sexualité socialisée si agressive !

Si le capitalisme s'est imposé, non point comme moment d'une évolution mais comme structure invariante, n'est-ce pas d'abord parce qu'il rationalise et dynamise les instincts de possession, d'appropriation, d'accumulation, et offre la justification du marché à un instinct sexuel réinvesti dans les rapports d'échange (la prostitution n'étant qu'une capitalisation du sexe) ?

Or, en dépit de ces remarques qui pourraient paraître désabusées, je ne crois pas que la formulation de départ qui les a inspirées (l'invariable tend à remonter, alors que les variables ne redescendent jamais au point d'ensemencer cette invariance sous-jacente) soit, telle quelle, recevable. Elle exprime une part de vérité : la relative rigidité dans le temps du « rien ne change » structurel ; mais elle ne traduit en rien l'autre versant de cette réalité qu'exprime par recomposition interne le « tout change ».

Pourquoi les Aztèques étaient-ils anthropophages ?

C'est un fait que l'anthropophagie institutionnalisée n'existe plus et qu'on ne pratique plus (du moins dans un cadre religieux) les sacrifices humains. Or, la plupart des sociétés naissantes immolèrent leurs ennemis à leur dieu et se livrèrent au cannibalisme.

Cela ne signifie pas que les peuples cannibales furent intrinsèquement plus mauvais que les amateurs de méchoui ou de bœuf en daube. Les Romains, qui avaient radicalement proscrit sacrifices humains et anthropophagie (alors que, selon eux, les Celtes et les Germains barbares s'y livraient), n'en trouvèrent pas moins tout à fait civilisé de faire se battre entre eux, jusqu'à ce que mort s'ensuive, des prisonniers de guerre et de livrer aux bêtes féroces, au cours des jeux du cirque, quelques cohortes de mystiques dissidents.

Marvin Harris soutient que si les Aztèques sacrifièrent à leur dieu des centaines de milliers de prisonniers, c'est en réalité pour les mêmes raisons que celles qui les empêchèrent d'inventer la roue. La disparition des gros animaux, l'absence de bêtes domesticables (le bison se trouvait plus au nord, le lama plus au sud) firent qu'il leur parut moins coûteux et plus rentable, plutôt que de nourrir les captifs, de les utiliser comme réserves de protéines[1]. Et, en effet, les Aztèques (comme les Mayas), après les cérémonies sacrificielles (dont on ne saurait bien sûr ignorer la symbolique, puisqu'il s'agissait d'offrir un cœur encore palpitant à la puissance solaire), faisaient sauter les corps des suppliciés du haut de la pyramide, en bas de laquelle des vieillards venaient les récupérer pour en découper et en distribuer, sans doute à des privilégiés, les meilleurs morceaux. Un peu comme, chaque lundi, les Espagnols dévorent des steaks de taureaux mis à mort au cours des corridas. (Remarquons en passant que le terme « barbecue » vient du mot caraïbe qui servait justement à désigner l'instrument destiné à griller des côtelettes humaines.)

On peut admettre qu'en termes de rapport coût-profit la guerre soit passée par trois phases : on tue les prisonniers ; on les mange ; on les utilise comme esclaves (ou, comme la pratique s'en répandit quand certains empires connurent une grande expansion territoriale, on les intègre en tant que forces supplétives.)

Qu'on ait cessé de dévorer les captifs et de les sacrifier à mesure que les animaux domestiques, élevés à cet effet, furent utilisés à nourrir les hommes et à honorer les dieux, est plausible. D'ailleurs, la Bible fait référence à l'ordre (trompeur) qu'aurait donné Dieu à Abraham de sacrifier son fils Isaac, ce qui laisserait supposer que la pratique en question n'était pas impensable. Plus tard, les

1. *Ibid.*

Hébreux, avant la sortie d'Égypte, immolèrent des moutons, mais le même Dieu, plus intégriste, sacrifia, lui, les premiers-nés des familles d'Égypte. Et, pour finir, Jésus-Christ proposa d'économiser et les hommes et les animaux en offrant rituellement son propre corps et son propre sang sous forme de pain et de vin : cannibalisme de substitution !

Entre-temps, on avait estimé économiquement plus judicieux d'utiliser les prisonniers de guerre et les peuples soumis comme main-d'œuvre servile : et de même que les Aztèques faisaient la guerre pour se procurer de la viande, les Romains organisèrent des expéditions pour se fournir en personnel bon marché. Le même calcul de rentabilité, et non des scrupules moraux, incita ensuite à transformer l'esclave en serf, puis en paysan libre au service d'un suzerain. Autrement dit, le passage du cannibalisme à l'esclavagisme doit tout à l'apparition de nouvelles données économiques objectives et pas grand-chose au progrès de la civilisation.

On notera d'ailleurs que c'est l'esclavagisme qui pénétra l'idéologie chrétienne, saint Augustin le justifiant en termes éloquents, et non l'idéologie chrétienne qui vint à bout de l'esclavagisme, comme le confirma la religiosité souvent ardente de la plupart des propriétaires d'esclaves des États sudistes américains au XIXe siècle.

Reste qu'à partir d'un certain moment, et dans la plupart des régions du monde, l'anthropophagie et la pratique des sacrifices humains devinrent non seulement impossibles, mais inimaginables. Les mêmes qui, dans l'Europe chrétienne, envoyaient sans états d'âme au bûcher une présumée sorcière ou un prétendu hérétique pour brûler le diable qui les habitait eussent été horrifiés à l'idée de faire subir un traitement semblable à un captif pour complaire à Dieu en lui offrant sa cervelle ou son cœur. Les mêmes qui raffolaient d'exécutions publiques au cours desquelles on infligeait au condamné le supplice de la roue ou de l'écartèlement — membres arrachés, langue coupée, huile brûlante versée sur les plaies — eussent considéré comme possédé par le démon quiconque se fût risqué à en manger un morceau. Or, quelques siècles plus tard, c'est cette manière de boucherie publique qui eût semblé absolument intolérable, au point que les nazis eux-mêmes, pourvoyeurs de chambres à gaz, ne songèrent pas à rétablir sur la grande place de Nuremberg ce genre de spectacle édifiant. Et si, par la suite, nul n'ignore que la torture continua d'être pratiquée, personne n'eût pour autant admis que le principe de la « question » préalable fût juridiquement rétabli.

Déjà, au XVIIIᵉ siècle, alors qu'il était banal de faire subir à de simples suspects les pires tourments, l'opinion était saisie d'effroi à la seule évocation des traitements que les Iroquois infligeaient à leurs captifs hurons (et vice versa).

Est-ce à dire que l'on assiste, au fil du temps, à une lente, mais irréversible ascension de la civilisation humaine, qui se traduirait par un adoucissement des mœurs et un progrès de la moralité publique ? Mais en quoi les massacres atomiques d'Hiroshima et de Nagasaki, le bombardement au phosphore de cités populeuses, l'utilisation du napalm contre les villages (sans même parler d'Auschwitz et de Treblinka, de Katyn ou des caves du NKVD), en quoi ces crimes collectifs monstrueux illustrent-ils cette tendance à la rédemption éthique ? Il n'est pas sûr que se partager la cuisse d'un captif après avoir offert son cœur au dieu Soleil soit infiniment plus barbare que de l'asphyxier à petit feu dans une cave à vin avant de couler son corps dans un bloc de ciment, comme cela se fit communément lors de très récents événements.

Au demeurant, à partir d'un certain moment, la frontière qui sépare ce qui est tolérable de ce qui ne l'est pas n'est plus celle de la morale. Nous l'avons dit : même les nazis, qui commirent les pires atrocités, eussent été horrifiés à l'idée de tolérer le dépeçage public de condamnés, comme cela se pratiqua pourtant communément dans le passé. Même le plus endurci des criminels, qu'aucun principe éthique apparent ne retient, qu'aucun sentiment d'humanité n'anime, estimera ignoblement bestial un acte cannibale et réprouvera généralement avec force l'assassinat d'enfants, pratiqué en d'autres temps massivement et sans vergogne par les parents eux-mêmes.

Puisque, ces « évolutions » qui rendent totalement insupportable ce qui était précédemment considéré comme normal ne peuvent donc être simplement expliquées par un hypothétique et abstrait progrès de la morale publique, bien qu'elles soient apparemment irréversibles, puisque en outre, d'autres pratiques tout aussi épouvantables, plus destructrices et meurtrières encore, prennent au contraire de plus en plus d'ampleur, il faut tenter de trouver une autre explication.

Et malgré tout nous devenons meilleurs

L'éducation ? Les acquis culturels ? L'influence familiale ? La pression de l'environnement ? Mais pourquoi toutes ces influences cumulées n'empêchent-elles pas tant de voyous de tuer pour voler, y compris des vieillards ; des porteurs d'uniforme de torturer des suspects ; des bandes de se massacrer selon des critères ethniques ; des États de se ruiner pour accumuler des engins de mort ?

Qu'en conclure ? Que certaines évolutions par mutation interne des structures sociales invariantes, sous l'effet des poussées culturelles (les données économiques objectives jouant un rôle médiateur), ont également pour conséquence une recomposition des niveaux sous-jacents invariants. Autrement dit, les variables (acquis culturels ou sociaux) descendent vers le bas de la pyramide et déterminent non pas une modification structurelle des invariances de base, mais une recomposition de leur traduction émotionnelle, donc de leur prolongement comportemental.

Indépendamment de toute position « morale », il est évident qu'aujourd'hui une foule occidentale — même une foule de truands invétérés et de fascistes notoires — ne supporterait pas psychologiquement le spectacle du supplice de la roue ou de l'écartèlement (peut-être même pas d'une décapitation à la hache ou d'une mise au bûcher). Comme si l'excitation positive d'hier (on le vit encore à l'époque de la Terreur) s'était transformée émotionnellement en réflexe de rejet. Il est probable qu'un enfant parisien, à qui personne n'aurait encore enseigné l'horreur de l'esclavage, « produirait » une émotion négative à la vue d'individus de couleur rivés à des chaînes dans la pénombre d'une cahute, ou fouettés par un contremaître pour avoir commis un menu larcin. Or, ces pratiques « ordinaires » laissaient de marbre un jeune Virginien en 1830, même s'il n'était pas encore pénétré des mérites idéologiques de l'esclavage.

La structure esclavagiste n'a certes pas cessé de se recomposer sur une grande échelle ; mais il apparaît qu'un comportement archéo-esclavagiste trop apparent ne serait plus « tolérable » aujourd'hui. Au point que cette allergie « acquise » suffirait à expliquer la nécessaire recomposition de l'invariance esclavagiste.

Autre illustration de ce phénomène : si l'épopée de Jeanne d'Arc parut à ce point miraculeuse, c'est que seule une protection

divine pouvait expliquer que la pucelle ait pu, au milieu des sou-
dards de l'armée royale, conserver sa virginité. A l'époque, seules
les prostituées ou quelques vieilles cantinières se mêlaient à la
troupe, et il était pratiquement exclu qu'une femme, même vague-
ment désirable, prît le risque de suivre une armée en campagne
sans faire le sacrifice de sa vertu. Aujourd'hui, l'opinion publique
s'accorde à estimer que nous vivons un total dérèglement des
mœurs, et il est vrai que les invites à la libération des pulsions
sexuelles se multiplient à la télévision, au cinéma et même dans la
presse. Cependant, des femmes intégrées à un régiment d'hommes
gaillards auraient mille fois moins de chances d'être violées
aujourd'hui qu'hier. Comme si une moindre inhibition sociale
pouvait aller de pair avec une nouvelle forme socialisée d'inhibition. Ce qui, au demeurant, n'en déplaise aux moralistes les plus
pudibonds, est assez logique.

Finalement, on a rarement pu, du moins dans nos sociétés occidentales, manger des aliments aussi divers qu'aujourd'hui, fût-ce
en guise poisson le vendredi, et pourtant le tabou du cannibalisme
n'a cessé de se renforcer. De la même façon, la généralisation et
la banalisation d'une certaine forme de violence sociale se sont
accentuées parallèlement à l'allergie socialisée envers des violences institutionnelles ou para-institutionnelles qui symbolisent
désormais les temps barbares : on séquestre facilement un patron,
mais on frappe de moins en moins un enfant ; pour un oui ou pour
un non, on attaque des préfectures, mais on ne se bat plus en
duel ; les cambriolages se multiplient et prennent un tour de plus
en plus sauvage, mais les crimes passionnels reculent.

Ces quelques exemples montrent, certes, qu'il n'y a pas de modification globale « en soi » de ce que nous avons désigné comme
des structures sous-jacentes de base. Contrairement à ce qu'imaginaient les utopistes qui attendaient tout d'un progrès linéaire de
la civilisation dont le règne de la Raison (fût-ce la raison morale)
eût *nécessairement* constitué le terme, l'homme collectif n'est pas
devenu moins violent, moins exclusif (donc excluant), moins
destructeur, moins tribal, moins mû par ses intérêts matériels, ses
pulsions sexuelles, ses instincts d'appropriation. Mais, en revanche, il y a recomposition à l'intérieur de cette invariance. Ou, plus
exactement, redistribution des facteurs qui déterminent l'activation et le mode d'expression des comportements directement ou
indirectement liés au niveau des émotions et des instincts.

Dans les cas que nous avons cités (anthropophagie, sacrifices humains, supplice de la roue, usage systématique de la torture, conduite esclavagiste, présence des femmes dans les armées), il apparaît d'abord qu'une pression extérieure à la structure de base (nouvelle donnée économique objective et rôle catalyseur d'une pensée critique périphérique) a contribué à une mutation de la structure sociale qui a pris la forme d'un changement institutionnel parfois radical (criminalisation du cannibalisme, interdiction des sacrifices humains, abandon des supplices et des exécutions publiques, suppression de la question préalable, abolition de l'esclavage). Ces révolutions par la loi, selon la formule chère à la démocratie chrétienne, ont eu, en retour, des conséquences sur la hiérarchisation des comportements découlant d'une réévaluation des rapports entre les émotions et les stimuli qui en favorisent la manifestation. Notre système limbique s'est en quelque sorte adapté à un reclassement des stimuli que gère la société. Une recomposition du système des valeurs a contribué au remodelage de la hiérarchie des émotions et des instincts par l'entremise d'une modification des règles institutionnelles.

Autrement dit, il y a eu autorégulation du système neuronal global en fonction de nouvelles donnes : et cela, par alignement des processus instinctifs et émotionnels sur les nouvelles formes d'interaction entre l'environnement et la pensée socialisée.

Ainsi voit-on se dessiner une architecture cohérente : au centre du dispositif, des structures sociales dont les mutations internes, sous la pression conjuguée des données économiques objectives et de la pensée critique, sont destinées à sauver l'invariance. Ces mutations ou recompositions, qui rythment le processus du « changement » social, irradient alors vers le haut et vers le bas : d'une part, en favorisant l'émergence de nouvelles structures mentales qui s'autonomisent et deviennent à leur tour des constituants invariants de toute nouvelle mutation structurelle ; d'autre part, en déterminant un remodelage des structures sous-jacentes de base.

Rien ne change, mais il faut décidément que tout change pour que rien ne change.

D'un côté, l'évolution des mentalités comme enveloppes de l'entendement, de l'autre le reclassement des émotions comme véhicules des instincts, sont les conséquences des recompositions d'une structure sociale, c'est-à-dire les conditions de la défense de son invariance.

Une question se pose cependant : ce remodelage de la hiérarchie des instincts et des émotions s'inscrit-il dans l'héritage
génétique ? Sous la forme mécanique et directe d'une transmission de caractères acquis, certainement pas. Il nous semble en
revanche, pour peu que l'on veuille bien admettre l'hypothèse
avancée précédemment de la « double sélection », qu'une auto-
élaboration organique des mécanismes d'adaptation neuronaux et
synaptiques à cette nouvelle hiérarchie acquise finit par se stabiliser génétiquement.

C'est ce qu'il va nous falloir maintenant établir.

CHAPITRE XIV

Comment sommes-nous devenus intelligents ?

Où l'on découvre que l'homme a été inventé par l'homme

Pourquoi la lecture des *Souffrances du jeune Werther*, qui provoqua dit-on une vague de suicides à la fin du XVIIIe siècle, ne suscite-t-elle plus ce déferlement de désespoir ? Les effets du temps ? Mais Molière fait toujours rire, et l'impact romantique d'*Hamlet* ou de *Macbeth* reste pratiquement intact. D'ailleurs, le roman épistolaire de Goethe ne souffre d'aucune dépréciation de la critique. Mais il se trouve qu'il ne rencontre plus, au plan collectif, la même structure de sensibilité.

De même la chanson « Les roses blanches » qui, chantée par Berthe Silva, déclenchait dans les années trente de fortes réactions émotives (autant que « Sombres Dimanches »), suscite plutôt l'hilarité aujourd'hui. Et l'on n'imagine pas que le grand air « Amour sacré de la patrie » de *La Muette de Portici* d'Auber qui, en 1830, incita les spectateurs bruxellois à l'insurrection, puisse aujourd'hui avoir la moindre incidence révolutionnaire.

En revanche, on est toujours aussi ému à l'écoute du « Temps des cerises », du finale de *Madame Butterfly* ou du chœur des Hébreux de *Nabucco* !

Il en résulte qu'il y a bien invariance structurelle des conditions globales de l'émotivité (même type de réaction au même genre de stimulus, de l'amour déçu à l'aspiration à un avenir lumineux, de l'ardeur libératrice au désespoir d'une mère), mais qu'à l'intérieur de cette permanence, des remodelages ponctuels déterminés par une recomposition de l'environnement social font que ce ne sont plus nécessairement les mêmes façons de traduire ces sentiments — les mêmes mots, les mêmes phrases, les mêmes images, les mêmes sons, les mêmes rythmes — qui provoquent les mêmes émotions.

A partir du moment où ce remodelage ponctuel intervient, ses conséquences sont presque générales : ce qui ne fait plus pleurer ou ce qui ne fait plus rire ne fait quasiment plus pleurer personne ni rire personne. Et, inversement, les larmes et le rire que la formalisation d'un sentiment continue à produire restent collectifs. Or, quel acquis culturel est susceptible, seul, de convaincre la presque totalité d'une communauté que ce mot-ci, que ce son-là n'est plus adéquat à ce sentiment-ci, à cette émotion-là ?

D'ailleurs, toute culture acquise vise plutôt à défendre la tradition contre ces mutations des sensibilités. Elle ne nous apprend donc pas à ne plus nous laisser pénétrer par un désespoir extrême à la lecture de *Werther*, ou à être de moins en moins bouleversé par les vers de Lamartine. Personne ne nous l'apprend, l'école joue le rôle inverse, ou s'y efforce. C'est la société, à travers ses diverses composantes, qui, en changeant les règles de son propre jeu interne, remodèle les structures de notre système émotionnel.

Quelque chose que nous n'avons pas appris en classe, que notre famille ne nous a pas culturellement légué (au contraire, parfois), fait cependant que le même passage ne déclenche plus collectivement (donc chez des individus très différents les uns des autres) le même « plus » émotionnel et suscite parfois le rire au lieu des pleurs, l'ennui à la place de la passion.

On l'a dit : toute recomposition interne, sous la pression par exemple d'une innovation technologique, des structures sociales invariantes qui régissent ou régulent notre environnement, modifie nécessairement notre rapport émotionnel et instinctif à cet environnement recomposé.

Existe-t-il un inné collectif dynamique ?

En quoi consiste ces changements de règle ? Un seul exemple : l'apparition de la radio, puis de la télévision, l'exacerbation de la concurrence entre diverses chaînes, la privatisation de certaines d'entre elles, la diffusion universelle d'une technique de communication inspirée par la « réclame », la multiplication et l'optimisation des clips, la pénétration du marché national, hier protégé, par le produit culturel anglo-saxon, l'accélération « à l'américaine » du rythme du récit cinématographique et l'intensification de la violence d'impact des images, toutes ces mutations partielles, et bien d'autres, qui sont à la fois causes et conséquences d'une recomposition globale interne de la structure sociale, agissent en retour sur la structure des sensibilités émotionnelles et instinctives : mais, répétons-le, d'une façon très sélective, puisque (comme à l'occasion d'un changement climatique ou d'une catastrophe naturelle) certains messages anciens conservent toute leur force et suscitent toujours le même émoi (Homère, Sophocle, Mozart), quelques-uns gagnent en puissance réactive (par exemple les peintres impressionnistes ou la musique d'Erik Satie), tandis que d'autres perdent leur efficience. Et ce phénomène est collectif. Ce qui signifie, dans les cas précis que nous venons d'évoquer, qu'une modification des conditions socioculturelles (ou de l'environnement social) qui président à la perception que l'on a d'une œuvre, agit (et cela, de manière presque identique au niveau de toute une communauté) sur la hiérarchie même de cette perception en la recomposant, et, par suite, sur la hiérarchie des émotions qui en découlent.

Or, nous estimons (en conséquence de la théorie de la « double sélection ») que cette mutation de la hiérarchie des émotions déterminée par une transformation de l'environnement, s'accompagne d'un reclassement adaptatif correspondant (fût-il minime) des interconnexions cérébrales que cette mutation induit. Et que ce reclassement fonctionnel, auto-élaboré par le cerveau, influence à son tour, de manière extrêmement marginale mais néanmoins concluante, l'activation du patrimoine génétique invariant. Ces très légers et continuels glissements de l'activation hiérarchisante du génome seraient alors collectivement transmissibles. Ils représenteraient une dynamique sociale évolutive propre à l'espèce humaine. (Qu'on le veuille ou non, le cerveau de l'homme d'aujourd'hui ne fonctionne pas comme celui de l'homme de l'an mil, ce que l'on ne saurait dire du cerveau de l'orang-outan.)

Nous avons déjà suggéré que le processus esquissé ici pouvait s'effectuer par double sélection (c'est-à-dire que le génome sélectionne, peut-être grâce à ses réserves de réaménagements neutres, les dynamiques cérébrales auto-élaborées qui concourent le mieux à une activation adéquate des émotions ou des instincts dans un milieu donné). Nous avons montré aussi en quoi un tel mécanisme nous semblait le mieux décrire le processus par lequel l'oiseau, par exemple, à partir du moment où il a utilisé ses plumes pour voler, n'a cessé d'améliorer sa technique de vol. La structure génétique elle-même reste inaccessible à l'acquis, de même que la structure sous-jacente de base reste globalement invariante. Mais l'expression de cette structure génétique stable (la « parole » produite par ce programme qui est à la fois vocabulaire et grammaire) peut légèrement, imperceptiblement, mais continuellement évoluer en fonction de l'auto-élaboration des interconnexions cérébrales, c'est-à-dire sous l'effet d'une pression sélective interne, elle-même favorisée par les transmissions du milieu. Le « programme » reste structurellement le même, indifférent aux acquis, mais les informations qu'il délivre au cerveau, sous la pression des recâblages du cerveau lui-même, peuvent être, au cours du temps, réorientées ou plutôt rehiérarchisées, un peu comme une langue — même si elle reste structurellement invariante, même s'il n'y a pas production de mots nouveaux — peut, sous l'influence de l'environnement social, permettre des évolutions de style, des restructurations grammaticales, ne serait-ce que par la réactivation de mots caducs ou par la mise en réserve de mots devenus obsolètes.

Il va sans dire que cette hypothèse implique une sélection de groupe : autrement dit que soit favorisée la dynamique d'expression de l'héritage génétique qui correspond le mieux à l'adaptation d'une communauté tout entière aux nouvelles hiérarchisations des sensibilités. Et cela, en fonction des transformations du milieu ambiant (les mutations technologiques jouent là un rôle évidemment considérable). Nous avons déjà abordé cette problématique à propos de la religion et de la langue.

La question se résumerait ainsi : dès lors qu'une langue, par exemple, contribue à structurer un raisonnement collectif, dans quelle mesure détermine-t-elle, de génération en génération, non pas l'héritage génétique en lui-même, mais l'impact sur l'organisation des mécanismes cérébraux du processus d'activation de l'information que livre et oriente le patrimoine génétique ? La poussée de l'intégrisme dans de très nombreux pays à forte imprégnation religieuse ne signifie-t-elle pas que la religion, elle aussi, hiérarchise des sensibilités dont les structures particulières résistent, de génération en génération, à toute modernité acquise (exemple : l'Iran) ?

L'intérêt et la difficulté de notre hypothèse tiennent à ce qu'elle ouvre un espace spécifique entre l'inné et l'acquis ; qu'elle dessine un champ intermédiaire où interviennent l'auto-élaboration incessante et dynamique d'un câblage du système neuronal adéquat aux conséquences culturelles de son état antérieur et la prise en compte de cette recombinaison interne par le « message » génétique. Une des conséquences en est (ou en serait) qu'il peut (pourrait) exister, en fonction d'un environnement donné, un inné collectif (celui par exemple qui détermine l'attitude des oiseaux migrateurs), fruit de cette activation dynamique d'un message génétique (lui-même invariant, hors mutations aléatoires), mais ne correspondant pas nécessairement à un inné individuel ; en d'autres termes, que la prédisposition innée à des comportements collectifs particuliers ne se manifesterait que dans le cadre d'un environnement social donné. Donc, seul cet environnement socioculturel donné activerait la dynamique hiérarchisante particulière du message génétique. Le groupe — et l'individu dans le groupe — en serait la cible.

Cette forme d'inné collectif « dynamique », en relation à un cadre social et culturel donné (et non pas en soi), déterminerait, pour une part, les prédispositions d'individus nés dans un milieu spécifique à des comportements particuliers qu'ils pourront toujours ensuite combattre, refouler ou rééquilibrer par des acquis, mais qui n'en seront pas moins structurellement sous-jacents (sous-jacence qui, au demeurant, comme nous l'avons vu au chapitre précédent, peut toujours descendre un peu plus de niveau).

En revanche, bien sûr, le bébé transporté sur une île déserte et coupé de toute référence familiale ou autre — situation en l'occurrence pratiquement impossible — n'aura *a priori* aucune raison d'être un tant soit peu affecté par ce déterminisme dynamique.

Jean-Pierre Changeux a lui-même posé la question : « L'invariance du système nerveux présente-t-elle des failles ? Son organisation est-elle sujette à des variations qui se perpétuent d'une génération à l'autre, autrement dit qui sont inscrites dans le génome ? Ou au contraire s'effacent-elles, au fil des générations[1] ? »

Il est établi, note l'éminent spécialiste de la biologie du système nerveux, que certaines mutations génétiques concernent les gènes

---

1. Jean-Pierre Changeux, *op. cit.*

de structures qui codent les protéines engagées dans la propagation de l'influx nerveux. Tout changement dans la propagation des signaux nerveux, ou toute neutralisation de ces signaux, a des incidences sur le comportement. Il existe une génétique du chant chez les grillons. Elle diffère d'une espèce à l'autre, ce qui détermine une différence de la nature du chant. Si l'on croise deux espèces au chant particulier, les hybrides de première génération chantent de manière différente de chacun des deux parents. Jean-Pierre Changeux note à ce propos que « quelques gènes qui codent la structure de ces protéines suffisent pour les régler et entraîner des différences notables dans la structure du chant ». Il précise qu'« une partie importante de l'ADN des gènes chromosomiques n'intervient pas dans le codage des protéines connues ». Et de poser la question : « Pourquoi un tel gaspillage[1] ? » Daniel Cohen, celui-là même qui a commencé à dresser une carte des génomes humains, se pose une question comparable. Le soupçon que là résiderait la clé du mystère se répand de plus en plus.

Nous n'évoquons ces remarques que pour en arriver au problème central qu'évoque Changeux, et qui illustre de manière spectaculaire la dialectique du « tout change parce que rien ne change ». Alors que, de la souris à l'homme, le nombre de cellules cérébrales saute de quelque cinq à six millions à plusieurs dizaines de milliards (d'où une augmentation inouïe de l'organisation et des performances du cerveau), la quantité totale d'ADN présent dans le noyau de l'œuf fécondé ne change pas de manière significative. A 10 % près, elle est la même chez la souris, le bœuf, le chimpanzé et l'homme. « Une remarquable non-linéarité existe entre le contenu en ADN et la complexité du cerveau. » En outre, « qu'est-ce que 200 000, ou même un million de gènes, devant le nombre (considérable) de synapses du cerveau humain, ou même devant le nombre de singularités neuronales en principe repérables dans le cortex cérébral de l'homme ? Comment expliquer que l'organisation si complexe du système nerveux central des vertébrés supérieurs se construise, de manière reproductible, à partir d'un si petit nombre de déterminants génétiques[2] ? » Pour Changeux, la réponse est à chercher dans la manière dont cette complexité se construit au cours du développement embryonnaire. Et

1. *Ibid.*
2. *Ibid.*

elle implique une diversification considérable sur la base d'un nombre minimal de signaux. La combinaison d'un nombre limité de gènes et de signaux suffit pour caractériser un nombre énorme d'états finaux. En outre, la perturbation en un point du réseau d'interaction cellulaire a pour conséquence une cascade d'effets qui se répercutent jusqu'au cortex cérébral. Or, « un petit nombre de gènes de communication suffit pour déterminer et régler ce réseau[1] ». C'est l'interaction entre les cellules embryonnaires, et non un programme génétique figé, qui joue le rôle essentiel dans le développement et la mise en place de la complexité d'organisation cérébrale de l'adulte.

La disproportion entre le nombre de gènes et l'organisation ultra-sophistiquée du système nerveux central s'explique donc « par les multiples combinaisons dans le temps et dans l'espace des actions génétiques[2] ». Le lecteur conviendra que ce type de constat s'inscrit parfaitement dans l'économie générale de notre propos.

La théorie de la stabilisation sélective

Première conclusion : d'un côté, on a affaire (pour la reproduction de la structure du corps humain, par exemple) à un déterminisme génétique direct et univoque (relation directe entre la séquence des acides nucléiques du gène de structure et la séquence des acides aminés de la protéine) ; de l'autre, on est confronté à une fonction cérébrale qui met en œuvre des ensembles considérables de neurones « dont la disposition s'est construite progressivement au cours du temps, et pas nécessairement de manière synchrone[3] ». Il n'y a pas une structure ou une fonction cérébrale qui correspondrait au gène (gène du langage ou de l'intelligence), mais *des* gènes « qui se nouent, s'enchaînent en s'exprimant de manière séquentielle et différentielle au cours du développement pour créer l'organisation de l'encéphale propre à l'espèce humaine[4] ».

A priori, « la reproductibilité du déroulement dans le temps et

1. *Ibid.*
2. *Ibid.*
3. *Ibid.*
4. *Ibid.*

dans l'espace de ces expressions génétiques assure l'invariance de cette organisation[1] ». S'agit-il d'une invariance totale, figée, fixe... ou d'une structure invariante recomposable au sens où nous l'entendons dans cet ouvrage ? En d'autres termes, cette structure génétique invariante est-elle elle aussi susceptible, sous la pression d'une auto-élaboration cérébrale adaptative, de recombinaisons internes pour défendre son invariance ?

Changeux pose la question à sa manière : « Le pouvoir des gènes, s'interroge-t-il, s'étend-il aux détails les plus fins de l'organisation cérébrale, à la forme précise de chaque cellule nerveuse, au nombre exact et à la géométrie de chacune de ses synapses ? Ou au contraire ceux-ci ne règlent-ils que les grandes lignes de la carrosserie cérébrale dans l'embryon-système ? Peut-on affirmer qu'un déterminisme strictement génétique rend compte intégralement de la complexité d'assemblage de l'encéphale humain[2] ? » Et de proposer sa propre thèse, celle d'un mécanisme combinatoire, intervenant au cours du développement de l'embryon, qui n'impliquerait aucune modification du matériel génétique transmis. Ce mécanisme combinatoire concernerait « la topologie du réseau de connexions qui s'établissent entre neurones au cours du développement[3] ». Ainsi, même si le patrimoine génétique transmis (le programme) est invariant, le développement embryonnaire du cerveau ouvre un espace de variabilité : « L'évolution du système nerveux s'accompagne, par conséquent, d'une augmentation de la frange d'irreproductibilité entre individus génétiquement identiques. Cette frange échappe au simple déterminisme génétique[4]. » Le même programme détermine des exécutions neuronales différenciées, comme la même partition musicale peut donner lieu à des interprétations très diverses.

Et l'auteur propose d'introduire le terme d'« enveloppe génétique » pour délimiter d'une part les caractères invariants soumis aux structures déterministes des gènes, d'autre part ceux qui font l'objet d'une importante variabilité de l'organisation cérébrale « phénotypique » : cette variabilité dépendant, à l'évidence, de la manière dont se développe cette organisation. Ce qui conduit

1. *Ibid.*
2. *Ibid.*
3. *Ibid.*
4. *Ibid.*

Changeux à formuler cette remarque dont on imagine l'importance : « L'hypothèse d'une contribution de l'activité nerveuse spontanée puis provoquée à l'épigenèse [développement dans l'embryon] des réseaux de neurones et de synapses, paraît donc plausible[1]. »

De tout ce qui précède, il déduit alors ce qu'il appelle « la théorie de l'épigenèse par stabilisation sélective ». On la résumera ainsi : 1) La structure de l'organisation anatomique et fonctionnelle du système nerveux est invariante et soumise au déterminisme des gènes (qui constituent l'enveloppe génétique). 2) A l'intérieur de cette structure, une variabilité, auto-élaborée à partir des messages du génome, se manifeste, « et son importance augmente, des invertébrés aux vertébrés jusqu'à l'homme, avec l'accroissement de la complexité de l'encéphale[2] ». 3) Au cours de ce développement interviennent des phénomènes régressifs. Des redondances disparaissent. Des neurones meurent. Des synapses actives s'étiolent. 4) « Dès les premiers stades de l'assemblage du réseau nerveux, des impulsions circulent dans celui-ci[3]. » D'abord d'origine spontanée, elles sont ensuite favorisées par l'interaction du nouveau-né avec son environnement. 5) L'activité d'un neurone interconnecté règle en retour la stabilité de cette interconnexion. 6) Le développement, à partir de l'embryon, des singularités neuronales (les variables) est réglé par l'activité de l'ensemble du réseau en développement. C'est cette activité globale qui commande la stabilisation sélective du fonctionnement des interactions.

L'essentiel, ici, est : a) qu'il n'y a nul besoin de structures génétiques nouvelles pour que l'expérience — le rapport au milieu — sélectionne, dans l'organisation cérébrale, des combinaisons de connexions qui préexistent ; b) que l'activité nerveuse joue un rôle régulateur sur le développement du cortex cérébral.

Changeux se risque même plus loin : « Les objets mentaux peuvent, dans ces conditions, participer à l'épigenèse du cerveau, les percepts s'associer aux concepts. Les développements futurs de la biologie du cerveau permettront, il faut l'espérer, de préciser dans quelle mesure l'exercice mental, spontané ou provoqué, contribue

---

1. *Ibid.*
2. *Ibid.*
3. *Ibid.*

à la mise au point de la connectivité du cortex cérébral et, pourquoi pas, de celle des aires du langage[1]. » Cela étant, « si l'on considère que la stabilisation sélective définit l'acquis, départager l'inné de l'acquis ne peut se faire sans recourir à une dissection du système au niveau synaptique[2] ». Et Changeux, après avoir souligné que l'on a l'impression « d'un accroissement continu de l'ordre du système à la suite d'une "instruction" de l'environnement », mais que « l'activité nerveuse spontanée ou favorisée ne travaille que sur des dispositions de neurones et de connexions qui préexistent à l'interaction avec le monde extérieur », conclut : « L'épigenèse exerce sa sélection sur des agencements synaptiques préformés. Apprendre, c'est stabiliser les combinaisons synaptiques préétablies. C'est aussi éliminer les autres[3]. »

Notre hypothèse de la « double sélection », adaptée à l'ensemble du phénotype, n'est pas en soi plus iconoclaste. Certes, Changeux évoque surtout les cas de variabilité chez l'individu pris isolément. Chez lui, donc, les échanges d'expériences et d'informations avec le milieu permettent, au cours du développement, des expressions légèrement différenciées du même patrimoine génétique invariant. Ce qui signifie que l'acquis n'intervient pas directement sur l'inné, mais sur le mode de mise en place finalisé de son organisation invariante en fonction des pressions de l'environnement, au cours de l'épigenèse ; cette autorégulation adaptative consiste moins, sans doute, à nouer des interconnexions particulières, qu'à activer ou à neutraliser celles qui existent déjà à profusion. A brancher ou à débrancher. A couper ou à ouvrir le circuit des flux nerveux.

Or, si cette hypothèse est recevable (l'observation et le raisonnement plaident largement en sa faveur, mais les preuves expérimentales ne sont pour l'instant qu'assez partielles), elle s'applique également à la sélection de groupe. Ce qui peut le plus, peut le moins. Toute variabilité individuelle sous-tend la potentialité d'une variabilité collective. En conséquence, l'hypothèse ci-dessus expliquerait (et à notre avis explique) l'hétérogénéité des civilisations humaines et la relative homogénéité de certains traits de caractère et de comportement de communautés données. Non point que ces

1. *Ibid.*
2. *Ibid.*
3. *Ibid.*

traits de caractère ou de comportement soient innés, soumis à un déterminisme génétique ; mais parce qu'un milieu donné, un cadre culturel particulier et des conditions sociales spécifiques font qu'au cours de l'épigenèse et du développement, c'est de cette manière que la structure génétique de base a tendance à le mieux s'exprimer. C'est pourquoi on pourrait avancer qu'il existe une hérédité « relative » de groupe qui ne fonctionne que dans et par le groupe, dans la mesure où elle concerne non la structure génétique invariante « en soi » mais l'optimisation de sa manière de s'épanouir, compte tenu des contraintes culturelles et sociales particulières. En cela, cette hérédité de groupe ne peut être considérée comme innée. Elle ne représente qu'une forme reproductible, dans des conditions données identiques, du mode d'adaptation de l'inné à un certain acquis (par activation des interconnexions cérébrales adéquates). En termes plus précis, elle désigne une tendance à la reproduction collective, au niveau du fonctionnement cérébral, d'une certaine manière comportementale d'exprimer (de traduire) des messages fournis par le génome, sans que, pour autant, aucune des informations inscrites dans les propriétés des protéines somatiques ne remonte dans les acides nucléiques de l'ADN.

Cette hérédité relative de groupe renvoie donc à notre modèle de base, c'est-à-dire s'apparente à une recomposition adaptative interne (en l'occurrence très partielle) des réseaux de fonctionnement d'une structure, qui ne contredit pas, mais au contraire conforte, l'invariance de cette structure. Qu'un comportement de groupe puisse, en tant que programme, se reproduire sans être soumis à un pur déterminisme génétique. Même Ernst Mayr, sourcilleux gardien de l'orthodoxie, l'admet lorsque, citant le cas d'un oiseau (mâle) qui accomplit une certaine parade nuptiale, il note : « Cet acte n'est pas programmé directement par le génotype, mais plutôt par un programme secondaire implanté dans le système nerveux central durant l'ontogenèse. C'est, en réalité, ce programme secondaire — somatique — qui gouverne le comportement [...]. Les gènes, précise-t-il encore, peuvent opérer la production d'une structure embryonnaire qui sert ensuite comme partie du programme pour les étapes ultérieures du développement [...]. Que tous les programmes de développement ne soient pas purement génétiques, mais qu'il existe aussi des programmes somatiques (concernant l'organisme lui-même), apparaît le plus clairement lorsqu'on examine le cas des programmes gouvernant le comportement[1]. »

Programme somatique ? Celui qui, par exemple, a permis l'extraordinaire affinement de la technique de vol de certains oiseaux ou le développement spécifique du cerveau humain.

L'apparition du langage est sans doute à cet égard exemplaire : ici la structure embryonnaire, et génétiquement déterminée, qui le permettait (comme les plumes de l'oiseau permettent le vol) ne le rendait pas pour autant probable. Aucun singe n'accède à ce stade. Il fallait donc, ce qui ne fut pas une mince affaire, que cette structure embryonnaire serve de programme pour les étapes ultérieures du développement. Ces étapes, qui débouchèrent sur le langage, furent préparées et atteintes en interaction avec l'environnement, et grâce à un développement parallèle — auto-élaboré — des capacités d'utilisation (et des performances possibles) de l'organisme cérébral. L'homme n'a pas hérité génétiquement du langage. Mais il a construit, grâce aux informations génétiques qui ouvraient cette possibilité, sa propre façon de s'exprimer, qui est devenue un mode héréditairement reproductible de mise en forme autoproduite d'un programme génétique de base. Et, en retour, ajouterai-je, le langage, en structurant (ou en restructurant) le système de production de la pensée, a agi comme sélectionneur des nouvelles offres génétiques possibles pour adapter le cerveau à ces capacités nouvelles.

Notre hypothèse de la « double sélection » ne recoupe pas, mais éventuellement complète ce qui précède. Elle implique en effet, que l'expression différenciée (en interaction avec l'environnement) d'un patrimoine génétique (ou, en d'autres termes, le mode d'insertion dans un environnement donné d'informations fournies par la structure génétique invariante) puisse, en un second temps, en retour et de manière très progressive, agir de façon sélective sur les mutations génétiques aléatoires ou sur l'activation de composants génétiques neutres.

Simple piste... qui tend à montrer que, de même que l'oiseau a largement contribué à se doter de sa technique de vol, de même l'homme a largement contribué à se doter de son intelligence spécifique.

1. Ernst Mayr, *op. cit.*

L'homme n'est pas apparu, il s'est inventé

Comment, pourquoi et quand l'homme, cet être vivant sans griffes, sans fourrure, sans crocs, sans sabots aux pieds, sans ailes, sans cuirasse, sans agilité particulière ni pointes de vitesse faramineuses est-il apparu ? Nous laissons les spécialistes nous le dire. Notre conviction étant qu'il est *devenu*, et qu'il n'est par conséquent jamais apparu ou advenu — sauf (et j'y souscris volontiers) à confondre son avènement avec celui du social conscient de lui-même.

Que notre ancêtre ait organiquement auto-élaboré, dans les affres, ce qui lui a permis d'être durablement sélectionné (non pas en tant qu'individu, mais en tant que groupe), c'est-à-dire les conditions cérébrales de son redressement, de l'autonomisation de ses mains, de sa sociabilité, est peu contestable. C'est ce que nous avons brièvement examiné au chapitre x. Les modèles esquissés plus haut permettent de mieux comprendre l'économie de ce processus, sans remettre pour autant en cause le noyau dur de l'orthodoxie évolutionniste.

Comment se fait-il que tout ait à ce point changé sans que structurellement rien ne change ? Que le cerveau humain ait pu, en passant de l'*homo habilis* à l'*homo sapiens*, non seulement tripler de volume, mais développer une telle complexité d'inter-connexions dynamiques à partir d'un patrimoine génétique à plus de 98 % identique à celui du chimpanzé et d'une quantité totale d'ADN constante, à 10 % près, chez tous les mammifères supérieurs ?

Il est significatif que pratiquement personne n'ait, jusqu'ici, tenté de décrire le cheminement de l'hominisation, du singe anthropoïde au lord anglais, en termes de simple succession d'accidents génétiques aléatoires, ceux-ci eussent-ils été par la suite sélectionnés en fonction de leur adaptabilité à l'environnement. Comme si un fossé s'était creusé entre l'anthropologie et la génétique, chacune enfermée dans sa propre logique.

Qui peut imaginer, en effet, un enchaînement de hasards tel qu'il ait permis à l'homme, une fois redressé sur ses pattes de derrière, d'adapter son cerveau à toutes les étapes qu'impliquait l'autonomisation de ses mains, et qu'une fois acquise cette faculté inouïe, dont les outils de plus en plus perfectionnés furent les conséquences bénéfiques, un hasard de plus lui ait permis, à lui et non au gorille ou au macaque, de finaliser cette technique et de la pérenniser en accédant au langage ?

Les schémas que nous proposons permettent au moins, en intégrant dialectiquement la réalité fonctionnelle du changement à la contrainte structurelle de l'invariance, d'éclairer, sinon d'élucider ce qui apparaît comme une impossible finalisation linéaire d'une improbable succession de purs hasards.

D'une part (premier schéma), toute structure vivante de base est invariante en tant que structure, c'est-à-dire que toute évolution qui ne se situerait pas dans le cadre de cette structure serait vouée à l'échec. Mais toute structure invariante disparaîtrait si, confrontée à une interpellation environnementale qui se traduit généralement par une modification des données naturelles ou économiques objectives, elle n'auto-élaborait pas une recomposition interne qui lui permette de sauver cette invariance. Cette recomposition interne est dynamique, donc créative, en ce qu'elle établit un niveau supérieur d'interaction avec l'environnement. Cette recomposition dynamique, qui permet d'ouvrir des possibilités nouvelles correspondant à des fonctions spécifiques exigées par la nécessité (mais dans le cadre de la structure invariante), favorise (sous forme de pression du phénotype, et non directement du milieu) des recombinaisons génétiques ou active des mutations neutres à l'origine aléatoires, stabilisant sélectivement celles qui sont le plus adéquates à cette évolution auto-élaborée (deuxième schéma). Ce qui revient à admettre que l'émergence de l'homme moderne n'a été possible que grâce à une succession tâtonnante, parsemée d'essais et d'erreurs, de traductions phénotypiques, puis, par effets induits génotypiques, d'une « tendance à », possible dans le cadre de contraintes invariantes et sans action directe du milieu sur le patrimoine héréditaire.

Qui doute que le langage n'ait pu advenir que parce qu'il fut précédé d'une infinité d'événements finalisés qui permirent l'éclosion d'une « tendance à dire » de façon compréhensible pour l'ensemble de la communauté ? C'est cette « tendance à », favorisée ou nécessitée par l'évolution antérieure, qui détermina la stabilisation sélective du processus peut-être aléatoire de descente du larynx. On peut dire, faute de mieux, que le hasard fut pour quelque chose dans l'avènement de la glotte, mais que la glotte n'est pas pour autant un pur fruit du hasard. C'est en ce sens que nous avons suggéré que la nécessité sociale avait favorisé le développement du cerveau, et non l'inverse.

Si notre ancêtre australopithèque, un peu perdu dans la brousse, s'est peu à peu redressé sur ses pattes de derrière (pour hisser son regard au-dessus des hautes herbes et mieux apercevoir de loin dangers et proies), ce n'est évidemment pas le résultat d'une mutation génétique accidentelle, même si cette révolution comportementale, puis somatique, a sans doute favorisé les recombinaisons ou les activations génétiques qui étaient nécessaires pour que la tendance à marcher debout se stabilise.

Et tout ça pour un steak !

Dans son livre *L'Émergence de l'homme*[1], Josef Reichholf pose comme principe que l'accroissement du volume du cerveau des australopithèques fut largement favorisé par le fait que leur régime alimentaire était plus équilibré que celui des grands singes, puisqu'il comportait protéines, graisses et hydrates de carbone.

Un tel apport de composés de phosphore était nécessaire au développement de l'organisme cérébral. Mais cela impliquait que notre lointain ancêtre se délectât de légumes, de fruits et de viande. Autrement dit, qu'il cueille et qu'il chasse. Ce qui n'était possible que s'il se trouvait dans un milieu propice à la satisfaction de cette alimentation différenciée et complémentaire : ce qui aurait été le cas des régions situées le long de la grande faille d'Afrique de l'Est. (Nous verrons que cette thèse ne contredit pas, mais recoupe celle de l'hominisation par socialisation.)

A l'origine du processus d'hominisation, Reichholf place donc non pas un accident génétique, mais bien une donnée économique objective qui fut, sans doute, la conséquence d'une catastrophe naturelle (tectonique ou climatique). C'est elle qui fit pression sur la structure invariante. Car notre australopithèque, bientôt *homo habilis*, eut besoin, peut-être pour rendre son organisme apte aux nouveaux efforts exigés par l'environnement, de manger de la viande sans avoir aucune des capacités qui lui permettaient, à l'exemple d'un grand carnassier, d'attraper une antilope à la course et de la tuer à coups de dents. Il est donc à la recherche

1. Josef Reichholf, *L'Émergence de l'homme*, Paris, Flammarion, 1991.

de dépouilles de bêtes fraîchement tuées ou mortes accidentellement. Les vautours ou assimilés lui indiquent cette présence. D'où
la tendance à se relever pour mieux percevoir ce signal. Il faut en
avoir un peu dans le crâne pour réaliser que, debout, on embrasse
un horizon plus large ! Justement, le cerveau de notre aïeul, avec
un volume de 500 cm^3 pour un poids de 50 kg, est un peu plus
gros que celui des singes arboricoles vivant en forêt. Dans toute
chaîne évolutive, il y a confusion de la cause et de l'effet : l'effet
démultiplie la cause. Une alimentation plus équilibrée, riche en
composés de phosphore, facilite un développement cérébral qui
favorise en retour un comportement fonctionnel propre à optimiser les conditions d'accès à cette alimentation.

Notre héros, donc, se redresse en quelques centaines de milliers
d'années ; ce qui témoigne bien de la lente prise en compte par
l'information génétique de la « tendance à », par l'entremise de
l'action mécanique que cette propension exerce sur la structure
du phénotype : en particulier sur la forme du bassin et l'articulation de la tête à la colonne vertébrale.

L'homme debout peut donc non seulement apercevoir une pro-
messe de viande de plus loin, mais en outre accéder, et de plus en
plus vite, à cette offre de repas en améliorant sa technique de
course de fond sur deux jambes, exactement comme l'oiseau, une
fois réalisée sa tendance à s'élancer dans les airs pour happer les
insectes, a régulièrement, d'espèce en espèce, optimisé sa technique de vol.

Mais des courses aussi longues, aussi fatigantes, suscitent un
échauffement du corps qui nécessite un refroidissement de l'organisme par évaporation de l'eau — c'est la transpiration, d'où ce
développement des glandes sudoripares qui va de pair avec la disparition des poils. L'homme ne naît pas nu « par accident », il le
devient par nécessité adaptative. Couvert de fourrure, il n'aurait
jamais pu disputer un marathon. En revanche, il garde une ample
chevelure pour se protéger du soleil. Arrivé au but, éventuellement avant lions et hyènes qui n'ont pas la même possibilité de
percevoir des signaux de si loin — car la station debout a développé chez notre héros la performance visuelle au détriment de
l'odorat (voir chapitre XVII) — le pré-*homo* doit encore pouvoir
découper ses steaks de gnou, animal à peau dure, et les ramener
à son camp de base : ce à quoi lui permet justement d'accéder
l'autonomie acquise par ses deux mains. D'une part, il est plus

facile de transporter cinq kilos de viande sur cinq ou six kilomètres avec ses mains qu'avec ses dents ; d'autre part, la main libérée, et par voie de conséquence devenue plus agile, peut facilement saisir une pierre tranchante (ce qui n'est pas difficile, puisque nous sommes en région volcanique) pour inciser le cuir de la bête, ou un galet pour casser les os et se repaître de la moelle : toutes capacités nouvelles qui améliorent encore l'accès à l'alimentation différenciée, qui favorise la croissance cérébrale et qu'optimise cette croissance.

Ainsi, en un million d'années, le volume cérébral passera de 500 cm³ à plus de 1 000 cm³, pour atteindre 1 500 cm³ chez l'homme de Neandertal. « La marche en position verticale, écrit Reichholf, apparaît donc comme le facteur déterminant de l'évolution du cerveau, car elle le précède d'assez loin pour avoir pu apporter l'amélioration nécessaire du régime alimentaire[1]. »

Le singe debout est-il condamné à devenir homme ? Ce qui découle de ce redressement est considérable ; mais à quoi avons-nous affaire ? Non pas, à l'évidence, à une simple succession désordonnée et aléatoire d'accidents génétiques sélectionnés après coup, mais au saut qualitatif induit par la recomposition d'une structure invariante (la morphologie du vertébré quadrupède) sous l'effet de cette révolution qu'est le redressement vertical favorisé par des données économiques objectives.

On peut certes contester tel ou tel point de la reconstitution proposée par Reichholf (ce domaine est par définition celui de la conjecture) ; on peut même admettre qu'une série de mutations génétiques purement aléatoires aient contribué à la révolution bipédique. Encore eût-il fallu, comme dans le cas des oiseaux, que notre ancêtre, prenant conscience d'une potentialité, la transforme en fonction, finalise ce hasard, et, ce faisant, force par l'usage la nature à compléter ce qu'elle avait par inadvertance commencé.

En se relevant, l'homme interpelle sa propre structure invariante et la somme de s'adapter à toutes les innovations qui découlent de son nouveau statut de bipède. Et, en effet, l'œil gagne en acuité au détriment de l'odorat, le pied se forme à la marche, la jambe acquiert en puissance ce qu'elle perd en agilité, le poil disparaît pour permettre le refroidissement de l'organisme par transpiration et, surtout, les mains libérées explorent peu à peu

1. *Ibid.*

tout l'espace des propriétés nouvelles que leur ouvre l'autonomie. Ce champ de possibilités est tel qu'il nécessite et détermine à son tour un formidable développement des capacités cérébrales.

Cette évolution se résume donc à l'optimisation de toutes les opportunités ouvertes par l'accession à la station debout, plus particulièrement au développement de l'organisme moteur — le cerveau — qui permet cette optimisation. Les mains sans le cerveau ne fabriqueraient pas d'outils. Mais le cerveau sans les mains non plus. C'est pourquoi les ours, dont le redressement vertical occasionnel ne permet pas l'autonomisation des membres antérieurs, n'ont pas connu le même développement cérébral. Ce qui, chez l'homme, permet un extraordinaire saut qualitatif, c'est la dynamique interactive du couple mains-cerveau. Tout se passe comme si le redressement vertical avait été l'acte fondateur de l'hominisation (lui-même déterminé par la propension, sous l'empire de la nécessité, d'un mangeur de plantes à accéder à la viande).

N'est-on pas alors en droit de supposer que cet arrachement à une horizontalité qui vous plaque à la terre programme d'emblée les étapes suivantes de l'évolution humaine dès lors qu'il y eut conjonction, avec effet de retour, entre une « tendance à » et une « possibilité de » ? Constater cela ne revient pas à se convertir au néolamarckisme. Cette « tendance à » n'est pas assimilable à une « aspiration à » (le génome favorise la tendance, alors que l'aspiration est censée agir sur le génome). Se lever sur ses membres postérieurs était possible (cela fut peut-être, nous l'avons dit, favorisé par une mutation génétique aléatoire, mais bien avant que le primate ne devînt homme) ; les grands singes, d'ailleurs, comme les ours, s'y essaient avec un certain succès. L'homme ne s'est pas dit soudain : « Tiens, il faudrait que je marche ! » à la façon des girafes qui, constatant que les feuilles étaient de plus en plus difficiles à atteindre, se seraient confiées à elles-mêmes, à en croire Lamarck : « Il faut que je me monte du col. » Il a marché parce qu'il a découvert peu à peu que pouvant marcher, cette technologie de déplacement lui procurait des avantages. Et, marchant, il a accéléré le processus qui le lui permettait. De même, il a commencé à penser parce qu'il a découvert, en intercalant un médiateur de silex entre sa main et l'animal mort, qu'il pouvait penser, et, en pensant, il a également accéléré le processus. Il a utilisé, adapté, développé les instruments fonctionnels dont il disposait, mais il ne s'est doté d'aucun organe fonctionnel nouveau. Il a fabriqué des outils avec ses mains, mais il n'a pas fait pousser des excroissances-outils sur ses mains. (Aucun rapport avec la girafe dont, en effet, l'allongement fonctionnel du cou n'a pu résulter que de mutations génétiques accidentelles, stabilisées sélectivement en fonction de leurs vertus adaptatives.)

La famille comme cœur de la socialisation humaine

Le processus a connu une formidable accélération à mesure de son déploiement : ce qui prouve bien que ce n'est pas le hasard des mutations génétiques (pourquoi se seraient-elles emballées, puis tout à coup bloquées ?) qui en a régulé le rythme et l'orientation, mais bien le développement adaptatif auto-élaboré de l'organisme cérébral, chaque interconnexion nouvelle multipliant les potentialités de ses composantes.

Donc, en se soulevant sur ses pattes de derrière et en s'ancrant à cet état bipédique à l'issue d'une stabilisation sélective, l'ancêtre de l'homme a ouvert un champ considérable au développement, à la fois adaptatif et créatif (créatif parce que adaptatif), de son cerveau. D'abord peut-être en étant désormais en mesure de le fournir en matériaux phosphorés ; mais, surtout, en l'insérant étroitement dans la dialectique dynamisante de la possibilité et de la nécessité : parce que je peux, j'essaie. J'échoue, mais je recommence. Peut-être pendant des millions d'années. Donc je tends « à ». Or, cette « tendance à » induit l'auto-élaboration d'une « capacité cérébrale à ». Puis sa stabilisation sélective.

Sans doute, pour reprendre l'intuition de certains sociobiologistes que nous avons précédemment évoqués, les principales mutations génétiques ne portent-elles que sur l'émergence (ou l'activation) d'une « prédisposition à ». Le processus serait celui-ci : mutation accidentelle provoquant un remodelage finalisé par la pression phénotypique, lui-même favorisant une « tendance à », elle-même débouchant sur une « prédisposition à » finissant par se stabiliser sélectivement.

L'évolution de l'homme, avons-nous dit, résume sa tendance à explorer et à optimiser toutes les possibilités que lui offre la station debout. Mais n'en est-il pas ainsi pour toutes les espèces vivantes ? Le lion, la panthère, l'antilope, l'escargot, la souris ont également optimisé toutes les possibilités que leur ouvraient leurs potentialités spécifiques en fonction de leur adaptabilité interactive à leur milieu et des contraintes de leur propre structure invariante. Le cheval a même réussi, à l'usage de son galop, à réunir ses doigts de pieds en sabots. Mais il s'agit bien là d'une recomposition, non du jaillissement d'un nouvel organe. (Comme l'aile de l'oiseau est une recomposition du bras, et la plume de l'écaille.)

En ce qui concerne l'homme, le seul facteur radicalement original dont son redressement fut la conséquence réside dans le fait qu'en rupture avec le conservatisme général propre aux espèces vivantes — et à l'image de certains poissons lorsqu'ils se sont hissés hors de l'eau, ou de l'oiseau quand il a pris son envol —, il est sorti de sa niche écologique, sous l'empire d'on ne sait quelle nécessité, pour s'élancer à la recherche de la viande animale.

Au fond, si notre grand aïeul n'avait pas pris le risque, en s'aventurant « à pied » dans la brousse, de susciter un vaste processus de recomposition adaptative, au mieux il serait resté un singe, au pis il aurait disparu comme ces indécrottables réactionnaires qu'étaient les dinosaures. Et cela semble vrai pour toutes les étapes de son évolution, du moins s'il est vrai, par exemple, que l'homme de Neandertal, fieffé conservateur, a été balayé de la surface de la terre pour être resté figé, malgré l'apparition de nouvelles donnes naturelles et économiques objectives, dans une structure biologico-sociale qui, faute d'une recomposition interne adéquate, le rendait totalement dépendant de la chasse au gros gibier. (Mais cette thèse me laisse rêveur, et je ne suis pas convaincu que l'homme de Neandertal ait, au sens strict, disparu...) Notons cependant, comme nous l'avons déjà vu à propos de l'invention de la roue ou du dépassement de l'anthropophagie, que cette présence ou cette absence de troupeaux constitua effectivement, pendant des milliers de siècles, la donnée économique objective essentielle.

Il se trouve donc, d'une part, que l'accession à la station debout fit qu'il devint à la fois possible et nécessaire d'optimiser l'interaction mains-cerveau ; et, d'autre part, que le développement de l'organisme cérébral représente le processus dont les implications dynamiques sont le plus cumulatives dans le cadre d'une recomposition d'invariance.

En cela, il n'y a pas de mystère humain spécifique, mais la traduction particulière d'une règle générale propre à l'organisme vivant, qui veut que toute structure invariante a l'obligation et la capacité, pour persévérer dans son être, de se recomposer afin d'optimiser l'expression de ses potentialités fonctionnelles. Dans le cas de l'homme, nous constatons que le développement de sa socialisation s'intègre parfaitement à ce schéma. Une fois encore, il semble que ce soit moins le développement de l'intelligence qui ait accéléré le processus de socialisation, que la nécessité de la socialisation qui ait accéléré un processus de croissance cérébrale. D'ailleurs il faut s'être redressé pour se serrer la main, pour se faire des signes ; ce qui favorise la socialisation, qui, à son tour, accélère le processus d'utilisation de la main (prendre et donner en échange).

A l'origine de cette aventure — l'avènement du social qui permit réellement l'homme —, nous trouvons les mêmes données économiques objectives que celles qui précipitèrent l'épopée du redressement vertical.

L'*homo habilis*, sortant d'une spécialisation alimentaire étroite propice à l'immobilisme comportemental, commença à se nourrir à la fois de plantes et de viande (mais aussi d'insectes et d'escargots), ce qui, *a priori*, sous-tendait, outre le mouvement, le principe de la division du travail : les uns chassent, les autres cueillent. La recherche de la viande nécessitait, on l'a vu, de longs déplacements et des efforts soutenus. Or les enfants de l'homme (ou de son ancêtre), contrairement à ceux du gnou ou de l'éléphant, ne peuvent entreprendre en leur jeune âge de telles expéditions, et il est malaisé pour un bipède de les porter longtemps sur son dos. La tendance était donc de laisser les enfants dans un camp de base sous la protection des mères qui, pendant que les hommes partaient à la recherche de la viande, vaquaient aux opérations de cueillette. « La cohésion du groupe, remarque Reichholf, garantit bien plus largement les chances de survie de la progéniture. Or, par comparaison avec la lionne, ce que la femme investit dans son bébé est de dix à neuf fois plus élevé jusqu'à la naissance, et dix fois plus élevé après. Ce n'est possible que parce que le couple se maintient assez durablement[1]. »

Cette fixation d'une présocialisation par division du travail (échange altruiste) autour du couple a contribué au développement cérébral. Or, la croissance de la taille du cerveau impliquait une croissance de la taille de la tête du bébé (le nombre des cellu-

---

1. *Ibid.*

les nerveuses de l'encéphale n'augmente plus, en effet, après la naissance). Cette extrême grosseur, déjà à la naissance, du cerveau du nouveau-né par rapport au reste du corps, comme s'il avait pris plusieurs longueurs d'avance, traduit sans doute le rôle pionnier et moteur que cet organe joue dans l'évolution humaine.

Toujours est-il que cette particularité, qui rend un accouchement si douloureux et délicat, nécessite une assistance (sous forme de sage-femme) et une surveillance stricte des premiers mois de cet étrange avorton dont le corps (dans l'embryon) a pris du retard sur le cerveau.

Les progrès de la socialisation prendront certes peu à peu d'autres formes et auront d'autres causes, surtout lorsque apparaîtront, d'une part une forme primitive d'industrie, d'autre part une organisation de la guerre liée à une première sophistication des outils et des armes. Mais cette différenciation fonctionnelle des sexes, cette fixation relative du couple autour de l'enfant, et le tracé protecteur d'un cercle de famille, resteront les éléments constitutifs de base de toute socialisation élargie.

L'évolution sociale est donc, à l'origine, déterminée par les mêmes nécessités, possibilités et contraintes que l'évolution biologique. Nécessités, possibilités et contraintes dont l'enchaînement définit une « tendance à »... Dès lors que le singe anthropoïde, devenu omnivore, s'est adapté à la marche debout, qu'il a finalisé cet avantage en entreprenant des expéditions impliquant une répartition des activités (et un partage de la nourriture rapportée), une socialisation de plus en plus poussée devint nécessaire à la recomposition de la structure invariante dont ce préhominien était l'expression. Et, à son tour, cette socialisation est devenue structurante. La famille stable, articulée au couple procréateur (et cela même dans les sociétés pratiquant la polygamie), en est devenue le socle. Le cerveau n'a pas pensé *a priori* le social qui existe déjà chez l'animal : il l'a pensé *a posteriori*, et c'est pourquoi il s'est développé en tant que cerveau.

Il s'est agi, à ce stade, d'une forme biologique d'adaptation collective aux pressions du milieu en fonction de certaines prédispositions comportementales. Prédispositions qui, chez les animaux, sont déterminées par des odeurs (et même, chez les abeilles ou les fourmis, par des marquages chimiques). C'est donc le social qui a précédé la pensée du social. Ou, plus exactement, c'est la tendance à la socialisation, dopée et autonomisée par l'accession à la station debout (première étape fondatrice marquant l'orée de la conquête de la liberté), qui incita (ou excita) le cerveau à la pensée et nécessita, pour que le processus prenne toute son ampleur, qu'il la pensât.

Ce qui découle de tout ce que nous venons d'examiner, c'est que l'homme résume non seulement l'évolution et l'histoire, mais aussi sa propre évolution. A aucun moment il n'y a rupture, cassure ou déchirure. Ni jaillissement — y en aurait-il eu, accidentellement, que nul n'aurait sans doute survécu pour en témoigner aujourd'hui. On ne remarque, au cours de l'hominisation, aucune apparition d'organes nouveaux. Le larynx est remonté, mais il était déjà là, et les poils eux-mêmes n'ont pas vraiment disparu. Au fond, il ne s'est sans doute jamais produit d'événement particulier qui s'apparenterait à la naissance de l'homme. Il n'est pas apparu, il est *devenu*. Il est le fruit évolutif, et en partie auto-élaboré, de comportements réactifs suscités par l'apparition de données économiques objectives nouvelles (peut-être un recul de la forêt) : la quête de la viande, la sortie de la brousse, le redressement vertical, l'exercice de la marche sur deux pieds, la libération des mains, l'utilisation d'une pierre ou d'une branche comme outil, le partage des tâches, la stabilisation du foyer. Vaste processus enchaîné (et riche en rapports interactifs de causes à effets) de recompositions adaptatives internes d'une structure demeurant invariante.

L'homme est en quelque sorte la résultante d'une aventure. Loin de s'enfermer, comme feus les dinosaures, dans la rigidité comportementale stéréotypée de la structure qu'il exprimait, il prit (pour des raisons fortes que nous ignorons) le risque de provoquer sa recomposition en affrontant positivement et dynamiquement de nouvelles données économiques et naturelles objectives. Ce faisant, il enclencha le mécanisme de sa propre histoire. Ce qui, encore une fois, n'était possible, sauf dérive suicidaire, que dans le cadre d'une structure invariante.

La cible principale de cette évolution fut non pas la carapace, la mâchoire, les membres, mais le cerveau. Plus exactement, sa partie frontale, d'où le léger remodelage de la forme du crâne. L'organisme cérébral, on l'a dit, construit ce qu'il devient avec ce qu'il a été. Teilhard de Chardin n'avait peut-être pas tort d'affirmer (au-delà du sens vitaliste qu'il donne à cette phrase) que « les marches de la vie se sont toujours dirigées vers la réalisation du système nerveux le plus riche et le plus différencié ».

Yves Coppens, directeur du Laboratoire d'anthropologie du Muséum national d'histoire naturelle, estime pour sa part que l'origine de l'évolution spécifique de l'australopithèque par rapport au singe est non pas sa sortie dans la savane à la recherche de viande, mais un effondrement de la Rift Valley, qui a créé une barrière écologique entre un milieu dominé par la forêt (celui du singe) et un autre, où vivaient nos ancêtres, qui s'est retrouvé soudain déboisé. Mais cela ne change strictement rien à la suite de l'épopée !

Tendance à, prédisposition à, capacité de

En revanche, ce chercheur qui a tant fait pour établir notre identité en insistant à la fois sur l'unicité de nos origines et la spécificité de notre ascension (il parle de la culture comme de notre « organe ») va beaucoup plus loin que nous ne nous y sommes risqués nous-même dans l'exploration de l'hypothèse d'une continuité évolutive entre la socialisation chez les primates et la socialisation chez l'homme. Il n'hésite pas à écrire : « L'homme et l'animal ne sont pas de nature différente et il devient de plus en plus difficile de tracer une limite entre l'un et l'autre ; on a dit que cette frontière était marquée par l'outil, puis par l'outil fabriqué ; on a dit aussi qu'il l'était par la prohibition de l'inceste, par la parole, par les rites ; et puis on a découvert que l'outil avait peut-être quinze millions d'années, l'outil fabriqué et la parole peut-être trois ou quatre millions d'années, et que les rites se manifestaient de manière visible dès l'*homo erectus*, soit un million et demi d'années. On a découvert en même temps que le chimpanzé utilisait l'outil de pierre ou de bois, qu'il lui arrivait de l'aménager, qu'il évitait les accouplements incestueux et qu'il dansait pour fêter les premières pluies de mousson[1]. »

Nous avons vu que si l'homme a hérité de ses ancêtres primates le principe de la hiérarchisation pyramidale, il a en revanche cultu-

---

1. Yves Coppens, *Préambules : Les premiers pas de l'homme*, Paris, Odile Jacob, 1988.

rellement inventé le système de la guerre intra-espèce. Yves Coppens nous apporte sur ce point des précisions assez savoureuses.

Contentons-nous ici de constater avec lui : 1) qu'entre le singe anthropoïde et l'*homo habilis*, il y a continuité et non rupture ; 2) que l'homme moderne porte en lui tous les acquis « comportementaux » de ses prédécesseurs (le mot acquis, ici, ne comportant aucun jugement de valeur et ne s'opposant pas radicalement à l'inné) ; 3) qu'avec l'homme, ce qui s'affirme, c'est moins la socialisation que l'appropriation de cette socialisation, en marge de tout déterminisme biologique, par la collectivité elle-même, à partir d'une appréhension consciente de sa nécessité adaptative ; 4) que ce qui distingue radicalement l'homme du grand singe, ce n'est pas, par exemple, l'utilisation ponctuelle et occasionnelle d'un outil, mais sa systématisation, sa rationalisation et son intégration à un processus. Autrement dit, entre l'homme et le singe, la divergence tient moins à un comportement précis qu'à un « mouvement vers » ! « S'il est vrai, écrit encore Yves Coppens, que notre corps demeure soumis aux lois de la biologie, il est vrai aussi que nous avons acquis la réflexion, c'est-à-dire la liberté. 1 % de protéines différentes et deux chromosomes de moins ont fait que l'homme a désormais le privilège immense de pouvoir choisir[1]. » Est-ce à dire qu'il s'en est fallu d'une modification infinitésimale du patrimoine génétique pour que se produise l'émancipation des contraintes de ce même patrimoine génétique ?

Posons-nous donc cette question : le génome de l'homme moderne est-il le même que celui de l'*homo habilis* ? Ou de l'homme de Cromagnon ? Fondamentalement il est le même, puisqu'il permet de reproduire les mêmes structures. Pourtant, aussi infimes, indéchiffrables que soient les quelques variations qui ont affecté son mode d'expression (sa fonction messagère), les conséquences en furent assez considérables pour que Shakespeare, Descartes, Kant, Maxwell, Einstein en incarnent, entre autres, les effets. Or, répétons-le, la transmission héréditaire directe de caractères culturellement acquis est impossible. D'un côté, donc, invariance de la structure génotypique et phénotypique — pas de mutations aléatoires apparentes ; de l'autre, non-intégration par le génotype d'un acquis culturel. Et cependant, l'*homo habilis*, encore un peu singe, devient l'*homo sapiens*, déjà totalement

1. *Ibid.*

homme. Ce qui confirmerait, à moins d'invoquer un mystère insondable, que le moteur de l'évolution humaine fut bien l'émergence d'une « prédisposition à » enclenchée par une « tendance à », elle-même favorisée par l'autorecombinaison adaptative de la structure cérébrale sous la pression des interpellations de l'environnement.

« Prédisposition à » qui, en devenant « capacité de », relança le processus en suscitant de nouvelles « tendances à ». Ainsi, la tendance à parler, antérieure à l'hominisation, mais exacerbée par la socialisation, favorise un glissement adaptatif du larynx, lequel permet l'émergence d'une prédisposition au langage, qui devient, grâce à une recombinaison dynamique de la structure cérébrale, une capacité de parler. Cette capacité, en retour, provoque de nouvelles « tendances à » qui incitent l'organisme cérébral, par multiplication de ses liaisons interactives susceptibles de transformer des percepts mentaux synthétisés en concepts mentaux abstraits, à élargir encore le champ des « prédispositions à ». En l'occurrence, à « abstraire ».

C'est justement (comme en thermodynamique) parce que tout se passe dans le cadre d'une structure invariante que la plus infime recomposition intrastructurelle partielle, impliquant une recombinaison dynamique du tout (le tout étant l'organisme cérébral, cible de la sélection) peut avoir d'immenses répercussions.

J'en conclus, à la lumière de ce que nous avons précédemment analysé, qu'une simple inflexion, sous la pression d'une auto-élaboration interne de l'organisme (tendance à), dans la façon dont le même patrimoine génétique diffuse son message, peut, en agissant sur les équilibres récepteurs de la structure invariante, déterminer d'importantes évolutions de comportement et favoriser en particulier une « prédisposition à ».

Tout change, bien que rien ne change, avons-nous dit. Mieux : c'est parce que rien ne change que tout change. L'homme n'a cessé de devenir en demeurant. Il reste et se projette à la fois. Toujours encore ici, et déjà là-bas. En réalité, il devient parce qu'il demeure. Tout ce qu'il fit participe de ce qu'il est, pour déterminer ce qu'il sera. Il transforme, retraite, recombine, rééquilibre, mais n'abandonne rien en route.

Voilà bien l'extraordinaire paradoxe : que tant d'événements et d'avènements soient possibles sans que rien de totalement neuf n'apparaisse et sans que rien de vieux ne disparaisse complètement. Et que, de cette façon, cependant, le neuf advienne et le vieux recule ; que l'homme se soit autoconstruit avec les matériaux dont il disposait avant d'être homme, et dont l'agencement, légèrement et continuellement recombiné à l'intérieur d'une structure invariante, a initié le plus fabuleux chapitre de l'épopée du vivant.

CHAPITRE XV

Quand les mœurs jouent à la révolution
ou la femme piégée par le pouvoir

Dans un remarquable ouvrage de vulgarisation, Robert Clarke
écrivait : « On ignore à quel moment l'homme a perdu ses instincts. Ce fait capital a dû se produire tôt. C'est lui qui a permis
que nous devenions des hommes[1]. »

Mais non : l'homme n'est pas devenu homme à mesure qu'il
aurait perdu ses instincts comme ses poils. Même pas en les inhibant, car les grands moments de refoulement ont souvent correspondu, dans l'histoire, à des phases d'immobilisme ; mais en les
mettant au service de ses nouvelles capacités conquérantes. Pour
le meilleur et pour le pire. Et d'ailleurs, avec quoi l'homme a-t-il
fait de l'intelligence, si ce n'est avec de l'instinct et de l'émotion ?
L'instinct sexuel a-t-il été victime de l'émergence de l'amour ? Nul
ne le prétend.

L'acquisition du langage, inconcevable sans l'instinct du cri et
du chant, a certes constitué un progrès de l'humanité, mais, loin
d'expulser ce dont était porteur le grognement hostile (ou le hurlement agressif), il en a démultiplié les possibilités d'expression par
la menace, l'injure, l'insulte, l'usage du gros mot obscène, etc.

L'invention de l'écriture, optimisée par celle de l'imprimerie,
s'est-elle traduite par une victoire décisive du raisonnement sur
l'émotion et de l'intelligence sur l'instinct ? Qui le croit ? L'écriture a permis, entre autres, de rendre collectives des émotions
individuelles et de les mobiliser plus efficacement, y compris
contre la raison et l'intelligence. La reproduction d'un texte écrit

1. Robert Clarke, *Naissance de l'homme*, Paris, Éd. du Seuil, 1982.

a favorisé, à l'occasion, l'exacerbation des instincts qu'il flattait. *La France juive* de Drumont a connu du vivant de l'auteur une diffusion autrement plus massive que la *Critique de la raison pure* du vivant de Kant.

Le livre, fût-il saint, surtout quand il se disait « saint », loin de dresser un rempart contre l'agressivité, l'intolérance, le rejet de l'altérité, a contribué à restructurer tous ces instincts et émotions en les fédérant et en ouvrant ainsi un nouveau et vaste champ à leurs manifestations collectives. Et nous épargnerons au lecteur les considérations sur la manière dont le fanatisme le plus régressif, le racisme le plus bestial, la pure volonté de puissance, la tendance à l'appropriation du bien de l'autre ont su mobiliser à leur profit les acquis les plus prodigieux du progrès technique.

La fusion confusion de l'inné et de l'acquis

Résumons. Ce qui distingue l'homme du singe dont il dérive, ce n'est pas une impossible évacuation de ses instincts, ni une modification structurelle de son héritage génétique, mais une prédisposition au « mouvement vers » (véritable entropie culturelle). Elle lui a permis d'imposer à ses gènes le message en retour que lui ouvrait cette marge d'émancipation possible, dans lequel il a inscrit son propre destin.

Notre cerveau s'est développé sous la pression d'un milieu qui, de plus en plus, était remodelé par son intervention. Il s'organisait en organisant. Il est donc devenu cause et effet. Cause des effets dont son propre développement était l'un des effets. Système en boucle dont la nature, en tant que telle, fut progressivement exclue. Ce qui explique l'accélération du processus : trois millions d'années pour se mettre debout ; un million peut-être pour fabriquer l'outil au lieu de le ramasser ; des dizaines de milliers d'années pour le produire ; mais un siècle seulement pour passer de la lampe-pigeon à la maîtrise de l'énergie atomique ; un demi-siècle pour sauter de l'aéroplane à l'engin qui se pose sur la lune... Fulgurante accélération qui fait sauter en quelque sorte la barrière qui séparait l'acquis de l'inné. Non pas biologiquement (bien que nous ayons suggéré plus haut qu'il existait entre les deux un espace d'incertitude), mais socialement. Et c'est ce niveau que nous devons, pour mieux éclairer notre propos, prendre en compte.

Dès lors que la pression du milieu devient une pression du cerveau sur lui-même, qu'elle est donc intériorisée, que l'accélération normalise chaque nouvelle donne, que surtout l'éducation, sous toutes ses formes, a pour fonction d'ancrer l'acquis dans les têtes de telle façon qu'il fonctionne comme un inné, la frontière s'estompe entre l'invariant qui donne l'impression de sans cesse varier et les variables qui sont collectivement ressenties comme invariantes.

Qu'on me comprenne bien : à supposer que les hypothèses émises précédemment contiennent une part de vérité, la stabilisation sélective favorise génétiquement un « mouvement vers » en déterminant des « prédispositions comportementales à ». Rien de plus. Mais, d'un point de vue social, la précipitation des acquis, l'intériorisation cérébrale du milieu (un milieu pour et dans le cerveau), l'adaptation des moyens du cerveau à ses propres fins font que l'acquis fonctionne collectivement comme un inné. De ce phénomène l'exacerbation des guerres ethnico-religieuses offre une tragique illustration. Le racisme en est la traduction idéologique.

Exprimé autrement, cela revient à admettre que la socialisation de plus en plus poussée, l'empilage des apports culturels, l'ampleur même des mutations technologiques font que l'homme moderne vit ses instincts culturellement retraités comme des acquis, et ses acquis (ancrés par l'apprentissage) comme un héritage. Ces deux dimensions de son être s'interpénètrent d'autant plus qu'elles structurent le même « mouvement vers »...

Cette fusion confusion est aggravée par le fait que les structures sociales invariantes, pour sauver leur invariance, doivent se remodeler presque sans répit (ou s'enliser dans un conservatisme suicidaire), puisqu'elles produisent elles-mêmes de nouvelles donnes objectives qui, constamment, les interpellent et les bousculent.

Or, derrière cette complexité fonctionnelle, dont Edgar Morin a si éloquemment pris la mesure et qui sous-tend la réalité dynamique du « tout change », demeure évidemment (et veille) la réalité structurelle du « rien ne change ». L'acquis reste un acquis : il croit se substituer à l'inné, il se met à son service. L'inné, comme nous l'avons vu, se reclasse, se rehiérarchise en fonction de l'acquis, mais ne l'intègre pas.

En clair, deux comportements de plus en plus se chevauchent : celui que l'on construit et celui qui nous construit ; mais ils agissent l'un sur l'autre au point de donner l'impression d'un comportement unique transcendant le dualisme entre l'inné et l'acquis, le corps et l'esprit. De là vient l'obsession de la régression et de la décadence. Surtout lorsque, du haut de notre « quant à soi » culturel et technologique façonné par deux siècles de traditions démocratiques humanistes, nous constatons qu'un peu partout dans le monde des acquis culturels innéisés concourent à l'exacerbation de tous les instincts de base qui irriguent le socle vivant de l'invariance sociale.

Sur la révolution des mœurs

On décrivait volontiers l'homme écartelé entre son corps et son esprit, le premier régi par ses viscères et ses humeurs, le second par son précepteur. Les prêtres et les instituteurs étaient là pour offrir à la tête de quoi rééquilibrer ce qui était censé jaillir des entrailles. Cette dichotomie était même inscrite dans l'espace ordinaire : le foyer comme lieu géométrique entre, d'un côté, l'école et l'église, de l'autre, le bistrot et la salle des fêtes. Or, aujourd'hui, une information de plus en plus mondialisée, audiovisualisée, qui tend à amalgamer l'inné et l'acquis, à envelopper l'un dans les frusques de l'autre, à s'adresser aux instincts en utilisant les méthodes de l'intelligence, à river le corps en fascinant l'esprit, nous transperce de part en part. Cela ne change rien, théoriquement, au dualisme qui renvoie ici au biologique, là à l'éducation. Théoriquement seulement. Car le scalpel à séparer l'inné de l'acquis n'existe pas. A un certain niveau de malaxage, les pressions idéologiques aidant, le génétique se donne souvent comme apprentissage, alors que l'apprentissage ne consiste parfois qu'à révéler le génétique à lui-même. Il y a alors une culture de l'inné et une naturalisation de l'acquis. Il n'y a pas à proprement parler déteinte, mais décalque. Sans doute sont-ce les techniques de propagande moderne qui ont permis de pousser le plus loin ce phénomène d'intégration de l'acquis à l'inné. Le concept de « totalitarisme » recouvre assez bien, au demeurant, cette idée d'osmose, dirigée et manipulée, entre ce que le corps dicte à l'esprit et ce que l'esprit susurre au corps. N'est-ce pas ce à quoi aspire, en particulier, tout système intégriste, justement : la pensée réflexe au service d'une intellectualisation de l'instinct ?

Mais la société médiatique moderne, elle aussi, fonctionne

comme une université qui plongerait ses racines dans le tréfonds de l'invariant collectif de base. Le voyeurisme devient alors le « courage d'aborder les vraies questions ». Et la culture-spectacle, moyen de viser la tête (ou plutôt de faire semblant) pour toucher le ventre. Il s'agit de déclencher chez les téléspectateurs, par exemple, la mécanique implicite d'un inconscient honteux sous les dehors d'un dialogue explicite avec la raison. De déterminer culturellement la mobilisation passive d'un déterminisme naturel.

Il s'ensuit encore une fois que l'inné camouflé se fond dans un acquis de camouflage. Pourquoi cet abus des termes « révolution », « bouleversement », « séisme » ? Parce que la société médiatique s'est donné les moyens d'utiliser toutes les illusions de la variabilité pour mieux structurer ses invariances : de constamment donner au non-changement la forme du changement le plus radical.

La mode a naturellement cette fonction qui, de manière presque hystérique, décline imperturbablement du même sous les allures de l'extrême différence ; mais aussi le snobisme, qui sauve l'ancien par une promotion purement narcissique d'un « nouveau » dérisoire ; ou l'obsession angoissée du *look*, qui résonne comme un aveu de la nécessité de repeindre l'écorce pour garantir l'immuabilité du tronc. L'apparence devient alors l'habillage cynétique d'un réel immobile. Le mouvement apparaît comme d'autant plus effréné qu'il est pur simulacre destiné non seulement à sauver l'invariance de la structure sociale, mais encore à substituer à toute tentative de recomposition interne de cette structure une agitation pseudo-adaptative de diversion. Éventuellement, le gauchisme prêtera son verbe d'apparat à la composition du leurre.

Ce qui caractérise en définitive l'époque contemporaine, c'est bien cette dichotomie entre le tournoiement fou d'un monde emballé — mais c'est pour l'essentiel un mirage — et la vérité de son ancrage à un socle qui le tient solidement amarré à son éternité. Une modernité formelle vole au secours d'un conservatisme fondamental qui permet à l'archaïsme de se proclamer postmoderne. Le manège tourne de plus en plus vite sur le même axe. Les images accélérées du même film défilent sur un écran élargi.

Remarquons ce glissement : longtemps s'opposèrent ceux qui prétendaient casser la structure sociale pour exorciser son invariance à ceux qui confondaient cette invariance avec l'immobilité des formes passagères de la structure. Révolutionnaires contre

conservateurs ! Aujourd'hui, on assiste à un étonnant renversement : d'un côté d'ex-casseurs de structure sont devenus des adeptes de l'enracinement aux invariances de base (écologisme, régionalisme, communautarisme, tribalisme ethnique, fondamentalisme
religieux) ; de l'autre, les ex-tenants de l'immobilité protectrice
organisent eux-mêmes du chambardement factice pour mieux arri-
mer la structure à son invariance. Dans les deux cas, il s'agit,
aujourd'hui comme hier, de retarder une inéluctable recomposition. Le réformisme reste, à l'échelle de notre planète, une idée
neuve.

Quelques exemples : le législateur, ici ou là, admet la régulation
des couples homosexuels ; on distribue des préservatifs dans les
lycées ; la nudité s'est débarrassée de ses dernières feuilles de
vigne ; la télévision diffuse nuitamment des films pornographiques ; l'inceste est un sujet que l'on peut enfin aborder dans les
magazines.

C'est suffisant, semble-t-il, pour que l'on parle de « révolution
des mœurs ». On ne sache pas, cependant, que cette libération
spectaculaire se soit doublée d'une émancipation réelle. Que vivre
sa différence homosexuelle, dans une société refermée sur ses
tabous désormais intériorisés, soit moins difficile ; que les adolescents soient moins profondément brisés par leur premier chagrin
d'amour ; que le commerce de la prostitution ait connu un évident
marasme ; qu'il y ait moins de viols et moins d'incestes.

Au demeurant, il suffit de se régaler des fresques de Pompéi ou
de visiter certains vénérables temples hindous pour constater qu'il
s'agit en quelque sorte d'un retour aux sources. Mais, surtout,
cette explosion libératrice se déroule dans un environnement
politico-social qui se caractérise par un élargissement de l'esclavagisme, une exacerbation du tribalisme, un renforcement du féodalisme, le déferlement d'un archéo-capitalisme purement financier,
la rémanence de toutes les formes d'irrationalité.

Ce qu'on appelle « révolution des mœurs » reflète quoi, en
définitive ? Une rehiérarchisation des équilibres qui régissent
l'ordre des instincts, des émotions et de la contrainte sociale, ce
qui implique un *déplacement*, parfois une neutralisation des mécanismes inhibiteurs. Cela ne change rien à la « réalité » sociale,
mais structure différemment la manière dont le cerveau en intègre
les composantes.

La révolution des sexes n'a pas eu lieu

Le féminisme, en tant qu'il fut ce qu'on appelle un « phénomène de civilisation », autrement dit, en fait, un épiphénomène, a-t-il contribué à un renversement de pouvoir, à un rééquilibrage social en profondeur au profit du sexe majoritaire ? Dresser aujourd'hui la liste des trente personnes qui, par leur puissance, leur autorité, leurs fonctions, pèsent de plus en plus sur le destin de la France (et aussi du monde, d'ailleurs) est éloquent. A l'exception peut-être de madame Simone Veil, ministre des Affaires sociales et de la Ville à l'heure où ce livre est écrit, on n'y trouve aucune femme. Mais on pourrait dérouler un catalogue bien plus impressionnant encore du pouvoir masculin réel. Prenons les plus grandes banques, les plus grandes sociétés d'assurances, les plus grands organismes publics, les plus grandes sociétés nationales, les plus grandes entreprises privées — Renault, Citroën, Alcatel, Alsthom, le Crédit lyonnais, la Société générale, la Banque de France, Paribas, la SNCF, la RATP, Air France, Thomson, Elf-Aquitaine, Havas, Péchiney, Rhône-Poulenc, LVMH, les AGF, AXA, l'Oréal, BSN, le Crédit agricole, la Caisse d'épargne, les centres Leclerc, le groupe Accor, Casino, Mammouth, la FNAC, la Caisse des dépôts, Dior, Saint Laurent, le groupe Hachette, l'Opéra, la Comédie-Française, les Éditions mondiales, la CEP, la CLT, le groupe Hersant, les Presses de la Cité, Gallimard, le Seuil, l'ENA, Polytechnique, l'ESSEC, la direction de la police, de la gendarmerie, la Défense, l'Intérieur, le Quai d'Orsay, la Commission de Bruxelles, le Conseil constitutionnel, le Conseil d'État, la Cour des comptes, la Commission des opérations de Bourse, les présidences de l'Assemblée nationale, du Sénat, des conseils régionaux, la direction du RPR, de l'UDF, du PR, des centristes, des Partis socialiste et communiste : à la tête de combien de ces organismes ou lieux de pouvoir trouve-t-on une femme ? D'aucun !

Quelle femme joue aujourd'hui, dans le monde clos de l'intelligentsia dominante, un rôle politico-social aussi essentiel, aussi déterminant que celui que jouèrent au XIXᵉ siècle Marie d'Agoult, Madame de Staël ou George Sand ? Quelle femme exerce sur la vie littéraire de notre époque une influence aussi considérable que celle desdites « précieuses » du XVIIᵉ siècle dont les salons donnaient plus efficacement le ton que toutes les académies ultra-masculines du monde moderne ?

La cause des femmes a-t-elle réellement triomphé lorsque, la promotion du corps primant celle du talent, l'enfant-nymphe, Minerve épanouie, règnent sans partage les top models là où s'imposaient Sarah Bernhardt et Simone Weil (l'autre), Louise de Vilmorin et Simone de Beauvoir, où triomphe Vanessa Paradis en lieu et place d'Édith Piaf ou de Fréhel, tandis que les magazines les plus respectables accordent à Lady Diana la place qu'ils eussent en d'autres temps réservée à Marie Curie ?

Certes, quelques femmes d'exception ont récemment dirigé ou dirigent, et avec quelle fermeté, des nations secouées par la tempête. On remarquera cependant que cette accession aux plus hautes responsabilités est toujours unique : il n'y avait pas d'autres femmes susceptibles de prendre la succession de Golda Meir, d'Indira Gandhi, de Benazir Bhutto, de Margaret Thatcher, alors que des dizaines d'hommes se bousculaient au portillon. Pour ne rien dire du lynchage machiste dont fut victime chez nous, il n'y a pas si longtemps, Édith Cresson...

En outre, presque toutes les personnalités féminines qui, à un moment donné, incarnèrent l'État étaient « veuves de » ou « filles de » (ce fut le cas en Inde, à Ceylan, au Pakistan, au Nicaragua, aux Philippines). Ce qui résonne comme une preuve *a contrario* de ce qu'il fallait démontrer. Le cas de la Pologne en 1993 et de la Turquie en 1994 est plus intéressant, mais l'accession provisoire, dans ces deux pays, de femmes à la tête du gouvernement y a-t-elle modifié l'inégalité sociale entre les sexes ? A l'examen, quelques promotions individuelles spectaculaires ne nous disent absolument rien d'une réalité que parfois, au contraire, elles contribuent à voiler. Souvent même à occulter.

Sans même remonter à Sémiramis, à Cléopâtre ou à l'impératrice Zoé, des femmes parfois dotées d'un pouvoir quasi dictatorial se trouvèrent placées dans le passé à la tête des plus grandes puissances du monde : l'empire russe, l'empire d'Autriche, la Prusse, la Suède, sans que la nature — que l'on qualifierait aujourd'hui de sexisme — de la structure sociale invariante de ces pays s'en soit trouvée le moins du monde affectée. On ne sache pas, d'ailleurs, que la place des femmes dans la société chinoise ait été un tant soit peu rééquilibrée sous le règne de l'impératrice Tseu-Hi ou, dans la société russe, sous celui de la Grande Catherine.

Au demeurant, Blanche de Castille, Isabeau de Bavière, Catherine de Médicis (sans parler d'Éléonore d'Aquitaine pour d'autres raisons ou de la Grande Mademoiselle de façon ponctuelle), mais aussi madame de Maintenon ou la Pompadour eurent infiniment plus de vrais pouvoirs que n'en obtint jamais Édith Cresson ou qu'oserait en revendiquer Simone Veil. Non seulement la démocratie, tant que les femmes furent exclues du suffrage, joua en faveur du renforcement du contrôle masculin sur les sphères du politique, de l'économique et du social, mais l'obtention du droit de vote par cette fraction jusqu'alors passive de la citoyenneté ne détermina jamais l'émergence d'un contre-pouvoir féminin.

Alors que, sous le couvert d'une influence occulte, madame Roland faisait et défaisait les ministères sous la Révolution, que Joséphine de Beauharnais contribua au rétablissement de l'esclavage, que la duchesse de Berry s'essaya à soulever la Vendée contre Louis-Philippe, tandis que la duchesse d'Orléans fédérait le camp libéral, alors que George Sand manipulait Ledru-Rollin, qu'Eugénie de Montijo décidait de la paix et de la guerre, que la marquise d'Uzès finançait le général Boulanger, que Louise Michel enflammait la Commune, que madame de Portes faisait entrer le maréchal Pétain au cabinet de Paul Reynaud, on ne sache pas qu'une seule femme en France, à l'exception peut-être de Jeannette Vermeersch au Parti communiste (mais elle était « épouse de »), ait été en mesure d'assumer un rôle à ce point essentiel, du moins entre 1945 et 1960.

Le drame algérien, du côté français, fut exclusivement une affaire d'hommes, l'autre sexe étant immanquablement affecté à l'humanitarisme social. On ajoutera qu'aucun pays communiste (Ana Pauker en Roumanie ne faisant pas long feu) n'accorda à la moindre femme une importance comparable à celle qu'exercèrent pendant la période révolutionnaire Rosa Luxemburg, Clara Zetkin ou Alexandra Kollontaï.

Il ne s'agit pas de nier que les femmes aient, en quelque sorte, reconquis la société de l'intérieur, arraché à la base ce qui leur était refusé au sommet, comme en témoigne leur irrésistible et prometteur investissement de l'Éducation nationale, par exemple ; mais de cerner en quoi cette subversion n'a pas modifié structurellement les rapports de pouvoir. Pourquoi est-ce que rien n'a changé alors que tout a changé ?

En ce qui concerne la France, trois événements ont joué un rôle essentiel : la guerre de 1914-18, qui a conduit des millions de femmes à prendre la place des hommes à l'usine, au bureau et aux champs et à remplacer ensuite ceux qui ne revinrent pas. Puis celle de 1940-45 qui, précipita tous les sexes dans un drame universel et, dès lors que le fascisme et le racisme avaient été vaincus, ne permettait plus que le suffrage fût limité d'après un critère de différenciation biologique. Enfin et peut-être surtout, l'apparition de la pilule, qui permit de transformer la maternité subie en maternité choisie.

La revendication féministe, étonnamment tardive en tant que phénomène de masse, ne fut donc cause de rien, mais conséquence inéluctable de l'accession des femmes à la citoyenneté acquise, de leur maîtrise de la fécondation et, ceci favorisant cela, de leur arrivée massive sur le marché du travail.

Ce bouleversement était considérable en effet. De même que l'ancêtre de l'homme quitta un jour sa forêt, la femme sortit de l'enfermement du foyer pour répudier d'un coup ce qui socialement la distinguait de l'homme et, sa nouvelle capacité à ne plus subir ses grossesses aidant, devint à la fois citoyenne active et productrice active, maîtresse de sa force de travail et de son suffrage, libre d'orienter dans un sens ou dans l'autre son action et son expression sociale, accédant ainsi aux deux manettes qui, en démocratie libérale, commandent l'économique et le politique.

Or la société s'est certes adaptée mentalement, mais n'a pas fondamentalement recomposé l'invariance de sa structure. Il y a même eu, ici et là, d'évidents reculs. Ou, pour le dire plus exactement cette double pression exercée par la nouvelle donne économique et la pensée critique légitimée par le suffrage universel a, certes, favorisé des mutations ponctuelles, mais a d'autant moins ébranlé la cohésion organique du système que, dans un premier temps, la productrice était plus exploitable que le producteur et le vote de la citoyenne plus conservateur que celui du citoyen. Alors non seulement la forteresse du pouvoir réel est restée inentamée, mais les structures hiérarchiques les plus traditionnelles se sont raffermies, tandis que s'élargissaient à l'inégalité des sexes les mécanismes de l'inégalité des classes. Ce que la double accession de la femme a entraîné dans un premier temps, ce fut une nouvelle dynamique de la logique capitaliste pure (la femme remplaçant dans le processus productif l'enfant envoyé à l'école), une recomposition à la marge d'un esclavagisme de substitution (ainsi ces véritables bagnes que furent les industries textiles) et une rigidification des hiérarchies féodales à tous les niveaux de l'entreprise (triomphe du chef de rayon !).

La structure sociale globale ne se recomposa pas, mais, tout au contraire, conforta ses composants invariants de base. Il en résulta que les femmes se trouvèrent dans la situation de la bourgeoisie au début du règne de Louis XVI. Mais, faute d'oser revendiquer « tout » — c'est-à-dire le pouvoir — alors que, si majoritaires qu'elles fussent, elles pesaient politiquement et économiquement pour « presque rien », elles ne surent pas, pour reprendre l'apostrophe de Sieyès, définir ce « quelque chose » qui ne pouvait être que leur part de ce pouvoir.

L'erreur des féministes (ou plus exactement des plus activistes d'entre elles), qui s'inscrivaient dans la tradition de ceux qui professent que l'histoire se fait par substitution de structures neuves aux vieilles structures décrépites, mais qui confondent en cela les structures invariantes avec la variabilité de leurs reflets, est d'avoir cru, comme les révolutionnaires de 1789, que la force d'une volonté pouvait tenir lieu de nécessité dès lors que le progrès était pensé comme le fruit d'une sorte de fatalité linéaire. Elles estimèrent d'autant plus facilement (au risque de provoquer des effets en retour) que le chamboulement autoproclamé et totalement justifié de l'acquis suffirait à venir à bout des pesanteurs de l'inné qu'elles refusaient de voir que cet inné-là était justement l'un des ciments de l'invariance sociale. Or on n'échappe pas à cette évidence que la différenciation des sexes, indépendamment de son détournement à des fins inégalitaires et oppressives, est d'abord une donnée biologique. Feindre de refuser ces prémisses revient, par exemple, à nier toute spécificité raciale pour mieux annihiler le racisme, un peu comme si l'émancipation des postiers passait par leur transformation en « préposés », et celle de la femme de ménage par sa métamorphose en « aide ménagère » !

Ce que nous retrouvons là, c'est cette tendance à croire que l'on piège la structure en repeignant la fonction et que l'on exorcise l'invariance en la déclinant à l'envers. Alors, de même qu'on transfigure les choses par le verbe, on écrase le biologique sous la pression répétitive d'un culturel de circonstance.

Car ce dont il s'agit par extension, c'est bien de refouler l'inné en modifiant les formes de l'acquis. Illusion ! Le féminisme, par son existence même, parfois sa virulence (la femme s'affirmant face à l'homme), apporte justement la preuve que cet inné ne saurait se dissoudre dans l'acquis. On ne reviendra pas ici sur un débat dépassé. Affirmer que l'accession non seulement à l'égalité réelle, mais encore à la coresponsabilité générale réelle (y compris par exemple dans l'armée si l'on considère cette institution comme utile), passe par la prise en compte de la différence, c'est-à-dire par l'élargissement des possibilités concrètes d'expression de cette différence, revient tout simplement à admettre que le biologique ne saurait rester extérieur au social.

On peut certes, théoriquement, libérer par décret la femme de la maternité, proclamer que le bébé est à double charge (pourquoi ne pas le confier à des associations de pères célibataires ?), exclure de tous les textes de loi ce qui s'apparente de près ou de loin à un différentialisme, imposer une juridiction sociale unique purgée de tout particularisme en faveur de la femme, réformer la grammaire pour obtenir que, désormais, le féminin ne se décline plus qu'au masculin, interdire toute ségrégation vestimentaire fondée sur le sexe, fusionner hommes et femmes dans toutes les équipes sportives, y compris, bien sûr, aux Jeux olympiques et autres championnats du monde, décider que 50 % des effectifs des commandos de choc de fusiliers seront de sexe féminin... Mais cela reviendrait à réhabiliter, à tous les niveaux, des formes d'oppression que l'on croyait révolues, dans la mesure où toute unification artificielle ou culturelle d'une différence réelle ou naturelle revient mécaniquement à réintégrer en son sein une inégalité de fait. On peut sans doute proclamer que, sur un marché libre, il n'y a aucune différence, en France, entre un Noir africain et un Blanc autochtone, tous frères en une même humanité, mais il en résultera surtout, concrètement, que le Noir sera au mieux payé au SMIC et relégué dans un ghetto le plus éloigné possible de son lieu de travail. Quant à la femme « libérée » de la maternité et unifiée socialement, donc biologiquement, elle se retrouvera promotion et salaire bloqués pour cause d'absentéisme inexpliqué ou d'arrêts-maladie répétés. Reproduction du processus économique qui fait, par exemple, que toute conception abstraitement libérale de la liberté de la presse débouche sur l'asphyxie des différences par hypertrophie monopolistique des plus riches et des plus puissants ! En quoi, d'ailleurs, serait-ce un progrès que de transformer les championnes féminines des Jeux olympiques en simples figurantes de compétitions mixtes ? Ou de livrer les jeunes filles au sadisme d'adjudants-chefs qui les confronteraient, avec délices, à la preuve de leur infériorité dans l'exercice particulièrement débile du parcours du combattant ?

On n'abolit pas le biologique : ni telle ou telle particularité physiologique inhérente au sexe, ni les prédispositions génétiques liées aux fonctions comportementales qu'implique l'acte fondamental et fondateur qu'est l'acte sexuel.

Nier toute prégnance biologique au nom d'une hypertrophie artificiellement entretenue du culturel revient à conforter, comme nous venons de le montrer, l'ordre social, y compris ses composantes les plus répressivement machistes ou sexistes. Au contraire, toute recomposition progressiste ou novatrice destinée à subvertir l'invariance sans la ruiner nécessite que le ciment biologique du conservatisme structurel — la différence objective et effective entre homme et femme, en somme — devienne le ciment de cette incontournable recomposition. Ce n'est pas céder à la dictature des gènes, mais en optimiser librement la programmation que de s'accoupler à bon escient pour tenter de produire une descendance heureuse. Or on ne cède pas plus à la dictature du biologique en inscrivant l'objectif de l'émancipation réelle de la femme (de l'homme aussi, finalement) dans un projet d'optimisation sociale de ses spécificités, non pour l'y enfermer, mais pour lui permettre d'élargir, par cette socialisation assumée du biologique, toutes ses possibilités culturelles et individuelles de s'en libérer. A la condition bien sûr de laisser tous les choix ouverts.

En quoi la libéralisation de l'avortement ne fut pas une révolution

On a également parlé de « révolution » à propos de la libéralisation de l'avortement. Une fois de plus, c'était confondre la conséquence et la cause. Une réforme législative ne suscite un processus adaptatif « révolutionnaire » que si elle met, en quelque sorte, la structure sociale en demeure de se recomposer pour sauver son invariance. Ce fut le cas, répétons-le, de la vaste expropriation et redistribution de propriétés décidée par l'Assemblée constituante de 1789. Ce serait le cas d'une refonte, dans un sens plus progressif et marginalement confiscatoire, de l'impôt sur les successions. La législation libéralisant l'avortement était d'une tout autre nature :

elle ne provoquait pas, mais entérinait une recomposition structurelle déjà largement stabilisée. Elle ne détruisait pas, mais confortait au contraire une cohésion sociale qui, en la matière, s'était autorégulée.

C'est bien pourquoi un certain conservatisme libéral intelligent et bien-pensant peut aujourd'hui assumer, sans complexe, ces réformes dites « de société » (au demeurant indispensables et inévitables) qui consistent à régulariser après coup des recompositions partielles spontanées grâce à quoi la société, que l'on peut dans ce cas précis qualifier de « bourgeoise », a moins sauvé à proprement parler son invariance qu'elle ne l'a consolidée. On appelle généralement et souvent injustement « gauche caviar » cette fraction de la bourgeoisie moderne qui s'investit prioritairement dans ce semblant de révolution dite « révolution des mœurs » pour retarder l'échéance de réformes aux conséquences plus imprévisibles pour elle.

Ainsi la libéralisation de l'avortement par le législateur n'a eu évidemment aucun des effets que les adversaires réactionnaires de la loi brandissaient comme un épouvantail. La raison en est que cette légalisation ne faisait qu'accompagner, avec beaucoup de retard, une recomposition structurelle partielle provoquée : 1) par une donnée économique objective (en particulier l'extension de la petite propriété et l'abolition du droit d'aînesse qui incitèrent à éviter un partage excessif des biens) ; 2) par une mutation technologique (les progrès de la médecine contribuèrent à limiter considérablement la mortalité infantile) ; 3) par la pression d'une pensée morale critique (qui contribua à diaboliser l'infanticide et à criminaliser l'abandon) ; 4) par une cassure politique (la séparation de l'Église et de l'État).

On perçoit fort bien, en analysant ce processus, comment et pourquoi ce sont les évolutions de structures qui déterminent les apparentes « révolutions de mœurs », alors que l'inverse est tout à fait illusoire. En fait, voici ce qui s'est passé : 1) la stabilisation sociale entreprise sous l'égide de l'Église impliquait que l'on renonçât définitivement à toute régulation démographique par étouffement des nouveau-nés (particulièrement des filles), abandon ou recours à des méthodes abortives sauvages (les femmes demandant à des voisines de leur sauter, par exemple, sur le ventre), souvent fatales à la vie des mères ; 2) le recul de la sélection implacable par mortalité infantile fit que les enfants que l'on concevait et qui naissaient correspondaient de plus en plus à ceux qu'il fallait élever ; 3) parallèlement, et *a contrario*, le rôle croissant de l'enfant dans la société, bientôt les impératifs de son éducation, devenue obligatoire, sa mise au travail précoce interdite nécessitaient qu'on leur consacrât plus d'attention et d'efforts ; c'est ainsi que la charge qu'ils représentaient devint extrêmement lourde, comparée au « rapport » que l'on en attendait ; 4) l'accès à la propriété et à un confort minimum posa peu à peu le problème non plus du nombre de bras disponibles, mais du nombre de bouches à nourrir. Ces contradictions, *a priori* ingérables, devaient être résolues par la société. La nouvelle législation, après celle qui favorisait la contraception, ne fit que stabiliser un acquis en « couvrant » une auto-adaptation biologique. Sans cette autorégulation qui avait largement anticipé la loi, on aurait assisté soit à une explosion démographique qui eût entraîné une explosion sociale, soit à une anathémisation de l'amour qui eût précipité cette même explosion. L'IVG, la contraception et toute autre forme moderne de contrôle des naissances, furent donc sélectionnées (au sens darwinien) par la société développée moderne bien avant que d'être sanctionnées par la loi. La structure sociale des peuples riches sacrifiait spontanément certaines de ses variables religieuses au sauvetage de son invariance, ce que, bizarrement, les réactionnaires refusèrent toujours d'admettre.

Si la libéralisation de l'avortement n'eut aucune conséquence structurelle, c'est qu'elle ne faisait que consacrer, que prendre acte de cette recomposition spontanée, en mettant la législation au service d'une autorégulation dont les mécanismes remontent au fond des temps et en permettant ainsi d'éviter les drames et tensions qui résultaient d'un insupportable décalage entre le fonctionnement de la société réelle et les contraintes imposées par la société légale. Tout cela n'empêchera jamais — parce que nous avons affaire à une invariance biologique et qu'aucune révolution des mœurs n'y pourra jamais rien — que l'avortement restera une manière de crime aux yeux d'une fraction de l'opinion.

Derrière ce débat dit « de société », notons-le en passant, se profile en effet un antagonisme philosophique radical : les adversaires de l'avortement (du moins ceux qui ne cherchent pas tout simplement à faire de la fertilité de la femme l'alibi de son enfermement) sont des créationnistes ou des vitalistes pour qui chaque fœtus est un œuf de Dieu, dont Il reproduit l'image, ou tout au moins le bourgeon d'une transcendance finalisée, alors que les libéraux n'y voient que l'expression d'un mécanisme physico-chimique démultiplié à l'infini dont le merveilleux réside dans la finalité générale et non dans tel ou tel moment d'un processus toujours recommencé.

Ce que j'ai voulu montrer par cet exemple, c'est que ce qu'on appelle précisément la « révolution des mœurs » peut être déterminé (mais pas mécaniquement) par une recomposition de l'invariance sociale, mais qu'elle ne la provoque pas.

Une crise économique, un remodelage social, une épidémie virale comme le sida, un nouveau rapport de forces au sein du milieu, une décision autoritaire attentatoire à l'organisation du système, comme la fermeture des maisons closes, peuvent favoriser des mutations de cette structure invariante qu'est la prostitution. Mais pas, en soi, une libéralisation des mœurs. Pas non plus l'instauration d'un ordre moral. Pourquoi ? Parce que, nous l'avons dit, seule l'autorecomposition d'une structure organique, sous l'influence du milieu, peut agir sur l'inné biologique. C'est vrai à la fois, et de manière interactive, de l'organisation cérébrale et de l'organisation sociale. Une révolution des mœurs est neutre tant qu'elle n'est pas relayée par une recomposition de la structure sociale invariante qu'elle ne détermine aucunement.

Quand la « révolution des mœurs » vient relayer une recomposition régressive

Ce n'est donc pas en soi la révolution des mœurs, mais les nouvelles données objectives, sociales, économiques et scientifiques (comme celles qui ont favorisé la contraception) qui ont permis et permettront d'ébranler l'invariance de la structure sexiste ou machiste.

Révolution des mœurs ? Le concept même est ambigu. Outre que l'on assiste à une réintégration perverse de l'esclavagisme à travers les formes élargies et internationalisées de la prostitution moderne, la prolifération de journaux tendant à projeter la femme contre son miroir, à la prendre au piège d'une complémentarité identitaire (être pour l'autre) et d'une identification tribale (être l'autre), l'explosion, désormais relayée par la télévision, d'une sous-cinématographie pornographique qui la réifie et parfois l'animalise, sa mercantilisation par minitel, l'utilisation systématisée de son corps pour sexualiser le message publicitaire, sa manipulation par tous les fabricants de crèmes de perlimpinpin peuvent être analysées comme autant de signes d'une reconstitution régressive de la structure mentale invariante à l'abri d'une structure sociale invariée. Et encore faisons-nous l'impasse sur ce qui se passe dans de très nombreux pays émancipés du colonialisme ou du communisme.

N'observe-t-on pas, dans nos pays industriels, un partage du travail qui consiste, dans le sillage de l'informatisation, à placer l'homme en aval et en amont du processus —comme programmateur et utilisateur — tandis que la femme est confinée, devant les écrans, au tapotement des claviers ?

Certes, des esquisses de mutations apparaissent. Mais, à y regarder de près, ce ne sont sans doute pas la libéralisation de l'avortement (qui, malgré tout, renvoie dramatiquement la femme à sa différence biologique), ni le discours féministe en soi (si catalyseur d'une réappropriation de soi qu'il ait été) qui ont le plus fortement agi sur l'évolution des mentalités ; mais, outre les recompositions structurelles que nous avons déjà évoquées (arrivée massive sur le marché du travail, droit de vote, égalisation de l'accès à l'enseignement supérieur), un faisceau de données objectives — économiques, scientifiques et technologiques — qui ont permis : 1) un contrôle *a priori* de la conception, donc la réintégration de la maternité dans le champ des actes volontaires ; 2) la libération du corps (disparition du corset, par exemple) et la fin de la ségrégation par l'habillement (importance considérable de la révolution du jean) ; 3) l'intégration du travail par le désenclavement de la plupart de ses composantes ; 4) la technicisation des fonctions d'assistance et la féminisation de nombreuses professions qui participent d'un rééquilibrage des rapports hiérarchiques (ainsi dans la magistrature, l'enseignement, la médecine, le journalisme, etc.).

Ce ne sont donc pas les mœurs, ni même les mentalités, entités abstraites et autonomes, qui ont constitué le moteur de cette évolution, mais, au contraire, une nouvelle donne objective caractérisée par la transformation du milieu sous la pression des mutations économiques et du progrès scientifique qui a déterminé ce processus d'évolution des mœurs et des mentalités. Les mœurs ne sont que des épiphénomènes. A travers eux, la société dit toujours autre chose que ce qu'elle feint de dire.

Nous pourrions même aller plus loin et montrer que, contrairement aux apparences, non seulement les mœurs ne sont jamais l'élément dynamisant d'une recomposition structurelle « progressiste », mais qu'à l'inverse, dans certains cas, elles servent d'alibi au refus de cette recomposition et, en d'autres, participent de recompositions régressives partielles. C'est ainsi que les techniques modernes de contraception ont libéré la femme d'une dictature biologique qui enchaînait la sexualité comme désir à la reproduction comme nécessité, et faisait de l'enfantement la rançon (voire la punition) d'un plaisir assouvi davantage que le fruit d'une volonté. L'apparition des contraceptifs, dont l'utilisation s'imposait naturellement à partir du moment où l'économie les transformait en marchandises fonctionnalisées (les lois Neuwirth ne firent qu'en prendre acte), eut donc deux conséquences considérables : d'une part, la conquête par la femme de la maîtrise de sa maternité (et par l'homme, d'ailleurs, de sa paternité), c'est-à-dire l'accession possible à l'enfantement choisi, au moment choisi, avec le partenaire choisi ; d'autre part, la liberté nouvelle d'ouvrir son corps au désir et de l'offrir au plaisir sans la sanction de la grossesse.

D'un côté, donc, une réappropriation de soi qui permettait de construire, en vertu d'une décision volontaire active, à la fois une famille et une vie professionnelle. Mais, de l'autre, une autonomisation de l'acte sexuel susceptible aussi bien d'élargir l'espace d'émancipation au sein duquel l'amour physique redevient la forme suprême réalisée de l'amour-sentiment que de renvoyer cet amour physique dans le champ de moins en moins clos que quadrille et laboure le mercantilisme capitaliste.

Or, bien évidemment, on a assisté aux deux phénomènes. On observe que la femme, qui était asservie à son corps, se trouve prise dans un processus qui, pour le meilleur, lui restitue enfin presque tous ses droits en tant que personne, mais tend en même temps à la déposséder de son propre corps, transformé en marchandise. Libération de son être et esclavagisation de son image. Ainsi ce même mouvement qui, potentiellement, libère les femmes (ou des femmes) aliène objectivement la femme (et souvent aussi des femmes). Si l'on osait cette comparaison, on remarquerait que cette évolution contradictoire n'est pas sans rappeler celle qui, dans le sillage de la décolonisation, s'est traduite par la libération effective de tant de peuples particuliers à travers les formes nouvelles qu'a prises l'aliénation des ex-peuples colonisés en général.

Surtout, on n'a pas assisté, malgré les apparences, à la remise en cause fondamentale de la hiérarchisation inter-sexes, mais bien plutôt au relèvement général des niveaux de structuration. Certes, il y a de plus en plus de femmes magistrats, avocats, médecins, professeurs, cadres d'entreprises. Mais une femme seulement parmi les neuf membres du Conseil supérieur de la Magistrature ; une sous-représentation caricaturale des femmes au Conseil de l'ordre des avocats ou des médecins, dans les organismes représentatifs de l'Éducation nationale et de la Santé publique ; une quasi-absence dans les directions des organisations patronales ou de la Confédération des cadres ; une marginalisation frappante qui exclut pratiquement la femme de toute fonction d'autorité au sein du monde agricole ou commerçant, où son rôle est cependant devenu absolument essentiel. De plus en plus de femmes universitaires, certes, mais combien à l'Institut, aux Hautes Études, au Collège de France ? Combien de femmes ont pris la direction effective de l'un des clans qui quadrillent le champ clos qu'irrigue et ensemence la haute intelligentsia ? Combien dirigent l'une de ces revues (*Le Débat, Esprit, L'Enjeu*, etc.) qui organisent cet encadrement ? Il y a de plus en plus de femmes journalistes, et elles comptent souvent parmi les plus beaux talents de cette profession : or combien d'entre elles sont en situation de fixer la ligne politique de leur journal ? Ni au *Monde*, ni au *Figaro*, ni à *Libération*, ni au *Nouvel Observateur*, ni à *France-Soir*, ni à *Sud-Ouest* ou à *Ouest-France*, ni à *L'Événement du jeudi* cette fonction ne leur est dévolue. Par rapport au rôle que jouèrent Geneviève Tabouy avant-guerre ou Françoise Giroud avant les années soixante, il y a même régression sur ce plan. Il est particulièrement significatif que le journalisme soit à ce point et tout à la fois de plus en plus un univers de femmes et toujours autant un monde d'hommes.

Faut-il résumer ? Il n'existe aujourd'hui en France aucun organisme central où le sexe majoritaire soit majoritaire. Même pas lourdement minoritaire. 94 % des élus à l'Assemblée nationale sont des hommes. Et c'est pire encore au Sénat. Toute la vie politique au sommet tourne autour de six ou sept hommes ! Et il est fort symptomatique que l'on ne rencontre de femme dirigeante que dans les partis « marginaux » ou écologistes ! D'ailleurs, que certains évoquent la nécessité d'imposer des quotas démontre éloquemment que le rééquilibrage ne saurait se faire naturellement.

Il résulte de ces constatations que la structure invariante, si elle s'est construite à l'origine à partir des fonctions, s'organise désormais autour des lieux d'autorité. Toute recomposition superficielle laisse donc inentamé le bloc réel du pouvoir. On pourrait parler d'un véritable ébranlement de la hiérarchisation inter-sexes si une majorité de femmes siégeait non seulement dans les organismes dirigeants du FMI, de la Banque mondiale, de la Chase Manhattan, à la Commission de Bruxelles ou au Conseil de sécurité de l'ONU, mais aussi dans l'une au moins des instances qui fixent l'orthodoxie des grandes religions, ou encore à l'état-major de l'OTAN ; si, quelque part, une majorité de femmes pouvait décider du choix de la paix ou de la guerre.

L'homme comme maître des armes

Éclairons ce dernier point. Contrairement à ce qui se passe chez de très nombreux animaux dits « sauvage », la socialisation spécifique de l'espèce humaine (pour des raisons liées aux conditions particulières et difficiles de l'enfantement) a réservé au mâle la fonction de chasser, tandis que la femme était dévolue à la cueillette. (Cela se perpétue aujourd'hui, fût-ce sous forme de rites.) Une telle division du travail rendant l'homme maître des armes, cette spécialisation s'étendit à la défense du « nid familial », tâche dont s'acquittent fort bien, chez l'animal, certaines femelles qui disposent des mêmes moyens de défense que les mâles (crocs et griffes).

Notons bien ce facteur : l'homme étant dépourvu de moyens de défense naturels, c'est le mâle qui s'est approprié le contrôle des armes qu'il s'est mis à confectionner à partir de la chasse. Par extension, il s'est ensuite réservé, non seulement la guerre, mais également ses prolongements et ses mécanismes annexes (défense, conquête, expédition, surveillance, garde, contrôle, maintenance de l'ordre, répression, commandement, gouvernement, fonction consulaire), c'est-à-dire le monopole de l'autorité.

A-t-on jamais vu une femme être en situation de planter un drapeau sur une parcelle de terre et de proclamer : « Ceci est à moi » ? On lui offre, éventuellement, mais elle ne prend pas. Aussi bien, à l'exemple de Cléopâtre, les grandes « pharaones », Elizabeth d'Angleterre comme Catherine de Russie — contrairement à ces pharaons que furent Napoléon ou Alexandre, qui prenaient eux-mêmes la tête de leurs troupes —, laissèrent les mâles galonnés conduire leurs armées. Même Jeanne d'Arc « inspirait » l'armée de Charles VII mais ne la commandait pas officiellement. Or on ne voit pas pourquoi la femme eût été moins apte à la pensée stratégique que les généraux obèses et gâteux dont, en particulier, l'Ancien Régime avait le secret. La question qui se pose est alors celle-ci : la moindre force ou résistance physique de la femme, qui justifie *a posteriori* la distribution des rôles est-elle une cause ou une conséquence, une réalité ou une adaptation sociale ? Un inné ou un acquis ?

Le monde animal, dont nous sortons, n'offre-t-il pas maints exemples d'une égale ou meilleure adaptabilité de la femelle aux arts martiaux ? N'est-ce pas la lionne qui chasse et tue tandis que le lion flemmarde en prenant des poses ? La louve est-elle moins efficace que le loup au sein de la meute en campagne ? N'est-ce pas la reine des abeilles qui domine militairement ces grands dadais de faux bourdons ? La jument galope-t-elle moins vite que l'étalon ? Je ne m'aventurerai pas plus avant. Je me contenterai de supposer qu'un inné biologique — la différenciation phénotypique déterminée par le sexe (qui existe également chez beaucoup d'espèces animales, poules, paons, lions, cerfs, de manière encore plus spectaculaire), renforcée par les conditions du processus d'hominisation (durée de la conception, difficulté de l'accouchement, fragilité du nouveau-né, temps d'apprentissage) — a déterminé, à partir du monopole de la chasse qui en découlait, une structure invariante à laquelle la femme s'est physiquement adaptée (le relais des normes religieuses aidant) en reproduisant une moindre aptitude à la force et à l'endurance physiques. Ce qui entraîna chez elle un moindre intérêt pour tout ce qui participait directement ou indirectement du militaire, ceci agissant par effet en retour sur cela. Ce processus serait d'ailleurs antérieur à l'hominisation. Nous serions donc ici en présence de l'exemple même de ce que j'appellerai un « inné de composition » (ou un « inné social ») qui se situe à égale distance de l'inné biologique et de l'acquis. Mais ce n'est là qu'une fragile hypothèse.

Le même raisonnement peut s'appliquer de manière plus évidente (car leur ancrage social est plus repérable) aux « qualités féminines spécifiques » qui, à partir du modèle de la maternité, décrivent à l'envers le processus précédent.

Au demeurant, cette supposition ne change rien à la constatation initiale : l'homme mâle a peu à peu calqué son système de domination, que l'on qualifierait aujourd'hui de sexiste, sur le système de la guerre. On a vu des femmes exercer un pouvoir politique considérable en vertu du principe d'hérédité ; puis, plus tardivement, des femmes accéder au pouvoir politique en vertu du principe démocratique. Mais a-t-on jamais vu une femme prendre le pouvoir ? S'en emparer par la force ? Non ! La raison en est que la prise de pouvoir est intimement liée au système militaire. J'en conclus que l'émancipation complète de la femme passe nécessairement par le dépérissement ou la relativisation des fonctions d'autorité que rendra possible le dépassement de tout ce qui dérive de la fonction militaire (y compris le maintien de l'ordre). Et aussi par une recomposition radicale de la sphère dévolue au religieux. Cette évolution dépendra par conséquent du développement de la démocratie formelle, mais plus encore de celui de la démocratie réelle à tous les niveaux de la vie sociale.

Considérer cette échéance comme proche ou lointaine, cette finalité comme probable ou illusoire, revient à juger de l'ampleur socialement admissible d'une recomposition d'invariance. J'ajoute que dans la mesure où ce dépassement de la fonction guerrière passe évidemment par une rehiérarchisation du principe de virilité (ou par son inhibition sociale), le cycle se clôt de lui-même. A cet égard, on observera que les pays qui ont franchi le plus de chemin en direction de l'égalité effective des sexes, incluant la prise en compte de leur différence, sont ceux qui ont poussé le plus loin, outre la démocratie politique, la démocratie économique et sociale (la Suède ou le Danemark, par exemple) et où, par voie de conséquence, la fonction militaire a le plus périclité. A l'inverse, on sait à quel point, dans les pays communistes, l'émancipation de la femme ne fut qu'un thème de propagande. On constate aussi que les pays où les femmes sont le plus évidemment opprimées sont à la fois ceux où la religion joue le plus grand rôle et ceux qui entretiennent l'appareil militaire le plus conséquent. On pourrait exprimer la même idée autrement : le progrès, en ce domaine, passe peut-être autant par une féminisation mentale de la spécificité masculine que par une virilisation sociale de la spécificité féminine : ouvrir, certes, aux femmes les professions colonisées par les mâles (commissaires de police, contremaîtres, chefs de chantier, cheminots, capitaines de navire, officiers supérieurs, etc.), mais aussi orienter vers l'assistance sociale ceux qui, en d'autres temps, eussent été adjudants-chefs de carrière ou CRS.

Reste que les données de base qui structurent les rapports hommes femmes sont d'autant plus invariantes qu'outre leurs causes biologiques elles sont à l'origine du processus d'hominisation lui-même. Dès lors, se contenter de contester théoriquement cette invariance dans sa globalité ou de la mettre entre parenthèses, reproduire de la sorte sous forme de simulacre allégorique la méthode des bolcheviks occultant par un coup de force volontariste l'invariance capitaliste (ou du marché), tenter de la renverser frontalement par l'imprécation, quitte à plaquer la lutte des sexes sur la lutte des classes, ne peut que déboucher sur un divorce d'avec la société elle-même et donc provoquer des chocs défensifs en retour. Et cela dans la mesure, justement, où une telle stratégie équivaut à agir en dehors de la structure qui, attaquée de l'extérieur, se replie sur son invariance.

C'est donc à une radicale recomposition interne de la structure invariante, par redistribution des pouvoirs effectifs, qu'il faut travailler : le réformisme réel, plutôt que la révolution fantasmée. Mieux vaut, peu à peu, tout changer à l'intérieur de ce qui ne change pas, plutôt que, fasciné par sa propre exécration de ce qui ne change pas, ne rien changer du tout.

Nous avons montré qu'une révolution des mœurs qui n'est pas objectivement déterminée est neutre dans la mesure où elle ne provoque pratiquement aucune recomposition des structures invariantes. Cette remarque n'est pas sans conséquences, surtout dans le domaine culturel. C'est ce que nous allons examiner au chapitre suivant.

CHAPITRE XVI

Y a-t-il un chant
hors de la structure du chant ?

Du principe révolutionnaire appliqué
à la musique et à la poésie

Le processus évolutif que nous avons mis en relief tout au long de cet ouvrage s'applique-t-il au phénomène culturel ?

La question que nous entendons poser d'emblée, en référence à ce qui a été développé plus haut, est en fait celle-ci : jusqu'à quel point les mœurs qui, hier, eussent été ceux d'une fraction dite émancipée de la population, et qui sont aujourd'hui amplement médiatisées, donc projetées sur l'ensemble du corps social, dans quelle mesure les sensibilités qui, pour être élitaires, n'en participent pas moins du goût décrété dominant peuvent-elles, sans effets pervers, se déconnecter d'une structure invariante que ni ces mœurs ni ces sensibilités n'ont contribué à recomposer ? Et, par extension, jusqu'à quel point la créativité culturelle, en grande partie dépendante de l'évolution des mœurs et des sensibilités au sommet, peut-elle sans risque s'autonomiser totalement de cette structure ?

Et si la rythmique poétique existait dans notre tête ?

Abordons d'abord le problème à travers l'exemple de la poésie. Aujourd'hui, il est de bon ton de considérer les règles formelles qui, pendant presque trois millénaires, ont régi ce genre littéraire comme les derniers vestiges d'une tendance oppressive à l'académisme. La société aurait en quelque sorte imposé des normes à l'expression poétique, au même titre qu'elle a conçu des signes distinctifs de hiérarchisation sociale ou un code de discipline militaire. S'en libérer représenterait donc en soi un progrès de civilisation.

J'ai la conviction qu'il s'agit là d'un contresens. Le processus d'élaboration d'une rythmique poétique spécifique a suivi le même cheminement que l'élaboration du langage. Sans doute a-t-il été parallèle. Peut-être même que la recherche des effets de sonorité pure a précédé la rationalisation du sens. De même que l'institutionnalisation des règles de grammaire, cette tendance à définir des systèmes communs à l'ensemble d'une communauté parlant la même langue, cet effort de musicalisation de la mélopée verbale se retrouve sous absolument toutes les latitudes, sous tous les climats, sous tous les régimes, y compris dans les sociétés qui n'ont jamais dépassé le stade tribal et où l'on peut penser que la pression des « académies » est fort limitée.

On voit bien que, chez Sophocle, la poétique a pour fonction de faire plus efficacement passer le message parmi la foule ; que *La Chanson de Roland*, mise en prose, a cessé d'être un acte « manifeste » pour devenir un simple divertissement. Dans les deux cas, les règles normatives, loin d'affaiblir la force de l'œuvre, la démultiplient et l'ouvrent à un public plus large, ce qui serait un comble s'il s'agissait d'une pure contrainte académique. (L'utilisation d'une poétique de cuisine pour rédiger les slogans publicitaires les plus performants participe au fond de la même démarche.)

Forme dérivée du chant, ayant longtemps fait corps avec lui, la poésie, qui soit épouse une musique, soit intègre sa propre musique, cheval et chevauchée tout à la fois, n'est donc pas seulement un mode sophistiqué d'expression, mais un moyen de communication culturelle particulièrement en phase avec la prédisposition naturelle à le recevoir. La métrique et la rime, les impératifs de tonalité ou l'alternance des longues et des brèves en constituent, selon les pays et les traditions, la structure mélodique. La tendance à faire chanter sa pensée à travers la phrase qui la berce, à investir une inspiration diffuse dans un cadre strict qui la révèle à elle-même, à utiliser les assonances et les redondances pour faciliter la réminiscence, à enchaîner harmonieusement une période de manière à provoquer l'évidence de sa chute, à flatter en soi-même l'inconscient déclamatoire, à ordonner le cliquetis des mots afin d'en musicaliser la mémoire, tout cela résulte d'une prédisposition spontanée à la traduction sonore d'une sensibilité qui se dérobe au dire ordinaire. Spontané au sens où la religiosité est spontanée, quand bien même la religion ne l'est pas.

L'expression poétique n'est pas à proprement parler une structure invariante, mais elle structure, selon des modes évolutifs très variables, une invariance. La plupart des dictons populaires lui empruntent sa technique. On la retrouve dans les explosions les moins socialement normalisables du parler cru. Les enfants ne manifestent-ils pas une prédisposition évidente à retenir les comptines rimées ? On peut même se demander si certains animaux, les oiseaux par exemple, n'ont pas auto-élaboré une forme d'art poétique minimal, lesquels brodent à l'infini à partir d'une structure de sonorité fixe, génétiquement déterminée.

A quoi se sont donc appliqués, au cours de notre histoire littéraire, et jusqu'à l'époque la plus récente, les tenants de la modernité poétique ? A décomposer et à recomposer la structure, sans jamais la nier. En France, Rutebeuf, François Villon, Ronsard et ses amis de la Pléiade, Malherbe, Victor Hugo, Rimbaud, Baudelaire, Mallarmé ou Valéry ont, entre autres, jalonné cet itinéraire. Il s'agissait tantôt de durcir les contraintes, tantôt d'en desserrer l'étreinte. Ici d'assouplir la métrique, là de la sophistiquer davantage, de rigidifier la rime ou de la laisser vivre sans souci de terminaisons masculines ou féminines, d'affirmer ou d'occulter la césure, de réduire ou d'allonger le vers en adaptant en quelque sorte sa respiration à son environnement musical, de fondre la strophe ou de la complexiser.

Il en résulta qu'aucune innovation, se présentât-elle comme une rupture radicale avec le classicisme ambiant, ne s'apparenta à une scission d'avec la société. L'effet fut même longtemps inverse. Et la modernité hugolienne, par exemple, qui démantela l'alexandrin comme la révolution avait démantelé la propriété, contribua fortement à réinsérer la poésie dans son époque, à rabattre vers elle cette petite bourgeoisie qui avait besoin de réinventer culturellement l'émotion que ses aînés avaient vécue et provoquée à travers la politique.

Ronsard eut de son vivant plus d'admirateurs, et Verlaine plus de lecteurs qu'Alfred de Vigny qui s'émancipa beaucoup moins des normes. Quant à Arthur Rimbaud, si révolutionnaire qu'il apparaisse encore aujourd'hui, eût-il persévéré dans sa carrière il eût été encensé par ses contemporains et fût probablement apparu comme le porte-flambeau de sa génération.

Le poète maudit est, ou fut, pour une part un mythe. Il y a fort peu d'exemples dans le passé (Aloysius Bertrand ou Lautréamont, certes, mais ils furent justement les précurseurs du poème en prose) de génies poétiques méconnus à qui la postérité a conféré une place que leurs contemporains (de leur vivant ou dans la décennie qui suivit leur mort) leur auraient déniée. Même l'étrange Gérard de Nerval, pourtant peu prolixe, trouva très vite un public cent fois plus large que celui que n'importe lequel de ses continuateurs, aujourd'hui, rêverait de rencontrer. Et Mallarmé, avant de rendre l'âme, savait déjà que quelques dizaines de milliers d'étudiants ou de lettrés étaient capables de citer de mémoire certains de ses vers. Redécouvrir Louise Labé ou Maurice Scève ne signifie pas qu'ils aient été méconnus en leur temps.

Mais si Saint-John Perse fut à juste titre considéré par ceux de ses contemporains qui définissaient le canon du « bon goût » comme un poète d'exception, quand a-t-il joui de la même ferveur populaire ? Une personne sur cent mille serait-elle capable de citer un seul extrait de son œuvre ? Combien de jeunes gens à la fibre lyrique en ont-ils fait leur auteur de chevet ? On ne saurait avoir produit plus purs bijoux qu'Henri Michaux ; mais la diffusion de ses œuvres à une époque où certains tirages atteignent des sommets a-t-elle jamais atteint celle des recueils, non seulement de Géraldy ou d'Aragon, mais aussi de François Coppée ou d'Albert Samain ?

Nous touchons là un sujet délicat : dans quelle mesure le passage au vers libre, à la poésie en prose, a-t-il rejeté cette discipline littéraire hors du champ de la communicabilité en la déracinant de l'invariance tendancielle dont elle était issue, en la coupant du lectorat dont elle était l'émanation, ou plus exactement de cette part de la sensibilité collective qu'elle rencontrait d'autant mieux qu'elle en était un peu l'organe ?

A quelle liberté le vers libre renvoie-t-il ? Exclusivement à celle du créateur. Or la contrainte était perçue par le consommateur de poésie comme un hommage. Une politesse. Comme si c'était lui qui en avait fixé les règles. La liberté de l'un a donc été arrachée à l'autre. Pour le moins se heurte-t-elle au système réceptif dont l'autre a hérité et que l'école entretient. Le « je dis comme je l'entends » annule le « je dis comme vous l'entendez, pour que vous l'entendiez ». Là se situe la source du divorce : le vers libre est le mien et non le vôtre, comme l'école libre est la mienne et pas nécessairement la vôtre. Là où l'on vous chantait, je me parle : or, si vous pouviez chanter avec moi qui chantait pour vous, vous ne pouvez parler avec moi qui parle pour moi.

La poésie, traditionnellement, interpellait la mémoire. Ce qu'écrit Jacques Ninio, biologiste et directeur de recherches au CNRS, est à cet égard très intéressant : « La mémoire humaine est une forme de codage des événements ou des énoncés qui n'a de sens que par la manière dont elle agit soit par affichage au niveau de la conscience, soit par guidage souterrain du comportement[1]. »

Si, dans tous les pays, ont été élaborées des règles poétiques, différentes selon les langues, c'est que celles-ci permettent de coder l'aspiration spontanée à favoriser le codage de la mémoire elle-même. Une structure explicite renvoie à une structure implicite. La poésie n'est-elle pas différente de la prose en ce qu'elle ne se déploie pleinement qu'à travers ses répétitions, et même parfois ses redondances internes ? Elle s'organise en somme de manière à s'offrir en de multiples miroirs d'elle-même. C'est moins la première lecture qui fait sa force que les niveaux de relecture qui réveillent les effluves que la première perception a permis d'infuser. On ne lit pas une poésie, on se la lit. Et chaque réminiscence est une caresse à la réminiscence antérieure. Réciter, ce n'est pas seulement avoir appris, c'est dialoguer avec sa mémoire, c'est-à-dire avec soi-même dans le temps.

Or, de cela le poème en prose ou le vers libre ont rompu le charme. C'était sans doute nécessaire pour que le « moi » s'ancre en son splendide face-à-face. Sans brouillage. Sans parasitage. Et c'est vrai que la poésie dite classique, fût-elle romantique, symboliste ou moderne, dit structurellement autant que sa structure permet de dire. Qu'elle s'écrit elle-même autant qu'elle est écrite. Qu'elle préexiste à l'acte créateur qui lui permet d'éclore. Et qu'en conséquence, le « moi » qui s'exprime est largement exprimé par la forme grâce à laquelle il s'exprime. La cassure était donc sans doute fatale. Mais, ce faisant, la poésie ne s'est-elle pas libérée au prix d'un suicide ? En s'émancipant (au-delà de sa structure formelle) de l'aspiration invariante à cette formalisation, ne s'est-

---

1. Jacques Ninio, *L'Empreinte des sens*, Paris, Odile Jacob, 1989.

elle pas autodissoute ? Ni poésie ni prose, elle connaît le sort du culte de la déesse Raison, laquelle est trop déesse pour la raison et trop raison pour les orphelins de divinité. D'où la sécession d'un public pour qui les contraintes fonctionnaient comme autant de repères rassurants comme l'ordre social, fût-il contesté ; et dont le besoin invariant de transcendance mélodique (comme, encore une fois, est invariant le besoin de transcendance religieuse) se projette dès lors sur la chanson.

Ainsi, pour la première fois, un fossé s'est creusé entre la dimension strictement littéraire de la poésie et sa fonction communicative qui lui permit, dans le passé, d'être populaire. Léo Ferré chantant Aragon ou Caussimon, Julien Clerc chantant Roda-Gil, mais aussi Brel, Trenet ou Aznavour se chantant eux-mêmes exprimaient la fonction communicative, et René Char exprimait la dimension littéraire. Car c'est un signe que la chanson, y compris celle qui représente pour la jeunesse la plus extrême modernité (rock, raï ou rap), ait conservé et même accru son impact au prix d'un respect relatif des règles poétiques académiques, et que tout naturellement la fusion se soit faite entre elle et les quelques poètes d'aujourd'hui restés fidèles à la forme ancienne.

On en arrive à ce paradoxe qu'un jeune en 1900 se fût senti plus proche d'un poème de Verhaeren, qui était de son temps, que d'une ode de l'abbé Delille, chouchou des salons du XVIIIᵉ siècle, alors qu'un adolescent d'aujourd'hui se déclarerait plus réceptif, si on lui soumettait les deux textes, à tel ïambe d'Auguste Barbier qu'aux plus belles lignes, cependant autrement plus profondes, de Francis Ponge. A l'époque de Baudelaire, c'était Baudelaire qui incarnait la modernité. Aujourd'hui, c'est Rimbaud avec plus d'un siècle de décalage. Mon ami Patrice Delbourg est sans doute l'un des cinq ou six plus authentiques et talentueux poètes d'aujourd'hui ; mais qui le sait ?

La musique peut-elle divorcer d'avec sa structure ?

Cette réflexion peut être élargie à la musique. Dans ce domaine aussi, l'image stéréotypée de l'artiste incompris de son temps est en grande partie mythique. Haendel, Haydn, Rossini, Weber, Liszt, Verdi, Brahms, Wagner, Puccini, et même Debussy et Ravel, si extraordinairement novateurs qu'ils aient été, furent de leur vivant de véritables monuments nationaux et internationaux. Sans doute Mozart, après avoir été adulé, se heurta-t-il, à la fin de sa vie, à une certaine bouderie du public ; mais il ne connut pas moins, avec *La Flûte enchantée*, un formidable succès authentiquement populaire. Au fond, il n'est pratiquement pas d'exemples qu'un musicien consacré par la postérité, et à quelque contestation ou ignorance qu'il se soit heurté, n'ait, soit de son vivant, soit dans la décennie suivant sa disparition, été adopté par une foule considérable. Même des créateurs aussi radicalement originaux que Moussorgski ou Éric Satie. Schubert lui-même, dont la célébrité devint prodigieuse très vite après sa mort, eut la joie d'entendre certaines de ses mélodies chantées dans des auberges de la banlieue viennoise. Berlioz, la modernité faite musicien, se lamentait sur son sort et se jugeait scandaleusement méconnu ; mais, outre qu'il était admiré en Russie et apprécié en Allemagne, il avait rencontré un public que n'importe quel créateur lui envierait aujourd'hui avec *la Symphonie fantastique* et *La Damnation de Faust*. La *Carmen* de Bizet, effectivement incomprise par le public de la première représentation (pour les mêmes raisons que *La Traviata* de Verdi), était déjà considérée comme un grand classique cinq ans plus tard. Beethoven s'était à peine éteint (en 1827) que certaines de ses symphonies faisaient déjà, dans les années 1830, les beaux soirs des concerts les plus convenus...

C'est, semble-t-il, à partir de nos années trente que la rupture s'est produite. Qu'on y songe : vingt ans après la disparition de Bizet, réputé maudit en son temps, des millions de personnes de par le monde connaissaient les grands airs de *Carmen* ou des *Pêcheurs de perles*. Or, cinquante ans après sa mort, il n'y a pas cent mille personnes sur la planète susceptibles de citer une œuvre de Stockhausen (je ne dis même pas, bien sûr, d'en fredonner une phrase). Webern, génie s'il en est, est mort en 1945, a-t-on jamais songé à jouer sa musique à l'occasion d'un des événements qui ont marqué ce demi-siècle ? Non ! On fit appel à Beethoven, à Berlioz, à Verdi. J'ai personnellement pour Varèse une grande admiration. Il nous a quittés il y a vingt-neuf ans : le temps qui sépare le *Requiem* de Mozart des premières œuvres de Berlioz. Ce délai a-t-il été suffisant pour lui faire rencontrer ce qu'on peut appeler un public ? Un Opéra à vocation populaire qui donnait déjà pour la 500e fois *Faust* du vivant de l'auteur prendrait-il le risque de programmer Berio ou mon ami Arrigo (dont le *Garibaldi* est un chef-d'œuvre) pour une saison entière ? Il est remarquable que, récemment, un critique musical du journal *Le Monde* s'extasiait qu'au festival de Salzbourg était enfin donnée une œuvre de Luigi Nono ; mais Nono, véritable fulgurance musicale de notre siècle, étant né il y a soixante-dix ans, il était vraiment temps de lui rendre hommage en l'accueillant à Salzbourg !

Auber, à son corps défendant il est vrai, provoqua la révolution belge avec *La Muette de Portici* et le *Nabucco* de Verdi ne contribua pas peu à fédérer le sentiment national italien. Pourquoi alors fut-ce Theodorakis, musicien dit « de variétés », qui, à l'époque de la dictature des colonels, rencontra et exprima l'aspiration libératrice grecque, et non l'excellent Xenakis, qui professait pourtant les mêmes opinions ? Quelle œuvre d'aujourd'hui suscite l'émotion de *La Bohème* ou a été en mesure de jouer, dans le combat émancipateur, le rôle que Staline attribua aux symphonies « classiques » de Chostakovitch ? Pourquoi chaque année un festival consacré à Berlioz et non pas à Maurice Ohana ?

Une simple remarque soulignera la rupture que nous analysons : après la représentation de *Guillaume Tell*, Rossini, qui trouvait le succès insuffisant, cessa d'écrire pour la scène, se jugeant dépassé par cette modernité « de mode » qu'incarnait Meyerbeer. Verdi réagit de la même manière à l'égard de Wagner, dont il finit par relever le défi avec *Otello*. Dans les deux cas ces auteurs incroyablement populaires, parce que jugés musicalement révolutionnaires (bien que Rossini fût, lui, politiquement conservateur), craignaient d'être abandonnés par un public attiré par le neuf. Or quel compositeur moderne a la moindre chance de se retrouver dans la même situation, de voir les foules l'abandonner pour plus moderniste que lui ? Encore faudrait-il pour cela que les foules l'aient tout simplement intégré à leur propre univers musical !

Car le problème est là. Sous Saint-Saëns, on jouait Saint-Saëns, et Gounod commençait à paraître vieux. Ensuite, on cessa un temps de jouer Saint-Saëns pour se donner à Debussy. Sous Boulez, on joue toujours Gounod et on redécouvre Saint-Saëns !

Le cas de Prokofiev est exemplaire qui, contrairement à Verdi, retrouva un vaste auditoire après que la dictature communiste l'eut contraint à revenir au classicisme.

La conséquence de ce phénomène est semblable à celle que nous avons observée à propos de la poésie. Là encore, le fossé se creuse entre une musique noble, au sens où on l'entendait sous l'Ancien Régime, c'est-à-dire réservée à l'extrême minorité susceptible de la recevoir, et une musique populaire au sens large, qui, au mieux, commence de nos jours à Poulenc et Georges Auric ou Bernstein, passe par Morricone, Jarre et la musique de films, pour échouer sur le pop, le rock ou le néo-jazz afro-sud américain. A quoi est dévolu Bercy ou le palais des Congrès ? A Bizet ou Verdi d'un côté, aux groupes rock de l'autre. La musique classique, dite « vivante », passe à la trappe.

Qu'on nous comprenne bien : il ne s'agit pas ici de porter le moindre jugement de valeur. Ce n'est pas notre propos et nous n'en avons nullement la compétence. Il est possible, et même probable, comme pour la poésie, qu'un long itinéraire arrivait à son terme. Qu'il n'y avait plus de véritable novation possible dans le cadre de la musique tonale classique, du moins le croit-on puisqu'on nous le dit. Et l'on ne saurait préjuger de ce qui surgira un jour de ces recherches lorsque, fatalement, une forme nouvelle précipitera la confluence de la musique qu'on écoute et celle qui s'écoute, de ce que produit l'expérimentation et ce que corrige l'expérience.

Constatons simplement ceci : pendant plusieurs siècles, la musique recomposa sa structure restée globalement invariante. Il est clair que cette structure d'expression externe rencontrait une structure d'audition interne. Longtemps, le processus de la mémoire décrit plus haut y contribua. L'oreille parlait à l'intelligence et non l'inverse. Même si, avec le *Tristan* de Wagner, la rythmique commença à se dissoudre dans le continuum, il restait ce processus déjà évoqué de « réminiscence de l'effluve ». Comme la poésie, la musique « allait vers ». Elle arrosait sa propre semence, en se sens que cet acquis sans cesse reconstruit semblait découler d'un inné que le milieu sonore révélait à lui-même. Entendre une musique (et c'est pourquoi, ce qui n'est plus le cas, les querelles entre anciens et modernes suscitaient tant de passions) revenait (et revient toujours) à réveiller dans le tréfonds de la mémoire des traces enfouies d'une culture qui la prenait en charge et l'accompagnait jusqu'à la conscience. Toute musique pour soi était une musique à l'intérieur de soi.

Pourquoi Mozart ? Parce que Mozart, en chaque auditeur, finissait par dialoguer avec Mozart. Écouter du Mozart, c'est un peu rallumer son Mozart intérieur.

Or, en cassant la structure qui, on l'a dit, n'était peut-être pas recomposable sans se répéter à l'infini, on a renvoyé la musique à elle-même. En d'autres termes, l'auditeur étant resté en dehors de cette révolution, elle ne pouvait plus structurellement s'adresser qu'à sa propre structure. Déracinement là encore, la variable n'ayant provoqué aucune recomposition adaptative de l'invariance. Comme si l'oiseau, grâce à on ne sait quelle faramineuse manipulation génétique, avait acquis des nageoires dans un environnement dépourvu d'eau. Comme si la France avait tenté d'implanter l'Occident en Algérie. C'est d'ailleurs ce qu'elle essaya de faire : le résultat catastrophique que l'on sait ne dépendait en rien du fait qu'elle eut raison ou tort.

Le résultat, c'est que le peuple, qu'on ne saurait dissoudre, se fabriqua sa musique, qui n'est plus ni petite ni grande, et que la musique qui avait été grande se recréa un peuple qui, lui, était très petit. Résultat encore : pour la première fois depuis des siècles, ce même peuple considère que la grande musique d'aujourd'hui est la musique d'hier. Et, pour marquer ce retournement, il qualifie de « classique » ce qu'il comprend, alors qu'il désignait ainsi, hier, ce qu'il ne comprenait plus.

Certes — et c'est un signe en même temps qu'une nouveauté inouïe —, la musique dite « vivante » est totalement exclue des grands médias audiovisuels. Ce qui équivaut culturellement à une mauvaise action. Mais sa programmation obligatoire suffirait-elle à empêcher le divorce ? Je peux témoigner que, dans le cadre d'une activité « club », les seules places totalement gratuites distribuées qui ne trouvent pas nécessairement preneurs, même quand elles sont peu nombreuses, sont celles qui donnent accès à des concerts de musique contemporaine.

Je pourrais d'ailleurs conforter cette démonstration en invoquant des exemples *a contrario*. Nous nous sommes fait, dans *Les Nouvelles littéraires*, puis à *L'Événement du jeudi*, un devoir de militer pour la redécouverte de certaines œuvres lyriques du XIXᵉ siècle français à notre avis injustement oubliées (œuvres au demeurant régulièrement jouées à l'étranger). Pourquoi cet escamotage ? Parce que, nous assurait-on (« on », c'est-à-dire les régulateurs du bon goût), le public ne marcherait plus. En fonction de quoi, à l'occasion des fêtes du Bicentenaire, on rejoua enfin le *Joseph* de Méhul, et le public marcha. L'Opéra de Paris redonna *Robert le Diable* de Meyerbeer, une œuvre pourtant assez faible comparée au *Prophète* ou à *L'Africaine*, et le public marcha encore.

(Il fut hélas plus nombreux et plus enthousiaste que pour le *Saint François d'Assise* de Messiaen.) On remonta *Les Huguenots* à Montpellier et en version concert, et il marcha encore ; le *Sigurd* de Rayer, dans la même ville, et il marcha toujours. De la même façon, on sait avec quelle facilité le talent de la Callas parvint à ressusciter le *Médée* de Cherubini ou à rendre à Bellini une extraordinaire et nouvelle jeunesse. La raison en est simple : chaque période connaît des engouements étranges, *a posteriori* inexplicables. La postérité très vite les censure. Difficile de comprendre aujourd'hui comment nos arrière-arrière grands-parents ont pu, un temps, s'enthousiasmer pour *Le Désert* de Félicien David, pourquoi la *Lucrèce* de Ponsard fit tant d'ombre au théâtre de Victor Hugo ou Géraldy à Breton, pourquoi en peinture on préféra Delaroche à Courbet, Laurens à Monet. Mais, les phénomènes de mode médiatisés aidant, nous commettons tous ce genre de bévues. Je me souviens d'avoir beaucoup aimé *Mon oncle* de Jacques Tati, *L'Avventura* d'Antonioni, *Huis-Clos* de Sartre, et avoir été tout à fait consterné quelque trente ans plus tard, en revoyant ces œuvres. En revanche, de telles erreurs d'appréciation ne se reproduisent pas sans raisons sur plusieurs générations. La pression de l'environnement joue d'autant moins, en effet, qu'une ou plusieurs « modernités » ont alors succédé à l'ancienne. Or *Les Huguenots* de Meyerbeer, pour prendre cet exemple (mais il en fut de même pour *La Juive* de Halévy) tinrent l'affiche environ cent vingt ans ; et un siècle après leur création, nos grands-parents se souvenaient encore de quelques-uns de leurs grands airs. Ce qui signifie qu'au-delà de certaines lourdeurs et imperfections, ces créations avaient survécu au système académique dont elles émanaient ; et que, dans un premier temps, elles avaient résisté à Wagner et à Debussy. Il y avait donc adéquation entre leurs structures émettrices et certaines invariances de la structure auditrice collective.

Certes, leur occultation eut des causes objectives : la complexité des machineries exigées, la difficulté de trouver des ténors susceptibles de tenir les rôles, l'ambition du spectacle total qui, en disque, le rend moins accessible que le *bel canto* donizettien. Mais surtout il y eut, au nom de la modernité, un véritable décret de caste qui décida de leur archaïsme définitif. Il fallait faire de la place. Or, chaque fois que cette manière de censure culturelle est défiée, on constate que le public est au rendez-vous. Cinquante ans après le Zadig de Voltaire (que les contemporains estimaient bizarrement comme son chef-d'œuvre), les spectateurs lui préféraient Casimir Delavigne, oublié cinquante ans plus tard tandis que triomphait Henry Becque. Mais ce qui permit en revanche à Molière, à Corneille, à Musset, mais aussi à Feydeau (sans parler évidemment de Shakespeare, Calderon ou Goldoni) de ne pas être emportés par l'éphémère, n'est-ce pas justement que leurs œuvres, au-delà de leurs fulgurances novatrices, s'ancrèrent à une invariance ? Que ces créateurs contribuèrent donc à tout changer d'autant plus efficacement qu'ils s'arrimaient résolument à ce qui ne change pas ? *Ruy Blas* (Hugo) et *Cyrano de Bergerac* (Rostand) sont des cas particulièrement remarquables. Refusés d'emblée par l'élite, ils s'ancrèrent d'emblée à une structure de réception populaire et, contre vents et marées, résistèrent à toutes les tentatives modernistes d'expulsion.

J'aimerais être certain que représenter aujourd'hui à l'Opéra-Comique une œuvre aussi mineure et oubliée que *Le Pré-aux-Clercs* de Ferdinand Herold, qui date du début du siècle dernier mais fut tout de même joué mille six cents fois, ne susciterait pas plus de satisfaction spontanée qu'une création majeure de l'école d'électro-acoustique. Notons, dans le même esprit, qu'on ne monte plus les opéras d'Adam (auteur de *Giselle*), mais que son *Minuit chrétien* n'en reste pas moins un des indestructibles « tubes » internationaux de la musique sacrée.

Ces mêmes remarques valent évidemment pour la chanson, et l'on s'étonne que l'accélération de la révolution rythmique, à quoi l'on doit un enrichissement prodigieux du répertoire, une explosion créative parfaitement adéquate à son objet, n'ait en rien affaibli l'impact pluriséculaire d'*Auprès de ma blonde, A la claire fontaine, V'la l'bon vent, Plaisir d'amour* ou *Le Temps des cerises*.

A quoi j'ajouterai que le fait que tant de générations de marmots aient accédé au sens poétique et à la mélodie en ânonnant la fameuse et increvable *souris verte* que l'on continue imperturbablement à plonger dans l'huile, reste pour moi un mystère...

Qui niera cependant, comme nous l'avons analysé précédemment, que les sensibilités comme les émotions se rehiérarchisant, et chaque époque cultivant ses tics de langage, il en résulte que la structure invariante expulse à chaque recomposition, comme autant d'archaïsmes (en même temps qu'elle s'enrichit des acquis de son auto-élaboration), toutes les variables dont les phénomènes de mode ou les diktats académiques l'avaient bardées comme d'autant de parasites ? Ainsi constate-t-on, en matière culturelle, qu'il existe bien une structure sous-jacente à laquelle ce qui est ancien ne s'arrime pas nécessairement et ce qui est nouveau ne s'intègre pas par principe, qui expulse elle-même objectivement ses archaïsmes sans permettre qu'une quelconque modernité le fasse subjectivement à sa place, mais à laquelle l'« ancien » s'est d'autant mieux ancré qu'il la recompose, et le nouveau d'autant moins qu'il s'y soumet ou qu'il la nie ?

En conclura-t-on que, dans ce domaine aussi, la réforme réussit là où la révolution et le conservatisme échouent, de la même façon que la Suède poursuit vaille que vaille son chemin tandis que la Russie retourne à ses démons ? Nuançons un peu tout de même en rappelant que même les révolutions qui échouent contribuent à l'émergence de nouvelles structures mentales qui, dès lors qu'elles s'autonomisent, deviennent à leur tour des facteurs invariants de toutes les recompositions...

CHAPITRE XVII

Du marqueur chimique
au grade de colonel

ou comment les « odeurs » de la nature
sont devenues les signes de la culture

De quelqu'un que l'on déteste, on dit communément qu'on l'a « dans le nez » ou qu'on ne peut pas le « sentir ». Et soi-même, lorsqu'on s'estime patraque, on confesse qu'on ne « se sent » pas bien. C'est une manière d'aveu ou, plus précisément, de réminiscence.

Nous avons expliqué au chapitre v que la religion s'offrait en odeur de la tribu. Ce n'était pas là une simple métaphore. Le processus proprement humain de socialisation a effectivement été marqué par une substitution du signe à l'odeur. Révolution essentielle qui revint à auto-élaborer culturellement des « marqueurs » que, jusque-là, la nature élaborait chimiquement pour nous. Nous entendons, dans ce chapitre, évoquer cette stupéfiante aventure qui a rendu possible « en soi » l'évolution sociale.

L'homme social n'est pas dépourvu de tripes

Une question préalable s'impose cependant : est-il légitime de supposer que la structure du vivant, à travers son processus de complexisation, renvoie à la complexisation des structures socialisées constituées par les espèces vivantes ? Et tout particulièrement à cette épopée particulière que représente l'évolution de nos propres structures sociales ?

Il nous paraît clair, au moins, que ce qui structure le vivant, en particulier le vivant dans un groupe, structure également, pour partie, la manière qu'a ce vivant de vivre en interaction avec ce groupe. Quand Freud place la sexualité au cœur de toute existence socialisée, il ne dit finalement pas autre chose.

Il est tout à fait vain d'imaginer la réalité sociale comme un bocal évolutif étanche, comme une entité absolument spécifique, refermée sur elle-même, constituée « abstraitement » d'acteurs sociaux. Qu'est-ce, en effet, qu'un acteur social ? Qu'il prenne, sous la plume idéologiquement colorée de son portraitiste, la forme du citoyen, de l'électeur, du paroissien, du militant ou de l'homme libre, de l'ouvrier, du paysan ou du bourgeois, du producteur, de l'épargnant, du possédant ou du consommateur, qu'on le définisse par sa religion, sa nationalité, sa race, sa culture, il n'en est pas moins toujours le produit de la socialisation d'un être vivant.

Le prétendre, pour une part au moins, déterminé par la classe à laquelle il s'intègre, par le rôle qu'il joue sur le marché, par le sexe qui tire les ficelles de son inconscient, par le groupe ethnique auquel il appartient ou la religion dont il a hérité n'est ni plus ni moins légitime et pertinent que d'intégrer à ces déterminismes partiels ses viscères, son organisme, ses gènes, ses neurones ou son système limbique. Et même d'y ajouter l'ensemble du processus dont il est issu et qui le rend tributaire aussi bien de ses simiesques cousins ou de ses aquatiques aïeuls que de la cellule sans noyau dont sa propre aventure découle et qui fait intimement partie de son être, au même titre que toutes les autres étapes de son évolution, et cela depuis les bactéries et les mitochondries qui l'ont colonisé par symbiose jusqu'aux éléments constitutifs de la forme poisson et mammifère qui marquèrent ses propres étapes.

L'acteur social n'est qu'une composante de l'être vivant, et tous les facteurs constitutifs de l'être vivant sont directement ou indirectement les composantes de l'acteur social. Quand Marx voit la classe, Gobineau la race, Locke ou Condorcet la citoyenneté, Freud le sexe intériorisé, Tocqueville le producteur-consommateur du marché libre, ils ne font que prendre en compte — au niveau d'observation qu'ils ont choisi — des formes sociales acquises en corrélation avec les prédispositions innées dont elles se sont autonomisées.

Or on peut se demander si l'épopée humaine n'a pas consisté

en une autonomisation culturelle (en une réacquisition en quelque sorte) de prédispositions comportementales innées.

Nous avons largement évoqué le cas des animaux sociaux, en particulier des insectes : des sociétés d'êtres vivants fonctionnant comme des superorganismes dont chaque individu serait une composante spécifique, l'agrégation de ces composantes formant une « intelligence collective », infiniment supérieure à la somme des intelligences (ou plutôt des capacités) individuelles qui la composent. (L'entomologiste américain William Morton Wheeler est à l'origine de ce concept.)

Ce système de coopération maximale, qui tend à fondre des corps vivants particuliers dans un corps vivant collectif dont les performances transcendent radicalement les possibilités de ses éléments constitutifs, s'observe certes chez les fourmis, abeilles et autres termites, mais aussi dans les « formations » d'oiseaux migrateurs, les bancs de harengs, les groupes de vairons ou encore chez d'innombrables populations de bactéries et assimilés.

Comment peut-on expliquer qu'un processus social complexe soit biologiquement déterminé ? Il l'est, on le sait, grâce à un système inné d'informations précises transmises par émanations chimiques, en particulier les phéromones (substances, émises par un animal, agissant sur le comportement des animaux de la même espèce). Autrement dit, la coopération sociale s'est d'abord faite par l'odeur.

Le biologiste et médecin Lewis Thomas a évoqué ainsi cette question essentielle : « La plupart des phéromones connues, écrit-il, sont de petites molécules simples, actives à de très faibles concentrations. Huit à dix atomes de carbone en chaîne suffisent à provoquer des orientations précises et sans équivoque dans toutes sortes de situations : quand et où se réunir en foule, quand se disperser, comment se comporter avec le sexe opposé, comment s'assurer qu'on a vraiment affaire au sexe opposé, comment répartir les membres d'une société selon les règles strictes de la dominance, comment marquer les frontières précises d'un territoire et comment établir que l'on est, contre tout argument contraire, soi-même. On peut aussi laisser des pistes ou les suivre, effrayer ou confondre les adversaires, attirer certaines proies[1] ». Il poursuit : « Le papillon femelle peut ainsi, en libérant une petite bouffée de

1. Lewis Thomas, *op. cit.*

bombykol, molécule simple, attirer vers lui, après les avoir mis en émoi, tous les mâles des environs, même si le vent leur est contraire. (S'il libérait en une seule fois tout le bombykol qu'il renferme, il pourrait attirer aussitôt, théoriquement, plus d'un milliard de mâles)[1] ». Passant de la faune aérienne à la faune aquatique, Thomas précise : « Les poissons, utilisent des signaux chimiques pour l'identification des membres d'une espèce, ainsi que pour annoncer le changement de statut social de certains individus. Un poisson-chat qui s'est imposé comme dominant a une certaine odeur, mais, dès qu'il voit sa position modifiée dans la hiérarchie sociale, son odeur change, et chacun est averti de cette perte de prestige[2]. »

Comment on construit chimiquement des cathédrales

Le lapin dispose de cent millions de composants olfactifs. On prétend que le chien peut suivre dans la nature la trace d'un homme dont il a reniflé un vêtement, la distinguer de celle de tous les autres hommes, mais également détecter l'odeur de la moindre empreinte de doigt sur une vitre et la reconnaître parmi des centaines ; ou encore qu'il est capable, par l'odorat, de distinguer de vrais jumeaux et qu'il suivra les traces de l'un ou de l'autre comme si elles provenaient d'un individu unique. « Les colonnes de fourmis, explique à nouveau Lewis Thomas, peuvent identifier par l'odorat les individus de leur espèce et d'autres fourmis sur leur piste. Les fourmis d'une espèce, avançant par à-coups le long d'un parcours, laissent des signaux que peuvent suivre leurs propres congénères, mais pas les individus appartenant à d'autres espèces. Certaines fourmis possèdent l'aptitude innée d'identifier par leur odeur les traces de l'espèce qu'elles prennent habituellement comme esclave. Elles émettent alors des parfums spéciaux qui provoquent chez ces dernières une terreur panique[3]. » Quant aux saumons, ils se rappellent l'odeur des eaux où ils ont éclos, ce qui leur permet de retrouver leur chemin depuis la pleine mer quand ils s'en vont pondre.

1. *Ibid.*
2. *Ibid.*
3. *Ibid.*

En fait, tout se passe comme si, au premier stade de la diversification et de l'autonomisation du vivant, la nature avait reproduit le système de coopération totalement intégré — jusqu'à la symbiose — qui avait régi l'évolution et la fusion en un organisme syncrétique des cellules elles-mêmes.

Autrement dit, les corps répondent aux mêmes mécanismes que les cellules qui se sont faites corps. L'être vivant n'est alors que la partie étroitement spécialisée d'un tout totalement et génétiquement déterminé par un jeu d'émanations chimiques et de captations olfactives qui organisent et planifient le mouvement et la fonction de chaque individu dans le groupe, à la manière des flux électriques qui orientent et tracent le mouvement du tramway. Les interconnexions complémentaires, elles aussi chimiquement déterminées, entre espèces différentes participent du même processus.

Nous avons vu comment cette détermination génétique par marquage chimique autosécrété par chaque partie de ce groupe permet le fonctionnement, à la fois performant et répétitif, des communautés d'insectes sociaux et l'optimisation d'une division du travail très précisément définie dans le cadre d'une dynamique communautaire.

Une termitière, par exemple, est le fruit de cette socialisation innée qui se régule chimiquement par l'odeur et qui permet au travail accompli d'être, sans répit, comme le note Pierre-Paul Grassé, à la fois conséquence de ce qui fut préalablement accompli et cause de ce qui sera accompli postérieurement : « L'intérieur de la termitière est semblable à un labyrinthe à trois dimensions fait de galeries en spirale, de couloirs, de voûtes, le tout ventilé et pourvu d'une température constante. On y trouve de grandes cavernes pour la culture des champignons qui fournissent aux termites leur nourriture et constituent peut-être aussi une source de chaleur. Il y a une chambre circulaire voûtée où réside la reine. L'unité structurale fondamentale, sur laquelle toute l'architecture est fondée, est l'arc de voûte[1]. »

Ce qui est fascinant, dans ce cas précis, c'est que ce n'est pas l'action des termites qui crée la structure de la termitière, mais la structure de la termitière qui induit le comportement constructeur

1. Pierre-Paul Grassé, *Traité de zoologie*, Paris, Masson (cité par Lewis Thomas, *op. cit.*).

des termites. Comme si c'était la structure produite qui avait fini, pour assurer sa reproduction, par marquer chimiquement chaque élément constitutif du processus qui avait permis de la produire.

La nature serait-elle, à ce stade, un entrepreneur implacablement exploiteur des masses laborieuses aliénées ? Lewis Thomas s'interroge fort légitimement : « Chaque termite possède-t-il un morceau du plan général, ou bien la structure tout entière, arche par arche, est-elle codée dans son ADN[1] ? »

Ce qui demeure, c'est qu'en fonction d'une mécanique globale que l'on qualifierait aujourd'hui de « totalitaire », la partie joue un morceau chimiquement programmé d'une partition qui ne prend son sens que réunie en un tout.

Or il semble bien que la suite de l'évolution des êtres vivants se soit traduite par une individualisation, c'est-à-dire par une tendance à l'émancipation des parties par rapport au tout. Peu à peu, l'animal a acquis une autonomie qui lui a permis d'inscrire son vécu dans un espace qui lui était propre, de s'auto-élaborer comme organisme indépendant, fût-ce au sein d'une communauté (meute, horde, troupeau) dont l'existence collective ne transcendait plus totalement celle de ses composantes. En quelque sorte, l'évolution animale a consisté à se réapproprier peu à peu sa propre partition préalablement préréglée par la nature.

Mais les faits, gestes et mouvements de ces êtres vivants individualisés n'en continuèrent pas moins d'être en grande partie biologiquement déterminés par un système, soit d'émanation et de captation d'odeurs, soit de production et de captation de bruits : bruits qui correspondent physiquement à ce que représentent chimiquement les odeurs. Ainsi les chauves-souris émettent, de façon continue, des sons qui leur permettent d'identifier par leur sonar les objectifs qui les entourent. Presque tous les animaux, y compris les poissons, produisent des sons par tambourinages, frappements, battements, tapements, claquements, et, bien sûr, cris, grognements et hurlements ou chants qui structurent (au même titre que les sécrétions chimiques participant du règne des odeurs) leurs rapports aux autres.

---

1. Lewis Thomas, *op. cit.*

Et l'homme cessa de renifler son semblable

L'homme, en se redressant sur ses jambes de derrière, a tout à la fois éloigné son nez du sol et élargi son champ de vision : dès lors, il accordait à la vue le rôle informatif et relationnel dévolu jusqu'alors à l'odorat et à l'ouïe. Cette évolution (ou révolution) — aussi importante que l'autonomisation des mains — eut cette conséquence formidable qu'au lieu d'être déterminé par des informations chimiques (les odeurs) ou physiques (les bruits par vibration), autant de stimuli qui agissaient directement sur ses réactions comportementales, l'homme n'a pu optimiser les informations que lui fournissaient ses yeux, et qui ne sont ni directes ni matérielles, qu'en retraitant mentalement les images obtenues, en les stockant, en les triant, en les recomposant, en les classant dans sa mémoire, en les synthétisant, en les conceptualisant enfin !

Le prima de la vision, et donc de l'image, induisit par conséquent le développement de la conscience et de l'intelligence abstraite.

L'homme s'émancipa en quelque sorte par le regard, puis par le retraitement conceptuel des images, de cette pression physico-chimique qui déterminait une grande partie du comportement des êtres vivants.

Il se passa alors quelque chose d'extraordinaire, dont nous sommes loin d'avoir percé le mystère : c'est que nous avons reconstitué progressivement, de façon autonome et consciente, le type même de socialisation qui, chez les animaux sociaux, était totalement déterminé par des marquages chimiques.

Dans un ouvrage remarquable, Boris Cyrulnik a exploré ce nouveau champ[1]. Il est frappant que sa démarche l'ait conduit lui aussi, mais en fonction de ses propres critères, à brouiller (ou à relativiser) l'espace qui, dans un univers socialisé, sépare l'inné de l'acquis. Ne nous dépeint-il pas l'affectivité, qui structure le rapport social à l'autre, comme « une force biologique, un liant sensoriel qui unit les êtres vivants » ? Et de préciser : « Pour faire un enfant, il faut se rencontrer. Le simple fait que les êtres vivants ne se trompent pas d'espèces pour se reproduire prouve qu'ils savent traiter certains signaux, au moins ceux qui leur permettent de se

1. Boris Cyrulnik, *Les Nourritures affectives*, Paris, Odile Jacob, 1993.

reconnaître. A ce niveau du vivant, les rencontres sont provoquées par des signaux chimiques, physiques, sonores ou visuels. Le monde humain n'ignore pas ces signaux, mais il s'en sert dans des discours comportementaux et des récits qui déterminent les rencontres avec plus de précision que les molécules olfactives ou les spectres sonores[1]. » Ce qui revient à suggérer que l'homme a culturellement reconstitué un mode de relations affectives et sociales qui était précédemment régi par un déterminisme biologique évidemment inné.

Mais, pour cela, il fallut qu'il remplace les odeurs et les vibrations qui l'informaient physico-chimiquement par des signes auto-élaborés susceptibles, une fois médiatisés par le regard, de lui fournir les mêmes points de repère. Animal, il eût par exemple reniflé en l'autre un inconnu ou un proche, un affilié au groupe ou un étranger provenant de tel ou tel territoire, un mâle ou une femelle, un ami ou un ennemi, un pacifique ou un prédateur, un dominant ou un dominé, un fort ou un faible, un courageux ou un lâche, un décidé ou un inquiet. Or, même s'il a conservé en la matière certaines capacités (il dispose tout de même de trente millions de récepteurs olfactifs contre trois cents millions chez le chien), l'homme moderne a pour le moins perdu l'habitude de renifler ostensiblement le statut social de son semblable. Pour que son système optique se substitue à son appendice nasal, il a donc fait en sorte d'habiller la femme en femme, le riche en riche, le puissant en puissant, l'étranger en étranger, et même, en cas de guerre, l'ennemi en ennemi.

Non content de vêtir les domestiques en domestiques, les cuisiniers en cuisiniers, les paysans en paysans, les gendarmes en gendarmes, les prêtres en prêtres, les ouvriers en ouvriers, les financiers en financiers, les femmes légères en coquettes, les vieilles filles en duègnes et les intellectuels de gauche en babas cool décalés, il a multiplié les emblèmes, les blasons, les drapeaux, les oriflammes, les banderoles, mais aussi les insignes, les décorations, les couvre-chefs emblématiques, les grades, les badges, les symboles religieux, destinés à sous-titrer chaque activité collective, à étiqueter chaque entité communautaire, à souligner chaque position hiérarchique, à définir chaque rang.

En réalité, il a même fait mieux : il n'a eu de cesse qu'il n'ait

1. *Ibid.*

réinventé les affects que véhiculaient les odeurs en recourant à des matières « affectives » (étoffes, velours, soie, cuir, laine ou cachemire), en exacerbant artificiellement l'expression d'une coiffure réécrite, en tressant des invites implicites de perles, de pierres ou de jades, en faisant parler, en consonance avec la courbe d'un poignet ou d'un cou, la redondance du cuivre ou de l'or...

Mais, surtout, ce qui était effluves, sécrétions hormonales, est devenu façon de marcher, de manger, de rire, de s'exprimer, autant de substituts aux messages physico-chimiques directs d'une information culturellement retraitée sous forme de discours (visuel ou tonal).

Le façonnement d'un acquis propre à recouvrir cet « inné qu'on ne saurait voir » a même pris la forme étonnante d'un contrôle et d'une réappropriation d'une odeur par le parfum et d'une mise en scène très sophistiquée de ce lieu de l'odeur qu'est le poil. Or le parfum, odeur acquise opposée à l'odeur innée, a lui aussi pour fonction de diffuser un message, et les poils travaillés et taillés — moustache, collier, barbe — indiquent justement tout ce qu'était censée dénoncer l'odeur à travers lui : le statut social, le niveau d'éducation, l'âge, l'étrangeté, la religion, le caractère, voire certaines options politiques. Le poil, cessant de n'être que support de l'odeur, en dit presque autant que ce que disait l'odeur, mais dit ce que consciemment ou inconsciemment on lui fait dire. Une effusion naturelle s'est transformée en diffusion culturelle.

Or, à bien y réfléchir, c'est très exactement cet entrelacs de « signes qui font signes » qui, peu à peu, dès l'aube de la civilisation, a structuré, organisé, ordonné, délimité, exprimé les relations sociales, le rapport à l'autre, c'est-à-dire à la différence, le rôle de chacun dans la communauté productrice et la place du particulier dans la hiérarchie générale. L'homme a ainsi culturellement reconstruit un système social d'information structurel qui, à un stade antérieur de l'évolution, était, dans ses moindres détails biologiquement déterminé. Et ce que l'on doit se demander, c'est si cette innéité sous-jacente ne fut pas la base de cette reconstruction culturelle, si elle n'a pas contribué à dessiner les rails qui permirent de véhiculer ces acquis.

« Le monde mental de tout être vivant, note Boris Cyrulnik, est d'abord constitué de signaux, d'objets sensoriels individualisés dans le monde extérieur qui prennent pour l'animal une signification biologique[1]. » Et pour l'homme ? Suffira-t-il de prendre acte du fait que la signification biologique est devenue signification culturelle ? Est-on sûr que l'odeur, au sens large, ne se cache pas derrière le discours ? La sensorialité ne fonctionne-t-elle pas comme première information entre la mère et l'enfant ?

Comment le signe a préservé les invariances que structurait l'odeur

Ce qui est clair, c'est que l'homme a tissé son propre système social en le quadrillant d'un réseau de plus en plus dense de signes « signifiants » destinés à définir chaque statut, à marquer chaque place, à coordonner et à hiérarchiser les rapports croisés entre les représentants de ces statuts et les occupants de ces places, à structurer une organisation pyramidale de dirigeants à dirigés, de dominants à dominés, enfin à délimiter chaque entité sociale particulière en la différenciant des autres.

Ainsi le féodalisme fonctionne-t-il comme un super-organisme intégré où *les signes feraient odeurs*. Faute de pouvoir ou de vouloir (ou d'oser) sentir (en les reniflant) que la reine est reine, l'ouvrière ouvrière, l'esclave esclave, le noble noble, le riche riche, je les enferme dans un système de reconnaissance par étiquetage strictement défini auquel ils ne sauraient déroger, ce qui induit presque mécaniquement des rapports de solidarité, de dépendance ou de servage qui lient entre eux les supports de ces signaux.

Il est remarquable que cette multiplication de signes vise à redonner une identité collective au groupe — régions, nations, ethnies, communautés religieuses, classes sociales — comme s'il fallait suppléer aux sécrétions chimiques différenciées qui, à une étape antérieure de l'évolution, le caractérisait.

De même que la féodalité tendait à réinventer la ruche, nous voyons que des colonies d'hommes construisent — dans les agglomérations urbaines géantes devenues fourmilières — d'immenses termitières appelées gratte-ciel... Or comment fonctionneraient ces vastes rassemblements si ne se multipliaient les signes faisant odeurs, comme longtemps l'odeur avait fait signe ? Par le « signe » dont il affuble et barde son corps, l'homme-organisme vise, en

1. *Ibid.*

quelque sorte, à refonder un grand corps organique dont l'homme serait la composante. Et cela va de la nation à l'usine en passant par le parti.

L'armée n'illustre-t-elle pas jusqu'à la caricature cette tentation, elle qui, de manière généralement grotesque et souvent inadéquate à son objet, tend à n'être qu'un empilement hiérarchisé de signes ritualisés (grades, décorations, saluts, marches au pas), faute de se résoudre à n'être qu'accumulation hiérarchisée d'odeurs chimiquement prédéfinies ? Ici, comme dans le système industrialisé tayloriste, c'est bien l'automatisme répétitif, hérité d'un déterminisme biologique antérieur à l'espèce, qui a été reconstitué.

Cependant, ne nous y trompons pas : si l'homme — et c'est une fantastique nouveauté — a substitué à l'odeur génétiquement déterminée le signe élaboré pour structurer les invariances sociales, cela signifie qu'en agissant sur ces signes, en les remodelant, en les valorisant ou en les dévalorisant, en les permutant, en en introduisant de nouveaux, en remplaçant les anciens, il peut constamment recomposer cette invariance et utiliser ainsi la structure qui ne change pas pour, à travers elle, essayer de tout changer. C'est ce qui fait que la société (ou civilisation) humaine est absolument et radicalement unique : elle évolue en effet en auto-élaborant constamment la recomposition de ses invariances. « Notre organisation cérébrale, écrit Boris Cyrulnik, permet de comprendre que nos signaux olfactifs sont refoulés au profit de signaux visuels fortement connectés à la mémoire et à l'émotion. Elle conduit à soutenir que la signification et le sens passent d'abord par l'image, bien avant la parole. On peut comprendre, se représenter et donner sens au monde avec des images[1]. »

Les exemples abondent qui montrent que toute action sur les signes (d'où l'importance des changements de drapeaux) favorise la recomposition d'une structure invariante. Les révolutionnaires français de 1789 et 1793 le comprirent fort bien, et l'on sait à quel point leur sens du contrôle du signe contribua non pas comme ils le croyaient à révolutionner la structure sociale, mais à ancrer dans l'imaginaire les profondes recompositions structurelles qu'ils initièrent et, par effet induit, à remodeler la structure de l'art lui-même.

1. *Ibid.*

Imagine-t-on ce que représenta le remplacement de la Croix par le Croissant au sommet de la basilique Sainte-Sophie, du drapeau blanc par le drapeau tricolore (c'est même ce détail qui bloqua la restauration de la monarchie en France à la fin du XIXᵉ siècle), ou de la croix gammée par la faucille et le marteau au fronton du Reichstag ? Mais l'erreur fut, à chaque fois, de croire qu'arborer le nouveau signe signifiait la mort de l'ancienne structure. Combien de peuples n'ont-ils pas imaginé qu'un nouveau drapeau signifiait un changement radical et salvateur ?

N'empêche : rien, dans nos sociétés, est moins neutre qu'un changement ou une altération de signes. Tel athée qui nie l'existence de Dieu ne saurait impunément déprécier le signe de la croix ; la manifestation qui dégénère devient émeute préméditée dès lors que flottent au-dessus de la foule des drapeaux noirs. Il est moins dangereux d'injurier un individu que de cracher sur un étendard. Et la révolution dans l'inconscient collectif n'est jamais faite tant qu'elle n'a pas substitué ses pin's et ses bannières à ceux du régime abattu...

Pourquoi les costumes changent-ils au rythme des décennies, au point que ceux-là parlent pour celles-ci ? Car changer de vêtement revient à réécrire la syntaxe vestimentaire qui, ensuite, caractérisera chaque époque dans la mémoire collective : façon, en somme, de graver sa marque dans le tronc de l'histoire.

Souvent il s'agit, à travers des phénomènes de mode, de repeindre simplement la façade sociale de la structure, tout en favorisant son invariance capitaliste. Mais nous avons précédemment observé que dans certains cas — la désexualisation égalitaire par le jean, le désenclavement social par le polo ou les baskets, auparavant l'apparition du bikini ou la désocialisation par le blouson de cuir — les glissements vestimentaires tendaient effectivement à favoriser une recomposition structurelle.

L'erreur de Mao Tsé-toung est d'avoir cru que le costume pouvait contribuer non seulement à recomposer, mais également (et plus encore) à révolutionner la structure. C'est bien sûr la structure qui l'a emporté sur le costume. Comme d'ailleurs en France en 1794. « Tout vêtement, note justement Cyrulnik, peut incarner le passage du signal au signe et prendre la valeur d'un équivalent du discours. Mao Tsé-toung avait bien compris le problème, puisqu'il avait exigé de chaque Chinois qu'il porte sur son corps le discours social. Le costume mao permettait de constater d'un simple coup d'œil la dissolution souhaitée de l'individu dans le groupe[1]. »

Le problème, c'est que le costume est lui-même l'instrument d'une invariance sociale (c'est pourquoi son évolution peut contribuer à la recomposer) en ce qu'il a justement pour fonction de définir l'individu dans le groupe, d'élucider son rôle et de souligner sa différenciation. Il lui revient d'informer, et le plus éloquemment possible (ou de désinformer consciemment, ce qui est presque équivalent). Il est censé dire à la fois ce que je suis, d'où je viens, où je vis, ce que je fais, quel âge j'ai, ce que je possède, ce que je sais et ce que je pense. Mais dès que, pour subvertir la structure qu'il conforte ou conteste, on condamne le costume à ne plus rien dire, à ne plus formuler qu'un renseignement rachitique du genre : « Je suis un Chinois parmi huit cents millions d'autres Chinois », c'est le costume qui finit par être rejeté par la structure qui se défend. Et cette revanche de la structure, comme sous la Convention thermidorienne (muscadins, merveilleuses et incroyables), s'exprime encore par le costume.

Encore une fois, c'est parce qu'il est cotuteur de la structure sociale que le costume intervient dans sa recomposition. Mais il provoque une réaction de rejet chaque fois qu'il est utilisé à sa négation.

Ce que montre à cet égard l'auteur des *Nourritures affectives*, et qui fait tout l'intérêt de son ouvrage, c'est que le signe, se substituant à l'odeur, participe presque aussi furieusement, quoique heureusement de manière non génétiquement programmée, à la défense de l'invariance sociale en déterminant lui aussi la reproduction sexuelle dans la mesure où il oriente — comme signe de piste — les rencontres entre individus de sexes opposés : « Si l'autre est transparent, on va simplement le croiser. Pour qu'il y ait rencontre, il faut que l'autre soit signifiant, qu'il porte sur son corps les indices et les signaux qui lui font signes[2]. » Or il les porte en effet. Et cela permet « de repérer, parmi toutes les personnes présentes, celui ou celle dont les signaux corporels provoquent en nous une forte émotion, parce que ce sont des gestes et des choses qui correspondent à une sensibilité, une avidité, une espérance

1. *Ibid.*
2. *Ibid.*

inscrites au fond de nous. Ce sera une rencontre[1]. » Or ces signes
qui préludent à la rencontre (certains agissent effectivement
comme « prélude »), l'orientent, la rendent possible, mais indiquent aussi et surtout que celle-ci participe bien de l'espace de
celui-là, que ce corps-ci est fait pour ce corps-là parce que coïncident les systèmes socio-éducatifs qui les modèlent comme corps,
ne sont pas de simples stimuli affectifs ou émotifs indifférents au
statut culturel et social. Ils définissent très exactement le champ
clos de la rencontre possible, indiquent très précisément les
contacts impossibles ou difficilement imaginables, et par conséquent peu légitimes. Tout, dans la façon de se vêtir, de se décorer,
de se coiffer, de se parfumer, de bouger, de marcher, de manger,
de regarder, de sourire, de saluer, de se présenter et d'engager la
conversation, proclame déjà que ceux-ci ou celles-là sont faits pour
celles-là ou ceux-ci, et que toute dérogation serait incohérente
pour ne pas dire obscène.

Tous les signes qui bardent le corps (les mouvements du corps,
l'expression du corps) de « signifiants » visent à diriger ceux-ci vers
celles-là, et celles-là vers ceux-ci, en fonction d'une prédisposition
acquise (mais agissant comme si elle était innée) à se trouver, à
se voir, à s'entendre et à reproduire de la sorte la structure sociale
qui permit que ceux-ci et celles-là soient globalement ce qu'ils sont
vis-à-vis d'eux-mêmes et des autres.

Une étude en cours, entreprise sous l'égide de l'Institut de la
statistique (dirigé par le professeur Dupâquier), a montré à quel
point les mariages endogames sont largement constitutifs d'un
bornage redondant des invariances. Ce n'est pas s'aimer qui est
difficile lorsqu'on est issu de milieux totalement différents, c'est se
rencontrer et surtout se voir.

La socialisation comme affichage généralisé

Ce qui nous importe ici, ce n'est pas tant que l'homme, après le
singe, ait confié de plus en plus à sa vue ce qui était auparavant
dévolu à l'odorat et à l'ouïe, qu'il ait ensuite progressivement
conceptualisé les images qu'il emmagasinait ainsi, mais que, libéré
de la dictature des marquages chimiques et des incitateurs physi-

---

1. *Ibid.*

ques, il en ait en quelque sorte reconstitué la fonction en quadrillant son univers de signes « signifiants » qui à la fois « attirent » l'œil, informent le cerveau, suscitent émotion ou sensation affective, et surtout appellent, ou même induisent la réponse souhaitée. Porter ou ne pas porter une cravate, comme longtemps pour les femmes être coiffées ou « en cheveux », a bien le même contenu informationnel que l'odeur qui dit le statut social, le sexe, l'appartenance ou pas à l'espèce. Mais l'odeur significative est innée alors que la cravate « signifiante » est culturelle. Le problème est de savoir dans quelle mesure est innée la prédisposition ou la propension à consteller son corps de signes qui informent sur la place sociale, le rang social de ce corps dans un collectif de corps, à se signaler ostensiblement de la classe moyenne ou paysan, CRS ou gendarme, avocat ou juge, cuisinier ou facteur, musulman ou juif, technocrate de droite ou intellectuel de gauche, possédant ou possédé, diplômé ou inculte, au même titre que pompier ou croquemort.

A y bien regarder, il n'est pas de position « particulière », fût-elle morale, qui, d'une manière ou d'une autre, ne se signale par un marquage repérable, y compris enfant sage ou dissipé, femme honnête ou légère, précieuse ou fatale, homme d'affaires ou affairiste, publicitaire ou annonceur, motocycliste ou cycliste, amateur de rock ou de Mozart, membre du Lions Club ou du Rotary, sécuritaire ou laxiste, intégriste ou libre-penseur... Et, si loin que l'on remonte dans les civilisations, on relève cette tendance au marquage social qui est aussi, à l'occasion, pédagogique et culturel : il apparaît en vérité que cette signalisation structurante caractérise la civilisation elle-même comme si elle en était la condition. Les peintures murales égyptiennes, comme les bas-reliefs assyriens, en témoignent éloquemment.

Dans les sociétés dites primitives, la moindre complexisation et hiérarchisation sociale se traduit par une moindre prolifération de signes : mais ceux-ci (masques, coiffes, peintures sur le corps et le visage, incisions, plumes ou cornes, accessoires symboliques les plus divers) n'en sont que plus fortement affirmés. Le chef et le sorcier, bien que connus ou reconnus par la tribu comme chef et comme sorcier, et n'ayant *a priori* nul besoin de se signaler outrageusement comme tels, n'en sont pas moins spectaculairement et évidemment marqués comme chef et comme sorcier, et parfois des pieds à la tête, comme si une grande partie de l'autorité qu'implique leur fonction s'investissait dans l'effet émotif enclenché par cette accumulation de signaux signifiants. Le chef porte en quelque sorte sur lui, de la manière la plus apparente possible, un mode d'emploi, une règle du jeu, une profession de foi, une proclamation idéologique et un code de la route.

On pourrait presque suggérer que la civilisation humaine est née le jour où le grand primate mâle dominant s'est planté trois plumes dans la crinière pour signifier qu'il était le chef, et où la femelle s'est entourée le corps de coquillages pour faire comprendre au mâle dominant qu'elle lui lisserait volontiers le pelage. Ce qui sous-entend, bien sûr, que le marquage visuel fut un langage antérieur au langage. Pour pouvoir « dire » un jour, il fallait d'abord que l'on apprît à montrer, puis à désigner. Entre le « je suis ce que je sens » ou « tu es ce que tu cries » et le « je suis pour toi ce que tu comprends de ce que je te dis que je suis », il y eut cette phase : « Je suis ce que les signes, que la horde a accepté que je porte, montrent que je suis ».

Notons que la révolution totale qu'est censée avoir induite la troisième étape, celle du langage puis de l'écriture, n'a pas rendu caduques les deux premières : le monde de l'odeur et du cri subsiste, et son importance est bien plus forte qu'on ne veut l'admettre. Et le signe, substitué au cri ou à l'odeur, continue à structurer socialement comme un langage ce que, justement, le langage ne saurait dire...

Les plus anciens témoignages d'organisations humaines que l'on ait retrouvés indiquent l'extraordinaire ancienneté (à l'échelle bien sûr de l'évolution de l'espèce) de l'apparition des ornements corporels différenciés, en particulier les bijoux. Comme si, là encore, bien qu'il ait fallu sans doute des dizaines de milliers d'années pour articuler mentalement les prémices de cet acte essentiel — montrer du doigt —, une fois intervenue la coordination rationnellement interactive des fonctions (voir, concevoir, montrer, donc communiquer), l'accélération fut remarquablement rapide. Comme si, surtout, il y avait eu transfert d'innéité depuis le marquage physico-chimique généralement prédéterminé jusqu'à la prédisposition également génétique à utiliser, dans un but de marquage spécifique et social, cette nouvelle capacité à s'afficher soi-même et à signifier l'autre par rapport à soi de manière autonome.

Certes, pour une part, le signe participe également d'une nécessité ou d'une utilité. Ou fait comme si. Les enfants des écoles portaient autrefois une blouse grise uniforme pour ne pas se salir ; les policiers, gardes et gendarmes doivent facilement et rapidement être identifiés ; le tablier des bouchers les protège autant qu'il les désigne. Mais pourquoi ces uniformes, généralement coûteux, propres à des écoles ou institutions particulières, sinon pour marquer l'enfant de tous les signes dont elles sont censées véhiculer la « signifiance », un type de valeurs, une certaine philosophie, un *badging* social, une anticipation hiérarchique ?

Qu'il faille absolument identifier le contrôleur du train est assez évident. Mais en quoi les avocats en France, les juges en Angleterre, les professeurs dans certains pays, et longtemps les médecins, tout à fait repérables dans l'espace précis qu'ils occupent, avaient-ils ou ont-ils encore besoin de s'affubler d'une robe, d'une toge, d'une perruque, d'un couvre-chef étrange ? Pourquoi faut-il absolument que l'uniforme des corps d'élite se distingue à ce point, dans la plupart des armées, de celui des fantassins de base ? Pourquoi ces chapeaux grotesques que portent les carabiniers espagnols et italiens, le béret de parachutiste, le déguisement ridicule des académiciens ou la toque de cuisinier, dont on voit mal l'influence sur la qualité de leur cuisine ? En quoi le salut correct ou la cadence de la marche au pas concourent-ils à l'efficacité d'une armée en campagne ? On voit bien, à ces exemples, que la plupart de ces marqueurs, au-delà de leur hypothétique utilité, ont pour fonction essentielle de légitimer un statut vis-à-vis de soi-même et de l'extérieur, de l'ancrer au réel apparent en en faisant un élément du décor et, de la sorte, de monter la garde autour de son invariance.

Réplique technologiquement recomposée de la pyramide féodale, l'armée, telle que les grades dûment soulignés sur le costume et le couvre-chef la hiérarchisent, nous offre une illustration archétypique (et quelque peu caricaturale) du rôle ultra-structurant des signes de spécification statutaire. Chaque élément de l'invariance militaire est protégé par une garde rapprochée de marqueurs qui diffusent sans répit la proclamation de leur intangibilité.

A l'inverse, la perte de signes distinctifs a accompagné, et du même coup accéléré, la restructuration de l'espace socio-culturel qui séparait la fonction professorale du statut de l'élève. Même le médecin, en se dépouillant de son antique costume moliéresque (l'efficacité enfin avérée de ses interventions ne rendant plus nécessaire l'impunité par l'uniforme), a plongé dans le réel social, dont il était auparavant coupé, pour devenir entre autres médecin de famille. C'est désormais le rite de l'ordonnance qui fait signe.

Plus un régime est conservateur, plus il s'accroche à la permanence des signes. Plus il est autoritaire ou totalitaire, plus il tend à multiplier les signes nouveaux. (Napoléon, Hitler, Staline créèrent des ordres et distribuèrent des médailles sans compter.)

Le signe est d'ailleurs généralement plus solide que la fonction. La plupart du temps, il lui survit. Il s'autonomise par rapport à elle : il résiste victorieusement à la complète disparition de son utilité. C'est le cas de l'épaulette, de l'uniforme du préfet (résurgence d'une conception militaire de l'administration), du costume d'académicien pensé par référence à la noblesse : quelles que soient les raisons qui ont présidé à son avènement et à son adoption en tant que signe, il finit toujours par cadenasser une invariance hiérarchique et une permanence de statut. Sans uniforme galonné, que devient socialement l'officier de carrière ? Un cadre moyen plutôt moins bien payé que la moyenne.

Est-on sûr que le spectaculaire effacement du rôle de l'Église dans un pays comme la France n'est pas en partie lié (mais à la fois comme cause et comme conséquence) à la disparition de ce signe distinctif que représentait le port de la soutane, et qui proclamait hautement une manière d'exterritorialité transcendante ? Pourquoi imagine-t-on mal une religieuse en tailleur ? Parce qu'on serait troublé par l'abolition d'un marqueur vestimentaire qui la ferait nous ressembler, quand son statut implique justement qu'elle ait choisi la différence.

La bataille pour la messe en latin eut essentiellement cette signification : plutôt un signe qui donnait subjectivement un sens (bien qu'objectivement dépourvu aujourd'hui de sens) qu'un sens objectif qui se dissout en tant que signe. L'opposition particulièrement archaïque à toute réforme de l'orthographe a la même tonalité : l'extrême difficulté qu'engendrent, par exemple, les redoublements incohérents de lettres suggère autant de signaux qui permettent de tracer une frontière, par marquage de l'autre, entre le lettré et l'illettré, en réalité entre le peuple et une élite supposée.

Donc le signe fonctionne bien, à tous les niveaux, comme verrou des invariances. Il dit non seulement ce que l'on est, mais plus encore à quelle place, avec quelles attributions, dans le cadre de quel statut. En stabilisant ces données, en les gravant sur le fronton du théâtre social, il contribue à les figer. Il sous-entend que

l'on sera ce que l'on est, parce que l'on est ce qu'il était socialement écrit que l'on serait. Il amarre. Il enclave.

Le signe « esclave » dans la tête de l'esclave

Prenons le signe « esclave », sans cesse et spontanément reconstitué de marquages physiques en marquages vestimentaires. Pourquoi distingue-t-on un immigré clandestin d'un fonctionnaire
même mal payé de l'ambassade du Maroc ? Ce signe-là, que personne en l'occurrence n'impose, que la société reproduit spontanément, non seulement contribue à définir clairement la fonction
servile (alors le policier tutoie, on est refoulé à l'entrée d'une boîte
de nuit ou d'un restaurant convenable, on doit montrer ses papiers
pour un oui ou pour un non, on se fait invariablement répondre
par les agences immobilières qu'il n'y a rien à louer), mais encore,
par rebonds dans le regard de l'autre, pénètre et peu à peu s'investit (ou s'installe) en soi-même. C'est dire que le signe qui informe
forme en informant et informe ce qu'il forme. Il n'est jamais simplement signe pour soi, ou signe de soi, mais signe pour l'autre
réintégré en soi en tant que signe de soi pour l'autre. Il reflète ce
qu'il murmure et finit, à l'issue de ce *feed-back*, par proclamer ce
qu'il murmurait. Donc le signe « esclave » (fût-il simplement l'effet d'un marquage superficiel par pression économique et sociale),
rebondissant sur le récepteur dont il détermine l'attitude, envahit
en retour l'émetteur dont il articule le propre comportement à
celui du récepteur.

Tout signe fonctionne dans les deux sens : information dirigée
vers l'extérieur et réintégration en soi de l'image extérieure de soi.
C'est là sa raison d'être : cadenasser l'invariance en faisant en
sorte, d'une part, que l'on porte sur soi les signes, volontaires ou
pas, qui informent l'autre de la façon normale et normative de se
structurer socialement par rapport à soi et, d'autre part, que l'on
intériorise en un deuxième temps, par rebonds, au plus profond
de soi, ce que l'on est pour l'autre. L'être pour l'autre devient
alors le révélateur d'une façon d'être par rapport à l'autre.

Jean-Paul Sartre estimait qu'être juif revenait à se voir juif dans
le regard d'autrui, en particulier de l'antisémite. (Ce n'est que très
partiellement vrai.) Il faudrait ajouter que s'affirmer juif par signes
(ou chrétien, ou musulman) revient à s'afficher volontairement

comme tel dans le regard de l'autre et à conforter de la sorte, par effet de retour, son être-juif ou son être-musulman grâce à la pression qu'exerce sur soi l'opposition ou la solidarité que cet affichage suscite.

On remarquera, à l'inverse, que la meilleure façon — et parfois la seule — de transgresser les normes sociales, de se faufiler entre les filets structurants d'une invariance, c'est encore de recourir au signe, de le manipuler, de lui substituer un double faussaire, d'anticiper de la sorte le passage souhaité d'une catégorie sociale à une autre.

Si un pauvre se déguise en riche (ce qui de toute façon est difficile, puisqu'il faut *a priori* être riche pour s'habiller en riche, ce en quoi justement ceci est signe de cela), cela signifie qu'il ruse avec le marquage ; qu'en arborant le signe de ce qu'il n'est pas encore, il compte parvenir à n'être plus ce qu'il continuerait nécessairement d'être s'il ne s'émancipait pas, par cette substitution d'apparence, de la logique des signes adéquats à ce qu'il est toujours. (Pratiquement tous les grands escrocs qui ont réussi sont des pauvres qui ont su s'habiller, au bon moment, en riches.) Un ouvrier ne s'habille pas (hormis peut-être le dimanche) en « bourgeois » sans raisons, pas plus d'ailleurs qu'un bourgeois en ouvrier. Mais, comme nous venons de le voir, la première transgression est concrète : pour passer plus facilement de l'autre côté, j'emprunte l'uniforme de l'autre camp. L'habit ne fait pas le moine, mais on s'introduit plus aisément dans un couvent en habit de moine...

La démarche qui consiste à épouser le signe de la catégorie supérieure pour y accéder plus facilement est donc rationnelle, car, en effet, l'ouvrier n'aura aucune chance de devenir un bourgeois s'il ne parvient pas à pénétrer dans l'espace à travers lequel l'être-bourgeois (et par conséquent le devenir-bourgeois) se déploie. A l'inverse, la seconde transgression est purement abstraite. Elle ne signifie pas que je veuille effectivement devenir un ouvrier, mais que je conteste tout signe extérieur d'appartenance sociale. Dans ce cas, je me déguise idéologiquement, sans risque pour autant d'être relégué en troisième division. Dans l'autre, au contraire, je me travestis pragmatiquement pour tenter de monter en première.

Il en découle que le changement volontaire de signe peut socialement favoriser une ascension, mais non pas provoquer en soi une rétrogradation. Ce qui souligne éloquemment le rôle du signe social en tant que tuteur structurant de l'invariance : d'un côté passeports très chichement distribués, parce que peu accessibles, pour l'accession à la catégorie supérieure ; de l'autre moyen de s'y maintenir quand la relégation menace. Le bourgeois ruiné peut, pendant un certain temps au moins, maintenir son rang grâce aux signes, et, grâce à eux, également se « refaire » ou se recycler. Au contraire, un riche qui s'habille en pauvre ne deviendra pas pauvre pour autant ; il peut d'autant mieux se le permettre qu'il est très riche, et que l'évidence de sa puissance ou de son pouvoir n'a plus besoin de signalisation corporelle apparente. De même, Napoléon, Staline ou Hitler pouvaient-ils feindre de porter des uniformes de caporaux (alors que leurs généraux et maréchaux devaient tout à leur bon vouloir), ou faire l'économie de tous les signes extérieurs de leur gloire et de leur autorité. L'important était qu'autour d'eux, on se constellât la poitrine de casseroles. Ce contraste-là valait signe.

En revanche, répétons-le, un riche qui s'appauvrit devient totalement dépendant des signes qu'il continue, s'il le peut, à arborer. Tant qu'il y parvient, qu'un marquage social préservé lui permet de sauver les apparences, rien n'est perdu. Il campe toujours dans l'espace qui rend la résurrection possible. Il n'est pas encore devenu ce qu'il est, il est ce que les signes continuent de dire de lui. Mais, dès lors que, peu à peu, ces signes s'estompent, s'effacent, tombent en quenouille, le sort en est jeté. Il bascule de l'autre côté. La plupart du temps, sans espoir de rétablissement.

De la symbolique du talon-aiguille

La situation particulière de la femme est, à cet égard, plus exemplaire encore. Toute la symbolique de Pygmalion est là. Comment, afin de favoriser ou d'accompagner une ascension sociale, accède-t-elle à l'univers des signaux adéquats ? Dans ce cas précis, comme nous l'avons analysé plus haut, ce sont les marqueurs corporels (vêtements, coiffures, bronzage, parfums, chaussures, soins esthétiques) qui permettent d'accéder à l'espace masculin où règnent les signes attracteurs et attractifs correspondants. Or, plus le signe est « performant », plus il est difficilement accessible — qu'il s'agisse de la garde-robe, de la voiture, des soins de beauté ou de l'appartement bien placé qui permet de recevoir. Cela signifie qu'il faut disposer des moyens qui permettent de s'assurer des signes qui ouvrent les portes d'un monde où l'on a généralement les moyens ; ou encore que l'entrée dans l'espace où les signes « convenables » se parlent entre eux implique que l'on soit capable d'acquitter un confortable droit de douane.

La femme pauvre, qui n'a pas eu la chance de poursuivre des études supérieures, mais désirera franchir la frontière, n'aura pas beaucoup d'autres possibilités que de trouver un protecteur susceptible de prendre à sa charge l'acquisition des signes nécessaires. (Ce qui, à ce stade, sera plus facile que de faire un beau mariage, car la possession des marqueurs adéquats en est justement le préalable ; le beau mariage pourra intervenir après.)

Pour l'homme qui se trouve dans la même situation, ce sont souvent de juteux trafics et autres combines astucieuses et rentables qui permettent, peu à peu, de se barder des signes nécessaires à l'accession en première division. Signaux d'autant plus voyants — d'où l'image du « nouveau riche » — que cette accession est plus fortement désirée. Un procédé plus long consiste à se mettre au service d'une puissance dont on épouse totalement la cause et le destin.

Or tous ces moyens d'acquérir les clignotants qui entrouvrent les barrières sociales (se trouver des protecteurs, s'adonner à des trafics, participer à des combines, faire le domestique) sont fort mal perçus socialement et moralement quand on en est dépourvu au départ. Si mal considérés, même, que la culture, s'offrant en rempart à la nature (laquelle vole, pour sa part, au secours de l'ordre social), s'est instaurée une hiérarchie à l'intérieur de la hiérarchie, un classement implicite au sein du classement explicite, un non-dit ségrégationniste qui permet de distinguer le bon grain de l'ascension méritée (parce que le plus souvent héritée) de l'ivraie de la réussite usurpée. Là encore, donc, les signes « signifiants » jouent un rôle de rehiérarchisation latente d'une structure jugée vulgairement patente, ceux-ci n'étant pas estimés équivalents selon qu'ils indiquent un accès rapide et récent à la première division ou qu'ils témoignent d'une implantation plus solide et plus légitime parce que plus lointaine. Le « parvenu », comme on dit (comme si, pour parvenir, il ne fallait pas, à un moment ou à un autre, être parvenu), sera donc repéré et en partie déqualifié sinon disqualifié, dans la mesure où les conditions mêmes de sa promotion, souvent brusque et aléatoire, lui imposent d'en rajouter dans l'identification par les signes, alors que le bourgeois « installé » n'a pas, lui, à accentuer artificiellement sa bonne odeur (naturelle) : l'intériorisation, à la longue, des marqueurs qui n'ont plus besoin de scintiller pour le distinguer l'a de surcroît initié au « bon goût », capacité à hiérarchiser culturellement les signes qui le hiérarchisent.

Toutes ces remarques indiquent clairement que le mécanisme globalement répétitif des signalisations socialement signifiantes — et l'on aurait pu y ajouter l'ameublement, le logement, la voiture, les lieux de vacances ou de villégiatures, les restaurants fréquentés dont certains exigent le signe (cravate et veste) qui permet d'accéder au signe, les spectacles choisis, l'opéra, les galas, les avant-premières, éventuellement le journal acheté, c'est-à-dire montré, *Le Monde* plutôt que *Le Parisien*, le *Financial Times* plutôt que *VSD* —, ce mécanisme culturellement naturel, donc, propension innée à accumuler les marqueurs acquis, concourt puissamment à verrouiller les invariances sociales : ne serait-ce qu'en orientant les échanges, sexuels ou culturels, vers des ensembles et sous-ensembles homogènes et adéquats, en sélectionnant par l'argent et l'éducation (donc deux fois par l'argent) le passage à sens unique d'un ensemble ou sous-ensemble à un autre, en hiérarchisant à l'intérieur du même ensemble le marquage des conditions d'accès. Mais, en même temps, et en conséquence de ce qui précède, le signe qui cadenasse la structure intervient, marginalement ou radicalement, dans sa recomposition, et ce, d'autant plus qu'il la subvertit mais ne la nie pas. En fonction de quoi, toute recomposition sociale ou culturelle s'exprime à travers des transferts, fusions ou abolitions de signes.

Qu'un bourgeois s'habille en ouvrier, avons-nous montré, ne change strictement rien à rien, mais qu'en revanche le prêtre renonce à sa soutane induit, accompagne ou sanctionne une redéfinition majeure du rôle idéologique ou social de l'Église. Toute chute de spécificité ou de marquage vestimentaire est idéologiquement ou socialement signifiante. Le déclin de la noblesse, vraie ou fausse, et la progression des idéaux démocratiques (l'émergence de l'aspiration démocratique en tant qu'invariance mentale forte) ont entraîné la disparition de la livrée et, par extension, le recul des termes différenciés propres à la domesticité.

La cravate ou de la recomposition par perte de signes

Nous avons déjà observé que les professeurs ont perdu leurs robes et leurs toges, y compris dans leur tête, en même temps qu'ils cessèrent d'être des clercs infaillibles pour devenir de simples praticiens d'une transmission socialement utile. Les classes moyennes, devenues majoritaires, poussèrent à ce déclassement par effacement du signe qui leur permettait de mieux définir leur espace propre. Ensuite elles se concoctèrent, en complicité avec le message publicitaire, leurs propres badgages culturels.

Mais si un marqueur social peut survivre à la disparition des bases économiques dont il soulignait les effets de clivage, l'effacement du signe ne suppose pas pour autant la suppression du clivage. Simplement celui-ci a besoin, pour se perpétuer, compte tenu d'un changement de cadre, de s'exprimer autrement, par d'autres signes. Autrement dit, les marqueurs sociaux accompagnent et subissent les effets des recompositions sociales, en même temps qu'ils les accélèrent et parfois les précipitent. Le jean, dès lors qu'il est devenu un phénomène de masse, a favorisé, au moins à la marge, une recomposition par fusion de signes antérieurement différenciés. De même que le blouson noir proclamait la rébellion, il disait, lui, l'aspiration à s'affranchir des carcans de représentation sociale les plus rigides.

On pourrait, de la même façon, reconstituer explicitement le discours implicite de la fin du talon aiguille : la conquête de l'égalité réelle ne se satisfaisait plus de ce piédestal artificiel et dérisoire qui soulignait la fragilité de l'objet porté, tout en sexualisant sa démarche.

En ce qui concerne la femme, on voit bien que l'accumulation de choses propres à étouffer le corps, à le réifier en tant que réalité vivante, tend à se dissoudre par réappropriation de l'être ; qu'aux objets qui noyaient l'être confisqué à lui-même s'est substituée l'affirmation du corps comme finalité du corps. Le haut hésitant à pigeonner tandis que se moulait le bas, la femme cessa d'être buste.

Le signe, en somme, fait signe quand il apparaît, quand il se perpétue et quand il disparaît. Tout repérage d'une recomposition sociale passe, en cela, par l'analyse de l'évolution des marqueurs sociaux. Différencier et isoler ceux qui émergent, ceux qui subsistent, ceux qui s'effacent, revient à ausculter la respiration d'une structure et à radiographier les lignes de mutation qui recomposent son invariance : déclin du bouton de manchette, du col dur amidonné et de l'épingle à cravate, mais forte résistance de la cravate elle-même. Ici les marqueurs se sont épurés, ont éliminé leur redondance. Reste un signe clair (la cravate), d'autant plus signifiant qu'il n'est plus nécessaire de l'arborer tout le temps et en tout lieu. Il ne souligne plus le clivage, ne rappelle plus la norme qu'au moment nécessaire et dans l'espace adéquat. Il ne se disperse plus, ne se banalise plus : il se resserre. Plus d'endimanchement, qui se voulait simulacre dominical d'une passerelle sociale : le paysan, l'ouvrier, l'employé, le chômeur, l'étudiant, le journaliste de base, le cadre moyen se sont décravatés. L'ustensile, désormais, n'a donc plus besoin d'être relayé par quoi que ce soit d'autre (boutons de manchettes ou pochette assortie) parce que seul désormais en tant que signe, il dit, souligne, grave la fonction, marque la place hiérarchique, la situation de classe, la délégation d'autorité. Le déclin des signes secondaires a accompagné une hiérarchisation accentuée du signe principal. Le marquage social gagne en force en se dépouillant : quoi qu'on en dise, le petit ruban de la Légion d'honneur, archétype du signal dont la société constelle sa propre structure pour en souligner de rose les contours, la rosette, donc, notabilise plus sûrement que la batterie superfétatoire de médailles-casseroles qui recouvrait le torse du citoyen soviétique méritant.

L'intérêt, à cet égard, n'est pas tant que le jean ait submergé la planète (et brouillé dans une certaine mesure les signalisations traditionnelles de classe et de sexe, de fonction et de savoir) mais plutôt que son impérialisme se soit brisé sur des résistances sociales, lesquelles révèlent du même coup la nature et la place des noyaux durs de l'invariance : ceux autour et au profit desquels s'organisent les recompositions. Résistances qui peuvent revêtir une forme nationale, ethnique ou religieuse, mais surtout sociale. Le jean, à quelques rares écarts près (mais la transgression marginale est constitutive d'un ordre), n'a pénétré ni les grands corps de l'État en majesté, ni les conseils d'administration en séances, ni les organismes de commandement en réunions, ni les institutions intellectuelles en colloques, ni les assemblées électives en délibérations, ni les conseils de ministres, ni les cérémonies officielles, ni les soirées de galas, ni les dîners en ville : ce qui indique qu'il y a, là encore, resserrement de l'utilisation des marqueurs sociaux autour de leur fonction essentielle. Le port du costume bourgeois est désormais réservé aux activités qui indiquent que l'élite assume totalement, fût-ce à travers ses distractions, son rôle social. Les chutes de signes concourent donc bien à une recomposition par élagage de l'invariance.

Quels sont, au demeurant, les transferts, fusions, effacements ou transformations de signaux qui provoquent, favorisent et parfois précipitent les plus évidentes recompositions de structures ? Non pas ceux qui sont provisoirement obtenus par des moyens révolutionnaires ou contraignants (voir les expériences des sans-culottes, des fameuses blouses phalanstériennes qui s'attachaient dans le dos, du costume mao, ou encore l'interdiction du port du turban en Turquie et l'occidentalisation vestimentaire imposée d'en haut par le régime du shah d'Iran), mais ceux qui accompagnent un remodelage social effectif, en même temps qu'ils découlent de nouvelles donnes économiques, technologiques ou environnementales objectives.

Ainsi le casque colonial, rehaussant un uniforme immaculé, n'a pas résisté longtemps à l'effondrement des empires coloniaux ; il n'y a que les communistes vietnamiens qui pouvaient se permettre de s'affubler, sans susciter le soupçon, de couvre-chefs semblables. Ainsi également, en 1815, la noblesse apparemment restaurée (apparemment seulement) eut-elle tendance à se distinguer à nouveau du tiers-état en portant culotte, habit en soie et même perruque. Mais, outre que la vaste redistribution sociale intervenue entre-temps et l'abolition des derniers privilèges de sang rendaient cette différenciation complètement artificielle et passablement archaïque (le signe doit avoir du sens pour prendre sens, ou, si l'on préfère, être adéquat à ce dont il est le signe pour sanctionner comme signe de quelque chose), les mutations économiques et technologiques qui avaient marqué la période napoléonienne (effets du blocus continental et du brassage militaire), mais aussi l'affirmation de l'industrialisation avaient contribué à liquider le type d'artisanat qui permettait la production, à des coûts abordables, de l'attirail vestimentaire de la noblesse. Autrement dit, les nobles n'étaient plus assez riches et les habits étaient devenus trop coûteux.

De même, l'apparition du polo et celle du tee-shirt (c'est-à-dire les causes économiques de leur commercialisation) ont davantage contribué au resserrement social autour du port de la cravate, évoqué plus haut que les événements de Mai 68. Mais ces derniers (ou plutôt ce qu'ils ont révélé) ont sans doute contribué à baliser le terrain qui permettait le succès commercial de ces modes de libération vestimentaire.

La rencontre entre de nouvelles donnes économiques objectives et les effets sur les mentalités de la pensée critique provoque toujours une recomposition de la structure sociale qui, accessoirement, par le signe, cherche à sauver son invariance.

Mais le vêtement, comme la chevelure (et le traitement du poil en général) ou encore l'insigne ne constituent qu'un aspect de la mise en scène du corps à des fins de reconnaissance sociale. Ce qui parle à l'autre, dans le cadre de l'invariance qu'un tel dialogue visualisé a pour mission de consolider, c'est aussi le lieu où se déploie le corps. A cet égard, le logement est évidemment l'un des éléments les plus actifs dans la structuration de l'invariance.

Esquisse d'une sémiologie de l'espace immobilier

On peut, à la rigueur, s'habiller « comme si ». Il est plus rare que l'on se loge « comme si ». Le petit employé qui se saignera aux quatre veines pour se déguiser en bourgeois aura beaucoup plus de mal à pousser le simulacre jusqu'au stade supérieur du statut immobilier. Sauf si le passeport obtenu grâce au signe vestimentaire l'a fait accéder à l'espace social au sein duquel on peut espérer acquérir le signe suprême que représente justement le choix de sa part de l'espace urbain ou suburbain.

Le signe par le logement a-t-il contribué, par transfert, à accélérer une recomposition de l'invariance ? Oui, sans aucun doute. Et cette recomposition fut, à l'examen, assez profonde. Mais, pas plus que la recomposition par le vêtement, on ne saurait l'assimiler « en soi » à un progrès linéaire. Elle n'a fait que formaliser, de manière tout autant régressive que progressive, la symbiose intervenue entre un remodelage social et des données économiques et technologiques nouvelles qui ont fait exploser le marché de l'immobilier.

Au XIXᵉ siècle, la structuration sociale (la formalisation immobilière de l'invariance) s'est opérée soit par stratification verticale à l'intérieur d'un même immeuble — les riches aux premiers étages, et rétrécissement hiérarchisé des revenus à mesure que l'on montait vers les soupentes —, soit par rejet des classes dites dangereuses dans ce qu'on appelait les faubourgs, mais qui faisait cependant partie intégrante de la cité. Or l'évolution des marchés fonciers et immobiliers, sous la pression de la poussée démographique, des flux migratoires, de l'avènement des classes moyennes ou intermédiaires, de la flambée du prix des terrains qui en a résulté, mais aussi des nouvelles techniques de construction et des aspirations environnementales des classes supérieures ont provoqué un remodelage à la fois social et spatial sur une base cette fois plus concentrique. Plus de stratifications hiérarchisantes dans le même immeuble (qui impliquait tout de même que l'on se croisât) ; plus de quadrillage socio-culturel de la cité elle-même (ce qui sous-entendait tout de même que l'on participait ensemble à la vie civique). Pour l'essentiel, le centre urbain et ses excroissances (vers Neuilly et les confins de la Défense en ce qui concerne Paris), dévolus aux bureaux et aux immeubles de confort (et de rapport), sont devenus une réserve pour les classes dirigeantes et assimilés. Un deuxième cercle a été investi par les classes moyennes, un troisième a été réservé au moyen salariat, et un quatrième abandonné au nouveau prolétariat constitué surtout par les populations immigrées. Avec ce correctif que, dans certains pays comme les États-Unis, la ségrégation concentrique s'est développée en sens inverse, au détriment du centre-ville.

Qu'est-ce que cela signifie ? Que, d'un côté, globalement, les plus pauvres sont mieux logés, que les taudis du XIXᵉ siècle et les bidonvilles du début du XXᵉ ont à peu près disparu, que l'immense majorité des salariés disposent d'un confort minimal sans commune mesure avec ce qu'étaient les conditions de vie un siècle plus tôt. Mais aussi que, la ségrégation sociale confinant de plus en plus à un apartheid de fait, la pauvreté d'un côté pesant sur la pauvreté, la richesse de l'autre dopant la richesse, le fossé s'est considérablement approfondi entre les conditions générales d'existence des uns et celles des autres, surtout si l'on tient compte de l'entretien des immeubles, des services collectifs, de la qualité du milieu, du temps et des conditions de transport.

En d'autres termes, non seulement l'invariance sociale a été confortée, rigidifiée, mais la vaste recomposition intervenue (marquée, entre autres, par l'importance prise par la construction de logements de type HLM) a finalement aggravé les traits les plus inégalitaires de cette invariance.

On pourrait faire la même constatation (mais nous sortirions du cadre de cette démonstration) à propos de la Sécurité sociale qui, système de redistribution à l'origine, a fini par s'intégrer elle aussi à l'invariance sociale dont elle a renforcé certaines dynamiques inégalitaires.

Ce qui nous importe ici, c'est que le logement comme symbole suprême, signe dans l'espace d'une invariance, a contribué, sous la pression des nouvelles conditions économiques et techniques, à précipiter une vaste recomposition structurelle caractérisée, en particulier, par l'enfermement de la richesse dans un champ clos protecteur, par le développement à la marge d'un espace social autonome, par l'apparition d'un territoire spécifique dévolu aux classes moyennes, et par une cassure intervenue au sein même de l'ancienne classe salariée. Et que, ce faisant, la signification structurante du marquage social que constituent les conditions et le lieu d'habitation s'est encore exacerbée au seul profit de la consolidation de l'invariance.

Cela ne veut absolument pas dire que toute recomposition aggrave les mécanismes inégalitaires de la structure recomposée (généralement, la tendance est inverse), mais que les recompositions par les signes, quand elles sont spontanées, c'est-à-dire déterminées par le marché, visent tantôt à sauver la permanence globale de la structure en adoptant ses clignotants aux nouvelles conditions de luminosité sociale, tantôt à la conforter en mobilisant de nouveaux signes en faveur de son invariance. C'est pourquoi, soit dit en passant, le réformisme véritable doit agir non pas brutalement et directement sur les signes (erreur de tous les gauchismes qui s'épuisent à inventer des signes de substitution), mais sur le réel, quitte à jouer de la permanence des signes pour mieux assurer une recomposition radicale de la structure. Il ne s'agit pas d'assassiner ou d'abolir le signe, mais de le rendre naturellement archaïque.

Reste la question qui a introduit cette analyse : comment est-on passé d'un marquage chimique et de clignotants physiques innés à un tel marquage socio-culturel acquis par auto-élaboration ? Comment le signe élaboré s'est-il à ce point substitué comme informateur socialement structurant à l'odeur et à la vibration ?

Nous avons suggéré une esquisse de réponse. L'homme a auto-élaboré phénotypiquement, puis câblé en conséquence, l'organisme informatif de substitution autocontrôlé que, progressivement, la sélection a génétiquement stabilisé — le langage intervenant au terme de cette aventure. Après quoi, on le remarquera, l'organisme cérébral n'a guère évolué en volume et en structure.

Cela signifie que l'homme, à un certain stade de son évolution, une fois ses mains libérées et sa vision devenue ample, s'est mis à montrer, à désigner, à indiquer (et ensuite à graver, à marquer, etc.). Dès lors, il put et dut concevoir des signes, des repères, des marqueurs sociaux : un geste de la main, du bras, de la tête, mais aussi une pierre posée sur une autre, un morceau de bois disposé d'une certaine façon, puis le premier insigne désignant la domination, marquant le pouvoir, la première délimitation visible de territoire, la première décoration différenciée de grotte, le premier accessoire de la féminité, le premier symbole religieux. Le langage n'était pas loin : lorsque l'on montre, on aspire à dire.

Mais sans doute, l'homme avait-il préalablement conçu les signes qui allaient lui permettre d'informer la société sur lui-même et d'inscrire son rapport à l'autre dans une structure sociale ; de parler au monde et de parler le monde ; de marquer sa place, son rang, son statut dans la horde ou la tribu ou de se laisser marquer par le groupe dans le cadre des rapports internes à la tribu. Et s'il a effectivement agi ainsi — ce qui est probable —, c'est que le mécanisme inné d'information et de structuration sociale par message chimique ou physique s'était transformé, grâce à la médiation du substitut cérébral, en une prédisposition innée à structurer par signes le rapport au monde, à l'autre, à la société, au groupe ; à marquer et de la sorte à signifier socialement, de manière culturelle, ce qui était auparavant exhalé ou émis de manière naturelle, c'est-à-dire inconsciente.

Voilà que nous débouchons de nouveau sur ce constat essentiel : le double mouvement propre à l'hominisation (et qui seul explique que « tout change » même si « rien ne change ») d'une part de projection et de traduction culturelles de l'inné d'autre part et d'innéisation relative (ou marginale) de l'acquis sous la forme collective de « prédispositions à ». Nous allons donc revenir brièvement sur cette problématique centrale. D'autant que, pour conforter notre thèse, nous pouvons maintenant faire appel à quelques renforts...

CHAPITRE XVIII

Retour conforté
sur quelques hypothèses précédentes

L'espace, proprement humain,
de fusion entre l'inné et l'acquis

La théorie de la stabilisation sélective, en complément à celle de la double sélection, nous aide à ouvrir ce nouvel espace, propre à l'espèce humaine en développement, au sein duquel s'esquisse une confluence entre ce que la nature porte et ce que la nature retraite ou corrige.

Le présent chapitre est un peu plus abstrait, et peut-être moins largement accessible que les précédents. Il est cependant nécessaire à la compréhension d'ensemble car, outre qu'il explore les implications socio-culturelles de la théorie de la double sélection (espace de fusion entre l'inné et l'acquis), il invoque à l'appui de cette hypothèse un certain nombre de travaux plus ou moins récents que l'on considèrera comme autant de renforts.

Tous nos remerciements au professeur Dennett

Dès lors que l'homme, par la vertu conceptuelle, imaginative et anticipatrice de son intelligence spécifique, agit sur l'environnement, le transforme et le recompose, pourquoi refuserait-on d'admettre que la sélection des évolutions les plus évidemment adaptatives à tel environnement revient à favoriser une innéité de groupe à partir de l'acquis ? A inscrire peu à peu la répétition culturelle dans la reproduction du câblage cérébral qui lui est le plus adéquat ? Pourquoi hésiterait-on à envisager que cette innéité de groupe se traduit par une prédisposition à reproduire collectivement l'état des structures invariantes dont l'interaction avec l'environnement a déterminé la recomposition ?

Il ne s'agit pas là de néolamarckisme, puisque, tout au contraire, nous insistons sur l'invariance des structures héréditaires : pas d'hérédité directe des caractères acquis, mais pression de l'acquis environnemental, par l'entremise de l'auto-élaboration phénotypique du câblage cérébral, sur des prédispositions génétiques préalablement neutralisées (ou des mutations aléatoires jusqu'alors neutres) qui permettent l'émergence d'un comportement spécifique adaptatif de groupe en fonction du contexte environnemental. La cible de cette symbiose entre l'inné et l'acquis est non pas la structure, mais sa recomposition.

Il est frappant que Boris Cyrulnik, dont nous avons déjà cité l'ouvrage vivifiant, en vienne à écrire : « Dès le jour de sa naissance, le nourrisson est confronté à un monde mis en scène par ses parents et leur culture [...]. Les sociétés ne cessent de s'inventer en créant des objets, des gestes et des champs sensoriels qui façonnent biologiquement l'enfant [...]. La biologie et la culture s'opposent et se mêlent comme deux cours d'eau confluents. » Ou encore : « Le petit homme qui arrive au monde réalisera ses promesses génétiques plus ou moins bien selon la structure du monde où il débarque en quittant son univers aquatique. Ainsi l'enfant est façonné par la représentation culturelle du sexe auquel il appartient génétiquement. Les partisans de l'inné ou de l'acquis auront du mal à s'en dépatouiller[1]. »

On retrouve la même interrogation, et de manière encore plus osée, dans l'ouvrage du philosophe américain Daniel C. Dennett, *La Conscience expliquée*[2]. L'auteur tente d'explorer le cheminement qui a conduit à l'émergence d'une conscience humaine spécifique. Sa théorie, évidemment, ne vaut pas preuve : mais ce qui est intéressant, c'est qu'en bon philosophe anglo-saxon Dennett tente de synthétiser et de rationaliser l'ensemble des intuitions que les sciences de la nature de son époque lui fournissent ou proposent.

Tout commence donc par le stade réflexe qui, répétons-le, n'est

1. Boris Cyrulnik, *op. cit.*
2. Daniel C. Dennett, *La Conscience expliquée*, Paris, Odile Jacob, 1993.

pas un stade dépassé, mais une étape intégrée à son dépassement. Ainsi la capacité à esquiver les obstacles : « Ce talent anticipatoire fait partie de la machinerie innée conçue sur des millions d'années pour détecter les régularités que nous pouvons relever entre les choses qui menacent et les choses qui nous touchent. La réponse d'évitement des objets qui passent est câblée profondément chez les êtres humains et on peut l'observer chez les nouveau-nés : c'est un don de nos lointains ancêtres, alors que leurs cousins qui n'ont pas survécu ne savaient pas suffisamment éviter les obstacles[1]. » Le réflexe d'évitement suppose des réponses d'orientation. Selon le psychologue américain Odmar Neumann, les réponses d'orientation, de pilotage automatique (qui font elles aussi partie de notre badgage héréditaire) auraient été au départ des réactions purement réflexes à des signaux d'alarme, mais se seraient révélées tellement utiles que les animaux auraient commencé à se placer de plus en plus souvent en position d'orientation. « Les systèmes nerveux avaient besoin d'une modalité "tout le monde sur le pont", mais, une fois que celle-ci a été mise en place, cela ne coûtait rien de la mettre en marche plus souvent. On peut dire que c'est devenu une habitude, qui n'était plus seulement sous le contrôle de stimuli externes, mais était initiée de façon interne, comme des entraînements aux signaux d'incendie. La vigilance régulière s'est graduellement transformée, par étapes, en exploration régulière, et une nouvelle stratégie comportementale a commencé à évoluer : la stratégie d'acquisition de l'information "pour elle-même", pour le cas où cela se révélerait utile un jour[2]. »

Ainsi les mammifères supérieurs, en particulier les primates, ont-ils commencé à devenir, précise Dennett, « des informativores, des organismes qui ont faim d'autres informations sur le monde qu'ils habitent et sur eux-mêmes[3] ». Mais, pour ce faire, « comme c'est d'habitude le cas dans l'évolution, ils ont assemblé les nouveaux systèmes à partir de l'équipement que leur héritage leur avait déjà fourni[4] ».

Il faut donc comprendre ici que la collecte d'informations désintéressée a bien découlé, à partir d'une incitation externe, d'un

1. *Ibid.*
2. Cité dans *ibid.*
3. *Ibid.*
4. *Ibid.*

autocâblage cérébral interne stabilisé génétiquement à partir d'une tendance à la répétition. Et Daniel C. Dennett d'ajouter, ce qui corrobore notre propre propos sur la dimension instinctive de l'invariance sociale : « Les liens innés qui permettent de connecter des états informationnels particuliers à l'abandon ou à l'acceptation, à l'évitement ou au renforcement, n'ont pas été rompus, mais seulement atténués ou redirigés[1]. » Ce qui est le cas, nous l'avons vu, du rôle que jouent dans ce domaine les odeurs et les vibrations provoquées par les cris.

Mais voilà, à suivre notre distingué épistémologue, qu'avec la phase suivante de l'évolution les choses se corsent : « Nous devons, écrit-il, introduire une innovation majeure : l'émergence de phénotypes individuels dont les intérieurs ne sont pas entièrement câblés de façon innée, mais plutôt variables ou plastiques, et qui, par conséquent, peuvent apprendre durant leur vie. L'émergence de la plasticité dans les systèmes nerveux est survenue (en gros) au même moment que les développements que nous venons d'esquisser, et elle a produit deux nouveaux véhicules dans lesquels l'évolution a pu prendre place, à une vitesse bien plus grande que l'évolution génétique[2]. »

Avant de découvrir ces deux nouveaux « véhicules », notons que j'ignorais le contenu de cet ouvrage, et de celui de Boris Cyrulnik, quelques semaines encore avant d'arriver au terme de ce travail. Je n'en suis que plus redevable à l'auteur d'ajouter : « Nous partons du principe que le futur ressemblera au passé [...] ; c'est la prémisse essentielle sur laquelle s'appuient toutes nos inférences inductives. Dame Nature part du même principe. A bien des égards les choses restent les mêmes [...]. Mais il arrive que Dame Nature ne puisse pas totalement prédire les circonstances et les vicissitudes de l'environnement. Dans ce cas, aucune conception stéréotypée ne pourra s'adapter à toutes les éventualités, si bien que les organismes les plus adaptés seront ceux qui peuvent se redessiner eux-mêmes à un certain degré pour répondre aux circonstances qu'ils rencontrent[3]... » Plus loin, l'auteur explique : « A partir du moment où on naît, il reste de la place pour des variations et celles-ci se retrouvent finalement fixées, par un processus

1. *Ibid.*
2. *Ibid.*
3. *Ibid.*

ou par un autre, en un élément relativement permanent de conceptions pour le reste de la vie. Comment un tel processus de fixation de conception postnatal peut-il se réaliser ? D'une seule façon : par un processus fortement analogue aux processus qui fixent les conceptions prénatales ou, en d'autres termes, un processus d'évolution par sélection naturelle qui se produit à l'intérieur de l'individu (dans le phénotype). Quelque chose de déjà fixé au sein de l'individu par la sélection naturelle doit jouer le rôle de sélecteur mécanique, et d'autres choses doivent jouer le rôle de la multitude des candidats à la sélection[1]. »

Cette dernière phrase est, certes, plutôt obscure, mais l'auteur la clarifie aussitôt et se jette à l'eau : « Le cerveau plastique, précise-t-il, est capable de se réorganiser lui-même en s'adaptant en réponse aux éléments nouveaux que l'organisme rencontre dans son environnement ; le processus par lequel le cerveau y parvient doit être un processus mécanique tout à fait analogue à celui de la sélection naturelle. C'est le premier véhicule nouveau de l'évolution : la fixation postnatale d'organisation dans les cerveaux individuels[2]. »

Comment expliquer la reproduction des câblages cérébraux qui permettent de concevoir les meilleures réponses à une interpellation du milieu ? Il n'y a pas d'hérédité des caractères acquis, mais « il se trouve que les individus qui ont la chance d'être plus proches dans l'espace exploratoire de conception d'un "bon truc" à apprendre (ceux qui ont essayé le meilleur câblage) auront tendance à avoir plus de progéniture [...]. On peut dire que les espèces testent d'avance l'efficacité de différentes conceptions particulières à travers des explorations phénotypiques individuelles dans l'espace des possibilités proches. Si un dispositif gagnant particulier se trouve ainsi découvert, cette découverte créera une nouvelle pression sélective [...]. Ainsi l'évolution dans le second véhicule, la plasticité phénotypique, peut faire progresser l'évolution dans le premier véhicule, celui de la variation génétique[3] ». De la sorte, explique Dennett, « l'avance prise par l'*homo sapiens* durant les dix mille dernières années doit être due presque tout entière à un modelage de la plasticité de son cerveau par des voies nouvelles

1. *Ibid.*
2. *Ibid.*
3. *Ibid.*

qui font que ce cerveau est, aujourd'hui, équipé à la naissance d'une petite quantité de pouvoirs qui faisaient totalement défaut à celui de nos ancêtres il y a dix mille ans [...]. Nos ancêtres doivent avoir appris certains "bons trucs" qu'ils pouvaient effectuer avec le matériel ajustable que notre espèce vient juste de commencer à intégrer dans son génome[1] ».

Et de conclure sur ce point : « L'évolution culturelle et la transmission de ses produits sont le second nouveau véhicule de l'évolution : elles dépendent de la plasticité phénotypique, d'une façon très comparable à celle dont la plasticité phénotypique dépend de la variation génétique[2]. »

Il me semble avoir avancé une hypothèse relativement proche de celle qu'a développée le professeur Dennett. Bien sûr, cette convergence ne prouve rien. Notre éminent philosophe étant parfaitement au fait de l'état des recherches scientifiques dans les pays anglo-saxons et des interrogations qu'elles suscitent, elle indique simplement que la tendance est de plus en plus forte à se libérer du carcan sur lequel veillent les vestales orthodoxes de la théorie synthétique de l'évolution.

Une remarquable intuition de Karl Popper

Il est remarquable que Karl Popper en soit lui aussi venu à mettre en relief le rôle de la pression sélective interne : « Je distingue, écrit-il, la pression sélective externe, venant de l'environnement, de la pression sélective interne. Cette dernière vient de l'organisme lui-même et, en dernier ressort, me semble-t-il, de ses "préférences" [en anglais littéralement : "de ses buts"]. De nouvelles préférences, poursuit Popper, peuvent se manifester d'abord sous la forme d'un nouveau comportement d'essai, permis mais non établi par les gènes [...]. Les changements apparaissant ensuite dans la structure des aptitudes seront favorisés. Mais ce sont les changements de la structure anatomique qui favoriseront les nouvelles aptitudes. La structure de préférence et ses variations contrôlent la sélection de la structure des aptitudes et ses varia-

1. *Ibid.*
2. *Ibid.*

tions. Celle-ci, à son tour, contrôle la sélection de la structure purement anatomique et ses variations[1]. »

Il serait intéressant d'étudier plus avant cette théorie, inspirée par un rationalisme pragmatique, selon laquelle l'évolution serait en grande partie rythmée par une tendance à se sortir des problèmes posés par des préférences ou des « buts » instinctifs. « Je pense, écrit Popper, que l'origine de la vie et l'origine des problèmes coïncident. La vie consiste en structures physiques qui tendent à résoudre des problèmes[2]. » Et d'esquisser lui-même le principe d'une double sélection : « L'organisme, par ses actions et ses préférences, sélectionne en partie les pressions sélectives qui agiront sur lui et sur ses descendants. Il peut donc fortement influencer la trajectoire qu'adoptera l'évolution[3]. »

Le philosophe tend donc ici, comme il en convient lui-même, à réintégrer « l'ingéniosité artificieuse lamarckienne à la théorie darwinienne de l'évolution par sélection naturelle ». J'en déduis que si la science a fréquemment ébranlé les résistances de l'orthodoxie philosophique, la philosophie contemporaine, de son côté, ressent le besoin, sans toujours s'y risquer ouvertement, de casser la sérénité autosatisfaite de l'orthodoxie scientifique.

Pourquoi et comment, à un certain stade de l'hominisation, l'inné débouche-t-il sur cette capacité à engranger de plus en plus d'acquis autonomes ? Pourquoi et comment, enfin, ce processus d'aller et retour (avec effet de rétroaction) de l'inné sur l'acquis, et de l'acquis sur l'inné, ne change structurellement rien et favorise cependant la propension comportementale à pouvoir peu à peu tout changer ?

La synthèse orthodoxe mendélo-darwinienne est-elle capable de rendre compte de cette étrange et complexe continuité, propre à l'espèce humaine, qui fait des acquis culturels (au sens large) le prolongement, médiatisé par une recomposition du câblage intra-neuronal, de la tendance innée à trouver le meilleur « truc » au moindre coût pour résoudre un problème ?

Au fond, si le néolamarckisme, tout à son déterminisme volontariste, fait par trop abstraction des contraintes de la structure invariante (le « rien ne change »), l'orthodoxie néodarwinienne,

---

1. Karl Popper, *op. cit.*
2. *Ibid.*
3. *Ibid.*

obnubilée par la seule sélection externe des mutations aléatoires internes, ne rend pas compte de la complexité de toutes les recombinaisons finalisées possibles de cette structure invariante (« tout change ») !

L'hypothèse de la « double sélection » permet de dépasser cet antagonisme, puisqu'elle englobe à la fois l'invariance structurante et les recompositions structurelles finalisées, sans exclure l'interface des mutations aléatoires. Surtout, en intégrant au mécanisme de l'évolution la pression sélective interne à l'organisme, elle ouvre un espace spécifique à l'émergence de l'esprit humain, c'est-à-dire à l'apparition d'une intelligence susceptible de finaliser elle-même sa propre conscience de soi. Enfin, elle permet de rompre en partie le mur de béton qui sépare l'inné de l'acquis, en montrant que, compte tenu de la médiation de données objectives externes fonctionnant comme des mutations aléatoires internes : 1) l'inné participe de l'invariance, alors que l'acquis découle de la finalisation d'une recombinaison (une « propension à ») ; mais 2) que, de même que l'acquis n'est possible que par recomposition organiquement auto-élaborée de l'inné, de même l'inné réintègre les effets de l'acquis à la recomposition adaptative de son invariance.

Là se noue donc la dialectique du « rien ne change parce que tout change » : dans une transgression contrôlée de l'orthodoxie darwinienne qui récuse cependant tout retour à la facilité néo-lamarckienne.

On remarquera, à cet égard, que le conservatisme du « rien ne change » et le révolutionnarisme du « tout change », qui puisent leur légitimité l'un dans l'orthodoxie évolutionniste darwinienne, l'autre dans l'illusion transformiste lamarckienne — l'un étant ancré dans l'inné, l'autre chevauchant exclusivement l'acquis —, s'épuisent l'un et l'autre. Les deux dimensions participent en effet de la même dynamique évolutive susceptible d'extraire un flux culturel d'une structure biologique et de recomposer rétroactivement cette structure sous la pression de ce flux.

L'hypothèse de la double sélection, renforçant la théorie de l'invariance évolutive par recomposition, conforte en revanche la démarche réformiste.

On peut d'ailleurs décliner ce postulat à l'envers : la démarche réformiste n'est valable que si son champ de déploiement théorique se révèle pertinent. Si donc, entre le conservatisme induit par l'innéité de la structure invariante et le révolutionnarisme que suggère l'accélération du processus d'acquisition culturelle, s'ouvre la voie, effectivement motrice, du sauvetage toujours nécessaire de la structure par recomposition auto-élaborée et finalisée de son invariance sous la pression de nouvelles donnes objectives (dont la pensée critique est partie prenante).

Et, en effet, nous avons précédemment constaté — qu'il s'agisse d'un organisme vivant ou d'une réunion d'organismes vivants en société — que toute structure invariante confrontée à une mutation de son environnement (ou de son fonctionnement), incapable de procéder à temps à une recomposition adaptative et finalisée d'ampleur suffisante, s'éteint. Et que toute restructuration ou mutation radicale qui s'émancipe brutalement de la logique de l'invariance, provoque la mort de l'organisme concerné ou l'effondrement à terme de la société de substitution. Conservatisme et révolutionnarisme constituent en cela deux voies évolutives sans issue.

Ce dépassement de l'évolutionnisme classique qui ne sacrifie pas pour autant à un archéo-transformisme porte en quelque sorte en lui la théorie du réformisme.

Où l'on retrouve les gènes chômeurs

La science donnera-t-elle son aval à une telle démarche ? Elle sortira de toute façon de son sous-bois. N'est-ce pas le très darwinien père de la sociobiologie, Edward O. Wilson, qui écrit : « La biologie moléculaire se développe si rapidement et si vigoureusement qu'on pourrait peut-être découvrir de nouveaux mécanismes gouvernant l'évolution d'une façon ou d'une autre. Il est possible que les contraintes extragénétiques pesant sur le développement embryonnaire jouent un rôle déterminant. Beaucoup de surprises nous attendent dans l'étude du développement. Un de ces jours, il se pourrait que des découvertes dans les deux domaines fondamentaux que sont le code génétique et le développement embryonnaire ébranlent le néodarwinisme jusque dans ses fondations[1] » ?

En ce qui concerne le code génétique, on relèvera, à l'appui de la remarque quelque peu angoissée de Wilson, cette « rêverie » de

1. Edward O. Wilson, *La Diversité de la vie*, Paris, Odile Jacob, 1993.

Daniel Cohen, l'un des principaux maîtres d'œuvre du programme « Génome humain » : « Que signifie au juste, s'interroge-t-il, de dire que 90 % du génome, celui qui ne code pas de protéines, ne sert à rien ? Les 90 % qui ne servent à rien servent à protéger les 10 % qui servent à quelque chose[1]. » Puis il ajoute : « Mais qui nous dit que l'ADN non codant ne cumule pas les emplois [...] ? Qui sait s'il n'a pas une vie à double fond ? En ce qui me concerne, j'aime à penser — simple supposition — que c'est dans les morceaux non codants du génome que réside la mémoire de l'homme : nos idées, du moins celles que le cerveau aurait jugé bon de mémoriser, y seraient transformées en séquences codées. Et si ce 10 % de gènes qui fait la différence entre l'homme et le singe était précisément ce qui a permis au cerveau de l'homme d'utiliser les parties non codantes de son ADN ? D'exploiter ce matériau disponible, jusque-là sous-employé, à ses propres fins égoïstes[2] ? » Et Daniel Cohen conclut sur ce point : « Soyons clairs : pour le moment, nous n'avons aucune piste réelle pouvant nous conduire vers le secret de l'ADN non codant. Néanmoins, certains faits étranges et dérangeants viennent nous agacer l'imagination. Les spécialistes de la question ont tendance à dire qu'on trouve dans le cerveau des neurones dont le génome est curieusement remanié par rapport à celui de toutes les autres cellules. Le cerveau serait-il capable de manipuler la matrice qui l'a engendré ? De quoi rêver... Vraiment...[3] ! »

L'hypothèse, pour le moins osée, selon laquelle les grandes idées invariantes ont été génétiquement sélectionnées et stockées par l'entremise de l'ADN non codant du génome humain incite effectivement à la rêverie. Elle a le mérite de nous montrer quelle forme pourraient prendre dans l'avenir les renversements de l'orthodoxie. Et nous avons d'ailleurs indiqué précédemment, à propos de la double sélection, que la solution du problème se trouvait sans doute à la fois dans les mutations dites neutres et dans ces fameux 90 % que forme la majorité silencieuse du génome.

---

1. Daniel Cohen, *Les Gènes de l'espoir*, Paris, Laffont, 1993.
2. *Ibid.*
3. *Ibid.*

Pourquoi une théorie sans cesse dépassée serait-elle indépassable ?

Pourquoi y aurait-il en ce domaine panne du dépassement théorique ? Blocage de la manière de penser l'évolution ?

Au fond Darwin, qui n'entendit jamais parler de Mendel, admettait dans une certaine mesure l'hérédité des caractères acquis. Alors que Mendel, qui démontra cette impossibilité génétique, refusait, ainsi que ses disciples (Bateson, de Vries), la sélection naturelle. August Weismann, qui esquissa la « synthèse », adhéra un certain temps à la thèse selon laquelle le défaut d'usage pouvait provoquer, par sélection à rebours, la neutralisation d'un organe (c'est pourquoi les taupes seraient devenues aveugles, et pourquoi également les ailes des animaux de basse-cour auraient dégénéré au profit des pattes). Weismann reconnaissait d'ailleurs que « le seul hasard ne pouvait produire la bonne variation chez la bonne espèce au bon moment[1] ».

Au gradualisme de Darwin et de Weismann s'opposa très vite l'hypothèse des mutations par sauts. Ce n'est que dans les années cinquante, dans le sillage de la biologie moléculaire, que fut posé en dogme qu'aucune des informations inscrites dans les propriétés des protéines somatiques ne pouvait remonter dans les acides nucléiques de l'ADN. Résultat : même si le mélange des facteurs génétiques des deux parents est une source quasi illimitée d'individus génétiquement nouveaux par intégration des variations déjà existantes, « l'origine des facteurs génétiques entièrement neufs reste inexpliquée », écrit Ernst Mayr[2]. Comment de nouveaux caractères somatiques passent-ils dans le plasma germinal ? Mystère ! D'autant, comme l'écrivait Weismann (et cette citation aurait pu être placée en exergue à cet ouvrage) qu'« un organisme ne donne normalement naissance qu'à une copie exacte de lui-même[3] ».

En d'autres termes, comment la variation a-t-elle pu et peut-elle, se glisser entre les mailles de l'invariance structurelle ? Com-

---

1. Cité par Ernst Mayr, *Charles Darwin et la pensée moderne de l'évolution,* op. cit.
2. *Ibid.*
3. Cité *ibid.*

ment se déterminent les recompositions que la nature sélectionne, étant donné qu'une recomposition n'est pas le résultat d'un pur hasard, mais d'une relative nécessité (même si une recomposition peut constituer la réplique de la structure invariante à une dérive due au hasard) ?

Lorsqu'on atteint à une adaptation parfaite, notait Weismann, pourtant père de l'orthodoxie néodarwinienne, « le hasard est hors de question. Les variations qui sont fournies à la sélection naturelle des individus doivent avoir été produites à l'intérieur du germe par le principe de la survie du plus apte ». Il admettait au demeurant que l'évolution d'un organisme devait être plus ou moins harmonieuse, c'est-à-dire que, la structure globale devant de toute façon rester invariante, « une pression sélective qui s'exerce sur un organe induit souvent à son tour une pression sélective sur une autre structure. Un changement de comportement nécessite la modification d'une structure[1] ».

A l'inverse, il fut établi par Morgan et ses continuateurs que la plupart des mutations (qui pouvaient être spontanées) n'avaient que des effets extrêmement marginaux sur le phénotype, ce qui tendrait à confirmer, comme nous l'avons suggéré, que la pression du phénotype (double sélection) joue un rôle essentiel dans la façon dont est exprimée une mutation spontanée : c'est moins sans doute les mutations aléatoires qui déterminent le changement que l'utilisation que le phénotype fait des informations que ces mutations délivrent à propos des potentialités génotypiques qui en découlent.

A la même époque (1920), on comprit que c'étaient des génotypes entiers et non des gènes isolés qui étaient sélectionnés, c'est-à-dire que ce qui était essentiel pour l'évolution du phénotype, c'étaient moins les mutations que les recombinaisons génétiques : en d'autres termes, la recomposition par la structure de son invariance, en fonction de la pression agressive d'une dérive aléatoire. C'est à partir des années quarante que s'affirma la théorie synthétique — autrement dit pluridisciplinaire et unifiée — de l'évolution, et que furent radicalement rejetées, outre l'hérédité flexible (celle des caractères acquis), l'hérédité par mélange. Mais, aussitôt, il fallut réagir contre le réductionnisme propre aux généticiens de cette école et réaffirmer, comme l'admet Ernst Mayr lui-même,

---

1. Cité *ibid.*

que « l'évolution n'est pas seulement un changement de fréquence des gènes au sein des populations, mais est en même temps un processus lié aux organes, aux comportements et aux interactions entre individus et populations[1] ». Phrase remarquable en ce qu'elle ouvre, à l'intérieur de l'orthodoxie évolutionniste, un considérable espace d'incertitudes. En conséquence, le darwinisme « n'est pas une simple théorie qui est soit juste, soit fausse, mais plutôt un programme de recherche d'une grande complexité qui est sans cesse modifié et amélioré[2] ».

Les mécanismes de l'évolution sont d'ailleurs extrêmement divers et ne sauraient être ramenés à une théorie unique dont le noyau serait constitué par les mutations aléatoires. Nous nous sommes déjà posé la question de l'innéisation de certains acquis collectifs (par sélection de groupe) à propos de la différenciation des races humaines. « Parfois, reconnaît encore Ernst Mayr, les races géographiques possèdent des phénotypes aussi distincts que de véritables espèces, tout en restant reproductivement compatibles. D'un autre côté, des espèces indiscernables (espèces jumelles) peuvent être parfaitement isolées du point de vue reproductif[3]. » On peut en effet se demander comment un processus de recombinaison totalement aléatoire aurait pu, en Afrique et en Australie, déboucher sur l'émergence de phénotypes du genre autruche à ce point semblables. Même remarque pour le rhinocéros d'Afrique et du Népal, ou les éléphants d'Afrique et d'Asie.

Certes, les contraintes qu'expriment les structures invariantes expliquent en partie de telles similitudes, mais à la seule condition de prendre en compte la double pression du phénotype et de l'environnement sur les recombinaisons génétiques qui ont débouché sur des résultats aussi proches.

« Certaines espèces, ajoute Mayr, sont extraordinairement jeunes, ne datent que de deux à dix mille ans, tandis que d'autres n'ont pas connu de changement visible depuis dix ou cinquante millions d'années[4]. » Pourquoi donc des phénotypes particuliers ne seraient-ils, contrairement à d'autres, affectés par aucune mutation aléatoire, si ce n'est parce qu'en réalité l'adaptation de ce

1. *Ibid.*
2. *Ibid.*
3. *Ibid.*
4. *Ibid.*

phénotype à son milieu ne justifie aucune auto-élaboration adaptative ?

A une autre échelle de temps, on peut faire la même remarque à propos de l'évolution des sociétés. Toutes les différenciations évolutives — et surtout les contrastes d'une société à l'autre et à l'intérieur des sociétés entre ce qui évolue à une vitesse apparemment traumatisante et ce qui demeure quasiment en l'état — constituent la base même des contradictions autour desquelles s'organise la marche politique de notre monde. D'un côté la Californie, de l'autre le Tibet. Ici, la société new-yorkaise, là celle des Yaramanis. D'un côté, comme nous l'avons longuement évoqué, la variabilité des mœurs, de l'autre les permanences affectives. (Ou encore : explosion des structures mélodiques, mais totale rigidité des structures internes de la chanson.) D'un côté l'implacable reproduction du même, de l'autre l'irrésistible programmation du neuf.

Comment expliquer, donc, d'un côté l'extraordinaire immobilité de certains organismes (et de certains comportements) et de l'autre la rapidité et l'importance de certaines métamorphoses ? Pourquoi cette cohabitation spectaculaire du non-changement et du changement ?

Pourquoi nous et pas les moules ?

Encore une fois, seule la prise en compte des invariances structurelles permet d'apporter une réponse, de comprendre qu'en cent mille ans l'homme (ou du moins son cerveau) ait finalement évolué pour la même raison qui a fait que les moules, elles, sont restées telles que l'éternité les conserve. En fait (et c'est ce qui cloche dans l'orthodoxie évolutionniste), il y avait autant de chances pour que des recombinaisons génétiques aléatoires affectent le comportement des moules plutôt que celui des hommes. Mais, dans un cas, la structure invariante, totalement adéquate à son milieu et à sa fonction, n'a pas eu besoin de se recomposer ; dans l'autre cas, dès lors que l'homme s'est émancipé de son milieu, la préservation de l'invariance structurelle imposait la recombinaison de la structure.

C'est parce que la structure est invariante qu'elle ne saurait intégrer de variables sans se recomposer. Un poisson a pu devenir un tigre à l'issue d'une série de recompositions adaptatives de la même structure, mais aucun mammifère n'a réussi à acquérir six membres, aucun oiseau à se doter de roues, aucun vertébré à se doter d'un œil au bout de la queue. Le changement, dans un contexte donné, est donc bien à la fois la condition du non-changement et, paradoxalement, aussi son expression.

Entre l'immobilisme et la dynamique de la métamorphose, il n'y a pas de place pour l'accident hasardeux rigidifié pour l'éternité. L'évolution est en outre d'autant plus spectaculaire (l'intelligence humaine, technique du vol des oiseaux) que la recomposition d'une structure invariante prend la forme d'un câblage phénotypique (d'un réaménagement cybernétique, si l'on préfère) dont la répétition agit sur l'information transmise par le génome.

« Tout change parce que rien ne change » signifie, avant tout, cela : qu'une mutation aléatoire qui prendrait un gène ou une petite population de gènes pour cible n'aurait aucun sens (et serait donc neutralisée, ce qui est apparemment le cas chez les moules) hors de cette double pression de l'environnement et de la structure du phénotype susceptible de l'intégrer en tant que phénomène enclencheur d'une recombinaison adaptative utile.

Il s'agit en l'occurrence d'une règle quasi universelle. Les lois de la mécanique classique n'obéissent-elles pas aux mêmes principes ? Le principe d'inertie n'exprime-t-il pas la loi du mouvement, de la même façon que le principe d'invariance s'apparente à une loi du changement ?

C'est parce que, naturellement, un corps inerte reste inerte qu'un corps mis en mouvement demeure théoriquement en mouvement à une vitesse stable. Le mouvement n'est pas le contraire de l'immobilité, c'est en quelque sorte une immobilité qui bouge.

La matière inanimée évolue comme la matière vivante dans le cadre d'une invariance structurelle qui, dans les deux cas, résume les conditions mêmes de leur avènement. Et, dans les deux cas encore, le milieu (en l'occurrence, pour ce qui concerne les corps inanimés, il s'agit de la résistance de l'air ou de la gravitation) détermine en grande partie le processus de la différenciation.

La biologie moléculaire a largement contribué à conforter les hypothèses théoriques formulées précédemment en établissant que :

a) Le programme génétique ne fournit pas lui-même le matériau de construction des nouveaux organismes, mais seulement les plans de fabrication du phénotype ;

b) non seulement le code génétique, mais en fait la majorité des mécanismes moléculaires fondamentaux sont identiques dans tous les organismes, à compter des procaryotes les plus primitifs ;

c) nombre de mutations semblent être neutres ou quasiment neutres, c'est-à-dire sans effets perceptibles sur la valeur sélective du génotype.

Les recherches moléculaires ont révélé que « le nombre de changements neutres semble bien supérieur au nombre de changements génétiques possédant une signification adaptative », dit Ernst Mayr. Et ce dernier, promoteur, répétons-le, de la théorie synthétique, ajoute : « Une possible signification de l'évolution neutre — mais c'est une pure hypothèse — serait que certains des nouveaux allèles (deux gènes situés au même niveau sur deux chromosomes d'une même paire) produits par l'évolution neutre puissent ultérieurement offrir une valeur sélective positive sur un arrière-plan génotypique différent[1]. »

Mais pourquoi ne pas envisager que ce soit également vrai sur un arrière-plan phénotypique et comportemental différent ? Ou que ce soit un changement auto-élaboré de l'organisme ou du comportement qui crée un arrière-plan génotypique différent ?

Que le programme somatique agisse sur l'activation des potentialités génétiques, Mayr en admet implicitement la perspective : « Lorsque, par exemple, écrit-il, un oiseau mâle accomplit une certaine parade nuptiale, cet acte n'est pas programmé directement par le génotype, mais plutôt par un programme secondaire implanté dans le système nerveux central durant l'ontogenèse. C'est en réalité ce programme secondaire — somatique — qui gouverne le comportement[2]. » Nous touchons là à un aspect essentiel de la théorie de l'invariance.

Il ne s'agit évidemment pas ici d'établir une vérité, encore moins une vérité scientifique, mais d'ouvrir une piste qui permettrait de sortir de la bipolarité étouffante qu'entretiennent les tenants du tout biologique et du tout culturel, sans sacrifier pour autant au dualisme archaïque (l'esprit est une composante du corps comme le corps est une des expressions de l'esprit).

1. *Ibid.*
2. *Ibid.*

Nous proposons donc l'idée, hypothétique, qu'un « programme somatique », en particulier les effets d'une répétition comportementale induite par un contexte culturel particulier, peut favoriser, à partir d'un câblage phénotypique élaboré au cours de l'ontogenèse, une certaine recomposition de l'information délivrée par le génome, entre autres par activation des mutations aléatoires neutres, et cela dans le cadre d'une sélection de groupe. Parallèlement à cette hypothèse « maximaliste », nous supposons — proposition complémentaire et minimaliste — que l'environnement socioculturel spécifique d'une société humaine donnée agit au cours de l'ontogenèse de façon quasi invariante, de telle manière que l'inné se réalise à travers cet acquis, que cet acquis catalyse l'inné, et que la sélection de groupe favorise sous forme de « prédisposition à » cette synthèse qu'on ne saurait, dès lors, réduire ni à un pur apprentissage acquis, ni à un simple déterminisme inné.

Osera-t-on avancer en outre qu'une recomposition de la structure sociale invariante induit une recomposition subséquente non pas du patrimoine héréditaire, mais de cette structure synthétique au sein de laquelle l'acquis modèle l'inné (à la façon d'un livret qui donnerait son sens à une musique préalable) et l'inné porte l'acquis (à la manière d'une musique qui exprime un livret) ?

C'est en effet ce que nous nous risquons à suggérer. Le langage est en soi la parfaite expression de cette synthèse.

Où l'on voit surgir un gène des idées

Le principe de recomposition prend alors toute sa signification ; il signifie que : *a)* l'invariance de la structure sociale prolonge, à travers sa traduction comportementale, l'invariance de la structure biologique ; *b)* la recomposition de la structure biologique a largement déterminé la direction qu'a prise l'épopée sociale et culturelle propre à l'humanité ; *c)* la recomposition de la structure sociale pèse sur la structure biologique par l'intermédiaire d'une évolution comportementale qui tend de plus en plus à opérer la synthèse de l'inné biologique et de l'acquis culturel.

Toute progression se traduit alors par un dépassement culturel réversible de l'inné, et toute régression par une innéisation réversible de l'acquis. Cette progression et cette régression sont des com-

posantes de toute recomposition d'une structure sociale invariante.

Daniel C. Dennett va pour sa part jusqu'à écrire : « L'une des
étapes majeures franchies par le cerveau humain dans le processus
massif de l'auto-organisation post-natale est l'ajustement aux
conditions locales les plus importantes : il se transforme rapidement en un cerveau swahili, japonais ou anglais. Ce processus
qu'on appelle apprentissage, ou développement différentiel, se
produit si rapidement qu'il est presque certain que le génotype
humain induit de nombreuses adaptations qui sont spécifiquement
en place pour développer l'acquisition du langage[1]. »

Il est remarquable que le sociobiologiste quelque peu réductionniste Richard Dawkins, dont nous avons vu précédemment qu'il
tendait à faire de l'homme, en tant qu'animal parmi d'autres, une
machine pour ses gènes, se soit si rudement heurté à la spécificité
du « culturel » ou de l'« idéologique » dans toute société humaine
qu'il ait conçu, pour se débarrasser de cette contradiction, un
concept particulièrement farfelu, celui de « même », que nous
appellerons « monède » (par référence leibnizienne, et pour ne
point nous perdre dans les consonances), auquel il est surprenant
que le professeur Dennett ait accordé sa faveur. Qu'est-ce en effet
que ce monède sorti de l'imagination de Dawkins ? Rien de moins
qu'une sorte de gène spécifique des idées. Citons Dawkins : « Le
gène, la molécule d'ADN, se trouve être l'entité de réplication qui
domine sur notre planète [...]. Mais devons-nous aller vers des
mondes distincts pour découvrir d'autres sortes de réplications et
par conséquent d'autres types d'évolutions ? Je pense qu'un nouveau type de réplicateurs vient récemment d'émerger sur cette
planète [...]. Il est en train de produire un changement évolutif à
une vitesse telle qu'il laisse l'ancien gène à bonne distance[2]. »

Les monèdes (ou mêmes) seraient donc ces nouveaux réplicateurs : « Des exemples de monèdes sont des airs musicaux, des
idées, des expressions toutes faites, des modes vestimentaires, des
façons de faire des poteries ou de construire des voûtes. Tout
comme les gènes se propagent dans le pool génétique en sautant
d'un corps à un autre par l'intermédiaire du sperme et des œufs,
les monèdes se propagent dans le pool [monédique] en sautant de

1. Daniel C. Dennett, *op. cit.*
2. Richard Dawkins, *Le Gène égoïste*, Paris, Armand Colin, 1990.

cerveau en cerveau, à travers un processus qui, au sens large, peut être appelé "imitation"[1]. » C'est dire que, selon Dawkins, l'évolution des monèdes peut être décrite, en termes darwiniens, comme un phénomène obéissant aux lois de la sélection naturelle, les gènes et les monèdes n'étant que « deux types différents de réplicateurs qui évoluent dans des milieux différents à des vitesses différentes ».

A suivre la logique de Dawkins, on apprendra donc que les monèdes, invisibles comme les gènes, sont transportés comme eux par des véhicules : des organismes dans le cas des gènes, des livres, des images ou des discours dans le cas des monèdes. De même que le gène est transmis par le corps qu'il a contribué à modeler, de même les monèdes sont répandus par les outils ou signes qu'ils ont permis d'élaborer : la vision de la roue diffuse l'idée magnifique de la roue, comme la vision de la croix favorise l'explosion du christianisme. Les monèdes, comme les gènes, sont potentiellement immortels, en ce que leur être est intimement dépendant de leur réplication. Il est dans leur nature de se survivre en se reproduisant. Certes les corps meurent, de même que les manuscrits tombent en poussière et que disparaissent les monuments. Mais les corps donnent naissance à d'autres corps véhiculant les mêmes gènes, comme les livres donnent naissance à d'autres livres véhiculant les mêmes idées, les mêmes monèdes. Adam et Winston Churchill ont disparu, mais leurs gènes demeurent ; les manuscrits originaux de Platon se sont évanouis, mais les monèdes platoniciens ont survécu...

« Les monèdes, risque Dennett, restructurent le cerveau humain afin d'en faire un meilleur habitat pour les monèdes, sous l'appellation d'esprit humain. » Et de conclure : « Ces trois véhicules — l'évolution génétique, la plasticité phénotypique et l'évolution monédique — ont contribué à l'organisation de la conscience humaine, chacun à son tour, et à des vitesses de développement sans cesse croissantes. Comparée à la plasticité phénotypique qui opère sans doute depuis des millions d'années, l'évolution monédique significative est un phénomène extrêmement récent qui a explosé avec le développement de la civilisation, il y a moins de dix mille ans[2]. »

1. *Ibid.*
2. Daniel C. Dennett, *op. cit.*

Ce concept de monède, qui est un peu ce que l'éther était aux idéologues mécanistes du XIXᵉ siècle, c'est-à-dire une construction artificielle destinée à sauver la théorie panbiologique de Dawkins, est tout à fait irrecevable, mais il n'en recèle pas moins quelques intuitions fort intéressantes.

Nous allons les examiner en les ramenant à notre propre problématique. Et montrer que l'évolution idéologique n'est pas radicalement différente de l'évolution naturelle : la pensée critique y joue le rôle de la « mutation » qui détermine une recomposition interne de la structure des idées ; les idées, elles, restant structurellement invariantes.

CHAPITRE XIX

La pensée critique
et la structure invariante des idées

En l'an 1500, en France, l'idée était sans doute largement majoritaire selon laquelle le pays vivait une phase de décadence économique et morale exacerbée par l'ouverture des frontières et la concurrence étrangère, l'ébranlement des repères religieux, la dépravation supposée des mœurs et la perte, par la jeunesse, du sens du travail. L'urgence était, déjà, de « restaurer les valeurs ». Dans un siècle, cette « analyse » n'aura sans doute rien perdu de sa vigueur. Pourquoi ? Parce que les idées sont structurellement invariantes. La société les reproduit à l'infini à partir de leur embryon originel.

En tant que telles, elles constituent un monde autonome. Agissant à la périphérie de l'espace de domination des idées, la pensée critique ne cesse de dynamiter cette invariance et d'en précipiter la recomposition. La foule intervient dans la catalyse de cette recomposition, dans la mesure où une idée n'accède à l'existence autonome qu'en devenant idée de la foule (ou d'une foule). La foule s'identifie en cela à un processus physico-chimique qui gère dynamiquement l'invariance des idées qui le nourrissent et précipite la recomposition adaptative de leur structure sous la pression de la pensée critique.

Ce sont là quelques-uns des thèmes que je me propose de développer dans ce chapitre.

Karl Popper a suggéré que la théorie darwinienne de l'évolution pouvait s'appliquer à l'histoire des idées : celles qui triomphent, à l'issue d'une lutte implacable pour l'existence, ne sont pas néces-

sairement les plus vraies ou les plus morales, mais les plus adéquates aux nouvelles données objectives à tel moment dans tel
espace ; celles qui se sont, en somme, révélées les plus performantes en tant qu'instruments intellectuels d'autoprotection[1].

Il est d'autre part flagrant que l'idée s'autonomise en s'émancipant de ce dont elle est l'idée pour acquérir une existence propre.
(Le christianisme s'est ainsi émancipé de ses origines judaïques.)

Toute idée qui, à l'issue d'une compétition darwinienne, a survécu demeure. Par exemple, pour citer une « idée » fort ancienne,
la religion juive. Elle a résisté, y compris à l'effet de retour des
différentes variations et différenciations de ses multiples duplications recomposées (catholicisme, islamisme, protestantisme, etc.)

Nous relevions dans le premier chapitre à quel point, par exemple, le passionnant courrier des lecteurs du *Figaro* témoigne de la
permanence presque obsessionnelle des mêmes idées organisées
autour des mêmes concepts et cadenassées par les mêmes mots.
Ce qui explique en grande partie, dès lors qu'on les analyse avec
un certain recul, l'étonnante stabilité des expressions électorales,
les différences portant surtout sur des déplacements de l'espace
d'abstention et une marge de variabilité affectant moins de 10 %
des suffrages : aux élections législatives de 1981 en France, qui
ressemblèrent à un raz de marée « rose », il n'y eut quasiment pas
de déplacement des suffrages actifs de la droite vers la gauche,
mais un simple phénomène d'abstention à droite. En 1993 (triomphe de la droite), les suffrages conservateurs stagnèrent, mais la
droite bénéficia d'un puissant mouvement d'abstention à gauche.
En Russie, à l'occasion des premières élections dites « libres », ce
sont les deux idées anciennes — communisme et rétro-nationa-
lisme réactionnaire — qui ont pris le pas sur l'idée la plus nouvelle : le démocratisme libéral.

Il importe relativement peu, en l'occurrence, de savoir si une
idée est vraie ou fausse, juste ou pas, morale ou non : seule assure
sa pérennité, l'efficacité de sa fonction autoprotectrice. Le
fascisme, qui n'est ni vrai, ni juste, ni moral, est une idée qui,
qu'on le veuille ou pas, demeure, parce qu'à un moment donné
elle a vaincu. Elle a vaincu, notons-le, parce que, la suite de l'effondrement d'un monde, consécutif au carnage de 1914-18, de la
chute des repères accélérée par la crise de 1929, de l'éclatement

---

1. Karl Popper, *La Quête inachevée*, Paris, Calmann-Lévy, 1981.

des empires, du balayage des dynasties structurantes, elle s'est imposée comme facteur de sauvetage par recomposition de la structure sociale invariante. Dans le même contexte, le communisme s'est donné, lui, comme structure invariante de substitution. Cette idée-là non plus ne disparaîtra pas...

Il n'existe donc aucun principe évolutionniste par sélection naturelle ou culturelle qui favorise mécaniquement des idées vraies. Si sélection il y a, elle profite aux idées pratiques, particulièrement à celles qui s'offrent comme enveloppe efficace d'une structure sociale ou d'une dynamique sociale invariantes. Une idée qui relaie les instincts et les ennoblit s'inscrit plus « naturellement » dans la durée qu'une pensée qui tend à les brider, même si, en réalité, c'est cette pensée qui finit par restructurer hiérarchiquement les instincts que l'idée accompagne. Le racisme, au niveau de la planète, tend apparemment à l'emporter sur l'antiracisme ; le fanatisme religieux sur le rationalisme ; l'intolérance sur la tolérance ; le nationalisme ethnique sur le fédéralisme. Apparemment. Car ces mêmes idées qui, indéfiniment, s'enroulent au ressort de l'histoire ne cessent d'être recomposées de l'intérieur sous la pression de la pensée critique : même le fanatisme religieux ou le racisme ne sont plus exactement ce qu'ils étaient.

Et c'est en cela que le concept biscornu de Dawkins évoqué plus haut peut tout de même être éclairant : de même que la fonction des gènes est de permettre la répétition à l'infini de structures invariantes (fût-ce en suscitant par hasard, ou en les accompagnant, des recombinaisons adaptatives), de même la vocation essentielle des idées est également de favoriser la duplication à l'infini de structures ou de dynamiques sociales invariantes, fût-ce parfois en véhiculant la reproduction d'une nécessaire recomposition adaptative. La pensée critique joue alors un rôle comparable à celui d'une mutation génétique. Mais, de même que les gènes mutants ne sauraient remettre en cause la cohérence globale du génome qui assure l'invariance de la structure héréditaire, de même la pensée critique, bien qu'elle constitue effectivement le moteur de l'évolution socio-culturelle, ne saurait venir définitivement à bout des idées antérieures qui structurent l'invariance sociale. Ainsi, le conservatisme et le révolutionnarisme ont pour l'essentiel conservé la même grammaire — seule la ponctuation a changé.

Il faut être clair : un consensus abstrait s'étant depuis longtemps établi au sujet de ce qui est bien, juste et moral, on doit évidemment en conclure que non seulement il n'existe aucun mécanisme social naturel qui y mène, mais qu'au contraire un certain nombre de contraintes ou pesanteurs invariantes, auxquelles les idées s'intègrent font que le juste, le bien, le moral ne fonctionnent que comme aspirations, non comme objectifs finalisés d'une évolution naturelle. On peut faire le bien sans idées. Mais, à partir d'un certain stade de socialisation, il devient de plus en plus difficile d'admettre le mal sans idées qui le justifient : le racisme comme idée devient nécessaire au racisme comme instinct. Le nationalisme idéologique relaie le rejet biologique de la différence. Dans un tout autre genre, la religion-idée s'impose comme substitut à l'angoisse-émotion.

Répétons-le : l'idée constitue avant tout le vecteur de l'autoprotection de l'esprit.

Le mensonge de référence comme idée invariante

J'ai montré dans un ouvrage précédent que le mensonge étant un « état » ponctué de « moments » de vérité, la théorie constitue un « moment » de l'« état » idéologique, ce qui revient à dire que la pensée critique ne se substitue pas à ce que j'ai appelé les « mensonges de référence », mais se fraie un chemin parmi eux, quitte à provoquer leur recomposition, enclenchant par là même le processus du progrès[1]. Mieux vaut ici me citer que me redire : « De la même façon, écrivais-je, qu'Aristote imaginait l'existence d'une forme des formes, modèle abstrait et immuable, il existe un mensonge des mensonges, schéma abstrait et éternel qui permet la réédition de l'erreur. Ce ou plutôt "ces" mensonges de référence, jamais tout à fait les mêmes et cependant toujours recommencés, ont leur grammaire propre [...]. Cette grammaire-là a une logique interne qui renvoie aux deux structures interne et externe qui la déterminent : une structure sociale et une structure de l'inconscient [...]. Ce mensonge de référence, fort de sa grammaire intangible, est indépendant de la volonté ou de la capacité de celui qui le fait sien. Il fonctionne de façon autonome. Il parle tout seul par l'intermédiaire de ses innombrables porte-voix [...]. A l'échelle

---

1. Jean-François Kahn, *Esquisse d'une philosophie du mensonge, op. cit.*

historique, le mensonge est relativement stable, rigide même, sa structure se perpétue à travers ses propres avatars, alors que la vérité est radicalement mouvante et surtout ne renvoie à aucune structure interne ou externe susceptible d'asseoir, de déterminer une grammaire de la vérité[1]. »

Je ne développerai pas ici cet aspect de mon propos, que j'ai largement traité ailleurs. Il importe cependant de bien comprendre que les mensonges de référence (qui peuvent s'investir et s'investissent souvent dans une « idée » ou une « idéologie »), ayant une fonction autoprotectrice destinée à se prémunir contre le réel, constituent une composante essentielle de la structuration des invariances : soit qu'ils interviennent comme moteur de l'opposition conservatrice à toute recomposition, soit qu'invariablement ils réapparaissent, après toute recomposition, et d'autant plus violemment qu'ils servent alors de tuteurs à ceux que cette recomposition déstabilise. C'est pourquoi ces mensonges de référence archétypiques, que sont, par exemple, la théorie de la grande conspiration internationale, la désignation d'un bouc émissaire, la recherche d'un centre occulte qui tire les ficelles d'un empire du mal (le chef d'orchestre clandestin), l'exclusivisme ethnico-religieux, le discours de la décadence, prennent toujours une ampleur considérable au lendemain des grandes périodes de rupture. Depuis qu'il existe une pensée humaine collective s'est toujours remodelée aux dimensions de l'environnement une propension à l'intégrisme, au fascisme, au gauchisme, à l'anarchisme.

Ce qui est darwinien, ici, c'est le rôle moteur que joue la pensée critique, assimilable à une pression sélective interne dès lors qu'elle anticipe, accentue et accompagne une tendance à la recomposition favorisée par de nouvelles donnes objectives (économiques ou technologiques). En ce sens, la pensée critique, épaulée par l'action critique et réformiste, s'apparente effectivement à ce moteur de l'évolution biologique qui a débouché sur l'homme et l'intelligence humaine. Cela ne signifie pas que la pensée critique triomphe toujours (nous avons montré que ce triomphe est de toute façon passager et que les idées invariantes, y compris les « mensonges de référence », continuent invariablement à participer à toute recomposition), mais qu'il n'y a pas de progrès sans triomphe de la pensée critique. Et que tout progrès dû à la pensée

1. *Ibid.*

critique est producteur d'invariances nouvelles qui, à leur tour, participent aux recompositions futures.

La distinction que nous établissons ici entre idée et pensée critique renvoie en partie à la séparation entre idéologie et théorie : l'idéologie comme « état » et la théorie comme « moment ». L'idée (ou plus exactement les idées) constitue l'élément structurant de toute invariance, alors que la pensée critique s'offre toujours comme fer de lance d'une recomposition de ces invariances. Le moment théorique bouscule l'état idéologique, mais l'état idéologique, plus ou moins recomposé, survit au moment théorique.

Ce qu'on appelle aujourd'hui un « débat d'idées »

La plupart des idées qui, aujourd'hui encore, dominent ou mènent le monde doivent fort peu à la formidable accélération qui, en cinq siècles, a propulsé en avant la pensée critique. Elles ont même parfois pour fonction essentielle de bloquer, d'étouffer, de refouler la pensée critique. Parfois même de l'investir ou de la submerger.

Le marxisme critique, en même temps qu'il passait du moment théorique à l'état idéologique, a, par exemple, été investi de l'intérieur et submergé de l'extérieur par toutes les idées dont il était censé avoir radicalement fait « table rase ». En particulier les idées religieuses, mystiques, fidéistes, nationalistes, racistes, impérialistes, etc. La pensée critique voltairienne a été, par les épigones d'Adolphe Thiers, mise au service d'un conservatisme dont la religiosité et le spiritualisme devenaient, par pure nécessité sociale, le socle. On a vu le progressisme « kantien » devenir, au début du siècle, le nouveau tuteur idéologique et universitaire de la pensée la plus académique qui soit.

On remarquera d'ailleurs qu'un néocartésianisme ou un néokantisme dépoussiéré pourrait fort bien, aujourd'hui, jouer le rôle d'une pensée critique, tant ces moments théoriques élaborés et formulés il y a deux ou trois siècles continuent à agir à la lointaine périphérie des idées dominantes : ils restent radicalement modernes en ce que le monde reste régi par les idées qui leur étaient antérieures.

La pensée critique a certes permis, en s'émancipant de plus en plus radicalement du concept de Dieu, d'élargir dans des proportions de plus en plus inouïes nos vision et perception de l'infiniment grand et de l'infiniment petit, de descendre de plus en plus profond dans le gouffre de complexité que recèlent les mystères du vivant, mais jamais cependant notre univers n'a été aussi effroyablement agité par les idées qui récusent l'exploration de ce gouffre, refusent d'intégrer ces nouvelles dimensions et s'épuisent dans le concept de Dieu !

Ce dont les Églises s'inquiètent en ces temps de triomphe apparent des sciences, ce n'est pas des progrès du rationalisme critique, mais du développement et de la prolifération des sectes et autres schismes mystico-fondamentalistes. Aussi bien la simple redécouverte du message biblique a-t-elle pu être présentée, il y a dix ans, comme une œuvre originale !

Ce que nos grands médias audiovisuels, les seuls à rencontrer un large public, appellent un « débat d'idées » aujourd'hui, à supposer qu'il y ait encore place pour un tel archaïsme, n'a strictement rien à voir avec les apports modernes ou contemporains de la pensée critique. (A l'exception peut-être d'une émission comme *La Marche du siècle* sur FR3.)

Il s'agira, par exemple, d'une confrontation entre partisans et adversaires également croyants du *Nouveau Cathéchisme* (grand succès d'édition), entre les tenants des conceptions modernistes ou traditionalistes du judaïsme ou de l'islam, entre défenseurs d'un surnaturel divin et adeptes d'un surnaturel laïcisé. On n'hésitera pas à s'interroger contradictoirement sur les miracles, les résurrections, la vie après la mort, la métempsycose, les signes du Zodiaque, l'efficacité des chiffres magiques ou des porte-bonheur, l'existence des fantômes, la malignité des jeteurs de sorts, l'existence des mauvais esprits, la communication avec l'au-delà, la personnalité du diable, la nature de l'enfer. Au mieux, on opposera nationalistes et fédéralistes, libre-échangistes et protectionnistes, racistes latents et antiracistes patents, monétaristes et dirigistes, adversaires ou contempteurs de l'État, conservateurs et réformateurs.

Autrement dit, un clerc du xvᵉ siècle ou un notable du xviiiᵉ surgiraient-ils soudain parmi nous qu'ils ne seraient point dépaysés intellectuellement, malgré le changement de décor, les principaux thèmes d'affrontement idéologique étant pour l'essentiel les mêmes qu'en leur temps. Le fait d'avoir tout ignoré de Maxwell, de Planck, de Bohr, d'Einstein, de Mendel, de Darwin ou de Weismann, ou encore de Hegel, de Nietzsche, de James ou de Russell, ne nuirait en rien à leur compréhension du discours ambiant et des controverses en cours. La pensée critique y joue en effet un rôle tout à fait marginal.

Pour ne prendre qu'un exemple, on ne sache pas que le débat absolument fondamental qui opposa Bohr à Einstein à propos de l'interprétation déterministe ou antidéterministe des acquis de la mécanique quantique ait modifié quoi que ce soit à la structuration des clivages idéologiques qui organisent la respiration du monde, même après le prétendu effondrement du communisme.

Finalement, le rapport qui se noue entre la pensée critique et le monde des idées recoupe celui qui s'établit entre une nouvelle donne objective et la structure sociale invariante : c'est-à-dire que la pensée critique agit fortement, mais périphériquement, sur la recomposition du monde relativement invariant des idées. Tout change, puisque la science, en tant que pensée critique, a établi qu'entre la cellule originelle et l'homme moderne il y avait continuité et unité du vivant ; rien ne change cependant, en ce que l'immense majorité des habitants de la planète continuent à rendre hommage, de manière plus ou moins tolérante, à celui qui est censé les avoir créés et régler leur destin.

La traque de plus en plus serrée du réel par la pensée critique n'empêche en rien nos contemporains d'abandonner une part considérable de ce réel aux diktats du surnaturel. Ni Spinoza, ni Locke, ni Kant, ni aucun des maîtres modernes du rationalisme critique n'ont, en quoi que ce soit, réussi à réduire de façon significative la masse de ceux qui en tiennent pour l'absolue primauté des réalités ou des irréalités irrationnellement transcendantes : l'âme ou l'identité au mieux, mais au pis la race, le sang, le chef, le clan, le totem, la tribu, la classe, l'Être créateur ou le « Grand Esprit ».

Une même philosophie toujours recommencée ?

Est-ce à dire — eu égard à cette permanence du monde des idées dont on pourrait presque dire, pour reprendre un concept scolastique, qu'il est pour l'essentiel constitué d'universaux invariants — que la pensée critique ne jouerait qu'un rôle marginal ?

La réalité est plus complexe. De même que, dans le cadre d'une structure invariante, les recompositions adaptatives, favorisées ou suscitées par des mutations déterminées ou aléatoires, ont permis de passer de l'amibe à l'*Homo sapiens*, de même l'invariance globale du monde des idées n'a pu empêcher et a même structurellement permis que les effets recombinatoires de la pensée critique ouvrent de nouveaux espaces préalablement insoupçonnables et insoupçonnés. Ces effets ont même contribué à remodeler les environnements radicalement et infiniment différents de tous ceux qui les ont précédés, y compris dans les espaces dominés par les mensonges de référence : une centrale atomique est possible au royaume des ayatollahs et les intégristes diffusent par fax leurs messages rédigés sur ordinateurs.

D'un côté, la pensée critique, dont est issu le long processus qui a mené au progrès social, à la libération individuelle et collective, à l'ouverture des frontières, au développement démocratique, à la tolérance religieuse et à l'intégration multiculturelle, a permis l'investissement de la matière par l'exploration de la réalité corpusculaire, la manipulation et la maîtrise de l'atome, le domptage des ondes et des flux lumineux, la transformation de l'énergie, la robotisation de l'intelligence mécanique, l'accès aux marches de l'infinité des mondes, la pénétration au cœur même des mystères du vivant. De l'autre, le monde des idées a imperturbablement adapté son discours à ces nouvelles donnes pour en conserver l'invariance en le recomposant. Finalement, en 1994, on peut toujours être fondamentaliste, manichéen, animiste, millénariste, panthéiste, mais aussi cynique, sophiste, épicurien, platonicien.

C'est paradoxalement l'accélération (engendrée par la pensée critique) du processus évolutif porteur de spectaculaires métamorphoses qui permet *a contrario* de constater que ces formidables transformations apparentes ne pèsent que très faiblement sur les invariances idéologiques dont, au mieux, elles « décorent » les recompositions à la marge. En ce sens, c'est la réalité du progrès qui a permis de relativiser l'idée de progrès.

Il est possible (mais ce n'est pas exactement notre propos) que les remarques précédentes s'appliquent également à l'histoire de la philosophie, dont le discours général tend à tricoter inlassablement les mêmes mailles conceptuelles en adaptant les points aux mutations technologiques qui affectent la nature et la qualité de la laine idéologique tricotée. Pourquoi celui qui n'envisagerait pas un instant de s'éclairer à la lampe à huile ou d'échanger sa voiture contre un cheval, qui ne songerait à se réclamer ni, en matière juridique, du code d'Hammourabi, ni, en matière institutionnelle, de la Constitution athénienne de Solon, n'aura en revanche aucun scrupule à proclamer l'actualité de Platon ou d'Aristote ? Pourquoi, sinon parce que l'automobile et l'électricité annulent objectivement la lampe à huile et la carriole à cheval, alors que la philosophie n'annule jamais la philosophie, mais au contraire la continue au prix de quelques exercices de reformulation.

Nous pourrions, par exemple, montrer comment la théorie de la relativité générale, les avancées de la mécanique quantique, les propositions d'Ilya Prigogine à propos de structures dissipatives en thermodynamique ont servi accessoirement d'alibi à la reformulation d'idées générales vieilles comme le monde qu'elles irriguent, telle la relativité générale de l'être empirique (retour à Berkeley), l'indéterminisme radical d'un monde dont les accidents aléatoires ponctuent un destin tout juste probable (retour à Héraclite) ou la fascination pour le chaos créateur. J'ai montré ailleurs comment un même « moment » théorique (la révolution galiléenne) pouvait devenir, dans un même pays (l'Angleterre), le lieu géométrique autour duquel se déployaient trois recompositions hautement qualitatives de trois permanences idéologiques (le rationalisme, le mécanisme et le mysticisme) à travers Locke, Hobbes et Berkeley[1].

Tout change parce que rien ne change ? La philosophie illustre peut-être le principe inverse : rien ne change bien que tout change en apparence. Il est dans sa fonction de remodeler sans cesse les mêmes discours aux contours de réalités elles-mêmes recomposées sous l'effet des secousses sismiques environnementales qui les affectent. C'est pourquoi, d'ailleurs, les discours philosophiques archétypiques (platonicien ou aristotélicien) s'apprennent à l'école, alors qu'on n'y étudie plus ni la chimie grecque ni l'ancienne médecine romaine. Cela ne faisait rire personne que Maritain se réclamât du néothomisme, comme saint Thomas du néo-aristotélisme, alors qu'il serait jugé saugrenu qu'un ingénieur métallurgiste préconisât le retour à la forge, ou qu'un industriel du textile se déterminât par rapport à la technologie du rouet.

La pensée critique, à travers les ruptures théoriques qu'elle suscite (les fameux « moments » de vérité), participe puissamment de l'évolution générale du monde sensible et de la connaissance que

---

1. *Ibid.*

l'on en a — agissant en cela sur les mentalités, les mœurs et les institutions —, mais ne bouleverse en rien, sur le long terme, l'espace philosophique proprement dit, c'est-à-dire l'état structurellement invariant du monde des idées en soi.

Popper et le « troisième monde »

Karl Popper a développé un point de vue original en suggérant que « les pensées, dans le sens des contenus et des énoncés en soi » (les « idées », en d'autres termes), soient qualifiées de « troisième monde », le « premier monde » étant celui des choses physiques, le « deuxième monde » celui des expériences subjectives et des mécanismes de la pensée.

A quoi on ajoutera simplement que toute pensée est subjective, mais que toute pensée subjective formalisée devient objective.

Une théorie est-elle une réalité ? Elle ne l'est qu'en tant qu'elle s'investit dans une réalisation concrète, ou à partir du moment où elle concourt à l'élaboration d'un niveau d'invariance idéologique. « Je considère que le "troisième monde", note Popper, est essentiellement le produit de l'esprit humain », au même titre, au fond, que le nid est la production de l'esprit des oiseaux. Conclusion : « Nous pouvons inclure dans ce "troisième monde" tous les produits de l'esprit humain, tels que les outils, les institutions et les œuvres d'art. » Ainsi l'esprit humain devient « l'organe qui produit les objets du monde humain "trois", et qui agit et réagit sur eux » ; à l'origine de quoi se trouve le langage, « le seul outil dont l'usage soit inné ou plutôt génétiquement inscrit chez l'homme[1] ».

Ce qui nous intéresse ici, c'est l'hypothèse selon laquelle le monde des idées (réalité en soi produite par l'entremise du langage) s'autonomise en se différenciant du processus qui a présidé à son émergence : le mécanisme de la pensée, ou « deuxième monde ». En d'autres termes, le monde des idées existant indépendamment de toute pensée critique, la variabilité progressive de celle-ci ne contredit pas l'invariance de celui-là. On peut même se demander si le langage, en tant qu'outil incontournable grâce auquel cette pensée s'exprime, ne contribue pas, en la véhiculant à travers sa propre structure, à réintégrer progressivement la varia-

1. Karl Popper, *op. cit.*

bilité de la pensée critique dans l'invariance globale du monde des idées.

Le langage, nécessairement, idéologise la théorie : il dilue ce « moment » en « état », et en cela réimprègne l'acquis de son innéité.

Ce qu'il faut bien comprendre, c'est que la notion d'un esprit qui « produit » des idées (les réalités du « troisième monde ») n'est concevable que si l'on admet que l'organisme cérébral puisse agir, par pression sélective interne, sur l'innéisation de son propre auto-câblage. Autrement dit, si l'on définit l'esprit humain qui produit des idées comme étant lui-même le produit d'une recomposition auto-élaborée de la structure cérébrale invariante tendant à opti-miser toute capacité d'obtenir un résultat autoprotecteur particu-lier au moindre coût. Ce serait alors tout aussi « naturellement » que l'esprit humain reproduirait le mécanisme qui l'a lui-même produit, en stabilisant sélectivement l'ensemble des idées qui offrent à la collectivité humaine une assurance autoprotectrice à moindre coût.

Dans ces conditions, la pensée critique serait au monde des idées ce que les mutations synaptiques sont à la recomposition des invariances intracérébrales. Il n'est cependant pas nécessaire de s'aventurer dans un maquis de scientificité hypothétique pour comprendre que, de même que l'on change de dimension lors-qu'on passe de l'individu à l'espèce, de même ce qui distingue radicalement la pensée critique du monde des idées, c'est que la première renvoie à l'individu qui pense et le second à la collecti-vité qui se pense.

Pensée critique et idées de la foule

On peut douter que puisse s'élaborer une pensée critique large-ment collective. Si on a connu et si on connaît toujours des foules religieusement fanatiques, sauvagement réactionnaires, impitoya-blement révolutionnaires, chauvines, racistes ou xénophobes, et souvent aussi aimablement conservatrices et gentiment conformis-tes, on n'a jamais vu ni une foule kantienne (ni même, quoi qu'on en dise, voltairienne ou rousseauiste, *La Carmagnole* ayant joué pendant la Révolution un rôle plus directement mobilisateur que

La Nouvelle Héloïse), ni l'aspiration cartésienne rythmer une grande passion populaire.

Il y eut certes des foules « marxistes », mais de manière justement religieuse et non critique ; et l'on remarquera que le stalinisme fut précisément — alors que Marx n'eut pas d'assise populaire de son vivant — le marxisme des foules, comme l'hébertisme fut le rousseauisme des sans-culottes. Au regard de notre histoire européenne, le Tocqueville de *La Démocratie en Amérique* joua un rôle autrement plus décisif que le Hitler de *Mein Kampf*, mais il y eut des foules hitlériennes et pas de foules tocquevilliennes. Au demeurant, le libre-échange, les États-Unis d'Europe, l'intégration ethnique et religieuse, l'économie mixte, la laïcité, la tolérance, le rationalisme sont des produits de la pensée critique. Or les grandes idées dominantes et structurantes des foules d'aujourd'hui restent le protectionnisme, le nationalisme, le fidéisme, le capitalisme sauvage ou le néo-étatisme, le rejet de la différence ethnique et religieuse, l'intolérance, le mysticisme et la croyance en des forces surnaturelles. Des sondages effectués en septembre 1993 n'indiquaient-ils pas qu'à cette époque une très forte majorité populaire se prononçait, en France, en faveur d'un sabotage unilatéral des négociations du GATT par solidarité avec les céréaliers tricolores ? Le fait même que cette position soit dénuée de rationalité et de bon sens indique bien le poids des invariances dans la formulation ou l'émergence des idées de la foule.

Ce sont d'ailleurs les foules qui, à travers le temps, structurent l'invariance du monde des idées. (Faut-il supposer, avec Daniel Cohen, que cette invariance est génétiquement déterminée par la majorité silencieuse du génome ?) Il s'ensuit ce paradoxe qu'une kyrielle de savants, chercheurs et grands esprits, qui représentent l'aile marchante de la pensée critique, se doivent de consacrer une grande partie de leurs travaux et réflexions à l'étude et à l'analyse des idées de la foule, en tant qu'elles structurent au niveau planétaire l'invariance du monde des idées. De même la tolérance, en tant que produit de la pensée critique, vise notamment à permettre l'expression des idées les plus obscurantistes de la foule.

Un livre d'une centaine de pages suffirait sans doute à recenser et à résumer les principales composantes à travers les siècles des idées générales de la foule. D'un autre côté, la majeure partie de la pensée critique, soit des centaines de milliers de pages chaque année, s'investit dans l'étude, le décryptage, la classification de ces idées invariantes à structure simple, ainsi que dans l'exploration et l'élucidation des mécanismes qui les régissent. Autrement dit, on relèvera que seule une pensée progressiste permet une compréhension en profondeur des idées conservatrices.

Autre paradoxe : la pensée réactionnaire (maurrassienne, par exemple), qui récuse avec le plus de virulence, au nom d'un élitisme antidémocratique, la soumission supposée aux exigences de la foule, est également celle qui se réclame le plus ouvertement des idées invariantes de la foule. Une remarque à ce propos : le progressisme (ou le réformisme) s'offre à la foule dans l'intérêt du peuple dont elle est partie prenante, mais coïncide rarement avec les idées naturelles de la foule. Il en résulte que la foule, dès lors qu'elle « fait l'histoire », comme on dit, ne la fait pas (ou plus exactement ne la fait pas nécessairement) avec les idées de la foule. L'action historique de la foule répond le plus souvent au processus par lequel, sous la pression de la pensée critique, elle recompose l'invariance générale de ses idées. Ce faisant, et dans ce laps de temps, elle agit objectivement en véhicule de la pensée critique.

La foule, ce n'est pas les autres

C'est précisément le concept de foule qui nous importe et que nous entendons ici examiner. Qu'est-ce qu'une foule ? En quoi est-il pertinent de recourir à cette notion ?

Une foule, précisons-le d'emblée, ce n'est pas l'assemblée des « autres », mais le réceptacle toujours possible de soi-même. Le mot n'est en rien synonyme de « populace », terme péjoratif souvent employé par Pierre Gaxotte et autres vieilles barbes réactionnaires. Noter que le stalinisme fut le marxisme des foules n'occulte en rien le fait que des intellectuels et des artistes parmi les plus prestigieux de ce temps furent, à un moment ou à un autre, staliniens. Le taux d'analphabétisme était certainement beaucoup moins élevé au sein de la foule hitlérienne que parmi les résistants héroïques qui, en Yougoslavie, s'étaient ralliés au combat antinazi dirigé par le maréchal Tito !

Les élites révolutionnaires françaises de 1793 firent partie intégrante des foules révolutionnaires et participèrent même, parfois et tour à tour, des foules contre-révolutionnaires. Non point, comme on le prétend couramment, qu'elles fussent les mêmes, mais parce qu'un peuple est toujours constitué d'une diversité de foules dans l'éventail des foules possibles. C'est ainsi qu'en 1944, à Paris, contrairement à tout ce qui a été dit à ce sujet, les deux foules — celle qui acclama Pétain à l'Hôtel de Ville et celle qui fit un triomphe à de Gaulle à Notre-Dame — ne se confondaient absolument pas mais cohabitaient concurremment, même si une troisième, la foule des foules en quelque sorte, se situait effectivement à cheval sur les deux. A quoi on ajoutera qu'à l'intérieur de ces deux foules, de toute façon, et surtout à l'intérieur de la foule gaulliste, se côtoyaient plusieurs foules potentielles, comme le démontrèrent par la suite la création et l'éphémère succès du RPF, la poussée communiste, le jaillissement du MRP ou l'émergence, dix ans plus tard, du phénomène poujadiste.

Une foule, au sens où nous l'entendons, peut parfaitement être représentée par une honorable assemblée de parlementaires, la réunion plénière d'une organisation professionnelle ou même un conseil d'administration. Il y a foule, en effet, lorsqu'un regroupement d'individus n'est plus le simple résultat de l'addition des personnes qui le compose, lorsqu'un rassemblement constitue, en tant qu'entité, un corps spécifique qui transcende la nature particulière des corps particuliers qui le forment. (On pourrait faire remarquer à ce propos que des corps particuliers, tel le corps humain, sont eux-mêmes des foules en ce que chaque élément du vivant est lui-même composé d'un agglomérat structurellement intégré de corps vivants particuliers : ainsi une assemblée de cellules vivantes forme un être vivant doté d'un corps, et une assemblée d'êtres vivants se matérialise — le mot n'est pas employé au hasard — dans une foule qui fonctionne comme un corps.)

Lorsque, par exemple, au moment où sont écrites ces lignes, le groupe parlementaire du RPR (parti national conservateur qui détient la majorité relative au parlement français) vote à l'unanimité une motion réclamant l'utilisation par la France de son droit de veto pour mettre en échec les négociations du GATT (au risque de briser la construction européenne et d'aggraver tragiquement la récession mondiale), il agit typiquement en tant que foule et à la manière d'une foule. Le vote unanime, qui ne représente pas l'opinion réelle de chaque membre du groupe pris isolément (on s'en apercevra par la suite), ni n'exprime une somme de raisonnements particuliers, constitue très exactement un « acte de foule » en ce qu'étant radicalement déraisonnable, il ne puise sa légitimité et ne prend son sens que dans et à travers la réalité globale de cette foule elle-même : c'est pourquoi d'ailleurs un acte de foule est beaucoup plus grave qu'il n'est important.

Or le problème qui nous occupe ici est celui-ci : dans le cas que nous venons d'évoquer — la foule des députés RPR étant confrontée à la motion en question —, y avait-il la moindre chance, la moindre possibilité pour que ce collectif s'exprimât autrement qu'en approuvant massivement cette suggestion que la plupart de ses composantes, momentanément annihilées, eussent considérée à la réflexion comme tout à fait stupide ? Il n'y en avait pas. Cette foule, en tant que corps, ne pouvait, dans ce cas précis touchant à son identité même, se déterminer autrement. De la même façon qu'une foule cégétiste ne votera jamais un amendement impliquant une renonciation explicite à la pratique de la lutte des classes, même si, dans les faits, les dirigeants de ce syndicat finissent par pratiquer effectivement une politique dite bêtement de « collaboration de classes ».

En réalité — et nous touchons là un point essentiel —, un mot donné, une expression donnée, une image ou un concept donnés produisent toujours sur une foule donnée le même effet et provoqueront, de ce fait, les mêmes types de manifestations réactives. La rationalité individuelle et la conscience de soi jouent ici un rôle pratiquement nul.

Supposons réunis en foule quelques centaines de bourgeois conservateurs évolués, dont aucun, pris isolément, ne se risquerait à réduire sa vision du monde à la nécessité d'assurer ou de rétablir l'ordre, de préserver la famille et (ce que chacun d'entre eux serait sans doute d'accord pour qualifier d'increvable lieu commun) de restaurer les « valeurs ». En foule, ils n'en applaudiront pas moins à l'appel circonstancié (et si possible fortement exprimé) à rétablir l'ordre, à préserver la famille et à restaurer les valeurs.

Ce phénomène n'est évidemment pas limitatif. Il s'applique à toutes les communautés imaginables. A gauche, par exemple : une foule « progressiste » accueillera toujours très favorablement l'idée exprimée, avec fougue et conviction, de la nécessité d'« approfondir la démocratie », d'associer plus amplement le peuple aux décisions, de favoriser une véritable « égalité des chances », de défendre avec intransigeance les libertés et, bien sûr, de restaurer les « valeurs républicaines », sans qu'il soit nécessaire de préciser de quoi on parle exactement, ce qu'on entend signifier par là, quelle mesure ou décision concrète ces professions de foi impliquent.

La variabilité, ici, n'intervient qu'*a contrario*. Par exemple, la référence explicite à ces valeurs authentiquement républicaines que sont la famille, le travail et la patrie a de fortes chances de susciter la révolte d'un public de « gauche » oublieux du fait qu'il ne s'agit là, au fond, que du socle moral des idéaux de 1793. Mais, nous l'avons vu, l'histoire provoque sans cesse, surtout à gauche, un reclassement des invariances. Et ce qui est intéressant, c'est que le rejet éventuellement indigné de ces trois termes n'implique aucune condamnation de l'une de ces trois notions prise séparément !

J'ai personnellement fait l'expérience de foules juives approuvant bruyamment l'excommunication majeure et définitive de toute idée de dialogue avec l'OLP, bien qu'elles fussent constituées en majorité de gens qui jugeaient un tel dialogue indispensable ou inévitable.

Ces constatations appellent évidemment l'hypothèse selon laquelle le rapport de la foule aux mots, expressions, images ou concepts relève d'un mécanisme d'ordre physico-chimique qui court-circuite en partie la raison et contourne l'entendement. Nous avons précédemment montré que toute psychologie individuelle tend à s'abîmer dans la mobilisation dynamisante du général, dans la mesure où ne peut se fondre que ce qui est potentiellement collectivisable au détriment de tout ce qui renvoie à un vécu particulier ou à un doute existentiel spécifique, bref à une réflexion personnalisée. Et nous notions, à ce propos, non seulement qu'il était possible de faire en foule ce qui ne serait pas individuellement envisageable ni même pensable (par exemple : piller, détruire, attaquer des bâtiments publics, barrer des routes, bloquer des trains, pirater des cargaisons — comme le font régulièrement chez nous, sans penser à mal, des cohortes d'agriculteurs), mais en outre que, par exemple, la manifestation par une foule chauffée à blanc de sentiments violemment racistes n'implique absolument pas que toutes ses composantes, loin de là, soient habitées de la rage qu'exprime cette collectivité et qu'elles expriment à travers cette collectivité. (De la même façon, une foule composée en majorité d'individus de centre gauche se transformera très facilement, à travers les slogans repris en chœur ou les hymnes entonnés, en une foule d'extrême gauche.)

La foule comme processus physico-chimique

Il faut sans doute oser aller plus loin. Que se passe-t-il lorsque dans un lieu fermé, une salle de cinéma par exemple, se déclenche un début d'incendie ? Bien qu'on dise alors aux gens de garder leur calme et d'évacuer l'endroit dans l'ordre et la discipline, se produit presque toujours une panique qui conduit les spectateurs à se ruer tous en même temps sur les portes de secours, à les engorger, à les boucher de corps enchevêtrés et piétinés, et à transformer de la sorte en tragédie ce qui n'aurait dû n'être qu'un accident.

Ce phénomène prend une signification et une importance historiques quand on sait qu'à l'issue d'une bataille la fuite provoquée par la panique permet de poursuivre et d'anéantir l'armée vaincue. Or le savoir et la discipline militaires ne peuvent rien contre la reproduction de ce processus. Gengis Khan avait bien compris qu'il s'agissait d'une manière de loi, qui, lorsqu'il encerclait avec sa cavalerie légère une lourde armée ennemie susceptible de tenir bon, laissait ostensiblement une brèche ouverte dans laquelle les assiégés se précipitaient immanquablement, s'offrant de la sorte aux coups de leurs adversaires. Les exodes — celui de 1940 en France, mais aussi ceux qu'ont provoqués la partition de l'Inde ou les guerres de Palestine (ou plus récemment encore le conflit yougoslave) — sont du même ordre : mouvements irraisonnés, quasi automatiques, comparables à la régularité répétitive d'une réaction physico-chimique, qui ont contribué à bouleverser la carte politique de notre planète.

Jamais une foule de manifestants sur laquelle tirent les forces de l'ordre ne reste sur place sans broncher : sa fuite à la fois éperdue et anarchique constitue un invariant brut et absolu (instinct de survie). De même est invariante la tendance de la minorité dite « activiste » de ceux qui composent cette foule à improviser, à la périphérie du drame, des formes de résistance plus ou moins symbolique qui consistent, par exemple, à s'emparer de tout ce qui s'apparente à une arme et à dresser des obstacles protecteurs (barricades, voitures renversées, etc.).

Aussi n'y aurait-il aucune difficulté à établir un certain nombre de théorèmes portant sur les conséquences de la répression violente des mouvements de foule. A supposer que l'on connaisse les données quantitatives et les composantes des forces en présence (combien et qui ?), on peut facilement établir que telle forme d'intervention extérieure contre un conglomérat ou un assemblage de corps provoquera telle conséquence, même si la dispersion entropique du conglomérat en question induit, à partir d'un certain seuil, de plus en plus d'éléments aléatoires. Ainsi ne sera-t-il pas indifférent que tel groupe de manifestants dispersés (car, par définition, les groupes se reforment après éclatement de la foule réprimée) passe ou ne passe pas devant une armurerie dont le rideau de fer n'est pas baissé. Autrement dit, il y a un moment (et un niveau) où les mouvements et réactions de foule sont totalement déterminables parce qu'ils obéissent à des lois non pas psychologiques, mais physico-chimiques, qui ne dépendent ni du moment ni du lieu, ni même, la plupart du temps, des circonstances.

On pourrait fort bien éditer un manuel à prétention scientifique qui décrirait concrètement, en termes de thermodynamique, la façon dont réagit une foule à une action expérimentale concrète. Nous étudierons plus précisément ce phénomène au chapitre XXI.

Il en résulte — c'est bien ce qui se produit dans tous les cas que nous venons de décrire — que la foule, comme corps, induit la réaction de ses composants en tant que corps. Cela signifie que le processus biologique qui fait que l'évolution repérable et descriptible (parce qu'invariablement régulée) des cellules a pour résultat la formation des corps vivants, fait également que ces corps vivants agissent eux-mêmes de manière repérable et descriptible (parce que invariablement régulés à la façon de cellules) à l'intérieur de ce corps englobant que l'on appelle « la foule ».

Il y a une chimie possible des composants de la foule, comme il y a une chimie des composants du corps vivant. Et cette chimie, c'est-à-dire l'existence de règles réactives, de mouvements déterminables parce que déterminés, implique que l'on retrouve dans l'action — fût-elle complexe — des corps vivants en foule le même type d'invariance structurelle que celle qui a permis à la foule multicellulaire de constituer des corps vivants.

Bien sûr, la contradiction surgit aussitôt. Et l'âme, et l'esprit, et la conscience, et l'intelligence dans tout ça ? Est-il donc à ce point scandaleux de supposer que lorsque, soudain, irrésistiblement, irrationnellement, à l'heure de la partition de l'Union indienne, pourtant préparée et négociée, des millions d'hindouistes et de musulmans issus de la même nation, participant du même mouvement de libération nationale, se sont rués les uns sur les autres pour s'entre-tuer et ajouter de la sorte une double horreur à la tragédie de la déportation volontaire, est-il donc interdit de suggérer qu'en effet l'âme, l'esprit, la conscience ou l'intelligence n'ont pas joué un grand rôle et parfois même n'en ont joué aucun ? Non point, entendons-nous bien, que les millions d'êtres humains entraînés dans ce drame, broyés par lui, aient été dépourvus d'âme, d'esprit, de conscience ou d'intelligence ! Le tout ne détruit évidemment pas les parties, mais il arrive que le fonctionnement global du tout implique la mise entre parenthèses des parties.

C'est ce qu'exige le principe même de la guerre, sans quoi elle serait absolument impossible : l'assaut de masses à découvert, sous les canons et la mitraille, contre des tranchées ennemies pendant la guerre de 1914-18, eût été totalement inimaginable sans la terreur disciplinaire assortie de pulsions collectives qui permirent que les parties (la conscience, l'intelligence, la sensibilité) fussent provisoirement écrasées sous la pesanteur implacable du tout. Et, en effet, c'est ce qui se passe chaque fois que, la raison étant congédiée, les émotions enclenchent un processus général qui fait que le mouvement des corps obéit alors à sa propre loi physico-chimique et non plus aux seules lois chimico-psychiques qui induisent les émotions particulières.

Les extraordinaires intuitions de Gustave Le Bon

Gustave Le Bon a sans doute eu tort, dans son célèbre et très curieux ouvrage, à la fois extraordinairement primaire et remarquablement lucide, de décrire les mouvements de foule (phobiques ou idéologiques) en termes de pure « psychologie » collective[1]. Il nous apparaît plutôt que l'intégrisme islamique ou le nationalisme ethnique, par exemple, à partir du moment où ils deviennent phénomènes de foule, mouvements agressifs de rejet d'une différence, traduisent moins une maladie de l'esprit extério-

---

1. Gustave Le Bon, *La Psychologie des foules* (1895), Paris, PUF, 1983.

risée par un psychisme qu'une revanche sur l'esprit de corps à la fois manipulés et médiatisés par l'émotion. Je ne suis d'ailleurs pas sûr qu'il faille accorder une grande importance au contenu idéologique ou culturel des « doctrines » qui mettent aujourd'hui en mouvement des foules au nom de la religion ou de la race : deux notions qui, en l'occurrence, se confondent presque totalement... Ces apparences de doctrines traduisent avant tout — le reste s'étant effondré, les repères proprement culturels ou idéologiques ayant disparu, l'esprit s'étant donc abîmé dans la faillite générale de ses propres émanations — l'affirmation physico-chimique télécommandée par l'émotion de ces corps-ci en opposition à ces corps-là. (Ainsi, ce qui se passe au Rwanda.)

Le concept de corps intègre certes, ici, ses constituants neuronaux, linguistiques, religieux ou culturels, mais largement désintellectualisés et, pour tout dire, presque totalement matérialisés : devenus parties du corps, en quelque sorte. (Comme le câblage d'un ordinateur est partie prenante de la machine.) Ou, plus précisément, accessoires identitaires permettant à ces corps-ci de se définir, et donc ensuite de se repérer, par rapport à leur rejet de ces corps-là.

A cet égard, donc, l'islamisme en tant que phénomène de masse ne s'apparente pas tant à une idéologie archaïque qu'à une dynamique des corps dans un contexte donné. Et c'est pourquoi, d'ailleurs, d'ex-gauchistes s'y intègrent si facilement en tant que corps !

La foule (contrairement au peuple) ne s'exprime pas à travers une âme collective, comme le croyait Gustave Le Bon, elle ne s'investit pas dans un hypothétique « esprit de la foule ». Tout ce qui est psychisme (ou âme, ou esprit) renvoie à l'être individuel ou à cette transcendance qu'est le peuple. Il n'y a action ou idée de la foule qu'à partir du moment où, justement, la psychologie s'efface ; où l'âme et l'esprit se dissolvent pour ne laisser en présence que les émotions et les instincts (y compris les émotions positives et les nobles instincts), les corps ou les statuts (professionnels, sociaux, ethniques ou religieux). Le seul esprit à intervenir dans cette histoire est l'esprit de corps. « Un parallélisme étroit, écrit d'ailleurs Le Bon, existe entre les caractères anatomiques des êtres et leur caractère psychologique. Dans les caractères anatomiques nous trouvons certains éléments invariables, ou si peu variables qu'il faut la durée des âges généalogiques pour les changer. A côté de ces caractères fixes, irréductibles, s'en rencontrent d'autres très mobiles, que le milieu modifie parfois au point de dissimuler, pour l'observateur peu attentif, les caractères fondamentaux. Les mêmes phénomènes s'observent pour les caractères moraux : à côté des éléments psychologiques irréductibles d'une race se rencontrent des éléments mobiles et changeants. Et c'est pourquoi, en étudiant les croyances et les opinions d'un peuple, on constate toujours un fond très fixe sur lequel se greffent les opinions aussi mobiles que le sable qui recouvre le rocher[1]. » Et, après avoir défini l'invariance des idées générales qui mobilisent les foules comme un socle granitique, Gustave Le Bon écrit : « L'absurdité philosophique de certaines croyances générales n'a jamais été un obstacle à leur triomphe. Ce triomphe ne semble même possible qu'à la condition qu'elles renferment quelques mystérieuses absurdités. Les peuples de l'Europe n'ont-ils pas, depuis quinze siècles, considéré comme vérités indiscutables l'effrayante absurdité de la légende d'un dieu se vengeant sur son fils, par d'horribles supplices, de la désobéissance d'une de ses créatures ? L'évidente faiblesse des croyances socialistes actuelles ne les empêchera pas de s'implanter dans l'âme des foules. Leur véritable infériorité par rapport à toutes les croyances religieuses tient uniquement en ceci : l'idéal de bonheur promis par ces dernières ne devant être réalisé que dans une vie future, personne ne pouvait contester cette réalisation. L'idéal du bonheur socialiste devant se réaliser sur terre, la vanité des promesses apparaîtra dès les premières tentatives de réalisation et la croyance nouvelle perdra du même coup tout prestige[2]. » En l'occurrence, l'aspiration socialiste résistera même à l'évidence de la vanité de ses incarnations, comme l'idéal religieux a résisté à la fois aux horreurs qui ont été commises en son nom et à l'implacable érosion du dogme par la science...

Et Le Bon de conclure sur ce point, alors qu'il écrit à la fin de la décennie du scientisme triomphant : « Si nous analysons un certain nombre de changements en apparence profonds, que voyons-nous ? Tous ceux contraires aux croyances générales et au sentiment de la race n'ont qu'une durée éphémère, et le fleuve détourné reprend bientôt son cours [...]. Nos actes conscients dérivent d'un substratum inconscient, formé d'influences héréditaires.

1. *Ibid.*
2. *Ibid.*

Or ces qualités générales du caractère, régies par l'inconscient, sont précisément celles qui, chez les foules, se trouvent mises en commun. Dans l'âme collective, les aptitudes intellectuelles des hommes, et par conséquent leur individualité, s'effacent. L'hétérogène se noie dans l'homogène et les qualités inconscientes dominent [...]. Chez une foule, tout sentiment, tout acte est contagieux, et contagieux à ce point que l'individu sacrifie très facilement son intérêt à l'intérêt collectif. C'est là une attitude contraire à sa nature, et dont l'homme ne devient guère capable que lorsqu'il fait partie d'une foule. La contagion est un phénomène qu'il faut rattacher au phénomène hypnotique[1]. »

Il est évident que beaucoup de Serbes ont fait en Bosnie, en foule et par contagion, ce qui était contraire à leur nature et non conforme à leur intérêt individuel. Le Bon ne pouvait certes pas prévoir (encore qu'il en devinait et redoutait l'approche) le fascisme, le nazisme, le stalinisme, les intégrismes ou les nationalismes ethniques modernes. (Même si Hitler utilisa son ouvrage comme un véritable manuel.) Mais il avait été marqué par l'avènement d'un second bonapartisme triomphant malgré le désastre final du premier, et qui, malgré son propre échec lamentable, faillit rebondir une troisième fois à travers le boulangisme. Il avait également sous les yeux le spectacle obsédant de la rémanence des idées « sans-culottes » et communalistes de 1793, dont il ne voyait d'ailleurs pas — ce qui eût pourtant conforté sa thèse — qu'elles se plaçaient elles-mêmes dans la continuité des mouvements cabochiens ou ligueurs des XIVe et XVe siècles. Il écrivit donc ces quelques lignes (en 1895, rappelons-le) qui eussent mérité d'être reproduites dans tous nos livres scolaires pour contribuer à l'édification des générations futures :

« Pour découvrir qu'on ne refait pas une société de toutes pièces sur les indications de la raison pure, il fallut massacrer plusieurs millions d'hommes et bouleverser l'Europe entière pendant vingt ans. Pour prouver expérimentalement que les César coûtent cher au peuple qui les acclame, deux ruineuses expériences furent nécessaires pendant cinquante ans et, malgré leur clarté, elles ne semblent pas avoir été suffisamment convaincantes. La première coûta pourtant trois millions d'hommes et une invasion, la seconde un démembrement et la nécessité des armées permanentes. » Le

---

1. *Ibid.*

Bon précise un peu plus loin : « Pour faire admettre que l'immense armée allemande n'était pas, comme on l'enseignait avant 1870, une sorte de garde nationale inoffensive, il a fallu l'effroyable guerre qui nous a coûté si cher. Pour reconnaître que le protectionnisme ruine finalement les peuples qui l'acceptent, de désastreuses expériences seront nécessaires. On pourrait multiplier les exemples. Les expériences faites par une génération sont généralement inutiles pour la suivante. » Et il achève ainsi son propos : « Le grand facteur de l'évolution des peuples n'a jamais été la vérité, mais l'erreur. Les expériences doivent être répétées d'âge en âge pour exercer quelque influence et réussir à ébranler une erreur solidement implantée. »

Le Bon ne croyait pas si bien dire. D'autres expériences révolutionnaires furent bien plus terrifiantes que celles qui inspirèrent sa réflexion ; le césarisme connut des formes qui réduisirent la bagatelle bonapartiste à un simple autoritarisme de Bibliothèque rose, et les conséquences en furent plus hallucinantes que tout ce qu'il aurait pu imaginer ; la sous-estimation de la puissance guerrière allemande provoqua deux autres drames militaires, bien plus tragiques encore que celui qu'il évoquait ; et le monde libre, qui faillit, dans les années trente, périr des conséquences du retour au protectionnisme, est de nouveau confronté, en France en particulier, à un rejet populaire massif des règles du libre-échange.

Reste que si Gustave Le Bon, démocrate et républicain, mais conservateur pessimiste s'il en fut (il sut prévoir le pire et non penser le meilleur), perçut bien en quoi les idées des foules, et les mouvements que ces idées favorisent, contribuent à rythmer l'invariance du « rien ne change », il ne vit pas en quoi ces mêmes foules jouent un rôle tout aussi essentiel dans le remodelage des structures invariantes qui permet en définitive que « tout change ».

L'erreur provient du concept même de « psychologie des foules ». La foule (contrairement, encore une fois, au peuple) n'existe qu'en tant que processus dynamique dont le mouvement obéit à des lois physico-chimiques qui lui sont propres. Il n'y a donc pas à proprement parler de « psychologie » des foules, mais des « mouvements » de foules dont la plupart prennent la forme d'idées. Or ces idées, bien qu'elles soient, ou parce qu'elles sont structurellement invariantes, ne cessent de se recomposer — sous le double effet des nouvelles donnes objectives et de la pensée critique — pour protéger leur invariance. Et c'est cette recomposition, catalysée en quelque sorte par la foule en tant que corps, qui favorise non pas l'avènement de la pensée critique, mais l'évolution des sociétés sous l'aiguillon de la pensée critique : évolution qui n'est pas réversible, mais qui peut être régressive. La foule ne saurait avoir un esprit ou une âme. En tant que corps, elle n'imagine pas, n'investit pas, ne crée pas. Elle ne se substitue jamais à l'individu, au groupe ou au peuple, seuls dépositaires des potentialités anticipatrices ou inventives de l'humanité. Elle n'est à l'occasion que l'instrument de la catalyse : ce par quoi ce qui a été conçu (pensé, imaginé) advient. Le meilleur ou le pire ! dira-t-on. C'est une évidence. Mais on remarquera que si le suffrage universel, cette manifestation abstraite de la foule, est susceptible de déboucher sur le pire (ainsi la victoire électorale du parti nazi allemand en 1933), sa répétition tend au meilleur. C'est même pourquoi Hitler n'a plus jamais eu recours à des élections après sa victoire. La raison en est que le suffrage universel, en tant qu'expression des idées des foules, et par conséquent de leur invariance, devient, en se répétant et en s'autorégulant, un formidable facteur de recomposition de ces invariances. A quoi on ajoutera que, dans le cadre d'une démocratie pluraliste (le contraire d'un régime plébiscitaire), le suffrage universel, en reflétant les pulsions contraires (ou même antagonistes) de foules diverses, autrement dit en noyant l'homogène dans l'hétérogène, empêche justement l'apparition de ce monstre redoutable qu'est la foule unique. En somme, la démocratie pluraliste armée du suffrage universel (qui en fait, malgré tout, le système le plus efficace au monde) noie les foules concrètes dans une foule abstraite et paralyse la foule abstraite en la renvoyant à la parcellisation des foules concrètes. Autrement dit, elle dissout la tribu en même temps qu'elle empêche l'empire.

Pourquoi tant insister sur le concept de foule ? Parce qu'il nous permet de franchir un niveau supplémentaire de la hiérarchisation du vivant et de prendre ainsi en compte les deux extrémités de l'échelle de l'évolution. Puisque nous plaçons l'homme — et sa liberté — au centre de notre réflexion, nous sommes sans cesse contraints non seulement de remonter du plus simple au plus complexe, mais également de passer du singulier au pluriel. L'homme est en effet à la fois le résultat d'une évolution et le composant d'assemblages qui précipitent l'évolution. En tant qu'être singulier, il est le fruit d'une pluralité en même temps qu'il participe d'une pluralité. D'où la question : si les biochimistes ont à dire sur le pluriel constituant de l'homme (cellules, molécules, tissus), les physico-chimistes sont-ils à même d'apporter leurs lumières à l'étude de l'homme constituant d'un pluriel ? Ou, plus exactement, d'un pluriel dont l'homme est le constituant ? En d'autres termes : les lois qui régissent les phénomènes et mouvements de foule dérivent-elles au moins en partie des processus physico-chimiques qui renvoient, en particulier, à certains principes de la thermodynamique ?

Dès lors que l'homme, en tant que phénomène vivant, découle d'une logique des corps, s'intègre-t-il lui aussi, en tant que partie prenante d'un processus social, à une logique des corps ? Nous entendons conclure cet ouvrage en affrontant le défi lancé par cette dernière question.

CHAPITRE XX

Nos hypothèses sous le projecteur des sciences modernes

Les deux prochains chapitres de cet ouvrage ont, j'en suis conscient, l'inconvénient d'être les plus « vulgarisés » ou simplifiés, eu égard à l'extrême complexité que recouvre le vaste domaine sur lequel ils s'aventurent, et, en même temps, les plus ardus par rapport au propos général. Il m'est cependant apparu qu'il fallait aller jusqu'au bout de notre logique investigatrice, quitte à nous contenter d'ouvrir des pistes, et au risque de nous heurter à plus de contestations encore que n'en provoqueront tous les chapitres précédents.

La théorie que nous avons proposée, développée et illustrée concerne l'évolution sociale comme séquence spécifique du processus général d'évolution. Il s'agit maintenant de se demander :

1) Jusqu'où le désenclavement des sciences sociales que cette démarche implique peut-il être poussé ?

2) Est-il légitime, pour élucider les lois qui régissent l'évolution sociale, de recourir à certains des instruments théoriques que nous proposent les sciences physico-chimiques ?

3) En quoi les nouvelles avancées qui caractérisent et remodèlent depuis un siècle les sciences modernes confortent-elles et enrichissent-elles notre approche de la réalité sociale évolutive ?

4) Dans quelle mesure, en particulier, les enseignements de la thermodynamique de non-équilibre nous aident-ils à mieux comprendre la nature de certains phénomènes sociaux de masse ?

5) Le mouvement des corps vivants, dans certaines conditions-limites de massification dynamique, est-il en partie régi par des

lois équivalant à celles qui décrivent les mouvements au sein de populations de corps inanimés ?

6) L'ensemble des thèses et hypothèses que nous avons formulées se situe-t-il dans un cadre déterministe ou participe-t-il d'une théorie « chaotique » de l'évolution ?

Socialisme, libéralisme et théorie mécanique

Que nous disaient, au fond, derrière les apparences, les théoriciens libéraux ou socialistes ? Que l'homme collectif réagissait comme un corps qu'étaient censées déterminer, dans un cas les lois transcendantes du libre marché et dans l'autre les lois tout aussi transcendantes de la lutte des classes. Ni ceci ni cela n'était totalement faux tant que restait partiellement vraie la théorie mécanique classique dont le socialisme et le libéralisme se voulaient la traduction économique et sociale.

Mais ces thèses signifiaient d'une part que le marché constitue une force en soi qui module les réactions de l'homme au pluriel et d'autre part que les antagonismes de classes véhiculent une dynamique en soi qui met en mouvement l'homme collectif. Dans les deux cas, l'homme, disparaissant dans un collectif de producteurs ou de consommateurs, apparaît moins comme l'agent conscient de l'évolution sociale que comme l'instrument d'une évolution sociale dotée de ses propres lois.

A l'expérience, les vérités du socialisme et du libéralisme se sont révélées aussi partielles que celles de la mécanique newtonienne dont elles se voulaient les traductions économiques et sociales. Les comportements réels des collectifs humains ne se pliant pas nécessairement et systématiquement à la logique présupposée du mouvement des corps sociaux telle que l'imaginaient les disciples de Tocqueville ou de Marx, rien ne se passa comme le socialisme et le libéralisme l'avaient prévu.

Or quatre notions nouvelles au moins ont ébranlé l'idée que l'on se faisait (notamment que les théoriciens socialistes et libéraux) de la logique des corps sociaux identifiés à des corps matériels : la relativité générale, le magnétisme, l'irréversibilité entropique, la prise en compte de l'aléatoire (et l'idée selon laquelle l'ordre naît du chaos ; ou, plus exactement, un certain ordre d'un certain chaos). Le principe d'évolution fondé sur la recomposition autoprotectrice des structures invariantes ne peut que s'enrichir de ces novations théoriques.

Il est clair en effet, et nous l'avons souligné à plusieurs reprises, qu'autant une recomposition structurelle peut être régressive, autant elle est irréversible en ce qu'elle ne revient jamais à son point de départ. Il n'y a pas de place pour la restauration. Il est également évident que toute recomposition d'une invariance sous la pression des modifications environnementales (rôle qui peut être joué à la fois par la pensée critique, le progrès scientifique et technique, les nouvelles donnes économiques), prend, du point de vue d'un observateur extérieur, la forme du chaos d'où surgit un ordre sous la forme de l'invariance recomposée. Nous verrons en outre, au chapitre suivant, à quel point la relativité générale éclaire d'un jour nouveau, dès lors que la vitesse de la lumière entre dans le système de coordonnées, certains phénomènes sociaux contemporains.

« Ce qui est vrai et vérifiable au niveau d'une réaction physico-chimique peut-il être généralisé ? » demandait le journaliste Guy Sorman à Ilya Prigogine, prix Nobel de chimie pour ses contributions à la thermodynamique de non-équilibre. Ce dernier répondit : « L'économie fonctionne aussi sur ce modèle : de la somme d'activités individuelles désordonnées surgissent l'ordre social et le progrès économique. Le destin des nations est également affecté de turbulences qui, après des fluctuations géantes — mouvements de foule, conflits —, débouchent sur un nouvel ordre social qui fait appel à davantage de ressources énergétiques[1]. » Et, dans son ouvrage fondamental, *La Nouvelle Alliance*, Prigogine affirmait d'emblée : « Il est urgent que la science se reconnaisse partie intégrante de la culture au sein de laquelle elle se développe[2]. » Il est temps surtout que la culture se reconnaisse partie prenante au nouveau discours scientifique qui l'enveloppe. Le progrès des connaissances s'est fait en partie grâce au développement des « correspondances » entre une science et une autre : Lavoisier se considérait comme le « Newton de la chimie » lorsqu'il entreprenait d'étudier les bilans invariants de masse au cours des transformations de la matière. Et Buffon écrit dans son *Histoire*

1. Guy Sorman, *Les Vrais Penseurs de notre temps*, Paris, Fayard, 1989.
2. Ilya Prigogine, Isabelle Stengers, *La Nouvelle Alliance*, Paris, Gallimard, 1979.

naturelle : « Les lois d'infinité, par lesquelles [en chimie] les parties constituantes des différentes substances se séparent des autres pour se réunir entre elles et former des matières homogènes, sont les mêmes que la loi générale par laquelle tous les corps célestes agissent les uns sur les autres [...]. Un globule d'eau, de sable ou de métal agit sur un autre globule comme le globe de la Terre agit sur celui de la Lune. »

Cette prétention à élargir à toutes les disciplines le champ d'application d'une loi générale a certes été battue en brèche, mais, outre qu'elle a puissamment contribué à stimuler la recherche, c'est elle qui a permis de découvrir, à un certain moment, des espaces nouveaux au-delà ou en deçà desquels le processus observable ne validait plus la loi générale. L'élargissement du champ d'application d'une théorie s'apparente en cela à un test de falsification au sens popperien.

D'ailleurs, c'est à partir d'une contestation frontale de l'universalité du modèle mécanique classique, donc de sa pertinence générale, que la science moderne, dans le sillage de Boltzmann, a proposé d'appliquer au modèle biologique les principes de la thermodynamique des processus irréversibles.

Dans l'interview accordée à Guy Sorman, Ilya Prigogine, évoquant la parabole du papillon dont un battement d'aile, quelque part aux Philippines, peut provoquer par une succession totalement indéterminable de causes à effets un cyclone au-dessus de la Californie, n'hésite pas à assimiler ce processus au krach boursier de 1987 et à l'enchaînement terrifiant de conséquences, en partie aléatoires, que provoqua l'attentat de Sarajevo en 1914. Il n'est donc pas illicite de tester sur les sciences sociales les nouvelles pistes que suggèrent les sciences physico-chimiques, à condition d'en rechercher effectivement et objectivement les limites de validité, non de plaquer artificiellement les lois qui tendent à élucider le mouvement des corps constituants et inconscients sur la réalité du mouvement des corps constitués et conscients. En vérité, ce qui est rationnellement « non pertinent », c'est l'idée selon laquelle chaque science ne parlerait que pour son espace clos et étanche ; d'où la prétention à conférer aux sciences de l'homme un statut de totale exterritorialité.

C'est parce que l'homme tourne avec la Terre qu'il subit le cycle des saisons et s'organise en fonction de l'alternance des jours et des nuits ; c'est parce qu'il est soumis aux lois de la gravitation universelle qu'il ne flotte pas dans les airs ; et son corps précipité dans le vide ne pourrait rien contre la loi d'inertie ; c'est l'évolution propre de ses parties constitutives qui détermine et sa vie et sa mort, et l'on ne saurait nier l'influence que ce processus purement biologique peut avoir, à l'occasion, sur un processus purement historique, que ce soit Bonaparte qui naisse ou Alexandre qui meure ! De même, on ne saurait traduire en simples termes sociopsychologiques l'influence que le climat exerce sur le comportement de certaines populations ou, comme nous l'avons examiné précédemment, la réaction quasi invariante des foules à certaines situations données. La physique et la chimie ont également leur mot à dire, au même titre que l'histoire est également l'histoire de l'évolution des sciences.

L'unicité du monde est à la mesure de l'unicité de ses origines : sa diversité et sa complexité ne la contredisent pas, elles traduisent simplement l'autocréativité inouïe de sa fabuleuse épopée évolutive. Que cette diversité et cette complexité soient telles qu'elles échappent à la dictature d'une loi générale unique, telle celle que définissait la mécanique galiléo-newtonienne, ne signifie pas que chaque partie constituante de cette réalité plurielle obéisse à des lois sans rapport entre elles, enfermées qu'elles seraient dans leur rationalité propre, mais que la loi originelle, qui reste implicite, n'a cessé d'engendrer par autorégulation des principes d'organisation autonomes.

D'un côté, donc, ce que les sciences physico-chimiques nous disent aujourd'hui au sujet, par exemple, du mouvement des populations corpusculaires nous invite à examiner à cette lumière les processus (également entropiques et pour partie aléatoires) qui affectent le mouvement des populations sociales. De l'autre, ces processus spécifiques ne peuvent évidemment se comprendre complètement que s'ils sont étudiés à l'aune des structures autonomes qui leur sont propres (qu'ils traversent ou qui les traversent), dont la vie, la conscience, l'acte libre ne sont pas les moindres. Or, à cet égard, la thermodynamique moderne (pour ne prendre que cet exemple) rend mieux compte de cette complexité autocréative que la mécanique classique dont sont issues les conceptions marxistes et libérales du monde social. Et le principe d'autorecomposition finalisée des structures invariantes y trouve mieux sa place. La synthèse devient possible qui permet d'échapper à la fois aux excès du hasard néodarwinien et au déterminisme mécanique (laplacien).

La symétrie comme facteur d'invariance

La recomposition d'une structure ne contribue-t-elle pas à réintégrer continuellement *du* hasard (et non le hasard) dans cette nécessité que représente son invariance ? L'important n'est plus la stabilité d'états qui se succèdent, mais la constante crise de la stabilité du même état, qui débouche sur un processus irréversible (et producteur d'énergie) nécessaire à la redéfinition d'un équilibre ou de ce qu'on peut appeler une « symétrie ». « La symétrie, écrit l'astrophysicien Michel Cassé, engage deux composantes logiques opposées : l'invariance et la transformation. » Et d'ajouter : « Nous devons spécifier les transformations [nous dirions, nous, les recompositions] qui laissent les lois de la physique invariantes[1]. » On les qualifiera alors de « transformations de symétries ». Michel Cassé note que c'est parce qu'il était confronté à une équation (celle de Schrödinger, censée gouverner le comportement des électrons au sein de l'atome) qui ne se pliait pas à l'invariance relativiste, que Paul Dirac, en 1929, eut, en modifiant l'équation en conséquence, l'intuition de l'existence de l'antimatière. C'est également, ajoute Michel Cassé, en tentant de rendre la gravitation invariante (indifférente aux transformations de Lorentz) qu'Einstein envisagea, dans le cadre de la théorie de la relativité générale, les étranges conclusions que l'on sait : la matière courbe l'espace, cette courbe dicte à la matière son mouvement.

On remarquera que notre problématique était inverse : ici, il ne s'agit plus simplement de suggérer *a priori* une théorie de l'évolution par recomposition des structures invariantes, mais de définir *a posteriori* le type de lois générales qui permet de réarticuler des transformations diverses aux principes physiques de l'invariance.

Or cette démarche appliquée au domaine des sciences sociales est également très féconde : ainsi en est-il de la quête d'une loi générale qui permette de définir des processus révolutionnaires apparemment très différenciés, compte tenu de perspectives for-

---

1. Michel Cassé, *Du vide et de la création*, Paris, Odile Jacob, 1993.

mellement contradictoires, en fonction de leur rapport à un même principe de recomposition d'invariances.

Ajoutons que la tendance à la symétrie est bien, dans presque tous les cas, le support dynamique le plus invariant de l'invariance. Que la pesanteur de la symétrie soit l'un des facteurs essentiels de régulation des transformations évolutives de l'invariance, en témoignent aussi bien la structure finalisée des squelettes de l'ensemble des vertébrés (radicalement symétrique) ou la structure génétique de la double hélice (la symétrie constituant ici le facteur même de la reproduction) que la dynamique propre à toute organisation économique de type socialiste ou libéral qui fait que tout mécanisme libéral appelle une symétrie libérale et que tout mécanisme socialiste appelle une symétrie socialiste : c'est même cette loi fondamentale qui rend les systèmes capitaliste et socialiste difficilement réformables en soi et plaide en faveur de l'élaboration d'un système spécifique susceptible de produire ses propres règles de symétrie. Justification du réformisme, en somme. (« En tant que loi de prohibition, écrit Cassé, les symétries tendent à réduire le nombre de versions possibles d'une même théorie[1]. »

D'une façon plus générale, les sciences modernes (en tant qu'étape méthodologique en direction d'une vérité irréductible) permettent beaucoup mieux que les sciences classiques d'éclairer la démarche que nous avons adoptée dans cet ouvrage pour explorer le domaine dévolu aux sciences sociales. C'est le cas, en particulier, des trois avancées que nous avons évoquées plus haut : la théorie de la relativité générale, la théorie quantique et la théorie des champs.

De l'importance du système de coordonnées

1) Ce que nous suggère la relativité générale, c'est qu'en dynamique sociale (pas plus qu'en mécanique ou en électro-dynamique) il n'y a pas d'espace absolu, immuable. L'espace réel, dépendant à la fois du temps et de son contenu, ne se définit plus par rapport à un observateur particulier ou privilégié, tel le démon de Laplace, mais par rapport à une infinité d'observateurs possibles à l'égard desquels il convient d'établir les mêmes règles d'invariance.

---

1. *Ibid.*

Nous avons montré que si chaque recomposition d'une invariance structurelle engendrait des structures mentales autonomes qui, elles-mêmes, devenaient invariantes, il en résultait que toute recomposition d'une structure sociale laissait derrière elle, en l'état, les traces mentales de la composition structurelle antérieure. Cela est vrai dans le temps — une structure mentale prérévolutionnaire survit à toute forme de recomposition révolutionnaire (ainsi le paganisme au christianisme, le capitalisme tendanciel au communisme, ou les tendances féodales au triomphe libéral) — et dans l'espace (les structures mentales les plus localement, culturellement ou ethniquement spécifiques résistent à tous les mécanismes de nationalisation, de fédéralisation ou de mondialisation). En outre, les recompositions structurelles elles-mêmes n'interviennent absolument pas au même rythme et de la même façon, en fonction non seulement du moment et du lieu, mais également du rapport particulier qu'entretiennent certains espaces avec le temps. Autrement dit, les diverses séquences d'une même histoire globale ne s'intègrent pas nécessairement au même espace-temps. Il est clair, en effet, que la suite accélérée des recompositions intervenues par exemple en Californie, en Suède ou en Nouvelle-Zélande, n'a, des points de vue aussi bien spatial que temporel, rien à voir avec celles qui ont, à un tout autre rythme, affecté l'Afghanistan, le Mali, le Pendjab ou les tribus amazoniennes, en ce sens précis qu'elles ne se sont opérées ni dans le même espace ni dans le même temps.

Enfin, les niveaux mêmes d'appréhension du réel font que les observateurs-acteurs qui participent de la même histoire ne se meuvent pas, eux non plus, dans le même rapport à l'espace et au temps (donc au mouvement) : la vision galiléo-newtonienne, par exemple, peut fort bien cohabiter avec la sensation effective de vivre dans un espace aristotélicien dont la Terre immobile constitue le centre et où tout mouvement (considéré comme un désordre) ne serait que la conséquence passagère d'un choc. Un conducteur de locomotive vit dans un espace aristotélicien et un astronaute dans un espace galiléen.

Dès lors, il s'agit bien d'explorer une théorie de l'évolution sociale susceptible d'intégrer plusieurs systèmes de coordonnées et plusieurs niveaux de structuration à une cohérence évolutive générale capable d'embrasser dynamiquement l'ensemble de ces différences de perspective sans en escamoter aucune.

Or on ne peut atteindre cet objectif qu'en partant de ce qui fédère originellement toute différenciation en devenir, à savoir l'invariance de la structure de départ commune : autrement dit, en faisant de toute différenciation empirique non plus la base en soi de notre investigation, mais le moyen d'atteindre théoriquement le but ultime de l'investigation, qui ne peut être que le dévoilement des invariances dont la défense ou l'autoprotection a finalisé les processus de recomposition à l'origine de ses différences.

Il s'ensuit que l'exploration des invariances structurelles implique, par exemple, de pouvoir repérer (comme on l'a vu plus haut) les processus de transformation déterminés par la tendance à la symétrie (par exemple, l'évolution parallèle des rapports sociaux et des rapports inter-couples, des rapports de classes et des rapports de sexes) ou encore de pouvoir remonter les différents niveaux de structuration — chacun laissant sa trace, son empreinte ou demeurant en l'état en tant que réalité constituante — de manière à élucider les processus de recomposition qui ont permis de passer d'un niveau à l'autre, la nature s'apparentant en cela à une manière de poupée russe. L'exemple le plus spectaculaire nous est évidemment offert par notre propre corps, la structure de nos cellules restant partie prenante de la structure générale et complexe de notre organisme qui en est issu. Mais on peut faire la même remarque à propos des structures de la pensée.

La complexisation naturelle, qui tend à multiplier les niveaux de structuration, a pour conséquence mécanique que les différents niveaux de structures finissent toujours par constituer de nouvelles structures hiérarchisées qui les englobent.

Les recompositions les plus évolutives deviennent alors celles qui sauvent l'invariance des structures supérieures (ou englobantes) en y intégrant les structures invariantes inférieures dont les recompositions précédentes ont permis l'agencement de cette structure unificatrice.

Chercher l'invariance derrière la recomposition pour élucider le sens de cette recomposition (autrement dit comprendre le changement à la lumière de ce qui ne change pas) revient donc à descendre les différents niveaux de structuration en utilisant, pour ce faire, chacun des stades échelonnés de leur recomposition. Les niveaux de structuration constituent la grille de compréhension de l'histoire évolutive d'une invariance.

L'intégrisme et le concept de champ de force

2) Qui ne voit (le phénomène intégriste islamique nous fournit une illustration spectaculaire de cette évidence) que les vastes processus politico-idéologiques qui se déroulent dans l'espace social ne se réduisent pas à des interactions instantanées de corps mus par les forces qui s'exercent sur eux à l'intérieur d'un espace vide et neutre ? Le concept de champ vient donc opportunément éclairer ce recoin resté obscur du terrain qu'explorent les sciences sociales.

Ce que supposent les tenants de la théorie des champs, c'est qu'un espace, même apparemment vide, est chargé de potentialités (« Ils imaginent que chaque objet matériel sensibilise son environnement, de sorte que chaque point de l'espace qui l'entoure soit apte à communiquer une force qui n'attend, pour se faire sentir, que la présence d'un autre corps. En chaque point de l'espace existerait donc un vecteur représentant la force qui s'exercerait en ce point si une particule s'y trouvait. Tous les vecteurs ainsi définis forment un champ de force », écrit Michel Cassé[1].)

Par la suite, la mécanique quantique a aboli la distinction entre champs et particules. Les particules étaient décrites par des champs, ou plus exactement des « ondes de probabilité de présence ». La question essentielle devint : « Comment les champs de force sont créés dans l'espace par les corps matériels ; comment ils se propagent et comment ils se communiquent[2] » ? Le concept de champ peut nous aider à analyser et à comprendre des phénomènes politico-sociaux que l'on s'est jusqu'à présent épuisé à ne décrire qu'en termes de mouvements mécaniques simples, provoqués par l'action directe de forces matérielles dont l'influence serait exclusivement fonction de la masse et de la vitesse.

La théorie des meneurs, la hantise du complot extérieur ou intérieur, le renvoi obsessionnel à un centre occulte d'où l'on tirerait les ficelles et fomenterait les désordres (Nasser, le KGB, la CIA ou, plus abstraitement, le communisme international et l'impérialisme), découlent de cette conception mécaniste. Résultat : il n'y a plus de centre occulte KGBiste mais les désordres qui lui étaient

1. *Ibid.*
2. *Ibid.*

imputés n'ont pas disparu pour autant. Le recours méthodologique au concept de champ de force ou même de fonction d'ondes (amplitude des probabilités de présence) permet de mieux cerner la nature spécifique, non purement matérielle (ou bien matérielle au sens où l'énergie est matière et où la matière est champs), des comportements spontanés de classe, des pulsions ethnico-nationalistes, et surtout des déferlements de type psycho-religieux. C'est une compréhension beaucoup plus fine des processus panrévolutionnaires issus des explosions de 1848 et de 1917 que permettrait l'utilisation, prudente bien sûr, de ces concepts de champ de force et de fonction d'ondes.

L'action d'un champ de force constitue l'un des facteurs environnementaux les plus déterminants du remodelage d'une invariance structurelle, comme l'illustre bien le rôle que joua le christianisme en tant qu'onde de probabilité de présence dans le processus de décomposition-recomposition de cette entité spatiale qu'était l'Empire romain.

3) La fonction d'ondes d'un système représente le concept quantique le plus approprié aux sciences sociales (le plus fécond, donc) dans la mesure où il permet de caractériser non pas un mouvement linéaire précisément déterminable, mais une fluctuation descriptible de potentialités. Il n'y a jamais de fatalité à ce qu'un événement se produise effectivement, mais une plus ou moins forte potentialité de déroulement de cet événement dès lors que certaines conditions objectives interactives sont en présence. Le 18 Brumaire n'était pas une fatalité, mais une probabilité résultant d'un flux de potentialités, la personnalité de Bonaparte étant une donnée purement aléatoire.

4) Pour le reste, la simple rationalité, assise sur l'observation, incite déjà à comprendre que les mouvemens internes qui affectent les populations relèvent non de la prévision stricte et précise, mais d'une supputation statistique qui conduit à raisonner en termes d'écarts plus ou moins grands par rapport à des valeurs moyennes, sans qu'il soit nécessaire pour autant de se référer aux relations d'indétermination de Heisenberg. C'est ici qu'intervient la part de l'aléatoire ou, pour reprendre la formule d'Einstein, de « variables cachées ».

De notre point de vue, ce que suggère d'absolument fondamental la théorie quantique (contrairement à ce qu'il est aujourd'hui fréquent de lui faire dire en appui à une théorie du chaos), c'est que l'incertain peut et doit être codifié, qu'il existe des règles de probabilité, que l'accumulation de hasards particuliers peut s'intégrer à une loi tendancielle de détermination générale. Les processus révolutionnaires, en tant qu'ils mettent en jeu des mouvements de population dont une multitude de fluctuations constituantes sont aléatoires, montrent suffisamment à quel point la loi tendancielle, même relative, n'est que peu affectée par l'ampleur de ces « relations d'incertitude » (en 1849, en France, la réaction contre-révolutionnaire à la terreur se développa en l'absence de terreur), et comment les bifurcations indéterminables (ainsi Staline dans le rôle de Bonaparte) finissent par rejoindre — par réintégrer — à un moment ou à un autre le lit qu'une détermination globale moyenne réserve à ce type de phénomènes (en l'occurrence, un semblant de restauration, dont on sait qu'elle est elle-même passagère).

Autrement dit, une recomposition structurelle intègre une multitude de fluctuations aléatoires (dont la plus spectaculaire est illustrée par le rôle que jouent dans l'histoire les personnalités dites « d'exception »), mais le déroulement et la finalité du processus n'en sont pas moins déterminés par le principe général de préservation de l'invariance.

De l'impossibilité de cloisonner les disciplines

Notre problème est clairement celui-ci : toute structure correspondant à un système donné d'interactions, 1) des lois physico-chimiques s'appliquent-elles à un système d'interactions dont les populations constituantes sont des populations humaines (c'est-à-dire, au sens large, à une réalité sociale) ? 2) Dans quelle mesure les nouvelles perspectives ouvertes en ce siècle par les sciences physico-chimiques confortent-elles ou brouillent-elles une théorie de l'évolution sociale qui fait des recompositions adaptatives auto-protectrices d'invariance structurelle le moteur du devenir ?

A la première question, j'ai déjà tenté de répondre en plaidant l'unicité constitutive de toute structure originelle. Il y a toujours un « avant » à la pluralité et à la globalité, et cet avant se caractérise soit par une moindre pluralité, soit par une moindre symbiose. Or cet avant ou cet « avant l'avant » renvoient nécessairement, à un moment ou à un autre, à une autre science que celle qui présidait à l'analyse de départ. Si je descends l'échelle de l'histoire, j'entre évidemment, à partir d'un certain palier, dans le domaine de l'archéologie, de l'anthropologie, de la paléontologie, et je tombe en définitive sur l'origine du vivant, puis des choses inanimées, c'est-à-dire sur une des cibles qui concernent directement le physicien, le chimiste, le biologiste. Et si je remonte ensuite cette échelle, je ne vois pas comment je pourrais abandonner en route, à partir d'un échelon arbitrairement choisi, les lois générales grâce auxquelles le processus dont sont issues les choses a permis qu'à partir des choses s'enclenche le processus qui a permis la vie. De même que serait assez réductrice une science des locomotives considérées comme objets spécifiques et qui s'interdirait de prendre en compte les lois thermodynamiques qui régissent le principe même de la machine à vapeur (ou de l'électricité).

Puisqu'on admet sans difficulté que seule la recherche rationnelle des mécanismes globalisables permet de comprendre le passage de l'inorganique à l'organique, du champ à la matière, de la matière à la cellule procaryote, de la cellule à la bactérie, etc., on ne voit pas pourquoi cette échelle évolutive, qui implique des synthèses sans cesse recomposées (et donc complexisées) de structures simples s'arrêterait au vivant individuel et ne concernerait jamais le vivant collectif.

Pourquoi le processus qui fait que les cellules à potentialités identiques restent groupées et s'organisent en tissus, et que ces tissus à leur tour donnent des organes, ne concernerait en rien les lois qui régissent l'organisation des populations d'êtres vivants sociaux ? Un homme qui peuple est également un homme peuplé : l'homme colonise et les mitochondries le colonisent. Le processus qui permet de passer de la cellule au tissu et du tissu à l'organe n'est peut-être pas totalement étranger à celui qui conduit l'être vivant, lui-même constitué de cellules, à s'organiser en tribu, clan, meute, horde ou troupeau, et, au cours de l'histoire proprement humaine, ces entités à se fédérer en peuples. Toutes les lois qui régissent les mouvements des corps vivants découlent en partie de celles qui déterminent les mouvements internes qui font que ces corps sont devenus et sont restés vivants. Les théoriciens de la mécanique classique avaient raison de chercher à établir des équivalences entre le mouvement externe des corps et les mouvements internes à la matière. C'est d'ailleurs cette démarche, on l'a dit, qui permit de découvrir, à partir du mouvement brownien, les pre-

mières limites de validité (ou d'application) de la loi générale. Et
c'est ensuite l'appréhension théorique du flux de particules inhérent à la propagation de la lumière qui déboucha sur un débat
(Einstein/Bohr) dont les implications (déterminisme/indétermi-
nisme) touchent à la conception même de l'histoire et, par extension, à un certain rapport à la politique.

Croit-on que le processus d'autonomisation des idées collectives, que nous avons analysé plus haut, permette de déconnecter
totalement celles-ci des mécanismes physico-chimiques d'interaction neuronale qui ont permis, à l'origine, leur émergence et qui
expliquent pour une part leur invariance ? Ajoutons qu'il n'est pas
plus impertinent, pour décrypter certains aspects de l'évolution
sociale, d'utiliser, entre autres, la grille que nous proposent les
sciences physico-chimiques modernes, que de décrire les mécanismes de transmission héréditaires par l'entremise de l'ADN en termes linguistiques, comme on le fait aujourd'hui avec bonheur —
le gène devenant un texte écrit au moyen d'un alphabet de quatre
lettres, et le produit du gène une traduction de ce texte au moyen
d'un alphabet de vingt lettres.

L'intuition quantique appliquée aux sciences sociales

Ce que la physique moderne a établi, même si les interprétations de ce phénomène restent divergentes, c'est que les processus
interactifs — dès lors que les populations concernées ne rassemblent qu'un nombre relativement limité d'éléments constitutifs (les
atomes d'une molécule, par exemple) — apparaissent, sous l'effet
d'une catastrophe (une forte variation thermique, par exemple),
comme extrêmement aléatoires, prenant la forme de mouvements
désordonnés et discontinus : mais, à mesure que ces micro-systè-
mes participent d'un ensemble plus vaste dont la population augmente, ce désordre engendre un ordre ; autrement dit, l'agitation
imprévisible faite de tourbillons et de collisions laisse place à des
régularités statistiquement repérables, qui peuvent donc être
décrites en termes de lois de moyennes.

On perçoit bien, au premier abord, en quoi cette donnée fondamentale de la physique moderne enrichit considérablement la
vision que l'on peut avoir des mouvements qui affectent les différents niveaux de la réalité sociale, car on est, là aussi, confronté à

une profusion de désordres microscopiques (à l'échelle planétaire, s'entend) qui, à mesure qu'ils s'intègrent à un niveau supérieur et plus vaste d'organisation, dessinent peu à peu, de manière de plus en plus accentuée à mesure que l'on monte les niveaux, non pas bien sûr des règles mécaniquement répétitives, mais des régulations statistiques qui suggèrent un certain nombre de lois objectives mettant en jeu des espaces plus ou moins grands de probabilités. Des moyennes ! C'est ainsi qu'un ordre relatif descriptible n'est qu'une accumulation apparente de désordres indéfinissables. Ou, plus exactement, qu'un ordre explicite perce peu à peu sous un ordre implicite que brouille, pour nous, le désordre de son apparence. C'est très exactement ce qui permet qu'existent des sciences économiques, sociales ou politiques.

Illustrons ce propos. Définir des règles strictes qui permettraient d'établir l'évolution du profil de consommation d'un individu donné, dont on nous dirait simplement en termes de mécanique classique d'où il vient, où il se trouve, quel âge il a et combien il pèse, est *a priori* peu envisageable. Les éléments apparemment aléatoires qu'il faudrait pour cela faire entrer en ligne de compte sont beaucoup trop nombreux : son caractère, son psychisme, sa santé, son mode de vie, ses besoins physiologiques, les discontinuités de son activité sociale (phases d'enthousiasme et de dépression comprises), les aléas de sa carrière, les fluctuations de ses revenus, mais aussi son rapport à l'argent, ses goûts, ses complexes, ses phases de révolte ou d'intégration, de rejet ou de soumission à la mode, les influences familiales, culturelles, idéologiques et surtout religieuses qui le déterminent, ses comportements (sur lesquels pèsent indirectement les pressions de son épouse ou de ses enfants, celles de l'entourage et du milieu, du climat, de la situation économico-sociale) et surtout la perception qu'il a de tout ce qui précède, induisant effets de panique ou achats de précaution, sans compter l'influence décisive de l'espace social à l'intérieur duquel il tend à consommer...

On pourrait donc penser que l'accumulation de tels paramètres, dès lors que l'on passe de l'individuel au collectif, rend la formulation de règles générales totalement impossible. Autrement dit, qu'il n'est même pas envisageable d'établir des lois statistiques régissant l'évolution de la consommation de populations déterminées en fonction de conditions déterminables. Or il n'en est rien. Au contraire. Plus une population est nombreuse, et si hétérogène qu'elle paraisse, plus il devient possible de formuler les lois objectives qui régissent statistiquement l'évolution de ses comportements de consommation, et par conséquent de prévoir et d'anticiper ces mêmes comportements.

Les particularismes ont tendance à se fondre dans la loi générale à mesure que la population concernée s'élargit. Autre exemple : si imprévisible, indéterminable et parfois absurde qu'apparaisse l'attitude individuelle des épargnants en temps de crise, leurs comportements collectifs n'en répondent pas moins à des règles statistiques *a posteriori* et même *a priori* descriptibles. Et cela dans la mesure même où, dans ce cas précis, la règle veut alors que la panique, l'angoisse, l'anticipation, l'autoprotection, en tant qu'attitudes irrationnelles, deviennent des éléments moteurs statistiquement stables d'une tendance collective de plus en plus régulière à mesure que la population concernée augmente.

Ce dernier exemple est important : 1) parce que la « crise » y joue le rôle du facteur thermique dans un système thermodynamique ; 2) parce que l'irrationalité supposée du comportement individuel, d'où découle l'apparence aléatoire du microsystème, devient au niveau d'un macrosystème l'un des facteurs de la régularité statistique.

Nous avons déjà évoqué, au chapitre premier de cet ouvrage, l'exemple spectaculaire des processus révolutionnaires. Nous nous proposons, pour conclure, de revenir sur ce cas d'école, considéré comme une rupture accélératrice de recomposition à l'intérieur d'un continuum évolutif. Mais de l'examiner, cette fois, sous l'éclairage des nouvelles lucarnes ouvertes ci-dessus.

CHAPITRE XXI

De certaines invariances thermodynamiques appliquées aux processus révolutionnaires

La dernière question que nous entendons poser est celle-ci : dans quelle mesure certains phénomènes sociaux de masse s'apparentent-ils à certains des processus que décrit la thermodynamique moderne ?

Nos réflexions précédentes nous ont conduits à constater que, dans des conditions-limites, l'homme collectif devenu foule participait *ponctuellement* d'une législation relevant des sciences physico-chimiques. Puisque l'homme est à la fois corps et esprit, dans quelle mesure l'esprit logique est-il confronté à la logique des corps ? Ce faisant, nous ne faisons qu'aborder franchement une question qu'évoquent aujourd'hui couramment les épistémologues du monde entier, bien qu'en termes feutrés ou allusifs en France (le terrorisme idéologique étant chez nous ce qu'il est).

Cela ne revient pas à matérialiser l'être humain, mais, au contraire, à mettre en valeur (ce que n'ont pas fait suffisamment les théoriciens libéraux et socialistes) son extraordinaire capacité à déclencher volontairement en aval — et à contrôler, ordonner, retraiter intelligemment en amont — des processus qui reproduisent les grands mouvements évolutifs internes à la matière qui ont permis, entre autres, l'émergence du vivant.

De la révolution comme processus entropique

Qu'est-ce qu'un processus révolutionnaire ? Par définition, il s'agit, au départ, d'une accumulation ou d'une interpénétration de comportements indéterminables, parce que apparemment désordonnés et discontinus, de dizaines de milliers de molécules constitutives de l'organisme social, en réaction à l'action d'un déstabilisateur thermique (crise économique, mauvaise récolte, guerre, défaite, initiative intempestive du pouvoir exécutif, influence de la pensée critique). En réalité — mais cela ne modifie pas notre approche — le déstabilisateur thermique nécessite l'intervention interactive simultanée de plusieurs de ces éléments (par exemple, en 1848, une crise économique, une initiative intempestive du pouvoir et l'influence de la pensée critique). Il faut en quelque sorte l'étincelle et le petit bois.

Il est, certes, évident que les mêmes causes ne provoquent pas mécaniquement les mêmes effets, et surtout ne les provoquent pas de la même façon. (Pourquoi la révolution n'a-t-elle pas éclaté à la fin du règne de Louis XIV alors que les conditions paraissaient être réunies ? Parce qu'il en manquait une : l'émergence d'une pensée critique adéquate.)

On peut admettre, par conséquent, que le processus révolutionnaire, même s'il est en soi déterminé (au sens kantien d'un noumène causal), n'est pas déterminable en tant que phénomène par les observateurs que nous sommes. Mais, à partir du moment où, pour employer un langage physico-chimique, la rupture d'équilibre enclenchée par l'explosion de quelques structures moléculaires provoque une désintégration en chaîne qui envahit tout le macrosystème, apparaissent alors un certain nombre d'autorégulations : celles-ci prennent la forme de lois statistiques tendancielles qui se vérifient dans quasiment tous les cas de figure.

Les plus simples de ces lois établissent : *a)* que tout processus révolutionnaire (cela inclut les processus apparemment « contre-révolutionnaires », tels que ceux qui ont balayé l'Europe de l'Est au début des années quatre-vingt-dix) qui submerge l'un des espaces d'un système tend à envahir tout le système ; *b)* que ce processus qui transforme son propre mouvement en énergie en vertu de la première loi de la thermodynamique, et de la sorte entretient énergiquement son propre mouvement, s'emballe toujours en engendrant dynamiquement son propre dépassement ; *c)* que cet emballement, qui provoque à terme une formidable déperdition d'énergie par expulsion de la chaleur produite vers l'extérieur, s'apparente, en fonction de la seconde loi de la thermodynamique, à un phénomène d'entropie qui tend à précipiter le dépérissement du processus révolutionnaire lui-même ; *d)* que l'autorégulation du système, en réaction à ce phénomène d'entropie qui le conduit à terme à sa mort, prend toujours la forme d'un puissant mouvement contre-révolutionnaire, qui tend à son tour à conquérir le système ; *e)* que le heurt de ces deux entropies, que l'on pourrait qualifier l'une de positive, l'autre de négative, favorise l'émergence d'une troisième voie de retour à l'équilibre par investissement de l'énergie anarchiquement dépensée dans un recours à un ordre volontariste (militaire ou autre) débouchant tendanciellement sur l'aventure extérieure ; *f)* que se réalise alors ce que décrit la troisième loi de la thermo-dynamique : à savoir que lorsqu'on approche du zéro absolu de température (rétablissement autoritaire de l'ordre interne), le désordre moléculaire cesse d'avoir de l'influence sur les événements physiques ; *g)* que cette situation se révélant impossible dans la durée, sauf à mettre fin au mouvement lui-même, le mécanisme évolutif se recale et se réenclenche sur la base des processus préexistant au rétablissement de l'ordre, purgés de leur tendance à l'entropie maximale.

Nous ne prétendons pas que cela se passe dans tous les cas effectivement comme cela. Une révolution peut réussir, échouer, dégénérer, se stabiliser. La série Bonaparte-Napoléon III-Staline n'est pas immuable. Robespierre peut être son propre Napoléon (Mao Tsé-toung), ou Danton à la fois son propre Robespierre et son propre Bonaparte (Fidel Castro). Tout reste possible. Mais nous disons que si la liberté humaine, pour le meilleur et pour le pire, décide en dernière instance de la forme que prendra un processus révolutionnaire et de sa direction, et quelque rôle que jouent les aléas et les accidents, cette liberté ne peut se déployer efficacement, c'est-à-dire avoir la moindre chance d'embrayer sur l'*événement*, que dans le cadre des contraintes que déterminent, en termes de thermodynamique sociale, les lois tendancielles que nous venons d'évoquer.

L'invariance tendancielle du processus thermodynamique équivaut donc ici à l'invariance d'une structure dynamique stable, le hasard ou la liberté ne jouant un rôle évolutif effectivement moteur qu'en fonction de leur capacité à offrir un cadre, des opportunités et des perspectives à cette invariance. Là encore, le « tout change » s'inscrit dans le « rien ne change ».

C'est là, au demeurant, une banalité : Staline en Australie, Lénine aux Pays-Bas, Hitler en Allemagne mais en 1970, Bonaparte général sous Louis XV, Jules César chef d'une armée gauloise, Alexandre le Grand président de l'actuelle république de Macédoine n'auraient évidemment jamais pu faire prévaloir la logique de leur destin sur celle des circonstances. Leur destin n'en fut un que parce qu'ils surent lui faire chevaucher des vagues dont ils n'avaient pas inventé la mer.

En période révolutionnaire, puisque c'est de cela qu'il s'agit, le grand leader est celui que les événements ne ballottent pas, ce qui implique qu'il sache anticiper les courants qui le porteront : il ne pourra ensuite les capter, les amplifier, les orienter, les détourner que parce qu'ils existent en dehors de lui et de sa volonté, en vertu des lois tendancielles que nous venons d'évoquer. Il n'y a aucune contradiction entre la régularité statistique des flux qui traversent une zone révolutionnaire et la liberté des acteurs qui les subissent ou les utilisent : cette liberté est d'autant plus libre de s'appuyer sur cette régularité que cette régularité seule permet l'affirmation de cette liberté.

En cela, opposer le libre arbitre au déterminisme, l'action spontanée des gens aux lois qui régissent le mouvement des foules, n'a pas de sens ; pas plus que d'y opposer la liberté du dramaturge aux règles minimales du théâtre ou la liberté du cycliste à la mécanique de la bicyclette.

En soi, cette digression est une perte de temps : il est lamentable que les pesanteurs du préjugé soient telles qu'il faille y sacrifier. Ne nous fatiguons donc pas à le répéter : la liberté humaine n'aurait de place ni dans un chaos d'événements désordonnés que le hasard jouerait aux dés de ses décrets improbables, ni dans une dialectique sociale prédéterminée une fois pour toutes par la lutte des classes ou la loi du marché.

Ce que le père Lacordaire disait des mécanismes de l'économie libérale, à savoir que la loi, parfois, délivre là où la liberté opprime, est applicable à l'évolution sociale en général : c'est parce que les processus sociaux obéissent à des lois — fût-ce des lois tendancielles ou statistiques — que la liberté humaine dispose des repères et des régularités de référence sans lesquelles elle ignorerait — et ne pourrait donc pas proclamer — qu'elle est une liberté.

C'est pourquoi aucun scrupule métaphysique ne nous interdit de décrypter une réalité sociale en utilisant certaines grilles que nous offrent les sciences physico-chimiques. La question n'est pas seulement : les mouvements sociaux de masse obéissent-ils à certaines lois de la thermodynamique ? mais aussi : le recours à une lecture thermodynamique (incluant les dernières avancées de cette science) permet-il de mieux comprendre les mouvements sociaux de masse ?

Pour en juger, nous proposons de décliner la description que nous avons esquissée plus haut des phénomènes révolutionnaires de la façon suivante :

a) Toute structure (et particulièrement toute structure sociale) réagit par des mouvements apparemment désordonnés à de fortes interpellations de l'environnement qui peuvent prendre la forme d'un bouleversement climatique, d'une modification catastrophique du milieu naturel, mais aussi d'une nouvelle donne économique, d'un progrès technologique ou d'une pression de la pensée critique. Ces « agressions » ou interpellations du milieu suscitent des frottements et des collisions dont les effets équivalent à une forte variation d'intensité thermique. Il semble alors que l'invariance de la structure soit la cause première de son inadaptation aux mutations du milieu.

b) Les mouvements qui affectent de manière discontinue les ministructures constitutives d'un organisme social (on appellera ces mouvements : événements, manifestations, maladies, troubles ou faits divers) ont tendance, à partir du moment où ils agissent transversalement sur plusieurs structures, à envahir tout le système que forme l'organisme social.

c) L'organisme social entre alors en état de crise, latente puis patente. Les mouvements internes qui en résultent produisent une énergie qui exacerbe, en les portant à ébullition, les contradictions qui, précédemment, maintenaient le système en état de fonctionnement loin d'un équilibre total mortel. (Par exemple : les antagonismes de classes, les divergences d'intérêts économiques, les concurrences de castes, les conflits religieux et ethniques.)

d) La tendance à l'entropie maximale qui en découle provoque d'abord un éclatement du système, puis un regroupement aux deux pôles (révolution et contre-révolution) des éléments les plus positivement ou négativement chargés. Révolution et contre-révolution, porteuses d'une fuite en avant ou d'un retour en arrière, s'inscrivent en rupture avec l'invariance évolutive de la structure sociale.

e) D'une manière ou d'une autre, l'avantage pris par l'un des deux pôles, ou leur neutralisation par une échappée vers la solution militaire, débouche sur l'imposition d'un retour artificiel à l'équilibre qui tend à une entropie nulle, génératrice d'immobilité et de mort.

f) Pour éviter cette issue fatale (ou par réaction naturelle à une phase qui y tendait) intervient alors, dans la plupart des cas, une recomposition qui s'effectue à partir des forces centrales : celles qui se situent entre les deux pôles et visent à remodeler l'invariance de la structure de départ de manière à la rendre, cette fois, adéquate aux mutations environnementales qui ont provoqué la déflagration du système.

Si l'on examine l'ensemble des processus révolutionnaires intervenus depuis sept siècles, on s'aperçoit que cela s'est effectivement passé ainsi, mais avec un formidable décalage possible, dans le temps, entre la solution *e* et la solution *f*.

Je suis convaincu, on le voit, que le recours méthodologique à un certain nombre de concepts propres à la thermodynamique de non-équilibre permettrait de théoriser le rôle qu'en période de tension antagoniste déstructurante jouent les forces centrales (les moins affectées — ou les moins déchargées — par la tendance à l'entropie maximale) dans les processus de recomposition structurelle.

On ajoutera que toute structure se recomposant à partir de son centre — et pas simplement la structure sociale —, le degré d'évolution peut se jauger à l'ampleur du déplacement de la ligne de centre.

A la limite, tout organisme vivant évolue dans un sens qui va de sa structure centrale, support de l'invariance, à sa périphérie : du squelette aux membres, du cerveau aux nerfs. Une évolution sociale peut être qualifiée de radicale quand une nouvelle classe fait squelette : que ce soit la bourgeoisie après 1789 ou la caste militaire « franque » à l'orée du Moyen Age. Des aménagements périphériques sont toujours possibles, mais la recomposition d'une invariance se fait toujours à partir d'un nouveau centre structurant. La conquête du centre constitue en cela le moteur de l'évolution par ruptures. Les processus révolutionnaires, en exacerbant les phénomènes d'entropie et, par voie de conséquence, en précipitant le déplacement du système dans la direction de l'entropie — d'où l'apparition réactive d'une entropie négative —, provoquent à la fois un épuisement dissipatif des périphéries activistes et une installation au centre de la fraction la moins activiste de l'ancienne périphérie.

Ce processus est irréversible, mais pas linéaire. Il peut se produire dans tous les sens, ce qui interdit de l'identifier à une dialectique du progrès.

Le retour du dimanche soir sur l'autoroute du Sud

A ceux que ce recours explicatif à des lois physico-chimiques choquerait encore, faisons remarquer qu'il serait tout à fait absurde d'appréhender globalement le phénomène napoléonien sans prendre en considération : *a)* les données climatiques qui, pendant quinze ans, furent relativement favorables à la régularité de la production agricole et par conséquent à la stabilité des revenus et des prix (or, il s'agit bien là de l'interférence d'une réalité structurelle purement physique) ; *b)* la nature du mal qui progressait inéluctablement dans le corps même de l'empereur, interférence cette fois d'une réalité structurelle purement biologique dont Clausewitz a montré à quel point elle pesa sur le comportement de Napoléon pendant la campagne de 1815.

On pourrait multiplier les exemples. Est-ce qu'en provoquant la débâcle de l'Invincible Armada, terrifiant instrument pour l'époque de conquête de l'Angleterre, un processus matériel purement physique n'a pas eu sur l'évolution politique et sociale de l'Europe une influence plus considérable que la personnalité de Philippe II d'Espagne ou le génie maritime de Blake ? En fait (ce n'est qu'un aspect du problème que nous examinons, mais il n'est pas secondaire), toute réalité dite politico-sociale relève des sciences de la nature et du vivant en ce qu'elle découle d'une accumulation d'interférences interactives, d'une inextricable interpénétration du mouvement des choses et des corps, de l'influence des choses sur les corps et des corps sur les choses, de l'action des corps qui concourt à mouvoir les corps, et des choses qui induisent la mouvance des choses, de l'évolution parallèle des organismes qui fédèrent les corps et des organisations qui contrôlent les choses. Ainsi le détective confronté à un crime, c'est-à-dire à un désordre localisé, ne rentrera en communication avec la « conscience » du coupable supposé qu'après avoir procédé à une reconstitution balistique du mouvement de la balle qui a atteint la victime, en avoir déduit la position des protagonistes et, à partir de leurs dispositions respectives et de leur distance l'un par rapport à l'autre, avoir tenté d'imaginer l'état exact de leurs rapports psychologiques à l'instant du drame. Ce qu'éventuellement permettront également de préciser l'ordre ou le désordre des lieux, la disparition de certains objets, la présence ou l'absence de verres pleins ou vides, le contenu des cendriers. Aussi notre détective remontera-t-il, sans penser à mal, de la trajectoire ou de l'inertie des choses à la dynamique des âmes.

Constatons donc encore une fois qu'il n'y a pire réductionnisme que celui qui consiste à décrire le social de manière purement sociale (par exemple en termes d'antagonismes de classes), le politique de manière exclusivement politique (lutte des partis), ou l'économique de façon étroitement économique (lois du marché). Et, dès lors qu'on admet la fusion du politique, de l'économique et du social, on ne voit pas au nom de quelle rationalité les lois qui assurent l'essentiel de la régularité, dans lesquelles s'insèrent à la fois le politique, l'économique et le social (rythme des saisons ou circulation du sang, loi d'inertie ou principe d'entropie), seraient expulsées du champ unifié de l'investigation politico-sociale.

D'autant qu'en suggérant qu'une foule en mouvement est également soumise à des lois physico-chimiques relevant de la thermodynamique, on élargit le champ d'investigation sans escamoter pour autant aucune dimension, et naturellement pas celles qui relèvent très étroitement du politique, de l'économique ou du social.

On ne niera évidemment pas que les décrets de Polignac aient été la cause directe essentielle du déclenchement de la révolution de 1830 (c'est un opéra, on l'a dit, qui joua ce rôle en Belgique) ou que le discours du 18 juin 1940 ait constitué l'élément fédérateur qui accéléra l'émergence d'une résistance française (bien que des actes fondateurs très différents aient engendré les mêmes processus dans tous les territoires occupés). Mais on n'isolera pas ces événements d'un contexte fait d'une complexité de mouvements, de flux, de processus qui agitent une complexité d'éléments constitutifs du réel, obéissent par conséquent à une complexité de lois et ne sauraient donc, en soi, échapper à aucune forme d'investigation scientifique permettant de repérer et de définir assez d'équivalences pour ramener cette complexité conséquente à un minimum d'unicité causale et dynamique. (Notons qu'aucun processus ne rend fatal ou inévitable un événement ponctuel, mais qu'aucun événement ponctuel, politique par exemple, ne suffit à déterminer l'ensemble d'un processus.)

Recourons, pour nous faire bien comprendre, à une image : le dimanche soir, des centaines de milliers d'individus conduisant les véhicules motorisés les plus divers remontent vers la région parisienne par l'autoroute du Sud. Chacun de ces individus a son histoire, un vécu particulier qui le singularise, un rapport à son véhicule, une façon de conduire, des raisons d'être ici et d'aller là à ce moment-ci, dans ces conditions-là, et, conséquemment, une humeur particulière en fonction d'un caractère donné qui ne permet en rien de le confondre avec les autres éléments constitutifs du flux général auquel il participe. Chacun de ces individus est libre. Il aurait pu prendre la route la veille, revenir par le train ou l'avion, voyager la nuit, ou encore emprunter une route secondaire ; il peut accélérer ou ralentir, s'arrêter le temps qu'il veut, où il veut, rester sur la même file ou doubler systématiquement ceux qui le précèdent. Il peut conduire à toute allure ou lentement, respecter ou violer la limitation de vitesse. Cette liberté, multipliée par le nombre d'individus concernés et affectée par les conditions psychologiques et physiologiques de son exercice (fatigue, irritation, attention ou inattention, nervosité, éthylisme, etc.), est à l'origine d'un certain nombre d'incidents individuels ou collectifs : certains insignifiants, d'autres considérables, depuis la contravention pour excès de vitesse jusqu'au terrible accident faisant des dizaines de victimes. Autrement dit, toute rentrée le dimanche soir sur l'autoroute du Sud s'apparente à une histoire parsemée d'événements, zébrée de drames et de plaisirs, rythmée d'échappées et de blocages, tissant un entrelacs d'actes libres et d'accidents aléatoires, où interviennent les effets croisés des décisions des uns, des soumissions ou des révoltes des autres.

Or il n'empêche que l'ensemble des mouvements collectifs qui déterminent le nombre, la succession et la durée des bouchons, leur probabilité en fonction du jour et de l'heure, la fluidité de la circulation ou sa quasi-paralysie, obéissent à des lois tendancielles (ou de moyennes), avec une régularité d'autant plus grande (et précise) que la période observée est plus longue. Et cela pour deux raisons : la première est que l'ensemble des paramètres, si nombreux et complexes soient-ils, qui constituent la pression physico-sociale globale (effets psychologiques de l'alternance du jour et de la nuit, influence du climat, nécessité et rythme des repas quotidiens, organisation du travail, répartition des congés, attrait pour la mer et le soleil, déséquilibres dans l'occupation du territoire, hypertrophie de la région parisienne, etc.) déterminent synthétiquement un certain nombre de flux réguliers, dynamiquement stables ; la seconde est qu'à partir du moment où la masse des véhicules engagés sur l'autoroute atteint un seuil critique, des lois dynamiques déterminantes (on le constate clairement à travers le phénomène d'accordéon) interviennent avec de plus en plus d'autorité, indépendamment du vécu, de la liberté, de la conscience et de l'humeur des individus singuliers qui participent collectivement de ce flux.

En termes de processus, la complexité au pluriel trouve toujours une façon apparemment simple et unitaire de s'exprimer dans la mesure où, au regard d'une perception globalisante, la régularité relative de l'onde l'emporte sur le désordre absolu des particules.

Soit une foule en colère réunie sur la place de la Concorde

Pour illustrer cette assertion, imaginons maintenant, rassemblée sur la place de la Concorde, une foule de cinquante mille personnes, masse électriquement chargée d'énergie positive parce que fédérée par la même intention protestataire. (C'est d'ailleurs un peu comme cela que commença la révolution de février 1848, à la suite de l'interdiction d'un banquet oppositionnel.) Cette foule, collectivement opposée à telle ou telle décision du pouvoir législatif, jugée provocatrice aura *naturellement* tendance à prendre la direction non de la Madeleine ou de l'Opéra, mais de la Chambre des députés, pôle visible chargé négativement, et cela, indépendamment du nombre et de la nature des consciences individuelles hostiles à cette orientation dangereuse. Cependant, à ce niveau, des initiatives personnelles ou des comportements particuliers peuvent jouer (et jouent effectivement) un rôle décisif, soit par exemple qu'un tribun charismatique parvienne à convaincre la foule de se diriger plutôt vers l'Élysée, soit qu'un service d'ordre efficace organise, en fonction des consignes reçues, une rapide dispersion.

En outre, la foule peut fort bien, en raison d'un encadrement performant, de l'absence d'éléments provocateurs et de la faible intensité de sa passion agressive, se contenter de défiler devant le Palais-Bourbon ou de stationner devant les grilles en scandant des slogans de circonstance.

Il existe bien (théorie de la chaleur de Fourier) une tendance à l'homogénéité et à l'équilibre thermique qui fait que le chaud s'écoule en direction du froid, mais, à ce stade, le mouvement de foule reste largement tributaire des fluctuations, en partie volontaristes, en partie aléatoires, qui déterminent ses bifurcations. Or voici que la troupe barre le pont de la Concorde. Nous sommes alors, pour risquer une nouvelle équivalence, confrontés à cette figure d'un obstacle, chargé positivement, opposé à un flux corpusculaire producteur d'un champ de force. Mais le facteur proprement humain joue toujours un rôle essentiel. Au sens physique, il est naturel qu'il y ait collision. Mais il est culturellement possible que cette collision soit évitée grâce à l'action modératrice du commandant de la troupe ou des organisateurs de la manifestation, ou plus simplement parce que la charge émotionnelle qui pousse la foule en avant n'est pas plus forte que la peur que lui inspire le spectacle de la force armée.

Cependant, quelque ampleur que prennent les faits correcteurs (l'effet de retour de la conscience de soi et de l'autre), la collision reste probable.

Admettons qu'elle se produise. La foule tente de faire sauter le cordon militaire. Le barrage vacille sous le choc. Les soldats, en passe d'être débordés, tirent. Il y a des morts et des blessés. A partir de ce moment, et pendant un certain laps de temps dont les conséquences se révèlent décisives, les mouvements collectifs spontanés, donc naturels (toutes les émotions, peur, colère, haine, affolement, y sont partie prenante), prennent largement le pas sur les volontés autonomes et submergent les états de conscience individuels. Le mouvement entretient et détermine le mouvement sans médiation de la moindre élaboration volontaire et libre : dispersion, panique, désagrégation, puis dilution dans l'espace environnant de la foule précédemment coagulée, donc diffusion d'un processus de désordre chaotique — lequel, bientôt, par regroupement autour des pôles de plus forte résistance et de plus évidente exaltation, reconstitue une structure dynamique éclatée et autofinalisée (par tendance à l'autoprotection puis au regroupement), qui correspond à cet « espace de phase ». « L'état d'entropie maximum attire tout système isolé se trouvant dans un état d'entropie moindre[1] », écrit Prigogine. Une rue est barrée, puis deux ou trois, un quartier est bloqué, un espace occupé, « une fluctuation ne peut envahir d'un seul coup le système tout entier. Elle doit d'abord s'établir dans une région. Au-delà d'une dimension critique, elle envahit tout le système[2] ».

Je prétends que si l'on étudie de près les journées de 1830 ou de 1848 (février et juin à Paris), mais aussi de 1871, de 1934 ou de 1968, on constate qu'en effet une grande partie des événements collectifs qui se sont produits et ont eu des conséquences politico-sociales considérables, relevaient moins — parfois même pas du tout — de l'action consciente de communautés obéissant par exemple à des consignes politiques précises, que de lois thermodynamiques régissant le mouvement des foules dans une situation d'instabilité particulière. « Alors l'état le plus probable accessible à un système est celui où les événements en foule qui se produisent simultanément dans ce système compensent statistiquement leurs effets [...]. Tous les systèmes en état de non-équilibre évoluent vers le même état d'équilibre [...]. La structure d'équilibre résulte de la compensation statistique de la foule des constituants élémentaires[3]. »

Non seulement les journées de février 1848 ne furent prévues, pensées, organisées, et même sans doute désirées par personne (rappelons que, déclenchées inconsidérément par l'orléaniste modéré Odilon Barrot, elles faillirent porter au pouvoir le socialiste Louis Blanc et le républicain radical Ledru-Rollin), mais, échappant en outre à toute détermination proprement humaine, elles reproduisirent de manière presque exemplaire le processus autoproducteur d'entropie que nous avons décrit plus haut. Quant aux journées de juin 1848, provoquées par la décision de « déporter » en Sologne les employés des ateliers nationaux, elles furent

---

1. Ilya Prigogine, Isabelle Stengers, *op. cit.*
2. *Ibid.*
3. *Ibid.*

d'autant moins programmées, élaborées, organisées que tous les leaders qui auraient pu jouer un rôle concepteur étaient en prison (Barbès, Blanqui, Raspail, etc.). L'objet thermodynamique peut s'échapper en une évolution spontanée mais, précise Planck, « il ne peut exister un processus dont l'état final serait un objet d'attrait moindre, pour la nature, que l'état initial ». Il s'agit alors de distinguer « entre les états du système où toute initiative individuelle est vouée à l'insignifiance et les zones de bifurcations où un individu, une idée, un comportement nouveau peuvent bouleverser l'état moyen [...]. Une déviation insignifiante dans un cas peut devenir en d'autres circonstances source de crise et de renouvellement »[1]. Le processus révolutionnaire actif correspond à cette situation.

C'est cette tendance à la croissance irréversible de l'entropie que Boltzmann interprète comme une expression adéquate de la croissance du désordre moléculaire et dont nous estimons, pour notre part, qu'elle traduit opportunément l'aspect autorégulateur du désordre social. Le vivant, note Prigogine, fonctionne, loin de l'équilibre, dans un domaine où les processus d'entropie jouent un rôle constructif. L'ordre par fluctuation impose un monde ouvert « dont l'activité engendre la nouveauté, dont l'évolution est innovation[2] ».

La physique nous apprend encore (et cela s'applique au processus social que nous sommes en train de décrire, tout en rendant parfaitement compte du principe évolutif de recomposition d'invariance) qu'un changement d'état (par échange de chaleur) produit du mouvement ; que, dans une logique thermodynamique seuls les différences ou antagonismes sont producteurs d'effets qui deviennent à leur tour des différences et suscitent par conséquent de nouvelles contradictions. Tout moteur, en fonction du principe de conservation de l'énergie, est destructeur d'une différence et créateur d'une autre différence. Aucune différence d'énergie ne peut être créée sans destruction d'une différence au moins équivalente. Tout mouvement de type révolutionnaire, en tant que moteur d'un processus de recomposition d'invariance, obéit à ce principe. D'un côté, remarquons-le, toute crise produit de la contradiction en consommant de la contradiction, le mouvement engendrant par

1. Cité *ibid.*
2. *Ibid.*

métabolisme (échange d'entropie entre le système et le milieu) ce dont il se nourrit. De l'autre, le flux d'entropie, son accroissement en tant qu'indicateur d'évolution, s'apparente à un processus « qui mène invariablement le système vers l'équilibre, état où l'entropie est maximale et où aucun processus producteur d'entropie ne peut plus se produire[1] ».

Il apparaît que les deux lois tendancielles sont complémentaires et assurent l'autorégulation de tout processus évolutif en permettant la relance d'un mouvement dont la nature est de s'épuiser en se consumant.

Dans le cas du phénomène révolutionnaire enclenché par une insurrection urbaine spontanée (non décrétée, parce que non décrétable), on voit bien que la dialectique qui conduit à produire tendanciellement de nouvelles contradictions en aspirant à détruire d'anciennes différences corrige l'orientation naturelle vers un état d'entropie maximale qui mettrait un terme à l'évolution en immobilisant le système. C'est pour échapper à cette règle que les révolutions communistes ont dû recourir à la terreur, et c'est parce qu'elles y ont de la sorte échappé qu'elles ont finalement dû déposer leur bilan.

C'est également ce qui explique qu'à partir d'un seuil critique, le processus insurrectionnel obéit effectivement à un certain nombre de lois thermodynamiques (appliquées aux situations de non-équilibre qui tendent à un état d'entropie maximale, lequel précipite le retour à l'équilibre), mais qu'en fonction des antagonismes nouveaux que suscite cette tendance révolutionnaire à liquider violemment les anciennes contradictions, toutes les bifurcations deviennent possibles, qui tendent de nouveau à éloigner le système de l'équilibre par captation de l'énergie dissipée et enclenchement de processus entropiques secondaires ou induits, voire négatifs.

Cette dimension que nous proposons d'introduire dans l'étude de l'évolution sociale n'élimine (et n'affaiblit) en rien aucun des autres facteurs qu'il convient de prendre en compte. Pourquoi cinquante mille manifestants contestataires se trouvaient-ils au départ sur la place de la Concorde ? En comprendre les raisons implique non seulement que l'on prenne en considération l'ensemble de la situation économique et sociale du moment (chômage, évolution des prix et des salaires), mais, en outre, que l'on des-

---

1. *Ibid.*

cende jusqu'au vécu singulier d'un certain nombre au moins des éléments constitutifs de cette foule, c'est-à-dire aussi jusqu'à leur état de conscience. La suite du processus inclura, outre le rôle incitateur éventuel joué par quelques « intelligences », le rôle du leader charismatique, une profusion quasi indescriptible d'émotions particulières et d'instincts individualisés : les mille raisons qui font qu'ici la haine l'emporte sur la peur, là la peur sur la passion, ou la passion sur toute prudence rationnelle.

Mais on constatera une fois de plus qu'à mesure que les populations concernées grossissent et que s'élargissent ou s'accélèrent les processus qui les affectent, cet enchevêtrement de particularismes fait place à des régularités statistiques, comme le montre l'analyse que nous avons esquissée de la structure dynamique des « espaces de phases » révolutionnaires, et comme le prouve suffisamment le mécanisme extraordinairement redondant, une fois franchi un seuil limite, des conflits ethniques et des affrontements de caractère religieux.

Reprenons un exemple déjà évoqué. Non seulement il est peu probable qu'un individu affamé attaque une boulangerie, mais la simple addition d'individus affamés ne conduit pas non plus mécaniquement au pillage. En revanche, la probabilité statistique qu'une foule affamée, et réunie parce qu'elle est affamée, attaque une boulangerie située sur son passage, est extrêmement forte. La remarque vaut pour une foule de manifestants brutalement dispersés par la police et qui passent devant un chantier en construction encombré de projectiles potentiels divers. Ce collectif organique fera alors ce dont s'abstiendrait chacune de ses composantes : il s'emparera de ces munitions pour en bombarder les forces de l'ordre. Et cela dans pratiquement tous les cas (probabilité maximale). J'en déduis que la foule accède bien, dans certaines circonstances, à un statut d'entité physico-chimique dont les comportements apparemment aléatoires de ses composantes intègrent des lois de forte probabilité statistique. Cette démonstration suffira-t-elle à désarmer certains préjugés ?

On pourrait évoquer de remarquables précédents qui ont montré que si toute réduction d'une science à une autre (ainsi le darwinisme social) est lourde de dérives potentielles, l'éclairage méthodologique d'une science par une autre est toujours décrypteur de code. Ce sont des physiciens, note par exemple Antoine Danchin, qui ont donné l'impulsion initiale d'où est issue la biologie moléculaire : « Longtemps marquée par le vitalisme, la biologie devait naître sous sa forme moderne du contact avec la physique[1]. » Le problème est que nous avons tenté d'éclairer un processus régissant des corps vivants en recourant à une méthodologie dérivée d'analyses de la dynamique des corps inanimés. On nous permettra donc une parenthèse qui montre à quel point ce glissement peut, dans certains cas, se révéler fructueux.

Comment un cristal a pu devenir vivant

L'Autrichien Erwin Schrödinger, prix Nobel en 1933 pour sa description quantique de l'atome liée au modèle ondulatoire de la matière, est l'auteur d'un livre intitulé *Qu'est-ce que la vie ?* qui, à l'époque, put paraître tout à fait effarant[2]. L'objectif de l'auteur : « Expliquer à l'aide de la physique et de la chimie les événements qui se produisent dans les limites spatiales d'un organisme vivant » ; et, pour ce faire, suggérer, en partant du postulat d'une identité absolue des lois présidant à la mise en forme de la matière, qu'elle soit inerte ou vivante, que les atomes de l'hérédité formant le gène considéré comme une molécule sont organisés « selon l'ordre imposé d'une structure matérielle cristalline » (à cette fondamentale différence près que cet ordre contient des motifs variables — des espaces de variabilité — portés par la nature invariante et régulière du cristal, le gène étant décrit en somme comme « cristal apériodique »). Schrödinger ose s'interroger : « Quel degré de permanence constatons-nous dans les propriétés héréditaires et que nous devons, par conséquent, attribuer aux structures matérielles qui lui servent de support ? Le simple fait que nous les appelons "propriétés héréditaires" indique que nous admettons la permanence comme étant pour ainsi dire absolue[3]. » Après quoi Schrödinger analyse les mutations génétiques à la lumière des « sauts quantiques » qui intègrent, en fonction des révolutions thermiques, le discontinu à une continuité structurelle.

---

1. Antoine Danchin, *Ordre et dynamique du vivant : chemins de la biologie moléculaire*, Paris, Éd. du Seuil, 1978.
2. Erwin Schrödinger, *Qu'est-ce que la vie ?*, Paris, nouv. éd., Éd. du Seuil, coll. « Points » 1993.
3. *Ibid.*

Le « saut quantique », qui correspond en l'occurrence à une élévation du niveau du vivant, mais aussi et surtout au franchissement du niveau qui marque l'émergence du vivant, débouche — lisons cette citation avec la plus grande attention — sur « une molécule composée des mêmes atomes, mais arrangés d'une manière différente [...]. Le niveau le plus bas est suivi par une série compacte de niveaux qui ne comportent aucun changement appréciable de la configuration dans son ensemble [...]. Par niveaux immédiatement supérieurs, il faut entendre le niveau le plus proche qui correspond à un changement appréciable de la configuration[1] » (c'est ce que nous avons appelé « recomposition »). Le saut quantique, dans ce cas de figure, correspond donc « à la transition entre deux configurations moléculaires relativement stables [nous dirions quasi invariantes]. Le passage d'une configuration à l'autre ne peut se faire qu'en passant par des configurations intermédiaires possédant chacune une énergie supérieure à chacune des deux [rôle que joue entre autres le processus révolutionnaire]. Les transitions, sans interposition de seuil, entre les états initial et final n'ont pas d'effets durables : lors même qu'elles se produiraient, elles seraient presque immédiatement suivies par un retour à l'état initial, attendu que rien ne s'opposerait à ce retour[2] ».

C'est précisément ce qui nous a fait souligner que l'évolution réformiste est plus performante que le saut révolutionnaire proprement dit. « Nous admettons, pour la structure d'un gène, ajoute Schrödinger [dont il faut préciser qu'il n'était pas matérialiste, mais volontiers mystique, comme Newton], celle d'une grosse molécule, capable uniquement d'une transformation discontinue consistant en un réarrangement des atomes et produisant une molécule isomère [même composition chimique et même masse moléculaire, mais dont la structure est recomposée]. Il se peut que le réarrangement n'affecte qu'une petite région du gène et qu'il y ait un grand nombre de réaménagements différents[3]... » Puis il précise : « Une association bien ordonnée d'atomes, douée d'une résistivité suffisante pour maintenir cet ordre indéfiniment, est précisément la seule structure matérielle imaginable offrant une variété d'arrangements suffisante pour incorporer un système

1. *Ibid.*
2. *Ibid.*
3. *Ibid.*

complexe de détermination sur un petit volume limite [...]. La vie paraît donc être un comportement ordonné et réglementé de la matière, comportement qui n'est pas basé exclusivement sur sa tendance à passer de l'ordre au désordre, mais basé en partie sur un ordre existant qui se maintient[1]... » D'où la conclusion : « Un organisme vivant accroît constamment son entropie et tend ainsi à se rapprocher de l'état dangereux d'entropie maximum qui est la mort. Il ne peut s'en maintenir éloigné, c'est-à-dire rester en vie, qu'en soutirant continuellement au milieu environnant (métabolisme) de l'entropie négative[2]. »

Autrement dit, si un organisme vivant possède la merveilleuse faculté de « ralentir sa chute vers l'équilibre thermodynamique, la mort, s'il parvient à se maintenir stationnaire à un niveau assez élevé d'ordre (un niveau assez bas d'entropie), c'est parce qu'il absorbe continuellement de l'ordre à partir du milieu ambiant[3] ».

On conviendra que ces extraits d'un ouvrage tout à fait essentiel sont saisissants. D'abord et surtout parce que, au-delà d'hypothèses aujourd'hui contestées et contestables (l'auteur ne savait évidemment rien de l'ADN ou de la double hélice), Schrödinger a pu, à partir d'une image inouïe — l'assimilation d'un gène à un cristal apériodique — développer une théorie purement physique de l'apparition et de l'évolution du vivant. Or cette intuition a ouvert un formidable espace d'investigation créatrice à toute une génération de chercheurs d'après-guerre.

C'est en effet en partant d'une structure inorganique, et en utilisant des concepts issus de la mécanique quantique, que Schrödinger tente de définir les principes d'émergence et de développement d'une structure organique en termes de sauts qualitatifs et discontinus de niveaux par réaménagements de structures en fonction des perturbations thermiques environnementales.

Mais ces extraits sont saisissants également en ce que la démarche de Schrödinger conduit à des « équivalences » et, à partir d'elles, à des formulations de lois tendancielles qui recoupent largement celles que nous avons conjecturées pour décrire l'évolution des organismes sociaux.

En répondant de la sorte à notre première question — quelle

1. *Ibid.*
2. *Ibid.*
3. *Ibid.*

est la marge d'adéquation des lois physico-chimiques à la réalité sociale ? —, nous avons largement anticipé sur la seconde : il apparaît bien que les nouvelles approches suggérées par les sciences physico-chimiques modernes permettent un déploiement plus riche de la démarche d'approche du réel politico-social et de son évolution, telle que celle que nous proposons.

Les concepts de la mécanique classique seraient en l'occurrence impuissants à nous faire comprendre en quoi la recomposition auto-élaborée d'une structure aux fins de sauver son invariance correspond au processus irréversible par lequel un organisme, confronté à une forte modification thermique de son environnement, ne peut échapper à sa propre dégénérescence que par l'entropie, et comment l'entropie maximale (la mort) tendra à lui faire auto-élaborer autour d'un espace central son système dynamique d'autoprotection. Cet espace central, sorte de résistance aux deux formes extrêmes de retour à l'équilibre (immobilité) que représentent d'une part l'état d'entropie maximale, et d'autre part l'extinction artificielle de toute entropie (ultrarévolution et ultraréaction), devient alors le lieu de la recomposition qui stabilise le processus tout en le rendant irréversible.

Il est clair que la thermodynamique dite de non-équilibre, et particulièrement la théorie des structures dissipatives qui valut son prix Nobel à Ilya Prigogine, est plus à même de faire progresser l'investigation en éclairant cette perspective : « La théorie des processus irréversibles, écrit Prigogine, a découvert que les flux qui traversent certains systèmes physico-chimiques et les éloignent de l'équilibre peuvent nourrir des phénomènes d'auto-organisation spontanés, des évolutions vers une complexité et une diversité croissantes », mais, en sens inverse, « qu'au sein d'un système qui évolue globalement vers l'équilibre, les flux irréversibles peuvent créer, de manière prévisible et reproductible, la possibilité de processus locaux d'auto-organisation »[1].

Que la dissipation d'énergie et de matière devienne, loin de l'équilibre, source d'ordre ou de remodelage d'un ordre par auto-organisation stabilisatrice, tel est le principe même de la recomposition structurelle d'une invariance. « La dissipation d'énergie est à l'origine de nouveaux états de la matière. » Exactement comme

1. Ilya Prigogine, Isabelle Stengers, *op. cit.*

l'entropie sociale est à l'origine de nouveaux états de structure par recomposition.

Le « comme si » n'est pas nécessairement un « comme ça »

Équivalence en quelque sorte. Mais ici, entendons-nous bien : « équivalence », cela signifie que « ça se passe comme si ». Ainsi, parler d'une équivalence relative, du moins au niveau descriptif, entre les mouvements interactifs qui se déroulent spontanément au sein d'un organisme vivant ouvert sur son milieu et ceux qui, tout aussi spontanément, affectent la vie interne d'une grande entreprise ouverte sur son environnement (n'y a-t-il pas métabolisme dans les deux cas ?), signifie que, dans une certaine mesure, cela se passe « comme si »...

L'entreprise, comme l'organisme vivant, transforme de l'énergie en chaleur et en mouvement, et du mouvement en énergie, ainsi que de la matière première en produit fini et en déchets. Les deux entités impliquent un centre nerveux qui détermine la coordination des membres. Quand, ici, le sang circule et vivifie au rythme du cœur, là, l'argent circule et vivifie au rythme d'un budget. Les hémorragies sont mortelles dans les deux cas, et dangereuses les transfusions douteuses, sang contaminé ou argent sale...

Constater en termes d'équivalences que les grands mouvements d'intégrisme ethnique et de nationalisme religieux, idéologiquement ondulatoires et pratiquement corpusculaires, se développent des zones de plus forte entropie vers les zones de moindre entropie, accompagnés de champs de force qui agissent perpendiculairement à leur direction, ne signifie pas que l'intégrisme soit un courant électrique ou le panserbisme un simple effet d'ondes électro-magnétiques, mais que cela se passe apparemment « comme si » !... Comme si le nationalisme ethnico-religieux progressait effectivement en produisant un effet électro-magnétique qui rallie ou neutralise tous les potentiels d'intelligence qui ne sont pas chargés de passions contraires.

Ce « comme si » suggère que les lois générales qui régissent statistiquement les mouvements — fussent-ils apparemment aléatoires — au sein des structures vivantes constituées renvoient d'une certaine façon aux lois qui régissent les mouvements au sein des structures constituantes, qu'elles soient vivantes ou pas. Mais cela, à l'issue de séries de transformations dont la description sans doute impossible résumerait l'histoire du monde et de l'être au monde.

La suggestion est tout à fait rationnelle. Elle justifie que l'on teste, pour en découvrir la pertinence et la limite, un certain nombre d'équivalences méthodologiques. Autrement dit, il ne faut ni refuser les équivalences, ni les confondre avec la réalité.

Dans sa polémique avec Einstein, Ernst Mach était peut-être le plus réaliste des deux, lui qui refusait que le « comme si » se transformât en « comme ça ». Finalement, le concept de courbure espace-temps, qui sous-tend la théorie de la relativité générale, est une pure construction de l'esprit (voire même une pure métaphore verbale) qui vise à globaliser l'explication de l'univers à partir de cette invariance de base qu'est la vitesse de la lumière. Et l'on pourrait au demeurant dire la même chose des concepts newtoniens d'attraction, de gravitation, de masse ou d'inertie. Il ne s'agit pas là non plus de réalités (Mach les assimilait même à des hypothèses métaphysiques), mais de rationalisations efficaces susceptibles d'expliquer le plus d'effets possible à partir du plus d'états initiaux possible en fonction d'une invariance de base : dans tous les cas observables, il était possible d'affirmer que tout se passait « comme si » les corps s'attiraient naturellement selon les forces proportionnelles à leur masse et inversement proportionnelles au carré de leur distance.

Comme l'a fort bien expliqué Alexandre Koyré[1], le mouvement uniforme rectiligne et infini (inertie) n'existe pas dans notre réalité vécue (ne serait-ce qu'à cause du frottement de l'air), mais l'invariance que cette loi exprime théoriquement n'en est pas moins fondamentale, car elle explique pourquoi, dans notre système de références, les masses ont effectivement la propriété d'opposer une résistance à tout changement de vitesse et de direction. Mieux : la mécanique classique, formulée en réaction à la perception néo-aristotélicienne du mouvement, s'oppose apparemment et radicalement à la conception relativiste de ce mouvement : mais l'une et l'autre fonctionnent comme explications méthodologiquement performantes dans leurs systèmes de référence respectifs dans la mesure où se vérifie dans ce cadre-là l'invariance de la

---

1. Alexandre Koyré, *Études d'histoire de la pensée scientifique*, Paris, Gallimard, 1973.

structure dynamique par rapport à n'importe quel observateur donné. Cela se passe bien « comme si ». Mais il arrive que le « comme si » s'apparente de très près à un « comme ça ».

L'évolution sociale à la lumière de la relativité générale

Ainsi la démarche relativiste, restreinte et générale, concerne notre propos au-delà de la simple équivalence. D'abord parce que en effet toute structure invariante se définit « dans le cadre de » ou « par rapport à » un système de référence. Il n'est pas secondaire de savoir par exemple que telle société, depuis des millénaires, se développe face à la mer ou à la montagne, dans un cadre continental ou insulaire. Pour le paysan péruvien qui se déplace sur les hauts plateaux à pied ou à cheval, ou pour l'agriculteur américain qui circule en Cadillac sur l'autoroute, ou encore pour le paysan québecois qui se rend dans sa propriété en hélicoptère ou en avion, pour le caravanier du désert saharien ou pour le businessman japonais qui saute d'un aéroport à l'autre (les deux derniers exerçant une profession commerciale), l'espace-temps n'est évidemment pas le même. Quand il fait jour à Paris, il fait nuit à Los Angeles ; l'été en Grèce correspond à l'hiver au Pérou. Et, à première vue, il est peu probable que les structures sociales propres à l'hiver péruvien prennent en compte, y compris au cours des processus de recomposition de leurs invariances, les problèmes liés au fait qu'au même moment Athènes fond sous la canicule.

Ou encore : on ne voit pas *a priori* quelles correspondances unificatrices pourraient s'établir entre la vie sociale des Touareg du Hoggar et celle des Esquimaux du Grand Nord, la plupart des invariances qui déterminent leur vie sociale s'étant structurées et éventuellement recomposées en fonction précisément de coordonnées naturellement différenciées.

En réalité, les invariances spécifiques qu'induisent le métier, le relief, le climat, la langue, la religion, l'histoire, mais aussi les différenciations d'origine génétique, s'inscrivent nécessairement dans le code d'une invariance générale qui renvoie à la fois à la complexité neurologique et à la configuration phénotypique proprement humaines, à la composition biologique animale et à la nature vivante de toute structure sociale. Les tendances à l'esclavagisme, au féodalisme, au tribalisme, au capitalisme marchand, mais aussi à la prohibition de l'inceste, le système de la chasse ou de la guerre participent de cette invariance de la structure générale.

Or intervient aujourd'hui un autre facteur de plus en plus essentiel : cette invariance-limite qu'est la vitesse de la lumière. C'est elle qui permet aux ondes radiophoniques et aux images télévisuelles, les relais des satellites aidant, de pénétrer presque simultanément dans un oasis saharien, un village équatorial, une base du Grand Nord, là où il fait jour et là où il fait nuit, là où c'est l'été et là où c'est l'hiver. Dès lors, il est possible de vivre à Paris le jour et, en direct, un événement qui se déroule à Los Angeles la nuit ; ou, en plein été, l'hiver de l'autre. Le drame de là-bas pénètre en temps réel le bonheur d'ici ; le rire des antipodes résonne dans notre cuisine. Les modes dominantes (celles des pays dominants) envahissent en un instant l'ensemble de l'espace habité, y compris les recoins qui, paradoxalement, se découvrent (par la grâce de la vitesse de la lumière et de son instantanéité relative) mentalement à plusieurs années-lumière de cette réalité qui les envahit.

C'est alors ce qui uniformise qui différencie : parce que l'extrême différence qui s'ignorait se découvre soudain à travers une invariance unificatrice qui traverse et bouleverse ses systèmes de référence spécifiques jusqu'alors clos. Autrement dit, la vitesse de la lumière, en tant qu'invariance-limite, permet d'unifier des systèmes de références spécifiques que n'en déterminent pas moins socialement leurs invariances structurelles propres.

En d'autres termes apparaît une invariance universelle, et cependant rien de moins qu'abstraite, qui structure unitairement les différents niveaux de coordonnées, lesquels, cependant, continuent de déterminer des invariances non réductibles à cette unification.

On aura compris, à travers cette évocation de notre quotidien, à quel point les interrogations de la physique moderne rejoignent la problématique politico-sociale. Les Albanais communistes vivaient enfermés à double tour dans leur système de références jusqu'au jour où le captage devenu possible des chaînes italiennes de M. Berlusconi les projeta — en même temps que leurs coordonnées de références — dans un espace-temps étalonné par la vitesse de la lumière qui déforma soudain les formes de leur système jusqu'à les rendre insupportables au regard.

Élargissons le propos : nous avons constaté, au sujet de l'esclavagisme, que la recomposition structurelle de cette invariance intégrait de plus en plus la dimension du continuum espace-temps. L'esclavage est sorti des limites d'un espace impérial, puis néo-impérial, pour se transformer, dans le sillage de l'échange inégal, en un mécanisme planétaire de hiérarchisation du travail sur des bases ethniques.

La vitesse de la lumière comme invariance-limite

Or ce processus, dopé par les phénomènes de simultanéité audiovisuels, a tendance à se généraliser. De même, le capitalisme international (le système libéral mondial) intègre-t-il de plus en plus à sa logique unificatrice des systèmes locaux ou régionaux qui n'en reproduisent pas moins parallèlement leur propre mécanisme libéral dans le cadre de leur espace propre. Et la contradiction qui en découle devient l'élément le plus déterminant du cours des événements contemporains.

Le psychodrame qui agita la France à propos des accords du GATT en fut une illustration. L'intégrisme islamique, le nationalisme ethnique, le populisme xénophobe en sont pour une part des conséquences : résistances, souvent rageuses et revanchardes, d'une invariance locale et spécifique dont la structure est entrée en contradiction avec l'invariance de la structure universelle qui l'englobe. L'intégrisme islamique est né non d'un enfermement dans un système de référence clos, mais, au contraire, de la projection brutale de ce système dans un continuum espace-temps (symbolisé par la floraison des antennes paraboliques) qui en souligne certes l'inadéquation, mais, en même temps, déforme jusqu'à la caricature toute perception qu'a de ce nouvel espace tout observateur ancré à son propre système de coordonnées.

Si l'on examine d'autre part la dynamique (ou thermodynamique) financière, on constate que la recomposition d'une invariance structurelle locale (par exemple un réaménagement des rapports entre différents indicateurs : taux de croissance, balance des paiements, équilibre budgétaire, inflation, endettement, déficit des comptes sociaux, cours de la monnaie, taxation de l'épargne) à la fois se heurte à et joue sur les effets de sa propre reproduction au niveau planétaire. Or cette reproduction universelle (et intégrationniste) a été rendue possible par l'apparition d'un continuum temps-espace étalonné par une vitesse (celle des informations financières et des ordres d'opérations, parfois des opérations elles-mêmes), équivalant quasiment à celle de la lumière, c'est-à-dire presque instantanée.

C'est ainsi qu'une stabilisation monétaire locale (une bonne tenue du franc, par exemple), favorisée par l'équilibre des indicateurs fondamentaux (déficit, inflation, endettement), peut être court-circuitée par un déplacement massif et instantané d'une onde monétaire (sans qu'aucune « matière » monétaire ait besoin de se déplacer effectivement) favorisée par la simple anticipation d'une baisse du taux de l'escompte. Ou encore qu'une euphorie locale de l'épargne provoquant une flambée à la Bourse peut être étouffée par des ordres fictifs de vente massive suscités par l'annonce de l'accroissement de la dette internationale.

On observe le même processus au niveau culturel (y compris linguistique). Dès lors que les éléments qui fondent l'invariance d'une structure dans son rapport à une langue, à une histoire, à un vécu se recomposent à l'échelle planétaire (la pression audiovisuelle aidant) autour de la langue, de l'histoire, du vécu, et donc de la culture d'un pays dominant, toute culture spécifique se cabre, se barricade et transforme son invariance spécifique en bunker propre à résister aux effets en retour de cette recomposition unifiée et unificatrice qui prétend tout réduire à son invariance universalisée. Les récents jaillissements de nationalisme ethnique expriment en partie ce type de réactions.

Ce que j'essaie d'exprimer ici, c'est que la simple reproduction d'une invariance structurelle en fonction d'une modification du rapport espace-temps équivaut à une recomposition, mais que celle-ci entre presque mécaniquement en conflit avec la simple reproduction réactive de l'invariance originelle au sein de son propre système de coordonnées.

C'est vrai dans le domaine économique, financier, linguistique, culturel, religieux parfois.

On pourrait exprimer la même idée différemment : toute structure locale se recompose à partir du moment où elle s'élargit de telle façon que ses nouveaux paramètres ne se définissent plus en fonction du même rapport espace-temps. Car une nouvelle vitesse limite intervient désormais, équivalant presque à celle de la lumière : la vitesse de l'information. Cette recomposition, qui résulte d'un éclatement de l'ancien système de coordonnées, met la nouvelle structure élargie en contradiction avec sa propre invariance originelle restée en quelque sorte fidèle à son système de références localisé.

En réalité, il ne s'agit là que d'une version relativiste (dans le temps et dans l'espace) du phénomène que nous avons déjà décrit et qui fait que toute invariance recomposée se heurte à l'autonomisation de la configuration structurelle antérieure restée mentalement invariante.

Mais si l'on assimile cette fuite dans l'espace-temps à un phénomène d'entropie, la résistance des structures invariantes localisées (ou spécifiques) constitue le contrepoids nécessaire à l'évitement de l'entropie maximale, qui équivaudrait au retour mortel à l'équilibre.

De cet antagonisme entre la reproduction à l'échelle universelle d'une invariance de base (pancapitalisme, système monétaire international, nouvel ordre mondial, remodelage culturel autour du pôle linguistico-économique dominant, féodalisme planétaire par hiérarchisation géographico-ethnique, néo-esclavagisme universel sur la base de l'échange inégal) et la résistance des invariances localement spécifiques définies par leur propre système de coordonnées (toutes les formes de réaffirmation identitaire), découle finalement la nécessaire synthèse qui assure une recomposition évolutive.

Notons que la féodalité du Moyen Age correspondit au mouvement inverse : un rétrécissement du rapport espace/temps et un ralentissement du processus informatif, et que, là encore, la reproduction d'invariances valut recomposition — mais, cette fois, par miniaturisation après éclatement et parcellisation de l'Empire romain.

Ici, la loi formulée par Prigogine en termes de thermodynamique reste vraie : « Plus rapide est la communication dans le système, plus grande est la proportion de fluctuations insignifiantes. Mais plus le système est complexe, plus sont élevées les chances que pour tout état certaines fluctuations soient dangereuses. C'est donc la rapidité de communication qui permet à un système d'atteindre une complexité d'organisation maximum sans devenir trop instable[1]. »

1. Ilya Prigogine, Isabelle Stengers, *op. cit.*

La vitesse de l'information, à mesure qu'elle approche de la vitesse de la lumière, précipite de manière traumatisante la mondialisation (économique, financière et culturelle), en même temps qu'elle contribue à stabiliser un système que la complexisation qui en résulte rend plus sensible aux secousses.

Ainsi venons-nous d'avoir un aperçu volontairement limité, de ce qu'une perspective relativiste, une utilisation circonstanciée des concepts quantiques et une prise en compte des acquis de la thermodynamique moderne peuvent apporter à une démarche tendant à réintégrer le mouvement politico-social à l'universalité et à la régularité des macroprocessus qui l'englobent. Et cela, tout en réinstallant, au cœur de cette réalité proprement humaine la logique évolutionniste des microprocessus qui ont présidé à son émergence.

Non seulement la multiplication des éclairages se révèle toujours créative, mais elle seule permet d'embrasser l'ensemble des niveaux et des systèmes de coordonnées qui participent de toute structuration sociale.

Hasard ou nécessité ?

Chacun sait bien (ou sent bien) que l'éternel débat qui a franchi une nouvelle étape avec la publication du best-seller de Jacques Monod, *Le Hasard et la Nécessité*[1], l'intervention fulgurante d'Ilya Prigogine, la brutale réaction du mathématicien et philosophe René Thom ou la croisade idéologique de notre épistémologue national Edgar Morin n'a pris une telle ampleur, suscité de telles passions qu'en raison des implications politico-sociales implicites de la controverse : le déterminisme comme loi de cause à effet qui submerge le hasard ou le hasard comme aiguillage qui oriente la loi en déterminant des effets indépendamment de la cause première ? Une logique *a priori* qui exclue l'aléa ou l'aléa comme ordonnateur d'une logique *a posteriori* ? L'ordre ou le chaos comme facteur premier de l'évolution ? La complexité comme essence d'un système ou comme simple multiplication des niveaux de recomposition de l'invariance d'un système ? Et le libre arbitre dans tout ça ?

1. Paris, Éd. du Seuil, 1970.

Ces interrogations nous ont accompagnés tout au long de notre investigation. L'invariance structurelle constitue-t-elle l'armature d'un déterminisme de plomb ou sa recomposition est-elle le moteur d'une évolution adaptative indescriptible que rythment des mutations aléatoires enclenchées par des catastrophes externes imprévisibles ? L'invariance en tant que contrainte structurelle s'identifie-t-elle à la logique implacable d'un ordre produisant de l'ordre en instaurant le sien ou la « recomposition » s'apparente-t-elle à une succession de bifurcations engendrées par des fluctuations chaotiques ?

Nous proposons, pour terminer, de liquider ce faux débat.

CHAPITRE XXII

En guise de finale

Et le hasard dans tout ça ?

On aura compris, au fil de cet ouvrage, que nous refusons radicalement la bipolarité artificielle du type : hasard/déterminisme, ordre/chaos, simplicité/complexité. Ces trois couples ne nous intéressent qu'en tant qu'ultime avatar d'une invariance idéologique de base.

Notre démarche implique en effet une continuité déterministe qui, seule, permet la réalisation effective de l'aléatoire.

Ainsi dirons-nous avec Prigogine qu'un système, en s'éloignant toujours plus de l'équilibre, se développe par une succession d'instabilités et de fluctuations amplifiées qui débouchent, en fin de compte, sur des bifurcations. « Il emprunte un chemin qui constitue une histoire. C'est apparemment le hasard des fluctuations qui décide vers quel état le système se dirige effectivement[1]. » Mais cet état n'en reste pas moins déterminé par l'invariance globale des structures dont les bifurcations orientent éventuellement la recomposition. L'émergence des ailes de l'oiseau a en grande partie été déterminée par la structure du squelette dont la transformation adaptative des articulations devait maintenir la cohérence invariante. Cette remarque n'infirme en rien le fait, sur lequel Prigogine, après Maxwell, insiste tant, que chaque fluctuation pouvant en entraîner une autre qui l'amplifie, de minuscules causes sont suceptibles d'engendrer d'immenses effets. (Ici une infime étincelle, là un immense incendie, ceci étant conséquence de cela.) C'est d'autant plus vrai, de notre point de vue, que les recomposi-

1. Ilya Prigogine, Isabelle Stengers, *op. cit.*

tions structurelles partielles ou localisées qui résultent d'un accident aléatoire (telle une mutation sauvage) ou qui sont déterminées par une pression environnementale, entraînent des recompositions adaptatives à la fois des structures constituantes et des structures constituées. Toute évolution, étant à la fois provoquée par des fluctuations aléatoires et déterminées par la nécessité de préserver l'invariance (autrement dit enclenchées par le changement et orientées par le non-changement), tend à passer d'un niveau à l'autre en s'apparentant, ce faisant, à une fonction d'onde.

On cite toujours le cas, finalement improbable, où un éternuement en un endroit donné provoquerait un cyclone aux antipodes. Mais on pourrait aussi bien faire référence à des processus historiques réels, tels ceux qu'enclenchèrent, par un enchaînement incroyable de conséquences interactives et de recompositions structurelles induites, ces fluctuations apparemment insignifiantes que furent, dans la lointaine Palestine, l'activisme d'un rabbin original nommé Jésus ou, aux marges du désert arabique, l'action subversive d'un illuminé nommé Mahomet. Est-ce à dire que la naissance et le développement du christianisme ou de l'islam furent le fruit d'un pur hasard ? Une telle affirmation n'a guère de sens. Pour que les prêches de Jésus parviennent à déclencher le raz de marée chrétien, il fallait que soient réunies, tout au long de la chaîne de propagation, autant de conditions nécessaires (dont aucune sans doute n'eût été suffisante) que pour qu'un éternuement à Montréal provoque un cyclone à Zanzibar. Il eût suffi, pour que la chaîne soit rompue, qu'aucun empereur romain ne se convertisse jamais à la nouvelle religion ou que l'empire ait préalablement embrassé une autre idéologie monothéiste.

Il y eut sans doute des milliers de Christ potentiels qui s'autoproclamèrent prophètes ou messies, mais ils n'eurent pas plus d'influence que l'étincelle quand la forêt est mouillée ou que ne souffle aucun vent.

On remarquera que dans le cas, par exemple, de la propagation du christianisme, ce qui s'apparente le plus à un hasard (l'existence de cette chaîne de conditions nécessaires) en représente également l'absolue nécessité. Ainsi un hasard au sens historique, l'émergence du personnage de Jésus, est pris en charge — avec d'ailleurs un certain décalage — par une « nécessité » réelle, mais cette nécessité est à ce point déterminée que la succession de tous ses éléments constituants peut apparaître comme un hasard.

En fait, le développement du christianisme (la preuve en est que l'événement eut finalement lieu à Rome au sein d'une communauté polythéiste, et non en Palestine chez les juifs monothéistes qui pourtant attendaient effectivement un messie) est bien un processus déterministe dont chaque étape s'explique parfaitement par les initiatives politiques et l'environnement social qui la rendent possible, mais ce processus n'en a pas moins été déclenché et orienté par un certain nombre d'événements aléatoires, dont l'émergence du Christ lui-même est évidemment le plus spectaculaire.

Mais pourquoi le christianisme est-il né en Palestine et non à Rome où il allait s'épanouir ? Parce qu'à l'origine, il n'était absolument pas « révolutionnaire », mais simple recomposition « réformiste » d'une structure invariante : tout se passa comme si la terrible crise politique que traversait Israël sous le joug romain avait favorisé, dans le cadre structurel du monothéisme biblique, le jaillissement localisé d'un judaïsme « ouvert aux autres » qui, pour des raisons tout à fait déterminables, fut rejeté par l'orthodoxie juive, mais saisi au vol par les « autres » au moment où la tendance des empereurs à se diviniser marquait une certaine aspiration à l'unicité de la référence suprême (fût-ce pour faire pièce à cette dérive). Et ainsi, le christianisme, à l'origine recomposition morale d'une invariance dans le cadre judaïque, devint le facteur de la recomposition politique d'une invariance dans le cadre impérial romain.

Exemple formidable, on en conviendra, tant il montre à quel point deux recompositions qui tendaient à ne rien changer à l'essentiel de la structure biblique et de la structure impériale, voire à revenir à l'essentiel, ont pu engendrer un changement potentiellement cataclysmique.

Or que dit Prigogine ? Qu'entre deux points de bifurcation (ici le développement bientôt hégémonique du christianisme représente une bifurcation type, au même titre que la dissidence protestante), l'évolution (ou le mouvement) est de caractère déterministe, mais qu'au voisinage des points de bifurcations, ce sont les fluctuations qui jouent un rôle essentiel et déterminent la direction que le système va suivre[1].

1. *Ibid.*

Le déterminisme comme condition de réalisation de l'aléatoire

C'est très exactement ce qui se passe dans l'histoire. N'est-ce pas là une manière d'admettre que la fluctuation aléatoire devient « déterminante » à partir du moment où la bifurcation est implicite (ou latente) ?

N'est-il pas remarquable qu'à l'époque où la situation de l'Europe et de l'Église chrétienne en Europe tendait — politiquement, idéologiquement et moralement — à favoriser les dissidences protestataires et nationales, les fluctuations déclenchantes réussies se soient multipliées sous les traits d'une myriade de réformateurs, de Hus à Calvin, en passant par Luther et Henri VIII, les bifurcations en question prenant la forme d'une recomposition d'invariances (le retour littéral à la Bible) sur une base nationale ?

Si bien que René Thom n'a pas tort — du point de vue qui nous concerne, celui de l'histoire, que Prigogine lui-même identifie à une thermodynamique — de faire remarquer qu'au niveau macroscopique, ce sont les dynamiques déterministes qui sont la véritable cause des bifurcations dont un examen assez pointu et complet des substrats permet ou permettrait de « prévoir *a priori* les issues possibles qui préexistent à la fluctuation déclenchante[1] ». Autrement dit, une fluctuation ne devient signifiante que s'il y a perte de stabilité structurelle, et ce dans le cadre d'une bifurcation tendancielle préexistante. Les deux remarques nous apparaissent évidentes : une structure ne se recomposant qu'à partir du moment où une interpellation déstabilisatrice menace son invariance, et sa recomposition ayant pour contrainte la nécessité vitale de sauver globalement cette invariance en l'adaptant à ces nouvelles conditions de fonctionnement, on peut en déduire que son objectif préexiste à son issue.

Mais le raisonnement de Thom ne nous paraît pas pour autant devoir écraser les intuitions de Prigogine. Car une bifurcation préexistante peut se réaliser de mille façons différentes, et la détermination relative de son issue n'implique absolument pas la prédéter-

---

1. René Thom, in *Le Débat*, numéro consacré à « La querelle du déterminisme : philosophie de la science d'aujourd'hui », Paris, 1990.

mination de son orientation, puique, aussi bien, elle peut déboucher sur un succès ou sur un échec.

On ne saurait donc identifier le déterminisme global à une manière de fatalité. Tout est toujours possible, le hasard y veille : mais, outre qu'il y a des possibles plus ou moins probables, leurs issues sont d'autant plus fonction de cette probabilité que leur terme est étendu dans le temps et leur diffusion dans l'espace. C'est dire que l'événement aléatoire qui joue un rôle essentiel ici et maintenant — et encore, peut-être, tout à l'heure et là-bas — s'efface devant la pression d'une détermination globale à mesure que le temps s'écoule et que l'espace s'élargit.

Ce qui n'empêche (ultime correction) que le déterminisme qui se réinstalle sur un plan large et à terme doit intégrer et intègre effectivement tous les effets de l'événement aléatoire, dont nous dirions pour notre part qu'il a enclenché ou précipité la recomposition.

D'autant que toute bifurcation favorisée par le hasard, dans un contexte qui en faisait cependant une des orientations possibles relativement probables mais qui est finalement condamnée par une sélection déterministe (par exemple, la dérive nazie en Allemagne, l'expérience communiste en Europe, l'Europe napoléonienne), n'en intervient pas moins, en tant qu'elle est constitutive d'une invariance mentale, dans la détermination des recompositions ultérieures.

En résumé, les fluctuations hasardeuses agissent effectivement et de manière ponctuellement décisive, au point de bifurcation, sur l'orientation que prend un système social dynamique, mais cette « réalisation » déterminante d'un événement aléatoire dépend des conditions initiales qui rendent une recomposition du système nécessaire, et leur devenir est en grande partie conditionné, à terme, par les contraintes de l'invariance.

Or, outre que les conditions initiales rendent toujours plusieurs bifurcations possibles, les contraintes de l'invariance laissent le champ des issues à ce point ouvert que l'échec constitue entre autres un des éléments de régulation d'un déterminisme purement tendanciel.

Ce que reproche René Thom à Prigogine et aux tenants de l'ordre par fluctuations chaotiques, c'est de « gommer mentalement le paysage dynamique global au profit de la petite perturbation déclenchante qui va faire s'effondrer la métastabilité du système vers un équilibre d'énergie inférieure[1] ».

« L'artifice, ajoute-t-il, consiste à faire croire que l'évolution ultérieure, aux effets spectaculaires, est effectivement créée par la fluctuation déclenchante. » Remarque juste : « C'est la dynamique déterministe sous-jacente qui module la statistique des fluctuations et non l'inverse »[2]. Tout est possible, localement et dans l'instant, avons-nous dit, mais sitôt que le local s'élargit et que l'instant s'étire, le possible ne devient probable qu'en fonction de son adéquation au sauvetage d'une invariance globale.

En ce sens, on peut conclure qu'une fluctuation ou une perturbation ne devient signifiante que dans la mesure où, dans un contexte d'instabilité structurelle, elle allume une mèche du processus de recomposition. Elle est déclenchante d'une évolution antérieurement latente qu'elle n'invente ni ne crée. L'élection partielle de Dreux, en France, a révélé dans les années quatre-vingt la montée du Front national, mais elle ne l'a pas créée. L'attentat de Sarajevo fut à la Première Guerre mondiale ce que l'étincelle est à l'incendie de forêt (ou l'éternuement au cyclone), c'est-à-dire la perturbation aléatoire dont l'effet aurait été insignifiant si n'avaient pas été réunies toutes les conditions nécessaires à la propagation catastrophique, par effets en chaîne, de cette déstabilisation de départ.

En d'autres termes, c'est l'accumulation des éléments objectifs (ainsi que l'accroissement de la pression thermique représentée, dans ces conditions favorables, par la pensée critique) qui, en rendant la structure d'un système donné totalement inadéquate aux mutations de son milieu interne et externe, et en la mettant de la sorte à la merci d'un facteur déclenchant, si aléatoire soit-il, détermine en dernière analyse la désintégration de cette structure, et c'est ensuite la nécessité de reconstituer globalement et à terme son invariance qui, en fin de compte, détermine l'orientation que prendra son processus de recomposition.

Dans un texte d'une lucidité impitoyable, Clausewitz montre comment la succession de hasards relatifs qui présida à la défaite française de Waterloo fut finalement marginale, eu égard à la prédétermination globale de la campagne de 1815, l'ensemble des

1. Ilya Prigogine, Isabelle Stengers, *op. cit.*
2. *Ibid.*

facteurs objectifs en cause condamnant Napoléon à la défaite finale : l'usure physique de l'empereur — qui donna ses ordres à Grouchy de telle façon que ce dernier n'avait aucune chance, quoi qu'on en ait dit, de déboucher au moment décisif sur le champ de bataille — participait activement (en tant que facteur mental et biologique) de ce déterminisme.

Ne s'est-il rien passé entre 1790 et 1830 ?

De la même façon pourrait-on effectuer une relecture *a posteriori* des événements révolutionnaires de 1789 à 1800, qui ferait apparaître un certain nombre de lignes de force de caractère déterministe, indépendamment (ou au-delà) des innombrables fluctuations plus ou moins aléatoires qui en rythmèrent et en perturbèrent le cours.

Si l'on part, comme l'a fait Taine dans ses *Origines de la France contemporaine*, d'une analyse exhaustive et fine des conditions initiales — autrement dit des facteurs d'inadéquation et donc de désintégration de la structure de l'Ancien Régime — et qu'on observe ensuite la forme que prend, par exemple à partir de 1830, cette structure profondément recomposée à l'issue d'un réaménagement radicalement adaptatif des principaux niveaux de son invariance, on peut à la limite considérer les accidents intermédiaires (la Terreur, l'Empire, la Restauration) comme des épiphénomènes. Or, ce faisant, on aurait à la fois tort et raison. Raison, car il est en effet possible de décrire rationnellement ce large pan d'histoire de manière si déterministe qu'on peut réduire chacune des fluctuations intermédiaires à un accident quasi insignifiant. Le régime orléaniste n'est-il pas la réalisation de l'« idée » de la Constituante, indépendamment de cette dérive sans issue que fut la Terreur (tentative impossible de briser frontalement les invariances) ? Mais tort, parce que ce sont précisément ces fluctuations en partie aléatoires qui, par l'intermédiaire des traces qu'elles laissèrent dans les mémoires et par leur autonomisation mentale, déterminèrent la suite du parcours évolutif.

L'accession de la France à la démocratie peut ainsi être décrite en termes purement déterministes (la preuve en est qu'aucun pays n'échappe à ce devenir), mais la forme résolument républicaine que revêt d'emblée en France cette accession relève de bifurca-

tions dont les causes furent pour partie aléatoires (la fuite à
Varennes, par exemple, ou le succès *a priori* improbable de la prise
des Tuileries le 10 août 1792, mais aussi l'échec antérieur de la
Fronde et du mouvement réformiste cabochien).

Deux autres événements ponctuels furent de la même façon tout
à fait indéterminables dans leur spécificité (bien que s'inscrivant
l'un et l'autre dans un déterminisme tendanciel) : le 18 Brumaire
de Napoléon Bonaparte et le 18 Juin du général de Gaulle. Or ils
eurent moins une incidence directe sur le cours général de la
phase historique qu'ils perturbèrent (dans le premier cas il y aurait
eu tout de même « restauration », puis de nouveau « révolution »,
dans le second cas « résistance » et « libération ») qu'ils ne pesè-
rent, au-delà de cette phase, sur le cours des événements qui pro-
longèrent cette séquence en partie prédéterminée. Que Pichegru,
dans le rôle de Monk, exécutât par exemple le coup d'État contre
le Directoire ou que le général Noguès, qui en eut la velléité, se
substituât à de Gaulle, et ce n'est pas l'orientation générale des
événements qui en eût été bouleversée, mais la nature des bifurcations qui s'ensuivirent. Bonapartisme et gaullisme représentent la
détermination *a posteriori* d'orientations spécifiques sélectionnées
de manière aléatoire.

Ramené à notre propos, qu'est-ce que cela signifie ? Que les
formes que les fluctuations aléatoires donnent au processus déterministe (ce qui, du point de vue de la micro-histoire, devient essentiel) exercent une influence déterminante sur toutes les phases
postérieures du processus. Ainsi l'évolution sociale se fait-elle par
larges phases déterministes que rythment des perturbations aléatoires qui, à leur tour, contribuent puissamment à modeler la
forme que prendront les phases déterministes suivantes. Les événements de Mai 68 en France, surtout à Paris, constituèrent par
exemple autant de fortes perturbations et fluctuations qui ne provoquèrent aucune bifurcation signifiante d'une évolution générale
largement prédéterminée (si ce n'est d'avoir favorisé le conservatisme pompidolien), mais devinrent par la suite, en tant que faits
de culture et de mémoire, un élément formel essentiel des déterminations collectives. Citons Henri Atlan : « Le déterminisme
strict pose l'impossibilité pour quelque chose de vraiment nouveau

de survenir réellement. » Mais : « Le hasard crée du nouveau à l'aide de lois déterministes »[1].

Le hasard comme démocratisation du déterminisme

Ne nous enivrons pas de mots : ni l'évolution ni l'histoire ne sont faites d'une succession de n'importe quoi, n'importe où, n'importe comment ; l'implacable mécanique (prévisible) qui conduisit aux deux guerres mondiales et qui écrasa les volontés individuelles en apporta une terrible illustration.

S'en tenir à une évolution et à une histoire chaotiques, faites d'une succession de mutations aléatoires, revient à laisser la sélection — effrayante dictature d'une nature abstraite, immanente et hégémonique — imposer seule son déterminisme *a posteriori*.

C'est en réaction à cette ultradétermination que nous avons émis l'hypothèse de la « double sélection » qui permet d'intégrer un principe d'auto-élaboration adaptative exerçant une pression sélective interne (somatique). En rompant ainsi avec l'idée d'un désordre généralisé, sans finalité aucune, que met *a posteriori* au pas une terrible police naturelle, nous avons en quelque sorte suggéré que le déterminisme était plus « démocratique » qu'on ne le pense ; nous avons proposé en effet de réintroduire, au sein de la chaîne aveugle des mutations aléatoires, un déterminisme purement tendanciel par auto-élaboration finalisée, et suggéré ainsi de libérer partiellement l'évolution du totalitarisme d'une sélection toute-puissante et inflexible. La tendance à recomposer une structure pour sauver son invariance (en particulier si celle-ci est déstabilisée par une mutation aléatoire) finalise « naturellement » le processus auto-élaboré qui oriente vers cette issue, avant même que la sélection ait eu à punir les contrevenants ou à juger de l'échec ou la réussite de cette aventure.

La remarque vaut, en partie au moins, pour l'évolution historique. Ce n'est évidemment pas la sélection naturelle, sorte de tribunal de l'histoire, qui trie *a posteriori* et ordonne de la sorte une succession chaotique de hasards. Nous prétendons que l'auto-élaboration sociale, à la suite de perturbations internes ou externes, d'une recomposition finalisée par la nécessité de sauver l'inva-

---

1. Henri Atlan, in *Le Débat, op. cit.*

riance globale de la structure fonctionne comme une pression sélective interne qui s'apparente à un déterminisme. Lorsque la bifurcation représente une déviance, le déterminisme global la gomme. Lorsqu'elle participe d'une auto-organisation adaptative, elle s'identifie au cours même de l'histoire.

De façon générale (et ceci est vrai à tous les niveaux du réel), une trajectoire déterministe se présente toujours sous une apparence chaotique. Tout système (par exemple moléculaire), comme le remarque René Thom, est extérieurement ordonné et intérieurement chaotique.

Si le général de Gaulle était mort dans un accident de voiture...

Encore convient-il de s'entendre sur le concept même de hasard. Le 421 est un jeu de hasard ; cela ne signifie pas que les dés qui roulent échappent absolument à toute détermination. Bien au contraire, chaque microfraction de leur mouvement général obéit à une loi. Mais ce déterminisme en soi théorique est par nous indéterminable. Spinoza définissait le hasard comme « l'interaction accidentelle de chaînes causales indépendantes » : ainsi la catastrophe provoquée par la collision entre un camion et une voiture. On pourrait certes s'épuiser à remonter ces deux chaînes causales de telle façon que l'interaction, c'est-à-dire la collision, s'avère inévitable. Mais les facteurs déterminants, eux-mêmes fortement déterminés, sont si nombreux, si divers, si indépendants les uns des autres qu'il est peu probable de parvenir jamais à les modéliser de façon synthétique ; d'ailleurs, l'exercice serait de peu d'intérêt, puisque l'accident a eu lieu et que la mise en question des facteurs en question ne contribuerait pas à réduire les accidents de la route. Si donc le général de Gaulle avait été victime d'un tel accident en 1957, on pourrait — et on devrait, faute de mieux — considérer qu'une catastrophe aléatoire, un terrible hasard a lourdement pesé sur le cours des événements. Mais c'est là une façon de parler. D'une part, parce que ce hasard n'est que la partie localement et concrètement indéterminable d'un déterminisme global abstrait ; et surtout parce que, de toute façon, si le général de Gaulle était mort en 1957 dans un accident de la route, on ignorerait complètement, et pour l'éternité, à quel déterminisme supposé ce malheureux hasard aurait mis fin !

René Thom a sans doute raison quand il fait remarquer qu'il existe une description déterministe possible du fait que Guillaume Tell a transpercé la pomme juchée sur la tête de son rejeton. Mais comme cette description doit faire entrer en ligne de compte non seulement les mouvements cinétiques de la flèche, mais en outre le moral, les nerfs, la volonté, le psychisme, la santé et l'assurance, l'entraînement et l'intelligence du héros suisse, au même titre que la force du vent, la densité de l'air, l'immobilité et donc la sérénité du marmot, on conviendra qu'un « rien » eût pu faire tourner l'épopée au drame. Or ce rien peut donc être considéré comme un hasard. Il fonctionne comme tel. Simplement, si le hasard heureux a agi (au moins symboliquement) comme l'enclencheur d'un processus libérateur (l'indépendance des cantons suisses), le hasard malheureux n'aurait débouché sur rien du tout. C'est dire qu'il n'existait pas de « choix » entre deux hasards : un seul était potentiellement enclencheur en fonction d'une situation politico-sociale prédéterminée.

Tant qu'on en reste au niveau de l'évolution historique, le hasard intervient donc à la fois dans les processus de mise à feu et dans le modelage des formes que prendront les déterminismes ultérieurs. On peut le définir en outre comme un choix non déterminable opéré parmi un nombre restreint de possibilités réelles (le 18 Brumaire, par exemple). Mais prendre acte de réalités situées hors du champ qui les rationalise ne signifie pas que ces réalités ne soient pas rationalisables. Le hasard pour nous n'est pas un hasard en soi[1].

Je n'irai pas plus loin. Il faut savoir mettre fin à une réflexion comme à une grève.

Je ne pouvais cependant faire l'économie de cette échappée finale sur la problématique, vieille comme l'épistémologie, du déterminisme et du hasard.

---

1. Le fait qu'on ne puisse à aucun moment préciser à la fois la position et la vitesse d'une particule constitutive de la lumière n'empêche pas la fonction d'onde d'obéir à une évolution déterministe dans le temps. Définie sur l'espace de phase, elle dépend des conditions initiales avec une probabilité de présence de plus en plus précise.

Ai-je réussi à montrer que la théorie exposée dans cet ouvrage entendait rompre radicalement avec ce type de faux dilemmes ?

Je l'espère d'autant plus ardemment que le refus de ces dualismes bipolarisants constitue, on l'aura compris, le fil rouge de notre démarche.

Ce n'est qu'au prix de cette récusation que l'on parviendra à fonder théoriquement un réformisme moderne.

L'antagonisme conservatisme/révolutionnarisme, dont nous avons montré l'objective complicité (ou complémentarité), s'articule à sa propre chaîne de sous-produits.

C'est donc à tous les niveaux que l'entreprise de subversion de cette fausse (mais néanmoins dominante) symétrie devra être menée.

Il s'agit de reformuler les termes, devenus structurellement archaïques, d'un débat qui, lui, est tendanciellement invariant, pour précipiter l'émergence d'une nouvelle problématique évolutive.

Et ensuite, à partir d'un espace central ainsi « révolutionné » (ce pour quoi j'ai parlé de « centrisme révolutionnaire »), agir sur les recompositions culturelles et sociales de manière à orienter le fleuve du devenir vers le lit que notre conception du progrès mentalement y creuse.

En somme, parce qu'on aura compris que rien structurellement ne change, faire en sorte que, par un incessant et volontariste remodelage de cette invariance, et parce que la liberté de l'homme le permet, tout change enfin. Radicalement et dans le bon sens. Et c'est urgent !

Table

Table 765

Table 767

*Composition réalisée
par S.C.C.M., Paris-XIVᵉ.*

*Impression réalisée sur CAMERON par
BRODARD ET TAUPIN
La Flèche*

*pour le compte des Éditions Fayard
en avril 1994*

*Imprimé en France
Dépôt légal : mai 1994
Nᵒ d'édition : 0047 – Nᵒ d'impression : 1933 J-5
ISBN : 2-213-02967-9
35-57-8903-01/3*